中华人民共和国史长编

第六卷 2002-2009

刘国新 贺耀敏 刘晓 武力 主编

HISTORY OF THE PEOPLE'S REPUBLIC OF CHINA

天津人民出版社

图书在版编目（CIP）数据

中华人民共和国史长编. 第6卷，2002~2009／刘国
新等主编. 一天津：天津人民出版社，2010. 2
ISBN 978-7-201-06465-9

Ⅰ．①中… Ⅱ．①刘… Ⅲ．①中国—现代史—2002~
2009　Ⅳ．①K27

中国版本图书馆CIP数据核字(2010)第 017619 号

天津人民出版社出版

出版人：刘晓津

（天津市西康路35号　邮政编码：300051）

邮购部电话：(022) 23332469

网址：http://www.tjrmcbs.com.cn

电子信箱：tjrmcbs@126.com

山东新华印刷厂德州厂印刷　新华书店经销

2010 年 2 月第 1 版　2010 年 2 月第 1 次印刷

787×1092 毫米　16 开本　47.25 印张　5 插页

字数:980 千字

定　价:258.00 元

总 编 委 会

第 六 卷

(2002 — 2009)

第六卷 编委会

前　言

　　《中华人民共和国史长编》在中华人民共和国成立60周年之际由天津人民出版社出版，这是作者与编者共同努力的结晶。

　　写这本书的初衷就是"存史"。至于怎么存？却是有些说道的。

　　就共和国史而言，以单一的体裁述说历史，有时会显得力不从心。因为人类社会一旦搭上现代化这趟快车，就不太可能是一个直线的轨迹了，社会的整体性和网络化以及与外部世界的关联程度都决定了历史面貌的立体化结构。为了能对此有一个很好的表达，《中华人民共和国史长编》由"总论"、"重大事件"、"文献资料"、"人物"及"大事记"五部分组成。五个部分既是独立的，又能互为补充。

　　"总论"，顾名思义，是史论，是论说本阶段历史概貌。这部分内容侧重分析历史发展的阶段性，每个阶段有哪些不同的特点。此外，对主要成就的归纳和经验教训的总结，也是"总论"的题中之义。在写作方法上，不是就事论事，而是以事引论。在对成败的判断上虽然不可能用太多的笔墨，但也不是浅尝辄止。读者通过"总论"会得到一个总括性的印象。

　　"重大事件"就是按照中国传统史学纪事本末体的写法，尽可能完整地揭示重要事件的起因、过程和结局。哪些属于"重大事件"呢？首先是政治运动和社会变革，比如"三反"、"五反"运功，新中国成立初期的"禁毒运动"；接下来是重要的事件、决策和会议，比如抗美援朝战争、国民经济五年计划、全国人大和全国政协会议；再接下来就是治国理念和方略、重要的思想、重要成就，比如"三步走"发展战略、"三个代表"重要思想、科学发展观、中国成功举办奥运会等;还有主要的社会现象、社会思潮、社会习俗、突发公共事件以及重大自然灾害,比如知识青年上山下乡、防治"非典"、抗震救灾等等。大体说来,前30年因为政治运动较多,一个事件基本上就是一次运动,比较容易独立成篇;后30年国家各项工作的重点转到经济建设,不再搞运动,所以,"事件"更多的是表现为某个领域的发展、某项政策的贯彻、某一方略的提出。不管是政治运动也好,还是发展方略也罢,它们都是历史的关节点,点点相连,就组成共和国历史的脉络主线。我们在这部分里面还安排了"港澳台"专题,对于1997年前的香港和1999年前的澳门,为了照顾历史的完整性,也作了简单的引述性记载。在编排上,依照政治、经济、文化、军事、外交几大板块排列,每个板块内按时间的先后为序。

"人物"吸收了传统史学纪传体的长处,简述人物的经历。传主为在共和国创立、建设和改革过程中建功立业的人物,也适当地收录了其他方面的代表人物。这里有两个具体的标准,首先是已经去世的,仍然健在的不收。其次是凡党政军系统人物一般按正部级以上出条,其他方面如教育界、科技界、文艺界、学术界的人物则以其学术成就和社会影响为依据,这里面虽然很难定出一个明确的标准,但从约定俗成或公众认可的角度看,还是能够画出一个杠杠的。人

物按姓氏音序排列。

"大事记"是学习传统史学编年史体例,以年、月、日为经,以事件为纬。在遵守通常的编写大事记体例的基础上,本书还有自己的考虑。其一,从史学定位看,本书的"大事记"是中观史学,甚至包括一点点微观事件。因为以全书的互补关系,"重大事件"主要反映宏观史学,那么,"大事记"定位于中观带点微观就是恰如其分的,这充分体现本书各个部分所代表的不同层次。其二,从收录的领域看,"大事记"除了政治、经济、文化、军事、外交以外,还有教育、科技、新闻、出版、学术、卫生、体育、民族、宗教、国土、人口、气象等林林总总的事,它编织的是一幅更为细密的网络。"大事记"有部分内容同"重大事件"相重复,本书的处理办法是,凡"重大事件"已有的,"大事记"一概从简。

"文献资料"包括从中央到地方各级党、政、军、民主党派、人民团体的组织沿革和职官,以及研究成果总目。

本书的九卷分别是"重大事件"六卷:第一卷(1949—1956)、第二卷(1956—1966)、第三卷(1966—1978)、第四卷(1978—1991)、第五卷(1992—2002)、第六卷(2002—2009)。这种分法,不是本书的独创,完全是参照近些年学术界,包括党史学界和国史学界关于阶段的划分法,同时也自觉这六卷的编排无论从其所呈现出来明显的阶段性,还是从国

家最高层级的对应上也还说得过去。第七卷为"人物"卷,第八卷和第九卷为"大事记"卷。

粗粗算来,国内对于共和国史研究有近30年了,出版著作百十来部,时间和数量能不能成为一个标志,还很难说,因为绝大多数著作都是教材。我们认为,共和国史若真正成为一门学科,按史书范式写出一批论著是基本条件。本书不敢妄谈水平多高,但宽领域、多视角的记述,多多少少还是做到了存史的目的。把过去发生的事情娓娓道来,写清楚它们的来龙去脉,应了孔子所说的"物有本末,事有始终,知所先后,则近道矣"和刘知几所强调的"良史以实录直书为贵"的要求。如果条件允许,本书每隔10年重新补充修订一次,长此下去,也会成为一个可观的文化建设。

中华人民共和国史长编

（第六卷 2002—2009）

目　　录

总　论

开创改革开放新局面

2002年召开的中共十六大确立了"全面建设小康社会,加快推进社会主义现代化,开创中国特色社会主义事业新局面"的发展战略,2003年10月召开的中共十六届三中全会,在中共十六大确定的全面建设小康社会战略目标基础上,提出了指导经济发展的新思想,即"以人为本"的科学发展观,并提出要以"五个统筹"全面协调中国社会经济发展。以此为标志,中国经济发展和改革进入一个新的历史时期。2006年,中国第十一个国民经济和社会发展五年规划审议通过。缩小贫富差距,扭转社会两极分化趋势,成为新的经济发展主题。2007年召开的中共十七大对继续推进改革开放和社会主义现代化建设、全面建设小康社会的宏伟目标作出了全面部署。

多难兴邦,中华民族的崛起不可能是一帆风顺的。只有众志成城的民族凝聚力和开拓进取的创新精神才能使"中国式发展道路"赢得人们的赞赏和尊重。2003年的"非典"疫情、2008年初南方部分地区严重低温雨雪冰冻灾害以及5月的汶川大地震非但没有压垮我们,反而使我们的民族凝聚力空前增强;以科学发展观为指导的治国经济方针正在走上调整产业结构、转变经营模式的健康之路。中国民主政治的发展和健全使和谐社会建设深入人心,小康社会、新农村建设、城乡一体化发展战略的提出和实施使得我们在2008年世界金融危机袭来时能够从容应对,密集出台一系列振兴规划,顺利实现经济企稳回升,成为世界经济最先转暖的"优等生"。与此同时,我们还非常注重"以人为本"的民生观,大力弘扬和开展社会主义精神文明建设,全面提升中华民族的素质。社会主义文化建设取得了巨大成就，文化发展理念不断创新。十六大以来，公共文化服务体系建设取得举世瞩目的成就，覆盖全社会的公共文化服务体系初步建成。广播电视"村村通"工程、农村电影放映工程、乡镇综合文化站等农村文化建设重点工程广泛实施。

十六大以来，教育始终被摆在优先发展的战略地位，并取得显著成绩。科教兴国战略不断被强化，国家创新体系建设进展顺利，企业对科技进步和经济发展的推动作用愈发明显。2008 年，北京奥运会和残奥会成功举行，向世界展示了中国改革开放和社会主义现代化建设的巨大成就，展示了中国人民昂扬向上的精神风貌。2010 年即将在上海举办的世博会及在广州举办的亚运会也将再一次吸引世界的目光。在中共中央和中央军委领导下，中国人民解放军积极推进中国特色军事变革，努力实现机械化和信息化复合式发展，开创了国防建设与经济建设协调发展的新局面。迈入新世纪，面对复杂的国际形势，中国顺应世界多极化和经济全球化的趋势，继续奉行独立自主的和平外交政策，全面发展同世界各国的友好合作关系，广泛开展多边外交，积极参与国际事务并发挥建设性作用，国际地位和国际影响力日益增长。截至 2009 年 6 月，同中国建交国达到 171 个。2009 年元旦始，中国海军抵达亚丁湾、索马里海域执行护航任务，再次彰显了负责任的大国形象。中国开展的经济外交、文化和公众外交、安全外交均取得了重大进展，为维护国家发展的重要战略机遇期，争取和平稳定的国际环境、睦邻友好的周边环境、平等互利的合作环境和客观友善的舆论环境、维护世界和平、促进共同发展作出了积极贡献。

在祖国统一事业的推进方面，中国不仅维持了香港和澳门回归后的繁荣与稳定，也使得海峡两岸关系有了新的突破。

一

科学发展观指导下的和谐社会构建

2003 年召开的中共十六届三中全会正式提出了"科学发展观"的理念。随着科学发展观的提出和贯彻，经过不断的探索，中共十七大又第一次提出了加快转变"经济发展方式"的要求，为我国经济社会的发展确立了新的指导方针。

1. 科学发展观的提出

在社会主义现代化建设事业的进程中，中国共产党的每一代领导集体都对中国发展理念和发展道路作出了有益的探索和尝试。2003 年"非典"疫情的爆发和成功应对，不仅让我们积累了处理突发公共事件的经验，同时也提醒我们，在国民经济经过长期高速发展，我国实现了小康目标和基本建立起社会主义市场经济制度以后，应该更加关注经济和社会的全面发展。因此，2003 年 10 月召开的中共十六届三中全会提出：必须坚持以人为本，树立全面、协调、可持续的发展观，促进经济社会和人的全面发展。胡锦涛总书记在这次会议上指出，树立和落实科学发展观，是推进全面建设小康社会的迫切要求。而要实现全面建设小康社会的宏伟目标，就必须促进社会主义物质文明、政治文明和精神文明协调发展，坚持在经济发展的基础上促进社会全面进步和人的全面发展，坚持在开发利用自然中实现人与自然的和谐相处，实现经济社会的可持续发展。这样的发展观符合社会发展的客观规律。①

2007年召开的中共十七大,对科学发展观的内涵作出了如下更为全面、深刻的阐述:②

第一,发展是科学发展观的第一要义。必须坚持把发展作为党执政兴国的第一要务。发展,对于全面建设小康社会、加快推进社会主义现代化,具有决定性意义。必须坚持以经济建设为中心,不断解放和发展社会生产力。更好地实施科教兴国战略、人才强国战略、可持续发展战略,着力把握发展规律、创新发展理念、转变发展方式、破解发展难题、提高发展质量和效益,实现又好又快发展,为发展中国特色社会主义打下坚实基础。

第二,以人为本是科学发展观的核心。全心全意为人民服务是党的根本宗旨,党的一切奋斗和工作都是为了造福人民。要始终把实现好、维护好、发展好最广大人民的根本利益作为党和国家一切工作的出发点和落脚点,尊重人民主体地位,发挥人民首创精神,保障人民各项权益,走共同富裕道路,促进人的全面发展,做到发展为了人民、发展依靠人民、发展成果由人民共享。

第三,全面协调可持续是科学发展观的基本要求。要按照中国特色社会主义事业总体布局,全面推进经济建设、政治建设、文化建设、社会建设,促进现代化建设各个环节、各个方面相协调,促进生产关系与生产力、上层建筑与经济基础相协调。坚持生产发展、生活富裕、生态良好的文明发展道路,建设资源节约型、环境友好型社会,实现速度和结构质量效益相统一、经济发展与人口资源环境相协调,使人民在良好生态环境中生产生活,实现

经济社会永续发展。

第四,统筹兼顾是科学发展观的根本方法。要正确认识和妥善处理中国特色社会主义事业中的重大关系,统筹城乡发展、区域发展、经济社会发展、人与自然和谐发展、国内发展和对外开放;统筹中央和地方关系;统筹个人利益和集体利益、局部利益和整体利益、当前利益和长远利益,充分调动各方面积极性;统筹国内国际两个大局,树立世界眼光,加强战略思维,善于从国际形势发展变化中把握发展机遇、应对风险挑战,营造良好的国际环境。既要总揽全局、统筹规划,又要抓住牵动全局的主要工作、事关群众利益的突出问题,着力推进、重点突破。

可以说,科学发展观是中国共产党在新的历史条件下,进行中国特色社会主义理论探索和实践的最新成果。它的提出不仅丰富和发展了马克思主义的发展理论,也在市场经济体制和实现了小康目标这个新的历史条件下,为我的社会主义现代化建设事业又提出了新的指导思想和方针政策。

2. 和谐社会的构建

市场经济所导致的垄断和两极分化趋势,我国经济发展和社会转型过程中产生的问题,例如地区差距、城乡差距、收入差距、阶层分化、过度竞争等,在解决了温饱问题以后,都开始凸显出来,都需要运用政府这只"看得见的手"来加以调控,这也是社会主义市场经济的应有之义,构建和谐社会和社会主义新农村建设就是在这个背景下提出的。

2002年11月,中共十六大在阐述全面建设小康社会的奋斗目标时,明确提出

---

① 《十六大以来重要文献选编》(上),中央文献出版社,2005年版,第483页。
② 《中国共产党第十七次全国代表大会文件汇编》,人民出版社,2007年版,第14—16页。

"社会更加和谐"的发展要求。2004 年 9 月,中共十六届四中全会明确提出构建社会主义和谐社会的战略任务。2005 年 2 月,胡锦涛总书记在省部级主要领导干部专题研讨班发表重要讲话,提出社会主义和谐社会应该是民主法治、公平正义、诚信友爱、充满活力、安定有序、人与自然和谐相处的社会。2006 年 10 月,中共十六届六中全会审议通过《中共中央关于构建社会主义和谐社会若干重大问题的决定》(简称《决定》),提出了 2020 年构建社会主义和谐社会的美好目标,对当前和今后一个时期构建社会主义和谐社会作出全面部署。2007 年 3 月,胡锦涛总书记进一步阐明了构建社会主义和谐社会必须坚持"在共建中共享,在共享中共建"的重大原则。

中共中央十六届六中全会通过的《决定》全面分析了建设社会主义和谐社会的必要性和历史背景。[①]《决定》指出,社会和谐是中国特色社会主义的本质属性,是国家富强、民族振兴、人民幸福的重要保证。我们要构建的社会主义和谐社会是在中国特色社会主义道路上,中国共产党领导全体人民共同建设、共同享有的和谐社会。《决定》提出,到 2020 年,构建社会主义和谐社会的目标和主要任务是:社会主义民主法制更加完善,依法治国基本方略得到全面落实,人民的权益得到切实尊重和保障;城乡、区域发展差距扩大的趋势逐步扭转,合理有序的收入分配格局基本形成,家庭财产普遍增加,人民过上更加富足的生活;社会就业比较充分,覆盖城乡居民的社会保障体系基本建立,基本公共服务体系更加完备,政府管理和服务水平有较大提高;全民族的思想道德素

质、科学文化素质和健康素质明显提高,良好道德风尚、和谐人际关系进一步形成;全社会创造活力显著增强,创新型国家基本建成;社会管理体系更加完善,社会秩序良好;资源利用效率显著提高,生态环境明显好转;实现全面建设惠及十几亿人口的更高水平的小康社会的目标,努力形成全体人民各尽其能、各得其所而又和谐相处的局面。

3. 小康社会的建设

贫困问题尤其是农村居民贫困问题是影响我国社会和谐的最大问题之一,也是我国构建和谐社会中成效最为显著的领域之一。按照我国政府的贫困标准,我国绝对贫困人口已经从 1978 年的 2.5 人亿下降到 2005 年的 2365 万人,贫困发生率从 30.7% 下降到 2.5%。我国是全球唯一提前实现了联合国千年发展目标中使贫困人口减半目标的国家。

尽管我国减贫成效显著,但仍面临着严峻的形势。一是贫困人口绝对数量依然庞大,初步解决温饱但还不稳定的农村低收入人口为 4067 万。这些贫困人口分布在生产生活条件极差的地区,市场经济发育程度低,人力资源严重不足,收入来源匮乏,极易返贫,是我国扶贫工作面临的最大挑战。二是扶贫成本增加,脱贫速度放缓。20 世纪 80 年代,全国农村贫困人口年均减少 1350 万,到 90 年代年均减少 530 万,而在 2002 年至 2005 年期间,年均减少人数仅为 140 万。三是贫困群体的弱势地位更加突出,收入与社会事业方面的差距持续拉大。21 世纪初,贫困人口收入上限与一般农民的收入差距从 1:2.45 扩大到了 1:4.76,贫困地区教育、卫生、社会保障等社会服务水平提高幅度长期

---

① 《十六大以来重要文献选编》(下),中央文献出版社,2008 年版,第 648—671 页。

低于发达地区。①

为消除贫困,建设社会主义和谐社会,党中央和国务院从各个方面加大了对贫困地区支持的力度。通过实施"国家八七扶贫攻坚计划"和"2001—2010 年的中国农村扶贫开发纲要",我国在缓解贫困方面取得了辉煌成就,农村居民生活从普遍贫困到整体解决了温饱。2007 年末,全国农村绝对贫困人口为 1479 万人,比 1978 年的 2.5 亿人减少 2.3 亿多人,年均脱贫 800 多万人;贫困人口发生率为 1.6%,比 1978 年的 30.7%下降了 29.1 个百分点。2007 年初步解决温饱但还不稳定的农村低收入人口为 2841 万人,比 2000 年的 6213 万人减少 3372 万人,年均减少 400 多万人;农村低收入人口比重为 3.0%,比 2000 年的6.7%下降了 3.7 个百分点。②

全面实现小康,是构建和谐社会的物质基础。2001—2007 年,我国经济发展迅猛,城乡居民生活向全面建设小康社会扎实迈进。进入新世纪,党中央、国务院先后出台了逐步减免和取消农业税、实行粮食直补等一系列前所未有的惠农举措,大大提高了农民的生产积极性,使农民特别是种粮农民真正得到了实惠,对农民收入的增加起到了至关重要的作用。另外,扶贫开发力度的加大,新农村建设的推进,也为农民增收起到了促进作用。农村居民家庭人均纯收入从 2001 年的 2366.4 元增长到 2007 年的 4140.4 元,扣除物价因素,年均增长 6.2%;人均生活消费支出从 2001 年的 1741.09 元增长到 2007 年的 3223.85 元;恩格尔系数从 2001 年的 47.7%下降到 2007 年的 43.1%。

这一时期,分配制度的改革进一步推进,各级政府切实落实各项增收措施,促使效益好的企业纷纷增加职工工资及奖金、福利补贴;工资制度改革使机关事业单位职工工资明显提高,城镇居民收入有了较快的增长。城镇居民家庭人均可支配收入从 2001 年的 6859.6 元增长到 2007 年的 13785.8 元,扣除物价因素,年均增长高达 10.1%;人均生活消费支出从 2001 年的 5309.01 元增长到 2007 年的 9997.47 元;恩格尔系数从 2001 年的 38.2%下降到 2007 年的 36.3%。③ 这一时期,城乡居民收入快速增长,收入来源渠道更加多元化,收入结构明显优化,居民的钱袋更加股实;消费内容更加丰富,消费质量全面提高,住房条件明显改善,城乡居民生活向全面小康社会迈进扎实的一步。

政治体制改革的深化

在科学发展观和构建和谐社会思想的指导下,2002 年以来我国的社会主义民主和法治建设也取得了重大进展:中国共产党十七大首次提出了民主是社会主义的本质;积极推进自下而上的基层民主政治建设和自上而下的政府机构改革和职能转变;加快了与社会主义市场经济基础相适应的立法;加大了惩治腐败的力度和利用互联网等新手段对政府行为和官员的监督。

1. 社会主义民主的扩大

2002 年中共十六大后,人民代表大会

① 国务院扶贫办公布数据,资料来源:新华网。
② 国家统计局:《改革开放 30 年报告之五:城乡居民生活从贫困向全面小康迈进》。
③ 同上。

制度、中国共产党领导的多党合作和政治协商制度、民族区域自治制度以及基层群众自治制度日益健全和完善,政府民主和司法民主不断发展。我国社会主义民主进一步扩大。

在人民代表大会制度方面,为了更好地发挥全国人大作为国家最高权力机关的作用,2005 年 5 月,中共中央提出进一步发挥全国人大代表作用、加强全国人大常委会制度建设的意见,进一步明确了坚持和完善人民代表大会制度、做好新形势下人大工作的方向和重点,促进了代表工作的制度化、规范化、程序化。在此意见的指导下,人民代表大会制度进一步完善和发展。目前各级人大代表的产生都依法实行差额选举。选民和选举单位有权依照法律规定的程序,罢免或者撤换自己选出的代表。各级人大代表来自各民族、各行业、各阶层、各党派,具有广泛的代表性。各级人大代表中均有相当数量的工人、农民代表。十届全国人大代表中,工人、农民代表占总数的 18.4%。①

2007 年 10 月,中共十七大又提出"建议逐步实行城乡按相同人口比例选举人大代表"。选举民主将更加扩大。与此同时,中国的立法民主也不断向前推进。几乎每一件法案的起草都采取专家座谈会、论证会等形式,充分听取专家的意见。有的法案还由立法机构直接委托社会研究部门起草。对于像物权法草案等关系到人民切身利益的重要法律案,全国人大及其常委会在制定过程中,都把草案向全民公布征求意见,让人民群众直接参与法律的制定,以确保法律能够充分体现人民的意愿和要求。

在中国共产党领导的多党合作和政治协商制度方面,2005 年 2 月,中共中央颁发了《关于进一步加强中国共产党领导的多党合作和政治协商制度建设的意见》,在总结多党合作和政治协商的历史经验和成功做法的基础上,进一步明确了多党合作和政治协商的原则、内容、方式、程序等,使多党合作和政治协商制度进一步规范化和程序化。2006 年 2 月,中共中央颁发了《关于加强人民政协工作的意见》,使广泛的爱国统一战线的重要作用继续得到巩固和发展。2007 年 10 月,中共十七大再次重申,要坚持和完善中国共产党领导的多党合作和政治协商制度,不断推进社会主义政治制度自我完善和发展。多党合作和政治协商制度由此呈现出新的发展局面。据统计,截至 2006 年底,民主党派成员和无党派人士担任全国人大常委会副委员长的有 7 人,担任全国政协副主席的有 13 人。在各级政府和司法机关担任县处级以上职务的共有 3.1 万人,其中最高人民法院、最高人民检察院和国务院部委办、直属局担任领导职务副职的有 18 人;全国 31 个省、自治区、直辖市中,担任副省长、副主席、副市长的有 24 人。还有许多民主党派成员、无党派人士在高等院校、人民团体、科研院所和国有企业中担任领导职务,如在中国科学院所属 93 个研究所中有 69 人,教育部直属 72 所高等院校中有 38 人。2007 年,民主党派成员、无党派人士又有 2 人分别担任国务院科技部、卫生部部长职务。② 他们都在各自的岗位上发挥着重要的作用。

在民族区域自治制度方面,各民族自

---

① 中华人民共和国国务院新闻办公室:《中国的民主政治建设》(2005 年 10 月),《人民日报》,2005 年 10 月 20 日。

② 中华人民共和国国务院新闻办公室:《中国的政党制度》(2007 年 11 月),《人民日报》,2007 年 11 月 16 日。

治地方依法行使自治权，民主地参与国家和社会事务的管理，形成了各民族相互支持、相互帮助，共同团结奋斗、共同繁荣发展的和谐民族关系。一是各少数民族自主地管理本民族、本地区的内部事务。中国155个民族自治地方的人民代表大会常务委员会中都有实行区域自治的民族的公民担任主任或副主任，自治区主席、自治州州长、自治县县长则全部由实行区域自治的民族的公民担任。同时，各少数民族还通过选出本民族的全国人大代表，行使管理国家事务的权利。自一届全国人大以来，历届全国人大少数民族代表的比例都高于少数民族人口的比例。如十届全国人大有少数民族代表415名，占代表总数的13.91%，高于人口比例5.5个百分点。① 二是少数民族语言文字得到广泛使用和发展。目前，中国有22个少数民族使用28种本民族文字。各少数民族无论在司法、行政、教育等领域，还是在国家政治生活和社会生活中，都可以使用本民族语言文字。中国共产党全国代表大会、全国人民代表大会和中国人民政治协商会议等重要会议上都提供蒙古、藏、维吾尔、哈萨克、朝鲜、彝、壮等民族语言文字的文件和同声传译。三是少数民族的宗教信仰自由得到尊重和保护，合法的正常宗教活动得到保障。截至2004年底，西藏自治区共有1700多处藏传佛教活动场所，住寺僧尼约4.6万人；新疆维吾尔自治区共有清真寺约2.39万座，教职人员约2.7万人。此外，民族自治地方还有权保持或者

改革本民族风俗习惯，自主安排、管理和发展本地方经济建设事业，自主管理地方财政，自主发展教育、科技、文化、卫生、体育等社会事业。②

在基层群众自治制度方面，以农村村民委员会、城市居民委员会和企业职工代表大会为主要内容的基层民主自治体系已经建立。截至2004年底，中国农村已建立起64.4万个村民委员会。全国城市已经建立了符合新型社区建设要求的71375个居民委员会。建立工会的企事业单位有173.2万个；全国基层工会所在企事业单位建立职工代表大会的有36.9万个，覆盖职工7836.4万人；实行厂务公开的有31.6万个，覆盖职工7061.2万人。③

在政府行政管理方面，2003年2月，中共十六届二中全会审议通过《关于深化行政管理体制和机构改革的意见》，提出了形成行为规范、运转协调、公正透明、廉洁高效的行政管理体制的要求。2004年3月，为促使政府进一步转变管理职能，改革行政管理方式，规范行政机关的行政行为，国务院颁布《全面推进依法行政实施纲要》，明确了建设法治政府的目标和任务。2008年2月，为进一步推动行政管理体制改革，加强政府自身建设，中共十七届二中全会审议通过《关于深化行政管理体制改革的意见》，提出了建立比较完善的中国特色社会主义行政管理体制的目标。④

在司法民主建设方面，2003年以来，我国进一步改革和完善司法体制与工作

---

① 中华人民共和国国务院新闻办公室：《中国的民族区域自治》(2005年2月)，《人民日报》，2005年3月1日。
② 中华人民共和国国务院新闻办公室：《中国的民主政治建设》(2005年10月)，《人民日报》，2005年10月20日。
③ 同上。
④ 《政府工作报告——2008年3月5日在第十一届全国人民代表大会第一次会议上》，《人民日报》，2008年3月20日。

机制,加强司法民主建设,努力通过公正司法保障公民和法人的合法权益,实现社会公平和正义。一是不断完善司法公开制度。各级法院除法律规定不应当公开审理的案件外,一律实行公开审理,允许普通公民和新闻媒体记者旁听审理过程。在审理过程中公开举证、质证,公开审判。通过推进司法公开,公众的参与权、知情权、诉讼权有了更好的保障。二是加强对司法权的监督制约。通过加强制约和监督,一些影响司法公正的突出问题得到有效解决。对诉讼活动的检察监督机制,特别是对司法工作人员渎职行为的监督机制进一步健全。人民监督员试点工作平稳推进,重点对不服逮捕、拟撤销、拟不起诉案件实施监督。截至2004年底,全国共选任人民监督员18962人,监督结案3341件。①

2. 中国特色社会主义法律体系的基本形成

2002年中共十六大重申"加强立法工作,提高立法质量,到2010年形成中国特色社会主义法律体系"②。为此,十届全国人大及其常委会从一开始就明确提出了在任期内"以基本形成中国特色社会主义法律体系为目标、以提高立法质量为重点"的立法工作思路,并在总结经验、广泛征求立法项目建议、深入调查研究,充分听取各方面意见的基础上,制定了五年立法规划。列入规划的立法项目共76件,涵盖了中国特色社会主义法律体系的各个法律部门。五年来,十届全国人大及其常委会共审议宪法修正案草案、法律草案、

法律解释草案和有关法律问题的决定草案106件,通过了其中的100件。③ 一批在中国特色社会主义法律体系中具有支架作用的重要法律相继出台。

根据中共中央关于修改宪法部分内容的建议,审议通过宪法修正案,确立"三个代表"重要思想在国家社会生活中的指导地位,把中共十六大确定的重大理论观点、重大方针政策载入宪法,并在宪法中明确国家尊重和保障人权、依法保护公民的财产权和继承权,充分体现了党的主张和人民意志的统一,成为我国宪法史上又一重要里程碑。根据香港特别行政区基本法的立法原意,对基本法及其附件有关条款作出解释并通过相关决定,对保障基本法正确实施、推进香港民主健康发展、维护香港长期繁荣稳定发挥了不可替代的作用。制定监督法,完善各级人大常委会监督的形式和程序,有力地推动了人大监督工作的制度化、规范化、程序化。制定公务员法,贯彻党的干部路线方针政策,为推进干部人事制度改革提供了有力的法律保障。

适应发展社会主义市场经济的客观需要,全面推进经济法制建设。遵循优胜劣汰的市场法则,制定适用于所有企业法人的企业破产法,规范企业破产程序,确立了企业有序退出市场的法律制度。根据我国国情制定反垄断法,确立了与我国经济发展阶段相适应的预防和制止垄断、保护和促进公平竞争的法律制度,有利于维护市场经济秩序,保护消费者权益,促进技术进步。为加强金融监管,维护金融

① 中华人民共和国国务院新闻办公室:《中国的民主政治建设》(2005年10月),《人民日报》,2005年10月20日。
② 中共中央文献研究室编:《十六大以来重要文献选编》上卷,中央文献出版社,2005年版,第25—26页。
③ 《全国人民代表大会常务委员会工作报告——2008年3月8日在第十一届全国人民代表大会第一次会议上》,《人民日报》,2008年3月22日。

秩序,制定银行业监督管理法、反洗钱法,修改中国人民银行法、商业银行法、证券法等,完善了金融法律制度。按照税收制度改革目标,制定企业所得税法,统一内外资企业所得税,规范了税前扣除标准和税收优惠政策。三次修改个人所得税法,减轻了中低工薪收入者的纳税负担,加强了对高收入者的税收征管。作出废止农业税条例的决定,结束了2000多年农民种田纳税的历史,向实行城乡统一税制迈出了重要一步。制定农民专业合作社法,对提高农民的组织化程度,促进农业产业化经营具有重要意义。

按照构建社会主义和谐社会的要求,着力加强社会领域立法。在健全劳动和社会保障的法律制度方面,常委会先后通过了劳动合同法、就业促进法、劳动争议调解仲裁法。针对反映强烈的社会领域问题,修订义务教育法,将义务教育经费保障机制以法律形式固定下来,将实施素质教育写入法律,将义务教育均衡发展作为目标确定下来。修改妇女权益保障法,第一次在法律上明确实行男女平等是国家的基本国策。修改未成年人保护法,进一步强化家庭、学校、社会、政府的保护责任,突出未成年人受教育权。

十届全国人大三次会议审议并高票通过的《反分裂国家法》,是关系国家主权和领土完整、实现祖国和平统一大业的重要法律。全国人大及其常委会贯彻中共中央对台工作的大政方针,坚持一个中国原则决不动摇、争取和平统一的努力决不放弃、贯彻寄希望于台湾人民的方针决不改变、反对"台独"分裂活动决不妥协,紧紧围绕反对和遏制"台独"分裂活动、促进祖国和平统一这个主题,把国家关于对台

工作的一系列重大原则和方针政策措施以法律形式固定下来,充分体现我们以最大诚意、尽最大努力实现两岸和平统一的一贯主张,同时表明全中国人民为维护国家主权和领土完整,决不允许任何人以任何名义任何方式把台湾从祖国分裂出去的共同意志和坚定决心,为反对和遏制"台独"分裂活动、促进祖国和平统一提供了有力的法律保障。

物权法是在市场经济条件下规范民事财产关系的基本法律。物权法的制定涉及我国基本经济制度,关系广大人民群众切身利益,备受社会关注,从研究起草到颁布实施历时13年。十届全国人大常委会高度重视物权法的立法工作,采取积极慎重的态度,投入很大精力,做了大量工作,对原草案作了重大修改。经多次审议,十届全国人大五次会议高票通过的物权法,体现了社会主义基本经济制度,遵循了平等保护物权的原则,强化了国有资产保护,贯彻了现阶段党在农村的基本政策,规范了现实生活中群众最为关注的问题。物权法以明确物的归属、发挥物的效用、保护权利人的物权为立法宗旨,进一步完善了中国特色社会主义物权法律制度。

在前几届全国人大及其常委会立法工作的基础上,经过十届全国人大及其常委会的不懈努力,至2008年3月,我国现行有效的法律已达229件,加上现行有效的行政法规约600件、地方性法规7000多件、民族自治地方的自治条例和单行条例600多件,构成中国特色社会主义法律体系的各个法律部门已经齐全,各个法律部门中基本的、主要的法律及配套规定已经制定出来,中国特色社会主义法律体系已经基本形成。①

---

① 中华人民共和国国务院新闻办公室:《中国的法治建设》(2008年2月),《人民日报》,2008年2月29日。

中国特色社会主义法律体系,以宪法为核心,以法律为主干,是一个部门齐全、层次分明、结构协调、体例科学的统一整体,主要由七个法律部门和三个不同层级的法律规范构成。七个法律部门是:宪法及宪法相关法,民法商法,行政法,经济法,社会法,刑法,诉讼与非诉讼程序法。三个不同层级的法律规范是:法律,行政法规,地方性法规、自治条例和单行条例。这些现行有效的法律、法规和规章,构成了中国特色社会主义法律体系的具体内容。

中国特色社会主义法律体系的基本形成,使国家经济、政治、文化、社会生活的各个方面基本实现了有法可依。这一重要成就,为依法治国、建设社会主义法治国家、实现国家长治久安提供了有力的法制保障。

三

不断完善社会主义市场经济

在新旧世纪之交,我国初步建立了社会主义市场经济体制。2002 年党的十六大以来,我们则经历了一个不断完善社会主义市场经济体制的过程。2003 年 10 月,中国共产党十六届三中全会通过《中共中央关于完善社会主义市场经济体制的决定》,提出了完善社会主义市场经济体制的目标、任务、指导思想和原则。

1. 初步建立社会主义市场经济体制

从 2003 年开始,我国社会主义市场经济体制的完善主要体现在以下几个方面:

第一,国有经济布局和结构的调整不断推进,国有企业改革步伐加快。2003 年国务院国资委成立,此后,国有经济布局的战略性调整进一步加快,推动着国有资本更多地向关系国家安全和国民经济命脉的重要行业和关键领域集中。中央企业的数量不断减少,2006 年底为 159 家,2007 年底为 151 家,2008 年底则重组为 142 家。国有资产出资人制度得以确立并日益完善。国有资本经营预算制度改革试点范围逐步扩大。电力、电信、航空、铁路等垄断行业的改革方案相继得到落实。国有企业的公司制股份制改革和国有独资公司董事会试点也在稳步推进,2008 年 17 家试点中央企业董事会中的外部董事都已超过半数,几年来一批中央企业先后在境内外上市或增发股票,公司治理结构日益完善。通过改革,国有经济在关键行业和重要领域仍占绝对的支配地位,而国有企业在走向市场的过程中也逐步发展壮大,形成了一批具有国际竞争力的优强企业。2007 年,跻身世界 500 强的 9 家工业企业全部为国有及国有控股企业,在中国制造业 500 强中,国有及国有控股企业占了企业总数的 44.4%,主营业务收入占 54.2%。①

第二,所有制结构进一步优化。政府在大力推进国有企业改革的同时,也制定和实施了一系列政策措施,改善体制和政策环境,以鼓励、支持和引导个体私营等非公有制经济的发展。在这些政策的促进下,非公有制经济获得了快速发展,在促进经济增长,扩大就业和活跃市场等方面,发挥着越来越大的作用。2007 年,全国登记的个体工商户为 2741.5 万户,私营企业 551.3 万家,在规模以上工业中,非公企业数量达 30.3 万个,占全部规模以上工业企业数的 90%。同年,全社会固定资产投资中非公有制企业完成投资占 30% 以

---

① 国家统计局:《改革开放 30 年报告之九:工业经济在调整优化中实现了跨越式发展》。

上,限额以上批发、零售、住宿、餐饮业中,非公有制法人企业数量占到了72%,从业人员占59.8%。① 非公有制经济已成为社会主义市场经济的重要组成部分。

第三,现代市场体系日益完善,生产要素市场化程度稳步提高,市场经济秩序得到进一步规范。①2004年商务部发布了《全国商品市场体系建设纲要》,2005年国务院发布《关于促进流通业发展的若干意见》,这些文件的制定、颁布和落实以及2006年以来部分地区深化流通体制改革试点工作的开展都加快了我国商品市场体系建设的步伐。②劳动力市场方面,建立城乡统一的劳动力市场工作逐步展开,2006年政府还启动实施了全面推进劳动合同制度实施的三年行动计划,以积极开展劳动争议案件的处理工作。③土地市场:2004年,国土资源部经国家发改委等部门同意,启动了《深入开展土地市场治理整顿工作实施方案》,对2003年以来新上项目的用地情况进行了检查清理。另外,还建立了国家土地督察制度,完善了土地执法监察体系和经营性用地、工业用地出让制度。国家严格界定了划拨用地范围,《城乡建设用地增减挂钩试点管理办法》出台。④资本市场:上市公司的股权分置改革基本完成,初步形成了多元化的机构投资者格局,资本市场基础性制度建设得到加强,企业债券和公司债券审核程序进一步简化。⑤社会信用体系建设加快,企业信用分类监管改革逐步推进。

除此之外,2003年以来,矿产资源市场秩序、产品质量和食品药品安全等专项整治也取得了一定的成效。政府还加大了对知识产权的保护力度,严厉打击了制假售假、非法传销、商业欺诈、盗版侵权等违法犯罪活动。2004年,商务部等国务院七部门联合发出了《关于清理在市场经济活动中实行地区封锁规定的通知》,2006年国务院又原则通过《反垄断法(草案)》,极大地促进了全国统一市场的形成和发展。

第四,金融、财税、投资体制改革不断深化。①在金融体制方面,2003年国家颁布了《中华人民共和国银行业监督管理法》,并修订了《中华人民共和国中国人民银行法》和《中华人民共和国商业银行法》,使金融宏观调控和金融机构监管的法律体系得以进一步健全。国有商业银行改革取得重大进展,中国工商银行、中国银行、中国建设银行先后完成股份制改造并成功上市,资产质量和赢利能力明显提高,2008年中国农业银行和国家开发银行也顺利地进行了股份制改造。中国人寿等重点国有保险企业重组改制上市,促进了保险业的迅速发展。利率市场化和外汇管理体制的改革继续推进。2006年,中国金融期货交易所在上海成立。②财税体制方面,财政转移支付制度和公共财政制度逐步完善。逐步推进增值税转型(由生产型增值税变为消费型增值税)改革,统一内外资企业所得税制度,建立国家统一的职务与级别相结合的公务员工资制度。另外,还完善了进出口税收制度,调整了出口退税结构。③投资管理体制改革不断深化,企业投资项目核准制和备案制全面实施,企业投资决策自主权逐步落实。推进了政府投资项目"代建制"试点工作。新开工投资项目监管部门联动机制逐步建立。资源性产品价格改革稳步进行,2008年酝酿多年的成品油价格和税费改革方案开始实施。

① 国家统计局:《改革开放30年报告之三:经济结构在不断优化升级中实现了重大调整》。

第五，涉外经济体制改革方面：积极履行入世承诺，对外贸易经营权彻底放开。促进贸易投资便利化。大幅度降低关税，取消进口配额、许可证等非关税措施，金融、商业、电信等服务业开放不断扩大。进出口商品结构逐步优化。加强了对外商投资方向的引导，利用外资质量提高。实施以质取胜和出口市场多元化战略。加强科技兴贸创新基地和服务外包基地建设，支持自主品牌和自主知识产权产品出口。对外开放的深度和广度不断拓展，"走出去"战略的实施也取得初步成效，不仅对外经济合作范围不断扩大，对外投资规模也呈现出强劲的增势，2002—2007 年 6 年间我国对外直接投资年均增速 25.1%。截至 2007 年底，7000 多家境内投资主体设立的境外直接投资企业已超过 10000 家。①

第六，就业和社会保障体制改革取得新的进展，社会保障水平不断提高。坚持实施和完善积极的就业政策，从财税、金融等方面加大支持力度，加强城乡公共就业服务体系建设。城乡社会救助体系基本建立。城市居民最低生活保障制度不断完善，保障标准和补助水平逐步提高。启动事业单位基本养老保险制度改革试点。积极探索建立新型农村社会养老保险制度，农民工、被征地农民社会保障工作稳步推进。新型农村合作医疗制度实现全覆盖；城镇居民基本医疗保险试点不断增加；城镇企业职工基本养老保险实现省级统筹的省份扩大到 17 个。到 2008 年底，全国参加城镇基本养老保险人数达 21890 万人，参加城镇基本医疗保险的人数 31698 万人，参加城镇医疗保险的农民工 4249 万人。② 2009 年 4 月，中共中央、国务院联合下发《关于深化医药卫生体制改革的意见》，不仅提出了有效减轻居民就医费用负担，切实缓解"看病难、看病贵"问题的近期目标，还提出了到 2020 年基本建立覆盖城乡居民的基本医疗卫生制度的长远目标，从而将我国的医疗卫生体制改革推向深入。

在各项经济体制改革逐步推动的同时，政府职能转变也取得了积极的进展，2008 年大部门体制改革取得了初步成果，新一轮国务院机构改革基本完成，为进一步提高行政效率、降低行政成本创造了条件。

社会主义市场经济体制的日益完善，使市场在资源配置中的基础性作用得到了更有效的发挥，也为我国经济的持续繁荣发展提供了有力的制度保障。

2. 开展社会主义新农村建设

伴随着"反哺"政策，建设社会主义新农村成为新时期的重大历史任务。

2005 年 12 月 20 日，胡锦涛总书记主持召开中共中央政治局会议，研究社会主义新农村建设问题。根据这次会议精神，中共中央和国务院将《关于推进社会主义新农村建设的若干意见》作为 2006 年中央一号文件推出，要求按照"生产发展、生活宽裕、乡风文明、村容整洁、管理民主"的要求扎实稳步地推进新农村建设。

2006 年 9 月，国务院总理温家宝在全国农村综合改革工作会议上又指出：农业税的取消，标志着中国农村改革开始进入综合改革的新阶段。

党的十六大以来，中央提出把解决好"三农"问题作为全党工作重中之重的基

---

① 国家统计局：《改革开放 30 年报告之二：从封闭半封闭到全方位开放的伟大历史转折》。
② 国家统计局：《2008 年国民经济和社会发展统计公报》。

本要求，明确了统筹城乡发展的基本方略，作出了"两个趋向"的重要论断和中国现在总体上已到了以工促农、以城带乡发展阶段的基本判断，制定了"多予、少取、放活"和工业反哺农业、城市支持农村的基本方针，规划了建设社会主义新农村的基本任务。建设社会主义新农村，是贯彻落实科学发展观的重大举措，是确保现代化建设顺利推进的必然要求，是全面建设小康社会的重要任务，是保持国民经济平稳较快发展的持久动力，是构建社会主义和谐社会的重要基础。建设社会主义新农村是中国现代化进程中的重大历史任务。全面建设小康社会，最艰巨最繁重的任务在农村。应该说，这是中国共产党自改革开放以来，探索解决"三农"问题方面理论和实践的科学总结，也是审时度势，对未来部署的又一次重大的历史性突破。可以说，以国家全面驱动工业反哺农业、城市支持乡村、建设社会主义新农村为标志，我国的工农关系、城乡关系进入了一个新的历史阶段。

3. 制定稳定持续的宏观经济政策

2002 年以来，中国政府一直把稳定宏观经济政策作为经济工作中的重中之重。

2002 年 12 月，温家宝总理在全国计划会议结束时强调，做好明年经济工作，要继续坚持扩大内需的方针，实施积极的财政政策和稳健的货币政策，保持宏观经济政策的连续和稳定，保持经济、社会的稳定和发展。2003 年 11 月，中共中央、国务院在中央经济工作会议上指出，明年的经济工作，将保持宏观经济政策的连续性和稳定性，解决好"三农"问题是重中之重，要保持宏观经济的稳健运行，切实转变经济增长方式，促进城乡、区域、经济社会的协调发展，坚持经济发展和资源环境相协调，大力实施科教兴国和人才强国战略，维护最广

大人民的根本利益。针对经济运行中的新情况，2005 年中央提出了"稳定政策、分类指导、调整结构、深化改革、协调发展"的二十字原则，其中首先是"稳定政策，分类指导"，以保持宏观经济政策的连续性和稳定性。2005 年末，中央经济工作会议提出了 2006 年经济工作的八项主要任务，列首位的是稳定宏观经济政策，保持经济平稳较快增长的良好势头。2006 年是中国"十一五"规划的开启之年，之后五年是承前启后的重要历史时期，中央强调要继续保持经济持续快速健康发展的势头，并在统筹协调方面有所建树。

4. 促使经济"又好又快"发展，大力开展节能减排工作

为了更好地完成"十一五"规划的发展目标，我国非常注重经济发展的质量，在战略实施方面，要求经济发展"又好又快"，同时注重节能减排工作，促进和谐社会的建立。

2006 年，中央经济工作会议上特别强调了"又好又快"，认为"快"是对经济发展速度的强调，"好"是对经济发展质量和效益的要求。从"又快又好"到"又好又快"，是对中国经济社会发展新形势认识的深化，是对新阶段经济发展规律认识的深化。"十一五"规划也强调，让"好"和"快"双翼齐飞，成为中国经济发展的最新要求。节能减排是充分利用能源，有效保护环境的措施。胡锦涛总书记在 2006 年 12 月 25 日进行的中共中央政治局第三十七次集体学习中指出，能源资源是人类社会生存和发展的重要物质基础，也是我们全面建设小康社会、加快推进社会主义现代化的重要物质基础。坚持节约资源的基本国策，加快建设资源节约型、环境友好型社会，促进经济发展与人口、资源、环境相协调，是贯彻落实科学发展观、走新型

工业化道路的必然要求,是实现可持续发展、保障经济安全和国家安全的必然要求。2007年,国务院总理温家宝强调要进一步加强节能减排工作,并阐述了中国节能减排工作的主要措施。

建设创新型国家,是中国共产党和中国政府在综合分析国内和国际发展形势的基础上提出的重大指导方针,是推动中国经济社会发展转入科学发展轨道的正确选择。党的十六大提出了自主创新战略。2005年7月,温家宝总理在国家科教领导小组第三次全体会议上强调要高度重视和大力推进自主创新。2005年12月,在北京人民大会堂举行的庆祝神舟六号载人航天飞行圆满成功大会上,胡锦涛总书记指出,要始终把提高自主创新能力摆在突出位置,显著提高中国的科技实力。2006年,在全国科学技术大会上,胡锦涛总书记提出了建设创新型国家的战略目标。按照这一目标,中国到2020年建成全面小康社会的时候,大体要进入全世界创新型国家的前列。同年,中国还发布了《2006—2020年国家信息化发展战略》,对未来中国信息化发展的目标、任务、战略重点以及措施等都作出了系统部署。

四

科教文工作取得新的突破

十六大以来,我国在文化、教育和科技方面的工作也取得了突出的成就。

中共十六大报告明确区分了文化事业和文化产业,提出发展文化产业是市场经济条件下繁荣社会主义文化、满足人民群众精神文化需求的重要途径。此后,2004年召开的中共十六届四中全会、2006年召开的中共十六届六中全会、2007年召开的中共十七大等会议都在社会主义文化建设理论上不断突破和创新,形成了一系列新的文化发展理念。这些重要的文化发展理念,初步回答了新的历史条件下文化为什么要发展,怎样发展,为谁发展,依靠谁发展等一系列重大问题,是科学发展观在文化建设领域的集中体现,也是新的历史条件下文化发展规律的客观反映,为深化文化体制改革,推动文化大发展大繁荣,兴起社会主义文化建设新高潮提供了理论支撑。

截至2007年底,全国共有县以上的公共图书馆2791个,文化馆3214个,博物馆1634个,艺术表演团体2866个,剧场1839个,文化站36874个,社区和村文化室13万多个。文化事业投入逐年增加。2001年至2006年全国文化事业总投入654亿元,2006年达到158亿元,全国人均文化事业费达到11.51元。2008年,中央财政投入文化事业费比2007年增长15.89%,首次突破15亿元;补助地方文化事业经费共计21.67亿元,超过2001—2007年补助经费的总和。① 非物质文化遗产等民族文化保护工作得到加强。在大规模普查的基础上,国务院于2006年和2008年分别公布两批国家级非物质文化遗产名录共1028项。文化部于2007年、2008年分别公布了两批国家级非物质文化遗产项目代表性传承人777名。②

2008年末,全国广播节目综合人口覆盖率为96.0%;电视节目综合人口覆盖率

---

① 数字来源:2008年3月文化部副部长周和平在十一届全国人大一次会议期间接受中外记者采访时的答复;蔡武在2009年全国文化厅局长会议上的讲话。

② 数字来源:国务院和文化部发出的公布通知。

为 97.0％。2008 年全年出版各类报纸 445 亿份,各类期刊 30 亿册,图书 69 亿册(张)。全国共有档案馆 3987 个,已开放各类档案 7267 万卷(件)。

《国家"十一五"时期文化发展规划纲要》确定的文化创意、影视制作、出版发行、数字内容和动漫等九大重点文化产业不断壮大。实施重大文化项目带动战略,推动国家数字电影制作基地建设工程、国产动漫振兴工程等一批具有战略性、引导性和带动性的重大文化产业项目,在重点领域取得跨越式发展。以文化会展为平台推动文化产业发展。2008 年,第四届中国(深圳)国际文化产业博览交易会、第四届中国西部(西安)文化产业博览会、2008 中国义乌文化产品交易博览会成交额分别达到 702.32 亿、58.77 亿、18.6 亿元人民币。① 2004—2008 年,文化部先后命名三批共 137 个国家文化产业示范基地企业和单位,以及两批共 4 个国家级文化产业示范园区。

通过大力实施文化精品工程,充分发挥精神文明建设"五个一"工程、国家舞台艺术精品工程、国家重点出版工程的示范带动作用,推动产生了一大批展示中国特色、反映时代风貌、思想性艺术性观赏性俱佳的精品力作。文化与科技的融合对于推动文化传播方式和文化业态更新具有重要推动作用。进入新世纪以来,伴随着互联网的发展,我国网络文化发展迅速。截至 2008 年底,中国互联网普及率达到 22.6％,超过世界平均水平 21.9％;网民达到 2.98 亿人,网民人数排名世界第一,而且数量还在迅猛增长。

在实现现代化建设第三步战略目标,全面建设小康社会的过程中,教育具有基础性、先导性、全局性的战略地位和作用。2003 年,国务院作出《关于进一步加强农村教育工作的决定》,对加强农村教育作出全面部署。2007 年,农村义务教育全面纳入财政保障范围,对全国农村义务教育阶段学生全部免除学杂费、全部免费提供教科书,对家庭经济困难的寄宿生提供生活补助,使 1.5 亿学生和 780 万名家庭经济困难的寄宿生受益。稳步推进农村中小学现代远程教育工程建设,建成遍及全国农村的远程教育网络。到 2007 年,远程教育已覆盖 36 万所农村中小学,更多的农村学生享受到优质教育资源。把发展职业教育摆在突出位置,大力发展职业教育。2007 年,中、高等职业教育在校生分别达到 2000 万人和 861 万人,基本实现了中等职业教育与普通高中规模大体相当的目标。2008 年国家统计公报:各类中等职业教育招生 810.0 万人,在校生 2056.3 万人,毕业生 570.6 万人。

早在 20 世纪 90 年代,我国就提出了科教兴国的战略,进入 21 世纪后,随着科学发展观的提出,发展科学技术和提高自主创新能力越来越受到重视。我国政府提出,要把科技进步和创新作为经济社会发展的首要推动力量,把提高自主创新能力作为调整经济结构、转变增长方式、提高国家竞争力的中心环节,把建设创新型国家作为面向未来的重大战略。2006 年 2 月 9 日,中共中央、国务院联合发布了《国家中长期科学和技术发展规划纲要(2006—2020 年)》。2007 年召开的中共十七大再次强调,提高自主创新能力,建设创新型国家是国家发展战略的核心,是

---

① 数字来源:蔡武在 2009 年全国文化厅局长会议上的讲话。

提高综合国力的关键。① 在这些思想的指导下,我国的国家创新体系建设的步伐不断加快。

(1)修订《科学技术进步法》。从 2004 年起,中国开始进行《科学技术进步法》修订。修订工作围绕科技进步中存在的突出问题,结合《规划纲要》及配套政策,以提高中国自主创新能力为出发点,奠定了中国科技进步的法律制度基础。

(2)起草《国家自然科学基金条例》。为了规范国家自然科学基金的使用与管理,提高国家基金使用效益,促进自主创新,2004 年国务院将制定《国家自然科学基金条例》正式列入立法计划,开展了调研和起草工作,并征求了科技部、财政部等 29 家中央单位和北京、上海等 30 家地方政府以及部分高等学校、科研机构的意见。《条例》旨在健全制度、规范程序、明晰责任、强化监督,对科学基金管理进行全面、明确、具体的规范。

(3)发布《国家科技计划实施中科研不端行为处理办法(试行)》。

(4)修改《社会力量设立科学技术奖管理办法》。

(5)其他科技立法工作。各地方根据实际情况制定了地方性法规和规章,如湖北省科学技术普及条例,重庆市实验动物管理办法等,对相关科技工作给予规范和保障。为进一步完善科技立法体系,科技部开展了相关立法研究,包括科研组织立法研究、科技类知识产权立法研究、科技成果转化法修订研究等。

国家创新体系建设进展顺利,企业对科技进步和经济发展的推动作用愈发明显。据统计,在 2007 年全社会研究与试验发展(R&D)经费支出中,各类企业支出

2681.9 亿元,是 2000 年的 5 倍,占全社会 R&D 支出的 72.3%,比 2000 年高 12.3 个百分点;其中起主导作用的大中型工业企业支出 2112.5 亿元,是 1995 年的 14.9 倍,年均增长达 25.3%,大中型工业企业 R&D 支出占全社会 R&D 支出的比重已达 56.9%,比 1995 年高出 16.3 个百分点。以建立企业技术中心为主要形式的企业技术创新体系建设不断加强,国家重点企业中的工业企业基本都建立了企业技术中心。至 2007 年,国家认定的企业技术中心已有 499 家,省级企业技术中心达 4023 家。国家认定的企业技术中心 2007 年投入研发经费超过 800 亿元,企业新产品销售收入超过 20000 亿元,企业的自主创新能力进一步提高。

近年来,国家金融、财政、税收等部门也采取了一系列措施,支持企业加大研发投入。2006 年 3 月,科技部与国家开发银行签署合作协议,确定以 500 亿元贷款支持企业增加科技投入,增强自主创新能力。2008 年全年研究与试验发展(R&D)经费支出 4570 亿元,比上年增长 23.2%,占国内生产总值的 1.52%,其中基础研究经费 200 亿元。2008 年全年国家安排了 922 项科技支撑计划课题,1205 项"863"计划课题。新建国家工程研究中心 7 个,国家工程实验室 51 个。国家认定企业技术中心达到 575 家。省级企业技术中心达到 4886 家。2008 年全年受理国内外专利申请 82.8 万件,其中国内申请 71.7 万件,占 86.6%。受理国内外发明专利申请 29.0 万件,其中国内申请 19.5 万件,占 67.1%。2008 年全年授予专利权 41.2 万件,其中国内授权 35.2 万件,占 85.5%。授予发明专利权 9.4 万件,其中国内授权

---

① 《中国共产党第十七次全国代表大会文件汇编》,人民出版社,2007 年版,第 21 页。

4.7万件,占49.7%。2008年全年共签订技术合同22.6万项,技术合同成交金额2665亿元,比上年增长19.7%。2008年全年成功发射卫星11次,"神舟七号"载人航天飞行圆满成功。① 这些成就,都标志着我国在建设国家创新体系的进程中又跨出了重要一步。

五

国防和外交在世界舞台上大放异彩

中共十六大之后,中央军委于2002年12月召开扩大会议,为适应国际战略形势和国家安全环境的变化,迎接世界新军事变革的挑战,作出了积极推进中国特色军事变革的战略决策。根据中央军委的决策和部署,人民解放军按照建设信息化军队、打赢信息化战争的目标,把信息化作为军队现代化建设的发展方向,坚持立足国情和军情,以机械化为基础,以信息化为主导,以信息化带动机械化,以机械化促进信息化,努力实现火力、机动力、信息能力协调发展和机械化与信息化复合式、跨越式发展,加快了人民解放军由机械化半机械化向信息化方向的转型。

为适应中国特色军事变革的需要,人民解放军按照走中国特色精兵之路的既定方针,采取了继续裁减军队员额的重大举措。至2005年底,中国军队员额裁减至230万人。军队规模的进一步压缩,有利于集中有限的战略资源,加快国防和军队的信息化建设步伐。经中央军委批准的军队人才战略工程的实施,推进了大规模培养人才和大幅度提高干部素质,为实现军队现代化建设跨越式发展提供了有力

的人才和智力支持。人民解放军和武警部队按照中共中央、中央军委的部署要求,努力把科学发展观贯彻落实到国防和军队建设的各个领域和全过程,积极探索新世纪新阶段国防和军队建设发展的特点规律,推动了国防和军队建设迈上科学发展的轨道。

人民解放军认真贯彻国家对外政策,积极发展不结盟、不对抗、不针对第三方的对外军事关系,大力加强对外军事交流与合作,努力营造有利的军事安全环境。2003年以来,中国每年派出150余个军事代表团出访,有200余个外军代表团来华;先后邀请40多个国家驻华武官和军事观察员,观摩中国军队举行的军事演习;中国军队与20余个国家的军队,举行了30余次联合军事演习;中国军队向30余个国家派出2400余名军事留学生,有140余个国家的7200余名军事人员到中国军队院校学习。国务院新闻办公室先后发表2004、2006和2008年中国的国防白皮书,并于2005年发表了《中国的军控、裁军与防扩散努力》白皮书。对外军事交流与合作的不断扩大,对宣传中国的外交和国防政策,营造和平的国际环境和周边环境,产生了重要的积极影响。

在互利共赢、全面开放的对外战略格局下,中国以和平、发展、合作为旗帜,通过频繁的高层互访,以及多层次、多领域、多形式的广泛而卓有成效的接触、交流与合作,推动与世界各国友好关系的持续稳定和深入发展。

(1)加强同俄罗斯、美国、日本以及欧盟国家间的战略对话,妥善处理彼此分歧,不断增进互信,深化合作,构建稳定发展的大国关系框架。

① 资料来源,国家统计局:《中华人民共和国2008年国民经济和社会发展统计公报》。

（2）坚持"与邻为善、以邻为伴"的方针，进一步扩大和深化同周边国家的睦邻友好关系，积极开展区域合作，共同营造和平稳定、平等互信、合作共赢的地区环境。

（3）加强同广大发展中国家的团结合作，深化传统友谊，扩大务实合作，提供力所能及的援助，促进共同发展。

2000 年，"中非合作论坛"的创立使中非关系迈上了新台阶。2006 年，中非开启外交关系 50 周年之际，中国政府发表《中国对非洲政策文件》，提出致力于与非洲国家建立和发展政治上平等互信、经济上合作共赢、文化上交流互鉴的新型战略伙伴关系。并成功主办了"中非合作论坛"北京峰会，在中非关系史上具有里程碑意义。在会上，胡锦涛总书记宣布了增加援助、减免债务等推动中非关系发展的八个方面的政策措施。2007 年、2008 年，中国又接连启动了中非外长定期对话机制以及中国南非、中国非盟战略对话机制。

中国与拉美地区经贸关系自 2003 年后每年以近 50％的增速发展，2007 年双方贸易总额突破千亿美元，中国已成为拉美第三大贸易伙伴。2008 年，中国政府发布《中国对拉丁美洲和加勒比政策文件》，提出致力建立和发展中拉平等互利、共同发展的全面合作伙伴关系，确定了"互尊互信，扩大共识"、"互利共赢，深化合作"、"互鉴共进，密切交流"的总体目标。

中国还继续推动南南合作和南北对话，在联合国、世贸组织等多边场合坚持维护发展中国家的正当要求和共同利益。作为负责任的发展中大国，中国认真兑现对《联合国千年宣言》的承诺，为促进共同发展作出了积极的贡献。截至 2008 年 6 月底，累计免除亚非等 49 个重债穷国和最不发达国家债务 247 亿元；提供各类援助款 2065 亿元，其中无偿援助 908 亿元；对 42 个最不发达国家的商品给予零关税待遇。①

国力和国际地位的大幅提升，也为中国参与国际事务提供了有利的条件。

（1）积极参与联合国事务，充分发挥常任理事国的职责。

（2）积极参与各种国际组织活动，发挥中国不可替代的作用。中国党和国家领导人充分利用联合国、八国集团同发展中国家领导人对话会（G8＋5）、经济大国能源安全和气候变化领导人会议等多边舞台，积极开展高层外交，宣示中国的重大理念及主张，拓展与各方关系，维护国家利益与形象。

（3）积极推动解决朝鲜半岛核问题、伊朗核问题、苏丹达尔富尔问题、中东问题等地区性热点问题，参与反恐、防扩散、环境与气候、打击跨国犯罪和人道主义援助等诸领域的多边合作，并发挥了建设性的务实作用。

新世纪中国外交积极贯彻"以人为本、外交为民"的宗旨。随着对外交往的扩大，越来越多的中国人走出国门，出境人数从 2000 年突破千万人次，一直保持年均两位数的增长，至 2007 年超过 4000 万人次。② 利用高层互访和国际多边峰会等重大外交活动，促成了一批重大合作项目。

中国还积极主动地推动区域和双边自由贸易区合作，从 2002 年中国与东盟签

---

① 2008 年 9 月 25 日，温家宝总理在联合国千年发展目标高级别会议上的讲话。
② 国家旅游局网站 http://www.cnta.gov.cn/html/2008－9/2008－9－10－11－35－98624.html，《中国旅游业统计公报》。

署协议决定于 2010 年建成中国—东盟自贸区,到 2008 年与有关国家和地区正在建设的自贸区达 12 个。

进入新世纪以后,中国政府还举行了一系列重大对外文化交流活动,如在美国、荷兰、以色列等国举办的中国文化节,"中华文化非洲行",中法、中俄"文化年","中俄语言年","中日韩国民交流年"等;打造"感知中国"、"春节品牌"等文化活动;在海外设立中国文化中心和"孔子学院",等等。

中国还以筹办北京奥运会、上海世博会等重大活动为契机,成功开展了多层次多领域的公共外交活动。在国际上与"台独"、"藏独"、"东突"等分裂活动进行了坚决有效的斗争。

"一国两制"、"和平统一"政策成效显著

在新时期,以邓小平为核心的中共第二代领导集体,继承了毛泽东、周恩来等新中国缔造者的遗志,根据"和平与发展"的时代主题,根据国内外形势的新变化,根据港澳台地区的历史和现状,对解决港澳台问题的指导思想和具体的方针政策进行了根本性的、战略性的调整,逐步形成了"和平统一"、"一国两制"的"新思维"、"新政策"。

"一国两制"的实施,就是尊重历史,承认现实,着眼未来,保证回归祖国后的港澳台继续实行资本主义经济制度以及与之相适应的政治法律制度,与内地社会主义制度和平共处,互补互利,共同发展。

"一国两制"、"和平统一"政策是以解决台湾问题为出发点,而在解决香港、澳

门问题上首先得以成功实施的。

1."一国两制"在香港和澳门的成功实践

"一国两制"原则首先试用于港澳地区,实践证明是完全成功的。香港 1997 年 7 月 1 日回归祖国,从而结束了被英国殖民统治长达 156 年的历史;澳门 1999 年 12 月 20 日回归祖国,从而结束了被葡萄牙殖民统治长达 446 年之久的历史。随后这两个地区分别制定了《香港特别行政区基本法》和《澳门特别行政区基本法》,据此先后实行"一国两制"并获得了成功。为了促进区域经济合作,建立更紧密的经贸合作关系,内地与香港、澳门分别于 2003 年 6 月、10 月签署了两地"更紧密经贸关系安排"(简称"CEPA")。CEPA 及其补充协议的签署和实施,减少和消除了内地与香港、澳门在经贸交流合作中的体制性障碍,加速了资本、货物、人员等要素的自由流动,对两地经济的发展和经贸交流发挥了积极的促进作用。

回归十多年以来,香港经济增长近 50%。本地生产总值平均每年实际增长 4% 左右。由于回归之初的几年经济动荡,又受到亚洲金融危机的影响,经济发展波动较大。2003 年后香港经济维持强劲扩张势头,经济繁荣,股市兴旺,失业率创历史新低,被持续评为"国际上经济自由度最高"和"最廉洁"的地区之一,并且港人对国家的认同感不断增强。这十多年香港经济增长具有如下一些特点:

香港整体经济遭遇亚洲金融风暴等冲击之后,峰回路转,经济进入全面增长阶段,呈现出高增长、低通胀的良好态势。1997 年香港回归后不久,亚洲金融风暴使香港整体经济出现了多年未有的负增长。2000 年香港经济有过短暂复苏,2001 年,由于国际经济形势(特别是美国经济)再

次逆转,香港经济再次陷入低潮,连续三年陷入负增长。十多年来,香港经历了一个完整的经济周期,经历了两次经济衰退和两次经济 V 形反弹,从 2003 年以后,终于迈上了复苏和繁荣之路,迎来了一个连续多年的新的经济高速增长期。2003 年以前香港经济的增长主要反映在贸易、旅游、航运等少数行业,而从 2004 年后的经济增长则是全面性的增长,几乎所有行业都出现了持续增长或恢复性增长。2004 年,香港经济增长 4.7%,私人消费、政府开支、投资、商品出口和服务输出对 2004 年香港本地生产总值的贡献率分别增长了 6.7%、0.5%、4.5%、15.3%和 14.9%,出现了多年来少见的全面增长态势。2005 年增长 7.1%,2006 年增长 6.5%,2007 年增长 5.2%。香港人均生产总值曾从 1997 年的 27170 美元降到 2003 年的 23544 美元后,2008 年,香港人均生产总值连续两年超过 1997 年水平,达到 30863 美元。[①]

过去多年来香港经济复苏的主要动力来自于对外贸易增长,但近几年内部需求的拉动作用逐渐增强。私人消费 2004、2005 年分别有 7.3%和 3.7%的增长,本地固定资本投资 2004、2005 年分别有 3.0%和 3.9%的增长。到 2006 年,内部需求更成为经济增长的主要动力,内部需求平均贡献了约 2/3 的增长动力,其中投资与消费均有不俗增长。尤其金融业增加值占香港 GDP 的比重上升至 16.5%,与贸易业(23.96%)一起成为香港经济增长的双引擎,带动香港向高增值方向发展。2008 年的进出口贸易总额高达 58680.87 亿港元。[②]

在经历了多年财政赤字的困扰后,特区政府的经营及综合账目,由 2005/2006 财政年度开始达到收支平衡,并且在上一年度的基础上,再度成功遏制了超过 50 年经营开支不断上升的趋势。财政储备由 1996/1997 财政年度的 1736.05 亿港元的低位,升至 1997/1998 年度的 4575.43 亿港元,2003/2004 年度回落到 2753.43 亿港元,至 2006/2007 年度升至 3692.68 亿港元。香港以其自由港、低税率、法制健全等因素而成为全球最自由的经济体系和最适合营商的投资地区之一,继续吸引国际资本进入。根据统计资料分析,香港社会整体投资从 2003 年开始逐渐回升,连续四年出现增长,2006 年出现 7.9%的较高增长。各国和地区在香港设立的地区总部由 1997 年的 903 家增长到 2006 年的 1228 家,在香港设立的办事处由 1997 年的 1611 家增长到 2006 年的 2617 家。香港累计外来直接投资由 1997 年的 2252 亿美元增长到 2006 年的 5221.8 亿美元,净增 2969.8 亿美元。

以对外贸易、金融、物流、旅游等为主体的服务业近年表现不俗,增长速度快于本地生产总值增长。香港进出口贸易、金融保险业 2003 年以来保持双位数增长。运输和仓储业也得到快速发展,航空货运保持世界第一,港口集装箱吞吐量保持世界第二。访港旅客人数创历史新高,由此带动的饮食及酒店业、批发与零售都保持强劲增长。

2006 年香港股市普遍上扬,无论是指数、市值、成交量都创下新纪录,成为世界第六大股票市场。全年主板市场新股集资总额首次超过纽约,列亚洲第一,全球

---

① 香港特区政府网站,《统计公报》。
② 同上。

第二,仅次于伦敦。到2006年底,股市突破了市值13万亿港元、恒生指数20000点,创历史新高,2007年4月11日,港股更突破了市值14万亿港元。

正是在保持连续多年的持续增长中,香港的国际竞争力再度得到国际社会认可,在瑞士洛桑国际管理学院的《国际竞争力年报》中,1997年香港的国际竞争力排名世界第三,2000年跌至第14位,到2006年香港仅次于美国连续两年位列全球第二。2007年1月,由美国传统基金会和《华尔街日报》共同出版的"2007全球经济自由度指数报告",采用新的编制方法从商业自由度等10个衡量指标进行评估,香港已经连续13年被评为最自由的经济体系。国际资信评级机构标准普尔公司将香港的信用评级由A级提升至A+级;国际货币基金组织宣布香港与西方工业七大国和最主要发达国家一样为"先进经济体制"。

可以看出,香港的对外贸易与经济增长很大程度上得益于中国政府对香港实行的"一国两制"政策和内地实行的"改革开放"政策的成功结合。

2007年7月1日,胡锦涛总书记在庆祝香港回归祖国10周年大会暨香港特别行政区第三届政府就职典礼上,概括了香港回归后实行"一国两制"的主要经验:第一,坚持全面准确地理解和贯彻执行"一国两制"方针;第二,坚持严格按照基本法办事;第三,坚持集中精力发展经济、改善民生;第四,坚持维护社会和谐稳定。

澳门回归以来,经过几年的快速发展,2007年人均生产总值达到28436美元,创历史新高。澳门博彩业收益在2006年甚至超过美国赌城拉斯维加斯的金光

大道,在中国200个城市综合竞争力中名列第十名。一方面,自2000年澳门经济实现了正增长达到5.7%后,2003年经济即实现了跨越式的飞跃,GDP增长率达15.6%;2004年再次飞跃,GDP增长率高达28.3%;在持续的高基数下2005年经济虽有回落,但GDP依然有6.7%的增长率,到2006年澳门经济又呈高增长态势,GDP增长率再次高达17.0%。另一方面,人均GDP由1999年的11.06万澳门元增加至2005年的19.45万澳门元,年均增长达12.6%;与此同时,澳门的失业率则呈现快速下降趋势,由1999年的6.8%下降到2005年的4.1%,六年间下降了2.7个百分点。在2006年初英国《外国直接投资》杂志首次举办"2005—2006年度亚洲最佳展望城市"评选活动,以调查亚洲城市及地区未来的发展,澳门由于近年来经济增长表现强劲,以及其自由港政策和良好的环境,荣获亚洲"最具经济发展潜力城市"奖。社会各界也认为回归以来是澳门历史上经济发展最快的时期之一。

中国内地与澳门的经济合作无论从广度还是深度上,都有不断扩大的趋势,具体说来,两地的经济往来主要表现在以下几方面:

(1)两地贸易关系蓬勃发展,进出口贸易额持续增长。在1979—2007年间,双边贸易总额由5.42亿澳门元增长到214.12亿澳门元,增长了39.5倍,澳门自内地进口值由5.39亿澳门元增长到183.78亿澳门元,增长了34倍,出口值则由0.03亿澳门元增长到30.34亿澳门元,增长1011倍。①

(2)中国内地是澳门出口加工业的后方生产基地。面对劳动力短缺和生产成

---

①　澳门特别行政区政府统计暨普查局。

本上涨,澳门厂商到广东设厂或将生产工序外移到珠江三角洲地区十分普遍,尤其是邓小平南方讲话以后,澳门商人兴起了到内地投资的热潮。

(3)内地对澳门的投资不断增长,中资企业是推动澳门经济发展的重要力量,其资产在澳门企业总资产规模中大约占了40%的比重,成为澳门经济发展中举足轻重的中流砥柱。

(4)澳门是中国内地对外开放的重要"窗口"与"桥梁"之一。近十年来,中国内地在澳门举办各种展销会、贸易洽谈会近140个,总成交额超过25亿美元,接待来自世界各地的客商70余万人次。由于澳门在欧盟内享有特别的贸易优惠和特权,从某种意义上看,澳门还是中国连接欧洲市场的一个跳板。

2."和平统一"发展两岸经贸关系

1995年,江泽民发表了《为促进祖国统一大业的完成而继续奋斗》的讲话,成为第三代领导集体继承和发展"一国两制"理论最显著的标志。讲话进一步阐述了"一国两制"的思想和内容,提出了引起海内外普遍关注的八项建设性主张,这对祖国和平统一产生了重大影响。

近年来,随着两岸关系形势的变化,胡锦涛总书记发表了一系列重要讲话。

2005年,中共先后邀请台湾岛内始终坚持一个中国原则的三个政党——国民党、亲民党和新党的领导人来大陆访问,2005年4月29日,国共双方共同发表了"两岸和平发展共同愿景",共同确定了"三项体认"和"五个促进"。

2007年10月,胡锦涛总书记在中共十七大报告中第一次提出了"牢牢把握两岸关系和平发展的主题"的重要思想,为中共和中国政府在今后一段时间内的对台工作、对台政策定下了主基调。

2008年4月29日,胡锦涛总书记会见中国国民党荣誉主席连战时发表了十六字箴言,即"建立互信、搁置争议、求同存异、共创双赢"。2008年12月31日,胡锦涛在纪念《告台湾同胞书》发表30周年座谈会上的讲话,从政治、经济、文化、社会、涉外、谈判等方面提出"六点意见"。这些,实际上都是今后对台工作的指导性和纲领性文件,是对中共十七大关于两岸关系和平发展思想的进一步深化、具体化和灵活运用,也是在新形势下对邓小平"一国两制"构想的新发挥和新发展。

自改革开放以来,两岸贸易规模不断扩张,发展势头强劲。1978年台湾对大陆出口为零,经香港转口的自大陆进口额也仅为4600万美元。至2006年,两岸贸易总额已扩增至1078.5亿美元,28年间增长了2343.35倍,年平均增长率达31.93%。其中,台湾对大陆出口额增至871.1亿美元,年均增长36.14%;台湾自大陆进口额增至207.4亿美元,年均增长也达4.39%。由于台湾对大陆出口与自大陆进口贸易的长期不平衡发展,台湾持续享有顺差。从1980年的1.59亿美元,累计2007年全年台湾地区对大陆享有的贸易顺差达到462.6亿美元,较前一年的385.5亿美元,足足增长20%。2007年台湾对外贸易总额4660.6亿美元,比2006年增长9.2%;出口额2467.2亿美元,年增长10.1%;进口额2193.4亿美元,年增长8.2%;贸易顺差273.8亿美元,年增长28.4%。2007年台对大陆贸易总额为1023亿美元,比上年同期增长16.1%,其中对大陆出口金额为742.8亿美元,年增17.3%,创下近三年以来新高;自大陆进口金额则为280.2亿美元,年增13.1%。在与大陆贸易总额超过千亿美元的少数几个国家和地区中占有一席之地。

据商务部统计，截至 2007 年 6 月底，大陆累计批准台商投资项目 73000 多项，较 2002 年底增加近 18000 项，增长 32％；台商实际投资额 445.8 亿美元，较 2002 年底增加 114.7 美元，增长 35％，按实际使用外资统计，台资在我累计吸收境外投资中占 6.2％，排第五位。两岸间接贸易额由 2002 年的 446.7 亿美元上升到 2006 年的 1078.4 亿美元，年均增幅达27.54％。

"一国两制"完全是从中国实际出发，是建设中国特色社会主义的重要内容。"和平统一、一国两制"是建设中国特色的社会主义理论和实践的重要组成部分，是中国政府一项长期不变的基本国策。中国现在仍处于并将长期处于社会主义初级阶段，我们可以充分利用港澳台发达的资本主义的经济优势、科技优势和对外开放的特殊地位，促进大陆的经济发展，还可以发挥港澳台的重要桥梁作用，加强与世界各国的经济往来。

重大事件

中国共产党第十六次全国代表大会

中共十六大概述

2002年11月8日至14日,中国共产党第十六次全国代表大会在北京召开。这次大会应到正式代表2114名、特邀代表40名,共2154名(出席开幕式的代表和特邀代表共2134人),代表了全党6600多万名党员。

根据中央规定,出席中国共产党第十六次全国代表大会的代表团增加了中央企业系统代表团和中央金融系统代表团,这是中央企业系统和中央金融系统首次单独组团参加党的全国代表大会。此外,不是十六大代表的十五届中央委员会委员、候补委员和中央纪律检查委员会委员;不是十六大代表、特邀代表的原中央顾问委员会委员;不是十六大代表、特邀代表的党内部分老同志,以及其他有关同志,共284人列席了这次大会。大会还邀请了担任全国人大常委会副委员长、全国政协副主席的党外人士,担任过国家副主席、全国人大常委会副委员长、全国政协副主席的党外人士,各民主党派中央、全国工商联负责人和无党派人士,以及全国人大、全国政协常委中在京的党外人士和部分少数民族、宗教界人士等,共152人作为来宾列席大会开幕式和闭幕式。

这次大会的主题是:高举邓小平理论伟大旗帜,全面贯彻"三个代表"重要思想,继往开来,与时俱进,全面建设小康社会,加快推进社会主义现代化,为开创中国特色社会主义事业新局面而奋斗。大会的主要议程为：①听取和审查十五届中央委员会的报告；②审查中央纪律检查委员会的工作报告；③审议通过《中国共产党章程（修正案）》；④选举十六届中央委员会；⑤选举新一届中央纪律检查委员会。

大会由李鹏同志主持。江泽民同志向大会作《全面建设小康社会，开创中国特色社会主义事业新局面》的报告。

报告指出，中国共产党第十六次全国代表大会，是我们党在新世纪召开的第一次代表大会，也是我们党在开始实施社会主义现代化建设第三步战略部署的新形势下召开的一次十分重要的代表大会。

报告肯定了十五大以来所取得的成就，明确指出，13年来的实践，加深了我们对什么是社会主义、怎样建设社会主义，建设什么样的党、怎样建设党的认识，积累了十分宝贵的经验，主要是：①坚持以邓小平理论为指导，不断推进理论创新；②坚持以经济建设为中心，用发展的办法解决前进中的问题；③坚持改革开放，不断完善社会主义市场经济体制；④坚持四项基本原则，发展社会主义民主政治；⑤坚持物质文明和精神文明两手抓，实行依法治国和以德治国相结合；⑥坚持稳定压倒一切的方针，正确处理改革发展稳定的关系；⑦坚持党对军队的绝对领导，走中国特色的精兵之路；⑧坚持团结一切可以团结的力量，不断增强中华民族的凝聚力；⑨坚持独立自主的和平外交政策，维护世界和平与促进共同发展；⑩坚持加强和改善党的领导，全面推进党的建设新的伟大工程。

报告指出，以上十条是党领导人民建设中国特色社会主义必须坚持的基本经验。这些经验，联系党成立以来的历史经验，归结起来就是，我们党必须始终代表中国先进生产力的发展要求，代表中国先进文化的前进方向，代表中国最广大人民的根本利益。这是坚持和发展社会主义的必然要求，是我们党艰辛探索和伟大实践的必然结论。

报告指出，开创中国特色社会主义事业新局面，必须高举邓小平理论伟大旗帜，坚持贯彻"三个代表"重要思想。始终做到"三个代表"，是我们党的立党之本、执政之基、力量之源。贯彻"三个代表"重要思想，关键在坚持与时俱进，核心在坚持党的先进性，本质在坚持执政为民。贯彻"三个代表"重要思想，必须使全党始终保持与时俱进的精神状态，不断开拓马克思主义理论发展的新境界；必须把发展作为党执政兴国的第一要务，不断开创现代化建设的新局面；必须最广泛最充分地调动一切积极因素，不断为中华民族的伟大复兴增添新力量；必须以改革的精神推进党的建设，不断为党的肌体注入新活力。

报告在论述全面建设小康社会的奋斗目标时指出，综观全局，本世纪头20年，对我国来说，是一个必须紧紧抓住并且可以大有作为的重要战略机遇期。我们要在本世纪头20年，集中力量，全面建设惠及十几亿人口的更高水平的小康社会，使经济更加发展、民主更加健全、科教更加进步、文化更加繁荣、社会更加和谐、人民生活更加殷实。为完成党在新世纪新阶段的这个奋斗目标，发展要有新思路，改革要有新突破，开放要有新局面，各项工作要有新举措。

报告指出，全面建设小康社会，最根本的是坚持以经济建设为中心，不断解放和发展社会生产力。为此，必须抓好关系全局的八个方面的任务：走新型工业化道路，大力实施科教兴国战略和可持续发展战略；全面繁荣农村经济，加快城镇化进程;积极推进西部大开发,促进区域经济协调发展;坚持和完善基本经济制度,深化国有资产管理体制改革;健全现代市场体系,加强和完善宏观调控;深化分配制度改革,健全社会保障体系;坚持"引进来"和"走出去"相结合,全面提高对外开放水平;千方百计扩大就业,不断改善人民生活。

报告指出,必须在坚持四项基本原则的前提下,继续积极稳妥地推进政治体制改革,扩大社会主义民主,健全社会主义法制,建设社会主义法治国家,巩固和发展民主团结、生动活泼、安定和谐的政治局面。政治建设和政治体制改革的主要任务是:坚持和完善社会主义民主制度,加强社会主义法制建设,改革和完善党的领导方式和执政方式,改革和完善决策机制,深化行政管理体制改革,推进司法体制改革,深化干部人事制度改革,加强对权力的制约和监督,维护社会稳定。

报告指出,全面建设小康社会,必须大力发展社会主义文化,建设社会主义精神文明。要牢牢把握先进文化的前进方向;坚持弘扬和培育民族精神;切实加强思想道德建设;大力发展教育和科学事业;积极发展文化事业和文化产业;继续深化文化体制改革。

报告强调,建立巩固的国防是我国现代化建设的战略任务,是维护国家安全统一和全面建设小康社会的重要保障。坚持国防建设与经济建设协调发展的方针,在经济发展的基础上推进国防和军队现代化。

报告指出,实现祖国的完全统一,是海内外中华儿女的共同心愿。坚持一个中国原则,是发展两岸关系和实现和平统一的基础。我们将继续坚持"和平统一、一国两制"的基本方针,贯彻现阶段发展两岸关系、推进祖国和平统一进程的八项主张,以最大的诚意、尽最大的努力争取和平统一的前景。

报告指出,和平与发展仍是当今时代的主题。不管国际风云如何变幻,我们始终不渝地奉行独立自主的和平外交政策。我们愿同各国人民一道,共同推进世界和平与发展的崇高事业。

报告强调,全面建设小康社会,必须毫不放松地加强和改善党的领导,全面推进党的建设新的伟大工程,保证我们党始终是中国工人阶级的先锋队,同时是中国人民和中华民族的先锋队,始终是中国特色社会主义事业的领导核心,始终代表中国先进生产力的发展要求,代表中国先进文化的前进方向,代表中国最广大人民的根本利益。加强和改进党的建设的主要任务是:深入学习贯彻"三个代表"重要思想,提高全党的马克思主义理论水平;加强党的执政能力建设,提高党的领导水平和执政水平;坚持和健全民主集中制,增强党的活力和团结统一;建设高素质的领导干部队伍,形成朝气蓬勃、奋发有为的领导层;切实做好基层党建工作,增强党的阶级基础和扩大党的群众基础;加强和改进党的作风建设,深入开展反腐败斗争。

报告高屋建瓴,总揽全局,全面分析了我们党面临的国际国内形势,科学总结了13年来的基本经验,进一步阐明了贯彻"三个代表"重要思想的根本要求,鲜明地回答了在新世纪新阶段我们党举什么旗、走什么路、实现什么目标的重大问题,对建设中国特色社会主义经济、政治、文化和党的建设等各项工作作出了全面部署。这篇报告是我们党在新世纪新阶段的政治宣言,是全面建设小康社会、加快推进社会主义现代化的行动指南,是一篇马克思主义的纲领性文献。

2002 年 11 月 14 日上午,中国共产党第十六次全国代表大会在人民大会堂闭幕。闭幕式的主要议题是:选举产生十六届中央委员会委员、候补委员和中央纪律检查委员会委员;通过关于十五届中央委员会报告的决议、关于《中国共产党章程(修正案)》的决议和关于中央纪律检查委员会工作报告的决议。

党的十六大,是中国共产党在新世纪召开的第一次全国代表大会,是在我国进入全面建设小康社会、加快推进社会主义现代化的新的发展阶段召开的一次十分重要的代表大会。这次代表大会的主要贡献是:

会议确立了"三个代表"重要思想的历史地位。"三个代表"重要思想写进了党章,确立为我们党的指导思想和旗帜。这是十六大的历史性决策和历史性贡献。

会议深刻论述和规划了"全面建设小康社会的奋斗目标",包括经济、政治、文化和生态等四个大的方面,符合我国国情和现代化建设实际,符合人民的愿望,意义十分重大。

会议顺利实现了中央领导集体的新老交替。在党的全国代表大会上顺利实现中央领导集体的新老交替,这在党的历史上是第一次。这反映了以江泽民同志为核心的中央第三代领导集体高瞻远瞩,使一批年富力强的领导人成长起来,并顺利地走上了中央领导岗位。

会议提出了在新的历史条件下,加强和改进党的建设的"四个一定要"的总要求和始终成为"两个先锋队"、"一个领导核心"、"三个代表"的总目标。这就为新世纪、新阶段全面推进党的建设新的伟大工程提出了根本指针和行动纲领。

中共十六届一中全会

2002 年 11 月 15 日,中国共产党第十六届中央委员会第一次全体会议在北京召开。出席会议的有中央委员 198 人,候补中央委员 158 人。中央纪律检查委员会委员列席会议。

胡锦涛同志主持会议并作了重要讲话。

全会选举产生了新的中央领导机构,选举了中央政治局委员、候补委员,中央政治局常务委员会委员,中央委员会总书记;根据中央政治局常务委员会的提名,通过了中央书记处成员;决定了中央军事委员会组成人员;批准了中央纪律检查委员会第一次全体会议产生的书记、副书记和常务委员会委员人选。一批朝气蓬勃、奋发有为的领导干部进入中央领导机构。这充分表明,我们党兴旺发达,前程远大。

中共十六届二中全会

2003 年 2 月 24 日至 26 日,中国共产党第十六届中央委员会第二次全体会议在北京召开。出席这次全会的有中央委员 191 人,候补中央委员 151 人。有关负责同志列席了会议。中央政治局主持会议。中央委员会总书记胡锦涛同志作了重要讲话。

全会审议通过了中央政治局在广泛征求党内外意见、反复酝酿协商的基础上提出的拟向十届全国人大一次会议推荐的国家机构领导人员人选建议名单和拟向全国政协十届一次会议推荐的全国政协领导人员人选建议名单,决定将这两个建议名单分别向十届全国人大一次会议主席团和全国政协十届一次会议主席团推荐。全会审议通过了《关于深化行政管理体制和机构改革的意见》,建议国务院根据这个意见形成《国务院机构改革方案》,提交十届全国人大一次会议审议。

全会认为,开好十届全国人大一次会议和全国政协十届一次会议,对于坚持以邓小平理论和"三个代表"重要思想为指导,全面贯彻落实十六大精神,进一步动员全党和全国各族人民为全面建设小康社会、开创中国特色社会主义事业新局面而团结奋斗,具有重大的意义。

四

中共十六届三中全会

2003 年 10 月 11 日至 14 日,中国共产党第十六届中央委员会第三次全体会议在北京召开。出席这次全会的有,中央委员 188 人,候补中央委员 154 人。中央纪律检查委员会常务委员会委员和有关方面的负责同志列席了会议。

全会由中央政治局主持。中央委员会总书记胡锦涛作了重要讲话。

全会听取和讨论了胡锦涛受中央政治局委托作的工作报告,审议通过了《中共中央关于完善社会主义市场经济体制若干问题的决定》,审议通过了《中共中央关于修改宪法部分内容的建议》并决定提交第十届全国人民代表大会常务委员会审议。吴邦国、温家宝分别就《建议(讨论稿)》和《决定(讨论稿)》向全会作了说明。

全会充分肯定十六届一中全会以来中央政治局的工作,高度评价了十一届三中全会特别是十四大确定社会主义市场经济体制改革目标以来我国经济体制改革在理论和实践上取得的重大进展,强调完善社会主义市场经济体制的主要任务是:完善公有制为主体、多种所有制经济共同发展的基本经济制度,建立有利于逐步改变城乡二元经济结构的体制,形成促进区域经济协调发展的机制,建设统一开放竞争有序的现代市场体系,完善宏观调控体系、行政管理体制和经济法律制度,健全就业、收入分配和社会保障制度,建立促进经济社会可持续发展的机制。

全会认为,要坚持公有制的主体地位,发挥国有经济的主导作用,积极推行公有制的多种有效实现形式,加快调整国有经济布局和结构。

全会认为,土地家庭承包经营是农村基本经营制度的核心,要长期稳定并不断完善以家庭承包经营为基础、统分结合的双层经营体制,依法保障农民对土地承包经营的各项权利。

全会认为,要加快建设全国统一市场,大力推进市场对内对外开放,大力发展资本和其他要素市场,促进商品和各种要素在全国范围自由流动和充分竞争,要把扩大就业放在经济社会发展更加突出的位置,坚持劳动者自主择业、市场调节就业和政府促进就业的方针,实施积极的就业政策,努力改善创业和就业环境,鼓励企业创造更多的就业岗位。要完善按劳分配为主体、多种分配方式并存的分配制度,加大收入分配调节力度,重视解决部分社会成员收入差距过分扩大问题。要加快建设与经济发展水平相适应的社会保障体系,完善企业职工基本养老保险制度,健全失业保险制度,继续改革城镇职工基本医疗保险制度,完善城市居民最低生活保障制度。

全会指出，实践证明，现行宪法是一部符合我国国情的好宪法。同时，根据经济社会发展的客观要求，依照法定程序，把十六大确定的重大理论观点和重大方针政策写入宪法，有利于宪法更好地发挥国家根本法的作用。

全会指出，修改宪法必须坚持四项基本原则，立足我国国情，充分发扬民主，广泛听取各方面的意见，严格依法办事，做到有利于加强和改善党的领导，有利于发挥社会主义制度的优越性，有利于调动广大人民群众的积极性，有利于维护国家统一、民族团结和社会稳定，有利于促进经济发展和社会全面进步。

五

中共十六届四中全会

2004年9月16日至19日，中国共产党第十六届中央委员会第四次全体会议在北京召开。出席这次全会的有，中央委员会委员194人，中央委员会候补委员152人。中央纪律检查委员会委员和有关方面负责同志列席了会议。

全会由中央政治局主持。中央委员会总书记胡锦涛作了重要讲话。

全会听取和讨论了胡锦涛受中央政治局委托作的工作报告，审议通过了《中共中央关于加强党的执政能力建设的决定》。

《决定》第一次对中国共产党55年的执政经验进行了系统总结，明确指出，党执政55年来，经过艰辛探索和实践，积累了执政的成功经验，主要是：必须坚持党在指导思想上的与时俱进，用发展着的马克思主义指导新的实践；必须坚持推进社会主义的自我完善，增强社会主义的生机和活力；必须坚持抓好发展这个党执政兴国的第一要务，把发展作为解决中国一切问题的关键；必须坚持立党为公、执政为民，始终保持党同人民群众的血肉联系；必须坚持科学执政、民主执政、依法执政，不断完善党的领导方式和执政方式；必须坚持以改革的精神加强党的建设，不断增强党的创造力、凝聚力、战斗力。这些主要经验也是加强党的执政能力建设的重要指导原则，必须在实践中长期坚持并继续丰富和完善。

《决定》强调，加强党的执政能力建设，必须坚持以马克思列宁主义、毛泽东思想、邓小平理论和"三个代表"重要思想为指导，全面贯彻党的基本路线、基本纲领、基本经验，以保持党同人民群众的血肉联系为核心，以建设高素质干部队伍为关键，以改革和完善党的领导体制和工作机制为重点，以加强党的基层组织和党员队伍建设为基础，努力体现时代性、把握规律性、富于创造性。总体目标是：通过全党共同努力，使党始终成为立党为公、执政为民的执政党，成为科学执政、民主执政、依法执政的执政党，成为求真务实、开拓创新、勤政高效、清正廉洁的执政党，归根到底成为始终做到"三个代表"、永远保持先进性、经得住各种风浪考验的马克思主义执政党，带领全国各族人民实现国家富强、民族振兴、社会和谐、人民幸福。

《决定》确定了当前和今后一个时期加强党的执政能力建设的主要任务和各项部署。要坚持把发展作为党执政兴国的第一要务，不断提高驾驭社会主义市场经济的能力，抓住经济建设这个中心不动摇，坚持科学发展观，坚持社会主义市场经济的改革方向，全面提高对外开放水平，完善党领导经济工作的体制机制和方式。要坚持党的领导、人民当家做主和依法治国的有机统一,不断提高发展社会主义民主政治的能力,推进社会主义民主的制度化、规范化和程序化,贯彻依法治国基本方略,推进决策的科学化、民主化,加强对权力运行的制约和监督,改革和完善党的领导方式。要坚持马克思主义在意识形态领域的指导地位,不断提高建设社会主义先进文化的能力,加强马克思主义理论研究和建设,深化文化体制改革,牢牢把握舆论导向,加强和改进思想政治工作,优先发展教育和科学事业。要坚持最广泛最充分地调动一切积极因素,不断提高构建社会主义和谐社会的能力,不断增强全社会的创造活力,妥善协调各方面的利益关系,推进社会管理体制创新,加强和改进新形势下的群众工作,维护社会稳定。要坚持独立自主的和平外交政策,不断提高应对国际局势和处理国际事务的能力,提高科学判断国际形势和进行战略思维的水平,掌握处理国际事务的主动权,增强同国际社会交往的本领,坚决维护国家安全。

《决定》强调,提高党的执政能力,关键在于加强党的建设。要以加强党的执政能力建设为重点,全面推进党的建设新的伟大工程。坚持用邓小平理论和“三个代表”重要思想武装全党,建设一支善于治国理政的高素质干部队伍,把各级领导班子建设成为坚强的领导集体,使党的基层组织真正成为贯彻“三个代表”重要思想的组织者、推动者、实践者,增强党的团结和活力。进一步加强党风廉政建设,深入开展反腐败斗争。

全会审议通过了《中国共产党第十六届中央委员会第四次全体会议关于同意江泽民同志辞去中共中央军事委员会主席职务的决定》和《中国共产党第十六届中央委员会第四次全体会议关于调整充实中共中央军事委员会组成人员的决定》。

全会高度评价江泽民同志为党、为国家、为人民作出的杰出贡献。江泽民同志是中国共产党第三代中央领导集体的核心。从党的十三届四中全会到党的十六大的13年中,在国际国内十分复杂的形势下,以江泽民同志为核心的党的第三代中央领导集体,高举邓小平理论伟大旗帜,坚持党的基本路线不动摇,团结带领全党全国各族人民,抓住机遇、深化改革、扩大开放、促进发展、保持稳定,推动中国特色社会主义事业取得了举世瞩目的新进展。江泽民同志担任中央军委主席15年来,深刻洞察和把握世界新军事变革的发展趋势,对加强国防和军队现代化建设提出了一系列新论断、新举措,丰富和发展了毛泽东军事思想和邓小平新时期军队建设思想,创立了江泽民国防和军队建设思想,领导国防和军队现代化建设取得了巨大成就。江泽民同志坚持马克思主义的思想路线,尊重实践,尊重群众,集中全党智慧创立“三个代表”重要思想,实现了我们党在指导思想上的又一次与时俱进。“三个代表”重要思想是马克思主义中国化的最新成果,是实现全面建设小康社会宏伟目标的根本指针,必须贯彻到社会主义现代化建设的各个领域,体现在党的建设的各个方面。

全会决定,胡锦涛同志任中共中央军事委员会主席。全会一致认为,这有利于坚持党对军队绝对领导的根本原则和制度,有利于加强军队的革命化、现代化、正规化建设。全会决定,徐才厚同志任中共中央军事委员会副主席,增补陈炳德、乔清晨、张定发、靖志远同志为中共中央军事委员会委员。

全会按照党章规定,决定递补中央委

员会候补委员艾斯海提·克里木拜、王正伟为中央委员会委员。全会审议并通过了《中共中央纪律检查委员会关于田凤山问题的审查报告》，决定撤销田凤山中央委员会委员职务，给予其开除党籍处分。

中共十六届五中全会

2005年10月8日至11日，中国共产党第十六届中央委员会第五次全体会议在北京召开。出席这次全会的有中央委员191人，候补中央委员150人。中央纪律检查委员会常务委员会委员和有关方面的负责同志列席了会议。

全会由中央政治局主持。中央委员会总书记胡锦涛作了重要讲话。

全会听取和讨论了胡锦涛受中央政治局委托作的工作报告，审议通过了《中共中央关于制定国民经济和社会发展第十一个五年规划的建议》。温家宝就《建议（讨论稿）》向全会作了说明。

全会指出，制定"十一五"规划，要以邓小平理论和"三个代表"重要思想为指导，全面贯彻落实科学发展观。坚持发展是硬道理，坚持抓好发展这个党执政兴国的第一要务，坚持以经济建设为中心，坚持用发展和改革的办法解决前进中的问题。要坚定不移地以科学发展观统领经济社会发展全局，坚持以人为本，转变发展观念、创新发展模式、提高发展质量，把经济社会发展切实转入全面协调可持续发展的轨道。"十一五"时期，必须保持经济平稳较快发展，必须加快转变经济增长方式，必须提高自主创新能力，必须促进城乡区域协调发展，必须加强和谐社会建设，必须不断深化改革开放。

全会按照十六大对新世纪头20年全面建设小康社会的总体部署，提出了"十一五"时期经济社会发展的主要目标：在优化结构、提高效益和降低消耗的基础上，实现2010年人均国内生产总值比2000年翻一番；资源利用效率显著提高，单位国内生产总值能源消耗比"十五"期末降低20％左右；形成一批拥有自主知识产权和知名品牌、国际竞争力较强的优势企业；社会主义市场经济体制比较完善，开放型经济达到新水平，国际收支基本平衡；普及和巩固九年义务教育，城镇就业岗位持续增加，社会保障体系比较健全，贫困人口继续减少；城乡居民收入水平和生活质量普遍提高，价格总水平基本稳定，居住、交通、教育、文化、卫生和环境等方面的条件有较大改善；民主法制建设和精神文明建设取得新进展，社会治安和安全生产状况进一步好转，构建和谐社会取得新进步。

会议认为，建设社会主义新农村是我国现代化进程中的重大历史任务，要按照生产发展、生活宽裕、乡风文明、村容整洁、管理民主的要求，扎实稳步地加以推进。

会议强调，实现"十一五"规划目标，推进全面建设小康社会进程，关键在于加强和改善党的领导。要坚持立党为公、执政为民，加强党的执政能力建设和先进性建设，加强各级领导班子和基层党组织建设，不断提高党领导经济社会发展的水平。全体党员要坚定理想信念，坚持党的根本宗旨，兢兢业业地工作，坚定不移地为建设中国特色社会主义事业而奋斗。各级领导干部要坚持权为民所用、情为民所系、利为民所谋，继续搞好保持共产党员先进性教育活动，深入开展党风廉政建设和反腐败斗争，始终保持党同人民群众的血肉联系。

七

中共十六届六中全会

中国共产党第十六届中央委员会第六次全体会议,于 2006 年 10 月 8 日至 11 日在北京举行。出席这次全会的有中央委员 195 人,候补中央委员 152 人。中央纪律检查委员会常务委员会委员和有关方面负责同志列席了会议。

全会由中央政治局主持。中央委员会总书记胡锦涛作了重要讲话。

全会听取和讨论了胡锦涛受中央政治局委托作的工作报告,审议通过了《中共中央关于构建社会主义和谐社会若干重大问题的决定》。吴邦国就《决定(讨论稿)》向全会作了说明。

全会指出,社会和谐是我们党不懈奋斗的目标。新世纪新阶段,我们党要带领人民抓住机遇、应对挑战,把中国特色社会主义伟大事业推向前进,必须坚持以经济建设为中心,把构建社会主义和谐社会摆在更加突出的地位。

全会认为,目前,我国社会总体上是和谐的。但是,也存在不少影响社会和谐的矛盾和问题。全会强调,我们要构建的社会主义和谐社会,是在中国特色社会主义道路上,中国共产党领导全体人民共同建设、共同享有的和谐社会。必须坚持以马克思列宁主义、毛泽东思想、邓小平理论和"三个代表"重要思想为指导,坚持党的基本路线、基本纲领、基本经验,坚持以科学发展观统领经济社会发展全局,按照民主法治、公平正义、诚信友爱、充满活力、安定有序、人与自然和谐相处的总要求,以解决人民群众最关心、最直接、最现

实的利益问题为重点,着力发展社会事业、促进社会公平正义、建设和谐文化、完善社会管理、增强社会创造活力,走共同富裕道路,推动社会建设与经济建设、政治建设、文化建设协调发展。

全会提出,到 2020 年,构建社会主义和谐社会的目标和主要任务是:社会主义民主法制更加完善,依法治国基本方略得到全面落实,人民的权益得到切实尊重和保障;城乡、区域发展差距扩大的趋势逐步扭转,合理有序的收入分配格局基本形成,家庭财产普遍增加,人民过上更加富足的生活;社会就业比较充分,覆盖城乡居民的社会保障体系基本建立;基本公共服务体系更加完善,政府管理和服务水平有较大提高;全民族的思想道德素质、科学文化素质和健康素质明显提高,良好的道德风尚、和谐的人际关系进一步形成;全社会创造活力显著增强,创新型国家基本建成;社会管理体系更加完善,社会秩序良好;资源利用效率显著提高,生态环境明显好转;实现全面建设惠及十几亿人口的更高水平的小康社会的目标,努力形成全体人民各尽其能、各得其所而又和谐相处的局面。

全会强调,构建社会主义和谐社会,要遵循的原则是:必须坚持以人为本,必须坚持科学发展,必须坚持改革开放,必须坚持民主法治,必须坚持正确处理改革发展稳定的关系,必须坚持在党的领导下全社会共同建设。

全会指出,社会要和谐,首先要发展,必须坚持用发展的办法解决前进中的问题,大力发展社会生产力,不断为社会和谐创造雄厚的物质基础,同时更加注重发展社会事业,推动经济社会协调发展。社会公平正义是社会和谐的基本条件,制度是社会公平正义的根本保证,必须加紧建

设对保障社会公平正义具有重大作用的制度,保障人民在政治、经济、文化、社会等方面的权力和利益,引导公民依法行使权利、履行义务。建设和谐文化是构建社会主义和谐社会的重要任务,社会主义核心价值体系是建设和谐文化的根本,必须坚持马克思主义在意识形态领域的指导地位,牢牢把握社会主义先进文化的前进方向,倡导和谐理念,培育和谐精神,进一步形成全社会共同的理想信念和道德规范,打牢全党全国各族人民团结奋斗的思想道德基础。加强社会管理,维护社会稳定,是构建社会主义和谐社会的必然要求,必须创新社会管理体制,整合社会管理资源,提高社会管理水平,健全党委领导、政府负责、社会协同、公众参与的社会管理格局,在服务中实施管理,在管理中体现服务。社会主义和谐社会既是充满活力的社会,也是团结和睦的社会,必须最大限度地激发社会活力,促进政党关系、民族关系、宗教关系、阶层关系、海内外同胞关系的和谐,巩固全国各族人民的大团结,巩固海内外中华儿女的大团结。

全会对当前和今后一个时期构建社会主义和谐社会作出了部署,强调指出,构建社会主义和谐社会,关键在党。必须充分发挥党的领导核心作用,坚持立党为公、执政为民,以党的执政能力建设和先进性建设推动社会主义和谐社会建设,为构建社会主义和谐社会提供坚强有力的政治保证。

全会还审议并通过了《关于召开党的第十七次全国代表大会的决议》。

八

中共十六届七中全会

2007年10月9日至12日,中国共产党第十六届中央委员会第七次全体会议在北京召开。出席会议的有中央委员190人,候补中央委员152人。中央纪律检查委员会委员和有关负责同志列席会议。

会议由中央政治局主持。中央委员会总书记胡锦涛同志作了重要讲话。

会议决定,中国共产党第十七次全国代表大会于2007年10月15日在北京召开。

会议听取和讨论了胡锦涛同志受中央政治局委托作的工作报告。全会讨论并通过了党的十六届中央委员会向党的第十七次全国代表大会的报告,讨论并通过了《中国共产党章程(修正案)》,决定将这两份文件提请党的第十七次全国代表大会审议。胡锦涛就党的十六届中央委员会向党的第十七次全国代表大会的报告讨论稿向全会作了说明。吴邦国同志就《中国共产党章程(修正案)》讨论稿向全会作了说明。

全会按照党章规定,决定递补中央委员会候补委员朱祖良、杜学芳、杨传堂、邱衍汉同志为中央委员会委员。

全会审议并通过了《中共中央纪律检查委员会关于陈良宇问题的审查报告》、《中共中央纪律检查委员会关于杜世成问题的审查报告》,确认中央政治局2007年4月23日、7月26日分别作出的给予杜世成、陈良宇开除党籍的处分。

中国共产党第十七次全国代表大会

一

中共十七大概述

2007 年 10 月 15 日至 10 月 21 日,中国共产党第十七次全国代表大会在北京召开。大会正式代表 2213 人,特邀代表 57 人,代表全国 7300 万名党员。

大会的主要议程有五项:①听取和审议党的十六届中央委员会的报告;②审议中央纪律检查委员会的工作报告;③审议并通过《中国共产党章程(修正案)》;④选举党的十七届中央委员会;⑤选举中央纪律检查委员会。

大会由吴邦国同志主持。

胡锦涛同志代表第十六届中央委员会向大会作了题为《高举中国特色社会主义伟大旗帜,为夺取全面建设小康社会新胜利而奋斗》的报告。胡锦涛同志指出,这次大会的主题是:高举中国特色社会主义伟大旗帜,以邓小平理论和"三个代表"重要思想为指导,深入贯彻落实科学发展观,继续解放思想,坚持改革开放,推动科学发展,促进社会和谐,为夺取全面建设小康社会新胜利而奋斗。

胡锦涛同志代表第十六届中央委员会向大会所作的报告共分十二个部分:第一,过去五年的工作;第二,改革开放的伟大历史进程;第三,深入贯彻落实科学发展观;第四,实现全面建设小康社会奋斗目标的新要求;第五,促进国民经济又好又快发展;第六,坚定不移发展社会主义民主政治;第七,推动社会主义文化大发展大繁荣;第八,加快推进以改善民生为重点的社会建设;第九,开创国防和军队现代化建设新局面;第十,推进"一国两制"实践和祖国和平统一大业;第十一,始终不渝走和平发展道路;第十二,以改革创新精神全面推进党的建设新的伟大工程。

报告指出,中国特色社会主义伟大旗帜,是当代中国发展进步的旗帜,是全党全国各族人民团结奋斗的旗帜。解放思想是发展中国特色社会主义的一大法宝,改革开放是发展中国特色社会主义的强大动力,科学发展、社会和谐是发展中国特色社会主义的基本要求,全面建设小康社会是党和国家到 2020 年的奋斗目标,是全国各族人民的根本利益所在。

报告强调,全党必须坚定不移地高举中国特色社会主义伟大旗帜,带领全国人民从新的历史起点出发,抓住和用好重要战略机遇期,求真务实,锐意进取,继续全面建设小康社会,加快推进社会主义现代化,完成时代赋予的崇高使命。

胡锦涛同志在报告中回顾了党的十六大以来我国各项事业取得的新成就,总结了改革开放的伟大历史进程。在谈到深入贯彻落实科学发展观时,胡锦涛强调,科学发展观,第一要义是发展,核心是以人为本,基本要求是全面协调可持续,根本方法是统筹兼顾。深入贯彻落实科学发展观,要求我们始终坚持"一个中心、两个基本点"的基本路线,积极构建社会主义和谐社会,继续深化改革开放,切实加强和改进党的建设。

在报告中,胡锦涛同志提出实现全面建设小康社会奋斗目标的新要求:增强发展协调性,努力实现经济又好又快发展;扩大社会主义民主,更好地保障人民权益和社会公平正义;加强文化建设,明显提高全民族文明素质;加快发展社会事业,全面改善人民生活;建设生态文明,基本形成节约能源资源和保护生态环境的产业结构、增长方式、消费模式。

关于促进国民经济又好又快发展,报告指出,实现未来经济发展目标,关键要在加快转变经济发展方式、完善社会主义市场经济体制方面取得重大进展。要提高自主创新能力,建设创新型国家;加快转变经济发展方式,推动产业结构优化升级;统筹城乡发展,推进社会主义新农村建设;加强能源资源节约和生态环境保护,增强可持续发展能力;推动区域协调发展,优化国土开发格局;完善基本经济制度,健全现代市场体系;深化财税、金融等体制改革,完善宏观调控体系;拓展对外开放广度和深度,提高开放型经济水平。

报告强调坚定不移发展社会主义民主政治。政治体制改革作为我国全面改革的重要组成部分,必须随着经济社会发展而不断深化。要扩大人民民主,保证人民当家做主;发展基层民主,保障人民享有更多更切实的民主权利;全面落实依法治国基本方略,加快建设社会主义法治国家;壮大爱国统一战线,团结一切可以团结的力量;加快行政管理体制改革,建设服务型政府;完善制约和监督机制,保证人民赋予的权力始终用来为人民谋利益。

报告指出,要推动社会主义文化大发展、大繁荣,兴起社会主义文化建设新高潮。建设社会主义核心价值体系,增强社会主义意识形态的吸引力和凝聚力;建设

和谐文化,培育文明风尚;弘扬中华文化,建设中华民族共有精神家园;推进文化创新,增强文化发展活力,让人民共享文化发展成果。

胡锦涛同志强调,社会建设与人民幸福安康息息相关,要努力使全体人民学有所教、劳有所得、病有所医、老有所养、住有所居,推动建设和谐社会。必须在经济发展的基础上更加注重社会建设,着力保障和改善民生,促进社会公平正义,推动建设和谐社会。要优先发展教育,建设人力资源强国;实施扩大就业的发展战略,促进以创业带动就业;深化收入分配制度改革,增加城乡居民收入;加快建立覆盖城乡居民的社会保障体系,保障人民基本生活;建立基本医疗卫生制度,提高全民健康水平;完善社会管理,维护社会安定团结。

关于开创国防和军队现代化建设新局面,胡锦涛同志指出,必须站在国家安全和发展战略全局的高度,统筹经济建设和国防建设,在全面建设小康社会进程中实现富国和强军的统一。全面履行党和人民赋予的新世纪新阶段军队的历史使命,必须贯彻新时期军事战略方针,加快中国特色军事变革,全面加强、协调推进军队革命化、现代化、正规化建设,提高军队应对多种安全威胁、完成多样化军事任务的能力,坚决维护国家主权、安全、领土完整,为维护世界和平贡献力量。

在报告中,胡锦涛同志强调,香港、澳门回归祖国以来,"一国两制"实践日益丰富。我们将坚定不移地贯彻"一国两制"、"港人治港"、"澳人治澳"、高度自治的方针。按照"一国两制"实现祖国和平统一,符合中华民族根本利益。我们郑重呼吁,在一个中国原则的基础上,协商正式结束两岸敌对状态,达成和平协议,构建两岸

关系和平发展框架,开创两岸关系和平发展新局面。我们愿以最大诚意、尽最大努力实现两岸和平统一,绝不允许任何人以任何名义任何方式把台湾从祖国分割出去。

胡锦涛同志指出,我们主张,各国人民携手努力,推动建设持久和平、共同繁荣的和谐世界。中国将始终不渝走和平发展道路,始终不渝奉行互利共赢的开放战略,坚持在和平共处五项原则的基础上同所有国家发展友好合作,继续同各国人民一道,为实现人类的美好理想而不懈努力。

报告强调,要以改革创新精神全面推进党的建设新的伟大工程,使党始终成为中国特色社会主义事业的坚强领导核心。深入学习贯彻中国特色社会主义理论体系,着力用马克思主义中国化最新成果武装全党;继续加强党的执政能力建设,着力建设高素质领导班子;积极推进党内民主建设,着力增强党的团结统一;不断深化干部人事制度改革,着力造就高素质干部队伍和人才队伍;全面巩固和发展先进性教育活动成果,着力加强基层党的建设;切实改进党的作风,着力加强反腐倡廉建设。

报告最后指出,让我们高举中国特色社会主义伟大旗帜,更加紧密地团结在党中央周围,万众一心,开拓奋进,为夺取全面建设小康社会新胜利、谱写人民美好生活新篇章而努力奋斗!

其后,与会代表分组讨论了胡锦涛同志代表第十六届中央委员会向大会所作的报告。

10月21日上午,举世瞩目的中国共产党第十七次全国代表大会在人民大会堂闭幕。胡锦涛同志主持大会。会议首先通过了2名总监票人和36名监票人名单。在总监票人和监票人监督下,到会的2235名代表和特邀代表以无记名投票方式,选举出由204名中央委员、167名候补中央委员组成的十七届中央委员会,选举出中央纪律检查委员会委员127名。

党的十七大选举产生的新的中央委员会,具有时代特色的年轻化和知识化趋势。一批德才兼备、年富力强的领导干部进入新一届中央委员会和中央领导机构,充分反映出我们党兴旺发达,朝气蓬勃,富有活力。选举结果体现了全党的意志,反映了全国各族人民的心愿。我们党有了能够担当历史重任和时代使命的坚强团结的领导集体,必将团结带领全党全国各族人民不断夺取全面建设小康社会新胜利、开创中国特色社会主义事业新局面。

随后,大会通过了关于十六届中央委员会报告的决议,通过了关于中央纪律检查委员会工作报告的决议,大会通过了关于《中国共产党章程(修正案)》的决议,决定这一修正案自通过之日起生效。

大会完成各项议程后,胡锦涛同志发表了重要讲话。

胡锦涛同志在讲话中指出,这次大会确定党的代表大会代表实行任期制,这对党的代表大会代表提出了新的更高的要求。我们作为党的全国代表大会代表,使命光荣,责任重大,一定要牢记自己的神圣职责,认真学习贯彻党的理论和路线方针政策,切实学习党章、遵守党章、贯彻党章、维护党章;一定要密切联系广大党员和人民群众,正确行使代表权利;一定要充分发挥模范带头作用,为党和国家事业发展建言献策、建功立业,决不辜负广大党员的信任和重托。

胡锦涛同志还强调指出,这次大会号召全党同志坚定不移地高举中国特色社会主义伟大旗帜,倍加珍惜、长期坚持和不断发展党历经艰辛开创的中国特色社会主义道路和中国特色社会主义理论体系,始终坚持"一个中心、两个基本点"的基本路线,这是我们战胜前进道路上一切困难和风险、奋力夺取全面建设小康社会新胜利、开创中国特色社会主义事业新局面的根本政治保证。全党同志要紧密团结在党中央周围,高举中国特色社会主义伟大旗帜,坚持以马克思列宁主义、毛泽东思想、邓小平理论和"三个代表"重要思想为指导,深入贯彻落实科学发展观,坚定不移地继续解放思想,坚定不移地坚持改革开放,坚定不移地推动科学发展、促进社会和谐,坚定不移地实现全面建设小康社会的宏伟目标,带领人民抓住和用好重要战略机遇期,求真务实,锐意进取,为落实党的十七大提出的各项任务而团结奋斗。

中共十七大通过的十六届中央委员会报告,是团结和凝聚全党全国各族人民,高举中国特色社会主义伟大旗帜,坚持改革开放,推动科学发展,促进社会和谐,夺取全面建设小康社会新胜利的政治宣言和行动纲领。

这次大会总结了党的十六大以来五年的工作,回顾总结了二十九年来改革开放的伟大历史进程和宝贵经验,选举产生了新一届中央委员会,通过了党章修正案,阐述了科学发展观的科学内涵和根本要求,使马克思主义中国化又达到一个新的高度。

这次大会高举中国特色社会主义伟大旗帜,准确把握时代特征,科学判断我们党所处的历史方位,对全面建设小康社会提出了新的要求,进一步丰富和完善了我们党和国家到2020年的奋斗目标,提出了一系列新观点、新概括、新举措,必将指

引和鼓舞亿万人民奋力开创中国特色社会主义事业新局面。以党的十七大胜利闭幕为标志,中国特色社会主义事业又处于一个新的历史起点,亿万人民在党的领导下昂首阔步地踏上继续全面建设小康社会、加快推进社会主义现代化的新征程。

中共十七届一中全会

2007年10月22日,中国共产党第十七届中央委员会第一次全体会议在北京召开。出席会议的有中央委员204人,候补中央委员166人。中央纪律检查委员会委员列席会议。

胡锦涛同志主持会议并作了重要讲话。

全会选举了中央政治局委员、中央政治局常务委员会委员、中央委员会总书记;根据中央政治局常务委员会的提名,通过了中央书记处成员;决定了中央军事委员会组成人员;批准了中央纪律检查委员会第一次全体会议选举产生的书记、副书记和常务委员会委员人选。

中共十七届二中全会

2008年2月25日至27日,中国共产党第十七届中央委员会第二次全体会议在北京召开。出席这次全会的有中央委员204人,候补中央委员167人。有关负责同志列席了会议。

中央政治局主持会议。中央委员会总书记胡锦涛同志作了重要讲话。

全会审议通过了中央政治局在广泛征求党内外意见、反复酝酿协商的基础上提出的拟向十一届全国人大一次会议推荐的国家机构领导人员人选建议名单和拟向全国政协十一届一次会议推荐的全国政协领导人员人选建议名单，决定将这两个建议名单分别向十一届全国人大一次会议主席团和全国政协十一届一次会议主席团推荐。全会审议通过了在广泛征求意见的基础上提出的《关于深化行政管理体制改革的意见》和《国务院机构改革方案》，同意把《国务院机构改革方案》提请十一届全国人大一次会议审议。

全会认为，开好十一届全国人大一次会议和全国政协十一届一次会议，对于全面贯彻党的十七大精神，高举中国特色社会主义伟大旗帜，以邓小平理论和"三个代表"重要思想为指导，深入贯彻落实科学发展观，进一步动员全党全国各族人民为夺取全面建设小康社会新胜利、开创中国特色社会主义事业新局面而团结奋斗，具有重大的意义。

全会指出，坚持和完善人民代表大会制度和中国共产党领导的多党合作和政治协商制度，加强和改进人大工作和政协工作，是巩固党的执政地位、巩固社会主义政权、巩固爱国统一战线的必然要求，是发展社会主义民主政治的重要任务。要进一步坚持好、完善好、发展好人民代表大会制度和中国共产党领导的多党合作和政治协商制度，为党和国家事业发展提供重要的政治制度保障。

四

十七届三中全会

2008 年 10 月 9 日至 12 日，中国共产党第十七届中央委员会第三次全体会议在北京召开。出席这次全会的有中央委员 202 人，候补中央委员 166 人。中央纪律检查委员会常务委员会委员和有关方面负责同志列席了会议。党的十七大代表中从事农业农村工作的部分基层同志和研究农业、农村、农民问题的部分专家学者也列席了会议。

全会由中央政治局主持。中央委员会总书记胡锦涛作了重要讲话。

全会听取和讨论了胡锦涛同志受中央政治局委托作的工作报告，审议通过了《中共中央关于推进农村改革发展若干重大问题的决定》。回良玉同志就《决定（讨论稿）》向全会作了说明。

全会指出，农业、农村、农民问题关系党和国家事业发展全局。当前，国际形势继续发生深刻变化，我国改革发展进入关键阶段。我们要抓住和用好重要战略机遇期，胜利实现全面建设小康社会的宏伟目标，加快推进社会主义现代化，就要更加自觉地把继续解放思想落实到坚持改革开放、推动科学发展、促进社会和谐上来，毫不动摇地推进农村改革发展。

全会认为，我国总体上已进入以工促农、以城带乡的发展阶段，进入加快改造传统农业、走中国特色农业现代化道路的关键时刻，进入着力破除城乡二元结构、形成城乡经济社会发展一体化新格局的重要时期。我们要牢牢把握我国社会主义初级阶段的基本国情和当前发展的阶段性特征，适应农村改革发展新形势，顺应亿万农民过上美好生活新期待，抓住时机，乘势而上，努力开辟中国特色农业现代化的广阔道路，奋力开创社会主义新农村建设的崭新局面。

全会强调，要全面贯彻党的十七大精神，高举中国特色社会主义伟大旗帜，以邓小平理论和"三个代表"重要思想为指导,深入贯彻落实科学发展观,把建设社会主义新农村作为战略任务,把走中国特色农业现代化道路作为基本方向,把加快形成城乡经济社会发展一体化新格局作为根本要求,坚持工业反哺农业、城市支持农村和多予少取放活方针,创新体制机制,加强农业基础,增加农民收入,保障农民权益,促进农村和谐,充分调动广大农民的积极性、主动性、创造性,推动农村经济社会又好又快发展。

全会提出,到2020年,农村改革发展基本目标任务是:农村经济体制更加健全,城乡经济社会发展一体化体制机制基本建立;现代农业建设取得显著进展,农业综合生产能力明显提高,国家粮食安全和主要农产品供给得到有效保障;农民人均纯收入比2008年翻一番,消费水平大幅提升,绝对贫困现象基本消除;农村基层组织建设进一步加强,村民自治制度更加完善,农民民主权利得到切实保障;城乡基本公共服务均等化明显推进,农村文化进一步繁荣,农民基本文化权益得到更好落实,农村人人享有接受良好教育的机会,农村基本生活保障、基本医疗卫生制度更加健全,农村社会管理体系进一步完善;资源节约型、环境友好型农业生产体系基本形成,农村人居和生态环境明显改善,可持续发展能力不断增强。

全会强调,实现上述目标任务,要遵循以下重大原则:必须巩固和加强农业基础地位,始终把解决好十几亿人口吃饭问题作为治国安邦的头等大事;必须切实保障农民权益,始终把实现好、维护好、发展好广大农民根本利益作为农村一切工作的出发点和落脚点;必须不断解放和发展农村社会生产力,始终把改革创新作为农村发展的根本动力;必须统筹城乡经济社

会发展,始终把着力构建新型工农、城乡关系作为加快推进现代化的重大战略;必须坚持党管农村工作,始终把加强和改善党对农村工作的领导作为推进农村改革发展的政治保证。

全会对当前和今后一个时期推进农村改革发展作出了部署,强调要大力推进改革创新,加强农村制度建设;积极发展现代农业,提高农业综合生产能力;加快发展农村公共事业,促进农村社会全面进步。

全会提出,实现农村发展战略目标,推进中国特色农业现代化,必须按照统筹城乡发展要求,抓紧在农村体制改革关键环节上取得突破,进一步放开搞活农村经济,优化农村发展外部环境,强化农村发展制度保障。要稳定和完善农村基本经营制度、健全严格规范的农村土地管理制度、完善农业支持保护制度、建立现代农村金融制度、建立促进城乡经济社会发展一体化制度、健全农村民主管理制度。

全会提出,发展现代农业,必须按照高产、优质、高效、生态、安全的要求,加快转变农业发展方式,推进农业科技进步和创新,加强农业物质技术装备,健全农业产业体系,提高土地产出率、资源利用率、劳动生产率,增强农业抗风险能力、国际竞争能力、可持续发展能力。要明确目标、制订规划、加大投入,集中力量办好关系全局、影响长远的大事。要确保国家粮食安全、推进农业结构战略性调整、加快农业科技创新、加强农业基础设施建设、建立新型农业社会化服务体系、促进农业可持续发展、扩大农业对外开放。要加强农业标准化和农产品质量安全工作,严格全程监控,切实落实质量安全监管责任,杜绝不合格产品进入市场。

全会提出,建设社会主义新农村,形

成城乡经济社会发展一体化新格局,必须扩大公共财政覆盖农村范围,发展农村公共事业,使广大农民学有所教、劳有所得、病有所医、老有所养、住有所居。要繁荣发展农村文化,大力办好农村教育事业,促进农村医疗卫生事业发展,健全农村社会保障体系,加强农村基础设施和环境建设,推进农村扶贫开发,加强农村防灾减灾能力建设,强化农村社会管理。

全会强调,推进农村改革发展,关键在党。要把党的执政能力建设和先进性建设作为主线,以改革创新精神全面推进农村党的建设,认真开展深入学习实践科学发展观活动,增强各级党组织的创造力、凝聚力、战斗力,不断提高党领导农村工作的水平。

全会按照党章规定,决定递补中央委员会候补委员王新宪为中央委员会委员。

全会审议并通过了《中共中央纪律检查委员会关于于幼军同志问题的审查报告》,决定撤销于幼军中央委员会委员职务,确认中央政治局 2008 年 9 月 5 日作出的给予其留党察看两年的处分。

科学发展观的提出与贯彻

新时期以来,我们党在推动马克思主义中国化的历史进程中形成和发展了包括邓小平理论、"三个代表"重要思想以及科学发展观等重大战略思想在内的中国特色社会主义理论体系,其中,科学发展观是这一理论体系的最新成果。这一科学理论是科学分析我国发展的阶段性作出的战略选择,是同马克思列宁主义、毛泽东思想、邓小平理论和"三个代表"重要思想既一脉相承又与时俱进的科学理论。在新的发展阶段继续全面建设小康社会,必须坚持以邓小平理论和"三个代表"重要思想为指导,深入贯彻落实科学发展观,始终不移地继续解放思想、开拓创新,坚持科学发展,促进社会和谐。

一

科学发展观的形成与发展

1. 科学发展观提出的时代背景和实践基础

科学发展观是在深刻分析国际形势、顺应世界发展趋势、借鉴国外发展经验的基础上提出来的。当今世界正处在大变革、大调整之中。在新的历史条件下,我们既面临着难得的历史性发展机遇,也面临着严峻的挑战。就国际整体形势来讲,和平与发展仍然是时代主题,求和平、谋发展、促合作已经成为不可阻挡的时代潮流。但与此同时,世界仍然很不安宁,世界和平与发展面临诸多难题和挑战。此外,当今时代我国同世界的关系也已发生了历史性变化,总体上而言,国际环境有利于我国发展,但不利因素也可能增多,这些都需要我们正确把握国际形势中出现的新变化新要求,不断提高把握机遇、抵御风险的能力,走科学发展、和谐发展和和平发展之路,除此之外,世界上一些国家在发展历程中积累的成功经验,和由于不注意科学发展而得到的深刻教训,也为我国科学发展观的提出提供了一定的参考和借鉴。

科学发展观是立足社会主义初级阶

段基本国情,总结我国发展实践,适应新的发展要求提出来的。进入新世纪新阶段,我国发展呈现一系列新的阶段性特征,如经济实力显著增强,同时生产力水平总体上还不高,自主创新能力还不强,长期形成的结构性矛盾和粗放型增长方式尚未根本改变;如社会主义市场经济体制初步建立,同时影响发展的体制机制障碍依然存在,改革攻坚面临深层次矛盾和问题等等,这表明,我国仍处于并将长期处于社会主义初级阶段的基本国情没有变,人民日益增长的物质文化需要同落后的社会生产力之间的矛盾这一社会主要矛盾没有变。当前我国发展的阶段性特征,是社会主义初级阶段基本国情在新世纪新阶段的具体表现。我们必须始终保持清醒头脑,立足社会主义初级阶段这个最大的实际,科学分析我国全面参与经济全球化的新机遇新挑战,全面认识工业化、信息化、城镇化、市场化、国际化深入发展的新形势新任务,深刻把握我国发展面临的新课题新矛盾,更加自觉地走科学发展道路,奋力开拓中国特色社会主义更为广阔的发展前景。科学发展观正是在准确把握我国发展的阶段性特征,适应我国发展新要求基础上提出来的。

科学发展观是在科学总结我国社会主义建设和改革开放实践经验的基础上形成的。我们党在长期的社会主义建设进程中,既取得了辉煌的成就,也积累了发展社会主义的丰富的经验。特别是十一届三中全会之后,我们党把坚持马克思主义基本原理同推进马克思主义中国化结合起来,把坚持四项基本原则同坚持改革开放结合起来,把尊重人民首创精神同加强和改善党的领导结合起来,把坚持社会主义基本制度同发展市场经济结合起来,把推动经济基础变革同推动上层建筑

改革结合起来,把发展社会生产力同提高全民族文明素质结合起来,把提高效率同促进社会公平结合起来,把坚持独立自主同参与经济全球化结合起来,把促进改革发展同保持社会稳定结合起来,把推进中国特色社会主义伟大事业同推进党的建设新的伟大工程结合起来,取得了我们这样一个十几亿人口的发展中大国摆脱贫困、加快实现现代化、巩固和发展社会主义的宝贵经验。科学发展观正是在深刻总结和坚持运用这些实践经验的基础上提出来的。

2. 科学发展观的形成与发展

作为中国特色社会主义理论体系的最新成果,科学发展观是在中国特色社会主义事业中形成并随着这一伟大事业的发展而逐步展开的。

2003 年 4 月 15 日,中央委员会总书记胡锦涛同志在"非典"疫情日趋严重的广东视察工作时指出:坚持全面的发展观,通过促进三个文明协调发展不断增创新优势。要在全面建设小康社会、率先基本实现社会主义现代化的进程中,努力在社会主义物质文明、政治文明、精神文明建设方面都交出优异的答卷。这是对科学发展观基本含义一次较早时期的阐述。

此后不久,胡锦涛同志在 7 月 28 日召开的防治"非典"会议上再次明确指出,通过抗击"非典"斗争,我们比过去更加深刻地认识到,我国的经济发展和社会发展、城市发展和农村发展还不够协调。他强调指出:我们要更好地坚持全面发展、协调发展、可持续发展。

科学发展观第一次见诸党的全会文件是在党的十六届三中全会通过的《中共中央关于完善社会主义市场经济体制若干问题的决定》中。《决定》指出,坚持统筹兼顾,协调好改革进程中的各种利益关

系。坚持以人为本,树立全面、协调、可持续的发展观,促进经济社会和人的全面发展。

其后,科学发展观继续随着中国社会主义现代化建设进程的不断推进而逐步发展。2004年,党的十六届四中全会通过的《关于加强党的执政能力建设的决定》明确把树立和落实科学发展观作为提高党的执政能力的重要内容。这一文件在总结55年来党执政的主要经验的基础上,前后有六次明确提出"科学发展观"这一概念,提出要"坚持以人为本、全面协调可持续的科学发展观,更好地推动经济社会发展"等科学论断,这就进一步推动了科学发展观这一科学理论的深入发展。

在此之后,先后于2005年和2006年召开的中国共产党在十六届五中全会和十六届六中全会又进一步丰富和发展了科学发展观这一理论体系。在此基础上,2007年,胡锦涛同志在党的十七大报告中明确指出,科学发展观是对党的三代中央领导集体关于发展的重要思想的继承和发展,是马克思主义关于发展的世界观和方法论的集中体现,是同马克思列宁主义、毛泽东思想、邓小平理论和"三个代表"重要思想既一脉相承又与时俱进的科学理论,是我国经济社会发展的重要指导方针,是发展中国特色社会主义必须坚持和贯彻的重大战略思想。大会一致同意将科学发展观写进党章,从而为我国的中国特色社会主义事业进一步指明方向。

3. 在全党开展深入学习实践科学发展观活动

在全党开展深入学习实践科学发展观活动,是党的十七大作出的一项重大战略部署。对这项活动的开展,中共中央极为重视,决定2008年上半年先进行试点以取得经验,其后,再自上而下,分批展开。

2008年2月28日,中共中央在北京召开深入学习实践科学发展观活动试点工作座谈会,决定开展试点工作。2月下旬,试点工作正式启动。在其后六个多月的时间中,包括江苏、江西、四川和中央组织部、财政部、国土资源部三省、三部在内的23个试点单位紧紧围绕深入学习实践科学发展观这一主题,认真学习和深刻理解科学发展观的科学内涵、精神实质、根本要求,坚持理论联系实际,坚持改革创新,坚持群众路线,贯彻落实科学发展观的自觉性和坚定性进一步增强,推进科学发展的思路进一步完善,影响科学发展的突出问题得到初步解决,为全党开展学习实践活动积累了经验。

在认真总结试点工作的基础上,中共中央政治局于2008年9月5日召开会议,决定从2008年9月开始,用一年半左右时间,在全党分批开展深入学习实践科学发展观活动。

2008年9月14日,中共中央颁布《关于在全党开展深入学习实践科学发展观活动的意见》,明确阐述了开展学习实践活动的重大现实意义和紧迫性、指导思想和目标要求、主要原则、要解决的重点问题、批次安排和步骤以及学习实践活动的领导和指导等重大问题。9月19日,胡锦涛在全党深入学习实践科学发展观活动动员大会暨省部级主要领导干部专题研讨班开班式上发表重要讲话,进一步深刻论述了在全党开展学习实践科学发展观活动的必要性和紧迫性,明确提出开展活动中要着重不懈努力的六个方面:进一步深刻理解贯彻落实科学发展观的重大意义,进一步抓好发展这个党执政兴国的第一要务,进一步实现好、维护好、发展好最广大人民的根本利益,进一步坚持解放思想、改革创新,进一步提高党员干部队伍素质,进一步动员广大人民群众投身科学发展的伟大实践。

在讲话中,胡锦涛还明确指出了学习实践活动的总要求和重点。他指出,这次学习实践活动的总要求是:全面贯彻党的十七大精神,高举中国特色社会主义伟大旗帜,以邓小平理论和"三个代表"重要思想为指导,组织广大党员特别是各级领导班子和党员领导干部深入学习实践科学发展观,紧紧围绕党员干部受教育、科学发展上水平、人民群众得实惠;进一步解放思想、实事求是、改革创新,切实增强贯彻落实科学发展观的自觉性和坚定性,着力转变不适应不符合科学发展要求的思想观念,着力解决影响和制约科学发展的突出问题以及党员干部党性党风党纪方面群众反映强烈的突出问题,着力构建有利于科学发展的体制机制,提高领导科学发展、促进社会和谐的能力,使党的工作和党的建设更加符合科学发展观的要求。胡锦涛强调,这次学习实践活动的重点是县级以上领导班子和党员领导干部。各级领导干部特别是党委(党组)主要负责同志能否发挥示范带头作用,对学习实践活动的成效有着重要影响。领导干部带头,首先要从中央政治局常委同志做起。希望大家带头学习、深入学习,带头调查研究,带头坚持解放思想、实事求是,带头分析检查,带头整改落实。

胡锦涛的讲话,为学习实践科学发展观活动的开展进一步指明了方向。按照中央的统一部署,从2008年9月开始,深入学习实践科学发展观活动即在全党积极开展起来。在党中央的正确领导下,在各地区各部门各单位的共同努力下,第一批学习实践活动扎实推进,进展顺利,取得实际成效,到2009年2月底总体上已基本告一段落。此后,中共中央又多次召开会议,对第一批学习实践活动的做法、经验和成效进行全面总结,对第二批学习实践活动的有关工作进行研究部署,从而为第二批学习实践活动顺利启动和发展创造了良好的条件。

二

科学发展观是中国特色社会主义理论体系的最新成果

1. 科学发展观是同马克思列宁主义、毛泽东思想、邓小平理论和"三个代表"重要思想既一脉相承又与时俱进的科学理论

作为马克思主义在中国发展的历史新阶段,科学发展观既体现了对马克思主义、毛泽东思想、邓小平理论和"三个代表"重要思想的承前继往,又体现了与时俱进和丰富发展。

发展是马克思主义最基本的范畴之一,马克思主义经典作家关于发展问题进行了深刻思考,提出了一系列科学论断。在长期的革命、建设和改革实践中,以毛泽东、邓小平和江泽民为代表的中国共产党人在把马克思主义基本原理同中国实际相结合的过程中,不断推进实践基础上的理论创新和其他方面创新,丰富和发展了马克思主义的发展观。进入新世纪新阶段之后,随着历史条件的变化,对发展的质量要求也变得更高。科学发展观站在时代高度,在坚持了党的三代中央领导集体关于发展的重要思想的基础上,深刻总结了国内外在发展问题上的经验教训,科学分析我国发展进程中出现的各种新情况新问题,提出要坚持以人为本、全面协调可持续的发展,提出"五个统筹"等重要论断,进一步回答了实现什么样的发

展、怎样发展等重大问题，进一步深化和丰富了我们党对共产党执政规律、社会主义建设规律和人类社会发展规律的认识，使我们党对发展问题的认识达到了新的历史高度。

作为经济社会发展的阶段性特征的产物，科学发展观是中国特色社会主义理论体系的最新成果。中国特色社会主义是一个漫长的发展进程。在这一进程中，中国共产党人全部的理论和实践主题只有一个，就是建设中国特色社会主义，中国共产党人推进马克思主义中国化所形成的理论成果都属于一个科学体系，就是中国特色社会主义理论体系。但由于实践发展的阶段性，不同的阶段必然产生不同的理论成果，因此，从根本上而言，邓小平理论、"三个代表"重要思想和科学发展观的一脉相承，是在中国特色社会主义这个主题上的一脉相承；而其与时俱进，也都是随着中国特色社会主义实践的发展而与时俱进。邓小平理论、"三个代表"重要思想和科学发展观呈现出相互贯通又随着实践和时代发展层层递进的重要特征。在当代中国，深入贯彻落实科学发展观，是对邓小平理论和"三个代表"重要思想的最好坚持，也是对中国特色社会主义理论体系的最好实践。

2. 马克思主义关于发展的世界观和方法论的集中体现

所谓世界观指的是人们关于世界的总的根本的看法，方法论则指的是人们认识和改造世界所遵循的根本方法。长期以来，马克思、恩格斯等马克思主义者以辩证唯物主义和历史唯物主义的世界观和方法论来考察人类的发展问题，形成了关于发展问题系统而丰富的思想。科学发展观把马克思主义基本原理同中国的实践和时代特征结合起来，进一步回答了

实现什么样的发展、怎样发展等重大问题，指明了科学发展的道路，是马克思主义关于发展的世界观和方法论的集中体现。

科学发展观以辩证唯物主义和历史唯物主义的世界观和方法论来考察并揭示了发展的本质和基本内涵，为我们科学认识发展指明了方向。这一科学理论强调要牢牢扭住经济建设这个中心，坚持聚精会神搞建设、一心一意谋发展；强调以人为本，把推进人的全面发展作为社会主义发展的根本目的；要一切依靠人民、一切为了人民，把满足人民群众的物质文化需要，作为推动经济社会发展的根本出发点和最终归宿。这一科学理论不但关注发展的规模和速度，更注重发展质量的提升；不但关注社会财富的创造和涌流，更注重社会利益的分配和调整；不但关注经济实力的增长，更注重经济、政治、文化、社会以及生态等各方面的均衡发展；不但关注开发和利用自然为人类造福，更注重人与自然和谐发展；不但关注群众基本需求的满足，更注重生活质量的提高和人的全面发展。这些都大大丰富了马克思主义关于发展问题的理论宝库。

科学发展观以辩证唯物主义和历史唯物主义的世界观和方法论来考察并揭示了我国经济文化社会发展的正确道路，为我们进一步又好又快地推进我国的发展指明了方向。在如何科学推进我国发展这一根本性问题上，科学发展观着力于认识发展的客观规律，尊重发展的客观规律，按照发展的客观规律办事，提出了一系列新思想、新论断和新观点，如必须坚持全面协调可持续发展，要按照中国特色社会主义事业总体布局，全面推进经济建设、政治建设、文化建设、社会建设，促进现代化建设各个环节、各个方面相协调，

促进生产关系与生产力、上层建筑与经济基础相协调；如必须坚持统筹兼顾，要正确认识和妥善处理中国特色社会主义事业中的重大关系，统筹城乡发展、区域发展、经济社会发展、人与自然和谐发展、国内发展和对外开放，统筹中央和地方关系，统筹个人利益和集体利益、局部利益和整体利益、当前利益和长远利益，充分调动各方面积极性等等。这些都是马克思主义关于发展的立场、观点、方法的集中体现。

3. 发展中国特色社会主义必须坚持和贯彻的重大战略思想

发展是当今时代更是当代中国的主题。科学发展观坚持马克思主义基本原理，用马克思主义的立场、观点和方法观察和解决中国的发展问题，大大丰富了马克思主义关于发展的理论宝库，创造性地构建了第一要义是发展、核心是以人为本、基本要求是全面协调可持续、根本方法是统筹兼顾的科学体系。这一科学体系始终坚持全面的、联系的、发展的观点，必须把发展作为党执政兴国的第一要务的理念，人民是历史发展主体、发展为了人民、发展依靠人民、发展成果由人民共享的不懈追求，以及统筹兼顾的系统思维方式和思想方法等，都是马克思主义关于发展的世界观和方法论的集中体现。这一科学体系对什么是发展、为什么发展、怎样发展，发展为了谁、发展依靠谁、发展成果由谁享有等重大问题进行了科学回答，使我们党对发展问题的认识达到了新的高度，为新世纪新阶段进一步推进中国特色社会主义现代化建设进一步指明了方向。

科学发展观是中国共产党人在高举中国特色社会主义伟大旗帜，坚定不移地走中国特色社会主义道路的历史进程中，将马克思主义基本原理与中国实际情况相结合所进行的持续性、系统性思考的最新成果。这一科学理论继续回答了"什么是社会主义、怎样建设社会主义"、"建设什么样的党、怎样建设党"的问题，对"实现什么样的发展、怎样发展"的问题进行了创造性的回答，大大深化和丰富了我们党对共产党执政规律、社会主义建设规律和人类社会发展规律的认识，使我们对中国特色社会主义的认识达到了一个新的历史性高度，也为我们如何把中国特色社会主义事业全面推向前进提供了强大的思想武器。我们的发展面对新的历史条件，只有高举中国特色社会主义伟大旗帜，坚持以邓小平理论和"三个代表"重要思想为指导，深入贯彻落实科学发展观，更加自觉地走科学发展之路，才能奋力开拓中国特色社会主义更为广阔的发展前景。

三

科学发展观的科学内涵、精神实质和根本要求

胡锦涛同志在党的十七大上指出："科学发展观，第一要义是发展，核心是以人为本，基本要求是全面协调可持续，根本方法是统筹兼顾。"这就深刻揭示了科学发展观的科学内涵和精神实质。深入贯彻落实科学发展观，就必须认真学习和全面把握这一科学理论的丰富内容，深刻领会这一科学理论的精神实质和根本要求，并切实把这一科学理论贯彻落实于我们的各项工作之中。

1. 科学发展观的科学内涵和精神实质

坚持把发展作为党执政兴国的第一

要务。发展是当代中国的主题。解决好发展问题,对于全面建设小康社会、加快推进社会主义现代化,具有决定性意义。我们在实践中要牢牢扭住经济建设这个中心,坚持聚精会神搞建设、一心一意谋发展,不断解放和发展社会生产力。与此同时,我们又必须知道,我们所追求的发展又不是孤立、片面和不计代价的发展,而是以人为本、全面协调可持续的科学发展,实现各方面事业有机统一、社会成员团结和睦的和谐发展,实现既通过维护世界和平发展自己、又通过自身发展维护世界和平的和平发展。这就需要我们在实际工作中更好实施科教兴国战略、人才强国战略、可持续发展战略,着力把握发展规律、创新发展理念、转变发展方式、破解发展难题,提高发展质量和效益,实现又好又快发展,为中国特色社会主义的发展和巩固奠定坚实基础。

要紧紧把握科学发展观的核心,坚持以人为本。我们必须时刻牢记,全心全意为人民服务是党的根本宗旨,党的一切奋斗和工作都是为了造福人民。在实践中,我们要始终把实现好、维护好、发展好最广大人民的根本利益作为党和国家一切工作的出发点和落脚点,尊重人民主体地位,发挥人民首创精神,保障人民各项权益,走共同富裕道路,促进人的全面发展,做到发展为了人民、发展依靠人民、发展成果由人民共享。

要紧紧把握科学发展观的基本要求,坚持全面协调可持续发展。全面,就是发展要注意全面性和整体性,要以经济建设为中心,全面推进经济建设、政治建设、文化建设、社会建设,实现经济文化社会的全面发展;协调,就是发展要有协调性和均衡性,就是要做到"五个统筹",促进现代化建设各个环节、各个方面相协调,促进生产关系与生产力、上层建筑与经济基础相协调;可持续,指的是发展要充分考虑到长远性和持续性,要坚持生产发展、生活富裕、生态良好的文明发展道路,建设资源节约型、环境友好型社会,实现速度和结构质量效益相统一、经济发展与人口资源环境相协调,使人民在良好的生态环境中生产生活,实现经济社会永续发展。事实证明,只有紧紧把握这一基本要求,按照中国特色社会主义事业总体布局全面推进各项建设,才能保证中国特色社会主义事业取得一个又一个辉煌的成就。

根本方法是统筹兼顾。统筹兼顾是我们党在推进社会主义现代化建设进程中所得到的一条基本经验。在新的历史条件下,我们更要牢牢把握这一保证全面协调可持续发展的根本方法。这就需要我们正确认识和妥善处理中国特色社会主义事业中的重大关系,统筹城乡发展、区域发展、经济社会发展、人与自然和谐发展、国内发展和对外开放,统筹中央和地方关系,统筹个人利益和集体利益、局部利益和整体利益、当前利益和长远利益,充分调动各方面积极性;需要我们认真统筹国内国际两个大局,树立世界眼光,加强战略思维,善于从国际形势发展变化中把握发展机遇、应对风险挑战,营造良好国际环境。在工作的部署和安排上,我们要时刻做到既要总揽全局、统筹规划,又要抓住牵动全局的主要工作、事关群众利益的突出问题,着力推进、重点突破,以切实把各项工作推向前进。

2. 当前进一步贯彻落实科学发展观的根本要求

作为中国特色社会主义理论体系的最新成果,科学发展观提出后成为推动我国经济社会发展的强大思想武器,在社会主义伟大实践中发挥了重要指导作用。

在社会主义现代化不断凯歌行进的今天，我们必须进一步深入贯彻落实科学发展观，这就需要我们着重做好以下几个方面的工作。

始终坚持"一个中心、两个基本点"的基本路线。党的基本路线是我们党立足于社会主义初级阶段这一基本国情而制定的，它为发展中国特色社会主义提供了理论和实践的总纲，是党和国家的生命线，是实现科学发展的政治保证。只有始终坚持党的基本路线，才能保证我们的科学发展。这就需要我们坚持把以经济建设为中心同四项基本原则、改革开放这两个基本点统一于发展中国特色社会主义的伟大实践，任何时候都决不能动摇。需要我们进一步认识到以经济建设为中心是兴国之要，是我们党、我们国家兴旺发达和长治久安的根本要求；四项基本原则是立国之本，是我们党、我们国家生存发展的政治基石；改革开放是强国之路，是我们党、我们国家发展进步的活力源泉，从而进一步提高我们坚持基本路线的自觉性和坚定性。

构建社会主义和谐社会。深入贯彻落实科学发展观，要求我们积极构建社会主义和谐社会。社会和谐是中国特色社会主义的本质属性，是国家富强、民族振兴、人民幸福的重要保证。构建社会主义和谐社会，全面贯彻落实科学发展观，从中国特色社会主义事业总体布局和全面建设小康社会全局出发提出的重大战略任务，反映了建设富强民主、文明和谐的社会主义现代化国家的内在要求，体现了全党全国各族人民的共同愿望。科学发展和社会和谐是内在统一的。中国特色社会主义社会是发展的社会主义，也应该是和谐的社会主义。没有科学发展就没有社会和谐，没有社会和谐也难以实现科学发展。要通过发展增加社会物质财富、不断改善人民生活，又要通过发展保障社会公平正义、不断促进社会和谐。要按照民主法治、公平正义、诚信友爱、充满活力、安定有序、人与自然和谐相处的总要求和共同建设、共同享有的原则，着力解决人民最关心、最直接、最现实的利益问题，努力形成全体人民各尽其能、各得其所而又和谐相处的局面，为发展提供良好社会环境。

继续深化改革开放。深入贯彻落实科学发展观，要求我们继续深化改革开放。改革开放是党在新的时代条件下带领人民进行的新的伟大革命，目的就是要解放和发展社会生产力，实现国家现代化，让中国人民富裕起来，振兴伟大的中华民族；就是要推动我国社会主义制度自我完善和发展，赋予社会主义新的生机活力，建设和发展中国特色社会主义；就是要在引领当代中国发展进步中加强和改进党的建设，保持和发展党的先进性，确保党始终走在时代前列。改革的力度、开放的程度，决定着发展的进程和质量，因此，我们要进一步把改革创新精神贯彻到治国理政的各个环节，毫不动摇地坚持改革方向，提高改革决策的科学性，增强改革措施的协调性；要进一步完善社会主义市场经济体制，推进各方面体制改革创新，加快重要领域和关键环节改革步伐，全面提高开放水平，着力构建充满活力、富有效率、更加开放、有利于科学发展的体制机制，为发展中国特色社会主义提供强大动力和体制保障；要进一步坚持把改善人民生活作为正确处理改革发展稳定关系的结合点，使改革始终得到人民拥护和支持。

切实加强和改进党的建设。深入贯彻落实科学发展观，要求我们切实加强和改进党的建设。党是中国特色社会主义事业的领导核心,能否把科学发展观真正落到实处,关键在党。因此,我们必须站在完成党执政兴国使命的高度,把提高党的执政能力、保持和发展党的先进性,体现到领导科学发展、促进社会和谐上来,落实到引领中国发展进步、更好代表和实现最广大人民的根本利益上来,使党的工作和党的建设更加符合科学发展观的要求,从而能够为科学发展提供可靠的政治和组织保障。

3. 进一步把科学发展观贯彻落实到各项事业中

胡锦涛同志指出:"我们要全面领会科学发展观的科学内涵、精神实质、根本要求,进一步增强贯彻落实科学发展观的自觉性和坚定性,更好地完成新世纪新阶段我们肩负的历史任务,更加自觉地走科学发展道路。"这就要求我们更加自觉积极地把科学发展观体现到各项工作中、贯彻落实到经济文化社会建设的各个方面。

要正确把握并坚决实现全面建设小康社会新要求。经过全国各族人民的艰苦努力,我们在全面建设小康社会的进程中取得了辉煌成就。在新的历史起点上,党的十七大在十六大确立的全面建设小康社会目标的基础上又对发展提出了新的更高要求。如强调要增强发展协调性,努力实现经济又好又快发展;强调扩大社会主义民主,更好保障人民权益和社会公平正义;强调加强文化建设,明显提高全民族文明素质;强调加快发展社会事业,全面改善人民生活;强调建设生态文明,基本形成节约能源资源和保护生态环境的产业结构、增长方式、消费模式,循环经济形成较大规模,可再生能源比重显著上升;等等。这就为我们全面建设小康社会进一步指明了前进方向。面对这些新的

更高的目标,我们必须按照科学发展观的要求,认真领会,狠抓落实,锐意进取,奋力拼搏,努力完成人民和历史赋予我们的艰巨使命。

在社会主义经济建设上,要促进国民经济又好又快发展,需要我们做好以下方面工作,提高自主创新能力,建设创新型国家;加快转变经济发展方式,推动产业结构优化升级;统筹城乡发展,推进社会主义新农村建设;坚持节约资源和保护环境的基本国策,加强能源资源节约和生态环境保护,增强可持续发展能力;推动区域协调发展,优化国土开发格局;完善基本经济制度,健全现代市场体系;深化财税、金融等体制改革,完善宏观调控体系;拓展对外开放的广度和深度,提高开放型经济水平。必须指出,要实现未来经济发展目标,关键要在加快转变经济发展方式、完善社会主义市场经济体制方面取得重大进展。

在社会主义政治建设上,要坚定不移地发展社会主义民主政治。人民民主是社会主义的生命。发展社会主义民主政治是我们党始终不渝的奋斗目标。改革开放以来,我们积极稳妥推进政治体制改革,我国社会主义民主政治展现出更加旺盛的生命力。我们必须始终坚持中国特色社会主义政治发展道路,坚持党的领导、人民当家做主、依法治国有机统一,坚持和完善人民代表大会制度、中国共产党领导的多党合作和政治协商制度、民族区域自治制度以及基层群众自治制度,不断推进社会主义政治制度自我完善和发展。发展社会主义政治文明要做好以下几个方面的工作:扩大人民民主,保证人民当家做主,努力使公民树立社会主义民主法治、自由平等、公平正义理念;发展基层民主,保障人民享有更多更切实的民主权

利；全面落实依法治国基本方略，提高党科学执政、民主执政、依法执政水平，加快建设社会主义法治国家；壮大爱国统一战线，团结一切可以团结的力量，促进政党关系、民族关系、宗教关系、阶层关系、海内外同胞关系的和谐；加快行政管理体制改革，建设服务型政府；完善制约和监督机制，保证人民赋予的权力始终用来为人民谋利益。

在社会主义文化建设上，要推动社会主义文化大发展、大繁荣。我们要坚持社会主义先进文化前进方向，兴起社会主义文化建设新高潮，激发全民族文化创造力，提高国家文化软实力，使人民基本文化权益得到更好保障，使社会文化生活更加丰富多彩，使人民精神风貌更加昂扬向上。这就需要我们在实际工作中，建设社会主义核心价值体系，增强社会主义意识形态的吸引力和凝聚力；建设和谐文化，培育文明风尚；弘扬中华文化，建设中华民族共有精神家园；推进文化创新，增强文化发展活力。我们在社会主义文化建设中，必须充分发挥人民在文化建设中的主体作用，调动广大文化工作者的积极性，更加自觉、更加主动地推动文化大发展大繁荣，在中国特色社会主义的伟大实践中进行文化创造，让人民共享文化发展成果。

要加快推进以改善民生为重点的社会建设。社会建设与人民幸福安康息息相关。必须在经济发展的基础上，更加注重社会建设，着力保障和改善民生，推进社会体制改革，扩大公共服务，完善社会管理，促进社会公平正义，努力使全体人民学有所教、劳有所得、病有所医、老有所养、住有所居，推动建设和谐社会。在实际工作中，我们要着重做好以下几个方面的工作，优先发展教育，建设人力资源强国；实施扩大就业的发展战略，促进以创业带动就业；深化收入分配制度改革，增加城乡居民收入；加快建立覆盖城乡居民的社会保障体系，保障人民基本生活；建立基本医疗卫生制度，提高全民健康水平；完善社会管理，维护社会安定团结；等等。

开创国防和军队现代化建设新局面。我们必须站在国家安全和发展战略全局的高度，统筹经济建设和国防建设，在全面建设小康社会进程中实现富国和强军的统一。在新的历史条件下，我们必须全面履行党和人民赋予的新世纪新阶段的军队历史使命，坚持以毛泽东军事思想、邓小平新时期军队建设思想、江泽民国防和军队建设思想为指导，把科学发展观作为国防和军队建设的重要指导方针，贯彻新时期军事战略方针，加快中国特色军事变革，作好军事斗争准备，提高军队应对多种安全威胁、完成多样化军事任务的能力，坚决维护国家主权、安全、领土完整，为维护世界和平贡献力量；我们必须全面加强和协调推进军队的革命化、现代化和正规化建设，并适应世界军事发展新趋势和我国发展新要求，大力推进军事理论、军事技术、军事组织、军事管理创新。与此同时，我们还必须做好增强全民国防观念，完善国防动员体系，加强国防动员建设和加强人民武装警察部队建设等等方面的工作。

推进"一国两制"实践和祖国和平统一大业。历史证明，"一国两制"是完全正确的，具有强大生命力。按照"一国两制"实现祖国和平统一，符合中华民族根本利益。因此，我们坚定不移地贯彻"一国两制"、"港人治港"、"澳人治澳"、高度自治的方针，严格按照特别行政区基本法办事，促进香港、澳门长期繁荣稳定；我们将牢牢把握两岸关系和平发展的主题,真诚为两岸同胞谋福祉、为台海地区谋和平,积极促进祖国和平统一大业,坚决反对"台独"分裂活动,维护国家主权和领土完整,维护中华民族根本利益。

始终不渝走和平发展道路。当今世界正处在大变革、大调整之中,和平与发展仍然是时代主题,同时,世界仍然很不安宁。中国政府主张各国人民携手努力,推动建设持久和平、共同繁荣的和谐世界。当代中国同世界的关系已经发生了历史性变化,中国的前途命运日益紧密地同世界的前途命运联系在一起。中国政府和人民永远高举和平、发展、合作旗帜,奉行独立自主的和平外交政策,维护国家主权、安全、发展利益,恪守维护世界和平、促进共同发展的外交政策宗旨;始终不渝走和平发展道路;始终不渝奉行互利共赢的开放战略;坚持在和平共处五项原则的基础上同所有国家发展友好合作。

以改革创新精神全面推进党的建设新的伟大工程。中国特色社会主义事业是改革创新的事业。党要站在时代前列带领人民不断开创事业发展新局面,必须以改革创新精神加强自身建设,始终成为中国特色社会主义事业的坚强领导核心。必须把党的执政能力建设和先进性建设作为主线,坚持党要管党、从严治党,贯彻为民、务实、清廉的要求,全面加强党的思想建设、组织建设、作风建设、制度建设和反腐倡廉建设,使党始终成为立党为公、执政为民,求真务实、改革创新,艰苦奋斗、清正廉洁,富有活力、团结和谐的马克思主义执政党。

第十届全国人民代表大会

一

第十届全国人民代表大会概述

第十届全国人民代表大会自2003年3月第十届全国人民代表大会一次会议至2008年3月第十一届全国人民代表大会第一次会议结束,历时五年。这五年,是我国改革开放和全面建设小康社会取得重大进展的五年,也是社会主义民主法制建设和人民代表大会制度建设取得重大进展的五年。十届全国人大常委会从一开始就明确提出任期内"以基本形成中国特色社会主义法律体系为目标、以提高立法质量为重点"的立法工作思路,并以此指导立法工作。五年来,共审议宪法修正案草案、法律草案、法律解释草案和有关法律问题的决定草案106件,通过了其中的100件。到目前为止,我国现行有效的法律共229件,涵盖宪法及宪法相关法、民商法、行政法、经济法、社会法、刑法、诉讼及非诉讼程序法等七个法律部门;现行有效的行政法规近600件,地方性法规7000多件。以宪法为核心,以法律为主干,包括行政法规、地方性法规等规范性文件在内的,由七个法律部门、三个层次法律规范构成的中国特色社会主义法律体系已经基本形成,国家经济、政治、文化、社会生活的各个方面基本做到有法可依，为依法治国、建设社会主义法治国家、实现国家长治久安提供了有力的法制保障。根据中共中央关于修改宪法部分内容的建议，审议通过宪法修正案，确立"三个代表"重要思想在国家社会生活中的指导地位，把党的十六大确定的重大理论观点、重大方针政策载入宪法，并在宪法中明确国家尊重和保障人权、依法保护公民的财产权和继承权，这充分体现了党的主张和人民意志的统一，成为我国宪政史上又一重要里程碑。制定反分裂国家法，把党和国家对台工作的大政方针和政策措施以法律形式固定下来，为反对和遏制"台独"分裂活动、促进祖国和平统一提供了有力的法律保障。

十届全国人大常委会高度重视发挥代表作用，形成和完善了一套支持和保障代表依法行使职权的制度和办法，代表工作迈上新台阶。五年来，共办理代表议案3772件，代表建议29323件，邀请代表663人次列席常委会会议，1700人次参加执法检查和立法调研等，组织代表5354人次参加专题调研、9000人次参加集中视察，举办代表培训和专题研讨班14期，共有1050名代表参加培训。

第十届全国人民代表大会依照宪法和全国人民代表大会组织法的规定，共举行了五次会议，选举产生了新的国家领导人；审议通过了国务院、全国人大常委会、最高人民法院、最高人民检察院分别在每次会议上所作的工作报告；审查和批准国民经济和社会发展计划、国家预算。常委会每年听取和审议中央决算的报告、中央预算执行情况和其他财政收支的审计报告、每年前八个月国民经济和社会发展计划执行情况的报告，还听取和审议了国务院关于改革开放、经济建设方面的其他一

些报告，不断加强对预算工作和经济工作的监督。十届全国人大常委会认真贯彻落实党的十六大和十七大精神，以邓小平理论和"三个代表"重要思想为指导，深入贯彻落实科学发展观，坚持党的领导、人民当家做主、依法治国有机统一，围绕党和国家工作大局依法履行职责，在前几届工作的基础上与时俱进，开创了人大工作新局面，为坚持和完善人民代表大会制度、发展社会主义民主政治，为坚持改革开放、推动科学发展、促进社会和谐，作出了重要贡献。

十届全国人大一次会议

第十届全国人民代表大会第一次会议于2003年3月5日至18日在北京举行，出席会议的代表共2916人。会议的主要议程是：听取和审议国务院总理朱镕基关于政府工作的报告；听取和审议国家发展计划委员会主任曾培炎关于2002年国民经济和社会发展计划执行情况与2003年国民经济和社会发展计划草案的报告；审查、批准2002年国民经济和社会发展计划执行情况的报告及2003年国民经济和社会发展计划；听取和审议财政部部长项怀诚关于2002年中央和地方预算执行情况及2003年中央和地方预算草案的报告；审查2002年中央和地方预算执行情况的报告及2003年中央和地方预算草案；批准2002年中央预算执行情况的报告及2003年中央预算；审议国务院关于提请审议国务院机构改革方案的议案；听取和审议全国人大常委会委员长李鹏关于全国人民代表大会常务委员会工作的报告；听取和审议最高人民法院院长肖扬关于最高人

民法院工作的报告;听取和审议最高人民检察院检察长韩杼滨关于最高人民检察院工作的报告;审议《第十届全国人民代表大会第一次会议关于设立第十届全国人民代表大会专门委员会的决定(草案)》;审议《第十届全国人民代表大会第一次会议选举和决定任命的办法(草案)》;选举第十届全国人民代表大会常务委员会委员长、副委员长、秘书长、委员;选举中华人民共和国主席、副主席;决定国务院总理的人选和国务院副总理、国务委员、各部部长、各委员会主任、中国人民银行行长、审计长、秘书长的人选;选举中华人民共和国中央军事委员会主席;决定中华人民共和国中央军事委员会副主席、委员的人选;选举最高人民法院院长;选举最高人民检察院检察长;决定第十届全国人民代表大会各专门委员会主任委员、副主任委员、委员的人选等。

在《政府工作报告》中,朱镕基对过去五年的政府工作进行了回顾。他指出,自第九届全国人民代表大会第一次会议以来的五年,是很不平凡的五年。本届政府初期,亚洲金融危机冲击,世界经济增长放慢;国内产业结构矛盾十分突出,国有企业职工大量下岗;1998、1999年连续遭受特大洪涝灾害。全国各族人民在中国共产党领导下,团结奋进,顽强拼搏,战胜种种困难,改革开放和经济社会发展取得举世公认的伟大成就。我们胜利实现了现代化建设第二步战略目标,开始向第三步战略目标迈进。五年来,国民经济保持良好发展势头,经济结构战略性调整迈出重要步伐。经济持续较快增长。国内生产总值从1997年的7.4万亿元增加到2002年的10.2万亿元,按可比价格计算,平均每年增长7.7%。产业结构调整成效明显。粮食等主要农产品供给实现了由

长期短缺到总量平衡、丰年有余的历史性转变。以信息产业为代表的高新技术产业迅速崛起。传统工业改造步伐加快。现代服务业快速发展。经济增长质量和效益不断提高。国家税收连年大幅度增长。全国财政收入从1997年的8651亿元增加到2002年的18914亿元,平均每年增加2053亿元;国家外汇储备从1399亿美元增加到2864亿美元。五年全社会固定资产投资累计完成17.2万亿元,特别是发行6600亿元长期建设国债,带动银行贷款和其他社会资金形成3.28万亿元的投资规模,办成不少多年想办而没有力量办的大事。社会生产力跃上新台阶,国家的经济实力、抗风险能力和国际竞争力明显增强。这些成就,是以江泽民同志为核心的第三代中央领导集体正确领导和决策的结果,是全国各族人民齐心协力、艰苦奋斗的结果,也是与海外侨胞、国际友人的支持和帮助分不开的。朱镕基在报告中对政府工作提出了建议:以邓小平理论和"三个代表"重要思想为指导,认真贯彻党的十六大精神,坚持把发展作为党执政兴国的第一要务,积极应对国内外环境变化带来的困难和挑战,坚持扩大内需的方针,继续实施积极的财政政策和稳健的货币政策,进一步深化改革,全面提高对外开放水平,加快经济结构的战略性调整,促进国民经济持续快速健康发展,实现速度和结构、质量、效益相统一。正确处理改革发展稳定的关系,切实加强民主法制建设、精神文明建设和党的建设,促进社会主义物质文明、政治文明和精神文明协调发展。继续扩大国内需求,实现经济稳定较快增长。保持经济发展的良好势头,是做好各项工作的基础。综合分析国内外各种情况,今年经济增长预期目标为7%左右,这是必要的,经过努力也是可以

实现的。关键要注重调整和优化结构,着力提高经济增长质量和效益。要坚持扩大内需的方针,继续实施积极的财政政策和稳健的货币政策,保持消费需求和投资需求对经济增长的双拉动。千方百计增加农民收入,减轻农民负担。切实解决好困难群众的生产生活问题。原定2002年下半年增加机关事业单位职工工资及离退休人员离退休金,考虑到要优先解决城镇低收入者的生活困难问题,协调各方面利益关系,这一措施推迟到2003年出台。继续改善消费环境,完善消费政策,拓宽消费领域。在继续防范和化解金融风险的同时,加大金融对经济发展的支持力度。银行要优先为国债项目提供配套贷款,增加对有市场、有效益、有信誉企业的贷款,加大对农业和农村经济、中小企业和服务业的信贷支持,规范发展消费信贷。改善金融服务,加强金融监管。规范发展证券、保险、货币市场。认真做好财税工作。继续大力增收节支。依法强化税收征管,严厉打击各种偷逃骗税行为,做到应收尽收。各级财政要切实调整支出结构,保证重点支出。首先要确保工资按时足额发放,继续增加社会保障支出,加大对农业、农村义务教育和农村卫生的投入,加大对中西部地区和困难地区的转移支付。继续把发展农业和农村经济、增加农民收入,作为经济工作的重中之重。要统筹城乡经济社会发展,切实做好"三农"工作。

国务委员兼国务院秘书长王忠禹受国务院委托,对《国务院机构改革方案》作了说明。他指出,深化行政管理体制改革,是推进政治体制改革的重要内容,是完善社会主义市场经济体制的客观需要,也是贯彻落实党的十六大精神的重要举措。过去五年,按照党的十五大的要求,

各级政府机构改革取得了重要进展。这是改革开放以来力度最大的一次机构改革。适应发展社会主义市场经济要求的行政管理体制正在形成。国务院机构改革的指导思想是:以邓小平理论和"三个代表"重要思想为指导,按照完善社会主义市场经济体制和推进政治体制改革的要求,坚持政企分开,精简、统一、效能和依法行政的原则,进一步转变政府职能,调整和完善政府机构设置,理顺政府部门职能分工,提高政府管理水平,形成行为规范、运转协调、公正透明、廉洁高效的行政管理体制。这次改革要抓住重点,解决行政管理体制中的一些突出矛盾和问题,为促进改革开放和现代化建设提供组织保障。

国务院机构改革的重点是:①深化国有资产管理体制改革,完善宏观调控体系,健全金融监管体制,继续推进流通管理体制改革,加强食品安全和安全生产监管体制建设。深化国有资产管理体制改革,设立国务院国有资产监督管理委员会(简称国资委)。党的十六大提出深化国有资产管理体制改革的重大任务,并明确要求中央政府和省、市(地)两级地方政府设立国有资产管理机构。为贯彻落实党的十六大的要求,进一步搞好国有企业,推动国有经济布局和结构的战略性调整,发展和壮大国有经济,更好地坚持政企分开,实行所有权和经营权分离,真正使企业自主经营、自负盈亏,实现国有资产保值增值,将国家经贸委的指导国有企业改革和管理的职能,中央企业工委的职能,以及财政部有关国有资产管理的部分职能等整合起来,设立国资委。国务院授权国资委代表国家履行出资人职责。国资委的监管范围,确定为中央所属企业(不含金融类企业)的国有资产。地方所属企

业的国有资产,由改革后设立的省、市(地)两级地方政府国有资产管理机构负责监管。其他国有资产,依照相关的法律法规进行管理。国资委专门承担监管国有资产的职责,既不同于对全社会各类企业进行公共管理的政府行政机构,也不同于一般的企事业单位,具有特殊性质。因此,将国资委确定为国务院直属的正部级特设机构。②完善宏观调控体系,将国家发展计划委员会改组为国家发展和改革委员会(简称发改委)。社会主义市场经济体制的初步建立,客观上要求把经济体制改革和经济发展更加密切地结合起来。为综合协调各方面改革,使改革更好地为促进发展服务,将国家计委改组为发展和改革委。将国务院体改办的职能,并入发展和改革委。③健全金融监管体制,设立中国银行业监督管理委员会(简称银监会)。金融是现代经济的核心。金融工作关系国民经济和社会发展全局。为加强金融监管,确保金融机构安全、稳健、高效运行,提高防范和化解金融风险的能力,将中国人民银行对银行、资产管理公司、信托投资公司及其他存款类金融机构的监管职能分离出来,并和中央金融工委的相关职能进行整合,设立银监会,作为国务院直属的正部级事业单位。④继续推进流通管理体制改革,组建商务部。为适应内外贸业务相互融合的发展趋势和加入世界贸易组织的新形势,促进现代市场体系的形成,将国家经贸委的内贸管理、对外经济协调和重要工业品、原材料进出口计划组织实施等职能,国家计委的农产品进出口计划组织实施等职能,以及外经贸部的职能等整合起来,组建商务部。⑤加强食品安全和安全生产监管体制建设。为保障人民群众身体健康和生命安全,加强对食品安全的监管,在国家药品监督管

理局的基础上组建国家食品药品监督管理局,仍作为国务院直属机构。此外,为加强人口发展战略研究,推动人口与计划生育工作的综合协调,将国家计划生育委员会更名为国家人口和计划生育委员会。

会议经过表决,通过了《关于政府工作报告的决议》、《关于2002年国民经济和社会发展计划执行情况与2003年国民经济和社会发展计划的决议》、《关于2002年中央和地方预算执行情况及2003年中央和地方预算的决议》;会议还通过了《关于国务院机构改革方案的决定》、《关于全国人民代表大会常务委员会工作报告的决议》、《关于第十届全国人民代表大会第一次会议关于设立第十届全国人民代表大会专门委员会的决定》、《关于第十届全国人民代表大会第一次会议选举和决定任命的办法的决定》、《关于最高人民法院工作报告的决议》和《关于最高人民检察院工作报告的决议》。

会议经过选举,胡锦涛当选为中华人民共和国国家主席,曾庆红为中华人民共和国国家副主席;吴邦国当选为第十届全国人民代表大会常务委员会委员长,王兆国、李铁映、司马义·艾买提(维吾尔族)、何鲁丽(女)、丁石孙、成思危、许嘉璐、蒋正华、顾秀莲(女)、热地(藏族)、盛华仁、路甬祥、乌云其木格(女,蒙古族)、韩启德、傅铁山当选为第十届全国人民代表大会常务委员会副委员长,盛华仁为秘书长,刀美兰等159人为第十届全国人民代表大会常务委员会委员。会议选举江泽民为中华人民共和国中央军事委员会主席,并根据江主席的提名,决定任命胡锦涛、郭伯雄、曹刚川为中央军事委员会副主席,徐才厚、梁光烈、廖锡龙、李继耐为中华人民共和国中央军事委员会委员。根据国家主席胡锦涛的提名,决定任命温

家宝为中华人民共和国国务院总理,决定任命黄菊、吴仪、曾培炎、回良玉为国务院副总理,周永康、曹刚川、唐家璇、华建敏、陈至立为国务委员,任命华建敏为国务院秘书长(兼)。任命李肇星为外交部部长,曹刚川为国防部部长(兼),马凯为国家发展和改革委员会主任,周济为教育部部长,徐冠华为科学技术部部长,张云川为国防科学技术工业委员会主任,李德洙(朝鲜族)为国家民族事务委员会主任,周永康为公安部部长,许永跃为国家安全部部长,李至伦为监察部部长,李学举为民政部部长,张福森为司法部部长,金人庆为财政部部长,张柏林为人事部部长,郑斯林为劳动和社会保障部部长,田凤山为国土资源部部长,汪光焘为建设部部长,刘志军为铁道部部长,张春贤为交通部部长,王旭东为信息产业部部长,汪恕诚为水利部部长,杜青林为农业部部长,吕福源为商务部部长,孙家正为文化部部长,张文康为卫生部部长,张维庆为国家计划生育委员会主任,周小川为中国人民银行行长,李金华为审计署审计长。会议选举肖扬为中华人民共和国最高人民法院院长,贾春旺为中华人民共和国最高人民检察院检察长。会议还通过第十届全国人民代表大会九个专门委员会主任委员、副主任委员、委员名单。

会议于3月18日上午闭幕,在闭幕式上,国家主席胡锦涛和全国人大常委会委员长吴邦国先后发表了重要讲话。

第十届全国人民代表大会第一次会议,在全体代表的共同努力下,圆满完成了各项议程。会议充分发扬民主,严格依法办事,开得很成功,是一次以邓小平理论和"三个代表"重要思想为指导,全面贯彻落实党的十六大精神的大会,是一次团结、民主、求实、奋进的大会。这次会议,

是继党的十六大之后我国政治生活中的又一件大事。代表们肩负着全国各族人民的重托,以高度的主人翁责任感,认真履行宪法和法律赋予的职责,使会议通过的各项决议和决定,充分体现了人民的意志,代表了人民的利益。会议审议批准的《政府工作报告》和其他报告,总结了在以江泽民同志为核心的第三代中央领导集体的领导下,五年来我国经济社会发展、民主法制建设等方面取得的巨大成就和有益经验,明确提出了今年乃至今后五年的工作部署。会议依法选举和决定任命了新一届国家机构领导人员,为承前启后、继往开来,全面建设小康社会,提供了组织保证。这次会议极大地鼓舞了全国各族人民,与时俱进、开拓创新,满怀信心地为实现党的十六大提出的各项任务而团结奋斗。

三

十届全国人大二次会议

第十届全国人民代表大会第二次会议于2004年3月5日至3月14日在北京举行,出席会议的代表共2910人。会议的主要议程是:听取和审议国务院总理温家宝关于政府工作的报告;听取和审议国家发展和改革委员会主任马凯关于2003年国民经济和社会发展计划执行情况与2004年国民经济和社会发展计划草案的报告;审查、批准2003年国民经济和社会发展计划执行情况的报告及2004年国民经济和社会发展计划;听取和审议财政部部长金人庆关于2003年中央和地方预算执行情况及2004年中央和地方预算草案的报告;审查2003年中央和地方预算执行情况的报告及2004年中央和地方预算草

案;批准2003年中央预算执行情况的报告及2004年中央预算;审议《全国人民代表大会常务委员会关于提请审议〈中华人民共和国宪法修正案(草案)〉的议案》;听取和审议全国人民代表大会常务委员会委员长吴邦国关于全国人民代表大会常务委员会工作的报告;听取和审议最高人民法院院长肖扬关于最高人民法院工作的报告;听取和审议最高人民检察院检察长贾春旺关于最高人民检察院工作的报告等。

温家宝总理代表国务院所作的《政府工作报告》对一年来的政府所做的主要工作和各方面取得的显著成就进行了回顾和总结,同时指出了前进道路上存在的困难和问题;并对今年政府工作进行了部署。温家宝指出,过去的一年,是我国发展进程中重要而非同寻常的一年。全国各族人民在党中央的坚强领导下,面对复杂多变的国际形势、突如其来的非典型肺炎疫情和频繁发生的自然灾害,迎难而上,顽强拼搏,开拓创新,夺取了抗击"非典"的重大胜利,取得了改革开放和现代化建设的显著成就,在全面建设小康社会的道路上迈出重要步伐。国务院依法认真履行职责,做了大量卓有成效的工作。2004年是我国改革和发展十分关键的一年。国务院和地方各级人民政府要继续坚持以邓小平理论和"三个代表"重要思想为指导,全面贯彻党的十六大和十六届三中全会精神,抓住重要战略机遇期,切实把发展作为第一要务,牢固树立和认真落实科学发展观,按照"五个统筹"的要求,更加注重搞好宏观调控,更加注重统筹兼顾,更加注重以人为本,更加注重改革创新,着力解决经济社会发展中的突出矛盾,着力解决关系人民群众切身利益的突出问题,处理好改革发展稳定的关系,推动经济社会全面、协调、可持续发展,实现社会主义物质文明、政治文明和精神文明共同进步,努力完成本次会议确定的各项任务。温家宝强调,要加强和改善宏观调控,保持经济平稳较快发展。坚持扩大内需的方针,继续实施积极的财政政策和稳健的货币政策。要根据经济形势发展变化,适时适度调整政策的力度和重点。适当控制固定资产投资规模,遏制部分行业和地区盲目投资、低水平重复建设。按照走新型工业化道路的要求,促进产业结构优化升级。切实转变经济增长方式,建设资源节约型社会。要统筹城乡发展和区域发展。必须把解决农业、农村和农民问题作为全部工作的重中之重。重点抓好增加农民收入、增加粮食生产。要实行最严格的耕地保护制度,保护和提高粮食综合生产能力。深化粮食流通体制改革。继续推进农村税费改革。多渠道扩大农村劳动力转移就业。推进农业和农村经济结构战略性调整,加大对农业和农村的投入力度,加快农业科技进步。要积极推进西部大开发,振兴东北地区等老工业基地,促进中部地区崛起,鼓励东部地区加快发展,推动东中西部地区协调发展。要统筹经济社会发展,加快发展社会事业。继续实施科教兴国战略和人才强国战略。切实把教育放在优先发展的地位,进一步增加教育投入,重点加强义务教育特别是农村教育。推进科技发展和体制改革。积极实施可持续发展战略,做好人口、资源、环境工作。加强公共卫生体系建设,改善农村医疗卫生条件,积极推进城镇医疗卫生体制改革。加快文化事业发展和体制改革,加强社会主义精神文明建设。要继续推进经济体制改革,提高对外开放水平。深化国有资产管理体制和国有企业改革。大力发展混合所有制经济,逐步使股份制成为公有制的主要实现形式。大力发展和积极引导非公有制经济。推进金融、财税、投资体制改革。加快社会信用体系建设。加大整顿和规范市场秩序力度。要统筹国内发展与对外开放，充分利用国内国外两个市场、两种资源，合理有效利用外资，加快实施"走出去"战略。努力保持对外贸易适度增长。要加大就业和社会保障工作力度，进一步改善人民生活。继续实施积极的就业政策，拓展就业渠道，改善就业和创业环境，增加就业和再就业。健全与我国国情和经济发展水平相适应的社会保障体系。继续加强"两个确保"工作，搞好"三条保障线"的衔接。完善社会救助制度。做好扶贫开发工作。抓紧解决城镇房屋拆迁、农村土地征用中存在的问题和农民工工资按时足额发放问题。努力提高城乡居民收入水平。要积极稳妥地推进政治体制改革，发展社会主义民主，健全社会主义法制。进一步扩大基层民主。全面贯彻党的民族政策、宗教政策和侨务政策，继续做好民族、宗教、侨务工作。加强国防和军队现代化建设。加强社会治安综合治理，维护社会稳定。切实强化安全生产监管，严肃查处各类安全责任事故。温家宝要求各级政府要适应新形势新任务，按照执政为民的要求和建设法治政府的目标，进一步加强政府自身建设。要推进政府职能转变，坚持科学民主决策，坚持依法行政，自觉接受人民监督。要加强政风建设和公务员队伍建设，树立科学发展观和正确的政绩观，弘扬求真务实精神，克服主观主义、形式主义和官僚主义作风，反对奢侈浪费，杜绝弄虚作假，加强廉政建设和反腐败斗争。

会议审议了宪法修正案草案。修改宪法是我国政治生活中的一件大事。党中央对此高度重视，党的十六届三中全会审议通过了中共中央关于修改宪法部分内容的建议。代表们一致认为，现行宪法是一部符合我国国情的好宪法，在国家政治和社会生活中发挥着极其重要的作用，总体上是适应改革开放和现代化建设需要的，应该保持稳定。同时认为，社会实践是法律的基础，随着时代的进步、形势的发展和认识的深化，根据经济社会发展的客观要求，依照法定程序对宪法部分内容作适当修改是完全必要的。在宪法中确立"三个代表"重要思想在国家政治生活和社会生活中的指导地位，反映了全党全国各族人民的共同愿望。宪法修正案草案中提出的推动社会主义物质文明、政治文明和精神文明协调发展，在统一战线的表述中增加社会主义事业的建设者，完善对私有财产的保护，国家尊重和保障人权等重要修改，都是关系国家长治久安和人民根本利益的重大问题，是我国社会主义制度的自我完善和发展，体现了党的主张和人民意志的统一。

会议表决通过了《关于政府工作报告的决议》；《关于2003年国民经济和社会发展计划执行情况与2004年国民经济和社会发展计划的决议》；《关于2003年中央和地方预算执行情况及2004年中央和地方预算的决议》；《关于全国人民代表大会常务委员会工作报告的决议》；《关于最高人民法院工作报告的决议》；《关于最高人民检察院工作报告的决议》；《关于确认全国人大常委会接受华福周、张耕辞去全国人大常委会委员职务的请求的决定》。会议还采用无记名投票方式，高票通过宪法修正案。

十届全国人大二次会议期间，代表们以对人民高度负责的精神和求真务实的态度，围绕推动经济与社会全面、协调、可持续发展和实现社会主义物质文明、政治文明、精神文明共同进步,积极向大会提出议案。截至 3 月 10 日 18 时(即议案截止时间),大会秘书处共收到代表团和代表联名提出的议案 1374 件。其中,代表团提出的议案 13 件,30 名以上代表联名提出的议案 1361 件。本次会议代表团和代表联名提出的议案,与过去历次会议相比:一是数量有较大增加,是 1983 年六届全国人大一次会议实行代表议案制度以来最多的一次;二是在提出的议案中,属于全国人民代表大会职权范围、符合议案规范要求、可作为议案处理的件数和比重都有较大增加;三是案由广泛,许多议案涉及解决经济与社会发展中的突出矛盾,解决关系人民群众切身利益的突出问题,其中要求制定、修改法律或者完善有关法律制度的约占 60%。代表提出的议案内容主要包括:加强和改善宏观调控,实现农民增收和农业增产,促进区域经济协调发展,实施科教兴国和可持续发展的战略,全面推进各项社会事业,深化经济体制和国有企业改革,发展非公有制经济,提高对外开放水平,增加就业和健全社会保障体系,提高人民生活水平,加强民主法制建设,维护社会稳定和国家安全等十多个方面。

会议于 3 月 14 日上午闭幕,在闭幕式上,全国人大常委会委员长吴邦国发表了重要讲话。十届全国人大二次会议是一次民主、团结、求实、鼓劲的大会,会议审议通过了宪法修正案,在宪法中确立了"三个代表"重要思想在国家政治和社会生活中的指导地位,把十六大确定的重大理论观点和重大方针政策写入了宪法,体现了党的主张和人民意志的统一,反映了全党全国各族人民的共同愿望。这些都是事关全面建设小康社会、开创中国特色社会主义事业新局面的大事。这次会议,对于进一步统一思想,团结和动员全国各族人民贯彻落实党的十六大和十六届三中全会精神,调动各方面的积极性,同心同德做好今年的各项工作,推动全面建设小康社会的进程,具有十分重要的意义。

四

十届全国人大三次会议

第十届全国人民代表大会第三次会议于 2005 年 3 月 5 日至 3 月 14 日在北京举行,出席会议的代表共 2901 人。会议的主要议程是:听取和审议国务院总理温家宝关于政府工作的报告;审议国务院关于 2004 年国民经济和社会发展计划执行情况与 2005 年国民经济和社会发展计划草案的报告;审查、批准 2004 年国民经济和社会发展计划执行情况的报告及 2005 年国民经济和社会发展计划;审议国务院关于 2004 年中央和地方预算执行情况及 2005 年中央和地方预算草案的报告;审查 2004 年中央和地方预算执行情况的报告及 2005 年中央和地方预算草案;批准 2004 年中央预算执行情况的报告及 2005 年中央预算;审议全国人民代表大会常务委员会关于提请审议《反分裂国家法(草案)》的议案;审议江泽民关于辞去中华人民共和国中央军事委员会主席职务的请求;选举中华人民共和国中央军事委员会主席;根据中华人民共和国中央军事委员会主席的提名,决定补充中华人民共和国中央军事委员会其他组成人员的人选;补选第十届全国人民代表大会常务委员会委员;听取和审议全国人民代表大会常务委员会委员长吴邦国关于全国人民代表大会常务委员会工作的报告;听取和审议最高人民法院院长肖扬关于最高人民法院工作的报告；听取和审议最高人民检察院检察长贾春旺关于最高人民检察院工作的报告。

温家宝在《政府工作报告》中指出，过去一年，我们是在应对新的挑战和考验中前进的。近两年我国经济运行中出现了一些新问题，主要是粮食供求关系趋紧，固定资产投资膨胀，货币信贷投放过快，煤电油运紧张。如果任其发展下去，局部性问题就会演变为全局性问题。党中央、国务院审时度势，及时作出了加强宏观调控的决策和部署，按照果断有力、适时适度、区别对待、注重实效的原则，综合运用经济、法律手段和必要的行政手段，着力解决影响经济平稳较快发展的突出问题。经过全国上下共同努力，宏观调控取得明显成效。经济运行中不稳定不健康因素得到抑制，薄弱环节得到加强，避免了经济大的起落。一年来的成就集中表现在：经济保持平稳较快发展，综合国力进一步增强；改革取得重要进展，对外开放实现新突破；社会事业加快发展，人民生活继续改善。2004 年，国内生产总值达到 13.65 万亿元，比上年增长 9.5%；财政收入 2.63 万亿元，增长 21.4%；社会消费品零售总额 5.4 万亿元，增长 13.3%；进出口贸易总额 1.15 万亿美元，增长 35.7%，由 2003 年居世界第四位上升为第三位；城镇新增就业 980 万人，超过预期目标；城镇居民人均可支配收入 9422 元，农村居民人均纯收入 2936 元，扣除价格因素，分别实际增长 7.7% 和 6.8%。这些成就，标志着我国在全面建设小康社会道路上又迈出坚实的一步。

温家宝在《政府工作报告》中还指出，总结一年来的工作，经济社会发展中还存在不少问题和困难。一是经济运行中的突出矛盾虽有所缓解，但尚未根本解决。农业基础薄弱的状况没有明显改变，保持粮食增产和农民增收的难度增加；固定资产投资还有可能反弹；煤电油运仍相当紧张；物价上涨的压力较大。二是社会发展中的问题突出。一些地方特别是广大农村教育、卫生、文化等社会事业需要解决的问题较多；城乡之间、地区之间发展差距和部分社会成员之间收入差距过大；部分低收入群众生活比较困难；影响社会稳定的因素不少。三是经济社会发展中的一些长期性问题和深层次矛盾依然存在。主要是：就业压力巨大；经济结构不合理，产业技术水平低，第三产业发展滞后；投资率持续偏高，消费率偏低；经济增长方式粗放，资源约束和环境压力加大。特别是制约经济社会健康发展的体制性机制性问题仍很突出。对以上问题，我们要高度重视并继续采取措施加以解决。要增强忧患意识和责任感，戒骄戒躁，励精图治，知难而进，坚持不懈地做好工作，绝不辜负人民的重托和期望。关于 2005 年工作总体部署，温家宝指出：今年，是全面完成"十五"任务、为"十一五"发展打好基础的关键一年。综合考虑国内外各种因素，今年经济社会发展主要预期目标是：国内生产总值增长 8% 左右；城镇新增就业 900 万人，城镇登记失业率控制在 4.6%；居民消费价格总水平涨幅控制在 4%；国际收支保持基本平衡。在工作指导和部署上，要突出抓好三个方面：一是着力搞好宏观调控。进一步消除经济运行中不稳定不健康因素，推进经济结构调整和增长方式转变，保持经济平稳较快发展，保持价格总水平基本稳定。二是着力推进改革开放。坚持以改革推动各项工作，把深化改革同落实科学发展观、加强和改善宏观调控结合起来，注重用改革的办法解决影响发展的体制问题。全面提高对外开放水平,更好地利用国内国际两个市场、两种资源。三是着力建设和谐社会。建设民主法治、公平正义、诚信友爱、充满活力、安定有序、人与自然和谐相处的社会主义和谐社会,要广泛团结一切可以团结的力量,充分调动一切积极因素,激发全社会的创造活力;要妥善处理各方面利益关系,让全体人民共享改革和建设的成果;要正确处理改革发展稳定的关系,努力为经济社会持续发展创造有利条件和良好环境。

王兆国副委员长受全国人大常委会委托作关于《反分裂国家法(草案)》的说明,阐明了这部法律的起草背景、指导原则、立法宗旨和草案的主要内容。他指出,解决台湾问题,完成祖国统一大业,是我们党和国家的三大历史任务之一。长期以来,为了发展台湾海峡两岸关系,促进国家和平统一,我们进行了不懈的努力。但是,近一个时期以来,台湾当局加紧推行"台独"分裂活动。在各种不断升级的"台独"分裂活动中,应引起高度警惕的是,台湾当局妄图利用所谓"宪法"和"法律"形式,通过"公民投票"、"宪政改造"等方式,为实现"台独"分裂势力分裂国家的目标提供所谓"法律"支撑,改变大陆和台湾同属一个中国的事实,把台湾从中国分裂出去。事实表明,"台独"分裂势力分裂国家的活动,严重破坏和平统一的前景,严重威胁台海地区乃至亚太地区的和平稳定,严重威胁中国的主权和领土完整,严重损害中华民族的根本利益。因此,制定《反分裂国家法》是必要的、适时的。草案的主要内容和适用范围,明确台湾问题的性质,是解决台湾问题的基点。台湾是中国一部分的地位、大陆和台湾同属一个中国的事实并未改变。解决台湾

问题,完成祖国统一大业,完全是中国的内政,关系包括台湾同胞在内的全中国人民的根本利益。据此,草案作了以下规定:①体现党的十六大有关精神并明确规定,维护国家主权和领土完整是包括台湾同胞在内的全中国人民的共同义务。台湾是中国的一部分,国家决不允许"台独"分裂势力以任何名义、任何方式把台湾从中国分裂出去。②台湾问题是中国内战的遗留问题。解决台湾问题,实现国家完全统一,是中国的内部事务。在这个问题上,我们不受任何外国势力的干涉。③完成统一祖国的大业是包括台湾同胞在内的全中国人民的神圣职责。以和平方式实现国家统一,最符合台湾海峡两岸同胞的根本利益。国家以最大的诚意,尽最大的努力,实现和平统一。国家和平统一后,台湾可以实行不同于大陆的制度,高度自治。维护台海地区和平稳定,促进两岸共同发展、共同繁荣,是两岸同胞的共同愿望,符合两岸同胞的共同利益。为此,草案规定,国家采取下列措施,维护台湾海峡地区和平稳定,发展两岸关系:①鼓励和推动两岸居民往来,增进了解,增强互信;②鼓励和推动两岸经济交流与合作,直接通邮通航通商,密切两岸经济关系,互利互惠;③鼓励和推动两岸教育、科技、文化、卫生、体育交流,共同弘扬中华文化的优秀传统;④鼓励和推动两岸共同打击犯罪;⑤鼓励和推动有利于维护台湾海峡地区和平稳定、发展两岸关系的其他活动。国家依法保护台湾同胞的权利和利益。实现国家和平统一,需要推动台海两岸协商和谈判,并为协商和谈判提供广阔的空间。在坚持一个中国原则的基础上,什么问题都可以谈。草案明确规定:国家主张通过台湾海峡两岸平等的协商和谈判,实现和平统一。协商和谈判可以

有步骤、分阶段进行,方式可以灵活多样;台湾海峡两岸可以就正式结束两岸敌对状态、发展两岸关系的规划、和平统一的步骤和安排、台湾当局的政治地位、台湾地区在国际上与其地位相适应的活动空间以及与实现和平统一有关的其他任何问题,进行协商和谈判。采取非和平方式制止分裂国家、捍卫国家主权和领土完整,是我们在和平统一的努力完全无效的情况下,不得已作出的最后选择。草案规定,“台独”分裂势力以任何名义、任何方式造成台湾从中国分裂出去的事实,或者发生将会导致台湾从中国分裂出去的重大事变,或者和平统一的条件完全丧失,国家得采取非和平方式及其他必要措施,捍卫国家主权和领土完整。草案同时规定,采取非和平方式及其他必要措施,本法授权国务院、中央军委决定、组织实施,并及时向全国人大常委会报告。

大会审议了《反分裂国家法(草案)》,代表们认为制定反分裂国家法具有重要意义。普遍表示:解决台湾问题,完成统一祖国的大业,是宪法赋予包括台湾同胞在内的全中国人民的神圣职责。长期以来,我们为此作了不懈努力。但是,一个时期以来,“台独”分裂势力加紧推行分裂国家的活动,日益成为两岸关系发展的最大障碍,成为对台海地区和平稳定的最大现实威胁。为了反对和遏制“台独”分裂势力分裂国家,促进祖国和平统一,维护台海地区和平稳定,维护国家主权和领土完整,维护中华民族的根本利益,制定反分裂国家法是十分必要的。

会议表决通过了《关于政府工作报告的决议》,决定批准政府工作报告;《关于2004年国民经济和社会发展计划执行情况与2005年国民经济和社会发展计划的决议》;《关于2004年中央和地方预算执行

情况及2005年中央和地方预算的决议》;《关于全国人大常委会工作报告的决议》;《关于最高人民法院工作报告的决议》;《关于最高人民检察院工作报告的决议》。会议表决通过了《反分裂国家法》。中华人民共和国主席胡锦涛签署第34号主席令,公布了《反分裂国家法》。这部法律自公布之日起施行。

十届全国人大三次会议期间,代表们依照法定程序,积极向大会提出议案。代表团和30名以上代表联名提出的议案共991件,比上次大会641件增加了54.6%。其中,由代表团提出的议案5件,由30名以上代表联名提出的议案986件。与往年相比,本次会议上代表提出的议案不仅数量有较大增加,而且质量有明显提高。具有以下几个特点:一是提出的议案较好地表达了代表的意愿。代表团提出的议案,都经过代表团全体会议集体讨论通过;代表联名提出的议案,多数领衔代表在提出议案前都采取各种方式向附议代表介绍情况、征求意见,有的还向附议代表提供议案文本或者与附议代表进行集体讨论,在征求意见的基础上作了多次修改。二是议案文本较为规范。议案基本上做到了案由、案据清楚,方案具体,具有较强的针对性和适用性。其中,有512件议案提供了法律草案文本,占议案总数的51.6%。三是议案全部为法律案,大都是着眼于在本届全国人大任期内基本形成中国特色社会主义法律体系这一目标提出的。其中,提出制定法律的有452件,占总数的45.6%;提出修改法律的有539件,占总数的54.4%。有406件议案提出的51个立法项目,同全国人大常委会五年立法规划和2005年立法计划的立法项目相一致。这些都反映了全国人大代表对加快社会主义民主法制建设的强烈愿望,

也反映了我国经济社会发展和人民生活改善对法律保障的迫切要求。

十届全国人大三次会议确定了2005年各项工作的总体部署和要求。根据宪法有关规定,本次会议决定接受江泽民同志关于辞去中华人民共和国中央军事委员会主席职务的请求。会议高度评价了江泽民同志为党、为国家、为人民作出的杰出贡献。会议选举胡锦涛同志为中华人民共和国中央军事委员会主席,并决定补充任命了中华人民共和国中央军事委员会其他组成人员。会议认为,胡锦涛同志是中共中央总书记、国家主席、中共中央军委主席,党的十六大以来,以胡锦涛同志为总书记的党中央,高举邓小平理论和"三个代表"重要思想伟大旗帜,团结带领全国各族人民,在全面推进社会主义物质文明、政治文明、精神文明建设与和谐社会建设的进程中,取得了令人鼓舞的重大成就。胡锦涛同志任中华人民共和国中央军事委员会主席是众望所归,有利于坚持党对军队的绝对领导,有利于加强军队的革命化、现代化、正规化建设。会议审议并高票通过的《反分裂国家法》,将中央关于解决台湾问题的大政方针以法律的形式固定下来,充分体现了我们以最大的诚意、尽最大的努力争取和平统一的一贯主张,同时表明了全中国人民维护国家主权和领土完整,决不允许"台独"分裂势力以任何名义、任何方式把台湾从中国分裂出去的共同意志和坚定决心。这部重要法律的颁布实施,对推动两岸关系发展,促进祖国和平统一,反对和遏制"台独"分裂势力分裂国家,维护台湾海峡地区和平稳定,维护国家主权和领土完整,维护中华民族的根本利益,具有重大的现实作用和深远的历史影响。

五

十届全国人大四次会议

第十届全国人民代表大会第四次会议于2006年3月5日至3月14日在北京举行,出席会议的代表共2891人。会议的主要议程是:听取和审议国务院总理温家宝关于政府工作的报告;审查和批准国民经济和社会发展第十一个五年规划纲要;审查和批准2005年国民经济和社会发展计划执行情况的报告与2006年国民经济和社会发展计划;审查2005年中央和地方预算执行情况的报告与2006年中央和地方预算草案;批准2005年中央预算执行情况的报告与2006年中央预算;听取和审议全国人民代表大会常务委员会委员长吴邦国关于全国人民代表大会常务委员会工作的报告;听取和审议最高人民法院院长肖扬关于最高人民法院工作的报告;听取和审议最高人民检察院检察长贾春旺关于最高人民检察院工作的报告。

温家宝在《政府工作报告》中指出,2005年我国社会主义现代化事业取得显著成就。经济平稳较快发展。全年国内生产总值达到18.23万亿元,比上年增长9.9%;财政收入突破3万亿元,增加5232亿元;居民消费价格总水平上涨1.8%。国民经济呈现增长较快、效益较好、价格较稳的良好局面。改革开放迈出重大步伐。一些重点领域和关键环节的改革取得新突破:进出口贸易总额达到1.42万亿美元,增长23.2%;实际利用外商直接投资603亿美元;年末国家外汇储备达到8189亿美元。社会事业取得新进步。科技、教育、文化、卫生、体育等事业全面发展。神舟六号载人航天飞行圆满成功,标志着我国在一些重要科技领域达到世界先进水平。人民生活进一步改善。城镇新增就业970万人；城镇居民人均可支配收入达到10493元，农村居民人均纯收入达到3255元，扣除价格因素，分别增长9.6％和6.2％。我国在全面建设小康社会道路上迈出了新的坚实步伐。一年来，我们以科学发展观统领经济社会发展全局，主要做了以下几方面工作：①着力解决经济运行中的突出问题。继续搞好宏观调控，坚持区别对待、有保有压的原则，综合运用财税、货币、土地等手段，控制固定资产投资过快增长，遏制房地产投资过快增长和房价过快上涨的势头。进一步增加农业、能源、交通、社会事业等薄弱环节投入，促进协调发展，增强发展后劲。加强经济运行调节，继续缓解煤电油运紧张状况，保障了经济平稳较快增长。②积极推进经济结构调整和增长方式转变。继续加强"三农"工作。28个省（区、市）全部免征了农业税，全国取消了牧业税。增加对种粮农民的补贴和对产粮大县及财政困难县的转移支付，对部分粮食主产区的重点粮食品种实行最低收购价政策，多渠道增加农民收入。全年中央财政用于"三农"的支出达到2975亿元，比上年增加349亿元。粮食总产量在上年大幅度增长的基础上，又增产1454万吨，达到48401万吨。农业综合生产能力得到加强，粮食稳定增产和农民持续增收，为经济平稳较快发展和社会稳定奠定了基础。③深化体制改革和推进对外开放。农村综合改革试点继续推进。国有商业银行股份制改革和农村信用社改革取得重要进展，上市公司股权分置改革稳步推进，完善人民币汇率形成机制改革顺利实施。国有企业建立现代企业制度步伐加快。中央财政安排219亿元支持116户国有企业实施

政策性关闭破产，企业分离办社会职能工作继续进行。财税、投资、价格改革继续深化。邮政体制改革开始启动。铁路、民航体制改革取得新进展。制定并实施了鼓励、支持和引导非公有制经济发展的政策措施。一些重点领域和关键环节的改革，取得了突破性进展。

温家宝还指出，在看到成绩的同时，我们也清醒地认识到，经济社会生活中的困难和问题还不少。一些长期积累的和深层次的矛盾尚未根本解决，又出现了一些不容忽视的新问题。一是粮食增产和农民增收难度加大。当前粮价走低和农业生产资料价格上涨的压力都不小，影响农民增加收入和种粮积极性。耕地不断减少，农业综合生产能力不强，粮食安全存在隐患。二是固定资产投资增幅仍然偏高。有些行业投资增长过快，新开工项目偏多，投资结构不合理，投资反弹的压力比较大。三是部分行业过度投资的不良后果开始显现。产能过剩问题日趋突出，相关产品价格下跌，库存上升，企业利润减少，亏损增加，潜在的金融风险加大。四是涉及群众切身利益的不少问题还没有得到很好解决。看病难、看病贵和上学难、上学贵等问题突出，群众反映比较强烈；在土地征用、房屋拆迁、库区移民、企业改制、环境保护等方面，还存在一些违反法规和政策而损害群众利益的问题。五是安全生产形势严峻。煤矿、交通等重特大事故频繁发生，给人民群众生命财产造成严重损失。温家宝强调，2006年是实施"十一五"规划的第一年，改革发展稳定的任务十分繁重。做好政府工作的基本思路是：全面落实科学发展观，坚持加快改革开放和自主创新，坚持推进经济结构调整和增长方式转变，坚持把解决涉及人民群众切身利益问题放在突出位置，全面

加强社会主义经济建设、政治建设、文化建设与和谐社会建设，为"十一五"开好局、起好步。综合考虑各种因素。2006年国民经济和社会发展的主要预期目标是：国内生产总值增长8%左右，单位国内生产总值能耗降低4%左右；居民消费价格总水平涨幅控制在3%；城镇新增就业900万人，城镇登记失业率控制在4.6%；国际收支基本平衡。

第十届全国人民代表大会第四次会议审议了国务院提出的《国民经济和社会发展第十一个五年规划纲要（草案）》。代表们认为，《纲要（草案）》全面体现了《中共中央关于制定国民经济和社会发展第十一个五年规划的建议》的精神，坚持以科学发展观统领经济社会发展全局，按照必须保持经济平稳较快发展、必须加快转变经济增长方式、必须提高自主创新能力、必须促进城乡区域协调发展、必须加强和谐社会建设、必须不断深化改革开放的要求，提出了未来五年经济社会发展的指导原则、发展目标、战略重点和主要任务，将成为"十一五"期间全面建设小康社会的行动纲领。"十五"时期是不平凡的五年。面对复杂多变的国内外形势，全国各族人民在中国共产党的领导下，团结一致，锐意进取，经济社会发展取得巨大成就，我国的经济实力和综合国力明显增强，国际地位显著提高。五年来，我们摆脱了亚洲金融危机带来的冲击，成功战胜"非典"疫情和重大自然灾害的挑战，有效抑制经济运行中出现的不稳定不健康因素，积极应对加入世界贸易组织后的新变化，国民经济平稳较快发展，农业基础地位得到加强，工业化、城镇化、市场化、国际化步伐加快，经济体制改革不断深化，对外贸易迈上新台阶，财政收入大幅度增加，价格总水平保持基本稳定，城乡人民生活进一步改善，各项社会事业取得新进步，社会主义民主政治和精神文明建设继续加强。同时，我们也面临着不少突出问题和严峻挑战。《纲要（草案）》对困难和问题的分析是实事求是的。对这些问题要高度重视，针对经济社会发展中存在的薄弱环节，采取有力措施加以解决。"十一五"时期是全面建设小康社会承前启后的关键时期，也是把经济社会发展转入科学发展轨道的关键时期。面向未来，我们站在一个新的历史起点上，必须以邓小平理论和"三个代表"重要思想为指导，全面贯彻落实科学发展观，坚持以人为本，转变发展观念，创新发展模式，提高发展质量，促进经济社会协调可持续发展，开创社会主义经济建设、政治建设、文化建设、社会建设的新局面。要坚持统筹城乡经济社会发展的基本方略，按照工业反哺农业、城市支持农村的方针，进一步做好"三农"工作，扎实推进社会主义新农村建设。加快经济结构调整，切实转变经济增长方式。把扩大国内需求作为拉动经济增长的基本立足点，特别要增强消费对经济增长的拉动作用。推进工业结构优化升级，提高综合竞争能力。大力发展服务业，提高服务业的比重和水平。实施区域发展总体战略，促进东中西部协调发展。建设资源节约型、环境友好型社会，发展循环经济。继续实施科教兴国和人才强国战略，坚持优先发展教育，大力增强自主创新能力，努力建设创新型国家。继续深化改革，进一步转变政府职能，加快完善社会主义市场经济体制。坚持对外开放，加快转变外贸增长方式，提高利用外资质量。着力解决关系人民群众切身利益的问题，千方百计扩大就业，加快完善社会保障体系，加大收入分配调节力度，积极发展各项社会事业，切实抓好安全生产和社会治安工作,努力构建社会主义和谐社会。发展民主,健全法制,繁荣文化,增强中华民族的凝聚力和创造力。"十一五"期间的任务十分繁重和艰巨,必须狠抓落实。要坚持和发扬实事求是、艰苦奋斗的作风,求真务实,开拓创新,扎实工作,为实现国民经济和社会发展第十一个五年规划和全面建设小康社会的宏伟目标而努力奋斗。

会议表决通过了《关于政府工作报告的决议》,决定批准政府工作报告;表决通过了《关于国民经济和社会发展第十一个五年规划纲要的决议》,决定批准规划纲要;表决通过了《关于2005年国民经济和社会发展计划执行情况与2006年国民经济和社会发展计划的决议》和《关于2005年中央和地方预算执行情况与2006年中央和地方预算的决议》。

会议经过表决,通过了《关于全国人民代表大会常务委员会工作报告的决议》、《关于最高人民法院工作报告的决议》、《关于最高人民检察院工作报告的决议》。

在十届全国人大四次会议上,代表们积极提出议案。到大会提出议案截止时间,由30名以上代表联名和代表团提出的议案共1006件。其中,代表联名提出的议案1003件,代表团提出的议案3件。议案数量比上次会议的991件略有增加。

十届全国人大四次会议于3月14日上午闭幕,在闭幕式上,全国人大常委会委员长吴邦国发表了重要讲话。这次会议的一个重要成果是批准了《国民经济和社会发展第十一个五年规划纲要》。《规划纲要》以邓小平理论和"三个代表"重要思想为指导,通篇贯穿了科学发展观,全面体现了党的十六届五中全会《建议》的精神,集中了全党全国各族人民的智慧。

批准的《规划纲要》,将是指导今后一个时期我国经济社会发展的行动纲领。《规划纲要》的实施,必将进一步动员和团结全国各族人民,满怀豪情地投身社会主义现代化建设的伟大事业,创造更加美好的明天。

十届全国人大五次会议

第十届全国人民代表大会第五次会议于2007年3月5日至3月16日在北京举行,出席会议的代表共2877人。会议的主要议程是:听取和审议国务院总理温家宝关于政府工作的报告;审查和批准2006年国民经济和社会发展计划执行情况的报告与2007年国民经济和社会发展计划;审查2006年中央和地方预算执行情况的报告与2007年中央和地方预算草案;批准2006年中央预算执行情况的报告与2007年中央预算;审议全国人民代表大会常务委员会关于提请审议《中华人民共和国物权法(草案)》的议案;审议国务院关于提请审议《中华人民共和国企业所得税法(草案)》的议案;审议全国人民代表大会常务委员会关于提请审议《第十届全国人民代表大会第五次会议关于第十一届全国人民代表大会代表名额和选举问题的决定(草案)》的议案;审议全国人民代表大会常务委员会关于提请审议《中华人民共和国香港特别行政区选举第十一届全国人民代表大会代表的办法(草案)》的议案;审议全国人民代表大会常务委员会关于提请审议《中华人民共和国澳门特别行政区选举第十一届全国人民代表大会代表的办法(草案)》的议案;听取和审议全国人民代表大会常务委员会委员长吴邦国关于全国人民代表大会常务委员会工作的报告;听取和审议最高人民法院院长肖扬关于最高人民法院工作的报告;听取和审议最高人民检察院检察长贾春旺关于最高人民检察院工作的报告。

温家宝在《政府工作报告》中指出,2006年是我国实施"十一五"规划并实现良好开局的一年,国民经济和社会发展取得重大成就。经济平稳快速增长。国内生产总值20.94万亿元,比上年增长10.7%;居民消费价格总水平上涨1.5%。经济增长连续四年达到或略高于10%,没有出现明显通货膨胀。经济效益稳步提高。全国财政收入3.93万亿元,比上年增加7694亿元;规模以上工业企业实现利润增长31%,增加4442亿元。改革开放进一步深化。重点领域和关键环节改革取得新进展。进出口贸易总额1.76万亿美元,比上年增长23.8%;实际利用外商直接投资695亿美元。社会事业加快发展。科技创新取得重大成果,教育事业继续发展,公共卫生体系建设得到加强,文化、体育事业进一步繁荣。人民生活有较大改善。城镇新增就业1184万人。城镇居民人均可支配收入11759元,农村居民人均纯收入3587元,扣除价格因素,分别比上年实际增长10.4%和7.4%。这些成就标志着我国综合国力进一步增强,我们朝着全面建设小康社会目标又迈出坚实的一步。存在的主要问题是:经济结构矛盾突出。一、二、三产业比例不合理,城乡之间、地区之间发展不平衡,投资消费关系不协调。农业基础薄弱状况没有改变,粮食稳定增产和农民持续增收难度加大。固定资产投资总规模依然偏大,银行资金流动性过剩问题突出,引发投资增长过快、信贷投放过多的因素仍然存在。外贸顺差较大,国际收支不平衡矛盾加剧。一些涉及群众利益的突出问题解决得不够好。食品药品安全、医疗服务、教育收费、居民住房、收入分配、社会治安、安全生产等方面还存在群众不满意的问题,土地征收征用、房屋拆迁、企业改制、环境保护等方面损害群众利益的问题仍未能根本解决。不少低收入群众生活比较困难。

温家宝指出,2007年是本届政府任期的最后一年,国民经济和社会发展的主要目标是:在优化结构、提高效益和降低消耗、保护环境的基础上,国内生产总值增长8%左右;城镇新增就业人数不低于900万人,城镇登记失业率控制在4.6%以内;物价总水平基本稳定,居民消费价格总水平涨幅在3%以内;国际收支不平衡状况得到改善。

十届全国人大五次会议的一项重要内容是制定物权法和修改企业所得税法。

物权法是规范财产关系的民事基本法律,调整因物的归属和利用而产生的民事关系,包括明确国家、集体、私人和其他权利人的物权以及对物权的保护。为了适应全面贯彻落实科学发展观、构建社会主义和谐社会的要求,有必要依据宪法,在总结实践经验的基础上制定物权法,对物权制度的共性问题和现实生活中迫切需要规范的问题作出规定,进一步明确物的归属,定分止争,发挥物的效用,保护权利人的物权,完善中国特色社会主义物权制度。制定物权法是规范社会主义市场经济秩序的需要。产权明晰、公平竞争是发展社会主义市场经济的基本要求。通过制定物权法,确认物的归属,明确所有权和用益物权、担保物权的内容,保障各种市场主体的平等法律地位和发展权利,依法保护权利人的物权,对于发展社会主义市场经济具有重要作用。

物权法草案的主要内容是:第一,物

权法草案把坚持国家基本经济制度作为物权法的基本原则,明确规定:"国家在社会主义初级阶段,坚持公有制为主体、多种所有制经济共同发展的基本经济制度。""国家巩固和发展公有制经济,鼓励、支持和引导非公有制经济的发展。"这一基本原则作为物权法的核心,贯穿并体现在整部物权法的始终。第二,所有权是所有制在法律上的表现,是物权制度的基础。草案对国家所有权和集体所有权、私人所有权作了明确规定,其中用较多条款对国家所有权作了规定,有利于坚持和完善社会主义基本经济制度,有利于各种所有制经济充分发挥各自优势,相互促进,共同发展。第三,发展社会主义市场经济是坚持和完善社会主义基本经济制度的必然要求。草案在明确规定"用益物权人、担保物权人行使权利,不得损害所有权人的权益"的前提下,对用益物权和担保物权作了规定,有利于充分发挥物的效用,有利于维护市场交易秩序,促进经济发展。物权法属于民法,民法的一项重要原则是对权利人的权利实行平等保护。物权法草案规定:"国家、集体、私人的物权和其他权利人的物权受法律保护,任何单位和个人不得侵犯。"为了适应社会主义市场经济发展的要求,党的十六届三中全会进一步明确要"保障所有市场主体的平等法律地位和发展权利"。即使不进入市场交易的财产,宪法也明确规定:"公民的合法的私有财产不受侵犯。""国家依照法律规定保护公民的私有财产权和继承权。"在财产归属依法确定的前提下,作为物权主体,不论是国家、集体、还是私人,对他们的物权也都应当给予平等保护。平等保护不是说不同所有制经济在国民经济中的地位和作用是相同的。依据宪法规定,公有制经济是主体,国有经济是主导力量,非公有制经济是社会主义市场经济的重要组成部分,在国民经济中的地位和作用是不同的。这主要体现在国家宏观调控、公共资源配置、市场准入等方面,在关系国家安全和国民经济命脉的重要行业和关键领域,必须确保国有经济的控制力,而这些是由经济法、行政法予以规定的。物权法草案对国有财产的范围、国家所有权的行使和加强对国有财产的保护等作了明确规定。此外,物权法草案还有几项内容:一是关于正确处理相邻关系问题,草案对用水、排水、通行、通风、采光等产生的相邻关系作了规定,以利于发展生产、方便生活,维护相邻权利人的权益,促进邻里关系和谐。二是关于担保物权问题,草案在担保法的基础上,增加了可以用作担保的财产的规定,进一步完善担保制度,以促进融资,发展经济。三是关于对物权的保护问题,草案对物权的保护途径、保护方法作了全面规定,并规定侵害物权的,除承担民事责任外,还应当依法承担行政责任、刑事责任,健全了物权保护制度。四是关于占有问题,草案主要规定了对占有的保护和无权占有人的侵权责任,以维护社会秩序和权利人的合法权益。制定物权法是坚持社会主义基本经济制度的需要。坚持公有制为主体、多种所有制经济共同发展是国家在社会主义初级阶段的基本经济制度。通过制定物权法,明确国有财产和集体财产的范围、国家所有权和集体所有权的行使、加强对国有财产和集体财产的保护,有利于巩固和发展公有制经济;明确私有财产的范围、依法对私有财产给予保护,有利于鼓励、支持和引导非公有制经济的发展。

我国现行的企业所得税按内资、外资企业分别立法,外资企业适用1991年第七届全国人民代表大会第四次会议通过的

《中华人民共和国外商投资企业和外国企业所得税法》（以下简称外资税法），内资企业适用1993年国务院发布的《中华人民共和国企业所得税暂行条例》（以下简称内资税法）。自20世纪70年代末实行改革开放以来，为吸引外资、发展经济，对外资企业采取了有别于内资企业的税收政策，实践证明这样做是必要的，对改革开放、吸引外资、促进经济发展发挥了重要作用。加入世贸组织后，国内市场对外资进一步开放，内资企业也逐渐融入世界经济体系之中，面临越来越大的竞争压力，继续采取内资、外资企业不同的税收政策，必将使内资企业处于不平等竞争地位，影响统一、规范、公平竞争的市场环境的建立。现行内资、外资企业所得税制度在执行中也暴露出一些问题，已经不适应新的形势要求：一是现行内资税法、外资税法差异较大，造成企业之间税负不平、苦乐不均。现行税法在税收优惠、税前扣除等政策上，存在对外资企业偏松、内资企业偏紧的问题，根据全国企业所得税税源调查资料测算，内资企业平均实际税负为25%左右，外资企业平均实际税负为15%左右，内资企业高出外资企业近10个百分点，企业要求统一税收待遇、公平竞争的呼声较高。二是现行企业所得税优惠政策存在较大漏洞，扭曲了企业经营行为，造成国家税款的流失。比如，一些内资企业采取将资金转到境外再投资境内的"返程投资"方式，享受外资企业所得税优惠等。为有效解决企业所得税制度存在的上述问题，有必要尽快统一内资、外资企业所得税。

企业所得税改革的指导思想是：根据科学发展观和完善社会主义市场经济体制的总体要求，按照"简税制、宽税基、低税率、严征管"的税制改革原则，借鉴国际经验，建立各类企业统一适用的科学、规范的企业所得税制度，为各类企业创造公平的市场竞争环境。

企业所得税法草案的主要内容是：参照国际通行做法，草案体现了"四个统一"：内资、外资企业适用统一的企业所得税法；统一并适当降低企业所得税税率；统一和规范税前扣除办法和标准；统一税收优惠政策，实行"产业优惠为主、区域优惠为辅"的新税收优惠体系。需要特别说明的是，全国人民代表大会通过《中华人民共和国企业所得税法》（以下称新税法）后，国务院将根据新税法制定实施条例，对有关规定作进一步细化，并与新税法同时实施。草案将新的税率确定为25%。主要考虑是：对内资企业要减轻税负，对外资企业也尽可能少增加税负，同时要将财政减收控制在可以承受的范围内，还要考虑国际上尤其是周边国家（地区）的税率水平。全世界159个实行企业所得税的国家（地区）平均税率为28.6%，我国周边18个国家（地区）的平均税率为26.7%。草案规定的25%的税率，在国际上是适中偏低的水平，有利于提高企业竞争力和吸引外商投资。为统一内资、外资企业所得税税负，结合各国税制改革的新形势，草案采取以下五种方式对现行税收优惠政策进行了整合：一是对符合条件的小型微利企业实行20%的优惠税率，对国家需要重点扶持的高新技术企业实行15%的优惠税率，扩大对创业投资企业的税收优惠，以及企业投资于环境保护、节能节水、安全生产等方面的税收优惠。二是保留对农林牧渔业、基础设施投资的税收优惠政策。三是对劳服企业、福利企业、资源综合利用企业的直接减免税政策采取替代性优惠政策。四是法律设置的发展对外经济合作和技术交流的特定地区（即经济特区)内,以及国务院已规定执行上述地区特殊政策的地区(即上海浦东新区)内新设立的国家需要重点扶持的高新技术企业,可以享受过渡性优惠;继续执行国家已确定的其他鼓励类企业(即西部大开发地区的鼓励类企业)的所得税优惠政策。五是取消了生产性外资企业定期减免税优惠政策,以及产品主要出口的外资企业减半征税优惠政策等。另外,根据全国人大代表提出的意见,草案增加了"企业从事环境保护项目的所得"和"企业符合条件的技术转让所得"可以享受减免税优惠等方面的内容,以体现国家鼓励环境保护和技术进步的政策精神。通过以上整合,草案确定的税收优惠的主要内容包括:促进技术创新和科技进步、鼓励基础设施建设、鼓励农业发展及环境保护与节能、支持安全生产、促进公益事业和照顾弱势群体,以及自然灾害专项减免税优惠政策等。为了缓解新税法出台对部分老企业增加税负的影响,草案规定,对新税法公布前已经批准设立,依照当时的税收法律、行政法规规定,享受低税率和定期减免税优惠的老企业,给予过渡性照顾:按现行税法的规定享受15%和24%等低税率优惠的老企业,按照国务院规定,可以在新税法施行后五年内享受低税率过渡照顾,并在五年内逐步过渡到新的税率;按现行税法的规定享受定期减免税优惠的老企业,新税法施行后可以按现行税法规定的优惠标准和期限继续享受尚未享受完的优惠,但因没有获利而尚未享受优惠的企业,优惠期限从新税法施行年度起计算。考虑到过渡措施政策性强、情况复杂,草案规定,上述过渡的具体办法由国务院规定。

会议期间,代表团和代表提出的796件议案,大会主席团已全部交付全国人大有关专门委员会审议。大会秘书处已收到代表提出的建议、批评和意见5116件。会后,由全国人大常委会办公厅负责统一交办。

会议表决通过了《关于政府工作报告的决议》,决定批准政府工作报告;表决通过了《关于2006年国民经济和社会发展计划执行情况与2007年国民经济和社会发展计划的决议》,决定批准计划报告,批准2007年国民经济和社会发展计划;表决通过了《关于2006年中央和地方预算执行情况与2007年中央和地方预算的决议》,决定批准预算报告,批准2007年中央预算。

会议表决通过了《中华人民共和国物权法》、《中华人民共和国企业所得税法》。会议还表决通过了《关于十一届全国人大代表名额和选举问题的决定》、《香港特别行政区选举十一届全国人大代表的办法》、《澳门特别行政区选举十一届全国人大代表的办法》;表决通过了《关于全国人大常委会工作报告的决议》、《关于最高人民法院工作报告的决议》和《关于最高人民检察院工作报告的决议》。

会议于3月16日上午闭幕,在闭幕式上,全国人大常委会委员长吴邦国发表了重要讲话。十届全国人大五次会议通过的物权法、企业所得税法,是中国特色社会主义法律体系中的重要法律,会议作出了关于十一届全国人大代表选举有关事项的决定,为新一届全国人民代表大会的产生提供了坚实的法律保障。

中国人民政治协商会议第十届全国委员会

一

政协第十届全国委员会概述

中国人民政治协商会议第十届全国委员会（以下简称十届政协）的任期自2003年3月至2008年3月。其间，共召开全体会议5次、常委会会议20次、主席会议55次。

在中国共产党的领导下，十届政协全国委员会及其常务委员会高举爱国主义、社会主义旗帜，牢牢把握团结和民主两大主题，紧紧围绕党和国家的中心工作，积极履行政治协商、民主监督、参政议政职能，在五年任期内，尤其是《中共中央关于加强人民政协工作的意见》颁布后的两年间，人民政协事业蓬勃发展：从推进社会主义民主政治发展到促进经济社会全面协调可持续发展，从增进民族团结和宗教和睦到促进祖国统一和海外联谊工作，从政治协商到民主监督再到参政议政，十届政协在多个方面取得了令人瞩目的成就。

第一，把思想理论建设摆在人民政协各项建设的首要位置。十届政协建立健全了经常性的学习制度，加强学习工作，举办常委会组成人员学习讲座14次，组织全国政协委员学习培训，基本实现了每一位全国政协委员届内参加一次集中学习培训的目标。

第二，充分发挥人民政协这一政治组织和民主形式的重要作用。十届政协全体会议期间，政协委员听取政府工作报告和其他重要报告，围绕修改宪法、制定反分裂国家法等重要法律法规以及关系国计民生的重大问题提出意见和建议。中共中央领导同志与委员共商国是，政协大会期间，中共中央领导同志参加委员分组讨论等活动71场，中共中央、国务院以及有关部门负责人听取政协大会发言，参加小组讨论1300多人次。五年内，全国政协举行了10次专题议政性常委会议、5次专题协商会，邀请国务院领导和有关部委负责同志和政协委员面对面进行互动交流，增进沟通，增强理解，促进了有关问题的解决。

第三，围绕中心、服务大局。十届政协紧紧围绕制定和实施"十一五"规划、构建社会主义和谐社会、加强和改善宏观调控、建设社会主义新农村、建设创新型国家、建设资源节约型和环境友好型社会、调整经济结构和转变发展方式等重大问题，提出了许多重要意见和建议。五年任期内，政协委员、政协各参加单位和政协各专门委员会，共提交提案23076件，组织大会发言4000多篇，反映社情民意信息6600多篇。十届政协任期内，共组织了112个视察团，有18位副主席65次带团视察，2816人次的常委和委员参加，形成视察报告106份，提出调研报告250多份。

第四，贯彻党和国家的民族、宗教政策，增进了民族团结和宗教和睦。十届政协围绕民族区域政治经济发展多次组织视察、调研，推动民族区域自治制度的完善和发展，推动相关地区的生态环境建设，对加快民族地区的教育、科技、文化等社会事业发展作出贡献。十届政协围绕贯彻落实宗教事务条例组织考察调研,促进了一大批宗教房产等问题的解决;连续两年召开宗教界为构建社会主义和谐社会作贡献经验交流会,探索宗教界人士促进社会和谐的途径和方法;召开中国宗教界纪念中国人民抗日战争暨世界反法西斯战争胜利60周年座谈会,郑重发表《中国宗教界和平文告》;举办海峡两岸暨港澳佛教、道教界近万名信教群众参加的和平祈祷活动,充分展示中国宗教界促进祖国统一和维护世界和平的真诚愿望。

第五,开展促进祖国统一和海外联谊工作,不断增强中华民族的凝聚力。十届政协通过多种方式和途径,积极宣传党和政府对香港、澳门的方针政策,及时向港澳委员通报国家经济社会发展情况和政协常委会议精神,精心组织港澳委员在内地12个省、自治区、直辖市开展视察、考察活动,鼓励他们为国家发展献计出力。高度重视发挥港澳委员在香港、澳门社会政治事务中的作用,探索相关工作机制,支持港澳委员为维护香港、澳门繁荣稳定作出贡献。十届全国政协深入学习贯彻胡锦涛总书记关于新形势下发展两岸关系的四点意见,认真做好台湾岛内有关党派团体和各界人士的工作,加强与各界台胞的联系,推动两岸人员往来和经济文化交流。举办孙中山诞辰140周年纪念活动。支持海外侨胞以各种形式开展"反独促统"活动,为推进祖国和平统一大业发挥了积极作用。

第六,发挥人民政协对外交往的特点和优势,积极、务实、稳妥地开展人民外交,为争取良好的国际环境和周边环境、促进世界和平与发展贡献力量。五年来,全国政协主席会议组成人员对近70个国家进行访问,共接待46个副议长以上级别代表团来访。截至2008年3月,全国政协

已同121个国家的211个机构和12个国际或区域性组织建立联系并开展友好交往。

第七,加强人民政协理论研究,以理论创新推动工作创新。十届政协以中共中央总书记胡锦涛在庆祝人民政协成立55周年大会上的讲话和《中共中央关于加强人民政协工作的意见》颁布、中国人民政协理论研究会成立等为契机,不断深入研究人民政协理论,范围涉及人民政协与中国的民主政治建设、人民政协主要职能和自身建设、人民政协在构建和谐社会中的作用等诸多方面,取得了一批重要理论成果,初步确立了人民政协理论的思想体系和基本框架。人民政协理论研究队伍逐步形成,人民政协理论正在纳入党政领导干部培训计划,列入各地党校、行政学院、干部学院、社会主义学院的教学计划。

全国政协十届一次会议

2003年3月3日至3月14日,中国人民政治协商会议第十届全国委员会第一次会议在北京召开。政协十届一次会议主席团常务主席会议主持人贾庆林主持了开幕大会。

受政协第九届全国委员会常务委员会委托,政协十届一次会议主席团常务主席李贵鲜向大会作工作报告。报告从参政议政取得可喜成效、为发展爱国统一战线作出了积极贡献、专题调研和视察工作不断深化、反映社情民意和提案工作进一步拓展、促进祖国统一和海内外联谊工作取得新进展、对外友好交往更加活跃、对地方政协的联系与指导不断加强、政协自身建设进一步推进共8个方面总结了九届

政协的工作,认为五年来政协第九届全国委员会为改革开放、现代化建设和祖国和平统一大业作出了重要贡献。根据报告介绍,五年来,九届政协向中共中央、国务院报送重要意见、建议和社情民意信息7740余份;各专委会就一系列关系国计民生的重大问题开展专题调研,形成专题调研报告或专项建议186件;各党派、团体和政协委员共提交大会发言3000多份,提出了很多有价值的意见和建议。报告指出,中共十六大提出了我国在本世纪头20年的奋斗目标,开启了我国社会主义现代化建设新的伟大进军的征程。新形势、新任务对人民政协的工作提出了新的更高的要求,也为人民政协事业的发展提供了新的机遇。我们要深入学习、全面贯彻中共十六大精神,以邓小平理论和"三个代表"重要思想为指导,围绕实现中共十六大提出的战略目标和各项任务,切实履行政治协商、民主监督、参政议政职能,以与时俱进、开拓创新、奋发有为、昂扬向上的精神状态做好各项工作,努力开创人民政协工作的新局面。

受政协第九届全国委员会常务委员会委托,政协十届一次会议主席团常务主席周铁农向大会报告九届政协的提案工作情况。九届政协一次会议以来,政协委员、政协各参加单位以及政协各专门委员会,共提交提案17722件,经审查,立案16281件。这些提案分别送交180多个承办单位,到目前为止,98.8%的提案已经办复。九届政协的提案数量不断增加,质量逐步提高,在反映社情民意、促进有关部门决策的民主化、科学化以及各项工作的开展等方面,提出了大量意见和建议,为推进经济建设、政治建设、文化建设和祖国和平统一大业,作出了积极贡献。

会议期间,政协委员列席了十届全国人大一次会议,听取朱镕基总理代表国务院所作的《政府工作报告》、国家发展计划委员会主任曾培炎作国务院《关于2002年国民经济和社会发展计划执行情况与2003年国民经济和社会发展计划草案的报告》、财政部部长项怀诚作国务院《关于2002年中央和地方预算执行情况及2003年中央和地方预算草案的报告》及国务委员兼国务院秘书长王忠禹作《关于国务院机构改革方案的说明》等。

政协委员先后就启动存量需求、消化过剩产能、启动农村消费、提高农民收入、民营经济发展、能源发展战略、建立和完善生态环境补偿机制、城镇化建设、实施科教兴国战略、重视解决"三农"问题、进一步加强对哲学社会科学的重视、促进祖国统一等问题发表了意见和建议。

根据政协十届一次会议选举办法,经与会委员无记名投票,中共中央政治局常委贾庆林当选全国政协主席,王忠禹、廖晖、刘延东、阿沛·阿旺晋美、巴金、帕巴拉·格列朗杰、李贵鲜、张思卿、丁光训、霍英东、马万祺、白立忱、罗豪才、张克辉、周铁农、郝建秀、陈奎元、阿不来提·阿不都热西提、徐匡迪、李兆焯、黄孟复、王选、张怀西、李蒙等24位当选全国政协副主席。会议选举郑万通为政协第十届全国委员会秘书长,并选出政协第十届全国委员会常务委员299名。新当选的全国政协主席、副主席平均年龄比九届下降3.5岁,其中民主党派和全国工商联、无党派人士13名,少数民族人士5名,女性2名。新当选的常务委员平均年龄为61.9岁,比九届下降2.2岁,其中非中共人士195名,占65.2%;少数民族人士37名;女性35名。

会议通过了《中国人民政治协商会议第十届全国委员会第一次会议政治决议》、《关于政协第九届全国委员会常务委员会工作报告的决议》、《关于政协第九届全国委员会常务委员会提案工作情况报告的决议》以及《关于政协十届一次会议提案审查情况的报告》。截至3月9日下午5时，会议共收到提案3668件，参与的委员1936人，占委员总数的86.5%。按照《中国人民政治协商会议全国委员会提案工作条例》，提案审查委员会对收到的提案进行了审查，共立案3448件，占总数的94%，作为委员来信转有关方面研究和参考的220件。对会议急需处理的3件提案，及时送交有关部门办理，并得到了答复。在已立案的提案中，委员提案3311件；各民主党派、全国工商联提案82件；界别小组提案55件。按类别分，经济建设方面1505件，占43.65%；科教文卫体方面966件，占28.02%；政法、人事、统战综合方面977件，占28.33%。

全国政协主席贾庆林在闭幕会上讲了话。他说，十届全国政协要坚持和发扬人民政协的优良传统，坚持以邓小平理论和"三个代表"重要思想为指导，全面贯彻中共十六大精神，坚持团结和民主两大主题，切实履行政治协商、民主监督和参政议政职能，坚定信心，与时俱进，发挥优势，扎实工作，最广泛、最充分地调动一切积极因素，不断开创人民政协事业的新局面，为全面建设小康社会、实现中华民族的伟大复兴贡献力量。贾庆林说，政协委员是政协工作的主体，责任重大而光荣。希望大家珍惜政协委员的称号，关注民生、参与国是、致力发展、奉献社会，积极投身到全面建设小康社会的宏伟事业中去。

全国政协十届二次会议

2004年3月3日至3月12日，中国人民政治协商会议第十届全国委员会第二次会议在北京召开。全国政协副主席王忠禹主持开幕大会。应出席委员2229人，实到2095人，符合法定人数。

大会首先审议通过了政协第十届全国委员会第二次会议议程：①听取和审议政协第十届全国委员会常务委员会工作报告；②听取和审议政协第十届全国委员会常务委员会关于政协十届一次会议以来提案工作情况的报告；③列席第十届全国人民代表大会第二次会议，听取并讨论《政府工作报告》及其他有关报告；④审议通过《中国人民政治协商会议章程修正案》；⑤审议通过政协第十届全国委员会第二次会议政治决议；⑥审议通过政协第十届全国委员会第二次会议关于常务委员会工作报告的决议；⑦审议通过政协第十届全国委员会第二次会议关于政协十届一次会议以来提案工作情况报告的决议；⑧审议通过政协第十届全国委员会提案委员会关于政协十届二次会议提案审查情况的报告。

受政协第十届全国委员会常务委员会委托，贾庆林向大会作工作报告。这是二十多年来全国政协主席第一次代表常委会作的工作报告。贾庆林指出，2003年，是十届全国政协的开局之年。在中共中央领导下，新一届全国政协常委会坚持以"三个代表"重要思想为指导，牢牢把握团结和民主两大主题，切实履行政治协商、民主监督、参政议政职能，广泛动员和组织政协各参加单位和政协委员，为全面建设小康社会献计出力。报告从切实把学习摆在突出位置，坚持把促进发展作为履行职能的第一要务，积极参加抗击"非典"的斗争，认真组织好修改政协章程工作，重视发挥各民主党派和无党派人士在政协中的作用，加强提案、视察和反映社情民意等经常性工作，大力开展促进祖国统一和海外联谊工作，继续扩大对外友好交往等八个方面总结了去年的工作，认为十届政协的各项工作在历届政协工作的基础上迈出了新的步伐。贾庆林强调，2004年，是我国改革和发展十分关键的一年，各级政协组织和广大政协委员要坚持以邓小平理论和"三个代表"重要思想为指导，推动人民政协事业实现新发展；发扬民主、深入调研，为全面建设小康社会建言献策；发挥我国政党制度的优势，进一步促进参加政协的各党派、无党派人士的团结合作；努力增进团结，切实维护稳定；充分发挥优势，促进祖国和平统一大业；深入学习宪法和政协章程，不断加强自身建设。

受政协第十届全国委员会常务委员会委托，李蒙向大会报告政协十届一次会议以来的提案工作。一年来，政协委员、政协各参加单位和政协专门委员会，共提交提案3819件，经审查，立案3576件。据统计，在已立案的提案中，八个民主党派中央和全国工商联的提案84件，界别小组提案59件，政协专门委员会的提案4件。按类别分，有关经济建设方面的提案1541件，占43.1%；教科文卫体方面的提案1017件，占28.4%；政法、统战和其他方面的提案1018件，占28.5%。这些提案分别送交150多个承办单位办理。未予立案的已作为委员来信转送有关部门研究处理。截至2004年2月20日，98.8%的提案已经办复。

会议期间，政协委员列席了十届全国人大二次会议，听取了国务院总理温家宝代表国务院所作的《政府工作报告》、国家发展和改革委员会主任马凯代表国务院所作的《关于2003年国民经济和社会发展计划执行情况与2004年国民经济和社会发展计划草案的报告》、财政部部长金人庆代表国务院所作的《关于2003年中央和地方预算执行情况及2004年中央和地方预算草案的报告》以及全国人大常委会副委员长王兆国就《中华人民共和国宪法修正案(草案)》所作的说明。

会议听取了全国政协秘书长郑万通就《中国人民政治协商会议章程修正案(草案)》，向大会所作的说明。这次提出部分修改章程，主要是基于以下考虑：一是中共十六大确立了"三个代表"重要思想的历史地位，提出了一系列重大理论观点和重大方针政策，并对人民政协工作作出了重要论述，这些都关系到人民政协事业的长远发展，需要在章程中加以体现；二是中国共产党章程已作了修改，宪法也在进行修改，政协章程必须与之相衔接；三是新时期以来人民政协事业有很大发展，各级政协在履行职能的实践中积累了比较成熟的经验，同时也遇到一些需要进一步明确和规范的问题，这些也需要在章程中补充和完善。这次部分修改章程总的原则是：坚持中国共产党的领导，坚持以马克思列宁主义、毛泽东思想、邓小平理论和"三个代表"重要思想为指导，落实中共十六大精神，与宪法修改相衔接，适应新形势对人民政协工作的新要求，反映各级政协工作实践的新成果，推进政协履行职能的制度化、规范化和程序化。对实践证明是成熟的、需要通过章程加以规范的、非改不可的部分内容进行修改，对可改可不改的或通过建立健全专项规章制度可以解决的不改。

政协委员先后就落实科学发展观、国有企业改革、粮食安全、维护国家金融安全、发挥市场在资源配置中的基础性作用、"三农"、教育、科技、文化、农村医疗、湿地保护、提升耕地质量、实行最严格的耕地保护制度、切实维护进城务工人员合法权益、统筹城乡协调发展、提高低收入者收入等涉及就业、民族地区发展、祖国和平统一等问题发表了意见和建议。

会议通过了政协第十届全国委员会第二次会议《关于常务委员会工作报告的决议》、《关于政协十届一次会议以来提案工作情况报告的决议》、《关于中国人民政治协商会议章程修正案的决议》。会议还通过了政协提案委员会关于政协十届二次会议提案审查情况的报告：政协第十届全国委员会第二次会议截至3月8日下午5时，共收到提案4312件，参与提案的委员1907人，占委员总数的85.6%。提案委员会根据《中国人民政治协商会议全国委员会提案工作条例》，对收到的提案进行了审查，立案4116件，占提案总数的95.5%，作为委员来信转送有关部门研究处理的196件，其中对会议急需处理的12件，已及时送交有关部门办理。在立案的提案中，委员提案3968件；各民主党派中央、全国工商联提案114件；界别小组提案34件。按类别分，有关经济建设方面的提案1847件，占44.9%；教科文卫体方面的提案1132件，占27.5%；政法、统战和其他方面的提案1137件，占27.6%。

政协十届二次会议通过的《中国人民政治协商会议章程修正案》，比较大的改动有22条。主要体现在四个方面：第一，把马克思列宁主义、毛泽东思想、邓小平理论和"三个代表"重要思想确定为人民政协的指导思想。在政协章程中明确人民政协的指导思想，就从根本上保证了政协工作坚定正确的政治方向。第二，对基本政治制度、政协性质、政协职能、政协两大主题进行完整地、准确地表述，十分清楚地说明了新时期人民政协的性质和作用。第三，对政协委员的条件、权利、义务作了明确规定。在第二十四条末，分两款增加关于委员应具备的基本条件和对委员的基本要求。基本条件实际上是七条：①热爱祖国；②拥护中国共产党的领导；③拥护社会主义事业；④维护民族团结和国家统一；⑤遵守国家的宪法和法律；⑥在本界别中有代表性，有社会影响；⑦有参政议政能力。基本要求实际上是三项：①要密切联系群众；②要了解和反映群众的愿望和要求；③要参加政协组织的会议和活动。第四，对政协履行职能的制度和程序进一步加以完善和规范。明确规定了政协换届大会预备会议的程序，解决了长期存在的政协换届大会新老衔接程序不顺的问题。对政协界别和委员产生的程序也作了必要的规定和补充，使政协章程更具有实际的操作性。

全国政协主席贾庆林在闭幕会上讲话，他说我们要认真做好宣传贯彻两会精神的工作，扎扎实实地把人民政协的各项工作进一步推向前进；要认真学习、广泛宣传修订后的宪法和政协章程，在领会精神、指导实践、推动工作上狠下工夫；要树立和落实全面、协调、可持续的科学发展观，发挥人民政协的优势，围绕《政府工作报告》中提出的关系国计民生和人民群众切身利益的一些重大问题，深入调查研究，积极建言献策；要结合学习贯彻政协章程，认真总结、深入研究实际工作中的经验和问题，努力实现政协工作的制度化、规范化和程序化。贾庆林强调，各级政协组织和广大政协委员要大力弘扬求真务实精神、大兴求真务实之风,深入实际、深入群众,扎实工作、开拓创新,努力把"两会"精神落实到我们的各项工作中去,不断巩固和发展民主团结、生动活泼、安定和谐的政治局面,促进社会主义物质文明、政治文明和精神文明的协调发展。

四

全国政协十届三次会议

2005年2月26日至28日,政协第十届全国委员会常务委员会第八次会议审议通过了关于召开政协十届三次会议的决定,通过了政协十届三次会议议程草案和日程、政协常委会工作报告、关于政协十届二次会议以来提案工作情况的报告,决定将上述草案和报告提请政协十届三次会议审议。会议通过了人事事项:决定郑万通为政协十届三次会议秘书长,赵喜明等21人为政协十届三次会议副秘书长;决定增补丁常云等80人为政协第十届全国委员会委员;因工作变动,朱小丹、吴爱英、张文岳不再担任政协第十届全国委员会委员;决定接受莫时仁辞去政协第十届全国委员会常务委员、委员职务;鉴于李达昌在任四川省副省长期间,滥用职权,已构成严重违纪,根据政协章程第二十九条的规定,决定撤销其政协第十届全国委员会委员的资格;决定任命王蒙为全国政协文史和学习委员会主任;决定增补朱树豪、张德邻、傅志煌为提案委员会副主任,王洛林、陈清泰、林毅夫、阎海旺、颜延龄为经济委员会副主任,何光暐、郑斯林为人口资源环境委员会副主任,王巨才、张文康、袁伟民为教科文卫体委员会副主任,伍绍祖、张福森为社会和法制委员会副主任,圣辉、任法融、刘江为民族和宗教委员会副主任,陈杰、唐闻生为港澳台侨委员会副主任,刘华秋、赵启正为外事委员会副主任,计佑铭为文史和学习委员会副主任;因工作调动,王巨禄不再担任政协第十届全国委员会副秘书长。会议还通过了与新修订的政协章程相配套的工作制度,决定将政协第十届全国委员会"无党派民主人士"界更名为"无党派人士"界,将文史资料委员会调整为文史和学习委员会。

2005年3月3日至3月12日,中国人民政治协商会议第十届全国委员会第三次会议在北京召开。全国政协副主席王忠禹主持会议。全国政协十届三次会议应出席委员2295人,实到2186人,符合法定人数。

受政协第十届全国委员会常务委员会委托,贾庆林向大会报告工作。报告从坚持把学习摆在突出位置,围绕树立和落实科学发展观切实履行职能、议政建言献策,积极促进各党派团体、各族各界人士的团结合作等八个方面回顾了去年的人民政协工作,总结了五条今后必须长期坚持的基本经验:坚持中国共产党的领导,坚持把促进发展作为人民政协履行职能的第一要务,坚持团结和民主两大主题,坚持推进履行职能的制度化、规范化、程序化,坚持把最广大人民的根本利益作为政协工作的出发点和落脚点。贾庆林对今年人民政协工作提出了围绕国家经济社会发展中的重大问题建言献策、努力为构建社会主义和谐社会作贡献等六点要求。

受政协第十届全国委员会常务委员会委托,全国政协副主席张怀西向大会报告政协十届二次会议以来的提案工作。一年来,全国政协共收到提案4478件,经审查,立案4263件。其中,八个民主党派中央和全国工商联提案 115 件,界别小组提案 34 件。未予立案的作为委员来信转送有关部门研究处理。截至 2005 年 2 月 20 日,99.15％的提案已经办复。报告说,政协十届二次会议以来的提案,呈现出两个显著特点:一是反映的热点问题相对集中,二是质量有了普遍提高。提案提出的建议,在推进决策的科学化和民主化,促进社会主义物质文明、政治文明、精神文明协调发展和构建社会主义和谐社会等方面,发挥了重要作用。

会议期间,政协委员列席了十届全国人大三次会议开幕大会,听取了温家宝代表国务院向大会所作的《政府工作报告》。大会印发了国务院《关于 2004 年国民经济和社会发展计划执行情况与 2005 年国民经济和社会发展计划草案的报告》,以及《2005 年国民经济和社会发展计划草案》;国务院《关于 2004 年中央和地方预算执行情况及 2005 年中央和地方预算草案的报告》,以及《2005 年中央和地方预算草案》,提请代表审议。十届全国人大三次会议对日程安排作出改进,不再安排全体会议听取计划、预算草案报告,将这些报告和草案印发大会审议和审查,既可减少一次全体会议,又有利于提高审议效率和质量。听取了全国人大常委会副委员长王兆国就《反分裂国家法(草案)》所作的说明、全国人大常委会委员长吴邦国作《全国人民代表大会常务委员会工作报告》、最高人民法院院长肖扬作《最高人民法院工作报告》、最高人民检察院检察长贾春旺作《最高人民检察院工作报告》。

政协委员先后就我国的粮食安全形势、从战略的高度认识和推动中小企业的发展、要尽快建立和完善符合我国国情的农业保险制度等经济建设和经济体制改革、保障所有国民都有平等的受教育机会,促进城乡教育协调发展、把提升企业自主创新能力置于国家战略高度、做大做强我国出版业刻不容缓等涉及科技、教育、文化、卫生事业发展等问题作大会发言。会议期间,提案委员会就"促进我国中部地区崛起实现区域经济协调发展"和"加快推进循环经济发展"方面的提案,召开了两次协商办理座谈会,邀请 18 个有关部委,直接与提出提案的民主党派中央、政协委员沟通情况,交换意见,共商措施和办法。

本次会议增选董建华、张梅颖、张榕明为政协第十届全国委员会副主席,增选万钢、杨邦杰、张德邻、阎海旺、梁国扬为政协第十届全国委员会常务委员。会议通过了政协第十届全国委员会第三次会议《关于常务委员会工作报告的决议》、《关于政协十届二次会议以来提案工作情况报告的决议》;批准张怀西副主席代表常务委员会所作的《关于政协十届二次会议以来提案工作情况的报告》。会议还通过了政协提案委员会《关于政协十届三次会议提案审查情况的报告》:截至 3 月 8 日下午 5 时,共收到提案 4508 件,参与提案的委员 1990 人,占委员总数的 86.75％。经提案委员会审查,立案 4375 件,占提案总数的 97.05％,作为委员来信转送有关部门研究处理的 133 件。对会议期间需要及时处理的提案,已送交有关部门办理。在立案的提案中,委员提案 4169 件;各民主党派中央、全国工商联提案 170 件;有关人民团体提案 3 件;界别、小组提案 33 件。按类别分,有关经济建设方面的提案 1940 件,占 44.34％;科教文卫体方面的提案 1284 件,占 29.35％;政法、统战和其他方面的提案 1151 件,占 26.31％。大会闭幕后,定于 3 月 17 日召开政协十届三次会议提案交办会,将已审查立案的提案分别送交中共中央、全国人大常委会、国务院、全国政协、中央军委所属有关部门，最高人民法院、最高人民检察院办公厅，各省、自治区、直辖市中共党委和人民政府，以及有关人民团体等150多个承办单位办理。

会议还通过了政协第十届全国委员会第三次会议政治决议：会议讨论了温家宝总理所作的《政府工作报告》，讨论了《最高人民法院工作报告》、《最高人民检察院工作报告》和《反分裂国家法（草案）》，对上述报告和《反分裂国家法（草案）》表示赞同。会议审议通过了贾庆林主席代表常务委员会所作的工作报告和张怀西副主席代表常务委员会所作的提案工作情况的报告。会议指出，推进人民政协事业，必须坚持中国共产党的领导，坚持把促进发展作为人民政协履行职能的第一要务，坚持团结和民主两大主题，坚持推进履行职能的制度化、规范化、程序化，坚持把最广大人民的根本利益作为政协工作的出发点和落脚点。这既是人民政协工作的基本经验，也是做好今后工作的重要原则，必须毫不动摇地加以贯彻。会议指出，维护国家主权和领土完整，是中国的核心利益。制定《反分裂国家法》，体现了我们以最大的诚意、尽最大的努力争取实现和平统一的一贯立场，表明了全中国人民捍卫国家主权和领土完整，决不允许"台独"分裂势力以任何名义、任何方式把台湾从中国分裂出去的共同意志和坚定决心。它有利于团结包括台湾同胞在内的全中国人民共同推动祖国的和平统一大业，有利于遏制"台独"分裂势力的分裂活动，有利于维护台湾海峡地区乃至亚太地区的和平稳定。会议要求，参加人民政协的各党派团体、人民政协的各级组织和全体政协委员，广泛团结海内外一切爱国人士，坚决反对和遏制"台独"分裂活动，为推动两岸关系和平稳定发展、促进祖国完全统一作出积极的贡献。

全国政协主席贾庆林在闭幕会上发表讲话强调，2005年是我国改革和发展承前启后的关键一年。中共中央、国务院对党和国家的各项工作已经作出了全面部署，提出了明确要求。我们要认真学习贯彻"两会"精神，全面落实科学发展观，坚持和完善中国共产党领导的多党合作和政治协商制度，牢牢把握团结和民主两大主题，切实有效地履行人民政协的各项职能，为促进改革开放和现代化建设、完成祖国统一大业贡献力量。各级政协组织和广大政协委员要进一步解放思想、实事求是、与时俱进，大力弘扬求真务实精神，大兴求真务实之风，深入实际、深入群众，扎实工作、开拓创新，努力把"两会"精神落实到各项工作中去，巩固和发展民主团结、生动活泼、安定和谐的政治局面，推动社会主义物质文明、政治文明、精神文明建设与和谐社会建设全面发展。

五

全国政协十届四次会议

2006年3月3日至3月8日，中国人民政治协商会议第十届全国委员会第四次会议在北京召开。全国政协副主席王忠禹主持大会。全国政协十届四次会议应出席委员2280人，实到2154人，符合法定人数。

大会首先审议通过了政协第十届全国委员会第四次会议议程：①听取和审议政协全国委员会常务委员会工作报告；②听取和审议政协全国委员会常务委员会关于政协十届三次会议以来提案工作情

况的报告；③列席第十届全国人民代表大会第四次会议，听取并讨论《政府工作报告》及其他有关报告，讨论国民经济和社会发展第十一个五年规划纲要草案；④审议通过政协第十届全国委员会第四次会议政治决议；⑤审议通过政协第十届全国委员会第四次会议关于常务委员会工作报告的决议；⑥审议通过政协第十届全国委员会第四次会议关于政协十届三次会议以来提案工作情况报告的决议；⑦审议通过政协第十届全国委员会提案委员会关于政协十届四次会议提案审查情况的报告。

全国政协主席贾庆林代表政协第十届全国委员会常务委员会，向大会报告工作。贾庆林对今年全国政协工作提出六点要求。他强调，政协全国委员会及其常委会要坚持以邓小平理论和"三个代表"重要思想为指导，全面落实科学发展观，深入学习贯彻中共中央关于加强人民政协工作的指示，牢牢把握团结和民主两大主题，充分履行政治协商、民主监督、参政议政职能，把为实施"十一五"规划和构建社会主义和谐社会服务，作为履行职能的重点，求真务实，开拓创新，扎实工作，为全面推进社会主义经济建设、政治建设、文化建设、社会建设作出新的贡献。贾庆林指出，实现2006年的工作目标，完成肩负的历史使命，必须大力加强人民政协的自身建设。人民政协的各级组织、广大政协委员和政协机关干部，必须适应新形势、新任务的要求，与时俱进，开拓创新，以发挥民主党派和无党派人士作用、体现界别特点、突出委员主体作用、搞好机关建设为重点，全面加强人民政协的思想建设、组织建设、制度建设和作风建设。

全国政协副主席罗豪才代表政协第十届全国委员会常务委员会，向大会报告政协十届三次会议以来的提案工作。一年来，政协委员、政协各参加单位和政协专门委员会共提交提案4660件。经审查，立案4496件。其中，经济建设领域的提案共1992件，占提案总数的44.31%，科教文卫体领域的提案共1324件，占提案总数的29.45%，政治法律、社会保障等领域的提案共1180件，占提案总数的26.24%。截至2006年2月20日，99.29%的提案已经办复。未予立案的已转送有关部门研究处理或参考。政协十届三次会议以来，提案涉及的问题已经解决或列入计划准备解决的占83.29%；因条件所限，一时确实难以解决的，承办单位也及时向提案者作了说明。各国驻华使节应邀旁听开幕会。中央人民广播电台、中国国际广播电台、中央电视台对贾庆林主席作政协常委会工作报告的内容进行了现场直播。新华网、人民网、中国网对开幕会作了实时报道。

会议期间，政协委员列席了第十届全国人民代表大会第四次会议的开幕大会，听取了温家宝代表国务院向大会所作的《政府工作报告》。大会印发了《国民经济和社会发展第十一个五年规划纲要草案》、国务院《关于2005年国民经济和社会发展计划执行情况与2006年国民经济和社会发展计划草案的报告》、国务院《关于2005年中央和地方预算执行情况与2006年中央和地方预算草案的报告》；听取最高人民法院院长肖扬所作的《最高人民法院工作报告》和最高人民检察院检察长贾春旺所作的《最高人民检察院工作报告》。

政协委员先后就建设创新型国家，教育、医疗等社会事业发展，发展民主政治，构建和谐社会、促进祖国统一等问题作大会发言。提案委员会就"关于农业增产、农民增收，促进社会主义新农村建设问题"和"关于加快科技自主创新成果转化问题",召开了两次提案办理协商会,邀请国家发改委、财政部、农业部、科技部等15个有关部委,与提出提案的民主党派中央、政协委员当面沟通情况,交换意见,共商解决问题的措施。

会议听取了政协十届四次会议秘书长郑万通关于本次会议情况的综合汇报。经过逐项表决,会议通过了政协十届四次会议关于常委会工作报告的决议草案、政协十届四次会议关于政协十届三次会议以来提案工作情况报告的决议草案、政协十届四次会议政治决议草案,审议通过了政协十届全国委员会提案委员会关于政协十届四次会议提案审查情况的报告草案,决定将上述草案提交政协十届四次会议闭幕会表决。会议表决通过了政协第十届全国委员会不再担任专门委员会副主任名单、专门委员会副主任增补名单、副秘书长免职名单和任命名单。根据工作需要,张榕明副主席不再担任全国政协人口资源环境委员会副主任,张梅颖副主席不再兼任全国政协副秘书长。由于年龄原因,陈洪、范西成同志不再担任政协十届全国委员会副秘书长。会议决定增补范西成为经济委员会副主任,王思齐、陈洪为民族和宗教委员会副主任、陈明义为港澳台侨委员会副主任,范钦臣、程世峨为文史和学习委员会副主任,决定任命索丽生、卞晋平、仝广成同志为政协第十届全国委员会副秘书长。

会议通过了政协第十届全国委员会第四次会议《关于常务委员会工作报告的决议》,批准贾庆林主席代表常务委员会所作的工作报告。会议通过了《关于政协十届三次会议以来提案工作情况报告的决议》,批准罗豪才副主席代表常务委员会所作的关于政协十届三次会议以来提

案工作情况的报告。会议通过了政协提案委员会《关于政协十届四次会议提案审查情况的报告》:截至2006年3月8日下午5时,提案委员会共收到提案5030件,参与提案的委员2041人,占委员总数的89.52%。经审查,立案4898件,占提案总数的97.38%。作为委员来信转送有关部门研究处理的132件,其中需要及时处理的,已送交有关部门。在立案的提案中,委员提案4647件;各民主党派中央、全国工商联提案198件;人民团体提案1件;界别、小组提案52件。按类别分,有关经济建设方面的提案2213件,占45.18%;科教文卫体方面的提案1441件,占29.42%;政治法律和社会保障等方面的提案1244件,占25.40%。大会闭幕后,定于3月20日召开政协十届四次会议提案交办会,将已审查立案的提案分别送交中共中央、全国人大常委会、国务院、全国政协、中央军委所属有关部门,最高人民法院、最高人民检察院办公厅,各省、自治区、直辖市中共党委和人民政府,以及有关人民团体等160多个承办单位办理。

会议还通过了政协第十届全国委员会第四次会议政治决议:会议听取并赞同温家宝总理所作的《政府工作报告》、《国民经济和社会发展第十一个五年规划纲要(草案)》,赞同《最高人民法院工作报告》、《最高人民检察院工作报告》以及其他报告。会议批准了贾庆林主席代表常务委员会所作的工作报告和罗豪才副主席代表常务委员会所作的提案工作情况的报告。会议号召,人民政协的各级组织、各参加单位和广大政协委员,紧密团结在以胡锦涛同志为总书记的中共中央周围,高举邓小平理论和"三个代表"重要思想伟大旗帜,全面落实科学发展观,牢牢把握团结和民主两大主题,把努力实施

"十一五"规划和构建社会主义和谐社会作为履行职能的重点,求真务实,开拓创新,扎实工作,为全面建设小康社会、推进祖国和平统一、实现中华民族的伟大复兴作出新的更大贡献。

贾庆林在闭幕会上发表讲话说,要切实把"两会"精神贯彻到人民政协开展政治协商、民主监督、参政议政的各项工作中去,把学习贯彻"两会"精神与学习贯彻《中共中央关于加强人民政协工作的意见》紧密结合起来,在服务党和国家工作大局的实践中,不断体现人民政协制度化、规范化、程序化建设的成果。贾庆林强调,人民政协的各级组织、各参加单位和广大委员,要按照《政府工作报告》和"十一五"规划纲要的要求,紧紧围绕经济社会发展中的重大问题,深入调查研究,为促进经济建设、政治建设、文化建设和社会建设全面发展献计出力。要自觉肩负起庄严的使命,认真履行崇高的职责,密切联系各界群众,积极反映社情民意,团结各方面的力量,增进各方面的共识,凝聚各方面的智慧,为"十一五"时期的发展开好局、起好步,为促进党和国家奋斗目标的实现作出不懈的努力。

全国政协十届五次会议

2007 年 2 月 26 日至 28 日召开的政协第十届全国委员会常务委员会第十六次会议决定,中国人民政治协商会议第十届全国委员会第五次会议于 2007 年 3 月 3 日在北京召开。会议通过了政协十届五次会议议程草案和日程、政协常委会工作报告、关于政协十届四次会议以来提案工作情况的报告,决定将上述草案和报告提请政协十届五次会议审议。会议还通过表决方式决定了有关人事事项,决定郑万通为政协十届五次会议秘书长,杨崇汇等22 人为政协十届五次会议副秘书长;决定增补王占为提案委员会副主任,王广宪、李金明为人口资源环境委员会副主任,钟起煌、桑结加为文史和学习委员会副主任。依据政协章程的规定,会议通过表决方式,决定接受何林祥辞去政协第十届全国委员会委员;决定撤销邱晓华、李品三、郑筱萸政协第十届全国委员会委员的资格。

2007 年 3 月 3 日至 3 月 15 日,中国人民政治协商会议第十届全国委员会第五次会议在北京召开。全国政协副主席王忠禹主持会议。全国政协十届五次会议应出席委员 2267 人,实到 2144 人,符合法定人数。

大会首先审议通过了政协第十届全国委员会第五次会议议程:①听取和审议政协全国委员会常务委员会工作报告;②听取和审议政协全国委员会常务委员会关于政协十届四次会议以来提案工作情况的报告;③列席第十届全国人民代表大会第五次会议,听取并讨论政府工作报告及其他有关报告;④审议通过政协第十届全国委员会第五次会议政治决议;⑤审议通过政协第十届全国委员会第五次会议关于常务委员会工作报告的决议;⑥审议通过政协第十届全国委员会提案委员会关于政协十届五次会议提案审查情况的报告。

全国政协主席贾庆林代表政协第十届全国委员会常务委员会,向大会报告工作。报告从切实贯彻《中共中央关于加强人民政协工作的意见》,精心组织全体会议和常委会议,认真搞好专题调研和专题协商,进一步发挥各民主党派和无党派人士在人民政协中的作用,努力改进提案工作和委员视察工作,大力推进人民政协的学习和理论研究等八个方面,回顾了政协2006年的工作。报告对2007年全国政协工作提出了深入贯彻落实《中共中央关于加强人民政协工作的意见》,充分发挥人民政协在国家政治生活中的作用,全面落实科学发展观,紧紧围绕推动国民经济又好又快发展建言献策等六点要求。贾庆林强调,2007年下半年,中国共产党将召开第十七次全国代表大会,这是全党全国人民政治生活中的一件大事。做好今年的政协工作,具有十分重要的意义。在新的一年里,我们要高举邓小平理论和"三个代表"重要思想伟大旗帜,全面落实科学发展观,认真贯彻中共十六大和十六届三中、四中、五中、六中全会精神,继续落实《中共中央关于加强人民政协工作的意见》,坚持和完善中国共产党领导的多党合作和政治协商制度,巩固和壮大最广泛的爱国统一战线,围绕中心、服务大局,牢牢把握团结和民主两大主题,认真履行政治协商、民主监督、参政议政职能,以高度的政治责任感和良好的精神状态,完成本届任期最后一年的各项工作任务。

全国政协副主席黄孟复代表政协第十届全国委员会常务委员会,向大会报告政协十届四次会议以来的提案工作。政协十届四次会议以来,共收到提案5158件,经审查,立案4999件。其中经济建设方面的提案共2252件,教科文卫体方面的提案共1488件,政治、法律和社会保障等方面的提案共1259件。截至2007年2月20日,98.94%的提案已经办复。从提案办理工作的整体情况看,已经解决或采纳的占16.44%,列入计划拟解决或采纳的占68.76%。对一些未被采纳的提案,承办单位也及时向提案者作了说明。

会议期间,政协委员列席了第十届全国人民代表大会第五次会议开幕大会,听取了温家宝代表国务院向大会所作的《政府工作报告》。大会印发了国务院《关于2006年国民经济和社会发展计划执行情况与2007年国民经济和社会发展计划草案的报告》、国务院《关于2006年中央和地方预算执行情况与2007年中央和地方预算草案的报告》。听取了关于《物权法草案》的说明、关于《企业所得税法草案》的说明、关于《十一届全国人大代表名额和选举问题的决定草案》的说明、关于《香港特别行政区选举十一届全国人大代表的办法草案》和《澳门特别行政区选举十一届全国人大代表的办法草案》的说明。听取《最高人民法院工作报告》和《最高人民检察院工作报告》。

政协委员先后就转变经济增长方式、增强自主创新能力、发展现代农业、社会建设、文化建设中的诸多问题、统一战线和人民政协工作、体育事业等作大会发言。提案委员会就"广泛运用现代科学技术,推进社会主义新农村建设"和"以筹办奥运为契机,推进现代社会文明程度的提高"方面的提案,召开了两次现场办理协商会,邀请国家发展和改革委员会、农业部、科技部、财政部、北京奥组委、中央文明办、国家体育总局等10个部门的有关负责人,与提出提案的民主党派中央、政协委员当面沟通情况,交换意见,共商解决问题的措施。提案委员会还首次举办了提案办理工作情况通报会,邀请国家发展和改革委员会、卫生部、劳动和社会保障部的领导同志,向54个委员小组的代表和各民主党派中央、全国工商联有关负责人,通报了本部门2006年度提案办理工作情况及2007年度工作重点,以便委员们了解更多的信息,增强提案的针对性和实效性。

会议通过了政协第十届全国委员会第五次会议关于常务委员会工作报告的决议,批准贾庆林主席代表常务委员会所作的工作报告。

会议通过了政协第十届全国委员会提案委员会关于政协十届五次会议提案审查情况的报告:截至2007年3月9日下午2时,提案委员会共收到提案4516件,参与提案的委员2023人,占委员总数的89.24%。经审查,立案4245件,作为委员来信转送有关部门研究处理的206件,与提案者磋商后并案、撤案65件,需要及时处理的已送交有关部门。在立案的提案中,委员提案3988件,各民主党派中央、全国工商联提案212件,人民团体提案2件,界别、小组提案39件,政协专门委员会提案4件。按类别分,有关经济建设方面的提案1938件,占45.65%;教科文卫体方面的提案1160件,占27.33%;政治、法律和社会保障等方面的提案1147件,占27.02%。提案反映出委员们对解决民生问题、加强法制建设格外关注。据初步统计,关于"三农"方面的提案535件,医疗卫生方面的提案321件,教育方面的提案293件,法制建设方面的提案240件,资源和环境保护方面的提案173件,就业和社会保障方面的提案117件,食品药品方面的提案107件,住房方面的提案105件。大会闭幕后,定于3月22日召开全国政协十届五次会议提案交办会,将大会提案送交169个承办单位办理。本次大会提案截止日期以后收到的提案,将及时审查立案,送交有关承办单位办理。

会议通过了政协第十届全国委员会第五次会议政治决议:中国人民政治协商会议第十届全国委员会第五次会议,听取并赞同温家宝总理所作的《政府工作报告》,赞同《最高人民法院工作报告》、《最高人民检察院工作报告》以及其他报告,赞同《中华人民共和国物权法(草案)》和《中华人民共和国企业所得税法(草案)》。会议批准了贾庆林主席代表常务委员会所作的工作报告和黄孟复副主席代表常务委员会所作的提案工作情况的报告。会议指出,要进一步贯彻落实《中共中央关于加强人民政协工作的意见》,充分发挥人民政协协调关系、汇集力量、建言献策、服务大局的作用,在推动社会主义经济建设、政治建设、文化建设和社会建设中继续创造新的业绩。会议号召,人民政协的各级组织、各参加单位和全体政协委员,要紧密团结在以胡锦涛同志为总书记的中共中央周围,高举邓小平理论和"三个代表"重要思想伟大旗帜,全面落实科学发展观,紧紧围绕团结和民主两大主题,切实履行职能,求真务实,开拓创新,扎实工作,为建设富强民主文明和谐的社会主义现代化国家而努力奋斗。

全国政协主席贾庆林在闭幕大会上发表讲话,他强调,2007年是我们党和国家发展历程上很不平凡的一年。做好今年的各项工作,以优异的成绩迎接中共十七大的胜利召开,意义十分重大。各级政协组织和广大政协委员要认真学习贯彻两会精神,深入贯彻落实《中共中央关于加强人民政协工作的意见》,进一步增强责任感和使命感,切实履行职能,充分发挥作用,为促进社会主义经济建设、政治建设、文化建设和社会建设作出更大的贡献,继续谱写人民政协事业发展的新篇章。

第十一届全国人民代表大会

一

第十一届全国人民代表大会第一次会议

第十一届全国人民代表大会第一次会议于 2008 年 3 月 5 日至 18 日在北京举行。出席会议的代表共 2987 人。会议的主要议程是：听取国务院总理温家宝作的《政府工作报告》、国家发展和改革委员会《关于 2007 年国民经济和社会发展计划执行情况与 2008 年国民经济和社会发展计划草案的报告》、财政部《关于 2007 年中央和地方预算执行情况与 2008 年中央和地方预算草案的报告》。听取全国人大常委会委员长吴邦国作的全国人大常委会工作报告；听取肖扬作的最高人民法院工作报告，贾春旺作的最高人民检察院工作报告；通过《关于国务院机构改革方案的决定》；选举和决定新一届国家领导人，组成新一届国家领导机构；通过第十一届全国人民代表大会各专门委员会主任委员、副主任委员、委员的人选。

《政府工作报告》首先回顾过去五年的工作。在中国共产党领导下，各级政府和全国各族人民认真贯彻党的十六大精神，齐心协力，顽强拼搏，积极应对复杂多变的国际环境，努力克服经济社会发展中的各种困难，战胜了突如其来的严重"非典"疫情和历史罕见的低温雨雪冰冻等特大自然灾害，改革开放和现代化建设取得了举世瞩目的重大成就。经济发展跨上新台阶；取消农业税，终结了农民种田交税的历史；国有企业、金融、财税、外经贸体制和行政管理体制等改革迈出重大步伐；创新型国家建设进展良好，涌现出一批具有重大国际影响的科技创新成果；全面实现农村免费义务教育，这是我国教育发展史上的重要里程碑；城乡公共文化服务体系逐步完善；民主法制建设取得新进步，依法行政扎实推进，保障人民权益和维护社会公平正义得到加强；人民生活显著改善。《报告》指出，五年来，我们树立和落实科学发展观，着力发展经济、深化改革开放、保障和改善民生，促进社会和谐，付出了巨大努力，做了大量工作。加强和改善宏观调控，促进经济平稳快速发展；大力推进改革开放，注重制度建设和创新；全面加强社会建设，切实保障和改善民生。五年来，我们在民主法制建设、国防和军队建设、港澳台工作和外交等方面，也取得了重要进展。《报告》总结了过去五年的工作经验：必须坚持解放思想，必须坚持落实科学发展观，必须坚持改革开放，必须坚持搞好宏观调控，必须坚持执政为民，必须坚持依法行政。《报告》也总结了还存在的问题及面临的挑战：经济运行中一些突出问题和深层次矛盾依然存在；涉及群众切身利益的问题有待进一步解决；国际经济环境变化不确定因素和潜在风险增加；政府自身建设和管理需要加强。《报告》指出，为完成 2008 年的主要任务，要着重抓好以下九个方面工作：搞好宏观调控，保持经济平稳较快发展；加强农业基础建设，促进农业发展和农民增收；推进经济结构调整，转变发展方式；加大节能减排和环境保护力度,做好产品质量安全工作;深化经济体制改革,提高对外开放水平;更加注重社会建设,着力保障和改善民生;深化文化体制改革,推动文化大发展大繁荣;加强社会主义民主法制建设,促进社会公平正义;加快行政管理体制改革,加强政府自身建设。

会议审议、通过了《关于〈政府工作报告〉的决议》,决定批准温家宝的报告。

《关于 2007 年国民经济和社会发展计划执行情况与 2008 年国民经济和社会发展计划草案的报告》指出,2007 年,计划执行情况总体是好的。经济增长质量和效益提高;新农村建设取得新进展;经济结构调整迈出新步伐;资源节约型、环境友好型社会建设扎实推进;改革开放积极推进;改善民生和促进和谐工作成效明显。《报告》指出,2008 年的经济社会发展工作,要紧紧围绕转变经济发展方式和完善社会主义市场经济体制,继续加强和改善宏观调控,积极推进改革开放和自主创新,着力优化经济结构和提高经济增长质量,切实加强节能减排和生态环境保护,更加重视改善民生和促进社会和谐,推动国民经济又好又快发展。2008 年经济和社会发展的主要目标:经济增长质量进一步提高,人民生活继续改善,价格涨幅得到合理控制,国际收支状况有所改善。《报告》指出,2008 年,要着力抓好以下八个方面工作:完善和落实宏观调控政策,保持经济平稳较快发展的好势头;加强农业基础地位,扎实推进新农村建设;大力推进自主创新,提升产业结构和市场竞争力;加大节能减排攻坚力度,务求取得更大成效;落实区域布局规划和政策,进一步推动区域协调发展;全面深化体制改革,提高开放型经济水平;大力发展各项社会事业,增强经济与社会发展的协调

性;着力改善民生,促进社会和谐。

会议通过了《关于 2007 年国民经济和社会发展计划执行情况与 2008 年国民经济和社会发展计划的决议》,决定批准 2008 年国民经济和社会发展计划,批准国家发展和改革委员会的报告。

《关于 2007 年中央和地方预算执行情况及 2008 年中央和地方预算草案的报告》指出,2007 年,中央和地方预算执行情况比较好。全国财政收入 51304.03 亿元,比 2006 年增加 12543.83 亿元,增长 32.4%,完成预算的 116.4%;全国财政支出 49565.4 亿元,增加 9142.67 亿元,增长 22.6%,完成预算的 106.6%。2007 年预算执行和财政运行主要情况如下:全国财政收入快速增长;财政宏观调控进一步加强;支持社会主义新农村建设力度加大;保障和改善民生取得新进展;财税改革稳步推进;财政管理和监督继续强化。《报告》指出,2008 年预算主要指标安排如下:全国财政收入 58486 亿元,比 2007 年执行数增加 7181.97 亿元,增长 14%。其中:中央本级收入 31622 亿元,增长 14%;地方本级收入 26864 亿元,增长 14%。全国财政支出 60786 亿元,增加 11220.6 亿元,增长 22.6%。其中:中央本级支出 13205.2亿元,增长 15.4%;地方本级支出 47580.8 亿元,增长 24.8%。2008 年中央财政支出重点安排和主要财税政策如下:继续实施稳健的财政政策,巩固、完善和强化各项强农惠农财税政策,大力支持教育、医疗卫生、社会保障等社会建设,加大对科技创新和节能减排的支持力度,推进各项财税改革。《报告》指出,为确保圆满完成 2008 年预算,将在统筹兼顾的基础上,全面加强财政科学化、精细化管理,重点抓好以下工作:规范预算管理,加强收入征管,强化支出管理,完善财政法制,严

格财政监督。

会议通过《关于2007年中央和地方预算执行情况及2008年中央和地方预算的决议》，决定批准2008年中央预算，批准财政部的报告。

会议于3月10日审议了国务院机构改革方案，决定批准这个方案。国务院机构改革是深化行政管理体制改革的重要组成部分，这次国务院机构改革是在以往改革基础上的继续和深化，主要任务是，围绕转变政府职能和理顺部门职责关系，探索实行职能有机统一的大部门体制，合理配置宏观调控部门职能，加强能源环境管理机构，整合完善工业和信息化、交通运输行业管理体制，以改善民生为重点加强与整合社会管理和公共服务部门。改革的主要内容是：①合理配置宏观调控部门职能，形成科学权威高效的宏观调控体系。涉及国家发展和改革委员会、财政部和人民银行等职能的转变和完善，建立健全协调机制，各司其职，相互配合。②加强能源管理机构，保障国家能源安全。组建国家能源局，由国家发展和改革委员会管理，不再保留国家能源领导小组及其办事机构。③组建工业和信息化部，加快走新型工业化道路的步伐。组建国家国防科技工业局，由该部管理；国家烟草专卖局改由该部管理；不再保留国防科学技术工业委员会、信息产业部、国务院信息化工作办公室。④组建交通运输部，加快形成综合运输体系。组建国家民用航空局，由该部管理；国家邮政局改由该部管理；保留铁道部；不再保留交通部、中国民用航空总局。⑤组建人力资源和社会保障部，完善就业和社会保障体系。组建国家公务员局，由该部管理；国家外国专家局由该部管理；不再保留人事部、劳动和社会保障部。⑥组建环境保护部，加大环境保护力度。⑦组建住房和城乡建设部，加快建立住房保障体系，加强城乡建设统筹。不再保留建设部。⑧国家食品药品监督管理局改由卫生部管理，理顺食品药品监管体制。

《常委会工作报告》首先报告了十届全国人大常委会五年来的主要工作，在前几届工作的基础上与时俱进，开创了人大工作新局面。①关于立法工作。相继完成一批重要立法项目，妥善解决立法中遇到的矛盾和问题，积极推进科学立法、民主立法。②关于监督工作。进一步突出监督重点，不断完善监督方式，努力增强监督实效。③关于代表工作。把充分发挥代表作用作为坚持和完善人民代表大会制度的重要内容；把支持和保障代表依法履职作为充分发挥代表作用的重要举措；把增强代表议案建议办理实效作为支持和保障代表依法履职的重要环节。④关于对外交往工作。建立了外事工作联席会议制度；建立和完善与外国议会定期交流机制，是十届全国人大对外交往工作取得的一项重要成果。⑤关于常委会自身建设。五年来，常委会紧密结合人大工作实际，始终把自身建设摆在突出位置；全国人大机关集体参谋助手和服务班子的作用得到进一步发挥。《报告》接着总结了十届全国人大及其常委会的新鲜经验。一要坚持中国特色社会主义政治发展道路，二要坚持从最广大人民的根本利益出发，三要坚持围绕党和国家工作大局开展工作，四要坚持依法按程序办事。《报告》指出，2008年，全国人大常委会要把人大各项工作提高到一个新水平。以完善中国特色社会主义法律体系为目标，抓紧制定在法律体系中起支架作用的法律，及时修改与经济社会发展不相适应的法律规定，督促有关方面尽快制定和修改与法律相配套的法规,确保到2010年形成中国特色社会主义法律体系;以增强监督实效为核心,全面贯彻落实监督法,加强宪法和法律实施,把关系改革发展稳定全局、影响社会和谐、人民群众反映强烈的突出问题作为监督重点,综合运用法定监督形式,加强跟踪监督,更好地发挥人大监督对促进依法行政、公正司法和维护人民利益的作用;从坚持和完善人民代表大会制度出发,坚持尊重代表主体地位,坚持为代表服务的思想,进一步完善工作制度,更好地发挥代表参与管理国家事务的作用;以巩固和完善定期交流机制为重点,广泛开展与外国议会的友好交往,积极参与国际和地区议会组织的活动,加强治国理政经验交流,推动各领域务实合作,更好地发挥人大对外交往的独特作用;继续加强常委会自身建设,完善工作制度,开展调查研究,密切联系群众,自觉接受监督,充分发挥专门委员会作用,不断提高审议质量和工作水平。

会议通过了《关于全国人民代表大会常务委员会工作报告的决议》,决定批准吴邦国的这个报告。

《最高人民法院工作报告》首先总结了人民法院过去五年的主要工作。发挥审判职能作用,促进社会和谐稳定;认真贯彻落实"公正司法,一心为民"的方针,维护社会公平正义;司法改革取得重要进展,中国特色社会主义审判制度不断完善;法官队伍建设成效显著,司法能力明显提升;基层基础工作得到加强,基层司法条件显著改善。《报告》指出,2008年,最高人民法院将重点做好以下六个方面的工作:以中国特色社会主义理论体系为指导,全面加强人民法院工作,促进社会公平正义;继续做好各项审判和执行工作,努力化解矛盾纠纷,维护社会和谐稳

定;坚持"公正司法,一心为民"指导方针,切实解决一些案件裁判不公问题;继续推进人民法院改革,优化法院内部职权配置;继续加强基层基础建设,努力提高司法能力;继续加强法官队伍建设,全力提高司法水平。

会议通过了《关于最高人民法院工作报告的决议》,决定批准肖扬的报告。

《最高人民检察院工作报告》首先回顾了人民检察院五年来的主要工作。①认真履行检察职责,为经济社会发展提供司法保障。依法打击刑事犯罪,维护社会和谐稳定;依法查办和积极预防职务犯罪,促进反腐倡廉建设;强化对诉讼活动的法律监督,维护司法公正;加强控告申诉检察工作,化解矛盾纠纷。②积极推进检察改革,完善检察体制和工作机制。改革和完善对诉讼活动的法律监督制度;规范和完善执法办案工作机制;改革和完善检察机关内部制约机制;改革和完善检察机关接受监督的机制。③全面加强检察队伍建设,提高整体素质和执法水平。加强思想政治建设和纪律作风建设;狠抓领导班子建设;加强队伍专业化建设;推进基层检察院建设;军事检察和铁路运输检察工作取得新的成绩,在保障军队现代化建设和铁路改革发展中发挥了积极作用。《报告》指出,2008年,检察机关要认真学习贯彻党的十七大精神,紧紧围绕经济社会发展大局,深入实践"强化法律监督,维护公平正义"的工作主题,努力加强和改进检察工作,为全面建设小康社会创造良好的法治环境。加强法律监督,更好地服务党和国家工作大局;深化检察改革,促进完善公正高效权威的社会主义司法制度;推进队伍建设,做到严格、公正、文明执法;自觉接受监督,保证检察权的依法正确行使。

会议通过了《关于最高人民检察院工作报告的决议》,决定批准贾春旺的报告。

会议选举胡锦涛为中华人民共和国主席,习近平为中华人民共和国副主席;胡锦涛为中华人民共和国中央军事委员会主席;吴邦国为全国人大常委会委员长,王兆国、路甬祥、乌云其木格(女,蒙古族)、韩启德、华建敏、陈至立(女)、周铁农、李建国、司马义·铁力瓦尔地(维吾尔族)、蒋树声、陈昌智、严隽琪(女)、桑国卫为副委员长,李建国兼任秘书长,丁仲礼等161人为全国人大常委会委员;王胜俊为中华人民共和国最高人民法院院长;曹建明为中华人民共和国最高人民检察院检察长。会议决定温家宝为中华人民共和国国务院总理,郭伯雄、徐才厚为中华人民共和国军事委员会副主席,梁光烈、陈炳德、李继耐、廖锡龙、常万全、靖志远、吴胜利、许其亮为中华人民共和国中央军事委员会委员。会议决定了国务院副总理、国务委员、各部部长、各委员会主任、审计长和秘书长。李克强、回良玉(回族)、张德江、王岐山为国务院副总理,刘延东(女)、梁光烈、马凯、孟建柱、戴秉国(土家族)为国务委员。会议还通过了十一届全国人大各专门委员会主任委员、副主任委员、委员名单。

这次会议共收到代表和代表团提出的议案共462件。经大会主席团审议决定,这些议案没有需要列入本次大会审议的,将代表议案分别交由全国人大有关专门委员会审议,审议后向全国人大常委会提出议案审议结果的报告。议案审议结果和处理情况,经由全国人大常委会审议通过后,将在十一届全国人大二次会议上向全体代表提出报告。

十一届全国人大一次会议是一次与时俱进、民主团结、求实鼓劲的大会。大会总结了五年来我国各方面工作取得的重大成就和有益经验,明确提出了2008年及以后五年的主要任务和工作部署,对于进一步激励和动员全国各族人民,万众一心、奋发图强,为夺取全面建设小康社会新胜利、开创中国特色社会主义事业新局面而团结奋斗,具有重要意义。

二

第十一届全国人民代表大会第二次会议

第十一届全国人民代表大会第二次会议于2009年3月5日至13日在北京举行,出席会议的代表共2949人。会议的主要议程是:听取国务院《政府工作报告》、国家发展和改革委员会《关于2008年国民经济和社会发展计划执行情况与2009年国民经济和社会发展计划草案的报告》、财政部《关于2008年中央和地方预算执行情况与2009年中央和地方预算草案的报告》。听取吴邦国作的全国人大常委会工作报告,听取王胜俊、曹建明分别作的最高人民法院、最高人民检察院的工作报告。

《政府工作报告》指出,2008年,改革开放和社会主义现代化建设取得新的重大成就。国民经济继续保持平稳较快增长;改革开放深入推进;社会事业加快发展,人民生活进一步改善;全面夺取抗击特大自然灾害的重大胜利。一年来主要做了以下工作:及时果断调整宏观经济政策,全力保持经济平稳较快发展;统筹经济社会发展,全面加强以改善民生为重点的社会建设;积极推进改革开放,为经济社会发展注入新的活力和动力。《报告》指出,2009年国民经济和社会发展的主要预期目标是:国内生产总值增长8%左右,经济结构进一步优化;城镇新增就业900万人以上,城镇登记失业率在4.6%以内;城乡居民收入稳定增长;居民消费价格总水平涨幅4%左右;国际收支状况继续改善。做好2009年政府工作,必须把握好以下原则:一是扩内需、保增长;二是调结构、上水平;三是抓改革、增活力;四是重民生、促和谐。《报告》指出,2009年的政府工作,要以应对国际金融危机、促进经济平稳较快发展为主线,统筹兼顾,突出重点,全面实施促进经济平稳较快发展的一揽子计划。2009年要着力抓好以下七方面工作:加强和改善宏观调控,保持经济平稳较快发展;积极扩大国内需求特别是消费需求,增强内需对经济增长的拉动作用;巩固和加强农业基础地位,促进农业稳定发展和农民持续增收;加快转变发展方式,大力推进经济结构战略性调整;继续深化改革开放,进一步完善有利于科学发展的体制机制;大力发展社会事业,着力保障和改善民生;推进政府自身建设,提高驾驭经济社会发展全局的能力。

会议审议、通过了《关于〈政府工作报告〉的决议》,决定批准温家宝的报告。

《关于2008年国民经济和社会发展计划执行情况与2009年国民经济和社会发展计划草案的报告》指出,2008年,计划执行情况总体是好的。经济平稳较快增长,价格涨幅逐步回落,"三农"工作进一步加强,结构调整取得重要进展,改革开放迈出新的步伐,民生工作和社会事业得到加强,资源节约型和环境友好型社会建设加快,抗击特大自然灾害取得重大胜利。《报告》指出,2009年经济社会发展的主要目标是:经济保持平稳较快增长,国内生产总值增长8%左右;经济结构进一步优化;民生得到较好保障;居民消费价格总水平涨幅控制在4%左右;国际收支状况

继续改善。《报告》指出,2009年经济社会发展的主要任务和措施是:实施积极的财政政策和适度宽松的货币政策,进一步加强和改善宏观调控;巩固和发展农业农村的好形势,保障农产品有效供给,促进农民持续增收;加快自主创新和产业升级,进一步增强经济竞争优势;继续推动区域经济协调发展,缩小区域差距、优化生产力布局;坚定不移地深化改革扩大开放,完善有利于科学发展的体制机制;打好节能减排攻坚战,扎实推进资源节约型、环境友好型社会建设;加大改善民生力度,着力解决涉及群众利益的热点难点问题;加强社会事业建设,努力增强经济与社会发展的协调性;扎实推进灾后恢复重建工作,为灾区群众安居乐业打好基础。

会议通过了《关于2008年国民经济和社会发展计划执行情况与2009年国民经济和社会发展计划的决议》,决定批准2009年国民经济和社会发展计划,批准国家发展和改革委员会的报告。

《关于2008年中央和地方预算执行情况及2009年中央和地方预算草案的报告》指出,2008年,中央和地方预算执行情况较好,财政改革与发展也有新进展。全国财政收入61316.9亿元,比2007年增加9995.12亿元,增长19.5%,完成预算的104.8%;全国财政支出62427.03亿元,增加12645.68亿元,增长25.4%,完成预算的101.7%;加上安排中央预算稳定调节基金192亿元,支出总量合计62619.03亿元。2008年预算具体执行及财政主要工作包括,财政收入增长及超收使用情况,中央财政主要支出项目执行情况,财政宏观调控积极有效,抗灾救灾保障有力,财税改革稳步推进,财政管理不断加强。《报告》指出,2009年我国经济发展既面临严峻挑战,也蕴涵重大机遇。国际金融危

机仍在蔓延,全球经济增长减速与国内经济周期性调整叠加在一起,短期困难与长期矛盾相互交织,保持经济平稳较快发展的难度加大。财政是国民经济运行的综合反映。2009年财政将十分困难,收支紧张的矛盾非常突出。《报告》指出,根据国内外经济形势的发展变化,中央提出2009年要把保持经济平稳较快发展作为经济工作的首要任务,围绕扩内需、保增长,调结构、上水平,抓改革、增活力,重民生、促和谐的要求,实施积极的财政政策。主要体现在以下五个方面:扩大政府公共投资,着力加强重点建设;推进税费改革,实行结构性减税;提高低收入群体收入,大力促进消费需求;进一步优化财政支出结构,保障和改善民生;大力支持科技创新和节能减排,推动经济结构调整和发展方式转变。汇总中央和地方预算初步安排,全国财政收入66230亿元(不含从中央预算稳定调节基金调入的505亿元),增长8%;全国财政支出76235亿元,增长22.1%。全国财政收支差额9500亿元通过发债弥补。2009年增加财政赤字和国债规模,是主动应对国际金融危机的一项重大特殊举措,是必要的。《报告》指出,坚持依法理财、科学理财、民主理财,深入推进财政科学化、精细化管理,提高财政资金使用效益,重点做好以下工作:加强和改善财政宏观调控,深化财税制度改革,切实加强财政管理和监督,狠抓增收节支。

会议通过《关于2008年中央和地方预算执行情况及2009年中央和地方预算的决议》,决定批准2009年中央预算,批准财政部的报告。

常委会工作报告指出,过去一年,全国人大常委会为社会主义经济建设、政治建设、文化建设、社会建设作出了新的贡献。①全力支持抗震救灾和灾后恢复重建。及时调整工作计划;坚决落实党中央关于集中财力投入抗震救灾的决策;在全力投入抗震救灾的情况下,强调一手抓抗震救灾,一手抓经济社会发展,以确保全年任务的完成;全面修订防震减灾法。②积极推动经济又好又快发展。推动中央宏观调控重大决策部署的贯彻落实,推动转变经济发展方式,推动农村改革发展。③着力促进解决民生问题。针对"三鹿问题奶粉"等重大食品安全事件暴露出的突出问题,常委会在深入调查研究、广泛征求意见的基础上,对食品安全法草案作了进一步修改;又对修改后的义务教育法、未成年人保护法开展新一轮执法检查,并对新颁布实施的劳动合同法进行执法检查;对社会保险法草案进行了较大修改。④努力做好经常性工作。紧紧围绕党和国家工作重点,依照人大工作特点做好以上工作的同时,努力做好人大经常性工作,在立法、监督、发挥代表和专门委员会作用、开展对外交往等方面取得新成效,提高了常委会工作的整体质量和水平。⑤切实加强自身建设。本届全国人大常委会高度重视自身建设,把思想政治建设摆在首位,坚持正确政治方向,并以此引领人大各项工作。人大工作坚持正确政治方向,最根本的是坚持党的领导、人民当家做主、依法治国有机统一,核心是坚持党的领导。《报告》指出,2009年,要努力把人大工作提高到一个新水平。①在形成中国特色社会主义法律体系上迈出决定性步伐。抓紧制定和修改在法律体系中起支架作用的重要法律,着力加强社会领域立法,继续完善经济、政治、文化领域立法;完成法律清理工作。②把推动中央重大决策部署贯彻落实作为监督工作的重点。加强对经济工作和解决民生问题的监督。③在发挥代表作用、开展对外交往、加强自身建设等方面取得新进展。

会议通过了《关于全国人民代表大会常务委员会工作报告的决议》，决定批准吴邦国的这个报告。

《最高人民法院工作报告》指出，2008年，人民法院各项工作取得新进展。①坚持服务大局，依法保障经济社会又好又快发展。一年来，最高人民法院更加注重推动科学发展、维护社会稳定、促进社会和谐，监督和指导地方各级法院积极为经济社会又好又快发展提供司法服务。努力为落实宏观经济政策，为农业、农村、农民工作，为自主创新提供司法保障；努力维护国家安全和社会稳定；努力应对突发公共事件，积极参与奥运安保工作；努力推进内地与港澳地区、大陆与台湾地区的司法合作。②坚持以人为本，依法维护人民权益。一年来，全国各级法院牢固树立司法为民理念，始终把维护人民权益作为人民法院工作的根本出发点和落脚点，进一步把司法为民的要求落到实处。高度重视审理涉及民生的案件，高度重视破解执行难问题，高度重视解决涉诉信访问题，高度重视推进司法便民工作，高度重视运用调解手段化解矛盾纠纷。③坚持从严治院，加强人民法院自身建设。切实加强社会主义法治理念教育，重点增强法官政治意识、大局意识、为民意识和国情意识；切实整顿和转变司法作风，重点解决脱离实际、脱离群众的问题；切实加强司法能力建设，重点提高法官做群众工作、化解矛盾纠纷的能力；切实加强基层建设，重点解决法官短缺、队伍不稳、保障不力问题；切实加强反腐倡廉建设，重点解决司法不廉、司法不公问题。④坚持改革创新，完善司法体制和工作机制。更加注重完善司法公开制度，规范法官裁量权，以及加强司法管理。⑤坚持接受监督，切实

维护司法公正。自觉接受人大监督；认真办理人大代表建议和政协委员提案；依法接受检察机关及各方面监督。《报告》指出，2009年，要着力做好以下五个方面的工作：一是着力服务大局，为保持经济平稳较快发展提供司法保障；二是着力维护社会和谐稳定，为经济社会发展创造良好法治环境；三是着力保障民生，重视解决事关群众切身利益的重点难点问题；四是着力深化司法体制和工作机制改革，保障社会公平正义；五是着力加强队伍建设，不断提高政治业务素质。

会议通过了《关于最高人民法院工作报告的决议》，决定批准王胜俊的报告。

《最高人民检察院工作报告》指出，2008年，人民检察院各项检察工作取得新进展。充分发挥打击刑事犯罪等职能作用，维护国家安全与社会和谐稳定；深入查办和预防职务犯罪，保障经济社会又好又快发展；强化对诉讼活动的法律监督，维护司法公正和法制统一；坚持执法为民，切实维护人民群众合法权益；加强对自身执法活动的监督制约，保障检察权依法正确行使；大力加强检察队伍建设，提高整体素质和法律监督能力。《报告》指出，2009年检察工作的主要安排：着力保障经济平稳较快发展，增强大局意识，充分发挥打击、预防、监督、保护等职能作用，为我国经济平稳较快发展提供司法保障，切实维护社会和谐稳定，严格执法，准确把握宽严相济的刑事政策，坚持该严则严，当宽则宽，做到既有力打击犯罪，又促进社会和谐；更加关注和保障民生；全面加强对诉讼活动的法律监督，进一步提高监督水平，努力做到敢于监督、善于监督、依法监督、规范监督，维护和促进司法公正；深化检察体制和工作机制改革，全面落实中央关于深化司法体制和工作机制

改革的部署,从满足人民的司法需求出发,以强化法律监督和加强对自身执法活动的监督制约为重点,推进检察体制和工作机制改革;加强高素质检察队伍建设。

会议通过了《关于最高人民检察院工作报告的决议》,决定批准曹建明的报告。

这次会议共收到代表和代表团提出的议案518件。经大会主席团审议决定,这些议案没有需要列入本次大会审议的,将代表议案分别交由全国人大有关专门委员会审议,审议后向全国人大常委会提出议案审议结果的报告。议案审议结果和处理情况,经由全国人大常委会审议通过后,将在十一届全国人大三次会议上向全体代表提出报告。

十一届全国人大二次会议充分发扬民主,严格依法办事,是团结、民主、求实、奋进的大会。这次大会对于进一步激励和动员全国各族人民满怀豪情地投身建设和发展中国特色社会主义的伟大事业具有重要意义。

中国人民政治协商会议第十一届全国委员会

一

全国政协十一届一次会议

2008年1月22日至25日召开的政协第十届全国委员会常务委员会第二十次会议,通过了关于召开政协第十一届全国委员会第一次会议的决定:中国人民政治协商会议第十一届全国委员会第一次会议于2008年3月3日在北京召开。会议协商决定了政协第十一届全国委员会参加单位、委员名额和委员人选名单,原则通过了政协第十届全国委员会常务委员会工作报告和关于提案工作情况的报告,通过了政协第十一届全国委员会第一次会议议程(草案)和日程(草案)、通过了关于授权主席会议审议政协十届常委会第二十次会议未尽事宜的决定。

第十一届全国政协委员共2237名,设34个界别。其中,第十届全国政协委员继续提名的1005名,占44.9%,新提名的1232名,占55.1%;中共委员892名,占39.9%,非中共委员1345名,占60.1%;56个民族都有委员;妇女委员395名,占17.7%,比第十届高了1个百分点;具有大专以上学历的委员2066名,占92.4%,比第十届高了近7个百分点;平均年龄55.3岁,比第十届下降了近2岁。

2008年3月3日至14日,中国人民政治协商会议第十一届全国委员会第一次会议在北京召开。全国政协十一届一次会议应出席委员2237人,实到2195人,符合法定人数。政协十一届一次会议主席团常务主席王刚主持了开幕大会。贾庆林代表政协第十届全国委员会常务委员会,向大会报告过去五年的工作。报告从巩固团结合作的思想政治基础、促进社会主义民主政治建设,围绕党和国家中心工作咨政建言、促进经济社会全面协调可持续发展等六个方面总结了十届政协的工作,并归纳了过去五年工作的六条主要经验:坚持中国共产党对人民政协的领导,坚持团结和民主两大主题,坚持把促进发展作为人民政协履行职能的第一要务,坚持把实现好、维护好、发展好最广大人民的根本利益作为人民政协工作的出发点和落脚点，坚持推进人民政协履行职能的制度化、规范化、程序化，坚持全面加强人民政协的自身建设。报告对今后五年工作提出用马克思主义中国化最新成果武装头脑、紧紧围绕贯彻落实科学发展观献计出力等六点建议：用马克思主义中国化最新成果武装头脑，紧紧围绕贯彻落实科学发展观献计出力，促进政党关系、民族关系、宗教关系、阶层关系、海内外同胞关系的和谐，切实推动社会主义文化大发展大繁荣，认真做好港澳台侨人士团结联谊工作，进一步扩大对外友好交往。

受政协第十届全国委员会常务委员会委托，政协十一届一次会议主席团常务主席张梅颖向大会报告十届政协的提案工作情况：十届政协以来，政协委员、政协各参加单位和政协各专门委员会，共提交提案23081件，经审查立案21843件。这些提案在协助中国共产党和国家机关实现决策科学化民主化，促进社会主义经济、政治、文化和社会建设等方面，发挥了重要作用。截至2月20日，99.13％的提案已经办复，提案反映的许多问题已经解决，许多工作取得了阶段性进展。

会议期间，政协委员列席了十一届全国人大一次会议开幕会，听取温家宝总理作《政府工作报告》。会议印发了国务院《关于2007年国民经济和社会发展计划执行情况与2008年国民经济和社会发展计划草案的报告》、国务院《关于2007年中央和地方预算执行情况与2008年中央和地方预算草案的报告》。听取关于国务院机构改革方案的说明。根据国务院机构改革方案，这次改革涉及调整变动的机构15个，正部级机构减少4个。改革后，除国务院办公厅外，国务院组成部门设置27个。听取了最高人民法院工作报告和最高人民检察院工作报告，并举行分组会议，讨论"两高"报告和各项决议草案。

政协委员先后就经济建设和社会建设等领域问题、政治建设、文化建设、统战和政协工作作大会发言。提案审查委员会就促进生态文明建设改善城乡人居环境、加快公共卫生服务体系建设方面的提案，以及京剧进中小学课堂试点工作，召开了三次办理协商会，邀请国家发改委、财政部、卫生部、教育部等18个部委的有关负责同志，与提出提案的民主党派中央、政协委员当面沟通情况，交换意见，共商解决问题的措施。大会闭幕后，定于3月20日召开全国政协十一届一次会议提案交办会，将大会提案送交154个承办单位办理。

大会选举中共中央政治局常委贾庆林为全国政协主席，同时选出王刚、廖晖、杜青林、阿沛·阿旺晋美、帕巴拉·格列朗杰、马万祺、白立忱、陈奎元、阿不来提·阿不都热西提、李兆焯、黄孟复、董建华、张梅颖、张榕明、钱运录、孙家正、李金华、郑万通、邓朴方、万钢、林文漪、厉无畏、罗富和、陈宗兴、王志珍25位全国政协副主席；钱运录当选为政协第十一届全国委员会秘书长。会议还选举产生了政协第十一届全国委员会常务委员298人。

新当选的全国政协主席、副主席平均年龄比第十届下降2.8岁，其中民主党派和全国工商联、无党派人士13名，少数民族人士5名，女性4名。新当选的常务委员平均年龄为58.6岁，比第十届下降3.3岁，其中非中共人士195名，占65.4％；少数民族人士37名；女性30名。

会议通过了《中国人民政治协商会议第十一届全国委员会第一次会议政治决议》，听取并赞同温家宝总理代表国务院所作的《政府工作报告》，赞同《国务院机构改革方案（草案）》，赞同《最高人民法院工作报告》、《最高人民检察院工作报告》以及其他报告。会议听取贾庆林同志代表政协第十届全国委员会常务委员会所作的工作报告和张梅颖同志代表政协第十届全国委员会常务委员会所作的提案工作情况的报告；会议通过了《中国人民政治协商会议第十一届全国委员会第一次会议关于常务委员会工作报告的决议》，批准贾庆林同志代表政协第十届全国委员会常务委员会所作的工作报告；通过了《中国人民政治协商会议第十一届全国委员会第一次会议提案审查委员会关于政协十一届一次会议提案审查情况的报告》；截至2008年3月9日下午2时，提案审查委员会共收到提案4772件，参与提案的委员1992人，占委员总数的89.14%。经审查，立案4526件；作为委员来信转送有关部门研究处理的191件；与提案者磋商后并案、撤案的55件。需要及时处理的已送交有关部门。在立案的提案中，委员提案4254件，各民主党派中央和全国工商联提案223件，有关人民团体提案4件，界别、小组提案45件。按类别分，有关经济建设方面的提案1863件，占41.16%；教科文卫体方面的提案1405件，占31.04%；政治法律和社会保障等方面的提案1258件，占27.80%。《报告》说，会议期间，委员们高度重视人民最关心、最直接、最现实的利益问题，积极提出政策建议。据初步统计，关于"三农"方面的提案509件，医疗卫生方面的提案389件，教育方面的提案310件，资源和环境保护方面的提案177件，就业和社会保障方面的提案287件，食品药品安全方面的提案193件，住房方面的提案139件。

全国政协主席贾庆林在闭幕大会上讲话说，2008年是全面贯彻落实中共十七

大作出的战略部署的第一年，也是十一届全国政协的开局之年。做好今年的各项工作，意义重大，影响深远。人民政协要按照中共十七大作出的战略部署，适应形势发展的新变化，顺应人民群众的新期待，紧紧围绕党和国家工作大局，充分发挥自身特点和优势，更好地履行政治协商、民主监督、参政议政职能，为全面建设小康社会、坚持和发展中国特色社会主义作出新的贡献。

二

全国政协十一届二次会议

2009年3月3日下午，中国人民政治协商会议第十一届全国委员会第二次会议在北京召开。全国政协十一届二次会议应出席委员2235人，实到2160人，符合法定人数。全国政协副主席王刚主持了开幕式。

大会首先审议通过了政协第十一届全国委员会第二次会议议程：①听取和审议政协全国委员会常务委员会工作报告；②听取和审议政协全国委员会常务委员会关于政协十一届一次会议以来提案工作情况的报告；③列席第十一届全国人民代表大会第二次会议，听取并讨论《政府工作报告》及其他有关报告；④审议通过政协第十一届全国委员会第二次会议政治决议；⑤审议通过政协第十一届全国委员会第二次会议关于常务委员会工作报告的决议；⑥审议通过政协第十一届全国委员会提案委员会关于政协十一届二次会议提案审查情况的报告。

全国政协主席贾庆林代表政协第十一届全国委员会常务委员会向大会报告工作。贾庆林从深入学习贯彻中共十七

大精神,巩固团结合作的共同思想政治基础;紧紧围绕经济社会发展中的重大问题建言献策,促进党和政府科学民主依法决策;踊跃投身抗震救灾和灾后恢复重建,汇聚起万众一心、共克时艰的强大力量;热情支持和参与北京奥运会、残奥会,同海内外中华儿女共襄盛举;广泛开展海外联谊工作,增进同港澳台侨同胞的大团结;不断扩大对外友好交往,努力营造良好的外部环境等六个方面总结了过去一年人民政协的工作。贾庆林强调,2009年人民政协工作的总体思路是:全面贯彻中共十七大和十七届二中、三中全会精神,高举中国特色社会主义伟大旗帜,以邓小平理论和"三个代表"重要思想为指导,深入贯彻落实科学发展观,继续贯彻《中共中央关于加强人民政协工作的意见》,系统总结人民政协成立60年的宝贵经验,把保持经济平稳较快发展作为首要任务,把维护社会和谐稳定作为重要责任,认真履行政治协商、民主监督、参政议政职能,坚定信心、迎难克艰,为继续全面建设小康社会、加快推进社会主义现代化凝聚强大力量,作出积极贡献。贾庆林指出,新的一年,人民政协要着力用科学发展观指导推动工作,着力推动经济平稳较快发展,着力促进民生改善与社会和谐稳定,着力加强同港澳台侨同胞的大团结大联合,着力拓展人民政协的对外友好交往,着力加强人民政协的自身建设,在中国特色社会主义政治发展道路上把人民政协事业不断推向前进。

全国政协副主席张榕明代表政协第十一届全国委员会常务委员会,向大会报告政协十一届一次会议以来的提案工作情况。一年来,政协委员、政协各参加单位、政协各专门委员会共提交提案5056件,经审查,立案4738件。截至2009年2月20日,99.03%的提案已经办复。提案经153个承办单位办理,产生了明显成效,为推动科学发展、促进社会和谐作出了重要贡献。新的一年,常委会将把解决当前突出问题与建立长效机制紧密结合起来,继续发扬改革创新精神,狠抓提案质量,注重平时提案,增强办理实效,完善工作机制,加强制度建设,扎实有序地推进提案工作。

会议期间,政协委员列席了第十一届全国人民代表大会第二次会议开幕会,听取了国务院总理温家宝所作的《政府工作报告》;听取了最高人民法院院长王胜俊所作的《最高人民法院工作报告》和最高人民检察院检察长曹建明所作的《最高人民检察院工作报告》。会后,代表们小组讨论"两高"报告和各项决议草案。

政协委员先后就增加居民消费、加强农业基础地位、大力发展创意产业、加速建设中小金融机构、办好上海世博会、深化科技奖励制度改革、大力促进就业创业、解决村医基本待遇、构建"海峡经济区"、加快推进征地制度改革、提高农民教育水平等问题作大会发言。提案委员会就"关于支持返乡农民工创业就业问题"、"关于积极扩大内需促进经济平稳较快发展问题",召开了两次提案办理协商会。五位全国政协副主席出席会议。国家发改委、教育部、科技部、工业和信息化部、财政部、人力资源和社会保障部、住房和城乡建设部、农业部、商务部、国家税务总局、国家工商总局等部委的负责同志,与提出提案的民主党派中央、政协委员直接沟通协商,增进共识,促进提案的办理。

会议通过了政协第十一届全国委员会第二次会议《关于常务委员会工作报告的决议》,批准贾庆林主席代表政协第十一届全国委员会常务委员会所作的工作报告；通过了政协第十一届全国委员会提案委员会《关于政协十一届二次会议提案审查情况的报告》：截至 2009 年 3 月 8 日下午 2 时，共收到提案 5571 件，参与提案的委员 1987 人，占委员总数的 88.9%。经审查，立案 5035 件；作为委员来信转送有关部门研究处理的 262 件；与提案者磋商后并案、撤案的 274 件。在立案的提案中，委员提案 4755 件，八个民主党派中央和全国工商联提案 235 件，有关人民团体提案 8 件，界别、小组提案 29 件，政协专门委员会提案 8 件。本次会议提案反映的热点、难点问题相对集中。据统计，关于"保增长、扩内需、调结构"方面的提案 551 件，"三农"方面的提案 603 件，就业方面的提案 632 件，社会保障方面的提案 301 件，教育方面的提案 657 件，医疗卫生方面的提案 426 件，食品安全方面的提案 146 件，民主法制建设方面的提案 294 件。大会闭幕后，定于 3 月 24 日召开全国政协十一届二次会议提案交办会，将大会提案送交 168 个承办单位办理。大会提案截止日期以后收到的提案，将及时审查立案，送交有关单位办理。

会议通过了政协第十一届全国委员会第二次会议政治决议：会议听取并赞同温家宝总理所作的《政府工作报告》，赞同《最高人民法院工作报告》、《最高人民检察院工作报告》以及其他报告。会议批准贾庆林主席代表政协第十一届全国委员会常务委员会所作的工作报告和张榕明副主席代表政协第十一届全国委员会常务委员会所作的提案工作情况的报告。会议强调，科学发展观是我国经济社会发展的重要指导方针，也是人民政协服务科学发展、实现自身科学发展的强大思想武器。要坚持以科学发展观指导和推动人民政协工作，真正把科学发展观转化为服务科学发展的坚强意志、谋划科学发展的正确思路、促进科学发展的实际能力，切实转变不符合科学发展要求的观念和做法，着力研究解决履行职能中的重大理论和实践问题，构建有利于服务科学发展的体制机制，在促进科学发展中实现人民政协事业的新发展。会议号召，人民政协的各级组织、各参加单位和广大政协委员，紧密团结在以胡锦涛同志为总书记的中共中央周围，高举中国特色社会主义伟大旗帜，以邓小平理论和"三个代表"重要思想为指导，深入贯彻落实科学发展观，以坚定的信心担负起责任和使命，以昂扬的斗志应对困难和挑战，以扎实的工作完成任务，为夺取改革开放和社会主义现代化建设新的伟大胜利而奋斗。

贾庆林在闭幕大会上讲话指出，2009 年是应对国际国内环境重大挑战、推动党和国家事业实现新发展的关键一年。人民政协的各级组织、各参加单位和广大政协委员要认真学习、宣传和贯彻全国两会精神，切实把思想和行动统一到中共中央对经济形势的分析判断上来、统一到中共中央的决策部署上来，铭记人民重托，勇挑时代重任，为实现今年经济社会发展的各项目标作出积极贡献。贾庆林强调，要不断夯实团结合作的共同思想政治基础，坚定不移地把中国特色社会主义作为共同理想信念、共同前进方向、共同奋斗目标，确保人民政协事业始终沿着正确方向前进。要紧紧围绕保持经济平稳较快发展履行职能，精心选择课题，深入调查研究，搞好协商议政，增强建言献策的预见性、针对性和有效性。要坚持以人为本、履职为民，始终重视民生，时刻关注民生，协助党和政府协调好、解决好涉及群众切身利益的重大问题，努力维护社会和谐稳定。要切实发挥政协委员的主体作用，尊重委员首创精神,维护委员民主权利,积极探索新形势下委员发挥作用的新思路、新载体和新机制,引导广大委员深入实际、走向基层、贴近群众,在报效国家、服务人民的伟大实践中施展才华、建功立业。

"十五"计划

2001年至2005年是我国国民经济和社会发展第十个五年计划,是我国进入21世纪后的第一个五年计划。"十五"计划在我国经济与社会发展过程中具有里程碑式的意义。第一,它是我国胜利实现了现代化建设的前两步战略目标,向第三步发展战略目标迈进的第一个五年计划;第二,它是我国人民生活总体上达到了小康水平,进入全面建设小康社会新阶段的第一个五年计划;第三,它是我国初步建立社会主义市场经济体制,市场机制在资源配置中开始发挥基础性作用后制定和实施的第一个五年计划。2002年11月,中共第十六次全国代表大会,确定了新世纪头二十年我国全面建设小康社会的奋斗目标,并提出了为实现这一雄伟目标推进各方面工作的方针政策,深刻回答了关系国家长远发展的一系列重大问题,对建设中国特色社会主义经济、政治、文化等各项工作作出了全面部署,大大丰富了第十个五年计划的内容。

"十五"计划制定的背景

2000年,我国胜利完成第九个五年计划,国民经济和社会发展取得巨大成就。

经济快速增长,综合国力进一步增强,国内生产总值年均增长8.3%。2000年,我国国内生产总值为89404亿元人民币,按当年汇率计算,突破10000亿美元,人均GDP达到856美元。主要工农产品产量位居世界前列,商品短缺状况基本结束,买方市场格局开始形成。粮食等主要农产品生产能力明显提高,实现了农产品供给由长期短缺到总量基本平衡、丰年有余的历史性转变。工业结构调整取得积极进展,信息产业等高新技术产业迅速成长,淘汰落后和压缩过剩工业生产能力取得成效。服务业持续增长,就业岗位增加。实施西部大开发战略开局良好。基础设施建设成绩显著,"瓶颈"制约得到缓解。这些就为"十五"期间的经济建设打下了更加雄厚的物质技术基础。

经济体制改革继续深化,社会主义市场经济体制初步建立,市场在资源配置中开始发挥基础性作用,市场化程度一般认为已达到50%以上。国有大中型企业改革和脱困的三年目标基本实现,从战略上调整国有经济的布局和结构取得新进展,国有大中型企业开始实行规范的公司制改革。调整和完善所有制结构取得重大进展,个体、私营经济快速发展。2000年,全国个体工商业2571万户,从业人员5070万人,私营176万户,从业人员2406万人。据有关部门测试,2000年个体私营经济创造国内生产总值1.8万亿元,占当年国内生产总值的20.13%。个体私营经济已成为国民经济新的重要增长点,扩大就业的主渠道,活跃市场、方便人民生活的生力军。市场体系建设全面推进,商品市场和生产要素市场快速发展。以资本市场为例,2000年末境内上市公司(A、B股)共1088家,市价总值达到48091亿元,占当年GDP的50％多。宏观调控机制进一步健全。最突出的是在"九五"前期有效治理通货膨胀,成功实现经济"软着陆"后,针对经济形势的变化,1998年起实行扩大内需的方针,果断实施积极的财政政策和稳健的货币政策,发行长期建设国债,1998—2000年共发行3600亿元长期建设国债,抑制了通货紧缩趋势,克服了亚洲金融危机和国内有效需求不足带来的困难,使国民经济和社会发展取得巨大成就。这说明中央政府驾驭宏观经济的能力有了很大提高。

全方位对外开放格局基本形成,对外贸易和利用外资的规模扩大、结构改善、质量提高,开放型经济迅速发展。2000年,进出口贸易总额达4743亿美元,比1995年的2808亿美元增长68.9％;实际利用外商直接投资407亿美元,位于发展中国家之首。

人民生活水平继续提高,总体上达到小康水平,消费结构改善,农村贫困人口进一步减少。2000年,全国城镇居民人均可支配收入6280元,农民人均纯收入2253元。农村贫困人口减少到3000万人左右。

各项社会事业快速发展。科学、教育、文化、卫生、体育等各项社会事业全面发展,经济、人口、资源、环境的协调发展开始得到重视。

由上可见,进入新世纪,我国经济和社会发展的经济实力、体制环境和社会条件等,均比过去有很大提高和改善,为以后经济的持续快速发展和社会的全面进步创造了有利的条件。

当人类社会跨入21世纪的时候,国际局势正在发生深刻变化。国际格局继续向多极化发展,和平与发展仍然是当今时代的主题。世界多极化和经济全球化的趋势在曲折中发展,科技进步日新月异,综合国力竞争日趋激烈。具体来说,主要呈现以下几大特点:

第一,经济全球化进程加快,国际经济合作与竞争以前所未有的广度和深度发展;

第二,世界科技突飞猛进,科技创新能力成为综合国力的关键性因素;

第三,全球性结构调整深入展开,将在竞争中形成新的国际分工格局;

第四,世界经济仍保持温和增长,主要国家经济将在波动和调整中发展。

根据对上述国际环境和国内经济发展形势的判断,21世纪初至头二十年,对我国来说,是一个必须紧紧抓住并且可以大有作为的重要战略机遇期。制定好"十五"计划,促进经济与社会发展上一个新的台阶,为全面建设小康社会和"十五"以后的大发展,打好基础,十分重要。

二

"十五"计划的制定

1999年,国务院有关部门开始为编制"十五"计划做了大量的资料准备工作。2000年,中共中央决定组成文件起草小组,并于2000年秋中共第十五届五中全会通过了《中共中央关于制定国民经济和社会发展第十个五年计划的建议》(以下简称《建议》)。《建议》提出,"第十个五年计划期间(2001年至2005年)经济和社会发展的主要目标是:国民经济保持较快发展速度,经济结构战略性调整取得明显成效,经济增长质量和效益显著提高,为到2010年国内生产总值比2000年翻一番奠定坚实基础;国有企业建立现代企业制度取得重大进展,社会保障制度比较健全,完善社会主义市场经济体制迈出实质性步伐,在更大范围内和更深程度上参与国际经济合作与竞争;就业渠道拓宽,城乡居民收入持续增加,物质文化生活有较大改善,生态建设和环境保护得到加强;科技教育加快发展,国民素质进一步提高,精神文明建设和民主法制建设取得明显进展"。还提出,"制定'十五'计划,要把发展作为主题,把结构调整作为主线,把改革开放和科技进步作为动力,把提高人民生活水平作为根本出发点"。

根据中共中央提出的《建议》,国务院编制了《中华人民共和国国民经济和社会发展第十个五年计划纲要》,并于2001年3月15日第九届全国人民代表大会第四次会议批准。这个纲要,除序言外,有以下十篇:指导方针和目标,经济结构,科技、教育和人才,人口、资源和环境,改革开放,人民生活,精神文明,民主法制,国防建设,规划实施。纲要总共26章。

"十五"计划由三个部分组成,一是由全国人大审议批准的《国民经济和社会发展第十个五年计划纲要》,二是在《纲要》之下由国家计委牵头编制少数由政府组织落实的重点专项规划,三是由各地区、各部门根据《纲要》和专项规划精神编制的行业和地区规划。专项规划以关系改革开放和社会主义现代化建设全局的关键领域、薄弱环节等重大问题为对象,着重在那些单靠市场机制难以解决、确实需要政府进行干预的产业和领域,为这些行业和领域能迅速发展而制定的。这些专项规划包括:人口、就业和社会保障规划,城镇化专项规划,提高竞争力重点专项规划,科技发展专项规划,教育发展专项规划,能源发展专项规划,高科技产业发展规划,生态建设与环境保护规划,水利发展专项规划,综合交通体系发展重点专项规划。

"十五"计划的制定,充分听取各方面和各界人士的意见。国家计委专门设立网站,发布公告,欢迎广大公众提出意见和建议,还对一些很有价值的好建议给予公开奖励,从而提高了公众对计划制定的参与度。

"十五"计划纲要的制定,还首次听取国际组织的意见。1999年初,世界银行接受国家发展计划委员会委托,就中国"十五"计划和2015年远景规划提供政策建议。不久,世界银行写出《中国的中期转轨问题:"十五"计划若干经济发展问题的框架文件》。该文件对中国经济发展和改革问题提出了一些有价值的见解。

2001年11月举行的党的十六大,对我国进入新世纪后经济体制改革作出了一系列部署,要求改革有新的突破性进展。主要围绕以下几个方面展开:①坚持和完善我国社会主义初级阶段的基本经济制度;②深化国有资产管理体制改革,充分发挥中央和地方两个积极性;③深化国有企业改革,提高国有企业的活力和市场竞争力;④完善现代市场体系;⑤继续转变政府职能,改善宏观经济调控;⑥深化分配制度改革与健全社会保障体系;⑦进一步扩大开放。

可以肯定,十六大的战略部署,使我国经济体制改革有许多实质性进展,从而有力地推进经济与社会的发展,确保"十五"计划的顺利完成。

三

"十五"计划的内容

1."十五"计划的指导方针

坚持把发展作为主题。发展是硬道理,是解决我国所有问题的关键。要认清世界经济发展趋势,增强紧迫感和忧患意识,坚持以经济建设为中心不动摇。继续实行扩大内需的方针,在坚持速度与效益相统一的基础上,抓住机遇,加快发展。

坚持把结构调整作为主线。我国已经进入必须通过结构调整才能促进经济发展的阶段。要以提高经济效益为中心,以提高国民经济的整体素质和国际竞争力、实现可持续发展为目标,积极主动、全方位地对经济结构进行战略性调整。要把调整产业结构与调整所有制结构、地区结构、城乡结构结合起来。坚持在发展中推进经济结构调整,在经济结构调整中保持快速发展。

坚持把改革开放和科技进步作为动力。改革开放是强国富民的必由之路,科技进步和创新是增强综合国力的决定性因素,经济发展和结构调整必须依靠体制创新和科技创新。要深化市场取向的改革,加快完善社会主义市场经济体制。坚定不移地扩大对外开放,在积极"引进来"的同时,实施"走出去"战略。加大实施科教兴国战略的力度,振兴科技,培养人才。

坚持把提高人民生活水平作为根本出发点。不断提高城乡居民的物质和文化生活水平,是社会主义的本质要求和发展经济的根本目的。要努力增加城乡居民特别是农民和城镇低收入者的收入。把不断增加农民收入放在经济工作的突出位置,千方百计促进农民收入较快增长。把扩大就业作为经济和社会发展的重要目标,实行有利于扩大就业的经济政策和社会政策。同时,要合理调节收入分配关系,加快健全社会保障制度。

坚持经济和社会协调发展。要把物质文明建设和精神文明建设作为统一的奋斗目标,把依法治国与以德治国结合起来,始终坚持两手抓、两手都要硬,切实加强社会主义精神文明和民主法制建设。要高度重视人口、资源、生态和环境问题,抓紧解决好粮食、水、石油等战略资源问题,把贯彻可持续发展战略提高到一个新的水平。

2."十五"期间国民经济和社会发展的主要目标

国民经济保持较快发展速度,经济结构战略性调整取得明显成效,经济增长质量和效益显著提高,为到2010年国内生产总值比2000年翻一番奠定坚实基础;国有企业建立现代企业制度取得重大进展,社会保障制度比较健全,完善社会主义市场经济体制迈出实质性步伐,在更大范围内和更深程度上参与国际经济合作与竞争;就业渠道拓宽,城乡居民收入持续增加,物质文化生活有较大改善,生态建设和环境保护得到加强;科技、教育加快发展,国民素质进一步提高,精神文明建设和民主法制建设取得明显进展。

"十五"期间宏观调控的主要预期目标是:经济增长速度预期为年均7%左右,到2005年,按2000年价格计算的国内生产总值达到12.5万亿元左右,人均国内生产总值达到9400元。五年城镇新增就业和转移农业劳动力各达到4000万人,城镇登记失业率控制在5%左右。价格总水平基本稳定。国际收支基本平衡。

经济结构调整的主要预期目标是:产业结构优化升级,国际竞争力增强。2005

年第一、二、三产业增加值占国内生产总值的比重分别为 13%、51% 和 36%，从业人员占全社会从业人员的比重分别为 44%、23% 和 33%。国民经济和社会信息化水平显著提高。基础设施进一步完善。地区间发展差距扩大的趋势得到有效控制。城镇化水平有所提高。

科技、教育发展的主要预期目标是：2005 年全社会研究与开发经费占国内生产总值的比例提高到 1.5% 以上，科技创新能力增强，技术进步加快。各级各类教育加快发展，基本普及九年义务教育的成果进一步巩固，初中毛入学率达到 90% 以上，高中阶段教育和高等教育毛入学率力争分别达到 60% 左右和 15% 左右。

可持续发展的主要预期目标是：人口自然增长率控制在 9‰ 以内，2005 年全国总人口控制在 13.3 亿人以内。生态恶化趋势得到遏制，森林覆盖率提高到 18.2%，城市建成区绿化覆盖率提高到 35%。城乡环境质量改善，主要污染物排放总量比 2000 年减少 10%。资源节约和保护取得明显成效。

提高人民生活水平的主要预期目标是：居民生活质量有较大提高，基本公共服务比较完善。城镇居民人均可支配收入和农村居民人均纯收入年均增长 5% 左右。2005 年城镇居民人均住宅建筑面积增加到 22 平方米，全国有线电视入户率达到 40%。城市医疗卫生服务水平和农村医疗服务设施继续改善，人民健康水平进一步提高。城乡文化、体育设施增加，覆盖面扩大，文化生活更加丰富。社会风气和社会秩序好转。

"十五"期间中国经济和社会发展条件分析

1. 确定新世纪头二十年的奋斗目标

在"十五"计划进入第二年，2002 年 11 月，中共十六大提出到 2020 年全面建设惠及十几亿人口的小康社会的奋斗目标。要求新世纪头二十年，基本完成工业化，初步实现城市化，2020 年 GDP 比 2000 年翻两番，年均增长 7.18%，人均达到按 2002 年汇率计算的 3000 美元水平，城市人口占总人口比重超过 50%，人民生活更加殷实，完善民主与法制，科教文化繁荣进步，生态环境有所改善，社会得到较全面发展。

中国 1979 年改革开放以来，经济持续高速增长，1978—2000 年，年均 GDP 增长 9.5%。根据世界银行资料，2000 年中国 GDP 总量排在美、日、德、英、法之后，超过意大利，居世界第六位。如果按购买力平价计算，世界银行认为，中国 2000 年 GDP 已达 4 万亿美元。由于综合国力迅速提高，中国经济发展水平已经由低收入国家开始进入中下收入国家行列。根据世界银行的计算和划分标准，1999 年全世界中下收入国家为人均 GNP 超过 756 美元，中国当年人均 GNP 已达到 780 美元。2000 年，中国人均 GDP（由于利用不少外资，因而人均 GDP 略大于人均 GNP）为 854 美元，有了进一步提高。在经济高速发展的基础上，人民生活水平和质量上了一个大台阶，总体上达到了温饱有余的小康水平。

与此同时，我们也清醒地看到，我们现在达到的小康，还是低水平的小康，不全面和发展很不平衡的小康。2000年,中国人均GDP为854美元,不仅同当年高收入国家人均GDP 27443美元有很大距离,而且同当年中等收入国家人均GDP 2039美元和下中等收入国家人均GDP 1153美元有较大距离。中国尚未实现工业化,仍处于工业化中期阶段,离基本实现现代化还比较远。中国城镇居民绝大部分已达到小康生活水平,农村居民则有相当大一部分未达到小康生活水平;东部地区已达到人均GDP 1000美元以上,而西部地区则未达到人均GDP 800美元的标准,2000年,贵州省人均GDP只有300多美元,经济发展不平衡问题突出。

把全面建设小康社会作为中国新世纪头二十年的奋斗目标,是对中国经济发展状况冷静分析作出的选择。关于新世纪头二十年中国的奋斗目标是全面建设小康社会还是加快建设现代化,曾有不同的认识。进入新世纪不久,东部一些省市,都提出用5年、10年或20年率先实现现代化的计划,因此有的经济学家主张用加快建设现代化作为奋斗目标。但是,通过全面分析经济实际,多数经济学家和官员都认为,不能把已取得的发展成绩估计过高,中国才刚刚进入下中等收入国家行列,我们需要紧紧抓住良好的发展机遇,以经济建设为中心,一心一意谋发展,逐步摆脱不发展的状态。当然,全面建设小康社会,是就整体水平而言的。有条件的地方,如东部一些省市,可以发展得快一些,在全面建设小康社会的基础上,率先基本实现现代化。

2. 新世纪头二十年经济继续保持快速健康发展

从新世纪开始,我国进入全面建设小康社会,加快推进社会主义现代化的新的发展阶段。全面建设小康社会,就是要用大体二十年时间基本实现工业化和城市化,而其基础和主题,则是要在这二十年,继续保持经济的快速发展,即做到每十年翻一番,二十年翻两番,平均每年经济增长7.18%。这个速度虽然比前二十二年低一些,但是仍属高速或快速发展范畴。分析各方面的条件说明,实现上述快速发展是完全可能的,工作做得好,还有可能超过。

中国具有并将继续保持高储蓄率和投资率,有世界上最富裕的劳动力资源,正在迅速推进工业化、现代化建设;同时城乡居民迫切要求提高生活水平和质量,有世界上最广阔的市场。社会主义市场经济体制的初步建立和逐步完善,加入世贸组织后经济加快融入全球化进程,有助于现有生产潜力较好地发挥出来。因此,许多经济学家都认为,中国经济尽管已经持续高速增长了二十多年,今后十年二十年仍然具有较高的自然经济增长率,能保持7%－8%的平均增长水平,超过日本、韩国20世纪60至80年代持续高速的时间。2001年和2002年中国大陆经济增势强劲,说明中国大陆经济具有相当强的活力和发展势头。

全面建设小康社会,主要任务是基本实现工业化。工业化一般指制造业和第二产业在GDP的比重上升,从事制造业和第二产业的劳动力增加而从事第一产业的劳动力不断减少的过程。我国目前已处于工业化的中期阶段,尚未实现工业化,这是大多数经济学家的共识。由于世界科技革命迅猛发展,信息化浪潮席卷全球,在这种条件下,我们已不能走传统工业化的道路,而要用信息化带动工业化,走新兴工业化的道路。新兴工业化的特点,一是科技含量高,二是资源消耗少,三是环境污染小,四是经济效益好,五是我国人力资源优势得到充分发挥。为此，要大力推进国民经济和社会信息化，在政务、商务和国民经济其他领域广泛应用信息技术；在着力发展高新技术产业的同时，用信息技术和其他高新技术、先进适用技术改造传统产业，实现产业结构的优化升级；既要重视发展高新技术产业，又要大力发展劳动密集型产业。信息化和现代服务业的迅速发展，使工业化的标志已不再主要体现在工业和第二产业增加值在 GDP 总量中占优势，而应是工业和现代服务业增加值在 GDP 总量中占较大优势，同时农业增加值在 GDP 总量中的比重，特别是农村劳动力在全部劳动力中的比重大大下降；建成独立完整的在国际市场上有竞争力的制造业体系，工业制成品在出口产品中取代初级产品占越来越大比重；制造业和第二产业的发展不是以拼资源、拼能源、环境恶化和生态破坏为代价，而是处处要考虑可持续发展，保护资源和环境，提倡循环使用，回收再用，重复利用，采用新技术特别是清洁生产技术，提高生产过程和产品的绿色化程度；等等。

根据我国经济的发展势头，中国 GDP 总量将从 2000 年占世界总量的 3.44%，提高到 2010 年占 5.37% 和 2020 年的近16%。与此相适应，中国经济总量到 2020 年在世界将排名第三，仅低于美国和日本。

3. 中国经济发展中面临的若干难题

我国改革开放经济二十多年虽然获得快速发展，但仍面临不少难题。这些难题的存在，也逼迫中国经济需要继续快速发展，以便缓解这些难题给社会带来的压力。

首先，是"三农"问题，核心是农民收入水平低，增长缓慢。2001 年，城镇居民人均可支配收入 6860 元，比上年增长8.5%；农村居民人均纯收入 2366 元，实际增长 4.2%。城乡居民收入差距为1：2.9。这比 1978 年的 1：2.57 和 1985年的1：1.9 的差距扩大了许多。我国目前社会经济结构的显著特征是存在二元结构，即一方面城市有比较发达的工业和服务业，而占总人口 60% 以上的人仍然在农村以务农为主，劳动生产率很低，全国一半的劳动力从事农业，而创造的 GDP只占15.2%（2001 年）。农民收入水平低，增长缓慢，除东部地区、城市郊区和某些特产地区外，很大一部分地区农民收入没有达到小康收入水平，近 3000 万人没有解决温饱问题，6000 多万人只达到低水平温饱的，都在农村。要使全体人民普遍过上小康生活，消灭绝对贫困，其重点和难点都在农村。由于农民收入低，增长缓慢，致使农村市场不振，城市内需扩大了，农村内需没有多少扩大，因而大量闲置生产能力不能很好利用和发挥。

其次，是失业问题，主要指城镇失业问题。中国的失业问题这几年越来越突出。近几年是我国劳动力供给的高峰期，每年新增劳动力约 1200 万人；2001 年底中国还有近 600 万下岗职工没有实现再就业，城镇登记失业人员 680 万人，加上还有未登记失业人员，城镇失业率已达到 8%以上。特别是，农村还有 1.5 亿剩余劳动力需要转移。而按目前经济增长和就业增长状况推算，每年能够增加的就业岗位约为 800 万个左右，劳动力供大于求的矛盾十分突出。目前，城市贫困人口相当大一部分就是下岗职工或失业者人群。尽管政府用了很大的力气推进下岗职工再就业，但这几年再就业率还是在下降。据统计，1998 年的再就业率为 50%，1999 年为 42%，2000 年为 36%，2001 年为 30%，

2002 年上半年则降到 9.1％。[①] 失业和下岗容易引发越轨行动,影响社会安定。近年来,尽可能多地创造就业岗位,推进再就业,已被引为各级政府的重要职责,也是社会各界关注的焦点。

再次,大量一般竞争性行业中的国有企业如何平稳地退出市场的问题。中国在 20 世纪 90 年代确立社会主义市场经济体制的改革目标后,即逐步明确,国有经济的地位和作用在于控制关系国民经济命脉的重要行业和关键领域,为此大体只需要保留几百家大型企业。这就意味着大批的数以万计的国有企业主要是国有中小企业要实行改组或转制。但是,由于没有形成正常的退出机制,这方面工作进展不是十分顺利。这个问题不解决,资源利用效率就难以迅速提高。当务之急是抓紧建立健全国有企业退出机制,主要解决两大问题,一是债务清理,二是职工安置。相应地,一是要适当增加银行呆坏账准备金,二是要建立健全社会保障体系。这两方面工作近几年抓得很紧,也有成效,但离目标要求还有距离,需要继续努力,争取经过三五年或再长一点时间,建立起比较完善的国有企业退出机制。

从 1996 年开始,政府每年都安排一定额度的银行呆坏账准备金,用于国有企业兼并破产。几年来,用于企业兼并破产核销的银行呆坏账准备金约 2800 多亿元,实施兼并破产企业共 5335 户,涉及职工 430 万人。据国家经贸委估计,今后几年全国符合条件需要关闭破产的国有大中型企业和资源枯竭矿山大体上还有 2900 户,需核呆 2900 亿元,涉及职工 570 万人。也就是说,前几年我们完成了大约一半的工作量,今后几年还有一半的工作量。[②] 以上主要是国有大中型企业退出市场的问题。

国有中小企业退出市场问题多,难度大。据有关部门统计,2000 年全国国有中小型企业 18.1 万户,占全部国有企业总户数的 94.8％,其中亏损企业 9.4 万户,亏损面为 52％,国有中小亏损企业占全部国有亏损工商企业户数的 96.9％,亏损额 1086.8 亿元,占全部国有工商企业亏损额的 58.9％。还有,在全部国有企业中,资不抵债(即负债大于资产)和空壳企业(即损失挂账大于所有者权益)合计为 8.5 万户,占全部国有企业总户数的 44.5％,其中绝大部分也是国有中小企业。这从一个侧面说明,加快用多种形式放开搞活国有中小企业,已是相当紧迫的任务。看来,没有几年的努力,难以完成这项工作。

最后,资源短缺已成为中国发展的严重制约因素。根据国家统计局材料,人均耕地面积,2000 年世界平均为 0.24 公顷,而中国只有 0.1 公顷。人均淡水资源,2000 年世界平均为 8241 立方米,而中国只有 2257 立方米。人均探明可开采石油储量,2000 年美国为 13.6 吨,巴西为 6.7 吨,而中国只有 4.2 吨。石油问题越来越突出,2002 年,中国纯进口原油 7000 万吨,预计到 2005 年,纯进口量将达到 1 亿吨,2010 年,可能达到 1.5 亿吨。淡水资源短缺也是一个大问题。北方地区一些城市无法扩大规模,最终受制约于淡水资源不足。南水北调工程,东中西线加起来要投资 5000 亿元,比三峡工程高两倍多。还有,资源滥用问题也很严重,一些珍贵、稀缺资源在有水快流的错误思想影响下乱挖乱采,损失浪费惊人。

中国经济持续快速发展受制约的因

---

① 见《经济日报》,2003 年 1 月 15 日。
② 吴邦国:《切实做好新形势下的经贸工作加快推进国有企业改革和发展》,《经济日报》,2002 年 3 月 4 日。

素还有一些,如居民收入差距过大,人口老龄化带来社会保障压力加大,生态脆弱和环境污染问题难以短期有根本好转等,而以上四点可能是比较重要而突出的。

4. 努力方向

第一,制订和实施恰当的经济发展战略。邓小平已经为中国制订了三步走和第三步发展战略的目标,即到21世纪前半叶基本实现现代化,达到世界中等发达国家的水平。中共十五大和十六大,又进一步将第三步发展战略再分为三个阶段,即第一阶段从2001年到2010年,经济总量翻一番;第二阶段从2011年到2020年,经济总量再翻一番,实现全面建设小康社会目标;第三阶段从2021年到2050年,经济总量大体再翻两番,基本实现现代化。

第二,完善发展思路,实施恰当的宏观经济政策和其他重大方针政策。首先,适应经济全球化和世界新科技革命与产业转移的趋势,发展要有新思路。概括来说,一是要以提高经济效益为中心,从根本上改变粗放型经济发展方式,注重依靠科技进步和加强管理,实现产业结构升级,提高经济增长的质量和效益;二是注重资源的永续利用和生态保护,更好地实现可持续发展;三是注重地区城乡协调发展和社会全面进步,不断提高人民生活水平和质量。其次,要根据经济形势的发展变化,实施恰当的宏观经济政策和其他重大方针政策。比如当前要继续实施扩张性的宏观经济政策,实行扩大内需的方针,更积极地推行科教兴国战略、人才战略等。

第三,深化改革。到2000年底,我们已经初步建立社会主义市场经济体制,但经济发展的体制性障碍仍到处可见,严重影响经济潜力的发挥。进入新世纪,改革还要求有新的突破,即要以完善社会主义市场经济体制为目标,继续推进市场取向改革,从根本上消除束缚生产力发展的体制性障碍,在调整所有制结构、深化企业改革、健全市场体系、完善宏观经济调控、理顺分配关系和健全社会保障体系等方面取得新的重大进展,为经济发展不断注入新的活力。改革是经济发展的强大动力。改革的不断深化和取得成功,将有力推进经济快速发展。

第四,扩大开放。中共十六大提出,对外开放要有新局面,即要适应经济全球化和加入世贸组织的新形势,在更大范围、更广领域、更高层次上参与国际经济技术合作与竞争,拓展经济发展空间,全面提高对外开放水平。

中国加入世贸组织已一年多。一年来,并未碰到一些人原来预计的严重困难和问题,这同我们作了一些准备有关系,也同客观情况的变化有关系,如由于世界粮食歉收,价格上涨,所以没有对农业产生大的冲击。但我们面临的挑战还远没有结束,到2005年过渡期结束后可能要严峻些,因此要作好充分的准备。

2002年中国对外贸易增长很快,出口增速达22.3%,大大超出一般人预料。在世界经济低迷情况下取得这么好的成绩,主要要归功于加入世贸组织和外贸体制改革,特别是外贸经营主体的多元化,民营企业出口增速很高。利用外资增长迅速,外资企业出口增速也很高。这个势头发展下去,将有力推动经济增长。

中共十六大报告第一次提出了"走出去"战略,指出实施"走出去"战略是对外开放新阶段的重大举措。提出要鼓励和支持有比较优势的各种所有制企业对外投资,带动商品和劳务出口,形成一批有实力的跨国企业。同时,积极参与区域经济交流和合作。中国正以加入世贸组织为契机,充分利用两个市场、两种资源,优化资源配置,拓宽发展空间,以开放促改革促发展。民营企业"走出去"能较好地做到自我发展、自我约束,国有企业"走出去"以后如何监管和提高效率,不致出现过去那样造成国有资产的流失浪费和资金外逃等问题,有待认真研究和规范。

第五,进一步调整产业结构和地区结构。调整产业结构,需密切跟踪世界经济科技发展和产业转移新趋势,依靠科技进步,提高劳动者素质,增强企业竞争能力;坚持可持续发展,合理开发使用各种自然资源;充分发挥市场机制作用,鼓励优胜劣汰。

调整产业结构,不能动摇农业的基础地位。看来有必要进一步采取措施,在更大范围和更深层次上推进农业结构调整,增加农民收入。围绕发展优势农产品,调整区域布局,提高质量安全水平,增加市场竞争力。发展农业产业化,加快城市化进程,重视乡镇企业发展和向城市集中,扩大农民的就业门路和增收渠道。

推进产业结构优化升级,必须走新型工业化道路。坚持以信息化带动工业化,以工业化促进信息化。积极发展对经济增长有突破性重大带动作用的高新技术产业,以高新技术和先进适用技术改造提升传统产业,振兴装备制造业。适应国际范围出现的市场扩大、分工深化的趋势,加快企业重组步伐,发展具有国际竞争力的大公司大企业集团,培育新的专业化分工协作体系,淘汰落后的生产能力。抓住国际产业结构调整的机遇,探索老工业基地(如东北三省)改造和振兴的新路子。根据我国劳动力资源特别丰富的实际情况,要重视发展劳动密集型产业。发展服务业是产业结构调整的重要内容,也是扩大就业和再就业的主攻方向。因此,要加

快发展现代服务业,积极支持商贸、旅游、餐饮等传统服务业,大力发展社区服务业,提高第三产业在国民经济中的比重。

正确认识和处理东中西部之间的发展关系。从一个角度看,东部的发展,吸收了中西部的劳动力就业,也帮助了中西部的开发;中部加快开发开放,为东部产业转移和西部资源利用拓展了空间;西部加强基础设施建设、环境保护、教育培训,不仅是自身发展的需要,也为东部和中部进一步发展创造了条件。今后需加强东部中西部地区之间的经济交流与合作,促进优势互补和共同发展,逐步形成各具特色的经济区和经济带。

第六,克服困难,迎接挑战,善于应对形势的变化。2003年春夏,中国突然遭受严重急性呼吸道综合征(简称SARS或"非典")传染病的袭击。这次袭击,非同小可,严重影响了经济的正常运行,国民经济不少部门受到不同程度的打击。例如,受"非典"影响,我国2003年二季度社会消费品零售总额增长6.7%,其中5月份仅增长4.3%,增幅之低是多年来没有的。"非典"对一些服务行业带来较大冲击。一是旅游业遭受重创。前5个月,旅游外汇收入下降10.4%,其中5月份下降59%。"非典"高发期间,全国12000家旅行社基本上处于歇业状态,9000家星级饭店的平均客房出租率不到20%,全国1062家八级旅游区(点)的游客接待数量和营业收入同比均下降80%以上。二是旅客运输量急剧下降,二季度客运量同比下降23.9%。其中,疫情影响最为严重的5月份,民航、铁路、公路客运量分别下降77.9%、62.5%、39.9%。三是餐饮业明显萎缩,许多餐馆相继关闭或处于半关闭状态,二季度全国餐饮业零售额由一季度同比增长16.1%转为下降3.5%。四是社

会服务业受到严重打击,据国家统计局调查,旅游业、出租汽车业、娱乐服务业等13个社会服务业中,有11个上半年营业收入下降。上述影响直接导致第三产业增长明显放慢,二季度第三产业增加值仅增长0.8%,增速同比回落6.1个百分点。

疫情期间,先后有140多个国家和地区暂时中断了与我国的正常人员往来,一些贸易洽谈活动被延期或取消,招商引资活动受阻,出口订单减少。春季广交会出口合同成交额仅44亿美元,而2002年同期为168.5亿元,下降74%。从6月份起,尽管"非典"疫情已得到有效控制,旅游、民航等受冲击较大的行业恢复正常经营还需要一个过程。二季度出口虽然增长较快,但执行的多是前期订单。上半年实际利用外资虽然保持较快增长,但6月份当月仅增长2.5%。因此,"非典"对经济的滞后影响也不可忽视。

面对"非典"的袭击,党和政府采取了正确的应对措施,一手抓防治"非典",一手抓经济建设不动摇。对受"非典"影响较大的行业,国家实行税收等优惠政策予以支持。进入6月份以后,疫情得到控制,经济迅速好转。上半年,GDP增速高达8.2%。这说明,正确驾驭国民经济,提高宏观经济调控能力和水平,对于保证经济持续、快速、健康发展,有重要意义。这也是完成"十五"计划的重要保证。

五

"十五"计划实施的结果和评价

进入"十五"以来,由于居民消费结构升级和城市化进程加快,以及加入WTO后更大范围融入全球经济,工业发展进入新一轮的高增长时期,中国经济整体呈现平稳持续快速增长态势,彻底摆脱了亚洲金融危机以来的通货紧缩阴影。2001—2004年,国民经济平均增长率达到了8.65%,提前一年实现了预定的经济增长目标。2003年"非典"危机之后,中国经济一度出现局部投资过热的势头,中央和国务院及时采取措施,宏观经济调控取得了明显成效。整个"十五"期间的经济增长率为9.5%,高于7%的规划目标,也高于"九五"期间的8.6%,为"十一五"的经济增长奠定了良好基础,国内生产总值比2000年翻一番的目标很可能提前实现。2002年中国经济总量首次突破10万亿元大关,按照汇率计算,2003年人均GDP突破1000美元,标志着国民经济和社会发展进入了一个新的阶段。2005年,GDP为15.6万亿元,超额实现了经济总量达到12.5万亿元的目标,为"十一五"的经济增长奠定了良好基础,也为实现人均国内生产总值比2000年翻一番的目标创造了有利的条件。

从各项指标变动来看,"十五"期间,我国已经进入了一个加速发展的黄金时期:工业化速度明显加快,城市化进程快速推进,对外开放跨越式发展,基础设施建设大幅度增长,科技和教育事业加速发展,人民生活水平稳步改善。

中国"十五"期间的经济表现令全球瞩目。这一时期,无论是总的GDP增长率还是人均GDP增长率,中国都位居全球第一,大大高于全球平均增长率,并成为带动全球经济2004年复苏的最重要贡献因素。"十五"期间的五年间,我国的对外贸易增长了2倍,从4743亿美元增长到14219亿美元,占世界出口的份额翻了一番,从2.9%上升到5.8%。中国经济在世界中的地位也不断上升,2005年我国的GDP总量以汇率计算,已经跃居全球第五,以 PPP 计算则已仅次于美国,位居第二;我国与美国的经济差距进一步缩小,2004 年的 GDP 为 7000 亿美元,为美国的 21.4%;我国与美国的综合国力差距也进一步缩小,从 1990 年的 3.9 倍,缩小到 2000 年的 2.5 倍,2003 年进一步缩小到 2.2 倍。以八类战略资源衡量的综合国力占世界的比重,中国在 20 世纪 80 年代平均每年提高 0.09 个百分点,20 世纪 90 年代每年提高 0.31 个百分点,2000 年以来每年提高 0.36 个百分点,中国综合国力的提升速度不断加快。

总体来看,"十五"期间,我国经济总量、综合国力、人民生活和对外开放均又上了一个新台阶,为"十一五"规划的制定和实施奠定了良好基础,也为本世纪前二十年中国全面建设小康社会开了一个好局。从目标一致性角度来看,"十五"计划实施情况总体良好,提出的目标大部分能够如期实现,部分目标已经提前或超额实现,只有个别目标由于种种原因没有能够达到当初预定的目标。

主要问题体现在:第一,产业结构调整偏离了原定目标,第二产业发展较快,第三产业增长相对缓慢,产业结构失衡的问题更加突出。"十五"期间,第二产业(特别是工业)是拉动经济增长的主导力量,对经济增长的贡献率持续上升,从 2001 年的 51.2% 提高到 2003 年的 56.9%;第三产业对经济增长的拉动作用相对有限,并且呈下降趋势,从 2001 年的 43.9% 降至 2003 年的 39.6%。世界人均 GDP 在 1000 美元左右水平的国家,第一、二、三产业的比例为 14:35:51,中国为 12.6:47.5:39.9,第二产业比例偏高,而第三产业比例偏低。

第二,就业结构调整没有达到预期,第二产业资本深化排斥劳动力的同时,第三产业吸纳就业能力减弱,"高增长、低就业"的问题仍突出。"六五"期间,就业增长弹性为 0.31;"七五"时期为 0.68;"八五"时期为 0.08,为改革以来的最低点;"九五"期间提高到 0.13;"十五"期间,就业增长弹性为 0.1。由于目前我国正处在劳动年龄人口的高峰期,增长模式和就业结构的矛盾,使我国的就业形势更为严峻。

第三,能源需求增长过快,供需矛盾更加尖锐,煤炭生产和消费超常规增长,能源结构不合理的问题更加突出。"十五"期间,能源生产年均增长率达到 14%,远高于 GDP 的增长率。但是能源利用效率大幅度降低,能源消费增长率超过 GDP 增长率,增长弹性高达 1.47。能源消费总量达到了 22.2 亿吨标准煤,能源供求矛盾十分突出,更加依赖外部供给。能源领域的供需矛盾尖锐化,煤炭比例从下降转而上升,能源结构不合理的问题更加突出,直接导致主要污染物排放大幅度增长,成为当前及未来相当时期我国经济社会生活中的一个突出问题。

第四,主要污染物排放先下降后上升,主污染物减排目标未实现,酸雨污染加重。"十五"计划设想主要污染物在 2000 年的基础上减排 10%,但到"十五"期末,二氧化硫排放量比 2000 年增加 27.8%,烟尘排放量与 2000 年相比增加 1.5%,化学需氧量排放比 2000 年减少仅 2.1%,均未实现原定目标。由于能源消费大幅度增长,特别是煤炭消费陡增,导致"两控区"和全国二氧化硫排放量大幅上升,区域性酸雨污染没有得到控制,局部地区有所恶化,酸雨污染出现加重的趋势。

"十一五"规划

经过改革开放二十多年的发展,尤其是经过"十五"期间的努力,我们已经站在一个新的历史起点上。纵观"十一五"时期的国内国际环境,我国具备保持经济平稳较快发展和社会和谐进步的诸多有利条件。2005 年 10 月 11 日中国共产党第十六届中央委员会第五次全体会议通过《中共中央关于制定国民经济和社会发展第十一个五年规划的建议》。2006 年 3 月,十届全国人大四次会议审议批准了《国民经济和社会发展第十一个五年规划纲要》。"十一五"规划提出的经济社会发展奋斗目标和主要任务,符合我国国情,集中了全国各族人民的共同意愿,反映了时代发展的客观要求,是未来五年我国经济社会发展的宏伟蓝图,也是全面实现小康社会的进军令。"十一五"规划有两个重要指标令人瞩目:在优化结构、提高效益和降低消耗的基础上,实现 2010 年人均国内生产总值比 2000 年翻一番;资源利用效率显著提高,单位国内生产总值能源消耗比"十五"期末降低 20% 左右,生态环境恶化趋势基本遏制,耕地减少过多状况得到有效控制。"面向未来,我们站在一个新的历史起点上。"这是中共中央对"十一五"发展时局极其重要的判断。"十一五"时期既是一个"黄金发展期",也是一个"矛盾凸显期"。在顺利完成"十一五"规划前半段主要任务后,2008 年蔓延全球的金融危机又给中国政府提出新的挑战,

2008 年 12 月 24 日,十一届全国人大常委会第六次会议举行第二次全体会议,审议国务院关于"十一五"规划纲要实施中期情况的报告、关于积极采取措施应对国际金融危机确保国民经济平稳较快发展情况的报告,并提出了一系列"扩内需、保增长"的措施,促进经济形势的好转。

"十一五"规划出台的背景

"十五"时期是 21 世纪开局的五年,是不平凡的五年。随着改革开放的不断推进,我国经济实力、综合国力和国际地位显著提高。

从国内情况来看,我国城市化水平从 20 世纪末的 36% 提高到"十五"末的 43%,城镇人口从 2000 年末的 45906 万人增加到 56300 万人。从经济实力看,"十五"末,我国 GDP 总量从 2000 年的 89468 亿元增加到超过 17 万亿元(约 21600 亿美元),人均 GDP 上升为 1600 多美元,相当于世界平均水平的 24% 左右前后。财政收入从 2000 年的 13395 亿元增加到 31627 亿元,翻了一番多。从东中西部地区 GDP 占全国比重来看,1980 年东部地区占全国 50%,中部地区占全国 30%,西部地区占全国 20%。目前,这三个数字已经变为:60% 以上和 24%、16% 以下。从人民生活水平的提高看,社会消费品零售总额超过 6 万亿元,比 20 世纪末增长 78%;城市居民人均可支配收入从 6280 元增加到 10200 元,农村人均纯收入从 2253 元增加到 3090 元。从工业化和信息化进展看,工业结构得到提升,整个国家的工业体系的综合竞争力进一步增强;交通能源等基础行业快速发展,初步形成了高速

公路系统,航空、铁路、水运、高速公路等形成立体的交通网络;固定电话普及率超过50%,移动电话普及率到达28%以上,互联网用户超过1亿。从城市化进展看,由交通、能源、信息等网络连接的、大中小城市合理分布的城市体系逐步形成,城市建设日新月异,市内交通得到改善,许多城市的大气污染得到有效治理,城市功能日渐完善。更加重要的是,国民经济抗风险的能力大大增强。在这五年中,我们成功地抵御了SARS和重大自然灾害给社会安全和国民经济带来的冲击;在加入WTO的过程中,原来以为会受冲击很大的汽车业、农业都平稳健康发展,形势良好;银行体制的改革在加快,汇率形成机制从和美元挂钩的固定制改革为市场决定制,其他金融领域也在稳步地按WTO的承诺开放,金融体系抗风险能力大大增强。另外,各项社会事业取得了新的进步,社会主义民主政治和精神文明取得显著成效。经济结构战略性调整取得重要进展,农业特别是粮食生产出现重要转机,能源、交通、重要原材料等基础产业和基础设施建设明显加快,高新技术产业得到较大发展。改革不断深化,特别是在一些重要领域和关键环节的体制改革有了重大突破,社会主义市场经济体制逐步完善。经过"十五"时期的努力,我们已经站在一个更高的历史起点上,为赢得"十一五"时期的更大发展奠定了良好基础。

进入21世纪,国际环境总体稳定,时代主题在深化,维护世界和平、促进共同发展已经成为各国人民和政府的共同愿望和使命。全球经济发展,乃至一个国家或者地区的经济和社会发展,都需要和平的环境;而维护和平,特别是反恐等,则需要各国在各方面进行有效的合作;世界政治力量对比有利于保持一个总体稳定的国际环境。同时,经济全球化趋势深入发展,科技进步日新月异,生产要素流动和产业转移加快,各国之间贸易、投资、技术、劳务等方面的合作增多,发挥各国的比较优势,会进一步实现国际间的分工协作,实现经济上的双赢和多赢。我国与世界经济的相互联系和影响日益加深,国际国内两个市场、两种资源互相补充,外部环境总体上对我国发展有利。

从我国"十一五"期间所处的国际环境看,一是大国关系格局将进一步发生变化。伊拉克战争后,美国与各大国关系进入修复期,多极化趋势将进一步强化;新一轮大国综合国力竞争将加剧,各国都争相谋求新的战略制高点;中国和平崛起,给各大国提供了更为有利的市场机会;中国在大国关系中的地位将不断上升。二是发展中国家合作将进一步加强。发展中国家在国际经济领域的团结与合作,将推动建立新的国际经济秩序,加速发展中国家的工业化进程;而且,中国与发展中国家在经济、政治、文化、外交等各方面的交流,随着中国市场的扩大,将会进一步扩大和深化。三是中国经济和社会发展的周边环境既有机遇,又面临着挑战,但总的走向是越来越好。中国的地缘环境决定了中国必定要把大量的外交资源倾注到周边关系中,中国的崛起不可能像美国那样,在一个相对孤立而平静的环境里悄悄发展壮大。在"搁置争议"的原则下,中国不但保持了与周围邻国的良好合作关系,而且也正在一步步推进边界问题的解决;另一方面,也需要与周边国家进行磋商,维护我国的主权,合理开发东海和南海油气等资源。同时,国际环境复杂多变,影响世界和平与发展的不稳定、不确定因素增多,发达国家在经济科技方面占优势的压力将长期存在,世界经济发展不平衡加剧,围绕资源、市场、技术、人才的竞争更加激烈,贸易保护主义抬头,对我国经济社会发展和安全提出了新的挑战。"中国威胁论"等不利于我国发展的国际舆论此起彼伏,干扰我们。中国加入WTO后,随着配额等限制的放开,中国纺织等产品的出口强劲,这也引起欧美和日本等国一些人士的担忧:认为中国经济的成长,中国产品的出口,造成能源短缺,影响到他们的产业、就业,造成他们产业的转移等,从过去的军事威胁论,变成了经济威胁论。贸易纠纷和其他经济摩擦也多了起来。对此,我们要正确认识、正确对待,不能因此动摇我们的判断和决心。实际上中国的经济成长也是各国的大市场,中国经济的衰落势必也会拖累发达国家,乃至全球经济的成长;而中国也在快速增长的同时,努力使能源多元化,立足本身来解决自己的能源问题,并积极转变增长方式、消费方式,建设一个节约资源的社会。我们要继续奉行而不是放弃和平发展的外交政策,加大而不是减少对地区事务和国际事务的参与力度,坚定地做世界上负责的大国。只有这样,才能让世界知道中国的真正意图,让世界承认和接纳一个"和平崛起"的中国,加深对中国的战略和政策的理解。

对外经济关系与世界经济相互依存日益加深。对外贸易上了一个大台阶,2005年进出口总额超过13800亿美元,比2000年的4743亿美元增长1.9倍多。预计五年累计利用外资2700亿美元。中国经济的开放实际上已经达到世界近代以来历史上任何后兴大国所从未达到的程度。二十年前,中国被称为"最大的潜在市场",而"十五"末中国庞大的市场能量已开始显现,特别是1997年亚洲金融危机以来,中国对世界贸易增长和GDP增长

作出了积极贡献。中美贸易额从20世纪70年代末的5亿美元发展到1700亿美元,同时,中国又将自己6600多亿外汇储备的70%以上购买了美国国债。这就使中美双方形成了轻易拆解不开的利益共同体和利害共同体。这种状况及其发展前景,从根本上说,不但有利于中国,也有利于世界,并将成为21世纪上半期世界经济发展的一个重大推动力。

同时,我们也面临着不少突出问题和严峻挑战。国际环境中的不稳定不确定因素增加,国际市场石油价格居高不下,国际竞争更加激烈,贸易保护主义趋于强化。我国现在仍处于并将长期处于社会主义初级阶段,生产力还不发达,城乡区域发展不平衡;自主创新能力不强,经济结构不合理和粗放型增长方式还没有根本改变,资源、环境和就业的压力加大;收入分配中的矛盾突出,涉及群众切身利益的不少问题亟待解决;特别是制约经济社会发展的体制机制问题还比较多。

二

"十一五"规划的目标及内容

"十一五"时期是全面建设小康社会的关键时期。根据党的十六大作出的战略部署和我国经济社会发展的客观要求,"十一五"规划的指导思想是,以邓小平理论和"三个代表"重要思想为指导,全面落实科学发展观。坚持发展是硬道理,坚持抓好发展这个党执政兴国的第一要务,坚持以经济建设为中心,坚持用发展和改革的办法解决前进中的问题。发展必须是科学发展,要坚持以人为本,转变发展观念,创新发展模式,提高发展质量,落实"五个统筹",切实把经济社会发展转入全

面协调可持续发展的轨道。

《纲要》提出了"十一五"时期经济社会发展的主要目标，包括经济增长、资源环境、自主创新、社会发展、改革开放、人民生活和民主法制等方面。这里主要就两个重要目标作一说明。一是提出在优化结构、提高效益和降低消耗的基础上，实现2010年人均国内生产总值比2000年翻一番，这比中央以前提出的十年国内生产总值翻一番的要求更高了一些。这是综合考虑"十五"期间经济发展状况和未来五年发展的各方面条件提出的，这个目标是积极稳妥的。二是提出"十一五"期末单位国内生产总值能源消耗比"十五"期末降低20％左右，这是针对资源环境约束日益加重的问题而提出的，突出体现了建设资源节约型、环境友好型社会和实现可持续发展的要求。

《纲要》明确提出了今后五年经济社会发展和改革开放的主要任务。

1. 建设社会主义新农村

"十一五"期间，解决好"三农"问题仍然是全党工作的重中之重。明确提出建设社会主义新农村的重大历史任务，这主要是考虑：一方面，实现全面建设小康目标的难点和关键在农村，建设社会主义新农村，体现了农村全面发展的要求，也是巩固和加强农业基础地位、全面建设小康社会的重大举措。另一方面，我国农村发展和改革已进入了新的阶段，必须按照统筹城乡发展的要求，贯彻工业反哺农业、城市支持农村的方针，加大各方面对农村发展的支持力度，这样才能较快改变农村的落后面貌。

建设社会主义新农村的目标和要求，可以概括为：生产发展、生活宽裕、乡风文明、村容整洁、管理民主。这二十个字，内容丰富，含义深刻，全面体现了新形势下农村经济、政治、文化和社会发展的要求。建设社会主义新农村，要突出抓好以下几个重点方面：一是推进现代农业建设。加快农业科技进步，调整农业生产结构，加强农业设施建设，提高农业综合生产能力。二是全面深化以农村税费改革为重点的综合改革。加快推进乡镇机构、农村义务教育、县乡财政体制、农村金融和土地征用制度等方面的改革。三是大力发展农村公共事业。加快发展农村文化教育事业，重点普及和巩固农村九年义务教育，加强农村公共卫生和基本医疗服务体系建设，促进农村精神文明建设与和谐社会建设，明显改善广大农村的生产生活条件和整体面貌。四是千方百计增加农民收入。要采取综合措施，广泛开辟农民增收渠道，挖掘农业内部增收潜力，大力发展县域经济，引导富余劳动力向非农产业和城镇有序转移，继续完善现有农业补贴政策，加大扶贫开发力度。必须指出，建设社会主义新农村是一个艰巨和长期的任务，各地要制定科学规划，注重因地制宜，加强分类指导，坚持从实际出发，尊重农民意愿，防止形式主义和强迫命令，扎实稳步地推进。

2. 推进经济结构调整和经济增长方式转变

"十一五"期间，必须把经济结构调整和经济增长方式的转变作为关系全局的重大任务。要突出抓好三个方面：一是切实走新型工业化道路，加快产业结构优化升级。坚持以信息化带动工业化，以工业化促进信息化。大力发展高新技术产业，加快发展先进制造业和现代服务业，加强基础产业和基础设施建设。二是发展规模经济，实现规模效益。主要通过市场作用和必要的宏观引导，进一步打破行业、地区、所有制界限，推动企业改革改组改造,充分发挥现有企业作用,避免低水平重复生产和建设。三是加快建设资源节约型、环境友好型社会。要把节约资源作为基本国策,大力发展循环经济,提高资源利用效率,加大环境治理力度,切实保护好自然生态。需要强调指出,随着我国工业化、城镇化的推进,资源和环境的约束还会加大,人民群众对生产生活环境质量的要求更高。保护资源和环境,是难度很大而又必须切实解决好的一个重大课题。

3. 促进区域协调发展

实施西部大开发,振兴东北地区等老工业基地,促进中部地区崛起,鼓励东部地区率先发展,形成东中西互动、优势互补、相互促进、共同发展的格局,是从全面建设小康社会和加快现代化建设全局出发作出的总体战略部署。《纲要》从各地区的实际出发,按照发挥比较优势、加强薄弱环节、促进协调发展的要求,明确了各区域的发展导向和总体思路。还着重在三个方面提出了落实区域发展战略的途径。一是健全区域协调互动机制。包括市场机制、合作机制、互助机制和扶持机制。国家继续在经济政策、资金投入和产业发展等方面加大对中西部地区的支持,加快革命老区、民族地区、边疆地区和贫困地区的经济社会发展。二是明确不同区域的功能定位。根据各个区域人口、资源、环境承载能力和发展潜力,实行优化开发、重点开发、限制开发和禁止开发。三是促进城镇化健康发展。坚持大中小城市和小城镇协调发展,提高城镇综合承载能力。按照循序渐进、节约土地、集约发展、合理布局的原则,积极稳妥地推进城镇化。重视发挥城市群的集聚效应。

4. 增强自主创新能力和加快科技教育发展

当前,人类社会正在经历一场全球性的科学技术革命。这给各国带来了难得的发展机遇,也带来了严峻挑战。最重要的,是要提高自主创新能力。自主创新是提升科技水平和经济竞争力的关键,也是调整产业结构、转变增长方式的中心环节。要把增强自主创新能力作为国家战略,致力于建设创新型国家。要大力开发具有自主知识产权的关键技术和核心技术,努力提高原始创新、集成创新和引进消化吸收再创新的能力。

提高自主创新能力,必须着力抓好以下几点:一要加快建立以企业为主体、市场为导向、产学研相结合的技术创新体系。二要改善技术创新的市场环境,加快发展创业风险投资,加强技术咨询、技术转让等中介服务。三要实行支持自主创新的财税、金融和政府采购等政策,完善自主创新的激励机制。四要利用好全球科技资源,继续引进国外先进技术,积极参与国际科技交流与合作。五要加强知识产权保护,这是需要特别强调的问题。保护知识产权,对鼓励自主创新、优化创新环境具有十分重要的意义,也有利于减少与国外的知识产权纠纷。要建立健全知识产权保护体系,加大保护知识产权的执法力度。

增强自主创新能力,必须深入实施科教兴国战略和人才强国战略。科学技术发展,必须坚持自主创新、重点跨越、支撑发展、引领未来的方针。要从增强国家创新能力出发,解决经济社会发展面临的重大科学技术问题,增强科技竞争力。要坚持有所为、有所不为,集中力量在一些重点领域、关键环节取得突破。要针对经济社会发展中的技术瓶颈,在能源、资源、环境、农业和信息等关键领域取得重要进展。要着眼长远,加强基础研究和前沿技术研究,在一些前沿高科技战略领域超前部署,培育新兴产业。实现科技发展的目标,必须继续深化科技体制改革,充分发挥各种科技资源的潜力。

从根本上说,加快科技发展,全面推动经济振兴和社会进步,都取决于劳动者素质的提高和大量高素质人才的培养。继续把教育放在优先发展的战略位置。要加快教育结构调整,着力普及和巩固义务教育,大力发展职业教育,提高高等教育质量。要全面实施素质教育,深化教育体制改革。

5. 深化体制改革和提高对外开放水平

改革开放是决定中国命运的重大决策。二十多年来,我国经济社会发展取得的一切成就,都是同坚决地推进经济体制改革和对外开放分不开的。要实现新阶段的发展任务,把中国特色社会主义事业继续推向前进,必须坚定不移地深化改革、扩大开放。《纲要》把深化体制改革和提高对外开放水平放在重要位置,特别强调要完善落实科学发展观的体制保障。这是因为,我国改革仍然处于攻坚阶段,要建立完善的社会主义市场经济体制,还必须解决不少难度很大的深层次问题;同时,要搞好"五个统筹",加快推进经济结构调整和增长方式转变,促进经济平稳较快发展和建设和谐社会,都要靠深化改革。因此,必须以更大决心加快推进改革,使关系经济社会发展全局的重大体制改革取得突破性进展。《纲要》对"十一五"时期深化体制改革作出了全面部署。

第一,着力推进政府行政管理体制改革。这是全面深化改革和提高对外开放水平的关键。重点是要进一步转变政府职能。目前,各级政府仍然管了许多不应该管又管不好的事,而不少应该由政府管

理的事却没有管好,一些部门之间职责不清、管理方式落后、办事效率不高。只有坚决实行政企分开,企业才能真正成为市场主体,也才能更大程度地发挥市场配置资源的基础性作用;政府才能集中精力全面履行经济调节、市场监管、社会管理和公共服务职能,也才能建立起有效的宏观调控体系和制度。要继续推进政企分开,坚决把不该管的事交给企业、中介组织和市场,同时把该管的事切实管好,并要适应新的情况,更多地运用经济手段和法律手段加强管理。进一步减少和规范行政审批。继续深化投资体制改革,特别要建立健全和严格实施市场准入制度,加强对全社会投资活动的引导、调控和监管。要深化政府机构改革,优化政府组织结构,减少行政层级,理顺职能分工。加快建设法治政府,全面推进依法行政,健全科学民主决策机制和行政监督机制。建立健全教育、制度、监督并重的惩治和预防腐败体系。

第二,坚持和完善基本经济制度。坚持公有制为主体、多种所有制经济共同发展。国有经济布局和结构调整、国有企业改革已取得了重要进展,但仍然需要加大力度,继续推进。要加快国有大型企业股份制改革,健全现代企业制度。深化垄断行业改革,放宽市场准入,实现投资主体和产权多元化。建立健全各类国有资产监管体制和制度。继续深化集体企业改革。同时,认真贯彻落实鼓励、支持和引导非公有制经济发展的方针和政策,为非公有制企业健康发展创造公平竞争的法治环境、政策环境和市场环境。

第三,推进财税金融体制改革。要从推动经济结构调整、转变经济增长方式、提高自主创新能力、节约能源资源、促进全面协调发展的要求出发,深化财政税收

体制改革。合理界定各级政府的事权,建立健全与事权相匹配的财税体制。调整财政支出结构,加快公共财政体系建设。完善中央和省级政府的财政转移支付制度,理顺省级以下财政管理体制。完善增值税制度,实现增值税转型。调整和完善资源税。统一各类企业税收制度。加快金融体制改革,这是关系改革和发展全局的重要任务,直接关系到国家经济稳定与安全。要继续推进国有金融企业的股份制改造,深化政策性银行改革,稳步发展多种所有制的中小金融企业。在深化改革中推进资本市场健康发展。进一步完善金融监管体制,加强金融监管,防范和化解金融风险。

目前我国已进入加入世贸组织的后过渡期,对外开放面临更加复杂的国际环境。在纺织品贸易、知识产权、能源资源等方面,新的矛盾和问题还会继续出现。必须统筹国内发展和对外开放,不断提高对外开放水平。要实施互利共赢的开放战略,把既符合我国利益、又能促进共同发展,作为处理与各国经贸关系的基本准则。一是加快转变对外贸易增长方式,积极发展对外贸易,优化进出口商品结构,努力实现进出口的基本平衡。二是继续积极有效利用外资,着力提高利用外资质量,加强对外资的产业和区域投向引导。三是支持有条件的企业"走出去",按照国际通行规则到境外投资。要进一步深化涉外经济体制改革,完善促进生产要素跨境流动和优化配置的体制和政策。在扩大对外开放中,切实维护国家经济安全。

6. 加强和谐社会建设

构建社会主义和谐社会,是我们推进经济社会发展的重要目标,也是经济社会发展的重要保障。要按照民主法治、公平正义、诚信友爱、充满活力、安定有序、人与自然和谐相处的要求,加快推进和谐社会建设。特别要突出解决好人民群众最关心的就业、社会保障、扶贫、教育、医疗、环保和安全等问题。

就业是关系人民群众切身利益的重大问题,是我们要长期面对的突出难题。未来一个时期,城镇新成长劳动力、城镇下岗失业人员再就业、农村富余劳动力转移就业等方面的压力都很大,就业矛盾相当突出。要坚持实施积极的就业政策,千方百计扩大就业和再就业。

加快完善社会保障体系,这是维护社会公正、协调社会利益、构建和谐社会的重要方面。要继续完善城镇职工基本养老、基本医疗和失业、工伤、生育等保险制度,逐步提高基本养老保险社会统筹层次,增强统筹调剂的能力。同时,要认真解决进城务工人员社会保障问题,扩大城镇社会保障的覆盖面。有条件的地方要积极探索建立农村最低生活保障制度。要努力增加财政的社会保障投入,多渠道筹措社会保障基金。

鉴于当前收入分配领域存在的矛盾比较突出,《纲要》高度重视合理调节收入分配的问题。明确提出了逐步解决收入分配差距过大的原则和政策,强调要更加注重社会公平,着力提高低收入者收入水平,逐步扩大中等收入者比重,有效调节过高收入,规范个人收入分配秩序,努力缓解地区之间和部分社会成员收入分配差距扩大的趋势。

教育是现代文明的基石。提高国民素质,必须大力发展教育。重点加强义务教育特别是农村义务教育,强化政府对义务教育的保障责任。对农村学生免收学杂费,对贫困家庭学生提供免费课本和寄宿生活补助费,认真解决城市低收入群众的子女就学困难问题。加大教育投入,建立有效的教育资助体系,发展现代远程教育,促进各级各类教育协调发展。要进一步采取措施,坚决制止教育乱收费现象。

发展文化事业和文化产业,丰富人民群众精神文化生活,是建设和谐社会的重要任务。要按照文化事业和文化产业的特点,采取不同的政策。加大政府对文化事业的投入,逐步形成覆盖全社会的比较完备的公共文化服务体系。深化文化体制改革,形成以公有制为主体、多种所有制共同发展的文化产业发展格局和民族文化为主体、吸收外来有益文化的文化市场格局。要努力创造更多更好适应广大群众需求的优秀文化产品。

努力提高广大人民群众健康水平。要加大政府对卫生事业的投入,完善公共卫生和医疗服务体系,提高对疾病预防控制和医疗救助服务能力。深化医疗卫生体制改革,整顿药品生产和流通秩序。合理配置医疗卫生资源,建立新型农村合作医疗制度,完善城市社区医疗卫生服务体系。认真研究并逐步解决群众看病难看病贵的问题。积极开展全民健身运动。

保障人民群众生命财产安全关系重大,必须进一步抓好安全生产和社会治安工作。要健全安全生产监管体制,严格安全执法,加强安全生产设施建设。同时,要强化对食品、药品、餐饮卫生等市场监管,保证人民群众健康安全。要加强社会治安综合治理,继续推进社会治安防控体系建设,依法打击各种违法犯罪活动,维护社会稳定,保障人民群众安居乐业。

《纲要》专门阐述了加强和改善党的领导,加强社会主义民主政治和精神文明建设,加强国防和军队建设,保持香港、澳门长期繁荣稳定,推进两岸关系发展和祖国统一大业,积极营造良好的外部环境等重大问题,提出了明确要求。

"十一五"规划实施的情况

1. 总体进展情况

总体上看,《纲要》实施两年多来,我国经济社会继续全面发展,改革开放深入推进,人民生活不断改善,综合国力和国际影响力进一步提升。《纲要》实施总体进展情况是好的。

在经济社会发展主要指标方面,《纲要》确定的22个主要指标大多数达到了预期进度要求。14个预期性指标中,反映经济增长和改善民生的10个指标完成情况达到或超过预期。"十一五"前两年,我国GDP年均增长11.8%,人均GDP年均增长11.2%,高于规划预期;城镇居民人均可支配收入年均增长11.3%,农村居民人均纯收入年均增长8.4%,均高于年均增长5%的规划预期;工业固体废物综合利用率提前实现预期目标;农业灌溉用水有效利用系数提高0.02,达到规划预期要求;国民平均受教育年限达到8.7年,提高0.2年,达到规划预期要求;城镇化率达到44.9%,累计提高1.9个百分点,快于年均提高0.8个百分点的规划预期。两年半来,城镇累计新增就业3028万人,完成规划目标的67%,超过规划预期;城镇登记失业率控制在5%的规划目标以内;累计转移农业劳动力2166万人,完成规划目标的48%,接近规划预期。但前两年服务业就业比重只提高了1个百分点,服务业增加值占GDP比重与2005年持平,与五年累计分别提高4个百分点和3个百分点的规划预期相比,进展较慢;研究与试验发展经费支出占GDP比重提高到1.49%,两年提高0.15个百分点,与五年提高0.66

个百分点的规划预期有一定差距。8个约束性指标中,除森林覆盖率指标因缺乏年度数据难以准确评估、节能减排2个指标进展相对滞后外,其余5个指标均好于规划要求。2007年末,全国总人口13.2129亿人,与2005年相比,年均增长5.2‰,控制在年均增长8‰的要求以内;全国耕地面积1.217亿公顷(18.26亿亩),年均减少0.1%,控制在年均减少不超过0.3%的目标之内;两年来万元工业增加值用水量下降16%,完成目标的53%。截至2008年6月底,城镇基本养老保险覆盖人数达到2.1亿人,实现规划目标的73%;新型农村合作医疗已经覆盖全国全部有农业人口的县(市、区),提前完成规划目标。单位GDP能源消耗两年累计下降5.38%,完成规划目标的26.9%;2007年二氧化硫和化学需氧量排放总量两大主要污染物排放总量首次出现双下降,分别比2006年下降4.7%和3.2%,两年完成规划目标的32%和22%。

在完成重点领域发展任务方面,《纲要》确定的重点领域各项改革发展任务稳步推进,经济保持平稳较快发展,社会事业不断进步。主要体现在:"三农"工作继续得到加强,强农惠农力度加大,粮食综合生产能力提高,粮食连年丰收,2007年总产量达到10032亿斤;产业结构不断优化升级,高技术产业快速发展,2007年能源加快发展;原材料工业结构调整初见成效;信息化水平稳步提高;交通运输、物流配送、金融保险、信息服务等发展加快;文化创意、电子商务等新兴产业和新型业态蓬勃发展;北京、上海、广州等大城市初步形成了以服务经济为主的产业结构。区域发展的协调性进一步增强。

西部地区基础设施建设取得明显成效,能源、重要矿产资源、农副产品加工和旅游业等特色优势产业加快发展。东北地区国有企业改革改制和联合重组进程加快,外向型经济和非公有制经济比重上升。中部地区作为全国重要粮食生产基地、能源和原材料基地、现代装备制造和高技术产业基地,以及综合交通运输枢纽的地位得到强化。长三角、珠三角、京津冀等东部沿海地区产业转型升级步伐加快。

作为实施新时期国土空间开发战略的国家主体功能区规划已基本编制完成。节能减排继续扎实推进,能耗呈现逐年下降的良好势头,主要污染物减排取得重要进展。

自主创新能力逐步增强,前两年全国研究与试验发展经费支出分别增长18.7%和23.5%。企业技术创新主体地位进一步增强,近25%的大中型企业建立了研发机构,企业研发投入占全国研究与试验发展经费支出的56.9%,国内发明专利申请有48.3%来自企业。国家确定的12项重大科技基础设施建设按计划顺利推进,知识创新工程稳步实施,前沿技术领域突破一批核心技术。

改革开放不断推进,行政审批事项继续减少,国有资本经营预算制度开始试行,全面实施了新的企业所得税法,增值税转型在试点基础上将向全国推开。重大灾害和公共突发事件应急管理体制初步建立,社会救助体系基本形成,综合配套改革试点稳步推进。外资利用质量和水平进一步提高,利用外资方式更加多样化,高技术产业、现代服务业和中西部地区利用外资规模迅速增长。境外投资保持较快增长,领域不断拓展。

民生改善取得新进展,全国就业形势总体稳定,就业结构继续改善,就业规模进一步扩大。城乡居民收入较快增长,生活质量普遍提高。义务教育保障水平继续提高,全国范围内全面实施了城乡免费义务教育,覆盖城乡的公共文化服务体系不断完善。社会保障面持续扩大,医药卫生体制改革已形成方案。

2. 面临的主要问题

《纲要》实施也面临一些不容忽视的矛盾和问题,特别是全球金融危机的扩散和蔓延,对后两年规划实施也形成了严峻的挑战。

(1)经济结构性矛盾仍然突出

从需求结构看,内需与外需、投资与消费结构失衡,经济增长过于依赖投资和出口拉动。2007年的投资率仍高达42%以上,消费率进一步降至48.8%,外贸依存度高达66%以上。从产业结构看,工业增速过高,服务业发展滞后,农业基础薄弱,经济增长主要依赖工业带动的局面没有根本扭转。近两年,工业增速都在13%左右,占GDP值的比重由2005年的42.2%提高到2007年的43%,其中,重化工业占工业增加值的比重由69%提高到70.6%。服务业增加值比重和服务业就业比重均未达到预期要求。从要素投入结构看,科技进步、劳动者素质提高、管理创新等对经济增长的贡献不够,经济增长主要依赖物质资源和简单劳动投入的局面没有根本扭转。

(2)资源环境压力不断加大

随着经济总量扩大,能源、淡水、土地、矿产等战略性资源不足的矛盾越来越尖锐,长期形成的高投入、高污染、低产出、低效益的状况仍未根本改变,造成水质、大气、土壤等污染严重,生态环境问题突出。降低能源资源消耗和减少主要污染物排放的形势十分严峻,完成节能减排任务相当艰巨。

(3)重点领域和关键环节改革还不到位

改革处于攻坚阶段,一些深层次体制机制问题还未得到根本解决。主要是政府职能转变还不到位,公共服务和社会管理比较薄弱;垄断行业改革总体推进缓慢,竞争性市场格局尚未形成;资源要素价格改革进展不快,资源利用效率总体偏低;财税金融不能满足实现基本公共服务均等化的需要,难以提升金融业竞争力和服务水平,其体制改革有待深化。此外,收入分配、社会保障、医疗卫生等社会领域改革也需要进一步加快。

(4)社会发展仍存在不少矛盾和问题

主要表现为就业形势严峻,劳动力供需总量矛盾和结构性矛盾突出;收入分配不合理,分配秩序不规范,城乡收入差距、行业间收入差距过大;社会保障制度不完善,基本养老保险统筹层次低,社会保险关系转移接续难,做实个人账户进展缓慢;推进基本公共服务均等化的机制有待完善,城乡间、区域间公共服务水平差距较大;生产安全和食品药品安全等事件时有发生。

与此同时,规划实施的国内外环境正在发生明显变化。2008年以来,世界金融形势复杂多变,次贷危机引发的金融危机从发达国家传导到全球,从金融领域扩散到实体经济领域,酿成了一场20世纪30年代大萧条以来最严重的世界经济危机,对国内经济增长、劳动就业等方面的影响逐步显现;加之我国经济生活中尚未解决的深层次矛盾和问题,经济下滑已经成为当前和今后一个时期的主要矛盾。这对长期保持经济平稳较快增长,全面实现"十一五"规划目标和任务,带来了新的严峻考验。

3. 应采取的措施

进一步推进《纲要》顺利实施,确保完

成各项目标和任务,关键是要妥善应对国际金融危机的剧烈冲击,围绕解决规划实施中的突出问题,化压力为动力,变挑战为机遇,立足当前、着眼长远,把保增长、扩内需和调结构更好地结合起来,把发展经济和改善民生紧密结合起来,在加快转变发展方式、完善社会主义市场经济体制方面取得新进展,保持国民经济又好又快发展与社会和谐稳定。着力在以下方面做好工作:

(1)以扩大内需为着力点,保持经济平稳、较快发展

"十一五"后两年,为了有效地减少国际金融危机对我国经济的影响,解决好经济社会发展中的突出矛盾和问题,必须把保持经济平稳、较快发展作为首要任务,坚持灵活审慎的宏观经济政策,继续实施积极的财政政策和适度宽松的货币政策,注重综合运用减税、扩大中央政府投资等多种手段,加大对扩大内需、调整结构、转变发展方式和保障民生的支持力度。要坚持扩大投资规模和优化结构并举,在优化结构的前提下保持合理投资规模,坚持"区别对待,有保有压",加大对经济社会发展薄弱环节、重点领域和中西部地区支持力度,集中加快建设和启动一批支持"三农"、改善民生、完善基础设施、促进结构优化、生态环保等方面的重大工程,有力、有序、有效地做好灾后恢复重建工作。扩大内需,最关键的是要继续增强消费这一最终需求对经济增长的拉动作用。要深化收入分配制度改革,调整国民收入分配格局,逐步提高居民收入在国民收入分配中的比重,提高劳动报酬在初次分配中的比重,增加农民和城镇低收入者收入,扩大中等收入者比重,为扩大消费需求提供支撑。要扩大社会保障覆盖面,逐步提高社会保障水平,稳定消费预期,提高即期消费水平。要进一步改善消费环境,努力培育新的消费热点,特别是要稳定住房和汽车等大宗消费,促进房地产和汽车市场的健康发展。在扩大内需的同时,要继续保持对外贸易平稳增长,优化进出口结构,加快转变外贸发展方式。

(2)以提高自主创新能力和优化结构为着力点,增强发展的协调性

国际市场收缩、国内生产要素成本上升和生态环境约束强化,使我们不可能再走依靠低成本优势推动数量扩张的老路,必须紧紧抓住提高自主创新能力这一中心环节,加快推进产业结构优化升级。要进一步完善鼓励自主创新的财税、金融和政府采购制度,加快实施重大科技专项,加强重大科技基础设施建设,切实加强知识产权保护,着力突破制约经济社会发展的关键技术和核心技术,加快推动产业结构从一般加工向高端制造延伸,逐步形成新的竞争优势。要大力发展现代农业,进一步加大强农惠农力度,巩固农业基础地位,确保国家粮食安全。高度重视服务业特别是生产性服务业对产业结构优化升级的推动作用,完善相关政策,努力提高服务业比重和发展水平,促进现代制造业与服务业的互动发展。要加大融资服务和技术支持,促进中小企业健康发展,推动中小企业转型升级。同时,要利用当前有利时机,积极推动企业兼并重组,优化产业组织结构,加快淘汰落后生产能力。要把推进城镇化和建设社会主义新农村作为改善城乡结构的两个重要"抓手",以工促农,以城带乡,努力形成城乡经济社会发展一体化新格局。要继续实施区域发展总体战略,尽快发布并实施主体功能区规划,完善区域政策,调整经济布局,优化国土开发格局。

(3)以资源要素价格和财税体制改革

为着力点,促进经济发展方式转变

资源要素价格未理顺、财税体制不完善,是经济发展方式转变缓慢的重要原因。必须加快理顺资源要素价格形成机制,使资源价格真实地反映市场供求关系、资源稀缺程度和环境损害成本,促进企业改变资源消耗大、环境污染重的发展方式。同时,通过理顺要素价格、调整盈利预期,扭转资源在高污染、高耗能行业过于集中的态势。要围绕推进基本公共服务均等化和主体功能区建设,加快完善公共财政体系,加快形成财力与事权相匹配的财政体制和统一规范透明的财政转移支付制度,增强基层政府提供公共服务的能力,从源头上遏制一些地方盲目大上工业项目特别是重化工项目的势头。按照简税制、宽税基、低税率、严征管的原则,深化税制改革,引导经济活动主体走科学发展的道路。

(4)以节能减排为着力点,提高可持续发展能力

要继续把节能减排和环境保护作为宏观调控的重要目标,综合运用经济、法律和必要的行政手段,加快淘汰落后生产能力,抓好重点企业节能和重点工程建设,大力开发、推广节能减排和环境保护技术,继续做好重点流域污染防治工作,加大农村污染防治力度,鼓励和支持发展循环经济,加强土地、水、草原、森林、矿产等资源的节约集约利用,推进应对气候变化能力建设。各级政府要通过合理配置公共资源和有效运用行政力量,强化法律实施和监管,加强行政问责制,坚决打好实现节能减排目标攻坚战。

(5)以建设服务型政府为着力点,保障和改善民生

进一步推进政府职能转变,建设服务型政府,是加快推进以改善民生为重点的社会建设的制度保障。各级政府要强化社会管理和公共服务职能,调整财政支出结构,加大投入力度,确保完成《纲要》提出的各项公共服务和社会管理任务。后两年,要把扩大就业摆在经济社会发展更加突出的位置,实施更加积极的就业政策,通过加快服务业和中小企业发展,以创业带动就业,建立健全政策扶持、创业服务与创业培训相结合的工作机制,多渠道增加就业机会,重点做好困难群体就业、高校毕业生就业工作,特别要高度重视解决经济减速带来的农民工失业问题。全面推进社会保障制度建设,推进社会保险、社会救助、社会福利等制度的相互衔接,加快实现基本养老保险省级统筹,加快制定社会保险关系跨区域转移接续办法,加快推进被征地农民的社会保障制度建设,全面推进新型农村合作医疗的发展,进一步做好扶贫开发工作,加强对受灾群众、困难群众等的社会救助。继续完善保障性住房制度,多渠道解决城市中低收入家庭住房困难。切实加强食品药品安全、生产安全等监管,保障人民生命财产安全,确保社会大局稳定。

4.“十一五”规划《纲要》基本结论

十届全国人大四次会议审议批准的“十一五”规划《纲要》,是在我国经济社会发展处于“黄金发展期”和“矛盾凸显期”背景下的五年规划,是贯穿科学发展观红线的五年规划,是首次用约束性指标来强化政府责任的五年规划。两年多来的实施情况表明,《纲要》所确定的指导思想、发展目标、重点任务和政策措施是正确的,规划实施总体上是顺利的。《纲要》确定的 22 个主要发展指标,经过努力,预计到 2015 年规划期末,大多数是可以较好实现的,个别指标也会有可能或基本实现,不必对规划目标作调整。需要说明的是,

其中的 14 个预期性指标,重在发挥宏观指导作用,由于在市场经济条件下客观上存在的不确定性,即使实施中出现超前或缓慢,在指标值上出现一定的偏离,也是正常的。其中的 8 个约束性指标,重在对政府履行职责进行要求,也是首次在中长期规划中确立的,由于各地情况的差异,基本统一的指标值不可能完全准确,实施中能够基本完成就达到目的。据分析,虽然前两年二氧化硫排放量减少只实现了预期目标的 79%,但如果没有这一约束性指标,二氧化硫排放量会比预期目标值增加 278%,即排放量会比两年前增加 11.2%。同理,单位能耗降低虽然仅实现两年预期目标的 62%,但如果没有这一约束性指标,单位能耗会比预期目标值增加 41%,即单位能耗会比两年前增加 3.28%。

虽然未来两年的任务是相当艰巨和繁重的,但也要清楚地看到,继续推进《纲要》顺利地实施也具备很多有利条件。30 年的改革开放,奠定了良好的体制、物质和技术基础,综合国力大大增强;工业化、城镇化快速发展,国内市场广阔,发展潜力大,有较大的回旋余地;宏观调控能力提高,市场配置资源的作用进一步增强,经济具有较强的内在动力和活力。只要把思想和行动高度统一到中央的决策和部署上来,解放思想、迎难而上、开拓进取、扎实工作,就完全有信心和能力战胜前进道路上的各种困难和挑战,较好地实现"十一五"规划《纲要》确定的战略目标和任务。

"十一五"规划中期实施情况也显示,应及早对后两年难以有效解决的全局性、战略性重大问题开展前瞻性研究,包括能源资源利用问题、生态环境保护问题、空间开发结构优化问题、粮食安全保障问题、城镇化健康发展问题、人力资源开发

问题等,提出推动解决这些问题的方向和路径,为谋划好"十二五"时期的发展战略奠定基础。

振兴东北老工业基地

作为我国重要的老工业基地,东北为我国的经济建设作出过巨大的贡献,但在改革开放以后东北出现了一系列问题,拉大了与东部沿海发达地区的距离。为了缩小区域之间经济发展的差距,实现均衡发展战略,中央继提出西部大开发战略以后,又提出振兴东北老工业基地的战略部署,这不仅为东北地区提供了难得的历史性发展机遇,也是在我国沿海地区经济发展的基础上,实行东西互动的重大举措。东北地区有望成为继珠三角、长三角、环渤海后又一个重点经济增长区。为推动东北地区等老工业基地振兴,国家有关部门在项目投资、财政税收、金融、国有企业改革、社会保障、资源型城市转型、对外开放等方面采取了一系列的政策措施。在国家有关政策的积极支持下,东北地区振兴战略已经取得了一定成效。可以说,国家实施的东北地区等老工业基地振兴战略开局良好。

一

东北的基础和现状

我们现在所说的东北,是山海关以北,漠河以南,乌苏里江以西的黑龙江、吉

林和辽宁三省,而所说的大东北,还包含了内蒙古的蒙东地区。大东北,三面由大小兴安岭和长白山环绕,广阔的平原地区则穿插排布着松花江、嫩江以及辽河等数条河流。世界上著名的三大黑土地之一,就在这白山黑水之间。

东北地区包括辽宁、吉林、黑龙江和内蒙古东部地区(赤峰市、兴安盟、通辽市、锡林郭勒盟、呼伦贝尔市),土地面积为126万平方公里,占全国国土面积的13%。2004年GDP总量1.6万亿元,占全国的11.76%,人口1.2亿,占全国总人口的9.18%,是我国东北边疆地区自然地理单元完整、自然资源丰富、多民族深度融合、开发历史近似、经济联系密切、经济实力雄厚的大经济区域,在全国经济发展中占有重要地位。

1. 地理与自然资源

东北地区南北跨越17个纬度,东西横贯20个经度,呈三面环山、中部敞开的地表结构。东北地区是我国森林面积最大的区域,自然景观以森林和草甸草原为主;土壤类型复杂,黑土为其代表性土壤,是世界著名的三大黑土地分布区域之一。拥有接近或超过50万人口大中城市30多个,边界线总长7500多公里,海岸线2178公里,海陆口岸众多,邻近日本海,面向太平洋,使东北地区兼有海路交通之便。

东北三省土地总面积约占全国的8.3%,2002年全区耕地面积为21.5万平方千米,占全国耕地总面积的16.68%;人均耕地面积0.309公顷,是全国人均耕地面积的3倍。东北三省矿产资源分布广,种类繁多,现已探明储量的矿种有84种,占全国已探明矿种的64%,其中有近60种为大中型矿床。累计探明储量占全国首位的有石油、铁、金、镍、锰、钼、菱镁、金刚石、石墨等;居全国前五位的有铜、镁、

铅、锡、石膏、大理石等。其中,铁矿保有储量为1241.6亿吨,占全国储量的1/4;石油储量占全国1/2以上;煤炭669.1亿吨,占全国9%,油页岩储量211.4亿吨,占全国68%。

东北地区是全国重点林区,现有林地面积4393万公顷,森林总蓄积量为37亿立方米。东北林区木材品种齐全,林质优良,树的种类有100多种。全区有野生动物1000余种。除飞龙、雕、天鹅、东北虎、鹿、紫貂等30余种珍稀动物外,经济价值较高的还有林蛙、花尾棒鸡等。森林野生植物资源极为丰富,据不完全统计共有2400多种,可食用植物1000多种。东北地区天然草原野生植物也比较丰富,已查明的野生经济植物就有800余种。这些野生植物的潜在价值在数百亿以上,堪称我国的"生物资源宝库"。

中华人民共和国建立初期,东北是社会主义工业的摇篮,为国家重要战略物资储备和工业化建设奠定了扎实基础,"一五"和"二五"时期建设的156项重点工程中有56项分布在东北,后来又经过不断完善和发展,形成了以钢铁、机械、石油、化工为主导的工业体系,尤其在装备制造业方面形成了强大的基础,是"共和国的总装备部"。目前,东北地区汽车产量占全国的1/4,其中重型卡车产量占全国的1/2,船舶产量占全国的1/3。同时,东北地区还是我国重要的农业基地。东北地区拥有专业技术人员210万,占全国10%。2005年东北三省GDP为17140.7亿,占全国同期9.4%。

改革开放以来,东北老工业基地和大量的国有企业通过改制和结构调整,取得了许多丰富的经验,为改革和发展作出了新的贡献。

2. 东北老工业基地的特点

1953 年至 1965 年是东北老工业基地大规模建设时期，这一时期，中国开始进行社会主义工业化建设，东北被选为重工业基地。将东北建成老工业基地是基于东北地区独特的资源基础、工业基础、社会基础、地缘基础。作为一个完整的经济地理区域，东北地域辽阔，资源丰富，发展重工业的能源及各种工业原材料应有尽有。受日俄殖民地统治的影响，东北地区重工业比重很高，煤炭、发电、钢材、水泥等工矿业较为完善，拥有相对较好的工业基础。东北是中国解放最早的大行政区，社会改革较为彻底，和平的后方为东北工业建设提供了和平的国内外环境。美苏冷战形成的东西方两大阵营为东北老工业基地建设提供了良好的地缘基础，与当时社会主义阵营的苏联、朝鲜、蒙古的接壤构成了东北发展安全的地缘环境。

经过第一个和第二个五年计划的大规模基本建设，东北地区基本形成了以钢铁、机械、有色金属、化学等制造业、煤炭、电力、石油等能源工业及飞机、船舶、武器装备等基础设施较为完善的工业基地，在抗美援朝和全面向苏联学习等过程中，为国家的现代化建设作出了巨大贡献。

随着我国实行改革开放，尤其是建设具有中国特色的社会主义市场经济，自 20世纪 80、90 年代以来，东北地区长期计划经济体制下形成的各种结构性和体制性矛盾开始显现，以企业破产和工人下岗为标志的"东北现象"及以农民增收缓慢、农业效益下滑为标志的"新东北现象"陆续出现，不仅老工业基地自身面临危机，中国走新型工业化道路，发展自己的重化工业也面临国内外的各种挑战。显然，在计划经济向市场经济转轨过程中，东北地区经济的发展速度明显滞后，促进经济进一步发展的技术基础和制度环境明显不适

应市场经济发展的形势，与沿海发达地区的差距不断扩大。同时，经济发展与资源、环境间的矛盾也不断出现，并在局部地区形成比较尖锐的态势。这一过程的出现，既有制度变迁的原因，也有经济和技术的原因，更有资源环境的问题。

随着国家重视区域协调发展，各种旨在谋求区域发展与振兴的政策陆续出台。继 20 世纪 70 年代末期的深圳和珠海特区后，1984 年推出了沿海 14 个城市开放为标志的东南沿海全面开放战略，1992 年浦东开发战略，2000 年西部大开发战略，2003 年东北振兴，2005 年中部崛起等，中国已经开始形成以珠江三角洲、长江三角洲、环渤海地带为代表的多层次经济圈，谋求区域发展平衡又鼓励区域竞争的发展将是时代潮流。在此过程中，东北振兴作为打造中国规模最大的重工业基地，为上述经济圈提供加工轻工业产品的基础装备，其改造和发展具有特殊意义。

3. 东北老工业基地的发展优势

（1）优良的生态环境和生态资产

东北三省生态环境相对较好，生态资产优良，吉林、黑龙江两省是全国生态建设试点省。吉林省从东到西拥有良好的长白山原始森林生态、东中部低山丘陵次生植被生态区以及中部松辽平原生态区、西部草原湿地生态区等，全省森林覆盖率达到 43％左右。良好的生态环境和生态资产，构成东北三省传统产业的绿色化，为发展绿色产业、加速东北老工业基地改造振兴打下良好基础。目前，长白山矿泉水点占全国 7.4％，日开采量占全国的 12％。山野菜、林蛙等绿色产品驰名中外，如能解决长期保鲜问题，发展潜力相当大。

（2）雄厚的科技实力和较好的人力资源

东北三省教育比较发达,科技实力雄厚,具有较高的科研开发和成果转化能力。拥有一批大专院校、科研院所技术开发中心,特别是集中了一大批国家重点综合、理工科大学和重点研究所、实验室,电子信息、生物工程、先进制造和新材料技术在全国处于领先水平。目前,吉林省拥有县以上独立研究机构近200个,其中中国科学院属研究所4个,全日制普通高校属和大中型工业企业属研究与开发机构400多个;有各类专业技术人员74.7万人,其中院士27人,国家级有突出贡献的中青年专家127人,"百千万人才工程"第一层次人选19人,每万人拥有科学家、工程师人数和人均专利批准数均列全国第5位;全省具有高级职称的人员占6.7%,具有大专以上学历的占52.88%。此外,作为老工业基地,培养和造就了一批懂技术、擅管理的训练有素的产业工人和经营管理人员。雄厚的科技实力和较好的人力资源,为东北三省发展高技术产业和传统产业的改造提供了现实基础。

(3)良好的产业基础

东北三省在装备制造业(含造船)、汽车工业、石油化工、钢铁、医药、农产品深加工和绿色产品生产及高技术产业上,已形成一批规模较大,在国内国际市场上具有较强的竞争力的企业,富有产业集聚和簇群效应,发展潜力巨大。辽宁的数控机床、输变电,吉林的汽车、轨道列车,黑龙江的发电设备、重型机械、直升机等,在国内均处于领先地位。2001年,东北三省汽车总产量占全国的26.1%,其中一汽集团轿车产量占全国的22.1%,重型卡车占全国的50%;原油产量占全国的42.3%,原油加工能力占全国的29.3%;乙烯生产能力占全国的31.1%;造船能力居国内第一。

(4)有优越的区位和便利的交通及快捷的通信

与其他中西部地区相比,东北处于东北亚地区中心地带,与日本、韩国、朝鲜、俄罗斯相邻,有4637公里的边境线和2178公里长的大陆海岸线,拥有大连、丹东、营口等5个出海港以及丹东市、集安市、临江市、珲春市、和龙市、安图县、绥芬河市、黑河市爱辉区等32个边境县(市、区),具有面向俄罗斯及东北亚地区开放开发的有利条件。形成了四通八达的铁路、公路、水路、航空和管道运输相结合的交通运输网,长途传输设备、局用交换设备均实现数字化、程控化,建成省会到地市的长途干线传输网,并基本完善了地市本地传输网,交通通信基础设施瓶颈制约得到初步缓解,形成对国民经济发展的强有力支撑。

二

振兴东北战略的提出和初步实施

2003年10月,中共中央、国务院下发了《关于振兴东北地区等老工业基地的若干意见》,标志着振兴东北地区老工业基地的战略正式实施。

2003年12月,国务院振兴东北地区等老工业基地领导小组成立,国家发改委副主任张国宝任组长;2004年3月温家宝主持国务院振兴东北地区等老工业基地领导小组召开第一次全体会议;2005年8月国务院召开东北资源型城市可持续发展座谈会;2006年3月《政府工作报告》中提出"继续实施东北地区等老工业基地振兴战略";2006年6月在中国《国民经济和社会发展第十一个五年规划纲要》中继续确认了东北振兴的意义和重要性。

2007年8月20日,《东北地区振兴规划》正式面世。这份由国家发改委、国务院振兴东北办组织编制的"中国第一个由国务院正式批复"的地区性发展规划提出,未来要将东北地区建设成为中国综合经济发展水平较高的重要经济增长区域,并确立了"四基地一区"的目标定位。规划还提出将"依托大连商品交易所,大力发展期货贸易,建设亚洲重要的期货交易中心"。《东北地区振兴规划》以"一条主线"、"六个加快"为核心展开,即:以促进老工业基地振兴为主线,加快改革开放步伐、加快结构调整与升级、加快区域合作进程、加快资源枯竭型城市经济转型、加快建设资源节约型环境友好型社会、加快发展教育卫生文化体育等各项社会事业。政府期待将经过10年到15年的努力,实现东北地区的全面振兴。

规划范围:辽宁省、吉林省、黑龙江省和内蒙古自治区呼伦贝尔市、兴安盟、通辽市、赤峰市和锡林郭勒盟(蒙东地区)。土地面积145万平方公里,总人口1.2亿。规划以"十一五"时期为重点,重大问题展望到2020年。

规划目标:经过10-15年的努力,将东北地区建设成为体制较为完善,产业结构比较合理,城乡、区域发展相对协调,资源型城市良性发展,社会和谐,综合经济发展水平较高的重要经济增长区域;形成具有国际竞争力的装备制造业基地,国家新型原材料和能源保障基地,国家重要商品粮和农牧业生产基地,国家重要的技术研发与创新基地,国家生态安全的重要保障区,实现东北地区的全面振兴。

《规划》以解决振兴面临的主要问题为着眼点,重在阐明国家战略意图,明确政府工作重点,引导市场行为,进一步明确振兴的总体思路、主要目标和发展任务,统筹协调区域发展重大问题,完善政策措施,是今后一个时期东北地区振兴的指导性文件。

振兴东北老工业基地初见成效

以2003年10月下发的《关于实施东北地区等老工业基地振兴战略的若干意见》为标志,实施东北老工业基地振兴战略已经五年多了。实施振兴战略以来,东北三省体制改革、机制创新步伐加快,对外开放度提高,经济持续快速增长,就业增加,社会保障体系初步建立。可以说,2004—2006年的三年,是东北三省发展最快最好的时期之一。实施振兴战略以来,东北三省经济步入快车道,经济增长速度加快,与全国差距逐步缩小。2005年,辽、吉、黑地区生产总值增长速度为12.3%、12%、11.6%,比2003年分别加快0.8、1.8和1.4个百分点。2003年、2004年和2005年,东北三省地区生产总值增长速度分别为10.8%、12.3%和12%,比当年全国各地区加权平均增长速度分别低1.3、1.1和0.88个百分点,差距逐年缩小。

总体看,随着振兴东北老工业基地规划实施以来,东北地区经济发展方式正在积极转变,结构性矛盾逐步缓解,经济质量和效益不断提高。由于东北地区主导产业主要集中在能源、原材料、装备制造、食品加工等领域,经济外向度较低,对外贸易、利用外资等在地区经济中所占比重不大,虽受国际金融危机影响,但是影响相对较弱,东北地区经济增长基本保持了实施振兴战略以来较快健康发展的良好态势,实现了又好又快的发展。

1. 东北振兴战略的阶段性成果

（1）先后启动 197 个大项目：2003 年末国家振兴东北办公室实施了第一批总金额 610 亿元的振兴项目，被批准的绝大多数项目都享受国家贴息贷款等一系列优惠政策。从地域分布来看，首批项目辽宁省获批最多，有 52 项，总投资额突破 440 多亿元，占全部投资的 72.5%；黑龙江省 37 项，112.7 亿元；吉林省 11 项，57.3 亿元。项目的范围包括装备制造业、原材料加工业和农产品深加工等东三省的优势领域。2005 年又启动二期国债项目，国家开发银行项目融资和科技部的高科技开发等 97 项支持项目。

（2）先后落实的政策：2004 年率先在黑龙江、吉林两省实行全部减免农业税政策；继辽宁之后在黑龙江、吉林两省推行社会保障试点工作；按照增值税改革的方向，对东北老工业基地装备制造业等八大行业允许新购进机器设备所含增值税税金予以抵扣；对具备条件的部分矿山、油田适当降低资源税税额标准；按照所得税改革的方向，实施提高计税工资税前扣除标准等减轻企业税负的有关政策；对部分资源型城市实施城市转型项目扶持；分两次推出 160 项振兴东北重大项目。选择部分老工业基地城市进行分离办社会职能试点，对其中中央企业，中央财政予以适当补助；妥善解决厂办"大集体"问题；对老工业基地符合破产条件的企业，优先列入全国企业兼并破产工作计划；允许商业银行采取进一步措施处置不良资产和自主减免贷款企业表外欠息；对东北地区等老工业基地重大装备科研、攻关设计给予必要扶持。

2. 地区经济继续快速增长，粮食产量再创新高

2008 年，东北地区完成地区生产总值 28196 亿元，同比增长 13.4%，占全国 GDP 的 9.38%。分产业看，第一产业实现增加值 3507.8 亿元，第二产业实现增加值 14753 亿元，第三产业实现增加值 9935.2 亿元，分别占地区生产总值的 12.5%、52.3%、35.2%。分省来看，辽宁省 GDP 完成 13462 亿元，增长 13.1%，高于全国 4.1 个百分点；吉林省 GDP 完成 6424 亿元，增长 16%，高于全国 7 个百分点；黑龙江省 GDP 完成 8310 亿元，增长 11.8%，高于全国 2.8 个百分点。东北地区民营和非公经济发展壮大，占据地区经济半壁江山。其中，辽宁省民营经济实现增加值 7407 亿元，同比增长 20.3%，占全省经济总量的 55%；吉林省民营经济实现增加值 3465 亿元，增长 23%，占全省经济总量的 42%；黑龙江省非公经济实现增加值 3360 亿元，增长 18%，占全省经济总量的 40%。

东北地区粮食生产再创历史新高，全年粮食产量达到 8925 万吨，比上年增加 671 万吨，增长 8.1%，占全国粮食总产量的 16.9%，对全国的贡献率进一步提高。其中，辽宁省粮食产量达到 1860 万吨，比上年增加 25 万吨，增长 1%；吉林省粮食产量达到 2840 万吨，增加 386 万吨，增长 15.7%，高于全国 10.3 个百分点；黑龙江省粮食产量达到 4225 万吨，增加 260 万吨，增长 6.5%，高于全国 1.1 个百分点。

3. 固定资产投资增势不减，投资结构进一步优化

2008 年，东北地区社会固定资产投资 19285 亿元，同比增长 35%。辽宁省、吉林省和黑龙江省社会固定资产投资分别完成 10016 亿元、5600 亿元和 3669 亿元，增长 34.7%、40% 和 28.1%，高于全国 9.2 个、14.5 个和 2.6 个百分点。其中，三省城镇固定资产投资分别完成 8879 亿元、4687 亿元和 3370 亿元，增长 35%、

40.3%和 28.5%；三省引进内资分别为 2052 亿元、1200 亿元和 618 亿元，增长 104.3%、60%和 42%。

东北地区房地产投资 3136.7 亿元，同比增长 32.7%。其中，辽宁省、吉林省和黑龙江省房地产投资分别为 2058.1 亿元、625.4 亿元和 453.2 亿元，增长 37.4%、27.6%和 18.5%，高于本省社会固定资产投资 2.7 个和低于 12.4 个、9.6 个百分点。

固定资产投资结构进一步优化，支柱产业仍然是拉动工业投资增长的重要力量。辽宁省、吉林省和黑龙江省工业固定资产投资分别为 4762 亿元、2571.7 亿元和 1457.3 亿元，增长 35.4%、48.2%和 32.6%。辽宁省装备、冶金、石化等支柱产业完成固定资产投资 2620.8 亿元，增长 43.7%，占全省工业投资的 55%。吉林省汽车、石化和农产品加工三个支柱产业投资 866 亿元，增长 29.8%，占全省工业投资的 31%。黑龙江省装备、石化、能源和食品加工四大支柱产业完成投资 1194.3 亿元，增长 32.9%，占全省工业投资的 82%。

4. 对外贸易保持较快增长，外商投资进一步增加

2008 年，东北地区对外贸易进出口总额完成 1086.9 亿美元，占全国的 4.2%，同比增长 25%，高于全国 7.2 个百分点；外贸出口 633.9 亿美元，增长 23.6%，外贸进口 453 亿美元，增长 27.2%。其中，辽宁省外贸进出口总额 724.4 亿美元，增长 21.8%，高于全国 4 个百分点，外贸出口 420.5 亿美元，增长 19.1%；吉林省外贸进出口总额 133.4 亿美元，增长 29.5%，高于全国 11.7 个百分点，外贸出口 47.7 亿美元，增长 23.7%；黑龙江省外贸进出口总额 229 亿美元，增长 32.4%，高于全国 14.6 个百分点，外贸出口 165.7 亿美元，增长 35.1%。黑龙江省对俄进出口实现 110.6 亿美元，增长 3.1%，占全省外贸总额的 48.3%；机电产品出口增长较快，达到 39.2 亿美元，增长 76.7%；从俄罗斯等国进口能源、原材料呈上升势头。

2008 年，东北地区实际利用外资 175.8 亿美元，同比增长 30.7%。辽宁省、吉林省和黑龙江省实际利用外资分别为 120.2 亿美元、30.1 亿美元和 25.5 亿美元，增长 32.1%、32.5%和 22.2%，高于全国 2.4 个、2.8 个和低于 7.5 个百分点。东北地区外商投资核准限额 1000 万美元以上项目共有 672 个，其中辽宁省 616 个，吉林省 29 个，黑龙江省 27 个。

5. 地方财政收入稳定增加，金融运行基本平稳，地区社会消费比较旺盛

2008 年，东北地区财政收入稳定增加，地方财政一般预算收入 2357.3 亿元，同比增长 27.9%，高出全国 9.4 个百分点。辽宁省、吉林省和黑龙江省地方财政一般预算收入分别为 1356.1 亿元、422.8 亿元和 578.4 亿元，增长 25.2%、31.8%和 31.4%，高出全国 6.7 个、13.3 个和 12.9 个百分点。

地方金融支持经济发展能力增强。截至 2008 年底，东北地区金融机构本外币各项存款余额 33494.1 亿元，各项贷款余额 21833 亿元，三省存贷差 11661.1 亿元，比上年增加 1817.8 亿元，同比增长 18.5%。其中，辽宁省金融机构本外币各项存款余额 18778 亿元，增长 19.8%；各项贷款余额 12348 亿元，增长 14.7%。吉林省金融机构本外币各项存款余额 6433.3 亿元，增长 19.2%；各项贷款余额 4891 亿元，增长 17.6%。黑龙江省金融机构本外币各项存款余额 8282.8 亿元，增长 9.5%；各项贷款余额 4594 亿元，下降

0.8%。东北三省累计引进外资银行27家。其中,辽宁省23家,吉林省1家,黑龙江省3家。

2008年,东北地区社会消费品零售总额10240亿元,同比增长22.5%,高于全国1.5个百分点,占全国消费品零售总额的9.4%。其中,辽宁省、吉林省和黑龙江省全年社会消费品零售总额分别为4917亿元、2484.3亿元和2838.6亿元,增长22%、24.3%和21.8%,都高于全国增长水平,地区消费比较活跃;全年居民消费价格分别上涨4.6%、5.1%和5.6%,低于全国1.3个、0.8个和0.3个百分点。

6. 工业仍然呈现快速增长,经济效益明显下降

2008年,东北地区工业经济整体呈现快速增长,虽下半年生产增速逐月下滑,但仍保持相对增长,经济效益明显下降。东北地区规模以上工业完成增加值12539亿元,同比增长16.5%;实现利润2280.6亿元,下降了2.5%。其中,辽宁省完成工业增加值6603亿元,增长17.5%;实现利润489.8亿元,下降了34%。吉林省完成工业增加值2491亿元,增长18.6%;实现利润353.8亿元,下降了17.9%。黑龙江省完成工业增加值和实现利润分别为3445亿元和1437亿元,增长13.1%和12.0%(实现利润主要源自于高原油价格)。

2008年,东北地区产业集中度越来越高。辽宁省装备制造、冶金、石化、农产品加工四个行业共完成工业增加值和实现利润5783亿元和400亿元,分别占全省工业经济总量的87.6%和81.7%;虽然石化行业因国际原油价格变化,工业增加值增长只有7.2%,利润由上年盈利37.5亿元转为亏损215.6亿元,但支柱产业整体表现不俗。吉林省汽车制造、石化和食品加

工三个行业共完成工业增加值1500亿元和实现利润237.2亿元,分别占全省工业的60.2%和67%。黑龙江省能源、石化、装备制造和食品加工四个行业共完成工业产值6540.9亿元和实现利润1381.5亿元,分别占全省工业的89.2%和96%,对全省经济的支撑作用进一步加强。其中,能源完成工业产值3115.6亿元,实现利润1404.6亿元;石化完成工业产值1254.5亿元,全年亏损119.3亿元。

7. 基础设施建设进展顺利,地区发展环境趋好

东北地区交通基础设施建设加快。以国家高速公路为主体的重点公路建设得到发展,截至2008年底,东北地区建成国家高速公路里程超过4000公里。辽宁省新增高速公路790公里,其中铁岭至朝阳等路段已建成通车。吉林省新增高速公路382公里,在建高速公路达1289公里,江密峰至延吉高速公路等部分路段竣工通车;长双烟铁路、东北东部铁路白河至和龙铁路建成通车。黑龙江省新增高速公路426公里。东北东部铁路、巴辛铁路、长吉城际铁路、沈抚城际铁路等重大工程顺利推进,哈大和哈齐城际客运专线、大庆、鸡西机场等重大工程开工建设,长白山机场、漠河机场建成投运。

重大基础设施项目建设进展顺利。辽宁省大伙房一期水利工程建设进入最后攻坚阶段,营口港务集团大件专业码头正式投用,红沿河核电一期工程建设加快推进,绥中电厂二期、阜新风电二期等工程开工建设。吉林省哈达山水利枢纽工程全面开工建设,"引嫩入白"、大安灌区工程建设进展顺利;大唐长春第三热电厂项目开工建设,华能九台电厂建设进度加快。黑龙江省开工建设东西部9项大型水利控制性工程,完成了19处大型灌区和

45处中型灌区续建配套与节水改造项目,新开工建设25个国家级节水灌溉示范工程项目,水利投资比上年增长70%;松花江大顶子山航电枢纽工程按期交工并投入使用。

8. 服务业发展态势良好,旅游会展业有新突破

2008年,东北地区第三产业实现增加值9935.2亿元,同比增长12.7%。其中,辽宁省第三产业实现增加值4647.5亿元,增长11.2%;吉林省第三产业增加值2442.7亿元,增长16.7%;黑龙江省第三产业增加值2845亿元,增长11.8%;东北三省第三产业实现增加值增长分别高于全国1.2个、6.7个和1.8个百分点。

2008年,东北地区服务业实现较快发展,规模总量扩大,整体水平不断提升。大连、哈尔滨、大庆被国家认定为服务外包示范基地城市。辽宁省服务业及软件外包发展加快,软件外包营业收入达到4.65亿元,增长75%。居民储蓄存款快速增加,金融机构盈利水平提高,东北地区外资银行85%落户辽宁。吉林省软件产业外包势头良好,对日本、韩国业务出现较快增长并扩展到欧美市场;吉林银行增资扩股和股权多元化改造进展顺利,韩亚银行、招商银行、中国邮政储蓄银行等金融机构入驻吉林;全年服务业增长16.7%,居全国前列。黑龙江省服务外包和软件研发新增企业70余家,从业人员超过4万人,营业收入达到80亿元,增长54%。中小企业担保分公司发展到43家,累计提供贷款担保70多亿元,省中小企业再担保机构也在积极组建中。

2008年,东北地区实现旅游总收入2751.3亿元,同比增长31.9%,实现快速发展。其中,辽宁省实现旅游总收入1741.5亿元,增长33.2%;吉林省旅游总收入450.8亿元,增长28.7%;黑龙江省旅游总收入559亿元,增长30.2%。辽宁省推进旅游精品建设,加快完善旅游公共服务体系,全省入境旅游者241.9万人次,增长20.9%;旅游外汇收入15.3亿美元,增长24.3%;国内旅游收入1635.5亿元,增长34.6%。吉林省会展业带动作用明显增强,举办各类会展120多次,会展经济直接收入达10亿元以上,带动相关收入100多亿元。黑龙江省旅游业保持了较快的增长势头,全年旅游创汇和国内旅游收入可分别达到8.7亿美元和500亿元,增长35%和32%。

9. 节能减排工作顺利推进,生态环境建设成效显著

东北地区单位生产总值能耗进一步下降,节能减排取得积极成效。2008年,辽宁省万元GDP能耗1.635吨标准煤,下降了4%;关停治理小钢铁、小水泥企业285家,造纸、印染企业477家;化学需氧量和二氧化硫排放量分别下降6.97%和8.36%,减排比例由上年的后十位,分别跃居到全国第三位和第五位。吉林省万元GDP能耗1.45吨标准煤,下降了4.5%,推广节能技术和产品21种,91个工业节能降耗项目竣工运行;化学需氧量和二氧化硫排放量分别下降3.38%和3.91%。黑龙江省万元GDP能耗1.29吨标准煤,下降了4.3%;全省县级以上城市新增集中供热2400万平方米,普及率达到45%,加大了对污水、废气、垃圾等污染治理力度,化学需氧量排放量和二氧化硫排放量下降1.08%和0.93%,完成了国家下达的节能减排指标。

生态环境保护取得积极进展。辽宁省全面推进辽西北边界1000公里防护林工程和1400公里滨海大道绿化工程建设,两条绿带将和东部青山相连,形成合围全省的绿色屏障。吉林省继续实施西部治碱工程、黑土区水土流失重点治理工程、天然林保护、退耕还林、三北防护林四期等工程,全年完成"三化"草原治理面积54.3万亩,新增水土流失综合治理面积11.34万公顷,林业生态建设得到加强。黑龙江省制定了大小兴安岭生态功能区的保护规划,确定了生态保护和恢复建设、基础设施建设和特色产业发展三大工程。积极推进以治理水土流失、草原"三化"为主的生态建设,全年完成植树造林180万亩,退耕还湿4500亩,治理碱化、沙化、退化草原140万亩。

10. 城乡居民收入持续增加,民生得到进一步改善

2008年,辽宁省城镇居民人均可支配收入14393元,同比增长12.1%;农民人均现金收入5576元,增长10%,分别高于全国3.7个和2个百分点。吉林省城镇居民人均可支配收入12829.45元,增长13.7%;农民人均现金收入4351.4元,增长28.6%,分别高于全国5.3个和26.1个百分点。黑龙江省城镇居民人均可支配收入11581元,增长13%;农民人均现金收入4856元,增长17.5%,分别高于全国4.6个和9.5个百分点。

就业再就业成果得到巩固。截至2008年底,辽宁省实名制就业112.6万人,城镇登记失业率为3.8%,首次低于全国平均水平。吉林省全社会从业人员1281万人,实现历史最高水平,10万个公益性岗位规模基本稳定;城镇新增就业52.5万人,完成全年计划125%;城镇登记失业率3.98%。辽宁省和吉林省零就业家庭继续保持动态为零。黑龙江省实名制就业71.7万人,完成全年计划119.5%;城镇登记失业率4.23%,有所下降;清除零就业家庭5.5万户。

社会保障水平明显提高。辽宁省企业退休人员基本养老金月人均提高100元,城市居民最低生活保障标准平均提高18%。基本解决企业历史拖欠工资问题。新型农村合作医疗人均筹资提高到100元,城镇居民医疗保险参保人数达到270万人。吉林省企业退休人员养老金月人均增加95元,农村和城镇居民最低生活保障水平分别增长50%和53%。重点推进民营企业和煤矿、非煤矿山和建筑等高风险企业农民工参加社会保险,其中基本养老保险参保人数达到525多万人,完成年计划的102.7%。新型农村合作医疗补助提高到70元,城镇居民基本医疗保险覆盖面达到86%。黑龙江省企业退休人员基本养老金,失业保险标准分别提高了102元和88元,历史拖欠职工的126亿工资全部完成补偿。城乡居民最低生活保障标准分别提高到年2328元和1100元,超过全国平均水平,享受农村低保人数达到91.7万人,五保户集中和分散供养达13.7万人,城乡低保基本实现了应保尽保。参加新型农村合作医疗农民达到1351.2万人,参合率达95.5%,基本实现全覆盖。

民生工程建设得到加强。辽宁省完成5万平方米以下城市连片棚户区改造任务,新建经济适用房335万平方米和廉租房55万平方米,财政安排3亿元重点解决城市低保户和低保边缘户的冬季取暖问题。新建农村公路黑色路面2920公里,重点解决100万农村人口的饮水安全问题。新建2000个行政村文化共享服务点,提前两年完成20户以上自然村屯广播电视村村通工程,新建农村九年一贯制寄宿学校145所,全省城乡普遍实行免费义务教育。吉林省改造农村泥草房14.7万户、城市棚户区1300万平方米,率先开展林业棚户区改造试点。开工建设城市廉租房81.8万

平方米,发放住房租赁补贴 23 万户。解决农村 60 万人饮水安全问题,以工代赈示范项目下达国债资金近 1.2 亿元,解决城乡 10.5 万低保户看电视问题。全面完成 68 所乡镇卫生院、30 所农村初中校舍改造。黑龙江省完成城市棚户区改造 11.7 万户、854 万平方米;完成农村泥草房改造 21.8 万户、1715 万平方米;为 27.7 万户低保家庭提供廉租住房保障,成为全国第一。建成农村道路 2.48 万公里,解决了 1940 个村屯、92 万人口的饮水安全问题。新建基层综合文化站馆 55 个,新建村级文化服务站 2624 个。完成 65 个城市社区卫生服务中心标准化建设,医疗保险定点覆盖面达 80%。按新建设标准改造中小学危房 100 多万平方米,全省城乡普遍实行免费义务教育。

四

振兴东北老工业基地的难点

1. 调整、改造、改革任务重

结构调整任重道远。经过多年调整,东北老工业基地经济结构调整取得了显著成效,但结构性矛盾仍然没有从根本上消除。重工业、传统产业比重大;资源型产业已进入衰退期,资源枯竭,城市发展接续产业任务艰巨;国有经济比重大,非国有经济发展不足。除这三省共性的结构性矛盾外,吉林还存在农业比重大,第二、三产业比重低的问题,农业增加值占 GDP 的比重仍保持 20% 以上。

各项改革不到位。虽然现代企业制度框架基本确立,但企业改革仍未能实现"全部到位",许多应该退出的劣势企业还没有退出,改革调整的任务还远远没有完成;政企不分和国有资本出资人制度不完善,国有资产保值增值机制远未形成,国有企业经营主体缺位,国企改革的动力机制和新的利益主体还没有真正形成;市场化程度相对较低,资源优化配置机制远未形成。目前,吉林省仍有 20% 的企业没有改制,30% 以上的企业出资人没有到位,60% 以上的企业没有形成多元投资主体。

装备水平落后,技术层次低。改革开放以来,作为老工业基地,东北三省不断加大结构调整力度,一些企业技术装备和技术水平有了很大提高,但多数企业技术改造投入不足,技术装备老化,技术改造任务相当重。调查显示,吉林省工业企业技术装备达到 20 世纪 90 年代水平的仅占 15%,60% 以上属于 20 世纪 70、80 年代水平,甚至为 20 世纪 60 年代以前的水平。

2. 改革成本高

国企下岗职工数量大,员工安置难度大。长期以来的"广就业,低工资"政策,使东北三省国有企业沉淀了大量的富余人员,就业和再就业压力相当沉重。目前,东北三省有各类下岗失业人员 300 多万。

社会保障压力大。与沿海省市不同,东北三省财政承担着沉重的社会保障压力。一是失业保险金和解除劳动关系所需的经济补偿金等支付压力大。严重资不抵债,扭亏无望,需要退出的企业多,企业改制、重组、兼并、破产等需要大量资金解决企业欠发职工工资、集资款以及社保资金、解除劳动关系补偿金等。仅吉林省地方国有亏损企业下岗职工解除劳动关系就需要近 50 亿元经济补偿金,目前再就业和解除劳动关系所需资金尚无来源,部分协议期满应该脱离下岗待业中心的下岗职工,因无力支持经济补偿金,欠发工资、补助费、医药费、集资款等,无法彻底脱离中心。随着下岗和脱离中心职工人数的增加,失业保险压力进一步加大。二是养老金支付压力大。仅吉林、辽宁两省就有企业离退休人员近300万人。2003年,吉林省养老金收支缺口达30多亿元。三是困难群体大,存在大量的城镇低保人员和农村贫困人口。

分离企业办社会的任务重。根据前一阶段对吉林省97户企业办社会情况的统计,2002年末共有企业办社会职能单位615个,分离企业办社会职能,省财政和地方财政的压力非常大,而大部分企业也无力承担应由其支付的分离办社会的费用。

3. 再投入能力不足

由于历史原因,东北三省许多企业背负沉重的债务,资本金严重不足,自我积累与发展能力低,活力不足,许多企业需要实施政策性破产。辽宁省国有及国有控股工业企业总负债2000多亿元,有20%的企业资不抵债;吉林省资产负债率比全国高出4个百分点,不良贷款率比全国高出20%。

伴随着东北地区的全面振兴,东北经济区有望成为继珠三角、长三角、京津冀之后中国第四大经济区。

中部崛起战略

"中部崛起"战略作为国家的区域发展战略,是继东部沿海率先实现现代化,"西部大开发"和"振兴东北"等一系列区域开放、开发、振兴发展规划之后的又一轮区域发展新思路。中部是中国的中心,是中国经济的脊梁,连接东部和西部的过渡带,通过中部崛起可以实现中国经济全面的腾飞,在东西部经济互动的过程中发挥更大的带动作用。从中国整体发展的角度考虑,中部就是中国的"腰",只有"腰板"直了,中国这个巨人才能走得正、走得稳,中国经济才能协调健康发展。从这个意义上说,加快中部地区发展是提高中国国家竞争力的重大战略举措,是东西融合、南北对接,推动区域经济发展的客观需要。

面对东部繁荣、西部大开发和东北振兴,中部经济整体发展已经出现了明显的趋缓势头。"三农"问题越来越严重,产业结构转换越来越困难,资源问题越来越突出,中部正在塌陷。胡锦涛总书记在湖南考察时强调,"中部地区广大干部群众要切实增强加快发展的责任感和紧迫感"。温家宝总理在十届全国人大二次会议上指出:"国家支持中部地区发挥区位优势和经济优势,促进中部地区崛起。"2005年中央"十一五"规划建议中也明确提出促进中部崛起。

一

中部崛起的基础和现状

湖北、湖南、安徽、江西、河南、山西是我国中部边界相连的六个重要省份,中部六省地处祖国的内陆腹地,面积102.8万平方公里,占全国土地的10.7%,人口3.65亿,占全国总人口的28.1%,创造全国19.5%的GDP,是我国的人口大区、经济腹地和重要市场,在中国地域分工中扮演着重要角色。各省的经济状况、政策效用等呈现明显的聚类特征,它们在东西南北的区域发展中形成了举足轻重的中部区域经济体系,是我国的粮仓和现代工业的摇篮,在全国区域经济板块中有着不可替代的重要作用。

1. 中部的地理位置和概况

中部地区包括湖北、湖南、河南、安徽、江西、山西六个相邻省份,地处中国内陆腹地,这些省市基本处于京广和京九铁路沿线,其中多数省同时处于长江和黄河沿岸或欧亚大陆桥沿线,起着承东启西、接南进北、吸引四面、辐射八方的作用。

中部的水资源非常丰富,中国最大的两条河流——黄河、长江横穿六省,大江大湖错综分布,造就了青山绿水并灌溉着万顷良田。水电藏量丰富,仅三峡工程总装机容量1820万千瓦,年发电量可达847亿千瓦时。

中部六省山水相连,地貌形态复杂多样,境内有山地、平原、丘陵和盆地。中国不少名山坐落在中部:黄山、九华山、庐山、井冈山、武当山、五台山、嵩山,均为举世闻名的旅游胜地。平原地区土地肥沃且较平整,适合大农业的发展,其中江汉平原、洞庭湖平原、鄱阳湖平原、淮北平原、黄淮平原等历来都是中国著名的"粮仓"或"鱼米之乡",是我国重要的粮食、肉类、棉花及多种原材料的集中产区和主要输出地。中部六省的粮食产量占全国的30%以上,油料产量占全国的41.3%,肉类产量占全国的29%,棉花产量也占到全国的29.8%,其对国家经济发展和经济安全具有巨大贡献。

中部的能源与矿产资源十分丰富。河南的优势矿产有煤、石油、天然气和钼、金、铝、银以及天然碱、盐、耐火黏土、蓝石棉、珍珠岩、水泥灰岩、石英砂岩等;山西的煤炭储量居全国之首,产量占全国的30%,煤炭的调出量占全国的4/5,堪称能源大省;湖北的磷、金红石、硅灰石、枳榴子石、累托石黏土等探明储量居全国首位,黑色金属矿主要有铁、锰、铬、钒、钛等,有色金属及贵金属主要有铜、铝、锌、铅、镍、钨、钼、汞、金、银等,其中以铜矿资源为主;安徽也是矿产资源大省,矿产种类较全,已发现有用矿种130余种,已探明储量的有67种。其中煤、铁、铜、硫、明矾石为五大优势矿产;江西是我国主要的有色、稀有、稀土矿产基地之一,也是我国矿产资源配套程度较高的省份之一,目前探明的89种矿产储量中,居全国前5位的有33种,其中铜、钨、钽、铯、铊、钪、金、银、铀、钍、伴生硫、溶剂白云石岩等居全国第一位。

2. 中部发展面临的严峻环境

(1)在经济总量和总体发展水平方面,中部地区不仅大大低于东部沿海发达地区,而且明显低于全国平均水平。2000—2004年中部、东部、全国的人均GDP增长率分别为56.12%、69.30%、59.70%,可见中部人均GDP的增长率不仅低于东部而且低于全国平均水平。在发展势头和发展速度方面,中部地区不仅明显低于东部沿海发达地区,而且低于西部地区。西部大开发以来,中部原本落后的投资增长速度又大大落后于西部地区。2001—2003年中部地区的GDP增长率不仅低于长三角而且一直低于西部,虽然2004年有所提高,但从2004—2005年又呈现出很大的下降幅度。1998年,西部地区固定资产投资增长31.2%,比中部地区高16.8个百分点。2001年1月到7月,西部地区投资增长20.1%,又比中部地区高2.5个百分点。① 在"三化"进程即工业化、城市化和市场化进程方面,中部地区

---

① 根据相应年份《中国统计年鉴》数据整理,2005年数据来自各地统计公报。

不仅明显滞后于东部沿海发达地区,而且也滞后于全国平均水平。2004年中部、全国、东部的该项指标分别为29.85%、37.72%、42.79%,中部地区分别落后于东部和全国12.94和7.87个百分点。2001－2005年连续五年,中部地区人口城市化水平低于全国的百分点在5%以上。在市场化方面,由于非国有经济发展的状况是市场化进程的重要内容,所以非国有经济发展规模占经济总量的比重是反映市场化进程的基本指标之一,而中部地区的该项指标明显低于全国平均水平,更低于东部沿海发达地区。全国的城镇从业人员中,非国有占73.2%,中部地区仅占52%,中部地区比全国平均水平低了近22个百分点。

（2）产业结构、经济体制不够合理。我国产业结构目前仍处于以第二产业为主导的结构层次。中部地区产业结构演进既出现过偏慢问题,又出现过偏快问题。当全国进入工业主导型发展阶段时,中部地区仍然保持着一、二、三这样一种以第一产业为主导的"重农"型产业结构,未能及时实施加快工业化发展战略,失去了一次以产业结构调整来促进经济发展再上新台阶的时机。

现阶段,中部地区虽属以第二产业为主导的产业结构,但第二产业的优势仍不明显。2004年,中部地区第二产业的比重比全国低5.2个百分点,突出地反映了中部地区工业化水平较低的问题;而第三产业的比重虽比全国高2.6个百分点,却是以传统的流通和服务业为主,为现代工业服务的金融、通讯和信息产业相当薄弱,现代化水平不高。这种具有超前转换倾向的产业结构制约着中部地区经济的健康发展。

在产业结构调整中,政府对市场干预过多,其职能的实现过程缺乏透明度和制度性监督,"越位"、"错位"、"缺位"和"不到位"的现象较为普遍。条块分割、行业垄断、部门壁垒、职能重叠的问题较为突出。

在所有制结构方面,中部六省国有经济比重过大。2003年,中部六省国有及国有控股工业总产值占全部工业总产值的比重达54.9%,比全国平均水平高14.4个百分点。而企业规模则较小,实力较弱,国有及规模以上工业企业平均实现总产值为5763万元,比全国平均水平低1487万元,是全国的79.5%。这一现象背后的成因就是中部省份国有企业产权制度改革相对滞后,企业缺乏扩张的内在动力。

在中部股份制企业中,经济效益高和发展速度快的企业少,突出表现在上市公司数量偏少。2005年6月10日,中部六省在沪深证券交易所A股市场交易的上市公司共215家,占全国的15.9%,比中部地区生产总值占全国的比重低7.5个百分点。其中,山西上市交易的公司22家,安徽44家,江西22家,河南30家,湖北为56家,湖南41家,中部地区平均每个省36家,比全国各省平均水平少8家。

（3）资金投入和产业规模"小"。2004年,中部六省全社会固定资产投资总额12629亿元,占全国全社会固定资产投资的18%,比其经济总量占全国的比重低5.4个百分点。

由于中部地区企业规模普遍偏小,在市场竞争中处于弱势地位。2003年,中部六省国有及年销售收入500万元以上的非国有企业,其户均工业增加值为1938万元,产品销售收入5743万元,分别只有全国水平的90.6%和78.7%,低于全国水平。传统工业品产量虽占有一定优势,但高附加值产品偏少,在高、精、尖工业产品的生产上,劣势十分明显。2003年中部六省生产集成电路8万块,微型电子计算机29万部,分别只有全国的0.001%、0.9%,远远低于在全国应有的平均份额。

(4)自主创新能力不足。以江西为例,2003年全省从事科技活动的人员为6.4万人,在这些从事科技活动的人员中,科学家、工程师占57.5%,低于全国68.7%的平均水平。

科技经费的投入严重不足。2003年,中部六省科技活动经费支出460亿元,占全国的14.7%,研究与试验发展(R&D)经费支出为184亿元,占全国R&D经费支出的12%,两项比重都远远低于其生产总值占全国22.5%的比重。

中部地区的科技产出较低。2003年,中部六省平均每省的专利申请量和专利授权量分别为4134件、2172件,只有全国平均水平的51%和45%。

(5)工业产品结构趋"同"。据工业普查资料分析,中部六省纺织、塑料、化纤产品、建材产品等一般水平的加工工业产品重复尤为严重。在经营性国有资产中,1/3左右分布在一般加工工业。中部各省产品的市场占有率低,很大一部分市场被东部产品所占领,其产值增长往往伴随着库存的提高,因而不能创造利润,不少企业因此陷入困境。

目前中部省份工业产品结构不合理的矛盾仍十分突出。在冶金行业,小型材的生产能力已相对过剩,但需要从国外大量进口的冷轧薄板、冷轧硅钢片和不锈钢等,却未能根据市场需求及时发展起来。

石化行业中低档次化工产品生产能力过剩,高档次产品又大量依赖进口。机械行业多数产品档次低、质量不高,大型成套装备和关键产品不能满足需求。在建材行业,技术装备落后的中小企业居多,高质量的产品供应不足。

中部省份工业产品结构的趋"同",导致这一地区产品集中度低,生产集约化程度难以提高,经济效益和竞争力弱化。

(6)对外开放程度落后。比较而言,中部地区对外开放相对滞后,在发展外向型经济,吸引区域外生产要素流入方面,远远落后于全国平均水平。

中部地区外资企业和港澳台企业个数的绝对数和相对数都偏低。2004年,中部六省进出口贸易总额为349亿美元,占全国3%,比重严重偏低,外贸依存度为9%,比全国的平均水平低60.8个百分点。在中部六省中,外贸依存度最高的省份山西只有14.6%,最低河南仅为6.2%,不及全国水平的1/10。中部地区有较为丰富的旅游资源,但开发力度不够,尤其是旅游创汇能力很弱。

2004年,中部六省接待外国游客仅175万人次,占全国接待外国旅游人次总数的10.3%;旅游创汇总额9.7亿美元,占全国旅游外汇收入的3.8%,旅游业的发展状况与丰富的旅游资源很不相称。

对外开放程度是观察一个地区发展环境优劣的指示仪,上述情况反映出中部地区过去的发展环境不够宽松,经济发展内生动力不足的同时,还缺乏外源动力,从而导致"塌陷"局势进一步加剧。①

3. 中部地区的优势

中部地区东面与山东、江苏、浙江相连,紧靠着长江三角洲经济区;南面与福建、广东、广西接壤,紧邻珠江三角洲经济区;西面靠着陕西、重庆、贵州,成为东部

---

① 《经济参考报》,2006年1月6日。

产业向西部转移的中转站；北面与北京、河北、内蒙古等省市接壤，紧靠着以北京、天津为中心的环渤海经济圈，从中可以看出中部地区位于中国经济地理的中心腹地。

按照矿产分布及其储量状况，中部六省已经形成三大基地：以山西、河南、安徽为主角的煤炭基地；以江西、湖北、湖南为主角的有色金属基地和以湖北、湖南为中心的磷化矿基地。

中部地区大专院校云集，是国家重要的教育科研基地。此外，中部地区人口总量3.65亿，全区总人口占全国总人口的比重为28.1%左右，这种人口数量上的优势如果加上合理的人力资本投资战略，就可以转化为人力资本存量优势，从而能为中部地区的经济发展提供重要的竞争优势。

与东部和西部相比，中部地区还具有独特的比较成本优势——双低成本优势。与西部地区相比，中部地区自然条件好，基础较为完备，已建成若干具有一定实力和规模的产业基地，对农业、能源、矿产资源的开发成本明显低于西部；与东部沿海地区相比，中部地区的劳动力、土地资源的成本较低。这种"双低成本"优势与中部地区优越的区位条件相结合而形成有利的条件，是其他地区无法比拟的。[①]

中部崛起战略的出台和意义

改革开放以来，由于"两个大局"政策的实施，东部沿海地区快速发展，中部地区由于自身的原因及政策的梯度演进战略影响，整体上已经落后了。2003年以

后，这个区域经济发展呈现出东部最快、西部居中、中部较慢的增长态势，"中部塌陷"形象地表明中部在全国区域发展格局中的地位和状态。区域经济协调发展是党中央、国务院一直以来十分重视的一个重大问题。面对中部发展滞后的状况，中部区域逐步进入国家战略发展的视野。

1. 中部崛起战略的提出

2004年3月，温家宝总理在政府工作报告中，首次明确提出促进中部地区崛起。2004年12月，中央经济工作会议再次提到促进中部地区崛起。2005年3月，温家宝总理在政府工作报告中提出：抓紧研究制定促进中部地区崛起的规划和措施。充分发挥中部地区的区位优势和综合经济优势，加强现代农业特别是粮食主产区建设，加强综合交通运输体系和能源、重要原材料基地建设，加快发展有竞争力的制造业和高新技术产业，开拓中部地区大市场，发展大流通。国家要从政策、资金、重大建设布局等方面给予支持。

2005年下半年，国务院研究室综合司深入中部六省进行调查研究。先后用50多天时间，赴20个城市、15个开发区、40家企业和12个县乡镇调查，召开了28个不同类型的座谈会，就中部地区发展的有关问题与各地领导进行了交流。河南、湖北希望借此"中原隆起"和形成"武汉经济圈"；山西、湖南希望借助中部崛起政策，加快自身发展；安徽、江西既"东张"又"西望"，一方面积极融入东南沿海，一方面渴盼与中部其他省份一道崛起。中部六省希望中央加大对中部崛起的政策支持力度，支持中部建设全国粮食核心主产区，支持中部建立先进制造业基地，支持中部加快老工业基地改造、资源型城市转型和

① 赵凌云：《中国中部经济发展报告》，社会科学文献出版社，2006年版，第13页。

国有企业改革,支持中部解决交通设施的薄弱环节,支持中部治理生态和环境,支持中部教育卫生事业发展,支持中部减轻财政负担。①

中部六省相继提出各自的发展战略:

山西省针对产业结构重型化、产品初级化和高度依赖煤炭的情况,提出的战略思路是,"建设全国新型能源基地和新型工业基地"。

河南省的战略构想是,把加快中原城市群发展和县域经济发展作为实现中原崛起的两大支撑,推进工业化、城镇化和农业现代化进程。

湖北省提出的战略目标是,"把湖北建设成重要的农产品加工生产区、现代制造业聚集区、高新技术发展区、现代物流中心区"。

湖南省重点是做强长株潭城市群,建设湘中经济走廊,发展湘西经济带,同时实行南向战略,积极承接珠三角产业转移,实现与珠三角的交通互连、产业互补、市场互通、资源互享,并参与泛珠三角合作,扩大与港澳地区交流。

安徽省提出的战略目标是,"实施东向战略、发展东向经济","融入长三角,依靠高科技,抓好两流域(长江、淮河),唱好黄(黄山)煤(煤炭)戏"。

江西提出的战略定位是,把江西建成沿海发达地区的"三个基地、一个后花园",即把江西建成沿海发达地区产业梯度转移的承接基地、优质农副产品加工供应基地、劳务输出基地和旅游休闲的"后花园";"对接长珠闽、融入全球化","希望在山,重点在田,潜力在水,后劲在畜,出路在工。山上办绿色银行,山下建优质粮仓,水面兴特色养殖"。

显然,中部崛起战略应该定位为"六个基地",即全国商品粮和优势农副产品生产加工基地、能源生产基地、重要原材料生产基地、有竞争力的制造业和高新技术产业基地、劳动力资源开发和输出基地、重要的文化和旅游基地。

2006年2月15日,温家宝总理主持召开国务院常务会议,研究促进中部地区崛起问题。

2006年3月27日,中共中央政治局召开会议,研究促进中部地区崛起工作。这次会议指出,促进中部地区崛起,是党中央、国务院继制定鼓励东部地区率先发展、实施西部大开发、振兴东北地区等老工业基地战略后,从我国现代化建设全局出发作出的又一重大决策,是落实促进区域协调发展总体战略的重大任务。

2006年4月《关于促进中部地区崛起的若干意见》出台,成为指导中部地区未来发展的纲领性文件。

2007年4月10日,国家发展和改革委员会宣布,在发改委设立国家促进中部地区崛起工作办公室,中部崛起进入了更具操作性的实施阶段。

2. 中部崛起的相关战略

中部地区在我国经济发展中具有重要的战略地位。中部能否迅速发展起来,不仅仅是中部的事情,而且也是东部地区对外开放、向内陆延伸、拓展、全方位参与国内外国际合作和竞争的需要,是开发西部经济、拓展生产力布局,实现区域经济协调发展的需要。在当前的历史背景下,如果中部不能充分利用自己的资源优势和经济科技基础实现经济的腾飞,不仅仅是中部丧失了一个发展机遇的问题,更为严重的是,它还会影响不同经济区域之间

---

① 《中部六省调查研究报告:"潜龙在渊 蓄势待发"》,中国经济网,2006年3月20日。

的协调发展,对我国整体经济的可持续发展造成沉重打击。具体而言,中部地区可以采取的战略和措施有:①加快改革步伐,完善社会主义市场经济体制,缩小与东部地区在经济体制和市场运行机制上的差距。中部地区与东部发展的最大差距在于市场化程度上的差距,在于发展动力机制的差距。因此,加快中部地区的发展,最主要的途径就是加快国有企业改革,引导国有资本从一般竞争性行业退出,为私人资本发展让出资源和市场空间,促进外资企业和私营企业的发展,培育真正的市场经济主体,构筑中部地区经济发展的微观基础。其次,由于中部地区普遍存在政府权力过大的现象,因此,中部地区还应加快推进政企分离,切实转变政府职能。②加快工业的发展,注重产业链的整合,增强中部地区的综合竞争力。改革开放以来,中部地区的工业进入缓慢发展阶段,到 2002 年,中部地区的工业化率已经落后全国平均水平 6.9 个百分点。从某种意义上说,工业发展缓慢是导致中部地区经济地位下降的重要原因。在当前的形势下,中部应加快工业,特别是具有比较优势的产业——资源型产业和高新技术产业的发展。③积极参与国际分工,不断加强区域间的合作。国际分工和区域合作是实现资源优化配置的重要途径,通过分工合作,各国、各地区都可以获得贸易的利益。但是,目前中部参与的国际分工合作不仅少于东部,与西部也有一定的差距,外向经济对中部的拉动作用极为有限。④加强中心城市建设,形成一个多层次的区域经济增长极。中部地区幅员广阔,内部经济发展水平极不平衡,尤其是在较长时期内面临资金、技术和人才的短缺。因此,当前必须实施不平衡的发展战略,以大中城市为中心,建立若干重点经济增长区域,以此来拉动中部地区经济的增长。⑤增加科技投入,通过各种途径吸引人才,依靠科技进步促进经济健康持续发展。⑥增强中部地区的凝聚力,实现中部地区的共同发展。凝聚力不仅对一个国家、一个民族具有重要意义,对于一个地区的经济发展同样具有重要作用。从目前的情况来看,中部地区的凝聚力还相对较弱,离心力表现比较明显。中部各省应加强协作,增强自身的凝聚力,在与其他经济区域的竞争中不断提升自己。

中部地区作为中国的脊梁,如果其得不到很好的发展,那么就会拖东部的后腿,对西部也起不到应该发挥的辐射源作用,所以其崛起关系着中国整个经济的腾飞速度。在崛起过程中中部应该遵循经济发展规律,选择适合自己的经济发展模式。

3. 中部崛起的战略意义

中部崛起战略,是我国发展新阶段整体战略布局的重要组成部分。充分认识中部崛起的战略意义,正确把握中部地区的发展定位和特点,不仅有利于开创中部改革发展的新局面,也可以挖掘区域协调发展的机会与途径。

(1)中部崛起战略有利于整合区域资源,提升国家竞争力。中部整体呈"O"形,兼具聚集效应和扩散效应。中部农业资源丰富,是中国重要的种植业养殖业基地;中部耕地面积占全国耕地面积的20%,却生产了全国 28% 的粮食、43% 的棉花和 39% 的油料,是中国重要的农业商品生产基地和输出基地;中部水电资源丰富,水力资源蕴藏量占全国的 7.7%,水利资源可开发量占全国的 9.9%,具备比西部水利资源更便于开发的优势,是中国重要的水电工业基地;中部传统工业密集,资产存量大,2002 年固定资本占 GDP 的比重为 30.8%，是中国重要的汽车、钢铁基地。加快中部区域发展，整合资源，优化结构，有利于有效发挥中国经济的整体效率，增强国家竞争力。

（2）有利于形成区域产业布局的梯度支撑。客观存在的区域发展差距是中部地区接受发达国家和地区经济辐射和产业转移的经济基础，较为丰富的自然资源、相对低廉的人力资源和区位优势是中部地区接受发达地区经济辐射和产业转移的有利条件。如果没有中部的崛起，西部大开发一方面需要承接东部的产业和生产要素，而东部产业和生产要素向西部的转移必须经过中部的传递。如果没有中部的崛起，东部沿海地区的进一步发展也会受到制约。随着经济的发展，东部开始出现新问题，如土地、水和其他资源越来越稀缺，油、电、煤等能源越来越紧张，劳动力成本越来越高。因此，一些高成本低附加值的产业和企业从东部向外转移将成为必然。由于中部紧靠东部，显然是其向外转移的首选。中部如果不发展，就会成为中国区域经济发展的"断层"地区。中部崛起将带给企业产业升级的难得机遇，可以在原有的产业技术、人才、市场等基础上选择性地发展适合本区域特征和要求的高新产业，使中部成为区域产业布局中的梯度支撑区。

（3）有利于形成中国中部现代制造业中心。中国的制造业直接创造国民生产总值的 1/3，占整个工业生产的 4/5，为国家财政提供 1/3 以上的收入，贡献出口总额的 90%，就业人员 8043 万人。中国将成为世界制造业中心第四次转移的着陆点，而中部作为中国老工业基地和经济中心，发展制造业机不可失。中部地区制造业主导产业中，纺织、化学原料及化学制品、黑色金属、食品加工、交通运输设备制造、有色金属制造分别占全国总产值的 11.5%、12.1%、14%、14.8%、16.2% 和 23.8%，处于重要的地位。武汉、郑州、长沙—株洲—湘潭、合肥、南昌—九江等增长极是我国重要的制造业基地。

（4）有利于促进"东西融合"和"南北对接"。中部位于我国内陆腹地，北抵北京，南近香港，东邻上海，西靠重庆，处于十字形构架的核心地带。中部整体上形成了以"三纵三横"干线为骨架的交通网，是全国交通运输体系的枢纽。三纵由北京—广州铁路、北京—九龙铁路、北京—珠海高速公路构成，是中部南北向联系的重要运输通道；三横由连云港—兰州铁路、沪蓉高速、长江等路航构成，是中部地区东西向联系的重要运输通道。这些交通干线运输能力巨大，为沿线地区的经济发展提供了强有力的保障，在沟通南北、联系东西中发挥着重要作用。中部崛起必将通过政府引导、市场运作，充分激活资源，拉长产业链，以构筑城市群来推动大物流，搞活大市场，最终实现中部地区与其他区域的共同发展。

（5）有利于全面促进"新农村"建设。中国走向现代化的最大矛盾是"三农"问题，而中部地区是"三农"问题最为突出的地区。中部人口密度大、农业人口多，农业劳动力转移压力大。2002 年，中部农业耕地面积为 25977.9 公顷，只占全国的 20%，低于西部 18 个百分点和东部 5 个百分点。中部崛起将成为解决"三农"问题的突破口，对于全面建设小康、促进社会主义和谐社会建设具有非常重大的意义。

可以说，实现中部地区经济社会又快又好发展，事关我国经济社会发展全局，事关全面建设小康社会全局。

三

中部崛起战略初见成效

据国家统计局首次发布的《2008 中国地区经济监测报告》显示:2007 年,中国区域经济明显地呈现中部崛起特征,中部地区的经济增长最为强劲,产出、投资等多项经济指标的增长速度明显领先于东部和西部,各省的经济运行状况均位于历史的较高水平。

2007 年,在国家中部崛起政策的推动下,在长株潭城市群和武汉城市圈国家级两型社会综改区获批及中原城市群飞速发展等有利因素带动下,中部六省经济继续高位运行,固定资产投资的增长势头依然强劲。统计显示,中部六省 2006 年共实现生产总值 51864 亿元,同比增长 14.2%,创近五年来最高水平;固定资产投资增速保持在 33%以上水平,其中安徽的投资增速高达 44%,跃居全国第一。

2007 年,河南省 GDP 总量为15058.07 亿元,在中部排名第一,是唯一进入“万亿 GDP 俱乐部”的中部省份。其中,中原城市群九市 GDP 共计 8581.58 亿元,比上年增长 15.4%,占全省的比重为57%。从中部六省来看,河南的 GDP 总量比第二名湖北高出 5908.06 亿元,比最后一名江西省高出 9588.77 亿元,约占整个中部地区 GDP 总量的三成。

2007 年,山西省人均 GDP 达 16828元,按 2000 年价格计算,已实现翻两番目标的 56.4%,位居中部第一,比排名第二的河南省高 768 元,比排名最后的安徽省高 4813 元。

2007 年,安徽省全社会固定资产投资实现 5105.9 亿元,比上年增长 44%,增速远高于全国平均水平(24.8%),位居全国首位,比中部排名第二的河南省高出 8.4个百分点,比最后一名的江西省高出 21 个百分点。

2007 年,湖南省 GDP 总量突破 9000亿元,达到 9145 亿元,增长 14.4%。该省GDP 总量、城镇人均收入水平和固定资产投资增幅等六项指标均位居中部和全国中上游水平。

2007 年,湖北省生产总值达到9150.01亿元,比上年增长 14.5%,增速位居中部第一,高于全国平均水平,比排名中部第二的河南省和湖南省高出 0.1 个百分点。

2007 年,江西省全年工业增加值2264.1 亿元,增长 21.6%,占生产总值的比重达 41.4%,对全省经济增长的贡献率超过 60%。该省城乡居民收入比为2.7384:1,为中部城乡居民收入差距最小的省份,位居全国第 11 位。①

四

中部崛起的着力点

中部崛起是一个动态的发展过程,它是针对中部地区发展相对落后而提出来的,其目的是要实现中部地区的快速发展。在中国经济东中西的区域发展格局中,中部崛起并不是要超过东部,成为中国经济增长和发展的高峰,而是要逐步填平“中部塌陷”,促进中国区域经济更加全面协调地向前发展。中部崛起有三个重要标志:一是中部地区的发展速度要超过

---

① 参见 www.ccgov.org.cn.

全国平均发展速度；二是中部地区的发展水平要超过全国的平均水平；三是中部地区与东部发达地区的发展差距相对缩小。

中部地区要围绕国家中部崛起的发展战略，充分发挥区位优势、资源优势、工业基础优势和历史文化资源优势，有效解决经济发展的二元结构矛盾，全力推进新型工业化进程，形成若干具有国际竞争力的产业集群，以此来推动经济快速发展。

1. 促进产业结构优化升级，发展区域特色产业集群

中部地区产业集群发展不快，关键是产业结构调整升级滞后，新型工业化进程缓慢。从中部经济发展状况看，各地内部资源禀赋比较相似，产业结构具有典型的资源型、初级化特征，资源主导型战略的局限性日益明显，部分产业优势、区位优势、地域文化优势和资源优势正逐渐丧失。各地方缺乏有效的合作博弈关系，导致区域产业结构严重"同构化"和"低度化"，制约了产业聚集的资源集成效应，阻碍了产业聚集向产业集群的过渡，难以形成区域优势产业集群。

主导特色产业集群是产业结构的核心，是推动区域经济发展的内在驱动力。中部产业集群的定位应符合区域产业发展的大趋势，根据区域聚集资源的能力、资源禀赋、产业配套条件和要素成本的比较优势，整合优化区域生产力空间布局，聚合各种生产要素，充分发挥区域现有产业优势，逐步形成区域特色产业集群，将区域资源优势通过集群化转化成市场竞争优势。产业升级是产业结构演变规律和产业发展的内在要求，各级政府应将产业结构调整升级作为经济发展的重点，制定产业集群发展的规划和政策，打破行政区划限制，强化区域合作，逐步实现区域市场一体化。要以增强经济竞争力为导向，以强化自主创新能力为核心，以提高经济效益为目标，以"特色产业化、产业特色化、特色产业规模化"为突破口，大力发展循环经济，着力培育具有竞争优势的主导特色产业集群，推动产业的科学化、集约化和可持续发展，加快老工业基地振兴和资源型城市转型。中部应以煤炭、电力、冶金、化工和建材等优势资源为基础，逐步延伸产业链，发展以电力和煤炭为核心的能源工业、以钢铁为支柱的材料工业、以汽车为龙头的机电工业，形成以资源为依托的现代装备制造业产业集群。要逐步完善农业产业化体系，加快传统轻工业结构的调整优化，进一步发展纺织、塑料、家电、医药、食品和饮料等劳动密集型产业集群，以及信息、生物医药和新材料等高新技术产业集群，提高产品的技术含量与附加值。要以优化结构、拓展领域、扩大总量、提高层次为重点，加速第三产业的市场化、产业化和社会化进程，促进商品流通、交通运输、金融保险、邮电通讯和餐饮娱乐等传统产业升级换代，着力发展现代物流、信息、科技文化、房地产、咨询服务、产权交易、生态环保和旅游等新兴产业，逐步形成以传统产业为基础，新兴产业为支撑，布局合理、城乡统筹发展的第三产业新格局。

中部地区中小企业居多，企业分工协作意识薄弱，产业链条不完整，难以形成具有竞争优势的产业集群。为此，必须强化产业链连接意识，发挥本地企业产业配套的地缘优势，推动主导龙头企业与中小企业的链接，鼓励其将关联配套的中小企业纳入整体发展规划，形成以技术、资本、品牌和市场网络等为纽带的分工协作体系。要以既有产业优势又有相互关联的工业园区为载体，加快产业集群主体区块建设，增强产业聚集的规模，使其成为集

群研发、创新、交流、信息、物流等中心。同时，要进一步强化第三方物流和逆向物流管理，降低集群企业物流成本，整合区域物流资源，形成高效的专业化、社会化的物流配送体系，提高区域产业的综合竞争优势。目前，中部地区第三产业的发展还主要集中在零售、餐饮、批发、仓储、邮电、交通运输等传统产业上，金融、保险、物流、旅游等新兴服务业的发展相对滞后。所以为了中部第三产业的快速发展，在一些服务业如教育科研、医疗卫生、金融保险等方面应该减少行政管制，使民营资本进入其领域，以充分发挥市场的作用。

2. 注重加强基础设施建设，发挥中心城市辐射功能

中部地区交通、通讯和信息等基础设施薄弱，无疑在很大程度上制约了产业集群的发展。近几年虽然中部地区交通运输体系建设力度很大，但仍存在诸多薄弱环节，一些公路通而不达，水运开发严重滞后，对交通运输体系缺乏整体规划，难以形成资源合理配置的现代物流体系。

中部产业集群要获得快速发展，迫切需要改变封闭落后的状况，加强交通运输、邮电通讯、信息网络、水利枢纽、电网、广播电视等基础设施建设，促进中部与国内外的联系和资源共享，为区域外部经济要素的流入创造良好环境。各级政府应将基础设施建设作为中部崛起战略的启动点，增加政府直接投资、银行贷款和财政补助，采取发行建设债券、建立投资基金等多种方式筹措资金。根据中部地区实际情况，要进一步推进基础设施投资体制改革，完善市场竞争机制，实现投资主体多元化，从根本上改变基础设施薄弱的状况。同时，要继续加强区域信息基础设施建设，完善相关法律法规，优化电信网络综合通信能力，着力推进网络资源整合，资助建立信息网络和各类数据库。

从发达国家与我国东部经济发展的经验看，经济增长主要依赖于主导产业集群和有创新能力的企业，而它们又往往集中于区域的中心城市，这些城市是区域政治、经济、科技、文化、教育等最集中的地方，其经济、技术的辐射效应无法替代，具有基础设施、产业服务、资源供应、市场信息等多方面的聚集优势，并通过人才流、资本流、技术流、信息流等向广大经济腹地扩散，带动中部经济向国际化演变，形成具有巨大助推效应的增长极，从而推动区域经济跳跃式增长。

中部人才、资本、技术和信息等资源相对匮乏，缺乏具有很强综合实力、辐射能力和带动能力的中心城市及城市群。为此，应将中心城市建设作为中部产业集群发展的切入点，重视中心城市对周边地区和相关产业的辐射和带动作用，加快发展城市群、经济带等经济密集区，着力培育具有相对地理优势的武汉、长沙、南昌、合肥、郑州、太原等省会城市中心增长极，发挥其经济实力强、投资环境好、资源集中的优势，充分发掘其人才资源丰富、高校和科研院所众多的科教资源优势，强化其聚集效应和扩散带动效应，将中心城市建设成为区域产业创新和聚集的重要基地，有效利用现有9个国家级、379个省级经济技术开发区的优惠政策与基础设施，发展拥有自主知识产权的先进制造技术、电子信息、生物医药和新材料等高新技术产业，从而带动中部产业集群发展。此外，国家应借鉴深圳、珠海等特区发展的经验，在中部选择几个投资环境好、潜力大的城市，给予特殊的优惠政策，以吸引外部资金和技术为主要手段，形成外联国际、内联东部、发展区域主导产业集群的

新的经济增长点,以发挥中部崛起的示范功能。①

3. 打通运输大通道——"联东带西"的关节点

我国现有的三大增长极环渤海地区、长江三角洲、珠江三角洲都分布在东部沿海地区,它们对中部地区的辐射带动作用十分有限,中部地区需要一个具有强大主导作用的经济中心来影响整个中部地区,即打造自己的增长极。而武汉经济区位于通江达海的黄金水道长江和国家经济布局中最大的东西向产业主轴线的中央地段,有面积广大的平原土地和水系、雄厚的科技实力、举足轻重的产业规模。开发利用大河流域是世界经济发展的一条客观规律,所以加快发展长江中游武汉经济区,使它成为我国经济第四增长极是完全可行的。武汉经济增长极在走向成熟的过程中产业可以由核心城市武汉向外围次级城市梯度转移,实现不同等级、层次城市之间的配套性垂直分工,不同等级城市之间的垂直分工形成一体化的产业链。这种垂直分工形成的一体化是产业集群的较高层次,大量的中小企业之间建立起了一种上下游的链条关系,有利于整个产业提升价值。

近年来,我国全面加快武汉交通建设投资规模,重塑这一"中部崛起"战略支点"九省通衢"的新优势,打造促进"中部崛起"的新通道。预计"十一五"期间,随着航空、铁路、公路和水运枢纽的全面建成,武汉将成为中国最大的、集水陆空于一体的交通枢纽。武汉地处中国版图的中心位置,在全国经济地理上承东启西、连南接北,对中部地区乃至全国经济社会的发展举足轻重。到"十一五"期末,武汉水陆空交通基础设施建设,累计将向海内外引进上千亿元投资。"十五"期间武汉交通建设投资相当于"九五"期间的7倍,根据规划,"十一五"期间将在"十五"基础上再翻一番。

在公路方面,武汉至周边8座城市共计209公里高速出口公路建设已全部启动,形成了一小时经济圈。京珠、沪蓉、闽乌高速公路国家干线武汉段,全部建成通车。连接汉口闹市区与郊区、跨越长江天堑、沟通武汉三镇的"万里长江第一隧"和轻轨工程,已全线动工。其中轻轨一期工程和武汉绕城公路的运营,已大大缓解了部分城区道路拥堵的压力,提高了车辆的过境速度。

在铁路方面,武汉被确定为中国四大路网客运中心之一,目前与国内重点城市都已实现"当日往返、夕发朝至"。国家规划建设的"四纵四横"客运专线,有一纵(北京—深圳)一横(南京—成都)均在武汉会合,通车后枢纽作用明显。

在航空方面,总投资33亿元、可同时停靠22架国际大型飞机的天河机场第二航站楼已经封顶,武汉航空港因此开通15条国际航线和100多条国内航线,飞机年起降将达到10万架次,年吞吐能力将由400万人次增加到1300万人次,成为继北京、上海、广州之后的全国第四大枢纽机场。

在水运方面,作为横贯中国的"黄金水道",长江已成为世界上运量最大、水运最繁忙的内河。2005年,长江干线货运总量已比2000年翻了一番,达到7.95亿吨,先后超过了欧洲的莱茵河和美国的密西西比河。目前,长江与汉江综合整治、航道疏浚、集装箱码头等水运重大项目已全

---

① 许皓、谢阳群、吴登生:《中部地区产业集群发展的对策》,《光明日报》,2007年4月1日。

面推进,汉口阳逻港已引进大项目 48 个,引资额超百亿元。在武汉建设长江中游航运中心的可行性报告已列入"十一五"规划,维护将成为长江航运的主枢纽和华中物流的主渠道。

预计到 2020 年,武汉将形成"三环十射"的快速交通公路骨架,"井"字结构、通达全国的高速铁路系统,立足国内、辐射东南亚的航空网络和通达江海的水运格局。

4. 与东部、西部两大经济板块进行区域经济合作

与其他区域进行经济合作可以使本区域获得更多的发展机遇,也可以使本区域在分工与合作中更好地发挥自己的优势、弥补自身的不足。所以中部应该利用国内产业转移的浪潮与东西两大经济板块积极进行合作。一方面,中部地区应该利用地理位置毗邻东部的优势,抓住当前劳动密集型产业正在由东向西梯度转移的难得契机,千方百计地引进国内外资金与先进技术,成为东部产业转移的基地;另一方面,中部地区紧靠西部,与西部地缘关系密切,经济交往便利,这有利于中部省份比较优势的发挥,中部应该利用经济实力总体上强于西部,产业发展水平高于西部,区域竞争实力强于西部的优势,在西部大开发过程中努力开拓西部开发中的投资品和消费品市场,发挥其辐射源的作用,以获得"启西"的利益。此外中部也可以充当东、西部进行物资和技术交流的桥梁和纽带。

中部地区具有区位、资源、科教等方面的优势,然而这些优势并没有转化成经济优势,它与东部的差距在扩大,而与西部的差距在缩小。中部地区作为中国的脊梁,如果得不到很好的发展,就会拖东部的后腿,对西部也起不到应该发挥的辐射源作用,所以其崛起关系着中国整个经济的腾飞速度。在崛起过程中中部应该遵循经济发展规律,选择适合自己的经济发展模式。

社会主义新农村建设

进入 21 世纪后,伴随着改革开放走向深入,党中央从社会主义现代化的全局出发,先后明确提出了建设社会主义新农村的宏伟目标。2002 年中共十六大上明确提出"统筹城乡经济社会发展"战略,2003 年十六届三中全会进一步强调"统筹城乡发展"。2004 年十六届四中全会和中央经济工作会议,胡锦涛总书记明确提出了"两个趋向"的重要论断;在此基础上,十届全国人大三次会议的《政府工作报告》明确提出要实行"工业反哺农业、城市支持农村"的方针。2005 年召开的十六届五中全会吹响了"建设社会主义新农村"的号角。中共十七大明确"统筹城乡发展,推进社会主义新农村建设"是全党工作的重中之重。2008 年 10 月 12 日,中国共产党第十七届中央委员会第三次全体会议通过了《中共中央关于推进农村改革发展若干重大问题的决定》,掀起了新一轮的农村改革。这对于按照科学发展观的要求明确今后农村改革发展的方向,建立以工促农、以城带乡的畅销机制,形成城乡改革的互动机制,推动整个社会又好又快地发展,必将产生重要的促进作用。社会主义新农村建设的加快推进,城乡统筹的一体化发展,一定有助于我们全面建设小

康社会、开创中国特色的社会主义事业新局面。

作为一脉相承的政策延展,统筹城乡发展是调整城乡关系的战略思路,实行"工业反哺农业、城市支持农村"是调整城乡关系的战略取向,而建设社会主义新农村则是落实统筹城乡发展、实行"工业反哺农业、城市支持农村"的战略举措,是实现城乡统筹发展、实行"工业反哺农业、城市支持农村"的必要途径和重要手段。在以上战略部署中,"工业反哺农业、城市支持农村"和"建设社会主义新农村"都是统筹城乡发展的逐步深化和具体化,而统筹城乡发展的战略则是中央关于"三农"政策的要义所在。

一

新农村建设的提出和内涵

新农村建设是一个涉及农村政治、经济、文化、科技、教育、卫生、社会保障、生态环境、人民生活等多个方面的系统工程。

建设社会主义新农村,在我国已经不是第一次提出来了,我党在不同的历史背景下,多次提出和推行过新农村建设的发展目标。20世纪50年代以后,以毛泽东为核心的第一代中国共产党领导人,也曾经试图实现工业与农业并举、城市与乡村同步的发展思路,改善农村、农业和农民的状况,新道路、新瓦房,楼上楼下、电灯电话,点灯不用油、耕地不用牛等,这就是那时新农村的发展导向。但是由于过于注重中国工业化建设,忽略了农民的利益,结果事与愿违。由于未能解决甚至加剧农村深层次的矛盾,而使"三农"问题更加复杂化,以至积重难返。其根本原因,

就是人为地割裂工农关系、城乡关系,把农村看做是整个社会中可以分离出来的一个独立单元,只要对它投入某些经济、政治、文化等资源,并对其进行一系列激发、整合、改造、培育和提升,农村就会一步一步好起来,最后达到田园诗般的美好境界。但是,每一次这样的企盼,都没有成为事实,多数以人们的失望和迷茫而告终。不改变和优化农村赖以生存的内部和外部经济社会结构,而把农村作为"孤岛"来进行建设,就农业谈农业、就农民谈农民、就农村谈农村,新农村建设是难以奏效的。

1978年以后,改革首先在农村启动。而农村改革之所以取得巨大成功,很重要的原因就是党重新把农民利益放在第一位,实现了"三农"问题的极大解决:在经济困难的条件下提高农产品收购价格,实行长期遭批判的"包产到户",尊重农民自己的选择。

1982—1986年的五个中央"一号文件"见证了中国农村的变革历程,只是当时中国建设社会主义新农村的时机尚未成熟,新农村建设的构想并未引起更多的重视。十四大以后,党的新一代领导集体更加意识到农民利益对社会主义和谐社会建设的重要性,把代表最广大人民的根本利益摆在一切工作的首位,多角度全方位切实解决"三农"问题,推动了中国的发展和进步。

2004年胡锦涛同志提出并阐述了著名的"两个趋向"的重要论断,在党的十六届四中全会上他明确指出:"纵观一些工业化国家发展的历程,在工业化初始阶段,农业支持工业,为工业提供积累是带有普遍性的趋向;但在工业化达到相当程度以后,工业反哺农业、城市支持农村,实现工业与农业、城市与农村协调发展,也

是带有普遍性的趋向。"我国逐步确立、实施了"工业反哺农业"的发展战略。

2005年10月中央正式提出建设社会主义新农村，并作为"我国现代化进程中的重大历史任务"，这是对以往农业和农村政策的延续和发展，它代表了在"工业反哺农业，城市支持农村"新时期，我国"三农"工作思路的转变。

2006年1月1日我国正式废止《农业税条例》，这意味着在中国延续两千多年的农业税正式走入历史。党的十六届五中全会通过的《中共中央关于制定国民经济和社会发展第十一个五年规划的建议》，明确提出统筹城乡经济社会发展，扎实推进社会主义新农村建设；推进现代农业建设，强化社会主义新农村建设的产业支撑；促进农民持续增收，夯实社会主义新农村建设的经济基础；加强农村基础设施建设，改善社会主义新农村建设的物质条件；加快发展农村社会事业，培养推进社会主义新农村建设的新型农民；全面深化农村改革，健全社会主义新农村建设的体制保障；加强农村民主政治建设，完善建设社会主义新农村的乡村治理机制；切实加强领导，动员全党全社会关心、支持和参与社会主义新农村建设。《建议》为做好当前和今后一个时期的"三农"工作指明了方向。

2006年底中央农村工作会议和2007年的中央"一号文件"提出并强调：发展现代农业是中国社会主义新农村建设的首要任务和产业基础，是促进农民增加收入的基本途径。发展现代农业，则需要用现代物质条件装备农业，用现代科学技术改造农业，用现代产业体系提升农业，用现代经营形式推进农业，用培养新型农民发展农业，提高农业水利化、机械化和信息化水平，提高土地产出率、资源利用率和

农业劳动生产率，提高农业素质、效益和竞争力，也即是改造传统农业、不断发展农村生产力，就是转变农业增长方式、促进农业又好又快地发展。

2007年中央全部免除农村义务教育阶段的学杂费、建立了农村最低生活保障制度，并将新型农村合作医疗制度试点范围扩大到全国80%以上的县（市、区）。这些充分表明了我国实施建立社会主义新农村战略的坚定性。

十七大报告提出建立以工促农、以城带乡长效机制，形成城乡经济社会发展一体化新格局。其目标显然就是缩小城乡差距。

2008年10月12日，中国共产党第十七届中央委员会第三次全体会议通过了《中共中央关于推进农村改革发展若干重大问题的决定》，这标志着中国新一轮的农村改革再次蓄势待发，中国农村即将翻开更加崭新美好的一页。

至此，建立社会主义新农村终于随着我国现代化进程的深入而落到实处，意义重大而深远。

新农村是新的历史阶段新的行动纲领，是"工业反哺农业、城市反哺乡村"的新思路，要求采取新的举措，把农村生产力水平推上新台阶，使农民收入达到新高度、农村基础设施和村庄整治呈现新面貌，开创农业和农村工作的新局面。这次新农村建设，基本要求是：生产发展，生活宽裕，乡风文明，村容整洁，管理民主。它既包括农村生产力的发展，也包括农村生产关系的调整，既包括农村的经济基础，也包括农村的上层建筑，涵盖农村工作的各个方面。既要重视农村基础设施建设，又要重视农村新型管理制度构建；既要重视村容村貌的改变，又要注重文明乡风的形成；既要重视农民物质生活质量的提

高,又要重视农民素质的提升和农村社会事业的发展。最终目标体现在经济建设、政治建设、文化建设、社会建设的四位一体上。新农村建设的核心就是通过国家整合,将资源尽可能地向乡村配置并激活农村内在的发展动力。与以往历次新农村运动的不同之处就在于,它不是在一条战线上孤立地建设农村,而是在农村内部和外部两条战线上同时作战,双管齐下。

建设社会主义新农村是我国现代化进程中的重大历史任务,其总体目标是用15年到20年的时间,让农村的面貌大为改观,使农民收入大有提高,城乡差距明显缩小。这项任务的长期性、艰巨性和复杂性,要求我们既要注重建设的效益,也要注重建设的速度,实现速度和效益的统一。而要实现这两个方面的统一,就必须认真贯彻党中央关于工业反哺农业,城市支持农村这一战略方针。

二

工业反哺农业、城市支持乡村

农业在国民经济发展中占据着重要地位,但是我国农业发展状况总体上尚处于落后状态。长期以来,由于我国实施向工业倾斜的发展战略,致使巨额农业剩余不断被提取,国家对农业又缺乏必要的投入,再加上农业比较利益差,农业资源不断地流向非农产业。结果,我国农村长期以传统的农业生产经营为主,农业产业层次低、发育程度低、发展的内外环境差、现代技术装备不足、技术落后,综合生产能力差。

在农业国向工业国转变的进程中,我国工农关系大体经历了三个阶段:1953—1978年,计划经济体制下的农业养育工业政策;1978—2001年市场化改革进程中的农业养育工业政策;21世纪初农业养育工业政策向工业反哺农业政策转变。

新中国成立以后,鉴于当时特定的国际国内形势,为加速从农业国向工业国的转变,我国实施了工业优先发展战略,推行"以农补业"政策。从1953年开始实行农产品统购统销,人为地扩大工农产品的不等价变换,以剪刀差、农业税等形式源源不断地提取农业剩余,从农村抽取巨额资金支持工业化发展战略。据测算,1954—1978年,国家通过剪刀差从农民手中获取的资金高达5100亿元,而1978—1991年,剪刀差累计高达12329.5亿元,相当于同期农业生产总值的22%,也就是说广大农民将自己创造的1/5财富无偿地贡献给国家的工业化,而自己收入提高不快。改革开放以来,国家又通过土地价格的剪刀差从农村抽取资金,支持城市建设。据专家估算,按照当时的征地制度,征地价格大致为实际价格1/20,失地农民一年要为城市建设贡献1万亿元资金,城市越建越美,而农村面貌改变不大。

1952—1990年我国工业增长了65倍,农业只增长了3倍,两者增长倍数之比为21.6∶1,即农业以3倍的增长支撑了工业60多倍的增长;还有统计数字显示,1979—2002年全国第一产业的增长速度平均为4.65%,第二产业的增长速度平均为11.2%,第三产业的增长速度平均为10.1%。占全国劳动力50%的农业劳动力所生产的农业总产值仅占GDP的13.1%;2002年人均的GDP农村是0.21万元,而城市是1.77万元,两者之比为8.6∶1,这一系列数字充分显示出我国农业劳动生产率低下。可见,在我国农业作为整个国民经济的基础发展后劲严重不足。2007年,城乡居民收入比扩大到

3.33：1，绝对差距达到 9646 元，是改革开放以来差距最大的一年。另外，我国耕地资源数量日趋减少，人均耕地由 1998 年的 0.11 公顷下降到 2006 年的 0.09 公顷，耕地面积净减少 812.73 万公顷，平均每年减少 101.60 万公顷。过去几年，全国工业化、城市化过程从向农民征地中获得的差价约为 2.5—3 万亿元，加上每年乡镇企业上缴的税收、银行和邮政从农村拉走的储蓄，每年资金流走约万亿元，大量的资金从农村外流。

再看一下农民负担情况。

1988—1992 年农民负担开始加重，其间农民人均三项负担性支出年均递增 16.9%，高于前期 7.2 个百分点；而农民人均纯收入年均递增速度只有 9.5%，低于负担增速 7.4 个百分点。[①] 其原因是 1984 年全面推进改革后，城市改革成了中心，城市综合配套改革的逐步实施，政策上向城市倾斜和工农产品比价复归，造成农民收入增长的大幅回落，使得农民负担性支出增幅明显高于收入增长幅度。这一期间政府把改革的主要力量放在了城市，城市改革需要花很大的成本，城市改革的难度远远大于农村。农村在这一期间为城市的改革从经济上作出了很大的贡献，工农业的剪刀差在这一期间比较大，农民的负担由此走向高峰。

随着工业化的推进，发达国家和地区的工农业关系一般都经历了三个阶段：第一阶段为农业哺育工业阶段，即农业为工业提供原材料、农村为城市提供粮食和生产场地、农民为工业企业提供劳动力；第二阶段为工农业自养或平衡发展阶段，即工农业各自依靠自身的力量，内在地发展自己，互不欠账；第三阶段为工业反哺农业阶段。

解决农业问题，固然离不开农业的要素投入、科技进步和适度规模经营，但更离不开宏观经济政策的支持。只有从根本上改变不利于农业发展的宏观经济环境，实施对农业的反哺才是治本之策。国际经验也表明，农业进入新阶段后，农业与国民经济关系的主基调将是非农产业反哺农业。因此，必须突破就农业论农业的思维定式，从农业外部探寻农业发展的新动力和增加农民收入的新途径，依靠非农产业的力量推动农业的发展和升级，实现非农产业反哺农业。

工业反哺农业的实践经验从世界范围内的经验来看，当人均 GDP 超过 800 美元、非农就业率超过 45%、农业增加值占 GDP 的比重低于 40%、城市化率达到 35% 的时候，就具备了工业反哺农业的条件。中共十一届三中全会以来，我国经过几十年的不懈努力，不仅农业和农村发生了很大变化，而且工业和城市也得到了很大发展，综合国力大大增强，已经初步具备了工业反哺农业的经济实力。无论从人均超过 1100 美元的 GDP，还是从非农产业与农业 85：15 的 GDP 比重看，我国都已经达到了工农业共生发展的第三阶段，即工业应该反哺农业。

工业反哺农业就是将农业由工农分离、城乡脱节的二元经济结构向工农协调、城乡结合的一体化经济转变，并纳入城乡统筹范围，包括大力发展农村的二、三产业，加强农业的基础地位，利用城市经济和工业经济来促进和反哺农业。

实行"工业反哺农业"，就是要改变以往那种要求农业为工业提供积累、农村和农民不能获得公平待遇的情况，就是要深

① 孙梅君：《农民负担的现状及其过重的根源》，《中国农村经济》，1998 年第 4 期。

化体制改革,加大对"三农"的财政投入力度。进入21世纪以来,随着国家财力的增强和财政体制向公共财政转型,各级财政,特别是中央财政对农村的投入迅速增加。2005年,中央财政支农投入达到3550亿元左右,占中央财政支出的20%。2007年仅中央财政支农支出就超过了4000亿元。农村教育、医疗卫生、道路、电力、饮水、环境卫生等各项改革事业逐步纳入公共财政支出的范畴,或者由财政完全负担,或者由财政补助、补贴等方式支持农村基层组织进行各项公共事业建设,财政已经成为农村基础设施和公共服务体系建设的重要投入主体。

工业反哺农业是在新的历史条件下解决"三农"问题、统筹城乡发展的重大举措,是我国工业化中期阶段的发展战略转型和农业现代化的战略选择,也是寻求社会公平发展的有效途径。

走向城乡统筹发展的一体化道路

城乡关系是一个国家经济社会发展过程中的基本关系,是一个国家现代化水平的综合体现,也是检验一个国家社会和谐程度的重要标准。发达国家的城乡关系,经历了圈地运动、产生排斥农民、以城为主、城乡对立、城乡分割等过程,到20世纪中期以来,逐步走上城乡协调发展、共同繁荣的道路。发展中国家受发展基础和发展战略的影响,大多选择"先工业后农业"、"先城市后农村"的传统工业化道路,城乡关系在相当长一段时期呈现二元结构特征,我国也不例外。

统筹城乡发展,就现阶段而言,就是要加快推进城乡一体化,打破城乡二元结构,让广大城乡居民共享现代文明成果,形成以工促农、以城带乡,城乡协调发展的新格局。其意义在于:①统筹城乡发展体现了全面建设小康社会的内在要求;②为从根本上解决"三农"问题指明了方向;③是实现城乡经济良性循环的必然要求;④是构建和谐社会的重要标志和关键所在。

1. 改善城乡关系的历史进程

改革开放以来,伴随着我国经济体制改革中心和重心的转移,城乡关系几经反复,城乡发展的协同度、融合度有所提高,但城乡发展不协调问题依然突出。在2002年召开的中共十六大上明确提出"统筹城乡经济社会发展"作为新时期调整城乡关系的战略取向。2003年召开的十六届三中全会进一步强调"统筹城乡发展"。2004年召开的十六届四中全会和中央经济工作会议,胡锦涛总书记明确提出了"两个趋向"的重要论断;在此基础,十届全国人大三次会议的《政府工作报告》明确提出要实行"工业反哺农业、城市支持农村"的方针。2005年召开的十六届五中全会吹响了"建设社会主义新农村"的号角。中共十七大明确"统筹城乡发展,推进社会主义新农村建设"是全党工作的重中之重。这一发展过程体现了党中央解决"三农"问题从决策思路到付诸实施、从务虚转向务实的过程。

从新中国成立初期实行赶超发展战略下的城乡分治到21世纪的统筹城乡发展,必将伴随着一系列的体制改革和制度创新。近年来,党和政府高度重视体制改革和制度创新在统筹城乡发展中的重要作用,并开始着手从户籍、就业、财税、土地、金融、公共服务等方面消除制约统筹城乡发展的制度障碍,城乡关系正在发生着制度层面上的深刻变迁。

在改革城乡二元户籍制度方面，2002年公安部明确规定，对于进入小城镇和县级市市区的农民，只要有稳定的居住地，有稳定的就业或者收入来源，就可以举家迁入或者个人迁入。2006年"中央一号"文件进一步要求加快推进户籍制度改革，逐步形成城乡统一的要素市场。2007年召开的全国治安工作会议，公安部宣布将逐步取消农业户口、非农业户口的二元户籍管理制度。

在改革城乡二元就业制度方面，2006年"中央一号"文件要求，加快实行城乡劳动者平等就业制度，进一步清理和取消长期以来对务工农民流动和进城就业的歧视性规定和不合理限制。同时，完善农民工务工制度，包括：建立健全城乡就业公共服务网络，严格执行最低工资制度、建立工资保障金制度，完善劳动合同制度，逐步建立务工农民社会保障制度，等等。

在农村土地制度改革方面，2002年8月颁发的《中华人民共和国农村土地承包法》，明确规定农村土地承包采取农村集体经济组织内部的家庭承包方式，国家依法保护农村土地承包关系长期稳定。随之，《中华人民共和国农村土地承包经营权证管理办法》（2004年）、《农村土地承包经营权流转管理办法》（2005年）等法律法规，细化了农村土地承包经营和流转的相关规定。

在财税体制改革方面，以前几年农村税费制度改革试点为基础，2005年全部取消了农业税。2006年2月，国务院459号令又宣布废止《中华人民共和国屠宰税暂行条例》。至此，我国已没有专门针对农民征税的税种。同时，加大对农村的财政支持力度，2006年颁发的《中共中央、国务院关于推进社会主义新农村建设的若干意见》提出，坚持"多予少取放活"的方针，

调整国民收入分配格局，扩大公共财政覆盖农村的范围，加快建立以工促农、以城带乡的长效机制。

在金融体制改革方面，国家"十一五"规划明确提出"深化农村金融体制改革，规范发展适合农村特点的金融组织，探索和发展农业保险，改善农村金融服务"。2006年中央"一号文件"从增加农村信贷投入、完善农村金融服务体系和为"三农"提供便捷、高效的金融服务等方面，对改进农村金融服务进行了部署。

在完善农村公共服务供给制度方面，农村义务教育正在逐步全面纳入公共财政范围，农村中小学教育条件有所改善，教育水平开始提高。新型农村合作医疗制度由试点阶段进入全面推进阶段，截至2007年底，已覆盖全国89％以上的县（市、区）。农村最低生活保障制度正在向全国推广，病残、年老体弱、丧失劳动能力等长年生活困难的农村居民将得到保障。

此外，还设立改革综合实验区，探索统筹城乡发展体制改革的经验。2007年，国家批准重庆市和四川省成都市开展以统筹城乡发展为主要内容的综合配套改革试点工作，要求综合配套改革实验区全面推进各个领域的体制改革，为其他地区统筹城乡发展发挥示范和带动作用。

改革开放30年，我国城乡关系在反复中不断调整，尽管城乡统筹进程比较缓慢，但总体上朝着协调发展、共同繁荣的方向演变，城乡二元结构矛盾有所缓解，城乡发展协同度、融合度日益提高，城乡之间的整体性、双向性、交融性逐步增强。但也应看到，与改善城乡关系有关的改革主要限于经济领域，改变农民社会身份的制度变革还没有取得显著成效，就业、教育、医疗卫生、社会保障等领域的既得利益没有从根本上触动，城乡对立问题依然

比较突出,城乡协调发展面临着诸多制度障碍。统筹城乡发展,真正实现城乡利益统一和协调发展,任务还很艰巨。

2. 城乡统筹发展存在的问题①

当前我国正进入经济社会发展的关键阶段,同时又是矛盾凸显期,特别是农村整体形势不容乐观,整个城乡社会经济发展面临着诸多问题和挑战,突出反映在以下几个方面:

(1)城乡关系在经济方面的不和谐。从国家投入指标看,目前城乡基础设施建设投入差异很大。在固定资产投资总额中,2003年全国对第一产业的基本建设投资速度比上年增长1.6%,而对第二产业的基本建设投资速度比上年增长38.1%。1998—2001年中央安排国债资金5100亿元,其中用于农业基础设施建设的为56亿元,占1.1%,仅能满足同期农业基础设施建设资金的10%左右。从居民收入指标看,城乡居民收入差距显著扩大。据国际劳工组织发表的1995年36个国家的资料,绝大多数国家的城乡人均收入比都小于1.16,只有三个国家超过了2,中国是其中之一。1990年我国城乡居民人均收入比为2.20∶1,近年来,我国采取了多种惠农措施,但2007年的城乡居民收入比仍进一步扩大到了3.33∶1,如果把城市居民收入中一些非货币因素,如住房、教育、医疗、社会保障等各种社会福利考虑在内,城乡居民人均收入水平的比率大概在5.6∶1。城乡居民收入差距扩大,尽管增强了农民转化为城市居民的内在欲望,但是却恶化了这种转化的条件。

从居民消费指标看,农村居民消费低于城镇居民消费。1990年我国农村居民家庭恩格尔系数为58.8%,城镇居民家庭恩格尔系数为54.2%,二者相差4.6个百分点;2003年农村居民消费占42.4%,城镇居民占57.6%。2003年我国总人口,城镇人口占40.5%,乡村人口占59.5%,而社会消费品零售总额,县以下仅占23.6%。2007年我国农村居民家庭恩格尔系数为43.1%,城镇居民家庭恩格尔系数为35.8%,二者之差扩大到了6.8个百分点。农村消费水平偏低从根本上制约了我国农村的消费需求,从而导致了整个国内消费需求不足,目前业已成为威胁国民经济健康、持续发展的关键因素。

(2)城乡关系在政治方面的不和谐。城乡不统一的户籍制度,与统筹城乡经济发展所要求的城乡统一、开放、竞争及有序的大市场的目标模式相背离。城乡不平等的就业政策,造成农民工进城待遇明显低于任职的当地人,同工不同酬现象极为普遍。城乡不平等的社会保障体系造成农民后顾隐忧。2003年城镇居民最低生活保障人数每万人中有2247人,农村居民最低生活保障人数每万人中只有367人。按享受社会保障的从业人员计算,农村的社会保障覆盖率只有3%,城乡社会保障率的比例为22∶1,城乡人均社会保障费的比例为24∶1。

目前我国对失地农民主要选择货币补偿方式,由于缺乏必要的社会保障机制,一些人把补偿费吃完用完后,极有可能成为"种粮无田、就业无岗、低保无门"的新"三无"人员。其次是农民的养老保险问题。目前我国大多数农村地区还未真正建立农民养老保障体系,绝大多数农民还基本没有养老保险,越来越多丧失劳

---

① 关于这个问题,郭建军曾经有过深入的论述,本部分内容多有借鉴,特作说明。郭建军:《我国城乡统筹发展的现状、问题和政策建议》,《经济研究参考》,2007年第1期。

动能力的农村人口将面临生活的困境。再次是农村医疗的社会保障水平较低。虽然近年来我国的新型农村合作医疗体系正在逐步建立和完善,覆盖面也逐年在扩大,但由于缺乏足够的财政支持,农民医疗负担重、有病看不起、因病返贫、因病致贫的现象在一些地区仍然普遍存在,医疗负担依然是农村居民生活的一大压力。

（3）在文化发展方面存在差异。城乡教育不公平首先表现在国家教育经费严重向城市倾斜,导致农村教育经费严重不足。2001 年城镇小学、初中的生均预算内教育事业费分别是农村的 1.67 倍和 1.64 倍,城镇小学、初中的生均预算内公用经费分别是农村的 3.39 倍和 3.24 倍。2002 年全社会的各项教育投资用在城市的占 77%,而占人口总数 60% 以上的农村人口只获得 23%。2004 年,全国初中生均教育经费支出为 1668.74 元,而农村为 1210.75 元,后者低于前者 1/4;全国小学生均教育经费支出为 1294.50 元,而农村小学仅为 1058.25 元,后者低于前者近 20%。由于农村教育经费不足,教师工资及福利待遇较低（有些地区甚至在相当长的时期内不能按时发放教师工资）,致使农村优秀师资严重缺乏,城乡师资水平的差距不断拉大;由于经费限制,农村中学的教学、试验手段落后,甚至有些学校的一些教学试验根本无法实现。《中国教育报》2004 年对 174 个地市和县教育局长的问卷调查显示,超过 50% 的农村中小学“基本运行经费难以保证”,超过 40% 的小学仍然使用危房。

其次,由于教育经费、教学条件、师资力量等方面的显著差异,直接导致了城乡基础教育阶段教育机会和教学质量的显著差距。基础教育阶段城乡教育机会的差距以及教育经费、教学条件、师资力量等因素造成的教育质量的差距逐层累积的结果,加之现行高校招生制度客观上倾向于城市等原因,最终又导致城乡学生接受高等教育机会的巨大差距。城乡教育的不公平,直接导致了城乡居民受教育程度的差距。我国第五次人口普查资料显示,具有本科及以上文化程度的人口所占比重,城镇和乡村分别是 3.2% 和 0.07%,城镇高中、中专、大专、本科、研究生学历人口的比例分别是农村的 3.4 倍、6.1 倍、13.3 倍、43.8 倍和 68.1 倍;我国 15 岁以上人口中仍有文盲 8699.2 万人,其中 3/4 分布在农村;农村劳动人口人均受教育年限为 7.33 年,而城市是 10.20 年。[①] 农村的文化设施也很短缺,2003 年农村每百户拥有彩色电视机 67.8 台,而城镇每百户拥有彩色电视机 130.5 台。农村每百户拥有电话机 49 部,而城镇每百户拥有普通电话 95 部。

（4）在社会发展方面城乡存在差异。表现在:城乡在获得社会资源方面很不平等,农村医疗落后。2000—2004 年我国各级政府对卫生投入的 80% 集中在城市,其中的 80% 又集中在城市大医院,而占总人口 60% 以上的农村人口只享有 20% 的卫生资源配置。由于国家财政投入不足,农村缺乏必要的医疗卫生条件和必要的医疗卫生农村基础设施建设相对滞后。服务合格的医护人员、必要的医疗设施和服务机构严重短缺,许多地区仍是由只具备一些初级资质的个体“半农半医”负责村民的“全诊”,缺医少药、误诊错诊的现象还比较普遍,因此而危及生命安全的现象也时有发生。在占全国总人口近 70%、户

---

① 李林杰、石建涛:《日韩城乡统筹发展的经验借鉴》,《日本问题研究》,2008 年第 4 期。

数占 2/3 的广大农村地区,其电力、交通和水利等基础设施仍是全国农村社会发展的瓶颈。农村群体性事件明显增多。

(5)土地资源约束加大,农民增收困难。进入 20 世纪 90 年代以来,随着城市规模的不断扩张,农业土地资源不断减少,而由于城乡分割的户籍制度阻隔,越来越多的农村剩余劳动力无法实现顺利转移,因此致使我国农村人多地少的资源约束日显突出。2006 年我国按全部农村人口计算,人均耕地仅有 2.6 亩,在这一基础上通过提高农产品产量、保障农产品最低收购价格、增加农业生产补贴等政策措施的增收效果非常有限。因此,人均土地资源不足已成为当前从根本上制约农民增收的主要因素,这也是在国家为了促进农民增收,不断加大"多予少取"惠农政策实施力度的宏观背景下,农民收入增长仍然缓慢、城乡差距仍然呈现不断扩大趋势的重要原因。

3. 采取切实措施促进城乡统筹发展

打破城乡二元结构,统筹城乡协调发展,是历史留给我们的现实课题。必须多管齐下,多策并举。概而言之,就是要大力调整经济社会发展的战略,重新构建国民收入分配格局,消除制约城乡协调发展的体制性障碍,加快农村生产方式的变革;就是要大力推进产业结构调整,增强工业反哺农业的能力,逐步拓宽农业人口向非农产业转移的渠道;提高特色农业的商品化、规模化和集约化水平,推进城乡互动,促进工农互补,实现城乡经济和社会协调发展。

(1)统筹城乡经济社会发展,扎实推进社会主义新农村建设。建设社会主义新农村是我国现代化进程中的重大历史任务,必须加快建立以工促农、以城带乡的长效机制。

(2)深化就业与户籍制度改革,建立城乡一体化的劳动就业体系。要打破城乡分割的就业制度和户籍制度,取消一切限制农民进城的歧视性政策,建立城乡平等的就业制度和户籍制度,扩大农民就业渠道。

(3)统筹城乡就业政策,加快农村劳动力的流动和转移。按照农村全面小康社会目标,21 世纪头 20 年,我国需要将1.2亿左右的农业劳动力转移到非农产业,每年转移 600 万人以上;按乡镇企业的就业成本测算,新增一个就业岗位需要新增投资 2 万元左右,每年需要新增1200亿元的投资才能创造足够的就业机会。因此,农村劳动力就业压力非常大。为此,一要统筹城乡就业政策,将农村劳动力就业纳入国家整体就业规划,把积极的财政政策与积极的就业政策结合起来;二要积极调整产业布局,重视劳动密集型制造业的发展,积极扶持乡镇企业,再创农村非农产业辉煌,努力创造就业机会;三要大力开展对农村劳动力的职业技术培训,增强农村劳动力自就业能力。

(4)构建有利于农村发展的公共财政体制。要分清市、县、乡各级政府的事权,明确划定各级财政的支出范围,并以此为依据赋予其履行职责必需的收入来源。规范中央、省、市、县转移支付制度,加大对乡镇财政转移支付力度。搭建公共财政覆盖农村基础设施、农业技术、小水利、道路的项目平台。

(5)农村税费制度的创新,增加农村公共产品的投入。按照建立公共财政体制和现代税制的要求,要逐步减少以至完全取消专门对农民设置的税制体系,使农民作为纳税人取得与其他社会成员平等的纳税地位,逐步统一城乡税制。

(6)积极推进农村土地制度改革。

（7）深化城乡投资建设体制改革，建立城乡一体化的基础设施体系。加快乡村基础设施建设，加强村庄规划和人居环境治理，规划好城镇基础建设。

（8）加快发展农村社会事业，培养推进社会主义新农村建设的新型农民。

（9）深化行政管理体制改革，健全以县级为基础的城乡一体化的行政管理体系。县一级是发展经济、维护稳定、巩固政权的关键。在国家行政管理体制改革中，要强化县级行政管理职能，完善县级功能定位，能下放的行政权力坚决下放到位。

构建社会主义和谐社会，是建设发展中国特色社会主义一个新的重要思想和战略任务。这一重要思想和战略任务能否实现，关键在于"三农"问题的解决，在于城乡统筹发展的实现，在于新农村建设取得实效。在我们这样一个农民占多数人口的国家里，农民是否安居乐业，对于社会和谐具有举足轻重的影响。广大农民日子过好了，素质提高了，广大农村形成安定祥和的局面了，和谐社会的基础就更加牢固。要坚持把"三农"问题作为全党工作的重中之重，坚持城乡统筹发展，充分发挥城市对农村的辐射和带动作用，充分发挥工业对农业的支持和反哺作用，逐步建立有利于改变城乡二元制结构的体制，稳定、完善和强化对农业的支持政策，加快农业和农村的经济发展，努力实现农民收入的稳定增长，促进城乡良性互动，共同发展。营造"乡风文明、村容整洁"、"生产发展，生活宽裕"、"管理民主"的社会主义新农村。

四

社会主义新农村建设的重大意义

建设社会主义新农村是中共中央在新世纪，立足于科学发展提出的解决我国"三农"问题的重大战略思想和历史任务。建设社会主义新农村的根本原则，一是从实际出发，尊重客观规律，因地制宜；二是以人为本，尊重农民意愿。

社会主义新农村的"新"在形式上主要体现在新表述，在内容上主要体现为新思路、新目标和新举措。

新表述。社会主义新农村建设思想在表述上有很多新提法。2006年中央出台的一号文件出现了许多推进社会主义新农村的新提法、新名词。例如，提出要培养造就"新型农民"，文件对新型农民作了界定，即有文化、懂技术、会经营。为培养造就新型农民，国家将扩大农村劳动力转移培训阳光工程实施规模，各级财政要将农村劳动力培训经费纳入预算，不断增加投入。整合农村各种教育资源，发展农村职业教育和成人教育。

文件提出"循环农业"的概念，要求大力开发节约资源和保护环境的农业技术，重点推广废弃物综合利用技术、相关产业链技术和可再生能源开发利用技术。制定相应的财税鼓励政策，组织实施生物工程，推广秸秆气化、固化成型、发电、养畜等技术，开发生物质能源和生物基材料，培育生物质产业。积极发展节地、节水、节肥、节药、接种的节约型农业，鼓励生产和使用节电、节油农业机械和农产品加工设备，努力提高农业投入品的利用效率。加大力度防治农业面源污染。

文件还提出了"村庄规划"的内容，要

求各级政府切实加强村庄规划工作,安排资金支持编制村庄规划和开展村庄治理试点;可从各地实际出发制定村庄建设和人居环境治理的指导性目录。加强宅基地规划和管理,注重村庄安全建设。村庄治理要突出乡村特色、地方特色和民族特色,保护有历史文化价值的古村落和古民宅。

新思路。建设社会主义新农村战略在思路上也对以往解决"三农"问题的政策和思路进行突破。在以往的农村发展研究中,理论界已经达成共识,解决"三农"问题的根本不在于"三农"本身,而在于与之相关的整个宏观经济政策,所以要跳出"三农"看"三农"。要解决农业问题,就必须大力发展非农产业;要解决农村问题,就要促进城镇化进程;要解决农民问题,就要大量转移农村富余劳动力。但是,随着实践的发展,还应该进一步思考:非农业发展了,农业怎么办? 城镇化之后,农村怎么办? 农村是否能够成为安定繁荣的农村,而不是凋敝的农村? 留在农村的农民能不能过上安定富裕的生活?

因此,立足农村,统筹城乡发展,缩小城乡差距,才能比较全面地反映出"三农"政策的目标和未来的追求。正是在这种思想的指导下,社会主义新农村建设确定了崭新的发展思路,即要按照统筹城乡发展的要求,不断加大对农业发展的支持力度,发挥城市对农村的辐射和带动作用,发挥工业对农业的支持和反哺作用,走城乡互动、工农互促的协调发展道路,从而逐步推进城乡一体化,实现城乡经济社会良性互动、和谐发展。

新目标。中央提出的"五句话、二十个字"的社会主义新农村建设内容,体现了物质文明、政治文明、精神文明建设、和谐社会建设以及党的建设的全面要求,渗透着"以人为本",把实现农民群众的利益、增进农民群众的福祉当做根本出发点的精神。新农村建设的各项内容中,生产发展是中心,是实现其他要求的物质基础;生活宽裕是基本尺度;乡风文明和村容整洁体现了精神文明和人居环境的双重要求;管理民主则显示了对农民群众政治权利的尊重。新农村建设作为一个系统工程,它的各项内容紧密相连,内在统一。

生产发展要求,推进现代农业建设,强化社会主义新农村建设的产业支撑。大力提高农业科技创新和转化能力;加强农村现代流通体系建设;稳步发展粮食生产,积极推进农业结构调整;发展农业产业化经营;加快发展循环农业。生活宽裕:促进农民持续增收,夯实社会主义新农村建设的经济基础。拓宽农民增收渠道;保障务工农民的合法权益;稳定、完善、发展农村义务教育,大规模开展农村劳动力技能培训;繁荣农村文化事业,加强县文化馆、图书馆和乡镇文化站、村文化室等公共文化设施建设;推动实施农民体育健身工程;扶持农村业余文化队伍,鼓励农民兴办文化产业,开展和谐家庭、和谐村组、和谐村镇创建活动。村容整洁:加快农村能源建设步伐,在适宜地区积极推广沼气、秸秆气化、小水电、太阳能、风力发电等清洁能源技术;以沼气池建设带动农村改圈、改厕、改厨;加强村庄规划和人居环境治理;引导和帮助农民切实解决住宅与畜禽圈舍混杂问题,搞好农村污水、垃圾处理,改善农村环境卫生。管理民主:以建设社会主义新农村为主题,在全国农村深入开展保持共产党员先进性教育活动,加强农村基层组织的阵地建设;健全村党组织领导的充满活力的村民自治机制,进一步完善村务公开和民主议事制度,完善村民"一事一议"制度,健全农民自主筹资筹劳的机制和办法。

新举措。一是加快农村经济发展,促进农民增收。挖掘农业自身的增收潜力,也要拓展农村内部的增收空间,还要广辟农村外部的增收渠道。2006年9月1—2日,全国农村综合改革工作会议举行。10月8日,国务院发布《关于做好农村综合改革工作有关问题的通知》。

二是大力加强农村基础设施建设。加强以小型水利设施为重点的农田基本建设,重点办好"水、路、电、气"四件大事,解决农村环境污染问题,改善人居环境。

三是调整国民收入分配政策和国家财政支出结构,增加农村公共产品的供给,大力发展农村教育、卫生、文化等社会事业。切实将农村义务教育全面纳入公共财政保障范围,进一步扩大新型农村合作医疗覆盖范围,提高补助标准,健全农村三级医疗卫生服务和医疗救助体系。加强农村文化设施建设,进一步丰富农民的精神文化生活。2006年1月31日,国务院发出《关于解决农民工问题的若干意见》,指出:要逐步建立城乡统一的劳动力市场和公平竞争的就业制度,建立保障农民工合法权益的政策体系和执法监督机制,建立惠及农民工的城乡公共服务体制和制度。2007年6月16日,中共中央政治局召开会议,研究加强公共文化服务体系建设。会议指出:要把建设的重心放在基层和农村,着力提高公共文化产品供给能力,着力解决人民群众最关心、最直接、最现实的基本文化权益问题。2007年7月11日,国务院发出《关于在全国建立农村最低生活保障制度的通知》。要求将符合条件的农村贫困人口全部纳入保障范围,稳定、持久、有效地解决全国农村贫困人口的温饱问题。

四是培养农民的主人翁意识和归属感,大力加强农村职业教育和成人教育,加强技能培训,加大面向农民的人力资本开发,培育"有文化、懂技术、会经营"的新型农民,不断提高农民的综合素质,为新农村建设提供智力支持和人才保障。2003年9月17日,国务院作出《关于进一步加强农村教育工作的决定》,19—20日,全国农村教育工作会议在京举行。温家宝在会上讲话,指出:要在巩固基本普及九年义务教育和基本扫除青壮年文盲成果的基础上,努力实现全面普及九年义务教育。

民营经济的发展与 "非公经济36条"

经过1978—2002年二十多年的发展,民营经济逐步壮大。2002年十六大报告进一步指出:必须毫不动摇地巩固和发展公有制经济。必须毫不动摇地鼓励、支持和引导非公有制经济发展。坚持公有制为主导,促进非公有制经济发展,统一于社会主义现代化建设的进程中。随着"两个毫不动摇"和"一个统一"的提出,民营经济发展进入了一个新的时期。十六大报告同时提出的"尊重创造"、"保护一切合法的劳动收入和合法的非劳动收入"、"营造一个让人们干事和干实事的环境"、"完善保护私人财产的法律制度"、"放手让一切劳动、知识、技术、管理和资本的活力竞相迸发,让一切创造财富的源泉充分涌流"等等一系列的鼓励和支持民营经济发展的新概念、新提法让民营经济的发展更加充满活力。2005 年提出的"非公经济 36 条"进一步消除影响非公有制经济发展的体制性障碍,对我国非公有制经济的发展必将产生巨大的促进作用,推动我国非公有制经济进入新的发展阶段。2003—2009 年我国民营经济进入了高速发展的阶段。

一

2003 年以来民营经济高速发展

2003 年 10 月,党的十六届三中全会通过了《关于完善社会主义市场经济体制若干问题的决定》,大力发展和积极引导非公有制经济,"放宽市场准入,允许非公有制资本进入法律法规未禁入的基础设施、公用事业及其他行业和领域"。

到 2003 年底,以民间投资为主的固定资产投资格局已全面替代政府为主的投资模式,民营经济总体上呈现快速、健康的发展态势。根据国家工商总局的统计数据,截至 2003 年底,我国个体工商户达到 2353 万户,从业人员 4636 万人,分别比上年同期减少 1.09% 和 2.05%,但注册资金为 4187 亿元,比上年同期增长 10.71%;而私营企业的户数、从业人员和注册资本分别比上年同期增长 23.18%、19.91% 和 41.37%,继续保持两位数的增长势头。2003 年民营企业家的政治地位也显著上升。2003 年 1 月 11 日,重庆力帆实业(集团)董事长、重庆市工商联会长尹明善当选为重庆市政协副主席,中国民营企业家开始走上政治舞台。尹明善是改革开放以来首位进入省级政协领导班子的民营企业家。2003 年 1 月 21 日,浙江传化集团董事长、浙江省工商联会长徐冠巨当选

为浙江省政协副主席。3 月,从全国政协十届一次会议新闻中心传来消息,本届全国政协委员中至少有 65 名来自非公有制经济阶层,占所有委员的比例至少有 2.9%,人数和比例均超过上届。以浙江为例,2003 年,浙江民营经济占生产总值比重达到 70.1%,民间固定资产投资占 57.4%,民营外贸出口占 36.5%。其中,个体私营经济 2003 年实现工业总产值 8271 亿元,销售总额 6899 亿元,社会销售品零售总额 3124 亿元,出口创汇额 1211 亿元。

到 2004 年末,我国共有私营工业企业 90.3 万个,吸纳就业人员 3225 万人,分别占全部工业企业的比重为 65.6% 和 34.7%;全部私营企业现价工业总产值 49705 亿元,占全部工业的 22.4%。如今的私营企业已不仅仅是简单加工的传统生产方式的小企业,相当一部分已是具有一定生产规模、技术和装备先进、产品具有国际市场竞争实力的现代企业。近几年在重化工、冶金、汽车、电力等行业均已经出现了投资规模在几亿、几十亿、上百亿的私营企业。钢材产量超过 100 万吨的私营企业已有 10 多家,全国已有 38 家私营企业从事汽车整车生产,私营经济发展的档次已经逐步高级化。

2005 年全国私营企业进一步快速发展,资金规模继续扩大,上规模大中型私营企业增速明显加快,企业的规模和效益进一步提高。截至 2005 年底,全国私营企业总数达 430.1 万户,新增 65 万户,比 2004 年同期增长 17.8%。私营企业户数占全国企业总数的 53.41%,总量超过国有、集体和外资企业数量之和,是 2000 年底 176 万户的 2.44 倍。"十五"期间,企业数量年均增长 19.02%。其中,2000 年为 16.8%,2001 年为 15%,2002 年为 20%,

2003年为23%,2004年为21.5%,2005年为17.8%。2005年私营企业户数排在前10位的省(区、市)有:江苏省50.7万户,上海市47.4万户,广东省44.9万户,浙江省35.9万户,山东省31.5万户,北京市26万户,四川省17.9万户,辽宁省16.5万户,河南省13.4万户,湖北省12.9万户。2005年私营企业从业人员达到5824万人,比2004年同期增加807万人,增长16.08%,是2000年的2.4倍。2005年注册资本61331.1亿元,增长13395.1亿元,比2004年同期增长27.94%,是2000年的4.6倍。2005年户均注册资金142.6万元,比2004年增加11.3万元,增长8.6%,是2000年户均注册资金的1.9倍,全国私营企业资金实力进一步增强。

2005年,新开业私营企业达94.09万户,比2004年同期增加0.26万户,增长0.28%。从业人员947.6万人,比2004年同期增加38.65万人,增长2.93%。其中,投资者人数223.7万人,增长4.02%;雇工人数723.9万人,下降4.9%。注册资金11027.7亿元,比2004年同期增加689.9亿元,增长6.67%。2005年我国还颁布了"非公有制经济36条",极大促进了民营经济的高速发展。

2006年,是国务院"非公经济36条"进一步落实的一年,非公有制经济的法律、政策和市场环境不断改善,非公有制经济取得了更大发展,为国民经济发展提供了强大动力来源。2006年民营经济继续以高于全国经济增长速度的水平发展,年底时登记注册的全国私营企业达到494.7万户,比上年增长15%;注册资金总额为7.5万亿元,增长22%;从业人员为6395.5万人,增长9.81%;投资者人数1224.9万人,增长10.36%;城镇中除国有及国有控股经济以外的经济即全部民营经济固定投资总额达到4.83万亿元,比上年增长37.7%,高于全国13.2个百分点,占城镇固定资产投资总额的比重首次超过50%,达到51.6%;到2006年11月,规模以上私营工业增加值为1.5万亿元,同比增长25%,高于全国8.2个百分点;全国私营企业进出口总额为2436亿美元,同比增长46.5%,高于全国增长率约23个百分点。民营经济在发展速度上继续保持高水平外,效益和社会贡献进一步增长。私营工业利润快速增长,到2006年11月,规模以上私营工业利润总额为2521亿元,同比增长47.2%,高于全国16.5个百分点;私营经济税收快速增长,当年私营企业税收总额3495.2亿元,比2005年增长28.6%,高于全国6.7个百分点;占全国税收总额的比重为9.28%,比2005年提高了0.48个百分点;对社会公益事业贡献不断增大。以中国光彩事业为例,到2006年6月,累计到位投资资金1247亿元,比2005年6月增长178亿元;安置就业479万人,增加179万人;帮助脱贫769.8万人,增加221万人;捐赠财物170亿元,增加近40亿元。而且,民营企业素质不断提高,私营企业组织形式及治理结构不断优化,企业经济实力增大。2006年私营企业户均注册资金为151万元,比2005年提高了8万元,企业自主创新能力增强,在53个国家级高新技术开发区中,70%以上为民营科技企业,其科技成果占高新区的70%以上。在我国专利申请中,私营企业申请量占41%,高于其他经济成分;2006年是民营上市公司增加最多的一年,全年私营控股上市公司增加了28家,占全国新增上市公司数量的39.4%;企业"走出去"步伐加快,民营企业"走出去"的产业分布主要是境外分销贸易及其他服务业和加工贸易生产,分别占48.6%和

38.7％。

2007年召开的十七大的报告中指出："坚持和完善公有制为主体、多种所有制经济共同发展的基本经济制度，毫不动摇地巩固和发展公有制经济，毫不动摇地鼓励、支持、引导非公有制经济发展，坚持平等保护物权，形成各种所有制经济平等竞争、相互促进新格局。"这"两个毫不动摇"和"两个平等"是十七大报告有关所有制理论论述的亮点，为民营经济的发展创造了更加广阔的空间。这就意味着"各种所有制经济平等竞争、相互促进新格局"将会逐步形成，也促使民营经济必须在科学发展观的统领下，由单纯的快速增长向集约化的发展模式转变。有理由相信，我国的民营经济在实现国民经济又好又快发展的伟大战略中将会作出更加突出的贡献。到2007年底，全国共有私营企业551万户，个体工商户2741.5万户，私营企业占全国企业总数的61％，成为数量最多的企业群体；私营企业注册资本93873亿元，比2002年增长279％；个体工商户注册资金数额为7350.7亿元，比2002年增加3568.7亿元。2007年度，改革开放的排头兵深圳民营经济增加值达到了1812.22亿元人民币，占全市GDP的26.7％；纳税740.97亿元人民币，占全市企业纳税总额的56.1％；民营经济一般进出口贸易总额433.07亿美元，高新技术产品进出口总额137.61亿美元；民营企业拥有"中国驰名商标"17件，占全市总数的68％；"中国名牌产品"16件，占全市总数的72.73％。2007年，在我国私营企业中，年主营业务收入在500万元以上规模的企业已有17.7万家，其中达到大中型标准的有8000多家。2007年，规模以上私营工业企业完成出口交货值8571亿元，占全国规模以上工业企业的11.7％。

截至2008年9月，我国登记注册的私营企业达到643.28万户，较2007年底增长了6.67％；注册资金达到11.26万亿元，较2007年底增长了19.97％。民营经济投资仍以较快的速度增长，截至2008年11月，全国私营企业城镇固定资产投资累计完成2.42万亿元，增长了34.9％，高于全国8.1个百分点。民营工业相对快速增长，全国私营工业企业同比增长20.8％，高于全国7.1个百分点；全国规模以上私营工业企业实现利润总额5495亿元，同比增长36.6％，高于全国31.71个百分点；全国私营企业完成税收总额5454.61亿元，同比增长25％，高于全国5.7个百分点。随着经济实力的增强，民营经济开始翻开向尖端技术进军新的一页。2008年民营企业拥有全国66％的专利与74％的技术创新以及82％的新产品开发。当年因"假冒骗"出名的"温州制造"，如今以"德力西"、"正泰"、"飞策"等生产的温州电器产品，已创造了连助"神五"、"神六"、"神七"飞天的辉煌业绩。

民营经济在2003年以后随着国家政策的扶持进入了高速增长时期。民营经济在国民经济中的地位逐步上升，服务领域也逐渐拓展。从原来的轻工纺织、普通机械、建筑运输、商贸服务向重化工业、基础设施、公用事业等领域发展转化。在冶金、汽车、电力等行业，已经出现投资规模在几亿、几十亿甚至上百亿元的私营企业。在道路桥梁建设、城市环保、公共交通领域，不少私营企业成为大型项目的中标者。在2005年颁布的"非公经济36条"，对这一时期民营经济的发展起到了重要作用，并且对日后民营经济乃至整个国民经济的发展起到了至关重要的作用。

二

"非公经济 36 条"

2005 年 2 月 24 日，新华社受权全文播发《国务院关于鼓励支持和引导个体私营等非公有制经济发展的若干意见》，这就是之后被民营经济界广为说到的"非公经济 36 条"。《若干意见》的颁发，是中华人民共和国成立 56 年来第一次以中央政府的名义发布的鼓励支持和引导非公有制经济发展的政策性文件，是中共十六大之后，中国民营企业期盼已久的关于非公经济发展的一份非常及时和重要的纲领性文件。2005 年国务院正式公布"非公经济 36 条"，第一次明确允许非公有资本进入金融、电力、电信、铁路、民航、石油等垄断行业和领域。

1. 放宽非公有制经济市场准入

（1）贯彻平等准入、公平待遇原则。允许非公有资本进入法律法规未禁入的行业和领域。允许外资进入的行业和领域，也允许国内非公有资本进入，并放宽股权比例限制等方面的条件。在投资核准、融资服务、财税政策、土地使用、对外贸易和经济技术合作等方面，对非公有制企业与其他所有制企业一视同仁，实行同等待遇。对需要审批、核准和备案的事项，政府部门必须公开相应的制度、条件和程序。国家有关部门与地方人民政府要尽快完成清理和修订限制非公有制经济市场准入的法规、规章和政策性规定工作。外商投资企业依照有关法律法规的规定执行。

（2）允许非公有资本进入垄断行业和领域。加快垄断行业改革，在电力、电信、铁路、民航、石油等行业和领域，进一步引入市场竞争机制。对其中的自然垄断业务，积极推进投资主体多元化，非公有资本可以参股等方式进入；对其他业务，非公有资本可以独资、合资、合作、项目融资等方式进入。在国家统一规划的前提下，除国家法律法规等另有规定的外，允许具备资质的非公有制企业依法平等取得矿产资源的探矿权、采矿权，鼓励非公有资本进行商业性矿产资源的勘察开发。

（3）允许非公有资本进入公用事业和基础设施领域。加快完善政府特许经营制度，规范招投标行为，支持非公有资本积极参与城镇供水、供气、供热、公共交通、污水垃圾处理等市政公用事业和基础设施的投资、建设与运营。在规范转让行为的前提下，具备条件的公用事业和基础设施项目，可向非公有制企业转让产权或经营权。鼓励非公有制企业参与市政公用企业、事业单位的产权制度和经营方式改革。

（4）允许非公有资本进入社会事业领域。支持、引导和规范非公有资本投资教育、科研、卫生、文化、体育等社会事业的非营利性和营利性领域。在放开市场准入的同时，加强政府和社会监管，维护公众利益。支持非公有制经济参与公有制社会事业单位的改组改制。通过税收等相关政策，鼓励非公有制经济捐资捐赠社会事业。

（5）允许非公有资本进入金融服务业。在加强立法、规范准入、严格监管、有效防范金融风险的前提下，允许非公有资本进入区域性股份制银行和合作性金融机构。符合条件的非公有制企业可以发起设立金融中介服务机构。允许符合条件的非公有制企业参与银行、证券、保险等金融机构的改组改制。

（6）允许非公有资本进入国防科技工

业建设领域。坚持军民结合、寓军于民的方针,发挥市场机制的作用,允许非公有制企业按有关规定参与军工科研生产任务的竞争以及军工企业的改组改制。鼓励非公有制企业参与军民两用高技术开发及其产业化。

(7)鼓励非公有制经济参与国有经济结构调整和国有企业重组。大力发展国有资本、集体资本和非公有资本等参股的混合所有制经济。鼓励非公有制企业通过并购和控股、参股等多种形式,参与国有企业和集体企业的改组改制改造。非公有制企业并购国有企业,参与其分离办社会职能和辅业改制,在资产处置、债务处理、职工安置和社会保障等方面,参照执行国有企业改革的相应政策。鼓励非公有制企业并购集体企业,有关部门要抓紧研究制定相应政策。

(8)鼓励、支持非公有制经济参与西部大开发、东北地区等老工业基地振兴和中部地区崛起。西部地区、东北地区等老工业基地和中部地区要采取切实有效的政策措施,大力发展非公有制经济,积极吸引非公有制企业投资建设和参与国有企业重组。东部沿海地区也要继续鼓励、支持非公有制经济发展壮大。

2.加大对非公有制经济的财税金融支持

(9)加大财税支持力度。逐步扩大国家有关促进中小企业发展专项资金规模,省级人民政府及有条件的市、县应在本级财政预算中设立相应的专项资金。加快设立国家中小企业发展基金。研究完善有关税收扶持政策。

(10)加大信贷支持力度。有效发挥贷款利率浮动政策的作用,引导和鼓励各金融机构从非公有制经济特点出发,开展金融产品创新,完善金融服务,切实发挥

银行内设中小企业信贷部门的作用,改进信贷考核和奖惩管理方式,提高对非公有制企业的贷款比重。城市商业银行和城市信用社要积极吸引非公有资本入股;农村信用社要积极吸引农民、个体工商户和中小企业入股,增强资本实力。政策性银行要研究改进服务方式,扩大为非公有制企业服务的范围,提供有效的金融产品和服务。鼓励政策性银行依托地方商业银行等中小金融机构和担保机构,开展以非公有制中小企业为主要服务对象的转贷款、担保贷款等业务。

(11)拓宽直接融资渠道。非公有制企业在资本市场发行上市与国有企业一视同仁。在加快完善中小企业板块和推进制度创新的基础上,分步推进创业板市场,健全证券公司代办股份转让系统的功能,为非公有制企业利用资本市场创造条件。鼓励符合条件的非公有制企业到境外上市。规范和发展产权交易市场,推动各类资本的流动和重组。鼓励非公有制经济以股权融资、项目融资等方式筹集资金。建立健全创业投资机制,支持中小投资公司的发展。允许符合条件的非公有制企业依照国家有关规定发行企业债券。

(12)鼓励金融服务创新。改进对非公有制企业的资信评估制度,对符合条件的企业发放信用贷款。对符合有关规定的企业,经批准可开展工业产权和非专利技术等无形资产的质押贷款试点。鼓励金融机构开办融资租赁、公司理财和账户托管等业务。改进保险机构服务方式和手段,开展面向非公有制企业的产品和服务创新。支持非公有制企业依照有关规定吸引国际金融组织投资。

(13)建立健全信用担保体系。支持非公有制经济设立商业性或互助性信用担保机构。鼓励有条件的地区建立中小

企业信用担保基金和区域性信用再担保机构。建立和完善信用担保的行业准入、风险控制和补偿机制，加强对信用担保机构的监管。建立健全担保业自律性组织。

3. 完善对非公有制经济的社会服务

（14）大力发展社会中介服务。各级政府要加大对中介服务机构的支持力度，坚持社会化、专业化、市场化原则，不断完善社会服务体系。支持发展创业辅导、筹资融资、市场开拓、技术支持、认证认可、信息服务、管理咨询、人才培训等各类社会中介服务机构。按照市场化原则，规范和发展各类行业协会、商会等自律性组织。整顿中介服务市场秩序，规范中介服务行为，为非公有制经济营造良好的服务环境。

（15）积极开展创业服务。进一步落实国家就业和再就业政策，加大对自主创业的政策扶持，鼓励下岗失业人员、退役士兵、大学毕业生和归国留学生等各类人员创办小企业，开发新岗位，以创业促就业。各级政府要支持建立创业服务机构，鼓励为初创小企业提供各类创业服务和政策支持。对初创小企业，可按照行业特点降低公司注册资本限额，允许注册资金分期到位，减免登记注册费用。

（16）支持开展企业经营者和员工培训。根据非公有制经济的不同需求，开展多种形式的培训。整合社会资源，创新培训方式，形成政府引导、社会支持和企业自主相结合的培训机制。依托大专院校、各类培训机构和企业，重点开展法律法规、产业政策、经营管理、职业技能和技术应用等方面的培训，各级政府应给予适当补贴和资助。企业应定期对职工进行专业技能培训和安全知识培训。

（17）加强科技创新服务。要加大对非公有制企业科技创新活动的支持，加快建立适合非公有制中小企业特点的信息和共性技术服务平台，推进非公有制企业的信息化建设。大力培育技术市场，促进科技成果转化和技术转让。科技中介服务机构要积极为非公有制企业提供科技咨询、技术推广等专业化服务。引导和支持科研院所、高等院校与非公有制企业开展多种形式的产学研联合。鼓励国有科研机构向非公有制企业开放试验室，充分利用现有科技资源。支持非公有资本创办科技型中小企业和科研开发机构。鼓励有专长的离退休人员为非公有制企业提供技术服务。切实保护单位和个人知识产权。

（18）支持企业开拓国内外市场。改进政府采购办法，在政府采购中非公有制企业与其他企业享受同等待遇。推动信息网络建设，积极为非公有制企业提供国内外市场信息。鼓励和支持非公有制企业扩大出口和"走出去"，到境外投资兴业，在对外投资、进出口信贷、出口信用保险等方面与其他企业享受同等待遇。鼓励非公有制企业在境外申报知识产权。发挥行业协会、商会等中介组织作用，利用好国家中小企业国际市场开拓资金，支持非公有制企业开拓国际市场。

（19）推进企业信用制度建设。加快建立适合非公有制中小企业特点的信用征集体系、评级发布制度以及失信惩戒机制，推进建立企业信用档案试点工作，建立和完善非公有制企业信用档案数据库。对资信等级较高的企业，有关登记审核机构应简化年检、备案等手续。要强化企业信用意识，健全企业信用制度，建立企业信用自律机制。

4. 维护非公有制企业和职工的合法权益

（20）完善私有财产保护制度。要严

格执行保护合法私有财产的法律法规和
行政规章,任何单位和个人不得侵犯非公
有制企业的合法财产,不得非法改变非公
有制企业财产的权属关系。按照宪法修
正案规定,加快清理、修订和完善与保护
合法私有财产有关的法律法规和行政
规章。

(21)维护企业合法权益。非公有制
企业依法进行的生产经营活动,任何单位
和个人不得干预。依法保护企业主的名
誉、人身和财产等各项合法权益。非公有
制企业合法权益受到侵害时提出的行政
复议等,政府部门必须及时受理,公平对
待,限时答复。

(22)保障职工合法权益。非公有制
企业要尊重和维护职工的各项合法权益,
要依照《中华人民共和国劳动法》等法律
法规,在平等协商的基础上与职工签订规
范的劳动合同,并健全集体合同制度,保
证双方权利与义务对等;必须依法按时足
额支付职工工资,工资标准不得低于或变
相低于当地政府规定的最低工资标准,逐
步建立职工工资正常增长机制;必须尊重
和保障职工依照国家规定享有的休息休
假权利,不得强制或变相强制职工超时工
作,加班或延长工时必须依法支付加班工
资或给予补休;必须加强劳动保护和职业
病防治,按照《中华人民共和国安全生产
法》等法律法规要求,切实做好安全生产
与作业场所职业危害防治工作,改善劳动
条件,加强劳动保护。要保障女职工合法
权益和特殊利益,禁止使用童工。

(23)推进社会保障制度建设。非公
有制企业及其职工要按照国家有关规定,
参加养老、失业、医疗、工伤、生育等社会
保险,缴纳社会保险费。按照国家规定建
立住房公积金制度。有关部门要根据非
公有制企业量大面广、用工灵活、员工流

动性大等特点,积极探索建立健全职工社
会保障制度。

(24)建立健全企业工会组织。非公
有制企业要保障职工依法参加和组建工
会的权利。企业工会组织实行民主管理,
依法代表和维护职工合法权益。企业必
须为工会正常开展工作创造必要条件,依
法拨付工会经费,不得干预工会事务。

5. 引导非公有制企业提高自身素质

(25)贯彻执行国家法律法规和政策
规定。非公有制企业要贯彻执行国家法
律法规,依法经营,照章纳税。服从国家
的宏观调控,严格执行有关技术法规,自
觉遵守环境保护和安全生产等有关规定,
主动调整和优化产业、产品结构,加快技
术进步,提高产品质量,降低资源消耗,减
少环境污染。国家支持非公有制经济投
资高新技术产业、现代服务业和现代农
业,鼓励发展就业容量大的加工贸易、社
区服务、农产品加工等劳动密集型产业。

(26)规范企业经营管理行为。非公
有制企业从事生产经营活动,必须依法获
得安全生产、环保、卫生、质量、土地使用、
资源开采等方面的相应资格和许可。企
业要强化生产、营销、质量等管理,完善各
项规章制度。建立安全、环保、卫生、劳动
保护等责任制度,并保证必要的投入。建
立健全会计核算制度,如实编制财务报
表。企业必须依法报送统计信息。加快
研究改进和完善个体工商户、小企业的会
计、税收、统计等管理制度。

(27)完善企业组织制度。企业要按
照法律法规的规定,建立规范的个人独资
企业、合伙企业和公司制企业。公司制企
业要按照《中华人民共和国公司法》要求,
完善法人治理结构。探索建立有利于个
体工商户、小企业发展的组织制度。

(28)提高企业经营管理者素质。非

公有制企业出资人和经营管理人员要自觉学习国家法律法规和方针政策,学习现代科学技术和经营管理知识,增强法制观念、诚信意识和社会公德,努力提高自身素质。引导非公有制企业积极开展扶贫开发、社会救济和"光彩事业"等社会公益性活动,增强社会责任感。各级政府要重视非公有制经济的人才队伍建设,在人事管理、教育培训、职称评定和政府奖励等方面,与公有制企业实行同等政策。建立职业经理人测评与推荐制度,加快企业经营管理人才职业化、市场化进程。

(29)鼓励有条件的企业做强做大。国家支持有条件的非公有制企业通过兼并、收购、联合等方式,进一步壮大实力,发展成为主业突出、市场竞争力强的大公司大集团,有条件的可向跨国公司发展。鼓励非公有制企业实施品牌发展战略,争创名牌产品。支持发展非公有制高新技术企业,鼓励其加大科技创新和新产品开发力度,努力提高自主创新能力,形成自主知识产权。国家关于企业技术改造、科技进步、对外贸易以及其他方面的扶持政策,对非公有制企业同样适用。

(30)推进专业化协作和产业集群发展。引导和支持企业从事专业化生产和特色经营,向"专、精、特、新"方向发展。鼓励中小企业与大企业开展多种形式的经济技术合作,建立稳定的供应、生产、销售、技术开发等协作关系。通过提高专业化协作水平,培育骨干企业和知名品牌,发展专业化市场,创新市场组织形式,推进公共资源共享,促进以中小企业集聚为特征的产业集群健康发展。

6. 改进政府对非公有制企业的监管

(31)改进监管方式。各级人民政府要根据非公有制企业生产经营特点,完善相关制度,依法履行监督和管理职能。各有关监管部门要改进监管办法,公开监管制度,规范监管行为,提高监管水平。加强监管队伍建设,提高监管人员素质。及时向社会公布有关监管信息,发挥社会监督作用。

(32)加强劳动监察和劳动关系协调。各级劳动保障等部门要高度重视非公有制企业劳动关系问题,加强对非公有制企业执行劳动合同、工资报酬、劳动保护和社会保险等法规、政策的监督检查。建立和完善非公有制企业劳动关系协调机制,健全劳动争议处理制度,及时化解劳动争议,促进劳动关系和谐,维护社会稳定。

(33)规范国家行政机关和事业单位收费行为。进一步清理现有行政机关和事业单位收费,除国家法律法规和国务院财政、价格主管部门规定的收费项目外,任何部门和单位无权向非公有制企业强制收取任何费用,无权以任何理由强行要求企业提供各种赞助费或接受有偿服务。要严格执行收费公示制度和收支两条线的管理规定,企业有权拒绝和举报无证收费和不合法收费行为。各级人民政府要加强对各类收费的监督检查,严肃查处乱收费、乱罚款及各种摊派行为。

7. 加强对发展非公有制经济的指导和政策协调

(34)加强对非公有制经济发展的指导。各级人民政府要根据非公有制经济发展的需要,强化服务意识,改进服务方式,创新服务手段。要将非公有制经济发展纳入国民经济和社会发展规划,加强对非公有制经济发展动态的监测和分析,及时向社会公布有关产业政策、发展规划、投资重点和市场需求等方面的信息。建立促进非公有制经济发展的工作协调机制和部门联席会议制度,加强部门之间配合,形成促进非公有制经济健康发展的合力。要充分发挥各级工商联在政府管理非公有制企业方面的助手作用。统计部门要改进和完善现行统计制度,及时准确反映非公有制经济发展状况。

(35)营造良好的舆论氛围。大力宣传党和国家鼓励、支持和引导非公有制经济发展的方针政策与法律法规,宣传非公有制经济在社会主义现代化建设中的重要地位和作用,宣传和表彰非公有制经济中涌现出的先进典型,形成有利于非公有制经济发展的良好社会舆论环境。

(36)认真做好贯彻落实工作。各地区、各部门要加强调查研究,抓紧制订和完善促进非公有制经济发展的具体措施及配套办法,认真解决非公有制经济发展中遇到的新问题,确保党和国家的方针政策落到实处,促进非公有制经济健康发展。

"非公经济36条"中关于非公经济进入垄断行业的内容是该规定的重要亮点。电力、电信、铁路、民航、石油、公用事业、基础设施等垄断行业、领域由国有企业投资与经营将逐步成为历史。"非公经济36条"的出台标志着中国民营经济政策体系框架已经确立,个体私营经济遇到的很多政策性的障碍得到消除。"非公经济36条"为非国有经济提供了更广阔的发展空间,并进一步完善市场经济机制、广泛化解经济快速增长所面临的各种不平衡问题。从长远来看,它将促进国民经济持续、健康、稳定的发展。

中国金融体制改革

加入世贸组织以来,中国金融体制改革经历了以下两个阶段:2002—2006年,入世五年过渡期的金融体制改革攻坚阶段;2007年以来,全面开放背景下的金融体制改革攻坚阶段。

入世五年过渡期的金融体制改革攻坚阶段:2002—2006年

如果说1997年11月的全国金融工作会议,促使中国初步建立了新的金融体系,成功避免了亚洲金融危机的冲击,那么在2001年12月中国加入世贸组织后,面对WTO挑战的中国金融业则再一次面临抉择。在此背景下,2002年2月召开的中央金融工作会议,进一步明确了下一步金融改革的方向。

1. 构筑现代金融机构体系

(1)构筑相对独立的中央银行体制。人民银行执行货币政策的职能实行"两权分离",即货币政策委员会在全国人大常委会的领导下有权独立制定货币政策,人民银行在国务院领导下有权独立执行货币政策,并不断完善大区分行管理体制。

(2)构建完善、高效的金融监管体系。在不断完善证券、保险监管体制的基础上,增设银行监管机构,形成分业监管体系,其中重点是建立完备的监管对象评级系统、监控系统和信息管理系统，提高监管人员素质和技术手段质量。

从1997年提出分业经营、分业监管的原则后，到2003年3月最终确立了中国金融业由银行、证券、保险和央行组成的金融监管体系。监管原则、监管标准、监管内容和监管手段，基本达到了国际监管组织提出的标准。

（3）建立国有商业银行的现代企业制度。对国有商业银行实施股份制改造，建立区域股份制商业银行集团，完善法人治理结构，并放宽对国有商业银行经营目标及其业务的行政或计划控制，使其逐步由分业经营转变为面向市场的混业经营。

2003年国家再一次注资，国务院决定，由汇金投资有限公司代表国家于12月30日向中国银行、中国建设银行分别注资225亿美元补充资本金，提高国有商业银行的核心资本率。2004年8月中国银行股份有限公司正式挂牌；同年9月中国建设银行股份有限责任公司正式成立。2005年4月，国家向中国工商银行再次注资150亿美元，并于10月整体改制为股份有限责任公司。

（4）加强政策性银行的机构体系和经营机制建设。要求实现政策性业务与商业性经营的彻底分离，落实财政拨付的资本金，资金来源和利差补贴应当由政府财政承担，在此前提下不断扩大政策性投融资活动范围和增加政策性银行机构。

（5）增强非银行金融机构的国际竞争力。在完善法规规则和经营行为的前提下，不断扩大证券、信托、保险和各类基金组织的经营规模，实施公司制改造，完善法人治理结构，扩大合资经营范围，并允许私人企业逐步进入金融领域从事投融资业务。

（6）深化改革农村信用合作社。农村信用合作社的改革起步很早，但久经磨难。2003年8月，根据《国务院关于印发深化农村信用合作社改革试点方案的通知》，在江西、吉林、陕西、重庆、贵州、山东、浙江、江苏8省市进行农村信用合作社改革试点；2004年8月，国务院下发了《关于进一步深化农村信用合作社改革试点的意见》，把改革扩大到21个省市，对试点地区的农村信用社给予特殊的扶植政策。2005年农村信用试点扩大到除西藏以外的各个省市，基层信用社大多成立了县联社，省一级组建了省联社，作为省政府对农村信用进行监管的机构。农村信用社改革后，基层社减少了835家，在经过整合的基础上，新成立或联合组建的农村商业银行有70家。2006年12月，中国银监会下发了《关于调整放宽农村地区银行业金融机构准入政策，更好地支持社会主义新农村建设的若干意见》，按低门槛、严监管的原则，首先在西部6个省区依靠民间资金组建村镇银行、贷款公司和农民资金互助社。2008年1月，试点扩大到全国31个省市。初步形成了以支农贷款为导向、以中国农业发展银行与中国农业银行为骨干、以农村信用社为主体、邮储蓄银行、村镇银行、贷款公司和农民资金互助社共同参与的、广覆盖、多层次、可持续的、支持"三农"的农村金融服务体系。

（7）大力推进银行的民营化改革。当前中国银行业的民营化程度还很低，除中国民生银行和少数几家城市商业银行的资本来自民间外，真正的民营银行还没有。因此，对于在浙江温州进行的民营商业银行的试点，对解决中国商业银行长期存在的产权软约束和政企不分开等老大难问题，无疑具有十分重要的现实意义。

2. 构筑现代金融市场体系

加入世贸组织以后，中国的金融市场

在短期内即将与国际金融市场接轨。因此,按照国际规则培育和完善金融市场,在短期内需要着手解决的问题主要集中在:

(1)通过扩大和完善公开市场业务和再贴现业务,提高中央银行调控基础货币投放量的市场运作能力。

2002年公开市场业务操作取得突破性进展。由于中国外贸出口和外商投资的持续增长,人民银行买入外汇数量持续上升,相应投放了大量基础货币,为了避免商业银行过度扩张贷款,或在债券一级市场抢购债券、压低利率,而造成系统性债券利率风险。人民银行自2002年6月25日开始进行公开市场正回购操作,以稳定基础货币增长率。由于以稳步发展的银行间债券市场为依托,人民银行的公开市场业务操作取得快速的进步,公开市场业务操作已成为中国央行日常货币政策日常操作最主要的工具。以取消贷款规模限额控制和公开市场操作为主要标志,本阶段中国货币政策调控基本上实现了由直接调控向间接调控的转变。这是本时期中国货币政策工具改革所取得的重要成果之一,其中公开市场业务操作的进步尤其令人激动。

2004年中国人民银行决定实行再贷款浮息制度,从3月25日起,对期限在1年以内,用于金融机构头寸调节和短期流动性支持的各档次再贷款利率,在现行再贷款基准利率2.7%的基础上加0.63个百分点。同时,再贴现利率在现行再贴现基准利率2.97%的基础上加0.27个百分点,为3.24%。实行再贷款浮息制度是稳步推进利率市场化的又一重要步骤,有利于完善中央银行利率形成机制,逐步提高中央银行引导市场利率的能力。

(2)稳步推进利率的市场化进程。为

此,中央银行要逐步减少对利率形成的行政干预,通过引导同业拆借统一利率和国债买卖基准利率的形成,促进存款利率和贷款利率向市场化利率的方向演化。

自1996年中国利率市场化正式启动以来,利率市场化改革稳步推进,并取得阶段性进展。央行积极推进境内外币利率市场化,2002年3月起,人民银行统一了中、外资金融机构外币利率管理政策,实现中外资金融机构在外币利率政策上的公平待遇。2004年11月,人民银行上调了境内美元小额外币存款利率上限,其中1年期美元小额外币存款利率由0.5625%上调为0.875%,将境内外美元利差控制在合理范围内,有利于协调境内外美元利率水平,稳定境内外币存款以减轻人民币升值的压力。

同时,央行灵活调整存、贷款利率水平。2002年以8个县的农村信用社为试点,允许贷款利率浮动幅度上升到50%—80%,存款利率最高可上浮50%。2003年中国人民银行提出利率市场化的基本路径是:先贷款后存款,先大额长期后小额短期,先外币后本币,先农村后城市。从2004年1月1日起,进一步扩大金融机构贷款利率浮动区间,商业银行和城市信用社贷款浮动上限扩大到基准利率的1.7倍,存款利率可下浮到0.9倍,并推出商业银行自主定价的配套措施;3月25日起实行再贷款利率浮动制度,10月29日起放开商业银行贷款利率上限,城乡信用社贷款利率上浮扩大到2.3倍,有利于商业银行按照风险与效益对称的原则,灵活进行差别定价。2004年10月29日,为了巩固此前阶段宏观调控的成果,人民银行上调人民币存、贷款基准利率,1年期贷款利率上调0.27个百分点,由5.31%上调到5.58%,其他各档次贷款利率也作了相应调整,中长期贷款利率上调幅度大于短期;1 年期存款利率上调 0.27 个百分点,由1.98%上调到 2.25%,中长期存款利率上调幅度大于短期。这是中国此前 9 年以来首次加息,在国际、国内引起很大反响,得到普遍好评。其重要意义在于宏观调控更加注重运用经济和市场手段,更加注重预调和微调,更加注重货币政策的前瞻性、科学性和有效性。

(3)不断完善货币市场。主要后续措施有:减少对同业拆借市场的行政干预,改变集中统一的拆借市场格局,建立无形的多层次的拆借市场网络,使其利率信号能够真实反映各地区市场资金的供求关系;改变相互割裂的国债交易市场格局,建立平等入市、公平交易的短期国债市场;大力发展票据市场和票据贴现市场,使其成为沟通工商企业间融资、工商企业与银行间融资的重要渠道;改变由中央银行独家买入外汇的单一格局,逐步实现汇率和外汇交易方式与国际接轨,促进外汇市场的成熟和规范化。

(4)培育规范的资本市场。值得关注的后续措施有:逐步剥离商业银行的中长期信贷业务,通过组建投资银行或金融控股公司实现产融结合;大力发展尚处于薄弱环节的企业债券市场,为国有企业及其他企业开辟直接融资的新渠道;不断扩大股票市场的规模,在规范交易行为的前提下实现证券商的规模经营,并允许商业银行开发证券经营业务;开展公司股权市场和金融期货市场试点,为此需要组建金融期货交易所和票据交易所,其交易规则和交易行为要逐步与国际接轨。

2004 年 1 月国务院发布《关于推进资本市场改革开放和稳定发展的若干意见》(简称"国九条"),正式批准进行股权分置改革,表明了政府推进资本市场改革发展的决心,以使资本市场的运行更加符合市场化规律。2005 年 8 月,证监会、国资委、财政部、人民银行、商务部联合发布《关于上市公司股权分置改革的指导意见》,宣告股权分置改革全面启动,作为一次划时代的基础性制度改革。股权分置改革在接下来的两年时间里基本完成。

2005 年以后,中国证监会开展了促进上市公司规范运作、加强上市公司管理、提高上市公司质量的专项活动,完善了信息披露规则和监管流程,清理违规占用上市公司的资金,建立公司股权激励机制和市场化合并重组规程,以保持证券市场的长期稳定发展和中小投资者的利益。随着资本市场各项改革发展工作不断取得成效,2006 年,市场发生了转折性变化:全社会对发展资本市场重要性的认识、认同明显提高;投资者信心明显恢复,市场规范化程度较以往明显改善,市场规模稳步扩大,市场投融资功能显著增强;资本市场与国民经济的关联度明显提高,更好地发挥了国民经济晴雨表的作用。中国股票市场告别了长达四年多的熊市,开始步入牛市周期。截至 2006 年底,沪、深两市共有上市公司 1434 家,总市值 90599 亿元,股票市值与 GDP 的比率由股权分置改革前的 17.7%提高到目前的 44%。2006 年 12 月底,上证综指和深证成指双双创出 2675.47 点和 6647.14 点的历史新高,全年涨幅分别为 130.43%和 132.12%,A 股全年筹资达到 2432 亿元,创历史最高水平。股权分置改革后的中国股票市场已经完全恢复了首发融资功能和资源配置功能,使中国资本市场进入了蓝筹时代。

(5)保险市场进一步引入竞争机制,在大力发展专业保险公司和综合性保险公司的基础上实现业务重组,将部分保险业务纳入金融控股公司或企业财团的职能范围,以强化其国际竞争力。2003 年 8 月,中国人寿保险公司正式重组为中国人寿保险(集团)公司和中国人寿保险股份有限公司。2003 年 11 月,中国人民财产保险有限公司在香港联交所 H 股挂牌上市,成为中国第一家在境外上市的国有金融企业。随后,12 月,中国人寿保险股份有限公司在纽约和香港两地同步上市。两家公司共筹集资本金折合人民币 354 亿元。这次改革实现了中保公司管理体制和经营方式的转变,是建立现代企业制度、与国际市场接轨采取的重大举措。

与此同时,入世以后,中国的保险业逐渐进入全面开放的新时期。世界上排名 100 名之内的保险公司,80%有进入中国市场的计划,全球有 150 家保险公司在中国设立了 200 多个代表处。可以说,保险业是中国改革开放以来增长速度最快的行业之一。截至 2004 年底,保险公司总资产 11853.6 亿元。据统计显示,2004 年,保险业全行业利润是之前近些年来最好的一年。中国保险市场的对外开放,成为国际保险市场的一部分,外资保险公司纷纷进入中国保险市场。到 2006 年末,外资保险公司在中国经营机构达到 20 家,中外合资保险公司达到 25 家,覆盖寿险、财险、再保险以及保险中介业务各方面。

(6)提高外汇经营能力,为资本项下的可兑换创造市场条件。由于国内经济和国际贸易的发展,外汇储备上升速度明显加快,特别是自 1997 年亚洲金融危机以后,国际环境不确定因素增强,外汇管理体制改革的重心朝着外汇市场化、国际化的方向转移。改革的主要内容是:简化经常项目真实性审查程序,大幅度放宽个人用汇的额度限制,基本实现经常项目下可兑换;按照"先流入后流出、先长期后短期、先直接后间接、先机构后个人"的次

序,有计划分步骤推进资本账户开放;引进国外合格机构投资者(QFII)有序地进入中国市场,同时允许国内合格机构投资者(QDII)走出国门;实行以市场供求为基础、参考一揽子货币,进行调节、有管理的浮动汇率制;同多个国家建立货币互换制度,增强应对国际金融风险的能力;建立高频债务监测预警系统和市场预期调查系统;建立以投资基准为核心的管理模式和投资决策交易系统,通过积极专业的投资,有效控制外汇储备风险。

经济的快速发展和改革的成效显著,中国国际收支与经济总量之比,从 1982 年的 19%提高到 2006 年的 126%,年进出口总额排名居世界前三名,外汇储备跃居世界第一位。

3. 构筑现代金融调控和监管体系

(1)构筑灵活的货币政策调控体系

在加入世贸组织后,中国的金融调控体系将面临三个主要问题:第一,由于外资银行经营人民币业务量的扩大和中资银行外币业务量的增加,对中央银行实施货币政策的有效性提出了挑战,届时货币政策的最终目标、中介目标和操作目标如何确定? 第二,由于金融市场对外开放后,货币市场和资本市场的资金流动界限将不复存在,信贷计划的指导性作用逐渐减弱,外汇政策的操作难度更大,届时货币政策的传导机制将发生什么样的新变化? 第三,由于金融市场的开放程度的提高,人民币的汇率水平不再取决于外贸企业的换汇成本,那么,人民币的利率与汇率如何达成均衡和协调?

由此,中国的金融调控体系将面临深化改革的压力,其中重点需要修正货币政策的目标,调整货币政策的运行机制,加速利率的市场化进程并与汇率并轨。

2001 年、2002 年,为适应入世过渡

期,继续实行稳健的货币政策和积极的财政政策,货币供应量平稳增长,至2003年增长速度加快,金融机构存贷款和国家外汇储备都增长较多。主要措施有:①适时下调境内外币存款利率,使本外币利率差出现逆转。2001年先后9次下调境内外币存款利率,一年期美元存款利率由年初的5％下调到1.25％。②上调再贴现率,使再贴现利率由2.16％调高到2.97％,以遏制个别金融机构用无真实交易的票据套取优惠利率的再贴现资金。③适时扩大公开市场操作,通过回购交易进行资金吞吐,引导货币市场利率走低。④2002年2月第8次降息,制定鼓励居民扩大消费的政策,促进消费贷款,拉动国内消费需求回升,推动经济增长。⑤扩大金融对外开放,自2001年12月11日起,取消对外资金融机构外汇业务服务对象的限制,其服务对象可以扩大到中国境内的所有单位和个人,允许设在上海、深圳的外资金融机构正式经营人民币业务,并过渡到逐步取消外资金融机构经营人民币业务的地域限制,允许设立中外合资证券公司、证券投资基金、保险公司等。

2003年初中国宏观经济发生了重要变化,货币供应量、金融机构贷款和外汇占款都增长很快。同时,伊拉克战争和"非典"疫情对经济运行带来了很大的不确定性,增加了金融宏观调控决策的难度。中共中央、国务院高瞻远瞩地提出树立和落实科学发展观,制定了一系列适时适度、有保有压的政策措施,牢牢把握住土地和信贷两个闸门,进一步加强和改善货币政策调控。人民银行在继续执行稳健货币政策的同时,积极与有关宏观经济管理部门沟通协调,从2003年第1季度起开始加强对宏观经济的"预调"和"微调":4月份开始,发行中央银行票据,加大公开

市场对冲外汇占款的力度;6月份,下发《关于进一步加强房地产信贷业务管理的通知》,及时对房地产信贷进行风险提示,严控房地产贷款;9月21日,将法定存款准备金率由原来的6％调高至7％,适度抑制金融机构信贷扩张能力;稳步推进利率市场化,进一步完善货币政策传导机制;12月份,进一步扩大金融机构贷款利率浮动幅度,下调超额存款准备金利率。从总体上看,这些货币信贷调控措施取得积极成效,信贷增长偏快趋势得到有效控制,为国民经济持续快速协调健康发展提供了稳定的金融环境。

2004年一季度开始,人民银行连续出台了三大政策:3月25日起分别上调中央银行再贷款利率和再贴现利率;4月25日起再次上调存款准备金率0.5个百分点,并实行差别存款准备金率制度;10月人民银行分别上调了人民币存、贷款基准利率0.27个百分点,同时放开了贷款利率上限和存款利率下限。利率市场化改革取得明显成效。

(2)构筑职能明确的"分业监管"体系

同样,在金融市场开放后,中国的金融监管体系也将面临如下严峻的挑战:第一,针对地方政府和部门的行政干预,监管体系及其分支机构如何协调全局利益与局部利益的关系?第二,针对国际规则与国家法律法规的不协调,监管机构如何对中资和外资金融机构实行国民待遇和依法监管?第三,针对国有商业银行和其他金融机构信息披露不透明和法人治理结构不健全的现状,监管机构如何对其实行有效监管?第四,针对金融机构混业经营的国际化趋势,中国现有的分业监管体制如何应对这一新现象并提出有效对策?第五,针对当前金融界普遍存在的不规范行为和金融风险隐患,以及外资金融机构

大举进入中国市场的格局,监管机构如何防范和化解金融风险并保证中国金融运行安全?

以上这些问题都已在中国加入世贸组织后的五年过渡期内,一一显现出来了,这也是中国金融体制的深化改革阶段无可回避的所要探索和解决的重大问题。

2003 年 3 月 10 日,十届全国人大第一次会议通过《关于国务院机构改革的决议》,设立中国银行业监督管理委员会(简称银监会),银监会行使原由中国人民银行行使的金融监督管理职权,包括对银行、金融管理公司、信托投资公司和其他存款类金融机构监督管理权及相关职权。2003 年 12 月,十届全国人大常委会第六次会议通过了《中华人民共和国银行业监督管理法》,国务院银行业监督管理委员会负责对全国银行类金融机构及其业务活动监督管理的工作,法定监管职权有 8 个方面。监管的目标是:促进银行业的合法、稳健运行,维护公众对银行业的信心。此后,2004 年 6 月 28 日,中国银监会、中国证监会、中国保监会正式公布《三大金融监管机构金融监管分工合作备忘录》,把"监管联席会议机制"提上三大金融监管机构协调的重要工作日程。

由此,中国金融监管的三个并列系统:银行、证券、保险监管最终完成,中国银监会、中国证监会、中国保监会将在处于同一层次上分别监管银行、证券和保险业,而中国人民银行建国 50 多年来的集货币政策、银行监管于一身的"大一统"时代也告结束,专注于货币政策的制订和执行,逐步发展成为类似美国联邦储备委员会的机构。从 1997 年提出分业经营、分业监管的原则后,到 2003 年最终确立了中国金融业由银行、证券、保险和央行组成的金融监管体系。监管原则、监管标准、监管内容和监管手段,基本达到了国际监管组织提出的标准。

全面开放背景下的金融体制改革攻坚阶段:2007—2009 年

中国加入 WTO 的五年过渡期满,中国政府按照加入 WTO 协议的承诺,金融市场对外全面开放。因此,2007 年中国金融业正式进入全面开放阶段。在经济全球化和金融一体化进程中,国际标准越来越多,对金融风险的防范标准也越来越高。在此背景下,2007 年全国金融工作会议和中共十七大明确了中国下一步金融改革的总体方向,从此前单纯的如何防范金融风险转变到如何在开放的环境下提高整个金融体系的竞争力,形成多种所有制和多种经营形式,结构合理、功能完善、高效安全的现代金融体系,使金融更好地服务于支持经济稳定均衡发展等方面。

由此,为下一步的金融改革方向奠定了基调:第一,在未来一段时间内首先要巩固前一阶段金融机构改革的成果,进一步提高银行业、证券业、保险业竞争力。第二,金融改革更为注重向金融资源的均衡化方向发展。一个重要的方向就是实现城市和农村都均衡地获得金融资源,改变农村金融"失血"的状况。另一方面,解决融资结构性矛盾也是下一步金融改革的着力点。应大力发展资本市场,改变当前直接融资和间接融资之间不合理的结构,加快发展债券市场、构建多层次金融市场体系。第三,稳步推进金融业自主对外开放,逐步实现人民币资本项目可兑换的目标。坚持以我为主、循序渐进、安全可控、保持稳定等方针,制定金融业对外开放总体规划,金融业对外开放结构的优化将日益紧迫。①

1. 金融政策更为注重与宏观调控的相互协调

(1)货币政策在宏观调控中的作用和功能进一步发挥

2007 年以来中国宏观调控面临空前复杂的局面,全球流动性过剩的总体格局和外贸顺差持续高位、人民币升值与资产价格上涨预期带来的热钱流入等因素,导致外汇储备持续快速增长,银行体系流动性持续偏多,货币信贷扩张压力加大。由于通货膨胀压力加大和资产价格持续上涨,以及经济由偏快转向过热势头不减,2007 年下半年来中国货币政策的基调逐步由稳中适度从紧转向从紧。

中央银行采取了一系列措施加强和改善金融宏观调控。在维持总量平衡的基础上,央行搭配使用公开市场操作、存款准备金、利率杠杆和窗口政策指导等多种工具,全方位、多手段地采取组合措施,基本回收了新增外汇占款投放的流动性。同时,2007 年央行先后 6 次上调人民币存贷款基准利率,更为注重利用利率杠杆消除公众的通货膨胀预期,手段运用也更具前瞻性和时效性。

(2)人民币汇率形成机制进一步完善,利率市场化改革稳步推进

2007 年以来,央行按照主动性、可控性和渐进性原则完善人民币汇率形成机制,进一步发挥市场供求在人民币汇率形成中的基础性作用,增强人民币汇率的灵活性。与 2003 年以来围绕如何调整汇率改善贸易顺差和国际收支平衡的讨论不同,在新形势下利用汇率工具降低通胀水

平也成为一个新的手段。在对资源性产品进口依赖程度较大的背景之下,人民币适度升值有利于降低以本币计价的进口成本上涨幅度。

(3)外汇管理政策出现积极调整

2007 年中国国际收支双顺差的格局仍在延续,外汇储备快速增长。国际收支状况对于宏观经济的影响日趋显著,使得缓解国际收支盈余给货币供给带来的压力成为央行维持宏观经济稳定的最主要任务,外汇管理部门也将推进改革作为全年外汇管理的主线。

建立多层次的外汇储备管理体系,解决高额外汇储备隐忧是中国外汇政策的必然选择。为此,中国从 2007 年开始着手探索多元化、多层次的外汇运用方式,建设多层次外汇储备体系。一是组建市场化运作的政府外汇投资机构,依照法律经营外汇,有偿使用,接受监管,保值增值。中国投资有限责任公司(简称"中投公司")于 2007 年 9 月正式成立。二是大力拓宽中国企业和居民的对外投资渠道,鼓励投资境外股票、基金、基础性商品等金融产品,提高外汇投资收益。2007 年合格境内机构投资者(QDII)投资活动全面启动,证券公司、基金公司、银行、保险公司、信托公司等各类机构均已获得投资许可,截至 12 月末,共批准境外证券投资额度近 500 亿美元。②

2. 金融市场空前活跃

(1)中国金融市场进一步融入全球,与国际市场联动性和影响力加强

加入国际金融组织,展开国际金融合作。中国先后加入国际清算银行、亚洲开发银行、非洲开发银行、泛美开发银行、加

---

① 参引:《2007 年全国金融工作会议文件》。
② 金融政策相关内容参引:中国人民银行《2007 年度中国货币政策执行报告》。

勒比海开发银行、西非开发银行等多个国际金融组织,加深了与世界各国的金融联系与合作,提高了中国在国际社会的影响力。

2007年以来,随着中国经济国际化进程的不断加快,中国证券市场与世界经济和国际资本市场的联动性也在加强,这是以前没有出现过的。中国内地A股市场与香港股市、美国股市以及东京股市等之间相互影响的效应经常显现,表现在涨跌趋势的跟随、热点板块转换的同步等方面。同时,中国金融市场的全球影响力也正在不断扩大。伴随着金融改革开放,中国金融业的整体实力已显著增强,中国金融的发展已经成为影响世界金融稳定和发展的重要因素之一,在国际金融体系中的地位和影响将会变得越来越重要。

(2)多层次资本市场进一步发展,市场化配置金融资源的能力得以提高

到2007年末,沪、深两市1298家上市公司完成了股权分置改革,占上市公司的98%。股权分置改革的基本完成为中国资本市场的发展奠定了坚实的基础,市场规模稳步扩大。截至2007年底,全国投资者开户数达到13887万户,沪、深两市共有上市公司1550家,总市值达32.71万亿,相当于GDP的158%,位列全球资本市场第三,新兴市场第一。2007年的IPO融资4595.79亿元,位列全球第一。日均交易量1903亿元,成为全球最为活跃的市场之一。资本市场在国民经济中的功能和作用不断增强,服务于国民经济的能力在不断地提高。由于股票市场的改革和创新,资本市场由此对中国的经济和社会产生了重要的影响,全社会开始重新认识和审视资本市场的功能和作用。

多层次资本市场的建设表现为能够为各种规模和类型的公司提供融资场所和渠道。截至2007年12月末,中小企业板共有202家上市企业,其中2007年新上市的有100家,板块总市值超过10646.84亿元,比2006年底增长逾300%。同时,创业板也正在积极筹备之中,低门槛的创业板市场将为大量中小企业尤其是具有成长性的高科技企业,开通直接融资渠道。另外,中国正在积极准备推出股指期货,改变资本市场长期以来存在的收益方式单一的问题,促进均衡市场的形成。

公司债的启动将推进债券市场的大力发展。中国证监会于2007年8月14日正式颁布实施《公司债券发行试点办法》,这标志着中国公司债券发行工作的正式启动。从资本市场发展来看,无论是从总量上提高直接融资的比重,还是完善国内市场结构,促进多层次资本市场建设、公司债都起着重要作用。公司债的实施开辟了上市公司再融资的新渠道,它将成为公司直接融资的一个主要来源。

(3)黄金市场逐步建立并有序发展

自2003年起,人民银行结束了延续几十年的黄金统购统销制度,黄金作为一种普通商品,在黄金交易所自愿竞价买卖。2007年10月,正式推出了黄金和白银现货和期货业务,黄金投资品规格从100克、1000克到10000克等多个品种,同时开展了黄金指数业务和黄金回购业务,标志着中国实物黄金投资的大门全面向个人投资者敞开。①

3. 金融机构改革注重加快国际化步伐和金融产品创新

(1)金融机构"走出去"战略迈出实质性步伐

---

① 金融市场相关内容参引:中国证监会《中国资本市场发展报告》(2007)。

随着中国银行业、证券业和保险业的改革基本完成，金融机构的竞争实力进一步增强，国内合格机构投资者开始走出国门。随着经济快速发展，企业跨国经营引起的对境外金融服务的需求不断推动金融机构向海外延伸，金融企业"走出去"得到政府的大力支持，使金融机构"走出去"迈出了实质性步伐。从2005年起，到2007年末，共批准44家合格境外机构投资者进入市场，批准额度近300亿美元。

2007年11月8日，美联储正式批准招商银行设立纽约分行。这是新中国成立后国内首家商业银行获得境外经营牌照，不仅标志着招商银行自身经营管理状况达到了美联储的审批标准和要求，也标志着中国金融环境的改善，以及银行业监管状况所发生的变化获得了国际认可。

另外，主权财富基金也开始在国际舞台上崭露头角，成为2008年的一大亮点。由此，中资金融机构更加积极地参与国际金融市场。

（2）金融行业自主开放稳步前进

为了给国内金融业的改革赢得更多的时间，缓和金融市场开放可能对国内金融带来的冲击，并确保国内金融体系的安全，中国延续了渐进式的开放模式，承诺在入世五年过渡期内逐步取消对外资金融机构的限制，在2006年12月11日最终实现金融业的全面对外开放。随着金融领域对外开放的稳步扩大，外资金融机构在华业务发展迅速。与加入世贸组织之前相比，外资金融机构在中国的发展方式发生了很大的变化。外资银行、证券公司从过去的业务合作转变为以参股、入股的名义进行股权合作的形式，进入中国金融市场。

在银行业开放方面，中国在2006年底开始对外资银行实施法人导向的开放和管理，目前进展平稳。外资银行已获准在中国开办金融衍生产品交易业务、QFII托管业务、个人理财业务、代客境外理财业务和托管业务、电子银行业务等等，业务品种超过100种。证券业重启开放进程，2007年底，中国证监会修订规则进一步放宽参股证券公司的境外股东的条件。保险业对外开放也在向纵深发展。

（3）金融企业股份化改革力度加大，参与资本市场更为积极主动

国有商业银行自2004年起开始的股份化改革，在2007年金融行业股份化改革进入高潮阶段。截至2007年末，大型国有银行除农行外已经全部完成股份化和挂牌上市，一些中小银行、城市商业银行也加入上市的队伍。2007年里有7家银行上市发行。同时，大型保险公司也开始了上市的步伐，2007年初中国人寿和中国平安顺利回归A股上市，年底太平洋保险IPO首发上市，进一步壮大了金融上市公司的队伍。与其他金融机构不同，从2006年开始证券公司纷纷改制并谋求借壳上市，并且有更多的证券公司还在积极筹备当中。截至2007年12月末，26家金融上市公司市值大约为8万亿元，占股市总市值的比重大约为1/4，居各行业的首位。

（4）以理财产品为代表的金融创新步伐加快

中共十七大报告提出要"创造条件让更多群众拥有财产性收入"，以及中国人口结构和经济发展的阶段性，决定了中国正在进入一个黄金的理财时期。从2007年来看，商业银行和保险公司在理财产品创新方面的力度明显加大，截至2007年12月底，26家中外资银行共发行2千余种银行理财产品，而2006年这一数字为1089种。理财产品创新成为实施业务转型的重要手段。在股票市场和资源品价

格节节攀升的情况下,商业银行推出了多种与股票、股指、汇率、黄金、石油等挂钩的理财产品,提高了客户理财的收益率。①

三

中国金融体制改革评价

1.中国金融体制改革渐进式路径的选择

作为在国民经济中具有特殊地位的金融业,在改革进程中必须考虑具体的国情。1978年以来中国实行的是双重转轨下的渐进式改革,一是从农业经济向工业经济的转轨,二是从传统的计划经济体制向市场经济体制的转轨。这两个转轨联系在一起,使中国经济体制改革过程既有别于传统的高度集中的计划经济国家,也有别于周围的一些发展中国家。中国经济体制改革采取渐进式的改革策略。首先从改革微观经营机制起步,着眼于调整结构和改进激励机制,然后推进到资源配置制度和宏观管理体制的改革。中国经济改革采用渐进式改革方式使改革获得成功,这是世界公认的。中国金融改革在中国渐进改革过程中,发挥着特殊的支持作用甚至是关键性的作用。中国金融体制改革是与整体改革的路径选择相关的,因此,也是一个渐进的过程。中国金融体制渐进式改革,既保证了整个经济转轨时期的经济平稳发展,也实现了自身的改革目标。在这个改革过程中没有像其他转轨国家那样出现大起大落的状况。

中国金融体制改革路径之所以选择渐进式,是出于考虑到我们特殊的国情和经济发展历史。新中国成立后,国家为了集中稀缺资金进行经济建设,必然把金融机构作为一个核算结算的工具,如同企业一样成为财政的附庸。工业化的发展需要大批资金,因此对内而言,国家需要有便宜的资本来支持,从而国家控制利率,通过人为压低利率为工业化发展提供廉价资金;对外则实行奖出限入,通过赚取外汇支持工业化发展需要的资金,对外汇进行限制,如采取汇率管制,高估本国货币等措施。这种历史条件下的主要表现就是对金融体系的控制。

经济的落后性决定了中国不可能采取苏联式的激进式改革。在渐进式经济体制改革中,国家将金融视为支持其工业化目标实现的一个重要工具,这种情况下政府有控制金融的需要。当市场经济体制得以初步建立,工业化进程得到快速发展,过去对金融体制的约束条件发生变化,金融体制改革就开始推进。所以,中国的金融体制改革滞后于经济体制改革。

由此可见,中国金融体制改革的渐进式路径是在特殊国情下的一种必然选择。实践也证明,渐进式的中国金融体制改革开放政策符合了中国经济体制改革的整体战略需要。

2.2002—2009年中国金融体制改革总结

中国经济体制改革的特点决定了金融体制改革需要完成两项基本任务,即宏观层面上建立独立于财政体系的金融体系,微观层面上对金融机构进行企业化改造。

从2002年开始,金融体制改革进入金融结构市场化取向的企业化改造,目的在于除金融机构自身经营需要外,更要提高资源配置的效率。在这一时期,金融体制

---

①　金融机构改革相关内容参引:《中国人民银行2007年年报》。

改革主要内容是完成其第二项基本任务，即金融机构的企业化改造，形成金融机构商业取向的企业自负盈亏、自担风险机制。银行企业化改革作为中国金融体制改革的重要组成部分，有利于宏观经济稳定化。

于 2004 年开始的金融机构企业化改造这个总目标被分解为三个战略目标：第一，实现财政与银行的关系以出资额为限的有限责任机制（公司制）。主要措施是剥离国有商业银行坏账，国家向银行注资以及建立符合商业银行经营要求的资产负债表。第二，完善银行的内在运行机制，建立良好的公司治理结构。具体的措施是引进国外战略投资者，进行股份制改造，建立董事会并由董事会聘任管理层。第三，强化外部监管，建立独立于政府的第三方专业监管。具体措施是成立银行业监督管理委员会，强化以资产负债比为主要内容的专业监管。这三个战略目标的实现，标志着金融机构企业化改造的成功和金融体制改革第二项基本任务的完成。中国银行和中国建设银行的股份制改造是这一任务完成过程中具有里程碑式的重大事件。

总之，中国金融体制渐进式改革，既保证了整个经济转轨时期的经济平稳发展，也实现了自身的改革目标。在这个改革过程中没有像其他转轨国家出现大起大落的震荡，这是中国经济改革以及与之相配合的金融体制改革的成功之处。

总结中国金融体制改革基本经验，可以看出：第一，金融改革和经济改革必须协调推进，这是保持金融体系稳定性和经济健康稳定发展的根本前提；第二，加强宏观调控、保持币值稳定，是经济持续增长的重要条件；第三，加强和改进金融监管，是维护国家金融安全的基本保证；第四，促进直接融资和间接融资的协调发展，是提高金融运行效率的基础；第五，金融国际化、金融自由化必须坚持循序渐进的原则；第六，立足本国实际、大胆借鉴国外先进经验是推进改革的有益尝试。

然而，中国的金融改革与发展还面临着许多亟待解决的难题。在金融宏观调控方面，中央银行及货币政策的独立性还有待增强，利率市场化的步伐还需要加快，各金融监管部门的监管能力和水平以及相互间的协调配合技巧还有待提高。在商业银行方面，四大国有商业银行的不良资产比例依然较高，资本充足率依然较低，内控机制和经营业绩依然不甚理想，内部治理结构方面还存在较严重的缺陷，竞争力依然较差；非国有商业银行的发展还不能满足经济发展的需要。在资本市场方面，市场的结构不完善、功能不健全，在一定程度上影响了资源配置效率；股票市场主体的治理结构尚不规范，相当一部分上市公司的质量较差，影响了市场透明度和规范化水平；还有一些历史遗留问题尚未解决，影响了投资者的预期和积极性等等。因此，未来的中国金融改革面临着两大任务：一是要进一步向市场化迈进；二是要进一步与国际接轨。有了前一阶段改革发展的基础，今后金融改革的步伐应当要快一些，但是仍然应该坚持渐进式改革的方式，正确处理改革、发展、稳定之间的相互关系，正确把握市场化和宏观调控、金融监管之间的关系，从中国的实际出发，有步骤地推进，尽可能防止金融体制转轨中国内金融市场出现无序竞争、秩序混乱和再度通货膨胀。经济建设规模、发展速度要和国力相适应，并力争经济结构合理，是保证货币金融稳定的关键。

中国金融体制改革所体现的具有中国特色的渐进式改革，无论是金融机构体系的调整，还是金融组织管理的完善；无论是金融运行机制的重塑，还是金融运行规则的完整，都是按计划、有步骤、积极而又稳妥地推进的。这种渐进式改革，较好地抑制了金融改革开放过程中的风险积累，基本保持了金融体系的稳定性，促进了中国金融市场稳健、高效、安全运行。因此，未来的中国金融改革仍然必须坚持渐进的思路。

取消农业税

中国的农业税是国家对一切从事农业生产、有农业收入的单位和个人征收的一种税，俗称"公粮"。它作为一种在农村征收、来源于农业并由农民直接承担的税赋，已在中国存续了 2600 年之久。它是我国最古老的税种，随着历史的发展而不断变化的，如秦汉时期称为"田租、口赋"，唐朝称为"租、庸、调"，后改为"户税"和"地税"，清朝叫做"丁漕"，民国时期称为"田赋"。新中国成立后，按照"发展经济，保障供给"的方针和兼顾国家、集体、个人三者利益的原则，农业税演变成对从事农林牧渔生产、取得收入的单位和个人征收的一种实物税。

一

改革开放前农业税在中国的发展演变

新中国成立后，根据毛泽东主席在中共七届三次会议上提出的关于调整税收、

酌量减轻民负的建议，1950 年 6 月 15 日，政务院副总理陈云在政协一届二次会议上提出了调整农业税收的措施：第一，只向主要农产物征税，凡有碍发展农业、农村副业和牲畜的杂税，概不征收；第二，为了照顾农村的经济情况，鼓励农民的生产积极性，恰当地减轻农业税并必须按照规定的标准征收；第三，农业税应当以通常产量为固定标准，对于农民由于努力耕作而超过通常产量的部分不应当加税，以鼓励农民的生产积极性。此后，财政部就此作出了具体规定。

1950 年 9 月 5 日，中央人民政府根据新解放区尚未进行土地改革的情况制定颁行了《新解放区农业税暂行条例》，统一了新区的征税制度。为了削弱封建地主经济，限制富农经济，农业税实行差度较大的全额累进税率。税率分为 40 级，第 1 级为 3%，第 40 级为 42%。1952 年新解放区土地改革完成，政务院相应修订了税率表，缩小了全额累进税率差度，将税率分为 24 级，第 1 级为 7%，第 24 级为 30%。1953—1956 年农业社会主义改造期间，老解放区和新解放区的农户，均已组织起来成为统一经营的合作经济。在此基础上，国家对农业税收制度进行了改革。为了建立健全农业税制度，政务院、财政部陆续制定了一系列相关配套措施，包括《关于农业税土地面积及常年应产量订定标准的规定》《农业税灾歉减免办法（草案）》《农业税查田定产工作实施纲要》《受灾农户农业税减免办法》等。在这一时期，农业税负担的基本政策是全国统一的。但具体的征收办法，各地区不尽相同。

新中国成立初期中国的国民经济结构以农业为主，政府收入自然也主要依赖农业的贡献。农业税一度是我国各级财

政收入的主要来源,比如在 1950 年的全国财政收支概算中,公粮收入就占据第一,在全部收入中所占份额高达 41.4%。1952 年,农牧业税收也占国家税收收入总额的 28%。1952 年后,根据土地制度的改革、农业生产的发展和互助合作的开展等情况,对农业税政策进行了一些调整。总的原则是,农业税只征收农业生产税,其他"凡有碍发展农业、农村副业和牲畜的杂税,概不征收"。农村中的交易税,也"只是对于比较大量的货物交易采取征税"。因此,1952 年农民的负担较 1951 年有所减轻。1953 年中央又规定,1953 年后三年内将农业税额固定于 1952 年的水平。

1953—1957 年的第一个五年计划时期内,平均农业税实际负担率为 11.67%,比 1952 年降低 0.53 个百分点,农业其他税收和摊派负担也有一个大幅下降的过程:由 1953 年 65302 万元下降到 1957 年的 35836 万元,减幅达 45.2%。从 1953 年开始,农民负担基本上稳定了 5 年。1953—1956 年各年的农业税征收额(包括正税和地方附加),都没有超过 1952 年实际征收额 388 亿斤细粮的水平。1957 年农业税负担比 1952 年增加了 6 亿斤左右,而农业税征收额占农业实际产量的比例,则由于农业生产的发展,已经由 1952 年的 13.2%,逐渐下降到 1957 年的 11.3%。也就是说,尽管农业税的税率不变,农民的实际负担比例是逐渐减轻的。直到 1957 年农业税收占国家财政收入的比重仍然接近 20%。农业税在这个时期的国家财政收入中确实是举足轻重的一个重要税种,为积累原始资本、建立新中国工业体系发挥了积极作用。

经过新中国成立初期几年发展之后,我国的生产力和生产关系发生了根本变化,《新解放区农业税暂行条例》已经不适应新的形势了,同时因各个老解放区的农业税征税办法一般也是在 1952 年以前制定的,更不适应新形势了。1955 年 9 月 29 日,中共财政部党组向中共中央报送了《关于两年来农业税工作情况和对今后工作意见向中央的报告》。该《报告》指出,应加强有关农业税收政策的调查研究,积极准备起草农业税法。在先后向各省、自治区、直辖市和中央各部门征求意见,并且多次召开专业会议进行了讨论和修改的基础上,1958 年 6 月 3 日,第一届全国人民代表大会常务委员会第 96 次会议通过《中华人民共和国农业税条例》,该《条例》对纳税人、征税范围、农业收入的计算、税率、优惠减免及征收管理等作出了明确规定,并授权省、自治区、直辖市人民委员会根据各地具体情况确定农业税实施办法。该《条例》在全国范围内的实施,废除了原新老区的税收条例,实行了全国统一的农业税收制度。同时,国务院还颁布了《关于各省、自治区、直辖市农业税平均税率的规定》。条例规定的农业税税率分为两种,一种是全国实行统一的比例税率,即按农业的常年产量平均征收的税率为 15.5%;另一种是根据不同地方的经济情况,实行纳税人的适用税率,以及地方附加税率,最后税率不得超过常年产量的 25%。条例对纳税人的规定是,"下列从事农业生产、有农业收入的单位和个人,都是农业税的纳税人,应当按照本条例的规定交纳农业税:①农业生产合作社和兼营农业的其他合作社;②有自留地的合作社社员;③个体农民和有农业收入的其他公民;④国营农场、地方国营农场和公私合营农场;⑤有农业收入的企业、机关、部队、学校、团体和寺庙。"《农业税条例》体现了促进农业生产的发展,兼顾国家、集体和个人利益的原则,坚持了统一领导同因地制宜相结合的方针,继续采取"稳定负担,增产不增税"的轻税政策,尽量简化征收。由于条例切合实际,并且规定灵活,适宜性强,因而得以长期沿用,在新中国农业税制史上占有极其重要的地位。

此间在关于农民农业税的负担问题,财政部副部长吴波阐述了增产不增税的方针,并明确提出:在第二个五年计划期间,各年的农业税征收额将基本稳定在1958年征收额的水平上,不予提高。

1959年至1961年间,我国国民经济发生了严重困难。1961年6月23日,中共中央转发《财政部关于调整农业税负担的报告》时提出:农业税的实际负担率,即农业税正税和地方附加的实际税额占农业实际收入的比例,全国平均不超过10%。同时确定,1961年农业税征收额调减以后,稳定三年不变,增产不增税。据此,全国农业税征收额调减了44.4%,后来一直稳定不变。在牧业税方面,中央继续明确实行轻税政策,以扶持畜牧业生产的发展。1961年12月6日,中共中央转发了《西北地区第一次民族工作会议纪要》,提出要继续实行轻税政策,取消草场税,牧业税的税率应当控制在牧业总收入的3%以内。1973年税制变革时,我国的农业税基本上保持相对稳定,为这一时期农业生产的稳定发展创造了条件。

二

改革开放后农业税在中国的新发展

十一届三中全会前后,党和政府采取了一系列支持农业发展、减轻农民负担和振兴农村经济的方针政策,并在实践中取得了很大的成效。为了坚持十一届三中全会以来关于农村工作的一系列方针、政策,减轻农民负担,中共中央、国务院和财税部门采取了一系列减轻农民负担的措施,其中重要内容之一就是减免农业税收的政策。从1983年起,农业税起征点办法停止执行,并相应恢复因实行这一办法而核减的各省、自治区、直辖市的农业税征收任务。1985年2月28日,财政部印发《关于贫困地区减免农业税问题的意见》。文件规定,对于少数因自然和经营条件很差、解决温饱问题又需要一定时间的最困难农户,可以从1985年起给予免征农业税3年至5年的照顾。对于生产和生活水平暂时下降、困难较轻的农户,可以根据当年实际情况给予适当减征或者免征农业税的照顾。

在推进农村经济体制改革的新形势下,农业税征收制度也相应作了改进,即由原来以征粮为主,改为折征代金。1985年11月,国务院批转了财政部《关于农业税改为按粮食"倒三七"比例价折征代金问题的请求》并发出通知予以执行,从此农业税改为折征代金,并由乡政府组织征收,此举是农业税由实物税向货币税的过渡。

1983年11月国务院又制定颁发了《关于对农林特产收入征收农业税的若干规定》,对有关农林特产税的征收问题做了一个统一的规定。1994年1月30日,国务院发布《关于对农业特产收入征收农业税的规定》,同时废止了1983年实行的《关于对农林特产收入征收农业税的若干规定》,这样就使得农业特产税逐渐从农业税中分离出来。农业特产税的纳税人为在中国境内生产农业特产品的单位和个人;征税对象为国务院和各省、自治区、直辖市人民政府规定的农业特产收入;全国统一的税目有烟叶产品、园艺产品、水产品、林木产品、牲畜产品、食用菌、贵重食品等7个,税率从8%至31%不等,其他农业特产税的税率从5%至20%不等。农业科研机构和农业院校进行科学试验取得的农业特产收入;在新开发的荒地、荒山、滩涂、水面上生产农业特产品的;老革命根据地、少数民族地区、边远地区、贫困地区和其他地区中温饱问题尚未解决的贫困农户,纳税确有困难的;因自然灾害造成农业特产品歉收的,可以享受一定的减税、免税待遇。

直到20世纪80年代以前,中国政府为了加快国家工业化的步伐,保障重工业优先发展战略的顺利实施,采取了低消费、高积累的基本方针。对农业来说,政策目标主要是在保证低价、稳定的农产品供给前提下尽量多地为工业提供积累。将农业税设计成实物税可以说是一举数得。最明确和最直接的目的:一是提供税收积累;二是确保国家获得稳定的粮食供给。除此之外,还有一点容易被人们所忽略,而这又确实是十分重要的一个方面。如果我们将农业税与相关的农产品购销制度联系起来考虑,就会发现这种农业税制度的第三个目的,那就是控制且降低了农产品价格。长期以来,国家定购价格一直低于市场价格,将税收和国家收购混合起来,用低价从农民那儿获得农产品,一方面保证了低工资、低消费政策的实施;另一方面,通过价格扭曲政策还可以进一步从农业中获得积累。

1996年12月30日,中共中央、国务院发布了《关于切实做好减轻农民负担工作的决定》。《决定》规定:国家的农业税收政策不变。第九个五年计划期间(即1996—2000年),国家对农业生产不开征新税种,国家规定的农业税税率不再提高。任何地方无权设立税种,提高税率,

非法设立的税种和擅自提高的税率一律取消。农业特产税必须据实征收,不得向农民下指标,不得按照人头、田亩平摊。农业税、农业特产税不得重复征收。

1998年10月14日,中共十五届三中全会通过了《中共中央关于农业和农村工作若干重大问题的决定》。提出,减轻农民负担要标本兼治。合理负担坚持定向限额,保持相对稳定,一定三年不变;严禁乱收费、乱集资、乱罚款和各种摊派,纠正变相增加农民负担的各种错误做法,对违反规定的要严肃处理;逐步改革税费制度,加快农民承担费用和劳务的立法。进入21世纪,我国经济已经有了很大发展,农业占国民经济的比重越来越小,为工业支持农业奠定了基础。

2000年4月22日,中共中央办公厅、国务院办公厅发出《关于做好当前农业生产工作的通知》,强调严禁违反国家税收政策向农民乱摊税赋,严禁强迫村集体和农民贷款上缴各种税费。开展农村税费改革的试点地方,要认真领会和贯彻中央的政策精神,把减轻农民负担作为改革的首要出发点,真正使农民在改革中得到实惠。

从财政部的统计数据来看,新中国成立50多年来,随着农业生产的发展,农业税收入逐步增加,农业税收入占税收总额的比重则呈逐步下降趋势,农业税负担也呈逐步降低趋势:从1950年到2001年,农业税、牧业税的年收入从19.1亿元增加到285.3亿元,增加了近14倍;农业税、牧业税收入占当年全国税收总额的比重则从39.0%下降到1.9%,降低了37.1个百分点,降幅为95.1%。从1950年到2000年,农业实际产量从2195亿斤增加到9632亿斤,增长了3.4倍;实征农业税仅从270亿斤增加到281亿斤,增长了

4.1％;实征农业税占农业实产量的比重则从12.3％下降到2.9％,降低了9.4个百分点,降幅为76.4％。1949年至2003年,全国累计征收农业税3945.66亿元;农业特产税从1983年开征到2003年,累计征收1366.25亿元,这是中国农民对中国社会主义革命和现代化建设的伟大贡献。

新世纪以来逐步取消农业税

进入新世纪,我国总体上已步入工业化中期阶段,但我国的城乡二元社会结构没有得到根本的改变,工业化提升和城市化提速并未及时有效地带动"三农"发展。农民不能公平地享有工业化、城市化的成果,农村公共服务和基础设施供给严重不足,农民全面发展机会严重不均。工农差距、城乡差距、市民与农民差距进一步呈扩大趋势。1958年实行的农业税制度经过40多年的发展,已越来越不适应中国经济发展的要求,甚至已经成为国民经济进一步发展的桎梏。主要有这样几个方面:一是农业税收负担偏重,虽然表面上看绝对数额不高,但对低收入的农民来说,税收负担相对较重;二是税制设置不合理,与其他工商税种比较,农业税没有设定起征点和免征额,没有任何抵扣项目,致使一些扶贫对象也要负担农业税;三是明显存在税负不公,无论产量成本多少,都按土地面积定额征收,加重了种粮农民的负担,影响了种粮农民的积极性;四是在目前的分税制体制下,一些地方政府为了扩大税源,随意扩大税种征收范围,提高税率,或者借征收农业税"搭车"收费,严重侵害了农民利益。

减轻甚至废除农业税的呼吁自进入

21世纪以来就一直没有停过。农业税的废除是从局部减免逐步扩大到全国的,并呈加速发展趋势。2000年3月2日,中共中央、国务院发出《关于进行农村税费改革试点工作的通知》,就农村税费改革的主要内容进行了明确:取消乡统筹费、农村教育集资等专门面向农民征收的行政事业性收费和政府性基金、集资,取消屠宰税,取消统一规定的劳动积累工和义务工,调整农业税和农业特产税政策,改革农村提留征收使用办法。同年3月5日,国务院总理朱镕基所作的《政府工作报告》指出,积极推进农村税费改革,从根本上减轻农民负担,当年将在安徽省试点,待条件成熟后再在全国推开。4月22日,中共中央办公厅、国务院办公厅发出《关于做好当前农业生产工作的通知》,强调严禁违反国家税收政策向农民乱摊税赋,严禁强迫村集体和农民贷款上缴各种税费。开展农村税费改革的试点地方,要认真领会和贯彻中央的政策精神,把减轻农民负担作为改革的首要出发点,真正使农民在改革中得到实惠。

2001年3月24日,国务院下发《关于进一步做好农村税费改革试点工作的通知》。《通知》提出:要进一步完善农村税费改革的有关政策,包括合理确定农业税计税土地、常年产量和计税价格,采取有效措施均衡农村不同从业人员的税费负担,调整农业特产税政策(特别要减轻生产环节的税收负担),在不增加农民负担的前提下妥善解决村干部报酬、村办公经费、"五保户"供养经费开支,妥善解决取消统一规定的劳动积累工、义务工以后出现的问题,保障农村义务教育经费投入;认真做好农村税费改革试点的各项配套工作,包括改革和精简机构、压缩人员、节减开支,加大中央和省两级财政转移支付力度(有条件的市级政府也明明白白交税应当安排一定的资金支持这项改革);严格规范农业税征收管理,建立健全村级"一事一议"的筹资筹劳管理制度,建立有效的农民负担监督管理机制,妥善处理乡村不良债务。

2002年2月10日,国务院办公厅转发了农业部等部门报送的《关于2002年减轻农民负担工作的意见》。《意见》中提出,要继续执行禁止平摊农业特产税的规定;做好农村税费改革试点地区农民负担的监督管理工作;普遍推行农业税收"公示制";强化减轻农民负担工作责任;继续抓好农民负担的监督检查,规范农业税收明明白白交税征管,防止违反规定平摊税收,落实好灾区和贫困地区农业税费减免政策。2002年3月27日,国务院办公厅发出了《关于做好2002年扩大农村税费改革试点工作的通知》。《通知》确定了2002年扩大农村税费改革试点的范围(其中河北、内蒙古、黑龙江、吉林、江西、山东、河南、湖北、湖南、重庆、四川、贵州、陕西、甘肃、青海、宁夏等16个省、自治区、直辖市为国务院确定的试点地区;上海、浙江、广东等沿海经济发达省、直辖市,如果条件基本成熟,可以自费进行扩大改革试点);规定了中央财政专项转移支付资金包干使用的办法。该《通知》首次提出"三个确保":"确保农民负担得到明显减轻、不反弹,确保乡镇机构和村级组织正常运转,确保农村义务教育经费的正常需要,是衡量农村税费改革是否成功的重要标志。"

2003年1月16日,中共中央、国务院发出《关于做好农业和农村工作的意见》。该《意见》指出,要继续推进农村税费改革,切实减轻农民负担。2003年3月5日,国务院总理朱镕基在十届人大一次会议上所作的《政府工作报告》中,充分肯定了2000年以来农村税费改革试点取得的成绩,并提出在2003年这项工作要在总结经验、完善政策的基础上在全国范围内推开。4月3日,国务院在北京召开全国农村税费改革试点工作电视电话会议。国务院总理温家宝指出,今年农村税费改革试点工作在全国范围推开,这是深化农村改革、促进农村发展的一项重大决策。

从国际社会的发展经验来看,一个国家在人均GDP达到1000美元时,就会进入各种社会利益矛盾相对激烈的时期,而我国在2003年人均GDP按汇率计算达到1090美元。在这个时期中,对中国而言,社会的最主要的矛盾很可能发生在"三农"领域内,因为,农民的人均收入到2003年还只有2622元人民币,只相当于全国人均1000美元(现今合8270元人民币)的32%,与全国人口平均数收入还差很大的距离,而那些温饱尚未解决的困难农民更是远离这个数字。不能忽视的是,农民收入偏低,并且与城镇居民收入差距日益拉大的状况,将导致农民在经济上和政治上的不满和抵触,对整个社会的发展也会产生消极的影响。党的十六届三中全会明确提出了"创造条件,逐步统一城乡税制"的新思路,要求进一步"完善农村税费改革试点的各项政策,取消农业特产税,逐步降低农业税税率,切实减轻农民负担"。时隔不久,2004年中央"一号文件"又进一步提出"有条件的地方,可以进一步降低农业税税率或免征农业税",引发世人对农业税的关注。

另外根据国家税务总局农税局的统计,2002年全国农业三税(农业税、牧业税和农业特产税)实际征收入库493.7亿元,其中农业税384.43亿元,牧业税1.57亿元,农业特产税107.7亿元。按照大数估计,2003年农业"三税"的总量不过600亿元左右。全国负责农业税税收征收的人员总计29.2万人，人均征收农业税及附加16.9万元。2002年全国农业税灾歉减免共计52.98亿元。农业税收征收的全部成本，假定按每年人均2万元计算，全国合计为58.4亿元，农业税收征收成本比率为13.24%。目前，农业税是我国征收成本最高的一种税。因此从这个角度和数量来分析并作出判断，农业税的取消对于中央、省级和市级财政的压力可以说并不很大。这个负担水平对于农民来讲不算太重，但税费改革之前政府和村社区组织通过农业税、农业特产税、"三提"、"五统"及摊派实际上从农民那里每年要收取1 500亿元—1 600亿元，无怪乎农民说，"国税轻，提留重，摊派是个无底洞"，农民负担的大头是农业税以外的各种收费。据国家统计局农村调查队测算，全国乡镇每年需要3700亿元才能维持合法生存，如果按支出的70%计算，也要支出2590亿元；而总来源只有750亿元，收支相抵每年相差1840亿元。①

农业税的废止首先从东部沿海工业发达地区开始的。上海市2003年起全面免征农业税，浙江省2004年起对种粮农民免征农业税，厦门市2003年缓征农业税、2004年起不征农业税，苏州市也决定从2004年不征农业税。从上海、浙江、厦门农村税费改革调查情况来看，这些地区减轻农民负担工作已取得明显成效，取消农业税，农民自然增收，立竿见影，一目了然，且给农民积极性以动力的作用也不可小瞧，由于农民收入增加，农民的消费水平提高，从而使整个社会物品销售量增加，反过来又带动了税收收入的增长，更

重要的是，乡镇干部的负担减轻了，他们能够拿出更多的时间放在服务性工作上，真正做到"权为民所用、利为民所谋、情为民所系"。至2005年3月，我国内地31个省、直辖市、自治区中已有25个省、市、区免征农业税。

2004年，中共中央、国务院在《关于进一步加强农村工作提高农业综合生产能力若干政策的意见》中指出，"继续加大'两减免、三补贴'等政策实施力度。减免农业税、取消除烟叶以外的农业特产税，对种粮农民实行直接补贴，对部分地区农民实行良种补贴和农机具购置补贴……进一步扩大农业税免征范围，加大农业税减征力度。"随着中国经济发展和工业化的推进，农业税收入占财政收入的比重则不断下降，已经从解放初期占全国财政收入的40%左右，下降到2004年只占到0.92%。

2004年3月15日，国务院总理温家宝在第十届全国人大二次会议的《政府工作报告》中宣布："从今年起，除烟叶税外，取消农业特产税，逐步降低农业税税率，平均每年降低一个百分点以上，五年内取消农业税。"这一宣告意味着五年以后，缴纳了数千年皇粮国税的中国农民将破天荒地从土地的枷锁中解放出来，成为土地的真正的主人。这是个具有重大而深远历史意义的决定。自此，国家加大对农业的投入和加强农村基础设施建设，2004年对种粮农民的直接补贴达116亿元，2005年投资700亿元建设农村基础设施。

党的十六届四中全会上，胡锦涛总书记提出了"两个趋向"的重要论断。2004年的中央经济工作会议上，胡锦涛总书记

---

① 《中国经济时报》记者的采访报道《解决县乡财政困难的根本在于打破城乡分治》，《中国经济时报》，2005年2月8日。

又指出，我国现在总体上已到了以工促农、以城带乡的发展阶段。取消农业税已经具备了条件。2005 年中央 1 号文件首次提出了"工业反哺农业、城市支持农村"的方针。所谓工业反哺农业，就是指工业发展到一定阶段后，不但要停止从农业那里的索取，而且还要在自身的发展进程中拿出相应的份额，用于支持农业的发展。要实现由农业支援工业到工业反哺农业的战略转变，停止从农业那里的索取是前提，而取消农业税正是实现这一前提的标志。新中国成立 50 多年来，中国农业向工业建设和城市发展提供了巨大的劳动积累和资本积累，还提供了大量用于城市扩张的土地。现在，社会的发展到了用工业发展反哺农业的阶段。

连续两年降低农业税的事实表明，农民对取消农业税反映强烈，一片欢呼。目前我国总体上已进入了以工促农、以城带乡的发展阶段。近年来，我国经济持续快速发展，国家财力不断壮大，国家财政有能力、有实力承担取消农业税这个成本。尽管取消农业税会减少财政收入、增加财政支出，但从国家发展、民族复兴的大局看，这些财政的减收增支是为破解"三农"难题、从根本上改变二元经济结构对经济社会协调发展造成的瓶颈制约。在城乡差别逐渐拉大和"三农"问题日益严重的背景下，党的十六届四中全会指出，我国整体上已到了"以工促农、以城带乡"的发展阶段。以减免和取消农业税为主要内容的农村税费改革，无疑是这一转变的一个重要转折点。

从 2004 年农村税费改革模式看，主要有三种：第一，全部免征农业税。如吉林、黑龙江、北京、天津、浙江、福建。需要说明的是，我国在西藏一直都是免征农业税的，而上海于 2003 年就开始免征农业税。

第二，降低农业税 3 个百分点。全国有 12 省份实行的是这一模式。据统计，在这些省份中，也区别情况执行，有 92 个县免征了农业税。第三，降低农业税 1 个百分点。全国有 11 个省份执行这一模式。同样，在这一模式中，有的省份对有的区县也实行农业税免征。总之，在 2004 年，各地都积极地落实"减免农业税"的政策，全国农税负担平均减轻 30%，农业税在全国财政收入中的比重已经不足 1%。

在取消农业税的问题上，国务院总理温家宝发挥了重要作用，作为长期主管农业的国家领导人，他对"三农"问题有着更加深刻的认识，他曾引用唐代诗人白居易的诗句"心中为念农桑苦，耳里如闻饥冻声"来表达他对"三农"问题的关切之情。从 2004 年起，中央连续四年的 1 号文件，反哺"三农"，内容实实在在，问题抓到了点子上。在国家财政预算支出中，重点加大了向农村的倾斜力度，并相继出台了"粮食直补"、"良种补贴"、"农资综合补贴"等惠农政策。为了中央政策在基层不变形，给农民的实惠不打折扣，国家不惜花费大量的人力物力，一竿子到底，使这些减免补贴政策直接到田到户到人，农民得到了看得见、摸得着的实在利益。

2005 年，中央和地方的农业税减免进一步提速。在十届全国人大三次会议上，温家宝在《政府工作报告》中提出："加快减免农业税步伐。在全国大范围、大幅度减免农业税。592 个国家扶贫开发工作重点县免征农业税。全部免征牧业税。因减免农(牧)业税而减少的财政收入，主要由中央财政安排专项转移支付予以补助。今年中央财政为此新增支出 140 亿元，用于这方面的支出总额将达到 664 亿元。明年将在全国全部免征农业税。原定 5 年取消农业税的目标，3 年就可以实现……中央财政还将安排 150 亿元,增加对产粮大县和财政困难县的转移支付。"据统计,至 2005 年底,有 28 个省份已经全部免征农业税,另外 3 个省份即河北、山东、云南也已经将农业税率降到了 2% 以下,并且在这 3 个省中也有 210 个县免征了农业税。这一年,全国的农业税及附加只有约 15 亿元,只占全国财政总收入 3 万亿元的 0.05%。因此,"取消农业税,对全国财政减收的影响微乎其微"。此前,在一次论坛上,国家税务总局副局长许善达说,对农业税的取消,"这是统一城乡税制的开端、起点"。

2005 年 12 月,十届全国人大常委会第十九次会议审议了废止农业税条例的决定草案。委员们对废止农业税条例取得了高度一致。在通过废止农业税条例后,吴邦国委员长在全国人大常委会会议闭幕时指出:"国务院的权限是减免农业税,而取消农业税这一税种是全国人大常委会的职权。会议经过认真审议,决定废止农业税条例,取消农业税这一税种,让农民吃上了定心丸。"

2006 年全面取消农业税后,与农村税费改革前的 1999 年相比,农民每年减负总额将超过 1000 亿元,人均减负 120 元左右。为保证免征农业税后基层政权和农村义务教育正常运转,中央和地方财政为支持农村税费改革和取消农业税提供了坚实的财力保障。截至 2005 年,中央财政累计已安排农村税费改革和取消农业税转移支付资金 1830 亿元。从 2006 年起财政每年将安排 1000 亿元以上的资金用于支持农村税费改革的巩固完善,其中中央财政每年将通过转移支付补助地方财政 780 亿元。

取消农业税标志着我国的城乡关系进入了"工业反哺农业、城市支持乡村"的新的历史时期,这对中国经济和社会的全面发展具有深远的历史影响。

增值税的演变与转型

增值税是对商品生产、销售过程中或提供劳务时实现的增值额征收的一种流转税。企业在纳税时,用以计算税额的销售额,可以扣除部分外购原材料的价款,在一定程度上避免了重复纳税。增值税 1954 年在法国成功推行之后,对世界经济产生了重大影响。

我国增值税是对在我国境内从事销售货物或提供加工、修理修配劳务以及从事进口货物的单位和个人取得的增值额为课税对象征税的一种税。根据对外购固定资产所含税金扣除方式的不同,增值税制分为生产型、收入型和消费型三种类型。生产型不允许扣除外购固定资产所含的已征增值税,税基相当于国民生产总值,税基最大,但重复征税也最严重。收入型允许扣除固定资产当期折旧所含的增值税,税基相当于国民收入,税基其次。消费型允许一次性扣除外购固定资产所含的增值税,税基相当于最终消费,税基最小,但消除重复征税也最彻底。在目前世界上 140 多个实行增值税的国家中,绝大多数国家实行的是消费型增值税。中国从 1979 年试行增值税,至今已有 30 个年头,而国务院宣布从 2009 年 1 月 1 日起在全国实施增值税转型,则标志着中国的增值税进入了一个新的阶段。

一

增值税在中国的引进和初步发展

改革开放初期,我国实行的是传统的流转税制,对内资企业和外资企业分别按其销售(营业)收入征收工商税和工商统一税。工商税和工商统一税以工商企业单位或个人营业收入和农副产品采购支付金额为计税依据。随着改革开放进程的加快,工商税和工商统一税"道道征税、重复征税"的弊端越来越明显,不利于专业化生产和社会化协作生产的扩大,已经不适应改革开放的需要。此时,增值税开始受到重视。

20世纪70年代后期,增值税在亚洲国家得到了推行。中国的增值税是伴随着改革开放的深入而不断发展的。1979年下半年以后,财政部先后选择机器机械和农业机具两个行业和自行车、缝纫机、电风扇"三大件"试行增值税,并把广西壮族自治区柳州市、湖北省襄樊市等地作为试点地区,这是我国最早的增值税试点。

财政部1981年发布了《增值税暂行办法》。经过试点和广泛征求意见,1984年9月国务院发布了《增值税条例(草案)》,自1984年10月1日开始实施,标志着我国正式建立增值税制度。《增值税条例(草案)》规定,增值税的纳税人为在中国境内生产和进口应税产品的单位和个人。税目、税率和扣除项目分为甲、乙两个类别,设有机器机械及其零配件12个税目,对12项工业产品征税,税率从6%到16%不等。

随着中国社会主义商品经济的确立,增值税制度也在不断改进。1986—1988年,财政部陆续发布文件,扩大了增值税

的征收范围,逐步将增值税的税目增加到31个,除了烟、酒、电力等10类工业品继续征收产品税外,其他工业品都纳入了增值税的征收范围。1987年,财政部颁发了《关于完善增值税征税办法的若干规定》,本着统一和简化的原则,统一了增值税的计税方法和扣除项目,改进了具体计税办法,并附发了《增值税税目税率表》和《增值税计算办法》。1981—1990年10年间,增值税达1922亿多元。到1993年,增值税已达到823亿多元,超过了传统的产品税和工商统一税,在流转税中仅次于营业税。

二

中国全面推行增值税制度

1993年底,为了适应建立社会主义市场经济体制的需要,国务院批准了国家税务总局报送的《工商税制改革实施方案》。该《方案》从1994年1月1日起施行,由此开始了新中国成立以来规模最大、范围最广泛、内容最深刻的一次税制改革。

《工商税制改革实施方案》指出,流转税制改革是整个税制改革的关键。当时的流转税制包括增值税、产品税和营业税三个税种,在大部分工业生产领域征收增值税,对少数工业产品(烟、酒、电力、石化、化工等)征收产品税,营业税主要在商业和其他第三产业征收。改革后的流转税制由增值税、消费税和营业税组成。在工业生产领域和批发零售商业以及修理修配行业普遍征收增值税,对少量消费品征收消费税,对不实行增值税的劳务和销售不动产征收营业税。新的流转税制统一适用于内资企业、外商投资企业和外国

企业，取消对外资企业征收的工商统一税。

按照上述思路，《工商税制改革实施方案》提出了增值税改革的要点，例如，对商品的生产、批发、零售和进口全面实行增值税，对绝大部分劳务和销售不动产暂不实行增值税。增值税税率采取基本税率再加一档低税率和零税率的模式。按照基本保持原税负的原则，并考虑到实行价外税后税基缩小的因素，增值税的基本税率拟定为17％；低税率拟定为13％，低税率的适用范围包括基本食品和农业生产资料等；出口商品一般适用零税率。增值税实行价外计征的办法，即按不包含增值税税金的商品价格和规定的税率计算征收增值税。实行根据发票注明税金进行税款抵扣的制度，即零售以前各环节销售商品时，必须按规定在发货票上分别注明增值税税金和不含增值税的价格。为了适应我国消费者的习惯，商品零售环节实行价内税，发票不单独注明税金。对年销售额较少、会计核算不健全的小型纳税人，实行按销售收入全额和规定的征收率计征增值税的简便办法。改革增值税纳税制度。对增值税的纳税人进行专门的税务登记，使用增值税专用发票，建立对纳税人购销双方进行交叉审计的稽查体系和防止偷逃税、规范减免税的内在机制。

1993年12月13日，我国增值税诞生14年后，国务院发布了《增值税暂行条例》，从1994年1月1日起施行，同时废除了1984年发布的《增值税条例（草案）》、《产品税条例（草案）》。同年12月25日，财政部发布了《增值税暂行条例实施细则》，27日国家税务总局发布了《增值税专用发票使用规定（试行）》。

从1994年起，增值税制度在我国全面推行。与1984年建立的增值税制度相比，1994年增值税制度在税制建设中遵循了普遍征收、中性和简化三项原则。1994年全面推行增值税制度后，当年增值税就达到2661.3亿元，占税收总量的52.48％，而营业税收入仅为680.2亿元。增值税首次超越营业税，成为我国收入最多的税种。

从1994年增值税制度全面推行以来，我国根据不同时期经济发展的要求，对增值税制度进行了不断完善，同时强化了征收管理，使增值税在我国税收体系中的地位越来越重要。

1994年以来，增值税制度发生了一些重要变化，包括局部调整了一般纳税人适用的税率，扩大进项税额的扣除范围，提高扣除率，提高增值税的起征点，出台和调整了增值税一些优惠政策等。

从1994年5月1日起，国家把农业产品、金属矿采选产品、非金属矿采选产品的增值税税率由17％调整为13％。规定增值税一般纳税人外购货物（固定资产除外）所支付的运输费用，根据运费结算单据（普通发票）所列运费金额依10％的扣除率计算进项税额准予扣除，从1998年7月1日起扣除率降为7％。同时规定残疾人员个人提供加工和修理修配劳务，免缴增值税。

为了促进下岗失业人员再就业，减轻个人创业者的税收负担，财政部、国家税务总局发布文件，大幅提高增值税的起征点。从2003年1月1日起，将个人销售货物的起征点由月销售额600—2000元提高到2000—5000元；将销售应税劳务的起征点由月销售额200—800元提高到1500—3000元；将按次纳税的起征点由每次（日）销售额50—80元提高到每次（日）150—200元。

三

东北等地区增值税转型改革试点

1. 1994年实施的生产型增值税的缺陷

1994年我国采用生产型增值税是与前些年的经济环境相适应的,采用生产型增值税,一方面是出于财政收入的考虑,另一方面则为了抑制投资膨胀。当时商品供不应求、固定资产投资失控、物价上涨过大、通货膨胀加剧,整个经济生活的表现是经济过热,因此抑制固定资产投资、降低通货膨胀率就成为当时宏观经济政策的首要任务,生产性增值税在计算增值税时,不允许扣除任何外购固定资产的价款。生产型增值税导致纳税人增值税税负较重,这在一定程度上抑制了当时的经济过热,故当时采用生产型增值税是合适的。随着我国社会主义市场经济体制的逐步完善和经济全球化的纵深发展,推进增值税转型改革的必要性日益突出。自1996年以来,国内许多专家学者都提出在我国实行的生产型增值税须尽快转型为消费型增值税。我国现在实行的是生产型增值税由于不允许扣除外购固定资产价值中所含的税款,故仍在一定程度上存在重复征税,从而不利于鼓励投资。目前,在世界上已实行增值税的110多个国家和地区中,只有7个国家仍在实行生产型增值税。

随着中国经济改革的逐步深入和中国经济进一步融入世界,生产型增值税的弊病越来越明显:①影响技术进步和经济结构的调整。购置机器设备等固定资产中所含增值税不能抵扣,加重了企业负担,影响了企业投资的积极性,特别是影响企业向资本密集型和技术密集型产业及基础产业投资的积极性,从而影响新技术的采用和经济结构的调整。②影响中国的产品出口。出口退税是世界各国鼓励本国商品出口参与国际市场竞争的通行做法。而实行生产型增值税,由于出口产品中固定资产所含税款没有抵扣,必然会提高价格水平,降低这些产品在国际市场上的竞争力。现行增值税存在的主要问题,不仅是对扩大投资、设备更新和技术进步有抑制作用,而且还造成基础产业和高新技术产业税负重于其他产业,不利于相关产业发展。同时,它也使得国内产品税负重于外国产品,不利于内外产品平等竞争。自我国加入WTO以后,需要更加广泛地参与国际竞争,如果我们仍然实行生产型增值税,就会不利于鼓励国内投资,不利于扩大内需,不利于国内企业与国外企业在同一税负平台上进行公平的竞争。

增值税转型改革,允许企业抵扣其购进设备所含的增值税,将消除我国当前生产型增值税制产生的重复征税因素,降低企业设备投资的税收负担,在维持现行税率不变的前提下,是一项重大的减税政策。由于它可避免企业设备购置的重复征税,有利于鼓励投资和扩大内需,促进企业技术进步、产业结构调整和经济增长方式的转变。

2. 东北等地区增值税转型的试点

振兴东北老工业基地是进入新世纪党中央、国务院做出的一个重大的战略决策。2003年10月底,《中共中央国务院关于实施东北地区等老工业基地振兴战略的若干意见》(中发〔2003〕11号)宣布对东北老工业基地的扶持政策中,明确提出了减债卸负、财政税收支持、项目投融资以及就业、社保等。2004年初国家税务总局向黑龙江、吉林、辽宁省、大连市国家税务局下发了《关于开展扩大增值税抵扣范围企业认定工作的通知》(国税函〔2004〕143号),指出暂对八个行业所属企业开展认定工作,并列举了八个行业的具体范围。

此后,财政部和国家税务总局分别制定下发了《东北地区扩大增值税抵扣范围若干问题的规定》(财税〔2004〕156号)、《2004年东北地区扩大增值税抵扣范围暂行办法》(财税〔2004〕168号)等文件,从而开始在东北地区率先进行增值税由生产型转为消费型的试点。从2004年7月1日起,黑龙江省、吉林省、辽宁省经过认定的从事装备制造业、石油化工业、冶金业、船舶制造业、汽车制造业、农产品加工业的增值税一般纳税人,通过购进等方式取得的固定资产所含进项税金,可以在当年新增增值税税额中抵扣。增值税转型改革初期,本着谨慎原则选择部分地区、行业先行试点,是降低风险的必然选择。对于这次增值税转型试点,时任国家税务总局局长的谢旭人在召开的全国税务工作会议上只有简单的一句话,"允许企业抵扣当期新增机器设备所含进项税金,及时总结经验"。

2004年9月,财政部、国家税务经过多次调查研究,广泛听取意见,最后报经国务院批准,分别制定下发了关于《东北地区扩大增值税抵扣范围若干问题的规定》和《2004年东北地区扩大增值税抵扣范围暂行办法》,标志着振兴东北老工业基地税收优惠政策的正式启动和增值税转型试点的开始。2004年10月14日,辽宁省沈阳化工集团股份有限公司总会计师曹秀英,从沈阳市国税局铁西分局税务人员手中接过一张金额为140万元的税收退还书。该公司成为享受增值税转型好处的第一家企业。从实际执行情况看,受

益最大的企业是跨越式发展的企业,对于它们而言,转型政策的出台恰逢其时。以鞍山钢铁集团公司为例:该企业正处于跨越式发展阶段,增值税转型政策的实施,为鞍钢技术改造和扩大生产规模投资注入了新的活力。2004年下半年和2005年上半年,得到增值税转型退税款累计5.33亿元,及时缓解了资金紧张,推动了技术更新。2004年12月底,财政部、国家税务总局又制定下发《关于东北地区军品和高新技术产品生产企业实施扩大增值税抵扣范围有关问题的通知》,将符合规定的军品和高新技术产品生产企业纳入增值税转型范围。

增值税转型对鼓励投资,减轻企业税负的作用是显而易见的。在转型的第一年,东北地区总计有40980余户企业通过税务机关的认定,被纳入到扩大增值税抵扣范围试点,办理抵减欠税和退税约21.73亿元。从行业分布看,主要集中在装备制造业、农产品加工业和石油加工业三大行业。东北地区企业结构的调整,产业技术升级的步伐在不断加快,经济活动明显提升。试点当年东北三省国内生产总值达到15134亿元,同比增长12.3%,增幅高于全国平均水平2.8个百分点,规模以上工业企业共完成增加值4870亿元,比2003年增长19.7%,是连续多年来增长速度最快的一年,规模以上工业企业实现利润总额1328亿元,同比增长35.5%,招商引资效果显著,利用外资59.4亿美元,同比增长83.6%,高于全国平均水平70个百分点。试点转型政策对东北老工业基地的振兴效果明显,起到了鼓励机器设备投资、加快技术更新改造的作用,促进了企业技术进步和发展。同时,带动了东北地区投资规模的扩大,使投资与发展良性循环的态势初步显露。2005年、2006

年,辽宁省的财政收入每年都以20％以上的幅度增长,2007年的增长更是达到了32.4％的超高增幅。增值税转型不仅没有造成地方财政收入的减少,反而产生了增加收入的奇效,主要是增值税转型促进了企业增加投资和技术改造,提高了经济效益,对扩大税源、形成财政增收的长效机制产生了积极作用。通过试点转型对中央和地方财政收入的影响有了准确的把握,为进一步推广提供了可靠的依据和奠定了坚实的基础。

财政部和国家税务总局于2005年11月28日发布了《关于增值税若干政策的通知》(财税〔2005〕165号),内容涉及增值税纳税义务发生时间、进项税额抵扣、价外收费、软件及会员费的增值税政策等诸多内容。《通知》既有对现行增值税政策的完善,如关于纳税义务发生时间和进项税额抵扣的规定,也有对现行政策的重大调整,如对价外收费、软件和会员费的规定。

2007年5月,财政部、国家税务总局发布《中部地区扩大增值税抵扣范围暂行办法》,规定从2007年7月1日起,山西、安徽、江西、河南、湖北和湖南6个中部省的26个老工业基地城市的部分行业,包括以从事装备制造业、石油化工业、冶金业、汽车制造业、农产品加工业、电力业、采掘业、高新技术产业为主的增值税一般纳税人,试行扩大增值税抵扣范围的试点。根据暂行办法,被纳入扩大增值税抵扣范围试点的中部六省老工业基地城市为山西省的太原、大同、阳泉、长治;安徽省的合肥、马鞍山、蚌埠、芜湖、淮南;江西省的南昌、萍乡、景德镇、九江;河南省的郑州、洛阳、焦作、平顶山、开封;湖北省的武汉、黄石、襄樊、十堰和湖南省的长沙、株洲、湘潭、衡阳。到2007年底,中部六省26个老工业城市的12000多户企业进行了扩大增

值税抵扣范围的试点,税务部门总计为这些企业抵退增值税34.5亿元。这是继2004年东北地区老工业基地实行增值税转型试点改革之后,中部六省成为第二批实行该项改革试点的地区。6个老工业基地城市中的8个行业开展扩大增值税抵扣范围的试点,这项税收政策旨在鼓励试点企业开展设备更新和技术改造,推动产业结构调整和产品的更新换代。

据统计,截至2007年底,东北和中部转型试点地区新增设备进项税额总计244亿元,累计抵减欠缴增值税额和退给企业增值税额186亿元,试点工作运行顺利,为有力地推动试点地区经济发展、设备更新和技术改造,也为全面推开增值税转型改革积累了丰富的经验。而2007年国内增值税收入超过1.5万亿元,约占当年税收收入的31％。如果再加上进口增值税部分,占税收比重超过40％。增值税实行价外税,换言之,就是增值税由消费者负担,而不是由商品厂家承担。因此,通过下调增值税降低企业生产成本、抑制过快增长的物价,政策效应将更为明显。

中共中央在"十一五"规划中明确提出,2006年至2010年期间,将"在全国范围内实现增值税由生产型转为消费型",并尽可能地缩短试点的时间。2008年3月,国务院总理温家宝在《政府工作报告》中指出:"继续推进增值税转型改革试点,研究制定在全国范围内实施方案。"十一届全国人大一次会议审议同意的全国人大财经委关于预算草案审查结果报告,明确提出争取2009年在全国推开增值税转型改革。

2008年7月1日起,内蒙古自治区东部五个盟市被纳入增值税转型试点改革范围。为支持汶川地震灾区灾后恢复重建,财政部、国家税务总局近日联合印发

《汶川地震受灾严重地区扩大增值税抵扣范围暂行办法》，将汶川地震受灾严重地区纳入增值税转型改革试点的范围。汶川地震受灾严重地区是继东北老工业基地、中部 26 个老工业基地城市、内蒙古东部五盟市之后，第四批纳入增值税转型改革试点范围的地区，主要涉及四川、甘肃和陕西三省被确定为极重灾区和重灾区的 51 个县（市、区）。此次增值税转型改革试点办法与以往相比，政策力度更大。同时财政部与国家税务总局正在抓紧研究增值税转型在全国范围内推开的具体方案和办法。

四

全面推行增值税转型改革

根据我国当前经济发展的实际情况看来，增值税转型在全国范围内普遍实行的条件已经成熟：一是经济发展态势良好，物价稳定，增值税转型不会引起物价的波动；二是财政收入稳步增长，"十五"期间 5 年共计入库税款超过 100000 亿元，年均增长近 20％，在全国范围内实施增值税转型虽然每年可能减少约 1000 亿元的财政收入，但税收收入的快速增长完全可以弥补这个缺口；三是有了增值税转型在东北试点的丰富经验，再按照国家税务总局增值税改革的规划，第一步将动产的固定资产负担的进项税纳入抵扣范围，待一定时间第一步转转型改革稳妥后，再将不动产的固定资产所负担的进项税纳入抵扣范围，真正实现彻底的消费型增值税。由于增值税征收范围广，涉及生产经营的各个层面，增值税的快速转型有利于整个税收制度体系的完善。

经过试点，政策底数已基本摸清，全

国改革不宜再按产业或地区局部进行。消费型增值税突出的优点，在于它的中性，避免重复课税，但它有个前提，即各个地区、各个行业的广泛施行，最忌讳的就是被当作一种优惠政策来使用，否则，将有悖于增值税的中性原则，降低市场配置资源的效率，扭曲税制改革的初衷。增值税改革不适宜长时期试点，是因为它的运行是个完整的"链条"，是一个统一的征收概念，而试点的办法恰与增值税的这个特点格格不入。一部分地区试行，而另一部分地区不试行，将导致增值税抵扣链条发生断裂，诱使部分企业从非试点区迁往试点区，人为地加大企业成本，造成产业布局的混乱。即使在试点地区，某些企业集团的下属企业有的享受抵扣，有的不享受抵扣，也很容易造成各种形式的避税、骗税行为的滋生，人为加大税收征管的难度。如此，增值税的积极作用就全都发挥不出来，这无论对税制改革，还是对整个经济的发展都是有害的。

目前金融危机已波及欧洲、亚洲、拉丁美洲，全球经济增长出现明显放缓势头，一些国家甚至出现经济衰退的迹象，金融危机正在对实体经济产生重大不利影响。在这种形势下，适时推出增值税转型改革，对于增强企业发展后劲，提高我国企业竞争力和抗风险能力，克服国际金融危机对我国经济带来的不利影响具有十分重要的作用。从实际效果来看，增值税转型实质是减税，有促进投资的作用。

第十六届三中全会《关于完善社会主义市场经济体制若干问题的决定》提出，要改革增值税制度，实现从生产型向消费型转变。"十一五规划"明确在"十一五"期间完成这一改革。2008 年 11 月，国务院总理温家宝主持召开国务院常务会议，决定 2009 年起在全国范围实施增值税转型改革,审议并原则通过《中华人民共和国增值税暂行条例(修订草案)》。

2009年全国增值税转型改革方案与试点相比在三个方面作了调整:一是企业新购进设备所含进项税额不再采用退税办法,而是凭增值税专用发票和海关完税凭证等合法的抵扣凭证,直接计算抵扣,企业购进设备和原材料一样,按正常办法直接抵扣其进项税额;二是转型改革在全国所有地区推开,取消了地区和行业限制,统一了全国增值税政策;三是为了保证增值税转型改革对扩大内需的积极效用,转型改革后企业抵扣设备进项税额时不再受其是否有应交增值税增量的限制。同时,作为转型改革的配套措施,将相应取消进口设备增值税免税政策和外商投资企业采购国产设备增值税退税政策,将小规模纳税人征收率统一调低至3%,金属矿和非金属矿采选产品的增值税率从13%恢复到17%。现行增值税征税范围中的固定资产主要是机器、机械、运输工具以及其他与生产、经营有关的设备、工具、器具,因此,转型改革后允许抵扣的固定资产仍然是上述范围。为预防出现税收漏洞,改革方案也明确,与企业技术更新无关且容易混为个人消费的应征消费税的小汽车、摩托车和游艇排除在上述设备范围之外。房屋、建筑物等不动产不能纳入增值税的抵扣范围。

此次改革要取消的进口设备免征增值税政策,主要是指《国务院关于调整进口设备税收政策的通知》(国发〔1997〕37号)和《国务院办公厅转发外经贸等部门关于当前进一步鼓励外商投资意见的通知》(国办发〔1999〕73号)规定的增值税免税政策。这些政策是在我国实行生产型增值税的背景下出台的,主要是为了鼓励相关产业扩大利用外资、引进国外先进技术。但在执行中也反映出一些问题,主要有:一是进口免税设备范围较宽,不利于自主创新、设备国产化和我国装备制造业的振兴;二是内资企业进口设备的免税范围小于外资企业,税负不公。转型改革后,企业购买设备,不管是进口的还是国产的,其进项税额均可以抵扣,原有政策已经可以用新的方式替代,原来对进口设备免税的必要性已不复存在,这一政策应予停止执行。

现行政策规定,小规模纳税人按工业和商业两类分别适用6%和4%的征收率。为了平衡小规模纳税人与一般纳税人之间的税负水平,促进中小企业的发展和扩大就业,需要相应降低小规模纳税人的征收率。考虑到现实经济活动中小规模纳税人混业经营十分普遍,实际征管中难以明确划分工业和商业小规模纳税人,对小规模纳税人不再区分工业和商业设置两档征收率,将小规模纳税人的征收率统一降低至3%。小规模纳税人征收率水平的大幅下调,将减轻中小企业税收负担,为中小企业提供一个更加有利的发展环境。

数据显示,2007年国内增值税收入(扣除出口货物退增值税)为15470.11亿元,占当年我国税收总额(不含关税、船舶吨税)的33.9%。而当前的增值税转型改革,是将增值税从现行的"生产型"转为"消费型",允许企业抵扣其购进设备所含的增值税,这意味着税前抵扣范围扩大或计税基数缩小,消除了我国生产型增值税的重复征税因素,降低了企业税收负担。在维持现行税率不变的前提下,是一项重大的减税政策。

经测算,实施该项改革将减少当年增值税收入约1200亿元、城市维护建设税收入约60亿元、教育费附加收入约36亿元,增加企业所得税约63亿元,增减相抵后将减轻企业税负共约 1233 亿元,是我国历史上单项税制改革减税力度最大的一次,相信这一政策的出台对于我国经济的持续平稳较快发展以及对应对国际金融危机都会产生积极的促进作用。

房地产业的发展与国家规制

2003—2009 年,随着我国城乡居民收入持续增长、城镇化建设步伐逐步加快、房地产投资功能日益突出,我国房地产业进入高速增长期。在房地产业高速发展的同时,也存在房价上涨过快,出现大量房地产泡沫等问题。我国政府出台了多项针对房地产行业的调控政策,以规范房地产市场的行为。

一

2003—2009 年房地产业的高速发展

房地产业是与社会生产和生活密切相关的基础性产业,为国民经济发展提供了基本的物质保证。2003 年中国房地产业继续保持高速发展的势头。城镇居民 2003 年 1—9 月份房地产开发完成投资 6495 亿元,同比增长 32.8%,高于固定资产投资增幅(31.4%)1.4 个百分点,占同期固定资产投资的 25.1%。商品房施工面积增长 27.8%,其中,新开工面积增长 30.4%。购置土地面积 23082 万平方米,同比增长 44.7%,增幅平稳下降。土地开发面积 11368 万平方米,同比增长 38.9%,与前两年增幅持平。商品房竣工面积增长 34.9%,销售面积增长 35.9%。销售面积增幅大于同期竣工面积增幅 1 个百分点。通过 2003 年 12 月"国房景气指数"所属的八个分类指数的走势与 10 月相较,房地产市场呈现 2 升 6 降的格局。其中,竣工面积、土地开发面积、商品房平均销售价格、土地转让收入、商品房空置面积和资金来源分类指数呈现下降趋势;房地产开发投资、新开工面积分类指数继续保持上扬势头。人均居住面积提高显著,从 1978 年的 3.6 平方米提高到 2003 年的 11.4 平方米。

2004 年,房屋销售价格较快上涨,但土地价格增幅下降,房地产开发投资增幅进一步回落。中低价位、中小套型住宅供应比例偏低,这对低收入群体住房的改善带来了一些困难。这一时期投资性购房需求增长较快,部分境外资金流入国内热点地区的房地产市场,支撑了国内热点地区偏高的房价。2004 年,全国共完成房地产投资 13158.3 亿元,比 2003 年增长 28.1%,增速高于 25.8% 的全社会固定资产增长速度,房地产开发投资占全社会固定资产投资中的比重从 1998 年的 12.7% 提高到 2004 年的 18.8%。从土地方面来看,土地开发面积增速有所下降,已出让存量土地没有及时得到开发。

2005 年,我国政府针对房地产市场过热的情况进行了比较大幅度的宏观调控。中国人民银行决定从 2005 年 3 月 17 日起,调整商业银行个人住房贷款政策,房贷利率上调 0.2 个百分点。国务院办公厅发出《关于切实稳定住房价格的通知》等政策对房地产市场进行调控。2005 年房地产市场在经历了首季度的高速增长之后,在宏观调控的影响下,出现了短暂的回调。从 2005 年下半年开始房地产市场的需求依然呈现平稳增长的态势,随着供给的不断增长,房地产市场基本保持供需平衡。与 2004 年的情况相比,2005 年商品房和住宅的竣工面积均小于销售面积,2005 年前 11 个月,在我国的房地产本年购置土地面积中,未完成开发土地面积达 16706.7 万平方米,占同期本年购置土地面积的 53.8%。按照我国开发房地产的用地速度,这近 1.7 亿平方米的土地还能满足 1 年多的开发需要。2005 年 12 月,商品房竣工率为 29.67%,这意味着,我国房屋的施工面积相当于 3 年多的商品房竣工面积。2005 年 11 月末,全国商品房空置面积达 1.14 亿平方米,规模超过 2005 年上半年房屋竣工面积。住宅空置面积达 0.63 亿平方米,规模接近于 2005 年前 5 个月的住宅竣工面积。2005 年商品房平均销售价格同比增幅逐季下降。2005 年一季度涨幅 12.5%,一到二季度涨幅 10.1%,一到三季度涨幅 8.8%。2005 年第四季度,70 个大中城市新建商品住房销售价格比 2004 年同季上涨 7.5%,涨幅回落 3.6 个百分点。其中,经济适用房、普通住房和高档住房销售价格分别上涨 3.9%、6.8% 和 9.3%,除经济适用房价格涨幅比 2004 年同期高 1.3 个百分点,普通住房和高档住房价格涨幅分别回落了 4.8 和 3.2 个百分点;二手住房销售价格比 2004 年同季上涨 5.8%,涨幅回落 12.6 个百分点;非住宅商品房销售价格比 2004 年同季上涨 4.8%,涨幅回落 2.6 个百分点;房屋租赁价格比 2004 年同季上涨 1.6%,涨幅回落 0.4 个百分点。长三角地区受宏观调控影响显著,成交量萎缩的同时,价格明显下降。2005 年 11 月的调研显示,当月上海房屋销售价格环比下降 0.6%,南京下降 0.2%。保守估计 2005 全年商品房销售价格同比,东部涨幅约 5%,中部涨幅约 8%,西部约 7%。但由于统计口径变更,该涨幅与 2004 年及更早的数值没有直接可比性。

由于我国国民经济的持续增长,城市化水平的继续推进,2006 年全国房地产开发投资增速小幅回升。全国累计完成房地产开发投资额 1.9 万亿元,同比增长 21.8%,比上年同期加快 2 个百分点,低于同期固定资产投资增速。其中,住宅投资增长速度为 25.3%,高于同期房地产投资增幅 3.5 个百分点;经济适用房投资同比增长 32.7%,经济适用住房投资下降的趋势得到明显改善。2006 年,完成土地开发投资 1197 亿元,同比增长 27.2%,高于同期房地产开发投资的增长水平。完成土地开发面积 26606 万平方米,同比增长 17.3%。本年购置土地面积 36791 万平方米,同比下降 3.8%。房地产开发投资中商品住宅所占的比重明显上升,一季度比重为 67.6%,上半年为 69.1%,前三季度为 70.3%。2006 年,全国商品住宅完成投资 13612 亿元,同比增长了 25.3%,占房地产开发投资的比重 70.2%,同比提高 1.9 个百分点,是近几年来最高的比重。

2006 年,全国房屋新开工面积 7.8 亿平方米,同比增长 15.1%,增幅同比提高 4.5 个百分点,但低于上半年 21.6% 的增长水平。竣工房屋面积增长速度变化较大,一季度、上半年、前三季度,房屋竣工面积分别增长了 35.9%、20.4% 和 8.7%,2006 年,房屋竣工面积 5.3 亿平方米,同比下降 0.6%,呈现明显的"高开低走"一路下滑态势。2006 年,房地产开发市场的一个鲜明特征是国内贷款高速增长,明显快于房地产开发投资的增长速度,是近几年没有的现象。全年房地产开发企业使用国内贷款 5263 亿元,同比增长 34.3%,

同比提高 12.9 个百分点。2006 年,全国商品房销售面积为 6.1 亿平方米,同比增长 12.2%。其中,商品住宅增长 13.1%。截至 12 月末,全国商品房空置面积为1.42 亿平方米,同比下降 3.1%。其中,空置时间在一年以上的商品房所占比重为61.8%。2006 年,全国商品房平均销售价格为 3382.9 元/平方米,同比提高4.3%。有 27 个地区商品房销售价格有不同程度的提高,其中有 3 个地区商品房销售价格增幅超过 20%。山西、西藏、甘肃和宁夏的商品房价格有不同程度的下降,下降幅度分别为 4.95%、7.13%、8.54% 和7.68%。商品住宅平均销售价格为3132.44元/平方米,同比提高 4.1%。有28 个地区商品房销售价格有不同程度的提高,其中有 4 个地区商品房销售价格增幅超过 20%。只有山西、西藏和甘肃的商品房价格有不同程度的下降,下降幅度分别为1.42%、28.2%和3.2%。

虽然中央银行 2006 年提高存款准备金率则是为了收缩金融机构的贷款总额,抑制银行向房地产市场等领域的放贷冲动。然而,这些紧缩措施并没有立竿见影地挡住一路上涨的房价。从 70 个大中城市的房屋销售价格指数上看,2006 年,几乎每月的房价都以 5% 以上的同比涨幅一路飙升。造成这种情况的原因,一是每次加息幅度不大,面对涨幅远高于利率涨幅的房价,投资者多数认为加息成本可以被收益抵消;二是金融机构在没有找到新的贷款出口时,微幅上调的存款准备金率同样不能本质上收紧放贷闸门。再加上房地产投资掺入了人民币升值等宏观经济因素的影响,简单的加息政策对房地产市场的调控作用变得收效甚微。

2007 年房地产上半年投资增值迅猛,开发投资额延续了去年略高于 30% 的同比增长幅度,而整体市场处于理性回归的态势,宏观调控起到了明显成效。下半年,国际上受金融危机的影响,国内由于“抑制过热”政策叠加、住房保障制度的推进,以及经济进入调整期等因素的影响,出现涨幅下降的趋势。全国房地产开发投资额同比增长从 1—6 月的 33.5%一路下滑到 1—11 月的 22.72%。尽管下半年涨幅回调明显,但涨幅的绝对值仍超过了20% 以上,可见在国家“保增长”政策下,房地产开发投资并没有出现过大的波动,仍维持了相对稳定的增长速度。

2007 年,全国商品房累计施工面积为186454.97 万平方米,同比增长 22.9%,增幅要高于 2006 年同期水平。全国商品房新开工面积为78135.98 万平方米,同比增长 21.3%,增幅与 2006 年同期相比增长6.5 个百分点。总体来看,2007 年全国房地产新开工面积同比增速平稳增长。

2007 年商品房竣工面积 58235.88 万平方米,同比增长 4.3%。分月度来看,2007 年 12 月份的竣工面积大幅上升,这表明很多楼盘都赶在 12 月底前竣工。因为年底的购房需求比较旺盛,而且到了账期,所以开发商希望早点交付房子,收回资金,而此时商品房的供应量也相应增加。2007 年商品房销售面积较好,商品房销售面积累计达 76192.7 万平方米,比2006 年 60628.14 万平方米的销售面积相比,增长了 23.2%。其中,商品住宅的销售面积为 69103.79 万平方米,同比增加24.7%;办公楼销售面积为 1454.19 万平方米,同比增加 18.1%;商业营业性用房销售面积为 4552.94 万平方米,同比增加5%。从这几种物业累计销售面积中可以看出,市场对商品住宅的需求较大,而对办公楼的需求较小。同时,2007 年全国商品房空置面积也有所下降,全国商品房空置面积为 1.3 亿平方米,比 2006 年末减少 8%；其中,空置商品住宅 6756 万平方米,比上年减少 16.6%。截至 2007 年 12 月,商品房销售额累计 29603.87 亿元,比累计至 2006 年 12 月份 20509.68 亿元的销售额相比,增长了 42.1%。受 9 月份颁布的《关于加强商业性房地产信贷管理的通知》收缩信贷的影响,自 2007 年 10 月后商品房的销售额增速下降。其中,商品住宅的销售额为 25323.48 亿元,累计增长 46.5%；办公楼销售额为 1265.24 亿元,同比增长 27.6%；商业营业用房销售额为 2649.38 亿元,同比增长 16.4%。在这几类物业中,商品住宅的销售额最大,且同比增速较办公楼及商业用房大,说明市场对商品住宅的需求较大。

2007 年 12 月,全国 70 个大中城市房屋销售价格同比上涨 10.5%,涨幅与 11 月持平；环比上涨 0.2%,涨幅比上月降低 0.6 个百分点。房价环比涨幅出现连续三个月回落,已从 9 月的 1.7% 下降至 12 月的 0.2%。5—11 月,房价同比涨幅连续 7 个月攀升；6—9 月以来,房价环比涨幅连续 4 个月扩大。6 月以来,全国房价同比涨幅连续 7 个月创下自 2005 年 7 月扩大月度房价调查范围以来的最高水平。截至 2007 年 10 月末,全国缴存住房公积金的职工累计超过 1.1 亿人,累计缴存住房公积金 1.54 万亿元,累计支持了 4200 多万职工改善住房条件,还为廉租住房制度建设提供了 100 多亿元资金。

2008 年,虽然出现国际金融危机这种不利因素,但中国政府以审慎灵活的宏观调控政策,基本上保持了中国经济的平稳发展。2008 年上半年,中国房地产市场开始由 2007 年的过热逐步理性回归,各项指标高位调整,过度需求泡沫得到有效的抑制；但 2008 年第三季度,市场开始快速下

行,并显现出加速下滑的趋势。在国家"保增长"政策的主导以及各方面努力下,第四季度房地产市场进一步恶化的趋势得到遏制,整体市场基本保持了理性回归并稳定发展的态势。

2008 年,中国土地市场开始恢复理性。土地购置面积和开发面积增幅基本趋势是逐月下降。土地购置面积同比增长由 1—2 月的 34.7%,到年中(1—6 月)的 7.6%,1—11 月的 -5.9%,除 1—5 月外,增幅都是逐月在下降；而土地开发面积同比增幅也是由 1—2 月的 20.2%,一路回落到 1—11 月的 -2.7%,除 1—6 月外,也是逐月下降。2007 年狂热的土地市场降温明显。但 2008 年 1—11 月土地购置未开发面积仍达 1.12 亿平方米,可见开发商囤积土地的意愿并没有出现根本性变化。

2008 年,竣工面积、新开工面积、施工面积均处于涨幅回调过程,竣工面积、新开工面积和施工面积涨幅分别由年初的 31.6%、27.2% 和 32.1% 下降到 1—11 月的 6.1%、5.4% 和 17.7%,1—11 月新开工面积 8.4 亿平方米,超过销售面积 71%,而施工面积 25.5 亿平方米,相当于前三年平均销售面积的近 4 倍,假设施工面积中四分之一已经作为期房销售,则剩下的仍需要市场消化 3 年。以户均 100 平方米、每户 3 人计算,如果全部竣工后,可以为市场提供 2550 万户,7650 万人的新增住房,可见尽管供应指标涨幅回调,但市场供应压力仍较大。

2008 年商品房销售量理性回归。商品房销售面积同比涨幅由 2008 年上半年的 -7.2%,下降到 1—11 月的 -18.3%。2008 年 1—11 月的销售面积比 2005 年同期增长 13.3%,比 2006 年增长 6.6%(由于统计口径的变化,我们不考虑 2005 年以

前的数据）。如果不考虑2007年这个特殊因素的话，可以看到2008年销售面积仍处上行趋势，只是增长幅度有所下降。据中国指数研究院的一项年度抽样调查结果表明：2008年中国部分大中城市自住型购房比例平均达到81.3%，而2006年、2007年该比例分别为75.0%和70.1%，以此估算，2006年、2007年和2008年1—11月住宅日均销售套数中投资投机型购房分别为0.29万套、0.45万套和0.25万套，可见2007年投资投机型需求过大，甚至形成了某种程度的房地产泡沫，支撑了整体销售量的大幅增长，2008年投资投机型购房套数比2007年下降超过四成；而2006年、2007年和2008年日均销售套数中自住型购房分别为0.88万套、1.05万套和1.07万套，可见2008年自住型需求仍在强劲增长。

由于供给类指标的快速增长，2008年商品房销竣比一路下跌，由2008年上半年的1.53下降到1—11月的1.40。应该注意的是，尽管销竣比仍然超过了1，但由于中国的商品房销售面积中以期房为主，静态的销竣比往往无法表现当前的供需状况，所以我们采用施工面积／销售面积这个指标，对市场进行分析：2008年1—11月商品房施工面积／销售面积高达5.2，而2006年、2007年同期该比例分别为3.8和3.6，同时1—11月商品房空置面积达到1.4亿平方米，同比增长了15.3%。可见在需求变化不大的情况下，供给指标的大幅增长，使得房地产市场供求关系出现了一定程度的逆转。

2008年末，全国应缴职工人数11184.05万人，实际缴存职工人数为7745.09万人，同比增加557.18万人，增幅为7.75%。2008年，缴存额继续稳定增长，当年全国住房公积金缴存额为4469.48亿元，同比增加926.56亿元，增幅为26.15%。截至2008年末，全国住房公积金缴存总额为20699.78亿元，同比增长27.54%；缴存余额为12116.24亿元，新增余额2511.13亿元，增幅为26.14%。2008年，全国住房公积金提取额为1958.34亿元，占同期缴存额的43.82%，同比增加149.56亿元，增幅为8.27%。截至2008年末，全国住房公积金提取总额为8583.54亿元，占住房公积金缴存总额的41.47%。

在国际金融危机的大背景下，房地产业作为国民经济的支柱产业，2008年3季度房地产市场的快速下行趋势引起了国家以及地方政府的高度重视。国家调控政策从上半年的"抑制过热"转为下半年的"维稳"，中央和地方采取了降低税费、利息和购房首付、购房财政补贴等积极的财税政策稳定市场：央行连续5次降息、财政部下调居民首次购房契税至1%。地方上，上海、沈阳、长沙、福州等城市降低了交易税费；西安、南京、宿迁、杭州等城市则实行了购房的财政补贴。加之部分开发商对销售价格进行合理的调整，这些努力都有助于刺激市场的交易量，对稳定市场具有积极作用。

2003年以来对房地产业的国家规制

由于房地产业具有垄断性、外部性、公共品特性和信息不对称性等特征。存在市场失灵的问题，需要国家通过有形之手进行宏观调控。为保持房地产市场持续健康发展，针对房地产市场上一些地区存在房地产投资规模过大，商品住房价格上涨过快，供应结构不合理，市场秩序比较混乱等突出问题。我国政府推出一些政策对房地产市场的行为进行规范,以期解决商品住房市场运行中的矛盾和问题。我国政府从2003年下半年便开始调控房地产业,调控手段已涉及土地政策、金融、财税等多个方面,并且加大了保障性住房的扶持力度。目的是使一些热点城市房地产泡沫大大减少,逐步引导市场重新回到健康、理性的发展轨道上来。

1. 新老"国八条"的推出

我国自1998年加快住房体制改革后,房地产业一直发展非常迅速,也出现了许多房地产泡沫。国家运用许多手段进行宏观调控,但作用并不明显。2005年3月初,第十届全国人民代表大会第三次会议的《政府工作报告》明确指出:2005年要"重点抑制生产资料价格和房地产价格过快上涨"。2005年开始我国政府对房地产业进行了大幅调整。2005年3月26日,国务院出台的《关于切实稳定住房价格的通知》,要求地方政府及相关部门抑制价格过快上涨,促进房地产市场健康发展,并对此提出了八条意见(房地产业称为:"国八条")。

(1)高度重视稳定住房价格;

(2)切实负起稳定住房价格的责任:将房价问题提高到政治高度,建立政府负责制,省政府负总责,对住房价格上涨过快、控制不力的,要追究有关责任人责任;

(3)大力调整住房供应结构,调整用地供应结构,增加普通商品房和经济住房土地供应,并督促建设;

(4)严格控制被动性住房需求,主要是控制拆迁数量;

(5)正确引导居民合理消费需求;

(6)全面监测房地产市场运行;

(7)积极贯彻调控住房供求的各项政策措施;

(8)认真组织对稳定住房价格工作的

督促检查。

2005年4月27日,国务院提出八条措施调控房地产市场,被业界称为"新国八条"。"新国八条"规定:

(1)强化规划调控,改善住房供应结构;

(2)加大土地供应调控力度,严格土地管理;

(3)调整住房转让环节营业税政策,严格税收征管;

(4)加强房地产信贷管理,防范金融风险;

(5)明确享受优惠政策普通住房标准,合理引导住房建设与消费;

(6)加强经济适用住房建设,完善廉租住房制度;

(7)切实整顿和规范市场秩序,严肃查处违法违规销售行为;

(8)加强市场监测,完善市场信息披露制度。

新老"国八条"接踵而至,彰显了中央政府治理楼市偏高病症的决心。新老"国八条"的推出不仅治标,更在治本。是2003—2009年对房地产业比较重要的规制。

2. 土地政策对房地产业的调节

一些地方出现了不顾实际条件,盲目设立和扩建名目繁多的各类开发区,造成大量圈占耕地和违法出让、转让国有土地的现象,严重损害了农民利益和国家利益的问题。2003年,国务院办公厅先后下发了《关于暂停审批各类开发区的紧急通知》与《清理整顿各类开发区,加强建设用地的通知》。2004年,国家明确提出土地政策参与国民经济宏观调控的观点,土地政策上升为一项重要的宏观调控政策。2004年印发的《国务院关于深化改革严格土地管理的决定》对严格土地执法、加强规划管理、保障农民权益、促进集约用地、健全责任制度等方面,作出了全面系统的规定。2004年由国土资源部、监察部联合下发《关于继续开展经营性土地使用权招标拍卖挂牌出让情况执法监察工作的通知》,要求从即日起,"开展经营性土地使用权招标拍卖挂牌出让情况"在全国范围内的执法监察,各地要在2003年8月31日前将历史遗留问题处理完毕,否则国家土地管理部门有权收回土地,纳入国家土地储备体系。这一年的8月31日因此而被业界称作"大限"之日。2006年针对土地调控中出现了一些新动向、新问题,建设用地总量增长过快,低成本工业用地过度扩张,违法违规用地、滥占耕地现象屡禁不止等问题,国务院又出台了《关于加强土地调控有关问题的通知》。该《通知》对八个问题进行了规定:①进一步明确土地管理和耕地保护的责任;②切实保障被征地农民的长远生计;③规范土地出让收支管理;④调整建设用地有关税费政策;⑤建立工业用地出让最低价标准统一公布制度;⑥禁止擅自将农用地转为建设用地;⑦强化对土地管理行为的监督检查;⑧严肃惩处土地违法违规行为。严格土地政策的推行,使地价上涨,减少了对高档写字楼和豪华住宅的盲目开发。

3. 金融政策对房地产业的调整

2002年下半年以来,部分地区出现房地产投资增幅过高、商品房空置面积增加、房价上涨过快以及低价位住房供不应求和高档住宅空置较多等结构性问题。部分地区的商业银行为了抢占市场份额,违反有关规定,放松信贷条件,一定程度上助长了部分地区房地产投资的过热倾向。2003年6月央行公布了《关于进一步加强房地产信贷业务管理的通知》(121号文件)(以下简称《通知》),《通知》规定,商业银行只能对购买主体结构已封顶的居民发放个人住房贷款。为了防止个人超量贷款而增加信贷风险和体现贷款人与借款人之间公平交易的市场原则,《通知》规定,对购买第一套自住住房的,个人住房贷款仍执行现行的优惠住房贷款利率和首付款比例不低于20%的规定,而对购买高档商品房、别墅或第二套以上(含第二套)商品房的借款人,商业银行可以适当提高个人住房贷款首付款比例,并按照中国人民银行公布的同期同档次贷款利率执行,不再执行优惠住房利率规定。《通知》还明确规定,商业银行对房地产开发企业申请的贷款,只能通过房地产开发贷款科目发放,严禁以房地产开发流动资金贷款及其他形式贷款科目发放。同时,针对一部分房地产开发企业在当地贷款、异地使用,一定程度上加剧了部分地区的房地产炒作,带动了土地价格和房价过快上涨的情况,《通知》规定商业银行发放房地产贷款,只能用于本地区的房地产项目,严禁跨地区使用。该《通知》调控内容不仅包括住房金融政策,而且涵盖了整个房地产金融业务,既保持房地产业持续稳定发展,也防范银行的信贷风险,保持金融的持续稳定。2004年4月提高房地产开发项目资金比例,由20%提高到35%。这对房地产业的盲目扩张起了比较重要的作用。2006年,经国务院同意,建设部、商务部、发展改革委、人民银行、工商总局、外汇局日前联合发布《关于规范房地产市场外资准入和管理的意见》(以下简称《意见》),《意见》进一步规范和完善了外资进入房地产市场的有关政策。外商投资设立房地产企业,投资总额超过1000万美元(含1000万美元)的,注册资本金不得低于投资总额的50%。投资总额低于1000万美元的,注册资本金仍按现行规定执行。外商投资房地产企业注册资本金未全部缴付的，未取得《国有土地使用证》的，或开发项目资本金未达到项目投资总额35%的，不得办理境内、境外贷款，外汇管理部门不予批准该企业的外汇借款结汇。还严格规范境外机构和个人购房管理制度。该规定对阻止外资盲目流入中国房地产业起到了重要作用。2007年，国家不断加强对房地产市场的宏观调控，采取了一系列的货币紧缩政策，旨在抑制高涨的房地产投资热潮，让房地产市场健康有序的运行。央行5次加息；央行9次上调准备金率，紧缩的货币政策对资金大量流入房地产业的不正常现象有所遏制。中国人民银行、银监会2007年9月发布通知明确，对已利用贷款购买住房、又申请购买第二套（含）以上住房的，贷款首付款比例不得低于40%；贷款利率不得低于中国人民银行公布的同期同档次基准利率的1.1倍，而且贷款首付款比例和利率水平应随套数增加而大幅度提高，具体提高幅度由商业银行根据贷款风险管理相关原则自主确定，但借款人偿还住房贷款的月支出不得高于其月收入的50%。商业用房购房贷款首付款比例不得低于50%，期限不得超过10年，贷款利率不得低于中国人民银行公布的同期同档次利率的1.1倍，具体的首付款比例、贷款期限和利率水平由商业银行根据贷款风险管理相关原则自主确定；对以"商住两用房"名义申请贷款的，首付款比例不得低于45%，贷款期限和利率水平按照商业性用房贷款管理规定执行。2007年12月我国还出台了《关于加强商业性房地产信贷管理的补充通知》。这一系列紧缩的货币政策，虽然对房地产企业和投机者作用有限，但是对购房者影响巨大，从整体上来看可以遏制房地产业过热的发展。

4. 财税政策对房地产业的调整

2003年，《关于房地产开发有关企业所得税问题的通知》规范了房地产销售收入、预算收入、视同销售收入等收入的确认，明确了费用成本扣除标准。房地产开发企业预售收入的利润率不得低于15%。2005年，国家税务总局、财政部、建设部联合下放《关于加强房地产税收管理的通知》（以下简称：《通知》）。该《通知》规定2005年6月1日后，个人将购买不足2年的住房对外销售的，应全额征收营业税。2005年6月1日后，个人将购买超过2年（含2年）的住房对外销售不能提供属于普通住房的证明材料或经审核不符合规定条件的，一律按非普通住房的有关营业税政策征收营业税。国务院办公厅还发出通知，转发建设部等七部门《关于做好稳定住房价格工作的意见》（以下简称：《意见》）。《意见》要求要充分运用税收等经济手段调节房地产市场，加大对投机性和投资性购房等房地产交易行为的调控力度。并且修改《征收教育费附加的暂行规定》，教育附加费增至3%。2006年，国家税务总局发出《关于房地产开发业务征收企业所得税问题的通知》。其主要内容包括：关于未完工开发产品的税务处理问题；关于完工开发产品的税务处理问题；关于开发产品预租收入的确认问题；关于合作建造开发产品的税务处理问题；关于以土地使用权投资开发项目的税务处理问题；关于开发产品视同销售行为的税务处理问题；关于代建工程和提供劳务的税务处理问题；关于开发产品成本、费用的扣除问题；关于征收管理问题；关于适用减免税政策问题；关于本《通知》适用范围和执行时间问题做出了规定。国务院税务总局下发《关于调整房地产营业税有关政策的通知》中规定：2006年6月1日后，个人将购买不足5年的住房对外销售的，全额征收营业税；个人将购买超过5年（含5年）的普通住房对外销售的，免征营业税；个人将购买超过5年（含5年）的非普通住房对外销售的，按其销售收入减去购买房屋的价款后的余额征收营业税。2006年，国家还颁布了《关于切实落实城镇廉租房保障资金的通知》、《关于土地增值税普通标准住宅有关政策的规定》、《关于调整新增建设用地土地有偿使用政策等问题的通知》、《国务院关于修改〈中华人民共和国城镇土地使用税暂行条例〉的决定》。2007年，国务院税务总局颁布《关于房地产开发企业土地增值税清算管理有关问题的通知》，已竣工验收的房地产开发项目，已转让的房地产建筑面积占整个项目可售建筑面积的比例在85%以上，或该比例虽未超过85%，但剩余的可售建筑面积已经出租或自用的，取得销售（预售）许可证三年未销售完毕的，按30%—60%四级累进税实施。发布《关于取消部分地方税行政审批项目的通知》，宣布取消《国家税务局关于印发〈关于土地使用税若干具体问题的补充规定〉的通知》中的第四条和第六条，取消了涉及基建项目以及房地产开发商的土地使用税优惠规定。2007年，还颁布新的《中华人民共和国耕地占用税暂行条例》规定占用耕地建房或者从事非农业建设的单位或者个人，为耕地占用税的纳税人，应当依照本《条例》规定缴纳耕地占用税。规定税额为：

（1）人均耕地不超过1亩的地区（以县级行政区域为单位，下同），每平方米为10元至50元；

（2）人均耕地超过1亩但不超过2亩的地区，每平方米为8元至40元；

（3）人均耕地超过2亩但不超过3亩的地区，每平方米为6元至30元；

（4）人均耕地超过3亩的地区，每平方米为5元至25元。

5.加强保障性住房建设

从2003年开始，我国住房政策的重心开始向住房保障功能转移，改善低收入家庭的住房条件成为国家调控的主要目标。国务院《关于解决城市低收入家庭住房困难的若干意见》，这是2007年的国务院第24号文，提出了住房保障制度的目标和框架，国务院办公厅《关于促进房地产市场健康发展的若干意见》，这是在去年12月国办以131号文发下来的，在这个文件中要求要加大保障性住房建设的力度，争取用三年时间基本解决城市低收入家庭住房的困难和棚户区改造工作。温总理在2008年的《政府工作报告》中明确提出，要采取更加积极有效的政策措施，稳定市场信心和预期，稳定房地产投资，推动房地产业平稳有序发展。加快落实和完善促进保障性住房建设的政策措施，争取用三年时间，解决750万户城市低收入住房困难家庭和240万户林区、垦区、煤矿棚户区居民的住房困难问题，扩大农村危房改造试点范围。廉租房、经济适用房、两限房成为解决低收入家庭住房的关键。

廉租房的福利性特点，决定了其与一般商品房的开发与运作有着明显的不同。然而也正是由于这些特点的存在，廉租房的开发与运作面临新的困难。廉租房一直是中国房地产市场中重要的住房制度之一，虽然建立时间不短，但是因为种种因素的制约发展程度有限，成为当前房地产市场结构性失衡的关键问题之一。

我国从2004年开始加大了对廉租房建设。2004年3月1日，全国开始实施《城镇最低收入家庭廉租房住房管理办法》。城镇最低收入家庭廉租住房保障水平应当以满足基本住房需要为原则，根据当地财政承受能力和居民住房状况合理确定。城镇最低收入家庭人均廉租住房保障面积标准原则上不超过当地人均住房面积的60%。城镇最低收入家庭廉租住房保障方式应当以发放租赁住房补贴为主,实物配租、租金核减为辅。

廉租房是指政府以租金补贴或实物配租的方式,向符合城镇居民最低生活保障标准且住房困难的家庭提供社会保障性质的住房。廉租房的分配形式以租金补贴为主,实物配租和租金减免为辅。我国的廉租房只租不售,出租给城镇居民中最低收入者。以廉租房政策推广较好的上海为例,2003年4月,廉租住房的认定标准由人均居住面积在5平方米以下提高到人均6平方米以下。2003年12月,认定标准再一次上调到7平方米以下,同时把人均居住面积低于7平方米、人均月收入低于570元的老劳模和重点优抚对象也纳入了廉租住房的解决范围。

从2003年起,每年都将廉租住房保障纳入市委、市政府的"民心工程"。2005年,又将廉租住房保障工作纳入对区县政府年度目标完成情况的考核内容。在政府重视、部门努力、社会支持、舆论监督下,廉租住房保障工作取得较好成绩,受到社会各界的好评。截至2007年5月末,全市累计保障2.71万户,其中:实物保障5595户,发放租金补贴5505户,旧城拆迁安置保障1.6万户。主城区累计保障2.35万户,其中:实物保障3829户,发放租金补贴4071户,旧城拆迁安置保障1.56万户。截至2005年底,已有北京、天津、上海、河北、浙江、山东、广东、辽宁、山西、黑龙江、江西、湖北、云南、福建、湖南、重庆、四川、新疆等18个省、自治区、直辖市通过签订目标责任书等方式,将廉租住房制度建设纳入对市(区)、县政府目标责任制管理,明确了最低收入家庭住房保障目标及具体考核办法。

《2009—2011年廉租住房保障规划》已经出台,总体目标是从2009年起到2011年,争取用三年时间,基本解决747万户现有城市低收入住房困难家庭的住房问题。

其中,2008年第四季度已开工建设廉租住房38万套,三年内再新增廉租住房518万套、新增发放租赁补贴191万户。《规划》还列出了年度工作任务,即2009年新增廉租住房房源177万套,新增发放租赁补贴83万户;2010年新增廉租住房房源180万套,新增发放租赁补贴65万户;2011年新增廉租住房房源161万套,新增发放租赁补贴43万户。《规划》要求,廉租住房保障标准控制在人均住房建筑面积13平方米左右,套型建筑面积50平方米以内,保证基本的居住功能。租赁补贴额根据当地平均市场租金、家庭住房支付能力合理确定。

自从1998年经济适用房开始兴建以后,全国各地的经济适用房在短短几年内如雨后春笋般快速发展,房价的相对低廉,逐渐成为中低收入家庭住房的重要选择。无论从开工面积和项目数量都在成倍增加,经济适用房迎来高速发展时期。但经济适用房小区曾一度出现大量闲置"豪宅",已售经济适用房呈现"高租售率"。很多普通群众买不到经济适用房,而经济适用房小区出现大量有钱人,奔驰、宝马屡见不鲜。

社会对经济适用房的批评很多。2006年8月建设部称,经济适用房将一改以往出售的形式,面向低收入人群出租。租赁型经适房将是未来发展方向。廉租房、租赁型经适房及限价商品房三者将共同组成实物型的住宅保障。未来住宅保障体系中的实物补贴可能将分为三个等级。北京市经济适用房将建设 300 万平方米,比 2007 年多建 100 万平方米。2008年上海市将新建经济适用住房约 2000 万平方米、30 万套,经济适用住房建设规模约占同期新建住宅规模的 20%。

两限房全称为限房价、限套型普通商品住房,也被称为"两限"商品住房。两限房指经城市人民政府批准,在限制套型比例、限定销售价格的基础上,以竞地价、竞房价的方式,招标确定住宅项目开发建设单位,由中标单位按照约定标准建设,按照约定价位面向符合条件的居民销售的中低价位、中小套型普通商品住房。

限价房一般是中低价位、中小套型的普通商品房,可根据具体楼层、朝向在±5%的范围内调整销售价格,但平均销售价格不得超过房屋销售限价。具体说,一是限制价格,限价不是死价,它的价格有个上限,也就是不论你卖多少,都不能超过这个价格。另一个就是限制居住面积,这个面积肯定比同地段的普通商品房的面积小。限价房可以上市销售,而且价格是由卖房人自己制定,不再受政府的约束。但是,一般买了限价房的人是不会卖的,因为买房的人资格是严格把关的,炒房产的人肯定不买。两限房针对的是不符合经济适用房供应标准、但依然需要改善住房质量、提高生活水平的一类人群,也就是所谓的"夹心层",其收入标准较经济适用房的标准高一些也是在情理之中。

2007 年北京市共出让两限房项目用地 12 宗,约 226 公顷,规划建筑面积约402 万平方米(含配建廉租住房 13 万平方米,配建其他商品房 30 万平方米)。其中,用于全市统一建设并安置使用的用地 10宗,规划建筑面积 273 万平方米。在这些地块中,政府储备(包括政府直接收购和政府委托一级开发)土地 9 宗,面积 154 公顷,建筑面积 271 万平方米,占年度两限房建设目标(300 万平方米)的 90%。2008年北京市将新开工建设 450 万平方米建筑面积的两限房。西三旗两限房项目占地318085.6 平方米,共分 7 个地块,住宅 3个地块,文化娱乐设施 2 个地块,体育用地1 个地块,消防中队 1 个地块。工程总建筑面积 579873 平方米。其中,住宅(含地下车库)建筑面积 429904 平方米,分为建筑面积不等的 18 栋单体住宅楼,主要为11—28 层板式住宅,共有单元住宅 4685个。2009 年 6 月将竣工完成。随着廉租房、经济适用房、两限房的推出,困扰我国中低收入群体的住房问题将得到很大改善。

2003—2009 年随着各项规制的推出,我国房地产业发展过热,房价上涨过多的现象有所缓解,房地产业逐渐进入良性发展的阶段。

三峡工程

一

三峡工程概况

三峡工程全称为长江三峡水利枢纽工程,它是当今世界最大的水利枢纽工程。整个三峡工程包括一座混凝重力式大坝,泄水闸,一座堤后式水电站,一座永久性通航船闸和一架升船机。三峡工程建筑由大坝、水电站厂房和通航建筑物三大部分组成。

三峡工程分三期,总工期18年。一期5年(1992—1997年),主要工程除了准备工程外,主要进行一期围堰填筑,导流明渠开挖。修筑混凝土纵向围堰,以及修建左岸临时船闸(120米高),并开始修建左岸永久船闸、升爬机及左岸部分石坝段的施工。二期工程6年(1998—2003年),工程主要任务是修筑二期围堰,左岸大坝的电站设施建设及机组安装,同时继续进行并完成永久特级船闸,升船机的施工。三期工程6年(2003—2009年),本期进行右岸大坝和电站的施工,并继续完成全部机组安装。

长江三峡工程多项指标居于世界前列,并有着十大世界之最。

(1)它是世界防洪效益最为显著的水利工程。三峡水库总库容393亿立方米,防洪库容221.5亿立方米,水库调洪可消减洪峰流量达2.7万立方米每秒到3.3万立方米每秒,能有效控制长江上游洪水,增强长江中下游抗洪能力。

(2)世界最大的电站。三峡水电站总装机1820万千瓦,年发电量846.8亿千瓦时。

(3)世界建筑规模最大的水利工程。三峡大坝坝轴线全长2309.47米,泄流坝段长483米,水电站机组70万千瓦×26台,双线5级船闸和升船机,无论单项、总体都是世界建筑规模最大的水利工程。

(4)世界工程量最大的水利工程。三峡工程主体建筑土石方挖填量约1.34亿立方米,混凝土浇筑量2794万立方米,钢筋46.3万吨。

(5)世界施工难度最大的水利工程。三峡工程2000年混凝土浇筑量为548.17万立方米,月浇筑量最高达55万立方米,创造了混凝土浇筑的世界纪录。

(6)施工期流量最大的水利工程。三峡工程截流流量为9010立方米每秒,施工导流最大洪峰流量79000立方米每秒。

(7)世界泄洪能力最大的泄洪闸。三峡工程泄洪闸最大泄洪能力为10.25万立方米每秒。

(8)世界级数最多、总水头最高的内河船闸。三峡工程的双线五级船闸,总水头113米。

(9)世界规模最大、难度最大的升船机。三峡工程升船机有效尺寸为120×18×3.5米,最大升程113米,船箱带水重量达11800吨,过船吨位3000吨。

(10)世界水库移民最多、工作最为艰巨的移民建设工程。三峡工程水库动态移民最终可达113万人。

二

三峡工程兴建过程

三峡工程建设的梦想从孙中山先生就开始了,从首倡到正式开工经历了75年。1919年,孙中山先生在《建国方略之二——实业计划》中谈及对长江上游水路的改良,最早提出建设三峡工程的设想。1932年,国民政府建设委员会派出的一支长江上游水力发电勘测队在三峡进行了为期约两个月的勘察和测量,拟定了葛洲坝、黄陵庙两处低坝方案。这是中国专为开发三峡水力资源进行的第一次勘测和设计工作。1944年,美国垦务局设计总工程师萨凡奇到三峡实地勘察后,提出了《扬子江三峡计划初步报告》,即著名的"萨凡奇计划"。该"计划"的坝址在南津关上游约2000米处,最大坝高225米,水库正常蓄水位200米高程,水电厂装机总容量 1056 万千瓦,单机容量 11 万千瓦,设船闸通航,万吨级船队可通达重庆,还可拦蓄洪水,估计投资 9.35 亿美元。1945 年 5 月,资源委员会组成了"三峡水力发电计划技术研究委员会",同年 8 月,在水力发电工程总处下成立了三峡勘测处,从美国租借了两台钻机和两名钻工,着手进行部分勘测和调查工作。1946 年 4 月,萨凡奇博士再度来华复勘三峡坝区。同年 5 月,资源委员会与美国垦务局签订了由该局进行设计的技术合作协议,并先后派出 54 名中国工程技术人员去美国垦务局参加三峡工程设计、研究工作。当时由于国民党政府忙于内战,经济面临崩溃的局面,1947 年 5 月,国民党政府明令中止了三峡水力发电计划。

1949 年后,三峡工程再次提上日程。1950 年初,国务院长江水利委员会正式在武汉成立。三年后兴建了荆江分洪工程。1953 年,毛泽东主席在听取长江干流及主要支流修建水库规划的介绍时,站在战略高度希望在三峡修建水库,以"毕其功于一役"。他指着地图上的三峡说:"费了那么大的力量修支流水库,还达不到控制洪水的目的,为什么不在这个总口子上卡起来?""先修那个三峡大坝怎么样?"1954 年汛期,长江流域发生了 20 世纪以来的最大洪水,江汉平原、洞庭湖区损失惨重。这次大水再次警示:消除中下游严重洪水灾害的威胁乃是治理长江首要而紧迫的任务,也给我国政府进一步提出兴建三峡大坝的要求。

1955 年 12 月,周恩来在北京主持会议,在听取长委和苏联专家两种截然相反的意见后,肯定了国内专家的意见,正式提出,三峡水利枢纽有着"对上可以调蓄、对下可以补偿"的独特作用,三峡工程是长江流域规划的主体。1958 年 3 月,周恩

来总理在中共中央成都会议上作了关于长江流域和三峡工程的报告,会议通过了《中共中央关于三峡水利枢纽和长江流域规划的意见》,明确提出:"从国家长远的经济发展和技术条件两个方面考虑,三峡水利枢纽是需要修建而且可能修建的,应当采取积极准备、充分可靠的方针进行工作。"当月,周恩来总理登上三斗坪中堡岛,与随行专家共同研究三峡工程坝址优选方案。

1960 年 4 月,水电部组织了水电系统的苏联专家 18 人及国内有关单位的专家 100 余人在三峡勘察,研究选择坝址。同月,中共中央中南局在广州召开经济协作会,讨论了在"二五"期间投资 4 亿元、准备 1961 年三峡工程开工的问题。由于 60 年代初国民经济陷入困难时期再加上中苏关系交恶等国际因素影响,三峡工程再一次搁浅。

1970 年,中央决定兴建葛洲坝工程,一方面解决华中用电供应问题,一方面为三峡工程作准备。12 月 26 日,毛泽东主席作了亲笔批示:"赞成兴建此坝。"1970 年 12 月 30 日,葛洲坝工程开工。1981 年 1 月 4 日,葛洲坝工程大江截流胜利合龙。1981 年 12 月,葛洲坝水利枢纽二江电站一二号机组通过国家验收正式投产。葛洲坝工程的顺利推进,更加坚定了我国兴建三峡工程的信念。

1982 年 11 月,邓小平副总理在听取兴建三峡工程的汇报时果断表态:"看准了就下决心,不要动摇!"1984 年 4 月,国务院原则批准由长江流域规划办公室组织编制的《三峡水利枢纽可行性研究报告》,初步确定三峡工程实施蓄水位为 150 米的低坝方案。

对三峡工程的兴建也存在一些异议。1984 年底,重庆市对三峡工程实施低坝方

案提出异议，认为这一方案的回水末端仅止于涪陵、忠县间180公里的河段内，重庆以下较长一段川江航道得不到改善，万吨级船队仍然不能直抵重庆。1986年6月，中央和国务院决定进一步扩大论证，责成水利部重新提出三峡工程可行性报告，以钱正英为组长的三峡工程论证领导小组成立了14个专家组，进行了长达2年8个月的论证。

1989年，长江流域规划办公室重新编制了《长江三峡水利枢纽可行性研究报告》，认为建比不建好，早建比晚建有利。《报告》推荐的建设方案是："一级开发，一次建成，分期蓄水，连续移民"，三峡工程的实施方案确定坝高为185米，蓄水位为175米。1990年7月，以邹家华为主任的国务院三峡工程审查委员会成立；至1991年8月，委员会通过了可行性研究报告，报请国务院审批，并提请第七届全国人大审议。1992年4月3日，七届全国人大第五次会议以1767票赞成、177票反对、664票弃权、25人未按表决器通过《关于兴建长江三峡工程的决议》，决定将兴建三峡工程列入国民经济和社会发展十年规划，由国务院根据国民经济发展的实际情况和国家财力、物力的可能，选择适当时机组织实施。三峡工程采取"一次开发、一次建成、分期蓄水、连续移民"的建设方式，水库淹没涉及湖北省、重庆市的20个区县、270多个乡镇、1500多家企业，以及3400多万平方米的房屋。1993年1月，国务院三峡工程建设委员会成立，李鹏总理兼任建设委员会主任。委员会下设三个机构：办公室、移民开发局和中国长江三峡工程开发总公司。1993年7月26日，国务院三峡工程建设委员会第二次会议审查批准了《长江三峡水利枢纽初步设计报告（枢纽工程）》，标志着三峡工程建设进入正式施工准备阶段。1994年12月14日，国务院总理李鹏在宜昌三斗坪举行的三峡工程开工典礼上宣布：三峡工程正式开工。从孙中山先生1919年设想开始到1994年正式开工，三峡工程历经了75年。

1996年11月下旬，三峡工程大江截流系统工程启动。

1997年10月13日，国务院三峡工程建设委员会第六次会议审议批准《长江三峡工程大江截流前验收报告》。1997年10月14日，国务院第63次常务会议通过三峡工程大江截流前验收报告，决定三峡工程于11月8日实施大江截流。1997年11月8日，三峡工程实现大江截流，标志着为期5年的一期工程胜利完成，三峡工程转入二期工程建设。

1998年4月21日，三峡永久船闸一期开挖工程通过竣工验收，工程质量合格率达100%，优良率达82.6%，总体质量完全达到设计要求。1998年5月1日，经过5年的建设，长江三峡临时船闸正式通航。这是目前世界上最大的双线五级船闸。1998年5月14日，由长江水利委员会地球物理勘测研究院提交的《长江三峡水利枢纽一期主体工程建基面弹性波检测工程》通过专家评审验收，其成果报告正式归档，载入了三峡工程建设史册。1998年6月1日，三峡工程二期围堰下游防渗墙宣告全线封闭，共完成防渗墙面积25746平方米。1998年10月8日，三峡永久船闸上游引航道靠船墩浇下第一方混凝土，这标志着世界最大的船闸已由开挖阶段转入混凝土浇筑阶段。

1999年3月12日，由山西长治锻压机床厂制造的国内最大卷板机在三峡工地正式投入使用。该机的顺利投入使用，标志着中国已成为世界上能生产特大卷板机的少数国家之一。1999年10月3

日,三峡工程永久船闸南线五闸首保护层最后一方石碴被运往碴场,至此,由武警水电部队第四支队担负的永久船闸南线开挖全线告捷,这标志着永久船闸主体开挖工程圆满结束。1999年12月31日,三峡工程全年完成混凝土浇筑458.52万立方米,超额完成年浇筑448万立方米混凝土的计划,远远超过巴西伊泰普创下的年浇筑混凝土320万立方米的纪录。

2002年1月12日,经过9年建设,三峡工程大坝已经达到2003年蓄水发电所需的坝高,三峡大坝迎水面高程已经全线达到140米海拔高程以上,大坝高度已具备挡水要求。2002年9月1日,三峡工程永久船闸开始进行有水调试。永久船闸按年单向5000万吨和通过万吨级船队要求设计。过往永久船闸的船舶包括万吨级船队,每次过闸的时间大约需要2小时35分钟。根据三峡工程建设计划,船闸将于2003年6月通航。2002年10月21日,三峡大坝最关键的泄洪坝段已经全部建成,全线达到海拔182米大坝设计高程。2002年10月26日,全长1.6公里的三峡二期大坝全线封顶,整段大坝都已升高到海拔185米设计坝顶高程。2002年11月6日,长江三峡工程导流明渠截流合龙。2002年11月7日,世界上最大的水轮发电机组转子在三峡工地成功吊装,标志着三峡首台机组大件安装基本完成,从此进入总装阶段。2002年12月16日,三峡工程三期碾压混凝土围堰开始浇筑。三期围堰设计总浇筑量为110万立方米,将与下游土石围堰一起保护右岸大坝、电站厂房及右岸非溢流坝段施工,是实现三期工程蓄水、通航、发电的关键性工程。

2003年4月16日,三峡三期碾压混凝土围堰全线到顶,比合同工期提前44天达到140米设计高程。2003年4月22

日,三峡工程左岸临时船闸改建冲沙闸工程开工。2003年5月21日,国务院长江三峡二期工程验收委员会枢纽工程验收组正式宣布,三峡二期工程达到蓄水125米水位和船舶试通航要求。同意三峡工程6月1日下闸蓄水,并可以在2003年6月份实施永久船闸试通航。至此,中国建成世界上水位落差最大的船闸。2003年5月30日,三峡工程依次开启位于泄洪坝段的20、21、22、23号4个泄洪深孔,这是三峡工程泄洪孔建成后首次开启。2003年6月1日零时,三峡大坝中的闸门按计划准时启动,三峡工程正式下闸蓄水。三峡工程船闸全长6.4公里,其中船闸主体部分1.6公里,引航道4.8公里。三峡船闸系双线5级梯级船闸,其工程规模居世界之最。2003年6月16日,三峡船闸开始试通航。2003年6月24日,三峡首批发电的2号机组成功进行并网发电试验。2003年7月1日上午9时58分,三峡工程第一台发电机组——2号机组开始进行72小时并网试运行。2003年11月22日,长江三峡工程第1号机组正式并网发电并投入商业运行。至此,三峡工程首批发电的6台机组全部投产。三峡工程已经创造出一年内装机420万千瓦、连续投产6台70万千瓦的水电安装和投产世界纪录。

2004年1月9日,三峡工程从2004年起进入三期工程。三峡三期工程至2009年历时6年,期间将完成右岸大坝和右岸电站建设,修建世界上最大的升船机,有20台单机70万千瓦的机组投产。2004年7月8日,国务院长江三峡二期工程船闸通航验收委员会在三峡工地宣布,三峡船闸已经通过正式通航验收,由试通航转为正式通航。2004年7月26日,三峡工程第9台投产机组——三峡左岸电站11号发电机组正式并网发电。11号机组发电机转子最大直径为18.74米,高3.42米,重量为1779吨,加上发电机定子和水轮机的重量,机组总重量在4900吨左右,是当今世界已投产的水轮发电机组中重量最重的机组。2004年8月24日,三峡工程左岸电站8号机组正式并网发电。至此,三峡工程已有10台机组投产发电,投产总装机容量达700万千瓦,实际装机容量已位居世界发电厂第3位,发电能力位居全国第一。三峡工程已经提前完成今年的机组投产计划。2004年12月8日,长江三峡工程地下电站主体工程首次进行公开招标,拉开了三峡地下电站建设的序幕。三峡地下电站是置发电机组于大坝右侧山体内的隐蔽式电厂,将安装6台70万千瓦的发电机组。地下电站于2009年全部建成投产后,将使三峡工程的总装机由原来设计的26台增加到32台,装机容量由1820万千瓦增加到2240万千瓦。2004年12月28日,三峡电力外送的第三条通道——三峡至上海500千伏直流输变电工程在湖北宜都市正式开工。工程将穿过湖北、安徽、江苏、浙江4省,跨越长江、汉江,从三峡电厂直抵上海市青浦区,线路全长1075公里,工程总投资70亿元,计划于2007年建成完工。

2005年4月16日,新华社报道,三峡地下电站近日通过国家环保部门审评,其右岸地下电站的勘测设计与施工合同已签订。2005年10月12日,三峡大坝启动导流底孔封堵工程。该工程计划于2006年5月15日前完工。2005年12月1日,三峡重庆库区三期蓄水库底清理工作全面启动,清库工作将为2006年汛后三峡工程蓄水至156米做准备。2005年12月16日,历经55天的三峡船闸下引航道、口门区及连接段清淤施工顺利结束,完成疏浚工程量44万立方米,是三峡船闸引航道自2003年通航以来清淤量最大的一次。

2006年2月10日,新华社报道,到2005年底,三峡工程已累计完成静态投资近430亿元(超过概算90%)。左岸大坝已全线达到185米高程,左岸电站14台机组(980万千瓦)比设计提前1年全部投入运行;右岸大坝浇筑高程已达到160米(超过计划2米),未发现裂纹和质量问题,右岸电站机组埋件安装全面展开,地下电站主厂房、尾水洞等工程正在抓紧实施,工程质量进一步提高。2006年2月10日,截至当日10时,三峡电站累计发电量达到1000亿度,为缓解我国电力紧张局面作出了重要贡献。2006年2月10日,三峡工程三期库底清理工作进入全面实施阶段。2006年3月29日,三峡大坝进入最后的施工建设阶段,离大坝全部建成只剩下约7.8万立方米混凝土。三峡大坝全长2309米,混凝土总方量为1610万立方米,是世界上规模最大的大坝,设计坝顶海拔高程18.5米。2006年4月10日,新华社报道,国务院三峡工程质量检查专家组第15次到三峡工地现场检查。专家组认为,三峡三期工程施工质量完全处于受控状态,左岸机组安装和地下厂房开挖质量很好,右岸大坝没有裂缝创造了世界奇迹。三峡双线五级船闸完建工程比合同工期提前两个月完成,2006年5月1日恢复双线通航。2006年通过三峡坝区货运量首次突破6000万吨,比上年增长1000万吨。三峡工程2006年10月蓄水至156米,进入初期运行期,防洪功能和效益提前实现。

2007年,三峡工程初期效益得到全面发挥,防洪功能和效益提前实现,航运效益日益凸显,新增装机容量500万千瓦,三峡—葛洲坝梯级枢纽完成发电量770.66亿千瓦时。2007年汛期,三峡坝址出现多次洪水过程,三峡总公司按照国家防总的指令实施防洪调度，及时削减洪峰，有效缓解了长江中下游防洪压力。在进入枯水季节后，三峡水库加大下泄流量，改善下游航道水深条件，2007 年累计补水 34 亿立方米，开始有效发挥生态效益。三峡工程的航运效益日益凸显。三峡电站全年投产机组 500 万千瓦。经过建设各方通力配合，2007 年三峡右岸电站成功投产 7 台 70 万千瓦机组，三峡电源电站投产 2 台 5 万千瓦机组，全面超额完成年度装机计划，创造了单个水电厂机组安装投产世界新纪录，安装质量一台比一台好。2007 年 11 月 28 日，三峡右岸电站首批机组顺利通过了国务院组织的启动验收。在右岸电站投产的 7 台机组中，有 4 台由国内厂家独立设计、独立制造，其成功投运并经受全面运行考验。电力生产经营管理水平明显提高。在面临长江来水比多年平均值偏枯的不利形势下，三峡总公司枢纽管理局、长江电力等各方共同努力，通过采取机组提前投产、汛末提前蓄水、优化调度和精益运行等综合措施，使三峡—葛洲坝梯级电站全年超额完成了国务院国资委下达的考核发电量，2007 年梯级电站实现了"零设备安全事故、零人身伤亡"目标。

2008 年，三峡右岸电站全部机组提前投产发电，库区移民、地质灾害治理在汛末蓄水前通过验收，汛后试验性蓄水目标实现，右岸地下电站和升船机工程建设进展顺利，三峡工程年度建设计划圆满完成。至此，三峡工程初步设计中的主体工程建设项目除升船机工程外已全部完工，工期较初步设计提前一年。工程建设实现了全年零质量事故，质量评定合格率 100％，优良率 95％，金结焊缝一检合格率稳定保持在 99.5％以上，右岸 3 台机组安装达到了"精品"标准。三峡枢纽工程质量检查专家组评价说："与国内外同类型工程比较，三峡枢纽工程施工质量实属一流。"三峡—葛洲坝梯级枢纽综合效益得到进一步发挥，电力生产和船闸运行安全稳定。三峡—葛洲坝梯级年发电量 978.6 亿千瓦时，其中，三峡电站年发电量 808.1 亿千瓦时，葛洲坝电站年发电量 170.5 亿千瓦时。与 2007 年相比，三峡电站发电量增加 31.28％，葛洲坝电站发电量增加 10.24％。通过三峡船闸的货运量 5370 万吨，翻坝转运运输货物 1477 万吨，全年通过三峡枢纽的货运量达 6847 万吨，同比增长 13％，创历史新高。三峡船闸投运 5 年半以来，累计运行 4.6 万闸次，通过货物 2.2 亿吨，超过葛洲坝船闸投运后 22 年货运量的总和。试验性蓄水目标顺利实现，试验性蓄水结束时水位达到 172.8 米。蓄水期间监测数据和分析表明：各建筑物的变形、渗流变化规律合理，运行性态正常；枢纽各泄水设施在 172 米水位运行时，过流面水力学特性正常。试验性蓄水期间，对三峡机组进行高水头下各项监测试验的数据表明：三峡工程机电设备设施在 145—172 米水位下运行状态良好，满足工程设计要求。三峡右岸机组的能量特性和稳定性能等方面都达到了国际同等水平，70 万千瓦级大型水轮发电机全空冷技术达到了国际先进水平，成功实现了 70 万千瓦级水轮发电机组的国产化。

三峡工程总工期 17 年，至 2008 年底已连续施工建设 16 年，目前三峡输变电工程建设已全部完工；枢纽工程只有三峡升船机和地下电站仍在施工建设；三峡百万移民搬迁任务 2009 年将全部完成。2009 年 1 月 11 日，据中国长江三峡工程开发总公司消息，按照初步设计安排，三峡工程 2009 年将竣工验收，竣工验收包括枢纽工程、安全设施、消防、水土保持、环境保护、库区移民、工程档案、工程财务决算等8个专项。

三峡工程筹资方式

水电是比较典型的资本密集型行业。资本金不足是制约全球特别是发展中国家水电资源开发的关键因素之一。三峡工程所需投资，静态（按1993年5月末不变价）900.9亿元人民币（其中：枢纽工程500.9亿元，库区移民工程400亿元）。动态（预测物价、利息变动等因素）为2039亿元。一期工程（大江截流前）约需195亿元；二期工程（首批机组开始发电）需340亿元；三期工程（全部机组投入运行）约需350亿元；库区移民的收尾项目约需69亿元。考虑物价上涨和贷款利息，工程的最终投资总额预计在2000亿元左右。其中800亿元靠施工期间发电收入补充。按预定计划，三峡工程建设资金分三个阶段：①纯投入阶段，第1年至第11年（1993—2003年）。②投入—产出阶段，2003年首批机组发电后开始有资金收入，至第13年（2005年），当年发电收入加上三峡工程建设基金和葛洲坝电厂利润收入，与当年资金需求达到平衡，该年为资金平衡年。③产出—还贷阶段。三峡工程从第14年（2006年）起工程出现资金盈余，开始偿还贷款本息。据初步测算，2010年以后，可还清全部贷款本息。为启动三峡工程，我国政府主要立足于中国国内，采取多渠道、多种形式融集资金来解决，我国采取了多种的筹资方式。

中国政府建立了三峡基金，三峡基金成为三峡工程最稳定的来源。1992年，国务院决定，全国每千瓦时用电量征收三厘钱作为三峡工程建设基金，专项用于三峡工程建设。征收范围为全国除西藏以及国家扶贫的贫困地区和农业排灌以外的各类用电。1994年，三峡基金征收标准提高到每千瓦时四厘钱。1996年，三峡工程直接受益地区及经济发达地区征收标准提高到每千瓦时七厘钱。同时，国务院还决定把葛洲坝发电厂划归中国三峡总公司管理，电厂上缴中央财政的利润和所得税全部作为三峡基金。2003年，财政部又批准三峡电厂所得税在工程建设期全额返还三峡总公司，作为国家注入三峡工程的资本金。三峡基金成为三峡工程最为稳定、可靠的资金来源，就是在项目运营期，三峡基金也是项目运营成功的前提条件。在三峡工程建设期内可筹集资金约1100亿元人民币，占三峡工程总投资的50%以上。

国家开发银行贷款也成为三峡建设资金的重要来源。国家开发银行已承诺在1994年至2003年每年向三峡工程贷款30亿元，共计300亿元人民币。

三峡工程从2003年起，机组相继投产，从而能从售电中为三峡工程增加新的资金来源。其余少量资金拟从国内外资本市场筹集。不足部分，拟通过出口信贷和发债方式在国际资本市场上解决。1997年1月，国家计划委员会正式批准三峡债券发行计划。同年2月，中国长江三峡工程开发总公司在国内首次发行三峡工程债券，发债额度为10亿元人民币。1998年、1999年和2001年三峡债券连续发行，共筹资上百亿元。2002年中国长江三峡工程开发总公司在一次发行企业债券（简称"02三峡债"），发行规模为50亿元人民币，发行"02三峡债"期限为20年。

四

三峡库区建设与三峡移民

三峡库区是中国地理上的一个相对较新的地名词，它包含了长江流域因三峡水电站的修建从而被淹没的湖北省所辖的宜昌县、秭归县、兴山县、恩施州所辖的巴东县；重庆市所辖的巫山县、巫溪县、奉节县、云阳县、开县、万州区、忠县、涪陵区、丰都县、武隆县、石柱县、长寿县、渝北区、巴南区、江津区及重庆核心城区（包括渝中区、沙坪坝区、南岸区、九龙坡区、大渡口区和江北区）。库区地处四川盆地与长江中下游平原的结合部，跨越鄂中山区峡谷及川东岭谷地带，北屏大巴山、南依川鄂高原。由于三峡工程淹没陆域面积632平方公里，带来了120万移民的世界性难题。党中央和国务院做出了一系列的制度安排与资金投入，为移民和库区社会经济发展提供了坚实的保障。

长江三峡经济开放区于1994年由国务院批准成立，是国家级开放区。三峡开放区包括三峡库区的湖北省宜昌市所辖的宜昌、秭归、兴山县，恩施土家族苗族自治州所辖的巴东县；重庆市万州区所辖的巫山、巫溪、奉节、云阳县和开县、忠县，黔江地区所辖的石柱县，涪陵区所辖的丰都、武隆县，原重庆市所辖的长寿、江北县和巴县、江津市等17个县市。其中宜昌市、万县市、涪陵市被列为沿江开放城市，实行沿海开放城市的政策。

设立长江三峡经济开放区，是为了配合三峡工程建设，加快这一地区的经济发展。由国家计委牵头，会同国务院有关部门编制的《三峡地区经济发展规划项目表》，是三峡经济开放区具体发展规划。

共规划建设项目326个，总投资440亿元；其中重点项目124个，推荐项目202个。

从1994年至2000年，国家每年给三峡库区安排一定技改专项拨款，对搬迁工厂进行改造，在乡镇企业贷款及以工代赈等方面都给予支持。从1993年到1994年底，中央国家机关54个部委、直属单位和20个省市，已与库区结成377对对口支援关系，完成支援项目100个，广东、上海、山东、辽宁等省市建立了"对口支援三峡基金会"，三峡库区共引进外资5亿多美元。

三峡百万大移民这一古今中外罕见的工程，涉及重庆、湖北两省市。根据三峡水库淹没处理的规划方案，总面积约7.9万平方千米，淹没耕地1.94万公顷，涉及移民117.15万人。全库区规划农村移民生产安置人口40.5万人，在库区淹没涉及县内安置32.2万人，出县外迁安置8.3万人；规划搬迁建房总人口44万人（湖北省6.5万人，重庆市37.5万人），县内搬迁建房32.2万人（湖北省4万人，重庆市28.2万人）。

国务院1993年颁布《长江三峡工程建设移民条例》，是国务院针对单项工程建设颁布的第一个行政性法规。《长江三峡工程建设移民条例》的颁布实施，是实施依法治国战略在水利建设上的具体体现，是实行依法移民的重要标志。《长江三峡工程建设移民条例》为搞好三峡工程建设的移民搬迁工作提供了重要的法律依据和保障，是三峡工程建设移民工作的基本法规。2005年国家发展和改革委员会又制定了《三峡库区经济社会发展规划》，这是新中国成立以来第一个国家为了一个地区的整体发展而单独制定的制度安排。在此安排下，三峡库区的基础设施平台、有竞争力的特色产业体系和长江流域重要生态环境屏障建设已经上升到国家战略的地位。

搬迁安置人口逾百万，移民补偿投资达400亿元(1993年5月末价格)，任务更为艰巨，面临的问题和困难更多。党中央、国务院在1984年研究三峡工程移民工作时，就提出了开发性移民的思路，要求改变过去单纯赔偿的办法，利用三峡库区的资源优势，为移民开辟新的生产门路。从1985年开始，国家拨出专款，在三峡库区连续进行了8年开发性移民试点。1993年国务院颁布《长江三峡工程建设移民条例》，明确规定"国家在三峡工程建设中实行开发性移民方针，由有关人民政府组织领导移民安置工作，统筹使用移民经费，合理开发资源，以农业为基础、农工商相结合，通过多渠道、多产业、多形式、多方法妥善安置移民，使移民的生活水平达到或者超过原有水平，并为三峡库区长远的经济发展和移民生活水平的提高创造条件"。在长江三峡工程移民中，我国政府坚持贯彻执行这一方针，积累了较为丰富的经验。以大农业为基础，采取多种形式为农村移民创造新的生产生活条件，形成新的生产能力；为了保护好三峡库区生态环境，促进可持续发展，积极鼓励移民外迁安置，拓展安置容量；积极改善城镇布局，增强城镇辐射能力；大力调整搬迁公矿企业结构，在搬迁过程中实行关停并转或改组、改造，培育库区新的经济增长点；恢复库区专业设施功能，改善库区基础设施条件。与此同时，实行与开发性移民和社会主义市场经济相适应的"中央统一领导、分省负责、县为基础"的移民工作管理体制和移民资金、移民任务双包干的原则，对移民资金采取"静态控制，动态管理"的办法，建立起投资约束机制。

自1992年三峡工程启动以来，三峡库区的经济进入了快速发展时期。三峡移民工程不仅使库区经济发生了质的飞跃，也使移民和库区人民的生活水平大大提高。从1992年到2005年，三峡库区GDP由140亿元增加到904.25亿元，年均增长11%以上，连续9年保持快速增长。全社会固定资产投资由41.9亿元增加到565.81亿元；地方预算内财政收入由6.49亿元增加到41.6亿元。2005年库区工业经济完成总产值393.61亿元，较上年增长22%，库区区县大都高于全市16.4%的平均增幅。社会消费品零售总额达到326亿元，比上年增加12.6%；全社会劳动生产率由1831元/人上升为11554元/人。

三峡工程从论证到开工历时75年，在工程规模、科学技术和综合利用效益等许多方面都堪为世界级工程的前列。它的建设不仅将为我国带来巨大的经济效益，还将为世界水利水电技术和有关科技的发展作出有益的贡献。建设长江三峡水利枢纽工程是我国实施跨世纪经济发展战略的一个宏大工程，其发电、防洪和航运等巨大综合效益，对建设长江经济带，加快我国经济发展的步伐，提高我国的综合国力有着十分重大的战略意义。

2003年中国抗击非典型肺炎

2003年，一场突如其来的疫病席卷中国并波及世界许多国家。

2002年11月16日，中国广东佛山发现第一例后来被称为SARS的病例。12月15日，广东北部河源爆发"怪病"，首先发病的黄某被称为"中国'非典'报告患者第一人"。2003 年 1 月 2 日,河源当地因收治并接触病人,8 名医务人员感染同样疾病。中国专家得出结论,这是一种特殊的、严重肺部病毒感染,与中国法定的 35 种传染病不同,因此确定为"非典型肺炎",并确定四条标准:发烧、呼吸道症状、肺部有阴影、白血球降低。

2003 年 2 月 28 日,意大利流行病学家、世界卫生组织专家乌尔巴尼在研究这种病毒时不幸感染,于 3 月 29 日在泰国曼谷逝世,他生前把这种病毒称为 SARS。3 月 1 日,北京发现输入型"非典"患者。非典型肺炎广泛蔓延。3 月 12 日,世界卫生组织向全球发出警告。3 月 25 日,广东省中医院护士长叶欣因感染"非典"不幸牺牲。

3 月 24 日,中共北京市委市直机关工委领导向 100 多位机关党组负责人传达北京"非典"情况,并介绍北京已经成立防治"非典"领导小组。4 月 2 日,国务院总理温家宝主持国务院常务会议,研究非典型肺炎防治工作。会议要把控制疫情作为当前卫生工作的重中之重。以卫生部部长为组长的非典型肺炎防治工作领导小组,负责指导非典型肺炎防治工作,及时向世界卫生组织通报疫情。进一步与世界卫生组织开展有效合作。抓紧建立国家应对突发公共卫生事件的应急处理机制。4 月 17 日,胡锦涛主持召开中央政治局常委会。会议要求各级党委和政府本着沉着应对、措施果断,依靠科学、有效防治,加强合作、完善机制的总体要求,切实做好非典型肺炎防治工作。要准确掌握疫情,如实报告并定期对社会公布,不得缓报、瞒报。同日下午,北京市委召开常委扩大会和区县、部分委办局领导干部会议,传达贯彻中央政治局常委会关于进一

步加强非典型肺炎防治工作精神,根据中央政治局常委会议决定的要求,成立防治非典型肺炎联合工作小组,负责北京地区非典型肺炎防治工作。

4 月 23 日,国务院召开常委会议,决定成立国务院防治非典型肺炎指挥部,统一指挥、协调全国非典型肺炎的防治工作。副总理吴仪任总指挥,国务委员兼国务院秘书长华建敏任副总指挥。会议决定,中央财政设立非典型肺炎防治基金,基金总额 20 亿元,从预算总预备费中安排。24 日,全国防治非典型肺炎指挥部召开成立大会,由党中央、国务院、军队系统和北京市的三十多个部门和单位的人员组成,下设十个工作组和办公室,卫生部常务副部长高强为防治组组长、质检总局局长李长江为卫生检疫组组长、科技部部长徐冠华为科技攻关组组长、发展改革委主任马凯为后勤保障组组长、农业部副部长刘坚为农村组组长、中宣部常务副部长吉炳轩为宣传组组长、公安部常务副部长田期玉为社会治安组组长、外交部副部长戴秉国为外事组组长、教育部部长周济为教育组组长、北京市代市长王岐山为北京组组长、国务院副秘书长徐绍史为办公室主任。温家宝要求指挥部要扎扎实实做好十个方面的重要工作,加强领导,统一指挥,协调各方面力量,坚决打赢防治"非典"这场硬仗。

25 日下午,吴仪受温家宝总理的委托,向十届全国人大常委会第二次会议报告全国"非典"防治工作情况。提出国务院对"非典"防治工作总的要求是:沉着应对,措施果断;依靠科学,有效防治;加强合作,完善机制。务必使发病人数逐步减少,治愈率不断提高,死亡率明显下降。国务院采取了七项措施展开"非典"防治工作:即加强领导,明确责任;全面加强预

防,控制疫情蔓延;全力组织救治,努力提高治愈率;积极开展地区间和国际合作与交流,集中力量查找病源;建立突发公共卫生事件应急处理机制;设立"非典"专项基金;加强宣传教育和舆论工作。吴仪还介绍了下一步"非典"防治工作的部署:即坚决按照中央的统一部署和要求,进一步加强领导;严格疫情报告制度;加强防疫工作督查;加强对中西部地区和农村地区的疫情防治工作的支持;加快疫病防治科技攻关;制定突发公共卫生事件应急处理行政法规;保障市场供应,维护社会稳定。26日,十届全国人大常委会第二次会议免去张文康卫生部部长的职务,任命吴仪为卫生部部长(兼)。4月28日,中共中央政治局集体学习当代科技发展趋势和我国的科技发展,以及运用科学技术加强"非典"的防治工作。胡锦涛要求大力弘扬万众一心、众志成城,团结互助、和衷共济,迎难而上、敢于胜利的精神,充分运用科学技术力量,坚决打赢防治"非典"的攻坚战。

一

紧急动员,把防治"非典"
工作作为重要任务

北京建立防治"非典"联合工作小组,统管在京党政群机关和企事业单位的防治工作。统筹北京地区所有卫生资源,统一指挥所有医疗机构的"非典"防治工作。联合工作小组由刘淇担任组长,王岐山、朱庆生、王谦任副组长,成员有卫生部、中直机关工委、中央国家机关工委、教育部、财政部、铁道部、交通部、科技部、民航总局、国家中医药管理局等中央各有关部门、军队、武警系统及北京市委、市政府有

关负责人。4月27日,北京市委、市政府发出《关于加强北京防治非典型肺炎工作的决定》,对北京防治非典工作做出比较系统的部署。

非典型肺炎具有高传染性,因此定点医院建设尤为重要。北京市先后确定了16家中央、市属、区县、部队医院,作为收治确诊患者的市级定点医院,拥有床位3582张。同时还有5家行业和系统的定点医院。北京还调整规范了设有发热门诊的63家医院。

小汤山医院尤其值得关注。自4月25日起,全军先后从13个大单位的114所医院,紧急抽调1383名医护工作人员,赶赴北京市小汤山医院,参加北京市非典型肺炎病人救治工作。在50多天的战斗中,小汤山医院的全体医务人员以特别能吃苦、特别能战斗、特别能奉献的精神,出色地完成了医疗救治任务,为北京抗击"非典"斗争作出了重要贡献,创造了"小汤山"奇迹。

政府集中优势资源,加强国内国际医疗合作,坚持中西医结合,提高治疗水平,积极救治患者。如开发系列生物防护攻关用品形成了一整套生物防护链,减少一线医护人员的感染;运用流行病学的研究成果,控制疫情蔓延;加紧研制疫苗、药物和诊断试剂研制等;筛选和发现了一批具有自主知识产权的候选药物;诊断试剂和基因芯片研制也取得新进展。科技部联合卫生部、国家食品药品监督管理局、国家环境保护总局制定并下发了《传染性非典型肺炎病毒研究实验室暂行管理办法》和《传染性非典型肺炎病毒的毒种保存、使用和感染动物模型的暂行管理办法》;下发了《关于进一步加强非典型肺炎研究生物安全管理工作的紧急通知》,并结合政策法规加强防治"非典"研究生物安全

管理。

值得注意的是,中医药参与治疗"非典"取得了明显成效。4 月 7 日,北京方和谦等 13 位国家级知名老中医专家、中医博士联合为防治"非典"献处方。4 月 10 日,国家中医药管理局迅速出台"非典"中医药防治技术方案,4 月 19 日,又对方案的预防部分作了修订,指导百姓正确使用中药预防。5 月 8 日,国务院防治"非典"指挥部召开中医药专家座谈会,要求中医药充分介入。以此为转折点,5 月 11 日,国家中医药管理局发布修订了"非典"中医药治疗方案。随后,北京采取措施保障所有定点医院都有中医药的参与。到 5 月中旬,多半病人使用中西医结合治疗,效果明显,疫情开始得到控制。与此同时,科技部、国家中医药管理局等部门组织的 19 项中医药、中西医结合临床研究课题迅速展开。初步的研究和实践证实:中西医结合治疗"非典",在缩短平均发热时间、改善全身中毒症状、促进肺部炎症吸收、降低重症患者病死率、改善免疫功能、减少激素用量、减轻临床常见副作用等方面有优势,明显好于对照组。

全国防治非典型肺炎指挥部下设科技攻关组,为急临床所急,应防治所需,确定了"立足近期,兼顾中长,突出应用,为临床一线服务"的指导思想和"集中优势,整合资源,协同攻关,求真务实"的工作方针,建立了"特事特办,急事急办,超常规运作"的工作机制,迅速组织全国的优势科研力量,形成了科技攻坚队伍和研究网络,在非典型肺炎临床诊治、药物筛选和疫苗研制、SARS 流行规律研究、中西医结合治疗、有效防护措施等方面开展了科技攻关。先后启动了 95 个项目,在全国范围内紧急动员了 3000 多名科技工作者,紧急筹措了 2 亿元攻关经费,用于防治"非典"攻关项目。4 月 13 日,军事医学科学院宣布破解"非典"元凶——冠状病毒。4 月 15 日,在世界上率先完成 4 株新冠状病毒全基因测序。4 月 16 日,研制出"非典"快速诊断技术。4 月 28 日,"重组人干扰素 ω 喷鼻剂",在北京通过国家食品药品监督管理局审批,获准进入临床研究。我国科学家还检测到果子狸等野生动物体内的冠状病毒基因序列,与"非典"病毒基因序列基本一致,证实了"非典"病毒源自果子狸等野生动物的传言。5 月 27 日,中科院院士、著名病毒学家田波宣布,中科院生物研究所、武汉大学现代病毒学研究中心找到能够抑制 SARS 病毒与细胞融合的多肽,有望开发抗击 SARS 的特效药。

面对"非典"对全球的威胁,加强国际间科研合作。3 月 17 日,为弄清 SARS 的致病因子,攻克诊断技术,在世界卫生组织协调下,中国、美国、加拿大、日本、新加坡和欧洲等 9 个国家十几所实验室组成研究网络,共同研究 SARS 的病因学和诊断实验技术。3 月 24 日,美国疾病控制中心(CDC)和香港科学家宣布,从 SARS 病人身上分离出一种新的冠状病毒,一种从未见过的冠状病毒科成员可能是 SARS 的致病病因。3 月 26 日,世界卫生组织召开 13 个国家 80 位临床专家参加电子会议,进行第一次全球 SARS 大查房。4 月 12 日,加拿大研究人员首次公布确信与 SARS 有关的冠状病毒的测序结果。4 月 14 日,美国科学家宣布也测绘出了与 SARS 相关的新型冠状病毒的基因组序列图。4 月 16 日,世界卫生组织负责传染病的执行干事戴维·海曼宣布,经过全球科研人员的通力合作,终于正式确认冠状病毒的一种变种是引起非典型肺炎的病原体。

二

截断"非典"传染的路径

4月18日,教育部发出《关于高等学校非典型肺炎预防和控制工作若干问题的通知》,要求阻断"非典"在校园传播。同日,中共北京市教育工委、北京市政府教委发出通知,要求各区县教委、各学校师生减少外出,调整课程。4月24日,人民医院作为受非典型肺炎污染的医院,成为首批被隔离的区域之一。25日,北京市建委下发紧急通知,要求执行《对"非典"疫情重点区域采取隔离控制措施通告》,禁止施工队伍擅自流动,对在京施工人员坚持就地预防、就地隔离、就地治疗的原则。公安部、铁道部、交通部、卫生部、质检总局、民航总局、海关总署于4月下旬发出紧急通知,要求各有关部门要加强对火车站、长途汽车站、机场、客运码头、出入境口岸的卫生检疫,控制非典型肺炎通过交通工具和国境口岸传播和扩散。要求在火车站、长途汽车站、机场、客运码头设立临时发热病人检查室,对进出本地的人员实施医学检查;对经检测体温高于38℃的人员,立即报告并送至当地卫生行政部门统一安排的医院诊治;对同舱、同一车厢与非典型肺炎病人、疑似病人接触者,要逐一登记,并配合当地卫生部门进行流行病学调查,以及追访和医学观察;对出入本地的交通工具及其承运的物资,加强卫生检查,发现有被污染或者可能被污染的物品,实施严格的消毒等卫生处理。交通部还制定《北京及周边省市区市交通主管部门联防"非典"扩散工作方案》,共同堵截"非典"疫情,违犯者将受处罚。

为了防止"非典"向广大农村蔓延,5月6日,国务院召开全国农村非典型肺炎防治工作电视电话会议,部署农村非典型肺炎防治工作和经济工作。为基本要求统一思想,加强领导,千方百计确保农村不发生大规模疫情,确保广大农民群众身体健康和生命安全,确保农村经济健康发展和社会稳定。他还提出做好农村防治非典型肺炎工作的九项措施,要求各级党委、政府抓紧农村疫病防治工作,层层建立责任制,制定农村疫病防治预案;大力宣传《中华人民共和国传染病防治法》和科学预防知识;加强农村疫情监测,建立从省到村的疫情信息网络,健全县乡村三级相结合、以村为基础的疫情监测体系;建立救治机制,各省、自治区、直辖市要抓紧建立一支应急医疗队伍;加强培训和巡诊;实行"三就地"原则,切断疫情传播渠道;对农民患者一律实行免费医疗;齐抓共管、群防群控;实行部门和地区联防联控。根据全国防治非典型肺炎指挥部《全国农村非典型肺炎防治工作方案》精神,卫生部、国家发改委、民政部、财政部、农业部和国家人口计生委联合制定了《关于加强农村传染性非典型肺炎防治工作的指导意见》,明确了农村防治非典型肺炎的指导思想和目标,按照中央关于"沉着应对,措施果断;依靠科学,有效防治;加强合作,完善机制"的总体要求,坚持预防为主、防治结合、分级负责、依靠科学、依法管理的原则,尽一切力量遏制非典型肺炎疫情向农村扩散。中宣部、中央文明办、中国科协、卫生部、农业部、科技部组织编印了300万张农村防治非典型肺炎科普挂图,制作了3000盘农村防治非典型肺炎DVD电视片,免费提供给各地农村张贴和县(市、区、旗)级电视台播放。

为保证抗击"非典"的人力资源,中组部发出通知要求各级组织部门为防治"非典"工作提供强有力的组织保证。北京市委组织部发出《关于在同非典型肺炎斗争中充分发挥基层党组织战斗堡垒作用和共产党员先锋模范作用的通知》。为了保证医药用品的供应,国家食品药品监督管理局要求,各级药品监督管理部门要确保药品和医疗用品质量,不准哄抬药价,保证供应。4 月 21 日国家药监局、国家发改委、卫生部、国家工商总局、国家中医药局联合下发《关于加强防治非典型肺炎药品监督和管理工作的紧急通知》。为保证社会秩序运行有序,国家工商总局要求在防治"非典"期间从重从快打击五类违法经营活动。为确保抗击"非典"的后勤物资和医药物资畅通无阻,国家发展改革委员会会同公安部、交通部、商务部和卫生部联合发出紧急通知,要求各省、自治区、直辖市规范对车辆和人员的消毒、检查工作,确保防治"非典"货物运输畅通。为养成良好的生活卫生习惯,中央精神文明建设指导委员会、全国爱国卫生运动委员会联合发出《关于在抗击"非典"斗争中积极开展讲文明讲卫生讲科学树新风活动的通知》,广泛开展讲文明讲卫生讲科学树新风活动。中央文明办还发出《关于开展"改陋习、树新风"活动的通知》,要求组织动员广大群众自觉革除危害健康、污染环境的不文明行为和不良陋习,形成讲文明讲卫生讲科学的良好风尚。北京市委宣传部、首都文明办、市政管委还决定在全市开展"讲文明、讲卫生、防'非典'、保健康"活动等等。

中国政府采取加强法制建设、严格依法管理的措施,把防治"非典"纳入法制轨道。中国政府将 SARS 列入法定传染病,依照传染病防治法进行管理。国务院颁布了《突发公共卫生事件应急条例》,卫生部制定了《传染性非典型肺炎防治管理办法》,完善了疫情信息报告制度和预防控制措施。卫生部公布了《公众预防传染性非典型肺炎指导原则》(《人民日报》4 月 30 日)、《公共场所预防传染性非典型肺炎消毒指导原则》(《人民日报》5 月 21 日)、《传染性非典型肺炎密切接触者判定标准和处理原则(试行)》(《人民日报》5 月 9 日)、《对从传染性非典型肺炎流行地区返乡民工监测的指导原则》、《传染性非典型肺炎医院感染控制指导原则(试行)》、《公共场所预防"非典"消毒指导原则》等。这为各地区、各部门、各单位和广大人民群众及时了解、准确掌握上述指导原则,科学防治非典型肺炎提供了指南。全国防治非典型肺炎指挥部还专门发出《关于科学规范非典型肺炎防治措施的通知》。

国际政府间组织也通力合作,共抗"非典"。4 月 29 日,东盟召开关于非典型肺炎问题的特别会议,提出加强卫生、移民、海关、交通和司法部门的合作,建立部长级特别机构和东盟"非典"控制信息网,交换控制"非典"的信息和经验。在成员国之间执行统一的出入境检疫措施和标准,加强各国传染病学的研究,加强控制和检疫措施方面的研究与合作。国务院总理温家宝向会议通报中国"非典"疫情和防治工作,并提出五点建议。5 月 28 日,世界卫生组织在日内瓦召开的第五十六届世界卫生大会通过了关于防治非典型肺炎的决议,要求会员国加强国内领导,提高监测和预防"非典"的能力;应用世界卫生组织建议的旨在控制"非典"的有关监测、管理和国际旅行的指导方针;及时向世界卫生组织报告病例;加强与世界卫生组织以及其他国际和区域性组织的合作;确保与世界卫生组织的联系畅通;及时就预防和控制新出现的传染病交流经验和信息等。5 月 30 日,亚太经济合作组织 2003 年第二次高官会议,通过了

《亚太经济合作组织"非典"合作行动计划》,提出了抗击"非典"合作的近期和中长期措施,标志着亚太经济合作组织全面启动抗击"非典"合作。6月28日,首次亚太经合组织卫生部长会议在曼谷召开。各成员表示愿意加强信息和技术等方面的交流,合作防治"非典"及类似传染疾病,共同促进本地区经济发展。吴仪应邀在会上介绍中国在抗击"非典"斗争中所采取的措施、取得的成效和经验。

在全国人民共同努力下,抗击"非典"的斗争取得迅速成效。6月1日,北京首次出现"三个零"记录:即北京新收治直接确诊"非典"病例为零,由疑似转为确诊病例为零,死亡人数为零。6月13日,世界卫生组织解除对天津、山西、河北和内蒙古四省市的旅游限制建议,并将天津、河北、山西、内蒙古、吉林、江苏、湖北、广东、陕西从其"近期有当地传播"的名单中删除。6月17日,世卫组织解除对台湾地区的旅行警告。6月23日,香港被世界卫生组织从"非典"疫区名单中删除。6月24日,世界卫生组织宣布解除对北京的旅行警告,并将北京从"近期有当地传播"的"非典"疫区名单中删除,标志着中国防治"非典"工作取得阶段性重大胜利,对于世界"非典"防治也具有里程碑意义。至此,世界卫生组织已经没有对任何地区有旅行警告了。7月5日,世界卫生组织决定把中国台湾地区从"非典"疫区名单上排除,这标志全球抗击"非典"斗争取得了阶段性胜利。

截至8月7日,中国内地累计病例5327人,死亡349人,死亡率为6.55%;中国香港1755例,死亡300人,死亡率为17.9%;中国台湾665例,死亡180人,死亡率为27.7%;加拿大251例,死亡41人,死亡率为16.3%;新加坡238例,死亡33人,死亡率为13.9%;越南63例,死亡

5人,死亡率为0.79%。

三

抗击"非典"的英雄谱

抗击"非典"是一场战争。每位亲临第一线的白衣天使都是民族的英雄、人民的卫士、时代的先锋和世人的楷模。各级政府、各领域、各部门都对战斗在抗击"非典"第一线的英雄们做出表彰,牢记他们在和平年代的不凡业绩。如姜素椿,一位中枢神经、消化和呼吸等传染病防治方面的专家,3月7日晚,他不顾年迈和已身患癌症,积极参与了抢救北京第一例"非典"患者的工作,8天后发现自己被感染。姜教授患病后,医院领导十分重视,三次组织专家研究治疗方案。为了探索治疗"非典"的有效途径,姜教授坚持要求采集"非典"康复者的血清,在自己身上首先进行试验。3月22日,这种血清注入了姜教授的身体,配合其他药物治疗后,病情发生奇迹般的变化,仅23天就康复出院。4月24日,总后党委作出决定,号召军队广大医务工作者和科研人员向姜素椿学习,为战胜非典型肺炎疾病、保护人民的身体健康和生命安全作出更大贡献。如邓练贤,中山大学附属第三医院传染科副主任、党支部书记。大年初一这天,先后传染了一个又一个医护人员的"毒王"被送到医院。当时该病人处于高热状态,烦躁不安,剧烈咳嗽,呼吸困难,处于生死一线之间。邓练贤和同事们马上开始抢救。抗炎、吸氧、镇静、激素都用上了,但病人病情仍在加重。专家小组迅速作出决定,给病人进行气管插管、应用呼吸机辅助呼吸。体重足有80公斤的病人因为缺氧情绪极度不稳,在做气管插管时不断挣扎。随着病人

剧烈咳嗽,含有大量病毒的痰液从插管处喷出。正月初四早上,邓练贤突然感觉全身肌痛、乏力、头痛、高热,肺部出现炎症阴影,他染上了病毒,住进了自己工作的医院。4 月 21 日 17 时,邓练贤永远地离开了他热爱的世界。

5 月,人事部、卫生部、解放军总政治部决定追授邓练贤、叶欣、梁世奎、陈洪光、李晓红“白求恩奖章”。6 月 22 日,中央军委主席江泽民签署嘉奖小汤山医院全体官兵通令,北京防治“非典”联合工作小组决定:授予沈阳军区医疗队、北京军区医疗队等 19 个医疗队“首都防治非典型肺炎工作先进集体”荣誉称号;授予郭晓钟、魏路清等 453 位同志“首都防治非典型肺炎工作先进个人”称号;向小汤山医院 1304 名医务人员颁发“首都防治非典型肺炎工作纪念证书”。28 日,中组部决定授予卫生部中日友好医院等 108 个基层党组织“全国防治非典型肺炎工作先进基层党组织”称号,授予钟南山等 307 名共产党员“全国防治非典型肺炎工作优秀共产党员”称号;追授丁秀兰等 8 名共产党员“全国优秀共产党员”称号,追授裴鸿烈等 28 名共产党员“全国防治非典型肺炎工作优秀共产党员”称号。在纪念中国共产党建党 82 周年之际,解放军总政治部通报表彰全军 50 个先进基层党组织和 150 名优秀共产党员。7 月 18 日,中国科协授予丁丽萍等 325 名科技工作者“全国防治非典型肺炎优秀科技工作者”称号;授予中华医学会等 29 个学会“中国科协防治非典型肺炎先进学会”称号;追授丁秀兰等 21 名科技工作者为“全国防治非典型肺炎优秀科技工作者”称号。7 月 28 日,卫生部、人事部、国家中医药管理局授予北京地坛医院等 100 个单位“全国卫生系统抗击‘非典’先进集体”称号,授予王力宇等 500 人“全

国卫生系统抗击‘非典’先进个人”称号。在香港,6 位因参与治疗、护理 SARS 病人而捐躯的医护人员的家属和代表获得“抗炎勇士纪念章”;300 多名医护人员获得“抗炎勇士纪念章”;医管局辖下 7 所医院荣获“有突出贡献抗炎团队章”;18 家直接参与抗炎的公立医院荣获“感谢状”;超过 5 万名医护人员及员工获得“抗炎勇士纪念襟针”。

面对突如其来的“非典”疫情的严峻考验,全党全国人民在党中央、国务院的坚强领导下,坚持一手抓防治“非典”,一手抓经济建设,取得了防治“非典”工作的阶段性重大胜利,积累了宝贵的经验:党中央、国务院高度重视、果断决策,地方各级党委和政府认真负责、靠前指挥,充分发挥了中流砥柱作用;全民动员、群防群控,紧紧依靠广大人民群众,充分发挥了人民群众的伟大力量;社会各方面团结一致、齐心协力、一方有难、八方支援,形成了共克时艰的强大合力;依靠科学、运用科学,充分发挥科技人员的作用和科学技术的力量,使科学技术成为战胜疫病的有力支撑;依法执政、依法行政,制定和运用有关法律法规,使法律成为战胜疫病的有力保障;广大基层党组织战斗在第一线,广大党员干部冲锋在最前面,成为群众抗击“非典”的主心骨、贴心人;坚持经济建设这个中心不动摇,统筹安排、促进发展,为战胜困难提供了强大的物质基础;全民族万众一心、迎难而上,伟大的民族精神得到锤炼和升华,形成了凝聚人心、克敌制胜的强大精神支柱。

“非典”疫情的爆发,也对关系到最广大人民切身利益的公共卫生建设工作提出新的问题。它要求各级卫生部门更好地贯彻预防为主的方针,把工作着力点放到加强公共卫生管理、加强卫生执法监

督、保障人民身体健康上来，集中力量搞好公共卫生和基本医疗服务。要完善公共卫生政策，深化医疗卫生体制改革，有效整合卫生资源，增加政府对卫生事业的投入，加大公共卫生基础设施建设力度。要加强疾病预防控制，健全全国疫情信息网络，建立和完善疾病预防控制体系和医疗救治体系，建立应急卫生救治队伍，加强卫生执法监督体系建设，加强环境卫生体系建设，提高应对突发公共卫生事件的能力。要大力推进农村卫生事业的发展，加强农村疾病防治工作，深化乡镇医疗机构改革，加强基层卫生队伍建设，办好新型农村合作医疗，提高农民抵御疾病风险的能力。要高度重视和逐步解决城乡低收入群众的医疗卫生问题。要大力加强医疗卫生战线的精神文明建设，弘扬良好的医风医德，为人民群众提供更好的医疗卫生服务。要广泛开展卫生科普知识宣传，深入开展爱国卫生运动，移风易俗，革除陈规陋习，倡导良好的卫生习惯，增强全民的健康素质。

"5·12"汶川大地震

2008 年 5 月 12 日 14 时 28 分，四川省汶川县（北纬 31 度，东经 103.4 度）发生

了里氏 8.0 级特大强烈地震，许多乡镇瞬间被夷为平地，数以万计的居民被埋入瓦砾之下。北京、江苏、贵州、宁夏、青海、甘肃、河南、山西、陕西、山东、云南、湖南、湖北、上海、重庆、西藏等十几个省市自治区都有震感。至当日 17 时 28 分，发生余震 313 次。四川汶川地震是新中国成立以来破坏性最强、波及范围最广、救灾难度最大的一次地震，这次地震造成的直接经济损失为 8451 亿元人民币，其中，四川省占总损失的 91.3%[1]；遇难人数达到 69226 人，失踪 17923 人，受伤 360358 人[2]；450 万户、1000 余万人无家可归；重灾区面积达 13 万多平方公里。[3]

地震发生后，在以胡锦涛为总书记的党中央的坚强领导下，全党全军全国各族人民万众一心、众志成城，迅速展开了气壮山河的抗震救灾工作。中国人民以无所畏惧的英雄气概、团结一致的强大力量、可歌可泣的伟大壮举夺取了抗震救灾斗争的重大胜利，香港同胞、澳门同胞、台湾同胞及海外华侨华人踊跃为灾区提供援助，许多国家和国际组织也以各种方式给予了宝贵支持。

一

中共中央火速部署救灾

汶川大地震发生后，胡锦涛总书记立即作出重要指示，要求尽快调集部队火速赶往四川重灾区抢救伤员，最大限度地保

---

① 《汶川地震造成直接经济损失 8451 亿元人民币》，人民网，http://www.512gov.cn/GB/126525/7789005.html。

② 《四川汶川地震及灾害损失评估公布》，新华网，http://news.xinhuanet.com/video/2008－09/04/content_9772489.htm。

③ 《汶川地震划定 51 个灾区县 受灾总面积 13 万多平方公里》，人民网，http://www.512gov.cn/GB/126525/7788091.html。

证灾区人民群众的生命安全。5月12日下午4点40分,国务院总理温家宝赶赴四川成都,顶着频繁发生的余震前往受灾严重的地区现场指挥抗震救灾工作。由于地震造成去往震中汶川的道路已经中断,温家宝率领指挥部在都江堰就地搭建的帐篷里开展工作。初步了解情况后,温家宝当即提出五点要求:一是部队要立即从南北两个方向向震中地区前进,要克服一切困难,就是步行也要尽快进入受灾最严重的地区,早一秒到达受灾地区,就可能早抢救更多的生命;二是要争分夺秒抢修公路,哪怕修一条临时道路,也要把道路打通;三是要进一步摸清受灾情况;四是各部门要想尽一切办法将包括药品和食品在内的救灾物资运进灾区;五是请地震部门抓紧对地震趋势作出科学研究和判断。①晚上10点多,温家宝一行又冒雨前往都江堰市灾情严重的中医院和聚源镇中学察看灾情,慰问受灾群众,并再次对救灾工作作出部署。

5月12日晚,胡锦涛总书记主持召开中共中央政治局常务委员会会议,全面部署抗震救灾工作。会议强调,灾情就是命令,时间就是生命。灾区各级党委、政府和中央有关部门要紧急行动起来,把抗震救灾作为当前的首要任务,全力抢救伤员,切实保障灾区人民群众的生命安全,尽最大努力把地震灾害造成的损失减小到最低程度。为了加强对抗震救灾工作的领导,中央决定成立抗震救灾总指挥部,由温家宝任总指挥,李克强、回良玉任副总指挥,全面负责抗震救灾工作,并设立了救援组、预报监测组、医疗卫生组、生

活安置组、基础设施组、生产恢复组、治安组、宣传组八个抗震救灾工作组。

5月14日,中共中央政治局常务委员会再次召开会议,进一步研究部署抗震救灾工作。会议强调:要把抢救被困群众放在第一位,只要有一线希望,就要尽一切努力施救。增派人民解放军、武警部队、公安消防特警,并配备必要的器械和工具,迅即赶赴灾区一线;要继续从各地和部队调集医护人员,组成医疗队和专家组,到灾区对受伤群众实施救治,并加强卫生防疫工作,防止灾区疫病流行;要千方百计安排好灾区群众生活,继续筹措和调运灾区急需的食品、饮用水、衣被、帐篷等物资,切实解决好受灾群众的吃饭、饮水、穿衣、住宿等问题。同时,要深入细致地做好灾区群众思想工作,确保灾区社会稳定;要抓紧抢修道路、电力、通信等基础设施,首先要想方设法尽快恢复通往灾区的公路交通,以保证整个抗震救灾工作顺利进行。还要切实防止次生灾害发生,避免造成新的损失;要进一步加强对抗震救灾工作的领导,统一指挥,科学调度,加强协调,分工负责,严明纪律,确保中央抗震救灾的决策部署落到实处。②

5月16日,在四川抗震救灾的危急时刻,胡锦涛赶往四川省地震灾区,在飞机上他与随行的有关负责同志一起,详细了解和分析地震灾情和抗震救灾工作进展情况,并对抗震救灾工作作出了重要指示。胡锦涛指出,抗震救灾工作正在有力有序有效地进行,但面临的挑战仍然十分严峻,而且时间非常紧迫。虽然已经过了

① 《温家宝抵达四川指挥抗震救灾工作》,新华网,http://news.xinhuanet.com/newscenter/2008-05/12/content_8154459.htm。
② 《中共中央政治局常务委员会再次召开会议 进一步研究部署抗震救灾工作 中共中央总书记胡锦涛主持会议》,《中国社会报》,2008年5月15日。

震后72小时的"黄金救援"时间，但仍然要把挽救人的生命作为当务之急、作为重中之重，同时要抓好伤员的救治，抓好交通、通信、电力等基础设施的恢复，解决好群众基本生活保障问题。到达绵阳南郊机场后，胡锦涛立即在机场主持召开会议，与先期抵达灾区的温家宝共同研究部署抗震救灾工作，并强调抗震救灾工作要坚持以人为本，把抢救人民群众的生命作为重中之重；增派的3万名部队官兵要尽快投入抗震救灾一线；要采取措施保证救援队伍进入所有乡镇和村庄；救援队伍要与基层干部结合起来，深入到群众中去，广泛开展救援工作；要为救援人员配备必要的设备、进行必要的培训，真正实行科学救援；对已经救出的群众要及时转移，对其中的孤儿、孤老要妥善安置；要密切关注震情，加强余震防范，防止发生新的伤亡；要认真开展卫生防疫工作，防止灾后疾病流行。① 17日，胡锦涛不顾余震的危险来到受灾最严重的绵阳市北川羌族自治县、擂鼓县等地看望并慰问受灾群众，并在当天晚上在成都连夜召开会议，听取抗震救灾工作汇报，研究部署下一步抗震救灾工作。他强调，要继续争分夺秒地搜救被困群众，全力救治受伤人员，想方设法安排好受灾群众基本生活，抓紧抢修因灾毁坏的基础设施，做好恢复重建准备工作，切实加强对抗震救灾工作的领导。②

在汶川地震发生的几天内，还有多位中央领导亲赴灾区视察。18日，国务院副总理李克强来到四川省受灾最严重的绵阳市，指导协调抢险救援和防疫防灾工作，他指出，救人是第一位的，同时要把救人救治同防疫有机结合起来，将防疫工作放在突出位置；要严防次生灾害，做好灾区群众安置和恢复重建等工作。19日，中央纪委书记贺国强赶赴重庆察看地震灾情，并和重庆市委、市政府一起研究和部署抗震救灾工作。

中共中央政治局常务委员会于5月22日上午又一次召开会议，研究部署继续全力做好抗震救灾工作。会议听取了国务院抗震救灾总指挥部关于抗震救灾工作的汇报。会议强调，要继续搜救被困群众，切实把搜救工作落实到每一个乡村，努力做到无一疏漏；继续抓紧救治伤病群众，保证灾区医疗急救物资供应，尽最大努力保障受伤群众生命安全；继续做好卫生防疫工作，尽快充实专业防疫力量，确保大灾之后无大疫；要下大气力做好受灾群众安置工作，切实保障受灾群众的基本生活；继续抢修因灾毁损的基础设施；做好心理安抚和思想疏导，加强社会管理；组织灾区干部群众尽快恢复生产，积极创造条件帮助灾区学生恢复上课，努力把这场地震灾害造成的损失减小到最低程度。在全力做好抗震救灾工作的同时，各地区各部门要按照中央的决策部署，一手抓抗震救灾工作，一手抓经济社会发展，全力以赴支援灾区，努力保持经济平稳较快发展，努力保持社会和谐稳定。中央有关部门要指导受灾地区在深入调查、综合评估、科学规划的基础上，及早规划和适时开展灾后重建工作。③

① 《胡锦涛总书记赶赴四川省地震灾区指导抗震救灾工作》，人民网2008年5月16日，http://politics. people. com. cn/GB/1024/7250123. html.

② 《胡锦涛在绵阳一线主持召开会议》，人民网2008年5月16日，http://politics. people. com. cn/GB/1024/7250425. html

③ 《中共中央政治局常务委员会召开会议要求继续全力做好抗震救灾工作》，《中国社会报》，2008年5月23日。

中共中央密切关注着抗震救灾工作，把安置受灾群众和灾后恢复重建工作摆到突出位置。中央财政安排了数百亿元人民币用于救灾，并且为恢复重建建立了750亿元人民币的地震恢复重建基金。地震发生后的短短几天内，各路救援物资纷纷运抵灾区，人民解放军和武警共出动了11万名官兵搜寻抢救了6万余人。5月22日下午，温家宝再赴四川地震灾区，24日重返震中汶川县映秀镇，指挥抗震救灾工作。5月26日，中共中央政治局常委、全国人大常委会委员长吴邦国专程赴四川地震灾区慰问干部群众，看望救援人员并指导救灾工作。中共中央的坚强领导和果断决策给了灾区人民极大的安慰和鼓舞，他们的行动使"以人为本、执政为民"的理念深深扎根在人民心中。

二

政府部门及社会各界支援灾区

汶川地震发生后，各方面把抗震救灾作为最紧迫的首要任务，紧急行动起来，以对人民群众高度负责的精神，纷纷采取各项紧急措施，全力以赴投入到抗震救灾工作中。

根据《国家自然灾害救助应急预案》，国家减灾委紧急启动国家二级救灾应急响应。5月12日16时，民政部已从西安中央救灾物资储备库紧急调拨5000顶救灾帐篷支援四川灾区。22时15分，国家减灾委针对汶川地震灾情，紧急启动一级救灾应急响应。中国地震局启动了应急预案一级响应，第一批由33人组成的国家地震现场应急工作队，与180余人组成的国家地震灾害紧急救援队于地震当天晚上奔赴灾区实施现场应急和紧急救援。

解放军总参谋部启动应急预案，要求成都军区、空军和武警部队迅速组织灾区驻军全力投入抗震救灾，保证灾区人民生命安全，最大限度减少损失。总政治部立即发出政治工作指示，要求各部队充分发挥共产党员的先锋模范作用。总后勤部、总装备部也做好支援抗震救灾的一切应急准备。公安部发出紧急通知，要求灾区各级公安机关一方面要全力投入抗震抢险救灾，另一方面要切实做好维护灾区社会秩序工作。公安部还紧急抽调消防救援力量1000人，携带搜救犬、生命探测仪等救援工具，迅速赶赴四川重灾区实施救援。另外，公安部还从天津、杭州、宁波、广州、深圳、重庆等城市抽调1000名特警飞赴四川重灾区开展抢险救援工作。12日下午，中国红十字会总会紧急启动自然灾害救助一级响应预案，并从该会成都备灾救灾中心迅速调拨帐篷557顶，棉被2500床等价值78万余元的救灾物资发往灾区。香港特别行政区红十字会通过中国红十字会总会向灾区捐赠50万元人民币。中华全国总工会十分关心震区受灾职工生产生活问题和困难，全总书记处决定向四川省总工会紧急拨付100万元救灾慰问金。

5月14日，中央财政先后两次紧急下拨抗震救灾资金共2.5亿元，中宣部向四川灾区捐赠了价值约1000万元的出版物，包括图书、宣传画和光盘，帮助灾区群众了解震后防病治病、食品安全、心理健康等方面的知识。国家发展改革委员会从上海调运医药储备物资阿米卡星洗剂24万瓶、甘露醇200件、喷雾器2万台、碘酊98164瓶分批发往成都，20日，又紧急拨款1.6亿元，用于支持四川等省市重灾区的乡村应急供水设施建设和设备购置，并通知要求四川等省市抓紧开展乡村饮水安全排查摸底，保证受灾群众喝上放心水,防止疫病的发生。财政部、教育部下达四川省教育抗震救灾专项资金 5000 万元,用于灾区学校特别是中小学校抗灾自救、师生应急临时安置、重置必需的教学用具等方面的支出。科技部会同国家测绘局专家组奔赴四川灾区,进行航空遥感飞机实施拍摄,并及时分析处理遥感影像信息,为抗震救灾提供技术服务。中国科学院的两架遥感飞机、三架无人飞机飞抵地震灾区,开展遥感监测和灾情评估工作。针对四川地震灾区供水设施受到严重损坏的问题,水利部积极组织社会捐赠和调运饮水设备发往灾区。住房和城乡建设部要求以最快的速度建设一批过渡安置房,尽快解决灾区群众无家可归、露宿街头的问题,并组织了七支供水应急抢修和管网检漏专业队伍赶赴灾区。

闻听四川汶川大地震的灾情,全国各族人民和港澳台同胞纷纷伸出援手,捐款捐物,组织救援人员,调拨各种物资,倾情支援灾区抢险救灾。

截至 2009 年 4 月 30 日,全国共接收国内外社会各界抗震救灾捐款 659.96 亿元,其中"特殊党费"97.3 亿元,捐赠物资折价 107.16 亿元,捐赠款物合计 767.12 亿元。① 北京市等 26 个非受灾省份和新疆生产建设兵团共接收捐款 335.94 亿元;接收捐赠物资折价 55.22 亿元。民政部共接收抗震救灾捐款 49.49 亿元;中国红十字会总会共接收捐款 47.79 亿元,接收捐赠物资折价 6.08 亿元;中华慈善总会共接收捐款 9.26 亿元,接收捐赠物资折价 1.56 亿元;中国老龄事业发展基金会、中国宋庆龄基金会、中国残疾人福利基金会等 16 家全国性基金会共接收捐款 11.15 亿元,接收捐赠物资折价 2.60 亿元。外交部、教育部、商务部、卫生部、侨办、香港中联办、团中央、全国总工会等部门和单位直接接收捐赠款物 18.87 亿元,其中捐款 7.39 亿元,捐赠物资折价 11.48 亿元。②

香港各界迅速行动,纷纷发起募捐赈灾行动。至 2008 年 5 月 20 日,香港特区政府援助四川地震灾区的累计拨款额达到 3.16 亿港元,香港各界共筹得 12 亿港元,是历年来最多的善款。香港特区搜救队于 15 日抵达四川地震灾区,香港政府医院管理局和卫生署还派出医疗队和防疫大队参加灾后救援行动。

澳门特区行政长官何厚铧表示将全力支持内地救援四川地震灾区工作,至 5 月 20 日,澳门特区政府及社会各界向四川地震灾区捐助了 3.5 亿元人民币。澳门妇女联合总会还通过全国妇联向灾区姐妹送上了澳门妇女的慰问。

中国国民党中央委员会也于四川地震发生当日致函中国共产党中央委员会,对四川汶川地震灾区表示慰问。函电说:"顷悉四川省汶川县发生严重地震灾害,造成人民生命财产损失,谨对灾区表达关切及慰问。若有必要,本党将促请台湾救灾人员前往协助。尚祈灾区居民坚强克服难关。"③ 当晚,马英九发布新闻稿对灾情表示关心,并呼吁台湾当局与民间社团发扬人道精神,提供物资及专业救援的协助。中国国民党荣誉主席连战也于 13 日致电胡锦涛,他在来电中说:"顷闻四川汶

---

① 《汶川地震全国共接受捐款 659.96 亿》,http://news.sina.com.cn/c/2009-05-11/200217791136.shtml。

② 《民政部公告汶川特大地震救灾捐赠款物及使用情况》,http://202.123.110.5/gzdt/2009-03-20/content_1263891.htm。

③ 《中国国民党致函对四川地震灾害表达关切及慰问》,新华网,http://news.xinhuanet.com/tw/2008-05/13/content_8155725.htm。

川县等地区发生强烈地震,造成我同胞生命财物及地方建设之重大损失,至感震惊、悲恸。两岸同胞血浓于水,强震肆虐,人民流离失所,我等感同身受。"他表示,将"全力协同台湾民间力量,配合救灾,以尽绵薄"。16日,由22人组成的台湾救援队到达成都,参与地震灾区的救援工作。20日,台湾红十字医疗队到达德阳市参加医疗救治工作。

为保证灾区急救血液供应,卫生部从北京、河北、山西、山东等地连夜调拨了大量血液和血浆代容物,随同医疗队紧急调往灾区。但是这些血液还不能满足灾区的需要。从5月13日开始,北京等城市各大采血点都挤满了自愿献血的市民,希望通过自己的实际行动为灾区人民献一份爱心,血液中心采血人员每天工作至凌晨。汶川地震46个小时后,北京市血液库存量已达到饱和,没有献血的市民纷纷留下联系方式,表示一旦有需要,随叫随到。长城内外、大江南北到处是支援灾区的感人行动,13亿同胞紧密团结起来,积极投入到抗震救灾的行动中,体现了社会主义"一方有难、八方支援"的巨大优越性和众志成城、顽强拼搏的民族精神。

灾区自救

灾情发生后,四川省政府立即启动应急一级响应,及时召开新闻发布会,向社会通报灾情,并在临近汶川县的都江堰市成立抗震救灾应急指挥部。省委、省政府主要领导分赴都江堰、绵阳、德阳等重灾区,现场指挥抗震救灾工作。四川省地震灾害紧急救援队、省卫生厅派出的28支卫生救援分队紧急赶赴灾区,全力救治伤员,同时组建了一、二、三级医疗卫生救援梯队,随时待命。四川省民政厅紧急调拨1500顶帐篷发往灾区。

成都军区在第一时间出动6100余名官兵和4架直升机赶赴灾区,驻灾区民兵预备役部队和军区总医院医疗分队也紧急投入抗震救灾。驻四川、重庆的武警部队也启动了紧急救援预案,调拨下发救援物资。5000多名官兵在受灾严重地区展开了救援。当地森林、交通部队也准备了帐篷、药品等物资,随时准备投入救援。

四川省绵阳市迅速成立抗震救灾应急指挥部,市级机关、各县市区机关干部全部投入抗震救灾工作,各级领导干部坚持在抗灾第一线组织指挥。绵阳市县50000多名党员按照指挥部分工,奔赴抗震救灾第一线,担负起了道路抢修、物资供应、医疗救助、维护稳定等工作,为抢救灾民的生命安全赢得了宝贵的时间。涪城区28名县级领导包片昼夜巡查灾情,20000多名党员和11000多名团员迅速分赴抗震一线。他们还组织了两个由机关干部和民兵应急分队组成的救援小组分赴灾情严重的北川县、平武县帮助抗震救灾,并派出两支疾病防控队伍深入灾区防控疫情发生。阿坝、德阳、自贡、遂宁等市州紧急动员广大基层党组织奋起抗震救灾,提出要在抗震救灾工作中考察了解党员干部。达州市迅速成立综合协调组、信息联络组、维稳处突组、舆论引导组、应急抢险组展开抗灾工作;市有关部门对全市学校、水库、桥梁、隧道等进行了紧急检测,严防发生次生灾情;市和区、县医院迅速将1000多名患者安全转移,卫生部门派出医疗队伍分布在城区各个人群聚集区,随时为患者提供医疗救治。眉山市委、市政府在地震发生后15分钟内即成立抗震救灾指挥部,市领导通宵工作,现场研究解决具体问题。全市迅速组建了400多个共产党员服务队,安全转移群众30000余人,及时救助伤员1200多人。成都市金堂县委组织部发挥自身职能,主动采取措施号召广大党员奋不顾身投入救灾工作,发挥好先锋模范作用。他们还把机关干部分成三个工作小组,奔赴各乡镇了解情况,指导群众抗灾自救,慰问基层党员干部。同时加强办公室值守,保持政令和信息畅通。

面对突如其来的特大地震灾害,四川全省各级领导干部坚定地站在第一线,身先士卒、靠前指挥,在关键时刻成为带领群众抗震救灾的"主心骨"。雅安市委书记徐孟加在震后立即号召全市广大共产党员挺身而出、冲锋在前,以坚强的党性、崇高的品质、无私无畏的精神,成为群众抗震和救灾工作的先锋和旗帜。他自己则连夜赶往最远的灾区指导抗震救灾。名山县电信公司党支部书记、总经理张华峰强震发生时正在县城电信营业厅,他迅速组织工作人员有序疏散,等所有人都安全撤离后,他才最后一个离开大楼。强震结束后,为恢复全县几近瘫痪的通信,他冒着余震不断的危险,立即带着技术人员赶到设备室检修设备,修复通信信号。

绵阳市在北川、江油发生重灾后,决定组织救灾突击队赴一线抗震救灾,命令发出后仅仅两个小时,就有600多名年富力强的党员干部报名参加。成都市武侯区100多个党员志愿服务队在震后立即赴社区逐家逐户救助群众,并为群众搭建临时帐篷,还组织民兵奔赴汶川、都江堰两地支持救灾工作。

灾害发生后,四川省教育系统紧急行动,迅速投入抗震救灾工作,全力保障师生生命安全。四川省教育厅连夜派出工作组赶赴灾区学校,实地指导学校启动应急机制,做好抢险救灾及自救互救工作。同时,协调成都中医药大学和成都医学院抽调精干力量组成巡回医疗小组展开伤员救治工作。针对都江堰市的四川工商职业技术学院、东软信息技术职业学院、四川水利职业技术学院三所普通高校遭受严重人员和财产损失,面临食品和饮用水短缺问题,省教育厅迅速指示西南财经大学、西南交通大学、四川师范大学对口支援三所受灾学校,连夜送达食品和饮用水。四川大学迅速启动应急预案,各级党政领导奋战在一线,灾害发生后及时将学生和教职工撤离到空旷安全地带,组织附属医院妥善安置和救治病员。化学学院、实验大楼教职工迅速妥善处理各类化学试剂等,努力确保化学物品安全。同时,利用校广播站、校园网等媒体及时播报震情及抗震措施,加强舆论引导,消除师生恐慌情绪。开放所有公用平房、教学楼、会议室等,供学生避雨休息,并为外国留学生、外籍教师搭建帐篷,提供食物。学校还紧急调集了80000人的食品,用专车接回正在实习的学生,慰问了全校孤寡老人等。加强学校安全保卫工作,派出两部110警车不间断地巡逻。华西医院第一时间派出由医务人员和6辆救护车组成的救护队,开赴汶川灾区;同时派出30人组成抢险队开赴灾区。电子科技大学、康定民族师范高等专科学校第一时间启动应急预案,成立专门领导小组,学校各级党政领导坚守在工作第一线,带领师生积极应对灾害,保证各项工作正常运转。四川电大、成都电大迅速采取防控措施,安全疏散人员,指定专人值班,加强巡查,做好人群集中区域的秩序维持工作。同时组织专门人员检查鉴定建筑物和基础设施受损情况,积极制定维修方案。

在北川羌族自治县桂溪乡各村都组

建了村民义务服务队,由党员带队,负责集中安置点的政策宣传、食品供应和安全卫生等工作。各村还组建夜间巡逻队,做好防震、防盗、防火工作,有效保证了安置点的安全稳定和群众的正常生活生产秩序。桂溪乡政府对返乡的灾民逐一登记,建立了生活品发放登记制度。每一顶帐篷都确定一名负责人领取食物,发放到人。同时,集中安置点加强了卫生防疫工作,每天两次消毒,确保环境卫生,避免传染病的发生。

"受灾后要靠政府,更要依靠自己,才能度过艰难时刻。"返乡生产自救的树坪村四队的苏奎说:"一个人绊倒了要爬起来,在有人扶你的时候,你也要用力支撑。我们返乡重新生活,要自救。啥事都靠政府是不行的,要变被动为主动,要自己去克服困难、去努力。"在道路被破坏的情况下,灾区广大干部群众立足自救,谱写了感天动地的抗灾新篇章,体现了灾区人民不屈不挠、不等不靠、立志重建家园的精神。

四

国际社会的援助

汶川发生地震后,一些外国政府和领导人、国际组织负责人、外国政党、社会团体负责人纷纷向我国致函、致电、发表声明或通过其他方式对地震遇难者表示哀悼,向遇难者家属和受伤人员表示慰问。一些国家、国际组织或个人也通过各种方式就四川地震灾害向中方表示慰问,并提供救灾援助,支持中国政府和人民的抗震救灾工作。

5月12日晚,日本首相福田康夫通过日本驻中国大使馆致电胡锦涛、温家宝,向地震灾区表示慰问,并表示尽力提供所需援助。美国总统布什12日发表声明,向中国地震遇难者表示哀悼,向遇难者家属和受伤人员表示慰问,向中国人民表示同情,并准备随时向中国提供帮助。德国总理默克尔、副总理兼外长施泰因迈尔,斯洛文尼亚总理扬沙,以及联合国秘书长潘基文等纷纷向我国表示慰问。

各国纷纷向我国提供包括资金、物资、人员和装备等各方面的援助,给予我国抗震救灾工作和灾区群众以大力支援。根据有关方面的情况通报和民政部的不完全统计,地震发生仅仅二十多天,至2008年6月4日12时,国际社会已向我国地震灾区提供现金援助约35.55亿元人民币、捐赠物资价值约11.54亿元人民币,已运抵四川和甘肃地震灾区的物资有258批次,价值约3.88亿元。一些国家和国际组织援助物资只标明物资的名称、数量,没有标明价值。有94个国家政府向我国提供了资金或物资援助,提供捐款约11亿元人民币;各种援助物资价值5.766亿元人民币。有16个国际组织向我国提供了资金和物资援助,提供捐款约3.4474亿元人民币,部分资金将以合作项目的方式开展;援助物资约1.96亿元人民币。来自外国的个人、民间组织及华人华侨的捐款总额约21.1026亿元,捐赠物资价值3.814亿元,已运抵灾区的物资折价1.63亿元。^②此后,还有一些国家和国际组织不断为我国提供资金或物资援助,截至2009年5月,共有170多个国家和地区、20多

① 《川北灾区农民不等不靠建家园》,《人民日报》第10版,2008年5月25日。
② 《国际社会对我地震灾区援助情况概况》,http://fujian. mca. gov. cn/article/mzyw/200810/20081000020997.html。

个国际组织通过各种途径向中国提供了44亿多元人民币以及大批救灾物资。[1]

俄罗斯、日本、韩国、新加坡还派出了专业救援队伍,参与地震灾区的紧急救援工作。由60人组成的日本救援队是汶川大地震后第一支抵达灾区现场的外国救援队,也是新中国历史上参与现场救助的第一支国际救援队;俄罗斯救援队在四川都江堰市救出一名被困127小时的61岁的女性幸存者;韩国救援队的40多名队员由消防、救助、医疗等专业人员组成;新加坡救援队在四川省什邡市地震灾害最严重的红白镇进行搜救,具有丰富的救援专业经验。

来自英国、日本、俄罗斯、意大利、法国、古巴、印度尼西亚、巴基斯坦政府和德国红十字会的9支医疗队共223名医疗技术人员参与了灾区的伤员救治工作,这些医疗队共接治各类地震伤员6400多人,执行各类手术386次。同时,各医疗队还将携带的大量医疗器械、物资和药品捐赠给了地震灾区。俄罗斯医疗队是第一支抵达灾区的外国医疗队,他们中的大多数队员都参加过印度洋海啸等国际医疗救助任务,经验十分丰富,医疗队还带来了B超、心电图仪、X光机等灾区急需的医疗器材和7吨药品。

在重灾区四川省北川县,美国、英国和墨西哥等国家的16名志愿者立即投入救援活动。来自日本的ALOS、意大利的COSMO—SkyMed、美国的LandSat等多颗卫星向中国提供了灾区遥感影像。国际社会的援助有力地支援了中国人民的抗震救灾和灾后重建,充分体现了崇高的

人道主义精神和对中国人民的真挚情谊。[2]

此次国际社会援助我国四川地震灾区的主要特点是:援助国家和国际组织多,这些国家和国际组织通过各种方式向我国提供了资金或物资援助;援助款物数量大,国际社会除了及时援助大笔救灾资金外,还提供了大量救援物资;援助速度快,灾害发生之后,国际社会根据灾区需求,提供了大量生活物资、药品、设备及多批救援人员。部分救援物资和人员采取包机、专车等方式,直接运抵灾区。我国政府立即建立了国际援助物资运送机制和人员快速通关机制,保障了大批救援人员和物资及时通关和到达灾区。[3]

汶川地震发生后,中国在自力更生的基础上主动接受国际社会的援助,特别是让来自其他国家和地区富有抢险救灾经验的专家组进入灾区实施救助,这在很大程度上降低了灾难所带来的损失,这种开放的态度展示了中国政府的自信、理性和以人为本。

五

灾后重建

汶川大地震仅仅过了百天,国务院就迅速通过了《汶川地震灾后恢复重建总体规划》,计划用三年时间全面完成重灾区的恢复重建,使广大灾区基本生活条件和经济社会发展水平达到或超过灾前水平。在2009年5月12日纪念四川汶川特大地

---

① 《中国的减灾行动》,《经济日报》第7版,2009年5月12日。

② 同上。

③ 《民政部出席发布会介绍四川汶川大地震后接受国际援助情况》,民政部网站,http://www.mca.gov.cn/article/zwgk/mzyw/200806/20080600016104.shtml

震一周年活动中,胡锦涛指出,要全面落实中央关于灾后恢复重建的方针政策和工作部署,加大力度,加快速度,力争用两年时间基本完成原定三年的目标任务。① 截至2009年4月30日,汶川地震全国共接受国内外捐款659.96亿元,捐赠物资折合人民币107.16亿元,捐款将按照国家灾后重建规划和国务院有关部门与受灾省份制定的捐款使用原则进行统筹安排,尽可能发挥善款的社会效益,重点是解决民生问题,主要用于居民住房、中小学校、县乡两级医疗卫生机构、社会福利、文化等公共服务设施及配套设备等民生项目重建。②

"5·12"汶川特大地震造成四川全省农村347.6万户农房受损、1200万人无家可归,需重建的永久性住房达126.3万户,需维修加固的农房221.3万户;城镇住房有31.4万套需重建,141.8万套需维修加固。③ 党中央高度重视灾后重建工作,并把住房建设作为灾后恢复重建的重中之重。在党中央和全国人民的支援下,四川省全省人民仅用不到3个月的时间就解决了上千万受灾群众过渡房安置问题。截至2008年年底,中央财政累计下拨汶川地震灾区自然灾害生活救助资金417.94亿元,救助受灾困难群众922.44万人。④

对于灾区的教育工作,党中央也十分重视。2008年6月12日,四川重灾县(市、区)已有超过72%的灾区学校恢复上课;8月12日,四川重灾县(市、区)93%的灾区学校恢复上课;到9月1日,100%的灾区学校实现复课,500多万名地震灾区的中小学生全部返回课堂。据四川省教育厅发布的统计数据显示,全省纳入国家规划的39个重灾县(市、区)共有3340所学校需恢复重建,截至2009年5月4日,已开工建设学校2448所,占需恢复重建总数的73.3%,其中全面竣工286所。到2009年年底,95%的学生都会回到永久性校舍学习,到2010年春季开学时,除极少数异地选址的学校外,所有灾区学生将告别板房进入永久性建筑学习。⑤

无情的自然灾害给灾区人民的生命、财产带来了巨大的损失,但是惨痛的经历也见证了中华民族的英勇和顽强,历炼了珍贵而崇高的民族精神。汶川特大地震的抗震抢险,是我国历史上救援速度最快、动员范围最广、投入力量最大的抗震救灾斗争。国际舆论对中国政府的抗震救灾工作给予了积极评价,赞扬中国政府及领导人对灾情作出了迅速反应并全力组织有序有效的救援,信息报道公开透明,并称"中国迅速应对震灾赢得世界赞誉"⑥。新加坡《联合早报》称:四川大地震再次使中国成为世界关注的焦点,世界在关切中国,中国在感动整个世界。感动世界的不是地震本身,而是中国人在面临灾难时所显现的民族精神。⑦

"5·12"汶川大地震这场空前惨烈的自然灾难,使中华民族遭受了巨大的人

① 《中国社会科学院报》第1版,2009年5月14日。

② 《抗震救灾捐赠款物重点用于民生项目》,《经济日报》第2版,2009年5月12日。

③ 《住上新房子 过上好日子》,《人民日报》第1版,2009年5月11日。

④ 《永远和人民血肉相连》,《光明日报》第1版,2009年5月11日。

⑤ 《一切为了孩子》,《人民日报》第2版,2009年5月9日。

⑥ 《美国主流媒体密切关注中国灾情 积极评价救灾》,中国新闻网,http://www.chinanews.com.cn/gj/bm/news/2008/05-16/1251830.html。

⑦ 《〈联合早报〉:中国民族精神再现于危急时刻》,人民网,http://world.people.com.cn/GB/7271605.html。

员、物质和财产损失,而抗震救灾斗争却为我们留下了一笔弥足珍贵的精神财产。胡锦涛指出:"在同特大地震灾害的艰苦搏斗中,我们的民族和人民展示出了十分崇高的精神。这就是万众一心、众志成城,不畏艰险、百折不挠,以人为本、尊重科学的伟大的抗震救灾精神。"这种精神作为中华民族精神的重要组成部分将流传青史、永放光芒。在抗震救灾中,以爱国主义为核心的民族精神同以改革创新为核心的时代精神相结合,把全国人民紧紧地连在一起:中央领导赶赴一线,果断决策,总体指挥,各级党组织和广大党员冲锋在前,人民子弟兵和白衣天使舍生忘死进行救助,祖国各地的人无私援助、捐款捐物,不分民族地域心手相连,充分体现了社会主义大家庭的温暖与和谐,诠释了社会主义制度的优越性。在抗震救灾斗争中,"灾情就是命令、时间就是生命","一线希望、百倍努力",规模空前的生命大营救,历经险阻的千里驰援,处处涌动的爱心大奉献、共克时艰的社会主义大协作,深刻地体现了以人为本的理念。

抗震救灾斗争的胜利向世人充分展示了新中国成立以来尤其是改革开放以来我们积累的强大的物质基础,展示了我们党的坚强领导核心作用和社会主义制度的优越性,展示了中华民族的凝聚力和向心力。截至 2009 年 5 月,中共中央组织部共收到全国 4556 万名党员自愿缴纳的"特殊党费"共 97.3 亿元,这些党费将全部用于支援四川、甘肃、陕西、重庆、云南五个省市的灾后重建工作。① 这种自觉行动不仅有力地支援了抗震救灾和恢复重建,也充分显示了党的号召力和凝聚力,体现了党的先进性,在党内外产生了广泛而积极的影响。

巨大的灾害没有击垮灾区人民对生活的信念。安置受灾群众、恢复重建同步迅速展开。灾区人民临危不乱、守望相助、苦干实干、不等不靠,用自己的双手和劳动积极开展自救,书写了自强不息、重建美好家园的动人篇章。在抗震救灾和灾后恢复重建中,举国上下同心协力,海内外同胞和衷共济,充分展现了中华民族团结奋斗的民族品格和风雨同舟的强大力量。

中国成功举办第 29 届奥运会

一

筹办 2008 年奥运会

1. 北京市申办第 29 届奥运会获得成功

自 1979 年中国正式恢复在国际奥委会的合法席位以后,以 1984 年中国第一次组团参加洛杉矶夏季奥运会为标志,中国人民对于奥林匹克运动的理念、宗旨有了全新的共识。1991 年 2 月底,中国政府正式批准了关于北京承办 2000 年第 27 届奥运会的报告,并于 5 月 13 日成立了北京 2000 年奥运会申办委员会。1993 年 9 月 23 日举行的蒙特卡洛国际奥委会第 101

---

① 《97.3 亿元"特殊党费"全部用于灾区重建》,《人民日报》第 1 版,2009 年 5 月 10 日。

次全会上,前 3 轮投票中一路领先的北京在第 4 轮投票中以 43∶45 的 2 票之差败给悉尼。

1998 年 11 月,中国政府决定再次申办 2008 年奥运会。1999 年 4 月 7 日,北京市正式递交了北京承办 2008 年第 29 届奥运会的申请书。经过近三年的艰苦、细致的工作,2001 年 7 月 13 日,在莫斯科举行的国际奥林匹克委员会第 112 次全体会议上,北京在第二轮投票表决中,以过半数的绝对优势一举赢得 2008 年夏季奥运会的举办权。北京的第二次申办终于取得了成功。

2.《申办报告》中提出绿色奥运、科技奥运、人文奥运理念

(1)绿色奥运

现代奥运会倡导人与人之间的和平、友谊,提倡人与自然、人与社会的和谐。1999 年 10 月国际奥委会通过的《奥林匹克 21 世纪议程》的核心就是利用奥林匹克的广泛性,促进举办奥运城市的可持续发展。"保护环境"既符合奥林匹克运动发展趋势,也是北京保护古都风貌和建设现代化大都市的既定方针,因而北京将其作为申奥的第一主题,提出了"绿色奥运"理念。

所谓"绿色奥运",就是要把环境保护作为奥运设施规划和建设的首要条件,制定严格的生态环境标准和系统的保障制度;广泛采用环保技术和手段,大规模、全方位地推进环境治理、城乡绿化美化和环保产业发展;增强社会的环保意识,鼓励公众自觉选择绿色消费,积极参与各项改善生态环境的活动,大幅度提高首都环境质量,建设宜居城市。

(2)科技奥运

20 世纪 80 年代以来,奥运会的主办城市均将最先进的科学技术广泛应用在场馆设施、体育器材、计时计分、信息传播、安全保障、组织管理等方面,使得奥运会办得更加高效、方便、快捷、安全、准确。我们提出的"科技奥运"理念的核心是"以科技助奥运,以奥运促科技",即以奥运科技需求为导向,集成全国科技资源,将现代科技成果多角度、多渠道地应用于奥运会,为 2008 年奥运会的成功举办提供安全、可靠和先进的技术保障;同时,以奥运为契机,提高北京乃至全国的科技创新能力,实现科技的跨越式发展。

(3)人文奥运

奥运会既是体育的盛会,又是文化的盛会。以人为本,传播奥林匹克文化,促进多元文化的交流,成为评价奥运会成功与否的重要条件。北京是东方文化古都,奥运源自希腊、罗马文化。在北京举办奥运会体现新世纪东西方文化的融会与互相推动,有助于加深中国与世界的相互了解。因而,北京奥运会将"人文奥运"作为核心目标。

3."同一个世界 同一个梦想"

奥运会主题口号经过近半年的征集、筛选、研究、酝酿,终于在 2005 年 6 月 26 日公布。其间,北京奥组委共收到来自世界各地的应征口号 21 万余条,经过 3 次筛选,提出了 10 条备选口号。此后,北京奥组委又多次组织各方专家进行反复论证、研究,精心修改和润色,最后提出了"同一个世界 同一个梦想";"One world, One dream"。这一近乎完美的口号不但得到了广大中国人民的喜爱,亦得到了国际奥委会专家的肯定和赞美。

4.场馆建设

北京奥运会共使用 37 个比赛场馆和 45 个独立训练场馆以及国家会议中心等 5 个奥运相关的设施。37 个比赛场馆中在京 31 个,其余 6 个分别为青岛的帆船赛

场,香港特别行政区的马术赛场,以及天津、上海、沈阳、秦皇岛4个城市的足球赛场。

京外6个场馆中有3个是新建设场馆,即秦皇岛、青岛、天津的体育场。香港、上海、沈阳3个城市的体育场馆为改建场馆。

在北京的31个场馆中,新建12个,改造11个,另有8个临时场馆。北京的奥运场馆采取了集中与分散相结合的总体规划布局方式,即呈现出"一个中心加三个区域"的分布格局——奥林匹克中心区、位于海淀的大学区、西二环以外的西部社区和北部风景区。这一分布状况既体现出北京特色,也有利于奥运会期间的使用和赛后城市对体育设施布局的进一步改进和完善。因此,在场馆建设过程中充分考虑到赛后利用的因素,将1/5的场馆建在了大学,其中4所为新建场馆,2所为改扩建场馆,这些场馆赛后即成为各大学的体育教学场所,有效提高了场馆的利用率。奥运期间承担比赛项目并从中获益的6所大学有中国农业大学、北京工业大学、北京大学、北京科技大学、北京理工大学和北京航空航天大学。

举办奥运会篮球比赛的五棵松体育馆将结束北京西部居民没有大型体育场所的历史,它和五棵松棒球场等文化体育设施以及作为公共服务的配套商业设施,将成为满足北京市西部社区居民商业、文化、体育、休闲需要的重要场所。

在北京的新建场馆中,最引人注目并已成为北京新代表建筑的场馆是国家体育场——"鸟巢"和国家游泳中心——"水立方"。

国家体育场——"鸟巢"位于北京奥林匹克公园中心区南部,为2008年第29届奥林匹克运动会的主体育场。工程总占地面积21公顷,建筑面积25.8万平方米。场内观众坐席约为91000个,其中临时坐席约11000个。是举行奥运会、残奥会开闭幕式、田径比赛及足球比赛决赛的地方。奥运会后已成为北京市民广泛参与体育活动及享受体育娱乐的大型专业场所,并已成为北京乃至中国的代表性体育建筑。

国家体育场工程为特级体育建筑,主体结构设计使用年限为100年,耐火等级为1级,抗震设防烈度8度,地下工程防水等级1级。工程主体建筑呈空间马鞍椭圆形,南北长333米、东西宽294米,高69米。主体钢结构形成整体的巨型空间马鞍形钢桁架编织式"鸟巢"结构,钢结构总用钢量为4.2万吨,混凝土看台分为上、中、下三层。

"鸟巢"在设计中,突出了"绿色奥运"、"科技奥运"理念,采用了领先的环保科技手段,"鸟巢"背后有一个规模庞大的世界级雨洪综合利用系统在24小时不间断运转,可以将赛场及周边区域的雨水收集、净化后供给场馆使用。整个系统的雨水收集面积达22公顷,年回收利用总量约6.7万立方米,设计日净产水量为2000立方米。遍布于场馆及周边绿地的收集引流系统可以将雨水汇集至6座地下蓄水池中,其最大储水能力高达12000立方米。经净化处理后的"雨水"可用于场馆绿化、赛场用水、空调冷却、道路和汽车清洗,以及洗手间冲洗等,且水质远高于国内中水回用标准。这一雨洪综合利用系统是中国大型公共建筑领域的首个应用案例,"鸟巢"雨洪综合利用工程无疑为国内城市未来的水资源回收利用工作提供了借鉴。

国家游泳中心"水立方"是一座巨大的占地面积近8万平方米的蓝色水晶宫殿

式建筑。位于"鸟巢"西边,白天"水立方"淡蓝色的"外衣"在蓝天白云的映衬下,一片柔和温润,如诗如画;夜晚"水立方"气泡流光溢彩,这座五彩的水晶宫殿更加纯净、柔美,魅力无穷。

这座晶莹剔透的建筑,以巧夺天工的设计、纷繁自由的结构、简洁纯净的造型、环保先进的科技,成为了百年奥运建筑史上的经典,成为了北京乃至世界建筑史上的标志性建筑。"水立方"上所采用的ETFE透明膜是一种新型材料,在国内还是头一次使用。选中这种材料首先是出于经济的考虑,这种膜自重轻,易于安装,且具有良好的伸展性、抗压性,即使出现破损,只要面积在 1 平方厘米之内,均不会对整个气泡造成影响。"水立方"还是一个节能建筑,它上面密布的上亿个镀点的面积、位置,是根据北京近 30 年的气候资料,精密计算后设计的,它们可以按需吸收太阳光,从而实现了冬暖夏凉的设计要求。此外,ETFE 还是一种阻燃性、自熄性材料,它的使用寿命至少有 30 年,它外立面的自然维护可以依靠雨水完成。

"水立方"内部设计亦独具匠心,充分考虑到节能环保因素,其屋顶设有收集雨水的装置,洗浴用水和收集的雨水经处理后可用来冲洗车库、道路、卫生间以及进行室外绿化。"水立方"的另一个突出特点是"舒适",每一处设计都是从"人"的角度出发,"水立方"的各个区域根据不同用途设计了不同的温度,无论是运动员还是观众进入"水立方"都会真切地感受到这一特点。

5."好运北京"系列测试赛

按照国际奥委会要求和北京的申办承诺,在举办奥运会前,赛时正式使用的各场馆都要举办体育赛事,对场馆设施、技术系统、计划方案、运行规范和保障能力等进行测试和检验。测试赛是奥运会筹备过程中的一个关键环节,是计划和运行之间的桥梁,是发现问题和改进计划的有效方式。测试赛的核心目标包括三个方面:检验场馆设施设备功能,尤其是竞赛场地及相关技术系统的功能。培训员工,磨合锻炼场馆运行团队。各业务部门在与赛时近似的环境中测试相应的政策和运行程序。尤其是竞赛和技术,需要在每一个奥运会场馆按照奥运会竞赛方式测试所有与竞赛直接相关的环节。

从 2006 年 8 月至 2008 年 6 月,在奥运场馆陆续举办了 44 项好运北京体育赛事,可划分为四个阶段:第一阶段是 2006 年举办的 2 项测试赛,即第 11 届世界女子垒球锦标赛和好运北京 2006 年青岛国际帆船赛;第二阶段、第三阶段是 2007 年至 2008 年初,两个阶段共进行了 26 项测试赛,其中有 22 项在北京进行,另 4 项分别在秦皇岛、沈阳、青岛和香港进行,2007 年 7—8 月份的好运北京系列赛事是第一次大规模、高密度的测试赛;2007 年 12 月至 2008 年 1 月进行的第三阶段测试赛是继第二阶段大规模测试赛后又一次对场馆运行进行大规模检验;第四阶段是 2008 年 3—6 月份的 16 项测试赛,这些测试赛均在北京举办,这一阶段主要是对所有新竣工的竞赛场馆进行测试,从硬件软件等方面进行了最后的磨合。

在 44 项赛事中还包括两项残奥项目,即 2007 年 9 月的盲人门球和 2008 年 1 月的轮椅篮球。另外,在 2008 年 4、5 月份的田径赛事中安排轮椅竞速和轮椅投掷两个单项、男女共 4 个小项。可以说,这些赛事在运动员残疾类别和比赛组织方面具有一定的代表性。

几个阶段的"好运北京"体育赛事是对筹办工作的"实战"检验,赛事组委会充分调动基础设施、城市管理、宣传文化、生活服务等各方面资源，从场馆设施、交通、安保、市容景观、住宿、餐饮以及水电气热等各方面进行最后的实战测试，找出问题，进一步完善各项工作，从而为成功举办 2008 年奥运会奠定了牢固的基础。

二

成功举办第 29 届奥林匹克运动会

1. 成功举办第 29 届奥运会

（1）精彩绝伦的第 29 届奥运会开幕式

2008 年 8 月 8 日晚 8 时，一道耀眼的光环激活了古老的日晷，日晷将光反射到"鸟巢"场地的缶上，场地中 2008 位武士击缶而歌，扬臂吟诵："有朋自远方来，不亦乐乎"，和着歌声第 29 届奥林匹克运动会拉开了序幕。

在震撼的声响中，由焰火组成的巨大脚印沿着北京的中轴路从前门、天安门、故宫、鼓楼一步步朝国家体育场而来。29 个焰火脚印象征着第 29 届奥运会的历史足迹，也意味着中国追寻奥运之梦的百年跋涉。

开幕式成功地将中国 5000 年历史与现代文明结合起来，文艺表演分为上篇《灿烂文明》和下篇《辉煌时代》两部分，整个演出别具一格。随着一个短片的开始，观众看到一幅跨越时空、意境优美的中国画卷，画面中呈现的是散发着中国古典韵味的文房四宝——笔墨纸砚，在清雅的古琴声中，影像中的画卷神奇地出现在场地中间，这幅长达 70 米的巨大卷轴在人们面前缓缓铺陈开来……竹简、《论语》、活字

印刷术、戏曲、礼乐等等极富中国文化特色的元素被一一展现出来，向全世界讲述着博大厚重、意蕴悠远的中国故事。全世界的朋友都可以领略到优雅的东方神韵，了解悠久的中国文化，感受中国的现代魅力。

共有 110 多位国际贵宾出席了奥运会开幕式，是奥运会历史上出席开幕式的国际贵宾最多的一届。奥运会开幕式的盛况得到了各国媒体的肯定，英国广播公司（BBC）播发的消息说，北京举行了"精美绝伦的奥运会开幕式"；路透社播发的消息表示，"完美的倒计时，精彩的开幕式，充分展示了世界上最古老的文明"；法国《费加罗报》写道："这是一个属于中国的夜晚，温柔如梦境一般。一个富有中国特色的、盛大的开幕式，整场表演游走于艺术与科技、历史与未来之间，时间在此刻凝固，这是欢庆的时刻，这是奥运会的时刻！"美国体育节目解说员科斯塔斯感叹："北京奥运会开幕式超越了所有最高级形容词"……据 2009 年 5 月一权威机构调查报告显示，2008 年北京奥运会的开幕式是人类历史上观看人数最多的直播节目，首次吸引了全世界"真正 10 亿"电视观众。[①]

历经 7 年的精心筹备，中国向世界奉献了一个共叙友情、同享和平的盛大庆典。

（2）第 29 届奥运会盛况

第 29 届奥运会是奥运会历史中规模最大的一届，无论是参赛国家还是参赛人数都是最多的一届，共有 204 个国家和地区的奥委会派代表团参加比赛。北京与其他 6 个协办城市为 16000 多名运动员提

---

① 发布报告的主管人员称：报告是从全球 85％的电视观众家庭收集数据的，这一数字只考虑在家里收看节目的观众，不包括在公共场所观看的人，参见《北京奥运开幕式创全球收视纪录》，《参考消息》，2009 年 5 月 11 日。

供了最为出色的竞技平台,在短短的 16 天中圆满地完成了 28 个大项、38 个分项、262 个小项的 1800 多场比赛,而且场场精彩。

此外,在新闻宣传规模上也是历届奥运会上最大的一次。共有 26298 名注册记者和 5980 名非注册记者前来报道奥运会,200 多个国家和地区进行了 5000 小时的报道和转播,转播规模是雅典奥运会的 3 倍,全球共有 47 亿人次收看收听了北京奥运会的转播。①

本届奥运会的中国体育代表团由 1099 人组成,国家体育总局局长刘鹏为团长。代表团中运动员人数为 639 人,规模超出历史上各届代表团,其中 469 位选手为首次参加奥运会,运动员的平均年龄为 22.4 岁。中国代表团参加了全部 28 个大项、38 个分项的比赛。

运动员们在这届奥运会上取得了令世界瞩目的成绩,共打破世界纪录 38 项②、奥运会纪录 85 项,创造了奥运史上的新纪录。302 块金牌被 55 个国家和地区分享,87 个国家和地区获得了奖牌,金牌和奖牌分布面最广。印度选手阿比纳夫·宾德拉在男子 10 米气步枪比赛中获得金牌,使已参加奥运会 88 年的印度终于在个人项目上获得了首枚奥运金牌;新加坡女子乒乓球队夺得团体银牌,结束了新加坡 48 年的奥运"奖牌荒"。此外,蒙古、阿塞拜疆、巴林、巴拿马等都在北京奥运会上获得了他们的第一枚奥运金牌。

牙买加选手尤塞恩·博尔特在本届奥运会径赛中独得三枚金牌,即以 9 秒 69 的成绩打破了他本人保持的男子 100 米的

奥运会纪录和世界纪录,这是牙买加人首次摘得奥运会百米飞人大战的冠军;在 200 米决赛中,博尔特又以 19 秒 30 的成绩夺得金牌,打破了由美国田径选手迈克尔·约翰逊已保持 12 年的 19 秒 32 的世界纪录,成为同时获得 100 米和 200 米冠军的选手;其后有博尔特参加的牙买加队在男子 4×100 米决赛中以 37 秒 10 的成绩再夺金牌,并打破了该项目的世界纪录。

在田赛赛事的比赛中,俄罗斯运动员叶连娜·伊辛巴耶娃将其本人保持的世界纪录再次打破,并卫冕该项目的冠军,这是伊辛巴耶娃第 24 次刷新该项目的世界纪录,伊辛巴耶娃也成为第一个蝉联奥运会撑竿跳项目桂冠的运动员。

在游泳比赛中,美国选手菲尔普斯获得 100 米蝶泳、200 米蝶泳、200 米混合泳、200 米自由泳、400 米混合泳、4×100 米混合泳接力、4×100 米自由泳接力、4×200 米自由泳接力共 8 枚金牌,并 7 次打破了世界纪录,成为本届奥运会上获得金牌最多的运动员。至此,菲尔普斯累计已获得了 14 块奥运金牌,他因此亦成为历史上获得奥运金牌最多的运动员。③

女子 800 米自由泳纪录是现存"最古老"的游泳世界纪录,于 1989 年创造,在本届奥运会上被英国选手丽贝卡·阿德林顿以 8 分 14 秒 10 的成绩改写。

中国代表团在本届奥运会上亦取得了骄人的战绩。中国队在参加的 25 个大项中共获奖牌 100 枚,在 16 个大项上(上届为 14 项)获得 51 枚金牌,其中在蹦床、

①　《奥运会成功是中国人民的伟大胜利——访北京奥组委主席刘淇》,《人民日报》,2008 年 9 月 20 日。
②　亚特兰大奥运会破世界纪录 24 项、悉尼奥运会创 34 项、雅典奥运会刷新 29 项,因此,北京奥运会的创纪录 38 项成为奥运会历史上之最。
③　个人夺得金牌数最多的纪录为 9 枚,由芬兰田径运动员在 1928 年创造。

射箭、赛艇、帆船、拳击等项目上我国第一次加入金牌团队，夺金面和夺牌面均是所有国家中最多、最广的。

在传统优势项目上，中国队的强势全部得到了巩固和强化。我国在体操、举重、跳水、射击、乒乓球、羽毛球和柔道这7个传统优势项目上共新增金牌16枚，这是中国金牌登顶的主要推力。此外，有6个大项实现金牌"零"的突破，小项突破点有63个，其中21项获得金牌，11项获得奖牌。为了表彰中国代表团在北京奥运会上取得的优异成绩，中国代表团获得了2009年的劳伦斯体育奖的最佳团队奖①殊荣。

中国运动员在本届奥运会上，不畏强手，顽强拼搏的精神亦给人们留下了深刻的印象。如杜丽在未能夺取首金的情况下，经历了三天战胜自我的艰难过程，终于在女子50米步枪3×20项目上捍卫了荣誉。女子举重运动员刘春红在比赛中并不满足于金牌，不断冲击顶峰，5创世界纪录，可谓本届奥运会之经典。女子柔道运动员佟文在比分落后的情况下不急不躁，耐心寻找战机，在最后15秒内上演了"一本"好戏，登上了荣誉殿堂，延续了这一级别的优势。杨威为夺取个人全能金牌已艰苦准备了八年，终于成为当之无愧的"全能王"……正是数代中国体育人团结一致、不懈追求的努力造就了今天的辉煌。

在取得成绩的同时我们也应看到，由于优势项目的潜力挖掘已接近极限，而在奥运会核心大项的田径、游泳、水上项目以及三大球等项目上，我国与世界强队相比仍然存在着明显差距，因此，"北京大捷"在今后的一段时期内，将是一个标志性的顶峰。

（3）第29届奥运会闭幕式

经过16天紧张激烈的比赛，8月24日晚8时整，北京奥运会闭幕式正式开始。国家体育场上空首先用焰火打出寓意第29届奥运会的29来进行倒计时，同时在"鸟巢"大屏幕上出现了本届奥运会的花絮镜头。当倒计时至零秒时，"鸟巢"棚顶一圈焰火瞬间喷发，在空中形成一个巨大的圆。

闭幕式的文艺演出以相聚、记忆为主题。在悠扬的乐曲声中，记录北京奥运会一个个难忘瞬间的画卷，在体育场上方的展示屏上依次打开，然后慢慢卷起。8月8日、8月9日、8月10日……当8月24日的画面被卷起，北京奥运会主题歌《我和你》的动人歌声再次响起，熊熊燃烧了16天的奥运圣火渐渐熄灭。同一时刻，北京市的18个区县燃放起绚丽的焰火。天安门广场上空，一朵朵绽放的礼花汇聚成耀眼璀璨的巨圆，象征着北京奥运会圆满成功。

北京为奥运会所付出的努力得到了国际奥委会官员和各国媒体的肯定。国际奥委会主席雅克·罗格说：北京奥运会是"真正的无以伦比的体育盛会"。"在这样美丽的国家，有如此出色的人民"，"你们的付出造就了一届世界级的体育盛事，

---

① 劳伦斯奖由戴姆勒克莱斯勒和里希蒙两家大公司创办。一年一度的劳伦斯世界体育大奖是唯一全球性的体育颁奖仪式。首先是由来自世界上75个国家和地区的400名资深体育记者组成的评选团为每个奖项提名5位个人或者团体作为候选人。然后再由劳伦斯体育学院41名成员投票选出最后的获奖者。选票由独立的核算单位普华公司计数，然后由劳伦斯世界体育学会选出得主。体育学院是由各体育项目中最杰出的并已退役的明星运动员组成，每名成员的背后都有一串辉煌的历史性成绩，这大大增加了劳伦斯奖的分量。前中国乒乓球名将邓亚萍现在就是体育学院的成员。

你们的热情好客向世界证明了中国能够为体育、友谊和奥林匹克精神作出贡献。"①国际奥委会终身名誉主席萨马兰奇表示,"这是有史以来最好的一届奥运会,所有的中国人民都积极地参与了进来"。美国哥伦比亚广播公司在闭幕式文字中直接赞叹:北京奥运会的唯一"不足"是今后的奥运会开幕式、闭幕式和这一次相比都会相形见绌。美国全国广播公司记者在自己的博客中说,离开中国和北京让记者非常难过,他非常荣幸能一起经历一场真正与众不同的奥运会。② 北京奥运会以其伟大的成功向世界人民奉献了一份厚礼,既圆了中华民族百年之梦,也实现了"同一个世界,同一个梦想"的理想。

2."两个奥运,同样精彩"——成功举办第 13 届残奥会

在《申办报告》中,北京奥运会组委会提出将承办第 29 届夏季奥运会和第 13 届残疾人奥运会。中国在赢得了第 29 届奥运会的主办权后,北京奥组委就成为了第一个同时承办两个奥运会的组委会,在此后的筹备工作中,北京奥组委以"两个奥运,同样精彩"为目标,成功举办了第 13 届残奥会。

2008 年 9 月 6 日晚 8 时,第 13 届残奥会的圣火在国家体育场点燃。参加开闭幕式文艺演出的演员大部分是残疾人,他们以饱满的精神、精湛的技艺呈现出两场优美、感人的文艺表演。尤其是在 2008 年 5 月 12 日的汶川地震中失去左腿的 12 岁芭蕾女孩李月坐在轮椅上的表演感动

了所有人,灾害并不能夺走孩子美丽的梦想。中国残疾人艺术团的 100 名聋人舞蹈家,用他们的双手成全了小李月的梦想。李月说:"我将来还要当舞蹈家,我不会放弃这个梦想。"另一个感人的画面是迄今为止最大型的聋人舞蹈——《星星你好》,舞蹈是由来自全国各地的 320 名听障姑娘,在场地四周的 49 名手语教师的带领下,用手语和肢体语言演绎了一段浪漫的故事:"今夜的星星比任何时候都要多,我在星光下显得格外美丽……"这一幕《星星你好》留给了很多人无法磨灭的震撼。

第 13 届残奥会共有 147 个国家和地区的 4000 多名运动员参加 20 个大项的比赛,除了设在青岛的帆船赛场和香港的马术赛场两个分赛场外,其他赛场均设在北京。在 9 月 7 日到 17 日的 11 天比赛中,运动员们共刷新了 279 项残疾人世界纪录和 339 项残奥会纪录。③ 本届残奥会也吸引了世界的目光,有 48 位国际贵宾出席了残奥会的开、闭幕式,有 6626 名记者报道了本届残奥会,电视转播时间达到了 1000 多个小时,这些都创造了残奥会历史之最。

第 13 届残奥会的中国体育代表团共由 332 名运动员组成④,他们参加了全部 20 个大项的比赛,共获得金牌 89 枚、银牌 70 枚、铜牌 52 枚,奖牌总数达到 211 枚,位列金牌榜、奖牌榜第一。英国和美国分别以 42 金、29 银、31 铜和 36 金、35 银、28 铜的成绩分列第二、第三名。中国香港代表团取得了 5 金、3 银、3 铜的好成绩,而中

---

① 《雅克·罗格:感谢你,中国》,《人民日报》,2008 年 8 月 25 日。
② 《"这是最成功的一届奥运会"——北京奥运会闭幕之际收获世界舆论的赞誉》,《人民日报》,2008 年 8 月 25 日。
③ 《奥运会成功是中国人民的伟大胜利——访北京奥组委主席刘淇》,《人民日报》,2008 年 9 月 20 日。
④ 中国代表团的 332 名运动员全部是业余选手,他们是经过多次选拔赛进入中国残奥代表团的,进入代表团后,又进行了相对集中的训练。残奥会后他们仍将返回各自的工作、学习岗位。

华台北代表团也有 1 金 1 铜入账。

中国代表团在田径、游泳、乒乓球、举重等传统优势项目上仍继续保持领先，共获得了 72 枚金牌；在赛艇、盲人门球、竞速轮椅等项目上实现了首次夺金；在集体项目上也取得了重大突破，盲人足球队获得五人制足球项目亚军[①]；坐式排球女队五战全胜，成功卫冕；坐式排球男队也打出了历史最好成绩。

热情友好的中国观众亦给残奥会运动员留下了深刻的印象，被称为"刀锋战士"的南非选手奥斯卡·皮斯托瑞斯，在本届残奥会上拿到了男子 T44 级别的 100 米、200 米和 400 米 3 块金牌。当他站在"鸟巢"的红色跑道上时，全场的几万名观众几乎都站起来为他鼓掌，赛后皮斯托瑞斯说："非常多的人为我鼓掌，我觉得运动员就是为这些人存在的"，"有几万名观众为你喝彩，你很难表现不出色"。瑞典轮椅篮球队、伊朗七人制（脑瘫）足球队等都曾在赛场上打出"谢谢中国"的标语，伊朗足球队队员说："这个条幅主要表达了我们对中国的感情，因为中国人民在这几天的比赛中对我们太热情了。"

正是在北京奥组委的精心组织下，在全国人民的积极参与下，第 13 届残奥会得以完美呈现，北京的表现深深感动了世界，世界由衷地感谢中国。

国际残奥委会主席菲利普·克雷文对北京残奥会的筹备、组织工作给予了高度评价，他在残奥会结束后的新闻发布会上说："本届残奥会非常精彩，非常成功"，"我们能看到关于北京残奥会的大量报道，以前没有做到的，北京做到了"。"我们希望世界上所有国家在残疾人事业发展方面能够以中国为榜样。"[②]他表示，两个奥运，同样精彩，为此"我也想感谢中国政府、北京市政府、北京奥组委以及残奥会的三个赛区的所有有关人员，感谢你们"。

第 29 届奥运会的丰富遗产

奥运会闭幕后国际奥委会主席雅克·罗格在接受人民网采访时说："北京奥运会将留下不少精彩的遗产：促进了北京公共基础设施的发展和环境保护工作；让中国的年青一代变得更加自信；中国的体育事业得到更加积极的发展；国际社会对中国的认同不断增加，等等。"罗格的这一总结简练地道出了奥运会留给我们的丰富遗产。

1. 促进了北京公共基础设施的发展和环境保护工作

（1）促进了北京公共基础设施的发展。

为了举办奥运会，北京加大了对公共交通的财政投资力度，加快轨道交通建设，进一步优化交通线路。北京从 1965 年到 2001 年的 36 年间，仅建设了 42 千米的地铁，地铁总里程只有 54 千米。到 2008 年奥运会前，北京用短短的 7 年时间即建成并投入使用了地铁 13 号线、八通线、5 号线、10 号线、奥运专线和机场专线等轨道交通线路，使北京的轨道交通总里程达到了 200 千米，轨道交通已形成了贯通南北、东西的交通网络。与此同时，北京还加强了地上公共交通网络的建设，使公共

---

① 本届残奥会足球只设男子项目。
② 《克雷文：北京残奥会精彩成功　世界应以中国为榜样》，详见北京 2008 年残奥会官方网站。

交通发挥出更大的作用。

在这 7 年间,北京除了修建起一批体育设施外,还修建了一批基础设施,如新建了北京 T3 航站楼、国家大剧院,改扩建北京火车站南站,对快速路网进行建设,等等。这些基础设施的建成和投入使用,使北京多个领域的面貌得以完善,人们的生活更加方便、更加丰富多彩。

(2)环保工作取得显著成绩。

为了兑现"绿色奥运"的承诺,北京实施了十四个阶段的多项控制大气污染措施,开展了燃煤污染、机动车排放、施工道路扬尘、工业污染等四个方面的治理工作,使空气质量明显提高,空气达标天数由 1998 年的 100 天提高了到 2007 年的 246 天,空气中的二氧化硫、二氧化碳和一氧化氮等大气污染物质全年达到了国家标准。与此同时,还加大了绿化北京的力度,到 2006 年底,全市林木覆盖率达到 51%,城市绿化覆盖率达到 42.5%,到 2007 年底,山区林木覆盖率达到 70.49%,提前实现了申奥时的绿色承诺。此外,国家还实施了京津风沙源治理工程,通过治理,京津工程区流动沙地减少了 3.5 万公顷,半流动沙地减少了 16.5 万公顷,地表起沙得到有效遏制,森林覆盖率由 30.65% 提高到 35.5%。城市河湖水环境基本得到还清,实现了三环碧水绕京城的河道整治规划。此外,在食品安全、城市环境整治、无障碍设施建设等方面,都取得了很大的进展。通过上述的一系列措施,北京的天更蓝了,水更清了,人们的环境保护意识同时得到了加强。

为了表彰北京在"绿色奥运"中取得的巨大成就,2009 年 3 月 30 日,国际奥委会在第八届世界体育与环境大会上,向北京颁发了首枚体育与环境奖。①

2.促进了中国与世界的交流

参加奥运会和残奥会开、闭幕式的国际贵宾分别为 110 多位和 48 位,同时接待如此众多的国际贵宾成为新中国成立以来外交史上规模最大的一次盛会。此外,通过奥运转播,也让世界看到了一个真实的中国。

此外,在奥运会和残奥会期间服务的 170 多万志愿者也给世人留下了深刻的印象,他们用自己的汗水和努力赢得了广泛的赞誉,成为北京最好的名片。奥委会主席罗格说:"我们所有因奥林匹克而来到中国的人,都对奥运会志愿者和中国人民的微笑和友好印象深刻。"墨西哥媒体感叹道:"正是他们促成了北京奥运会的成功,他们不仅仅感动了运动员,也感动了世界。"英国《泰晤士报》记者巴恩斯说:汗流满面的青年志愿者发自内心的微笑,"这些年轻人正是中国普通民众的一个缩影:愉快地生活,自豪地面对世界"。志愿者以他们的行动将热情、友好、勤勉和乐于奉献的中国传统美德展现在世界人民的面前,而志愿服务也在奥运会后得到广大中国民众的认同,正逐步形成这一新的社会风尚。

3.北京奥组委收支结余将超过 10 亿元

根据 2009 年 6 月 19 日审计署发布的北京奥运会财务收支和奥运场馆建设项目跟踪审计结果,北京举办的这样一届"有特色、高水平"的"真正的无以伦比的体育盛会"所花费的实际收支数、后续应实现收入和待结算支出的统计结果显示,

---

① 为鼓励和表彰奥林匹克运动中涌现出的优秀环境保护活动,国际奥委会 2007 年决定设立体育与环境奖,并在第八届世界体育与环境大会上首次颁发,每大洲一个奖励名额。

北京奥组委收入将达到 205 亿元,支出将达到 193.43 亿元,收支结余将超过 10 亿元。按固定汇率计算,北京奥组委的支出规模不仅低于上届奥运会,同时也低于下届奥运会的预算规模,因此,北京的奥运会不是一届最昂贵的奥运会。

成功举办北京奥运会标志着中国进入了一个新的时代,北京奥运会将成为一个重要的里程碑,它让世界了解了中国和中国文化,也让中国走向了世界。

附:

表1 2008 年第 29 届奥运会奖牌榜
（以金牌总数排名）

排名	国家及地区	金牌数	银牌数	铜牌数	总奖牌数
1	中 国	51	21	28	100
2	美 国	36	38	36	110
3	俄罗斯	23	21	28	72
4	英 国	19	13	15	47
5	德 国	16	10	15	41
6	澳大利亚	14	15	17	46
7	韩 国	13	10	8	31
8	日 本	9	6	10	25
9	意大利	8	10	10	28
10	法 国	7	16	17	40
11	乌克兰	7	5	15	27
12	荷 兰	7	5	4	16
13	牙买加	6	3	2	11
14	西班牙	5	10	3	18
15	肯尼亚	5	5	4	14
16	白俄罗斯	4	5	10	19
17	罗马尼亚	4	1	3	8
18	埃塞俄比亚	4	1	2	7
19	加拿大	3	9	6	18
20	波 兰	3	6	1	10
21	匈牙利	3	5	2	10
22	挪 威	3	5	2	10
23	巴 西	3	4	8	15

排名	国家及地区	金牌数	银牌数	铜牌数	总奖牌数
24	捷 克	3	3	0	6
25	斯洛伐克	3	2	1	6
26	新西兰	3	1	5	9
27	格鲁吉亚	3	0	3	6
28	古 巴	2	11	11	24
29	哈萨克斯坦	2	4	7	13
30	丹 麦	2	2	3	7
31	蒙 古	2	2	0	4
31	泰 国	2	2	0	4
33	朝 鲜	2	1	3	6
34	阿根廷	2	0	4	6
34	瑞 士	2	0	4	6
36	墨西哥	2	0	1	3
37	土耳其	1	4	3	8
38	津巴布韦	1	3	0	4
39	阿塞拜疆	1	2	4	7
40	乌兹别克斯坦	1	2	3	6
41	斯洛文尼亚	1	2	2	5
42	保加利亚	1	1	3	5
42	印度尼西亚	1	1	3	5
44	芬 兰	1	1	2	4
45	拉脱维亚	1	1	1	3
46	比利时	1	1	0	2
46	多米尼加共和国	1	1	0	2
46	爱沙尼亚	1	1	0	2
46	葡萄牙	1	1	0	2
50	印 度	1	0	2	3
51	伊 朗	1	0	1	2
52	巴 林	1	0	0	1
52	喀麦隆	1	0	0	1
52	巴拿马	1	0	0	1
52	突尼斯	1	0	0	1
56	瑞 典	0	4	1	5
57	克罗地亚	0	2	3	5
57	立陶宛	0	2	3	5
59	希 腊	0	2	2	4
60	特立尼达和多巴哥	0	2	0	2
61	尼日利亚	0	1	3	4
62	奥地利	0	1	2	3

排名	国家及地区	金牌数	银牌数	铜牌数	总奖牌数
62	爱尔兰	0	1	2	3
62	塞尔维亚	0	1	2	3
65	阿尔及利亚	0	1	1	2
65	巴哈马	0	1	1	2
65	哥伦比亚	0	1	1	2
65	吉尔吉斯斯坦	0	1	1	2
65	摩洛哥	0	1	1	2
65	塔吉克斯坦	0	1	1	2
71	智利	0	1	0	1
71	厄瓜多尔	0	1	0	1
71	冰岛	0	1	0	1
71	马来西亚	0	1	0	1
71	南非	0	1	0	1
71	新加坡	0	1	0	1
71	苏丹	0	1	0	1
71	越南	0	1	0	1
79	亚美尼亚	0	0	6	6
80	中华台北	0	0	4	4
81	阿富汗	0	0	1	1
81	埃及	0	0	1	1
81	以色列	0	0	1	1
81	摩尔多瓦	0	0	1	1
81	毛里求斯	0	0	1	1
81	多哥	0	0	1	1
81	委内瑞拉	0	0	1	1
总计		302	303	353	958

表 2　第 13 届残奥会奖牌榜

（以金牌总数排名）

排名	国家及地区	金牌数	银牌数	铜牌数	总奖牌数
1	中国	89	70	52	211
2	英国	42	29	31	102
3	美国	36	35	28	99
4	乌克兰	24	18	32	74
5	澳大利亚	23	29	27	79
6	南非	21	3	6	30
7	加拿大	19	10	21	50
8	俄罗斯	18	23	22	63
9	巴西	16	14	17	47
10	西班牙	15	21	22	58
11	德国	14	25	20	59
12	法国	12	21	19	52
13	韩国	10	8	13	31
14	墨西哥	10	3	7	20
15	突尼斯	9	9	3	21
16	捷克	6	3	18	27
17	日本	5	14	8	27
18	波兰	5	12	13	30
19	荷兰	5	10	7	22
20	希腊	5	9	10	24
21	白俄罗斯	5	7	1	13
22	伊朗	5	6	3	14
23	古巴	5	3	6	14
24	新西兰	5	3	4	12
24	瑞典	5	3	4	12
26	中国香港	5	3	3	11
27	肯尼亚	5	3	1	9
28	意大利	4	7	7	18
29	埃及	4	4	4	12
30	尼日利亚	4	4	1	9
31	阿尔及利亚	4	3	8	15
32	摩洛哥	4	1	2	7
33	奥地利	4	1	1	6
34	瑞士	3	2	6	11
35	丹麦	3	2	4	9
36	爱尔兰	3	1	1	5
37	克罗地亚	3	1	0	4
38	阿塞拜疆	2	3	5	10
39	斯洛伐克	2	3	1	6
40	芬兰	2	2	2	6
41	泰国	1	5	7	13
42	葡萄牙	1	4	2	7
43	挪威	1	3	3	7
44	塞浦路斯	1	2	1	4
45	拉脱维亚	1	2	0	3
46	新加坡	1	1	2	4
46	委内瑞拉	1	1	2	4

排名	国家及地区	金牌数	银牌数	铜牌数	总奖牌数
48	沙　特	1	1	0	2
49	匈牙利	1	0	5	6
50	中华台北	1	0	1	2
50	土耳其	1	0	1	2
52	蒙　古	1	0	0	1
53	以色列	0	5	1	6
54	安哥拉	0	3	0	3
55	约　旦	0	2	2	4
56	立陶宛	0	2	0	2
56	塞尔维亚	0	2	0	2
58	阿根廷	0	1	5	6
59	斯洛文尼亚	0	1	2	3
60	保加利亚	0	1	1	2
60	哥伦比亚	0	1	1	2
60	伊拉克	0	1	1	2
63	波　黑	0	1	0	1
63	巴基斯坦	0	1	0	1
63	巴布亚新几内亚	0	1	0	1
63	罗马尼亚	0	1	0	1
63	阿联酋	0	1	0	1
68	黎巴嫩	0	0	2	2
69	比利时	0	0	1	1
69	爱沙尼亚	0	0	1	1
69	牙买加	0	0	1	1
69	老　挝	0	0	1	1
69	马来西亚	0	0	1	1
69	纳米比亚	0	0	1	1
69	波多黎各	0	0	1	1
69	叙利亚	0	0	1	1
总计		473	471	487	1431

应对世界金融危机

　　2007年下半年开始,一场突如其来的金融危机蔓延全球,这场危机的震源来自美国的"次贷危机",即:美国房地产市场上的次级按揭贷款引发的次信金融危机。它是一场发生在美国,因次级抵押贷款机构破产、投资基金被迫关闭、股市剧烈震荡引起的风暴。美国"次贷危机"是从2006年春季开始逐步显现的。2006年和2007年上半年的跌势最终引发了美国次级房贷难以偿还和债券信用的危机。2007年8月席卷美国、欧盟和日本等世界主要金融市场。一年来,这场危机的影响愈演愈烈,形成一种"蝴蝶"效应,引发了国际金融风暴,导致全球经济波动。这场危机波及面之宽,影响范围之大,波及链条之长,影响程度之深,产生代价之大,为百年一遇。

　　受危机影响,一年来,中国中小企业倒闭高达7万多家,中国股市暴跌达68%以上。有数据表明,由于热钱流入、外汇储备增加、美元走软、人民币升值、资金流动性增大、预期增强等因素。自2003年后,中国股市与世界股市的关联度已经达到了60%。然而,好景不长,中国股票市场从2007年10月16日6124点历史新高一路走低,直至2008年10月13日创下1900点的历史新低。拉动经济增长的进出口贸易连创新低,2008年中国GDP增速下滑到9.0%,5年来第一次出现个位的增速,中国经济受金融危机的影响,迅速趋底。

面对如此严重的全球性金融危机,中国政府审时度势,重拳出击,在国外积极联系其他国家共同抗击金融危机造成的危害,以负责任的大国形象出现;在国内,提出一系列产业振兴计划,以调整经济结构和产业升级为着眼点,积极拉动内需,迅速扭转了经济下滑的颓势,经济回暖趋势明显。中国政府在危机面前的从容不迫,措施得当,效果明显,赢得了国内外的热切关注和赞赏。

一

美国金融危机蔓延全球

20 世纪 90 年代以来,在信息技术革命的推动下,美国经济经历了二战后前所未有的高速增长,美国资本市场更是空前繁荣。2001 年 IT 泡沫破灭,美国经济出现衰退。为了刺激经济,美联储采取了极具扩张性的货币政策。经过 13 次降息,到 2003 年 6 月 25 日,美联储将联邦基金利率下调至 1%,创 45 年来最低水平。美联储的低利率政策,导致美国住房价格的急剧上升。自 2003 年以来,每年都有经济学家警告说美国的房地产泡沫将会破灭。2007 年 8 月,美国次贷危机突然爆发,不但房地产泡沫终于破灭,美国还陷入了自 20 世纪 30 年代大萧条以来最为严重的金融危机。

1.美国金融危机蔓延全球

2008 年 9 月以来,美国政府接管"两房"和美国国际集团,五大投行发生剧变,华盛顿互惠银行破产倒闭,美联银行出现危机等一系列事件,表明美国次贷危机已演化为一场波及全球金融市场的"海啸"。金融危机迅速由美国向欧洲甚至全球蔓延,受此影响,美国乃至全球的实体经济都受到较大的负面冲击,并可能拉长调整周期。下面是金融危机以来的几个标志性事件:

2008 年 3 月,美国第五大投资银行"贝尔斯登"被"摩根大通"收购。

2008 年 9 月 7 日,有美国房贷市场半壁江山的美国五大银行之二的"房利美"及"房地美"被美国政府接管,宣告这两个银行正式破产。

2008 年 9 月 15 日,处于美国第四大投资银行"雷曼兄弟银行"申请破产保护,第三大投资银行"美林投资银行"被美国银行收购。

2008 年 9 月 21 日,美国的第一大投资银行"高盛银行"和第二大投资银行"摩根士丹利银行"转型为银行控股公司。

2008 年 9 月 16 日,美国的最大保险公司"美国国际集团(AIG)"宣布已到危急关头,其是世界最大的国际保险集团公司。

2008 年 9 月 25 日,美国最大储蓄银行"华盛顿互惠银行"被美国联邦监管机构接管,正式成为美国的国有资产。

2008 年 9 月 29 日,美国的"美联银行"被"花旗银行"正式收购了。

从上面看,美国的五大投资银行全部倒闭、关停或转型。这正式向世界表明,美国的投资银行已无力进行世界投资了,美国政府已走向破产之路。美国迈入金融动荡不安和走向有史以来的经济危机后,为世界带来严重的金融动荡和经济影响。

欧洲各主要大国受到的影响状况:欧洲经济共同体国家对美国金融动荡带来的严重影响也是相当大的。股市在不断下跌,物价的高涨让普通民众买不起高档品。失业加剧,经济在不断萎缩,欧元也在变相贬值。美国向欧洲经济共同体国家伸手要援助也得不到帮助。相反，欧洲联盟国家及澳大利亚和日本等国，都在批评美国的经济政策和措施不力，给他们带来经济的严重不利影响。

欧盟委员会公布的 2008 年秋季经济预测报告显示，欧盟和欧元区经济 2008 年将分别增长 1.4％和 1.2％，不及 2007 年增速的一半。据预测，2008 年第三季度和第四季度，欧盟和欧元区经济增速将分别下滑 0.1％，这意味着欧元区经济 2008 年第三季度已步入衰退，而欧盟也将在年底处于同样境地。根据经济学定义，连续两个季度出现经济负增长即意味着衰退。报告显示，2008 年全年欧盟和欧元区经济增速将骤降至 0.2％和 0.1％，较 2008 年春季的预测值分别下调了 1.6 和 1.5 个百分点，欧盟经济几乎陷于停滞。在欧盟大国中，作为金融危机"重灾区"的英国 2009 年将出现 1％的负增长，西班牙将下滑 0.2％，德国、法国和意大利将出现零增长。欧盟委员会预计，欧盟和欧元区的失业率继 2008 年年初降至 7％左右的历史低位后，2009 年将升至 7.8％和 8.4％，2010 年还会进一步走高，失业率上扬将不可避免地抑制消费。而从外部来看，金融危机正导致全球经济减速，造成贸易环境恶化，令欧盟和欧元区出口也面临严峻挑战。可以说，受金融危机影响，作为推动欧盟经济增长三大"引擎"的投资、消费和出口将全面疲软，尤其是投资最令人担忧。据估计，欧盟和欧元区的投资 2009 年将分别下滑 1.9％和 2.6％，而过去三年的增速均保持在 3％以上。

这场危机对中国经济体的影响是非常大的。表现在：第一，对外投资、国内的资本市场和其他相关市场受到影响。第二，外贸特别是出口受到影响，尤其去年下半年以来，出口快速下降，今年 1、2 月份出现了较大幅度的负增长。这是 30 年改革开放以来外贸经济第一次出现连续几个月负增长。这对珠三角、长三角等出口导向程度比较高的经济区打击很大。第三，直接影响到我们的工业经济。工业总产值占 GDP 比重超过 40％，而涉外经济占工业比重又很大。所以，外部市场收缩，需求下降，对我们的工业影响很大，尤其是对以出口为导向的工业影响比较大。第四，由于影响到外贸出口，影响到以出口为导向的工业经济，从而影响到整个国民经济活动。去年 GDP 上半年还在 10％以上的速度，第三季度仍然有 9％，第四季度只有 6.8％这样一个低速增长。这就影响到就业，特别是劳动密集型行业的就业。

据测算，美国消费支出占 GDP 的 70％以上，2007 年美国国内消费规模约 10 万亿美元，而同期中国消费者支出约为 1 万亿美元。短期内，中国国内需求的增加无法弥补美国经济对华进口需求的减少。据测算，美国经济增长率每降 1％，中国对美出口就会下降 5％—6％。次贷危机进一步强化了美元的弱势地位，加速了美元的贬值速度，从而降低了出口产品的优势。美国联邦储备局不断降低利率、为银行注入流动性资金与我国紧缩性的货币政策形成矛盾，导致大量热钱流入中国，加速了美元贬值和人民币升值的进程，从而使中国出口产品价格优势降低，对美出口形成挑战。在上述因素的作用下，中国出口呈现减速迹象。随着金融危机的进一步发展与扩散，中国对欧洲国家，甚至部分发展中国家的出口也会受到影响，从而对中国整体出口增长构成严峻挑战。

金融危机对世界经济的影响是深远的。中国社科院金融研究所提供的数据显示，目前次级债券衍生合约的市场规模被放大至近 400 万亿美元，相当于全球 GDP 的 7 倍之高。日本媒体报道这次危机将导致全球金融资产缩水 27 万亿美元。危机对实体经济的影响现已显现，世界经济下滑几成定局。中国是这次危机中受损最小的发展中国家，直接损失较小，但是间接影响也不可小视。出口将减少，作为拉动经济增长的三驾马车之一，其作用开始削弱；投资者的信心有所动摇，投资积极性不高；银行"惜贷"，国内流动性不足。

经济领域的剧变带来了人心理上的改变，他们越来越失去安全感。金融危机也直接冲击到个人的生活。通货膨胀、企业倒闭、经济困境降低了人们的支付能力，这不仅使得还不起房贷的人增多，也大大降低了许多人的生活质量。从 2007 年开始，就不断有普通美国人抱怨，连日常开支都要一再思量、一再缩减。

2. 各国共同抵御金融危机

为了应对这场危机，各国相继出台措施刺激经济、稳定市场。同时，加强合作，共同抵御全球金融危机已经成为各国共识。

美国抛出了价值 8500 多亿美元的救市计划；英国政府考虑动用 2000 亿英镑挽救濒临危机的银行业渡过难关；日本中央银行出手向金融市场注资 22.7 万亿日元。随后，多国央行纷纷发起注资或降息行动，以期缓解金融市场流动性不足。与此同时，各国领导人也意识到，全球性的危机需要全球共同应对。一系列为应对危机、寻求对话与合作的会议相继召开：2008 年 11 月 15 日，20 国集团领导人金融市场和世界经济峰会在华盛顿召开，峰会

最重要的成果就是与会各方领导人承诺将共同行动，运用货币和财政政策，应对全球宏观经济挑战。欧盟委员会主席巴罗佐在会后的新闻发布会上说："我认为现在不是要单独去做，而是必须要共同承担一个真正的义务，不仅仅是欧洲，而是要让全世界都有希望看到，我们能通过贸易、援助、发展等措施，积极配合重新启动全球经济，我们能根据不同国家的情况采取不同措施，通过同等努力使我们在共同行动和共同目标上取得的利益最大化。"

11 月 29 日，联合国发展筹资问题后续国际会议在卡塔尔首都多哈开幕，联合国秘书长潘基文出席会议并呼吁建立多边框架解决金融危机。他说："西方国家不应把他们的大规模救市计划仅仅用于自己的国土上，动用上万亿美元却仅仅用于发达国家，是无法应对金融危机的，解决不了问题。在 21 世纪，我们需要一个新的多边主义框架，明年经济的增长要依靠发展中国家。"①

在全球金融市场持续萎靡，金融危机开始向实体经济渗透之际，各国再度联手"救市"，全球掀起了新一轮的降息潮。欧洲三家央行 6 日先后宣布大幅下调利率，将这一波全球降息行动推向一高潮。到现在为止，影响还在延续。尤其是欧美发达国家、发达经济体，危机还在深化，无论是在金融领域，还是实体经济都是这样。因此，对危机的进一步演化，世界各国都要有更加充分的思想准备和战略策略准备。

3. 金融危机对中国经济的影响

经济全球化的进一步加深，使得中国经济同世界经济融为一体的趋势进一步增强。中国经济对外依存度较高，随着金

融危机的蔓延,全球经济放缓以及由此带来的外需减弱,必然会给中国经济发展带来负面影响。

对外投资机构资产遭受损失,尤其是中国金融企业对美国投行的投资,随着投行的倒闭或经营不景气而蒙受损失;另外,一些走出去的企业与美国本土企业合资或合作因危机影响将导致一定的利润缩减。这是金融危机对国内企业最初的直接的影响。

然而,金融危机对中国实体经济的影响并不仅仅止于此,而是更加深远的,有着多重的传导机制,主要表现在四个方面:一是欧美企业风险转移,导致国内出口企业出口坏账增多,直接威胁到企业的资金流和生存;二是欧美国家消费量减少,企业生产缩减导致国内企业出口订单减少,出口贸易形势恶化;三是国内企业产能缩减而裁员或出口恶化导致企业倒闭等影响到就业形势;四是国际经济金融趋势及欧美国家消费者预期情绪蔓延,导致国内消费者收入预期变差、消费量缩减。其中影响时间顺序也是依次递推的,先是出口企业坏账增多,出口贸易量缩减,逐渐导致就业形势恶化和消费量减少。

(1)全球金融危机的风险正通过贸易链条逐步转向我国

外贸出口企业转嫁,在短期内对中国经济实体最直接影响表现是国内出口贸易型企业的坏账增多。在欧美,有约1/3来源于货币市场的商业票据是企业进货、工资发放等短期融资的重要渠道。金融危机导致货币市场借贷活动"冻结",资金流中断,从而直接威胁欧美企业正常生产经营活动。欧美企业为了规避金融危机的影响,最常用的手段就是把资金压力转移给上游的供应商,即国内的制造企业。

目前,拖欠债务的范围已经从最初与房地产有关的石材、钢材等企业开始蔓延到日常消费品如鞋子、服装、手机、电子产品等。据国家商务部研究院保守估算,中国企业被拖欠的海外债务早已达到1000亿美元,2008年新增的海外拖欠额则已经大大超过150亿美元,而且正在加速蔓延。这导致国内出口企业坏账增多,直接威胁到企业的资金流和生存。出口企业坏账增多、经营恶化,必将通过国内采购等传导机制转移给这些出口企业的国内原材料供应商,风险通过国际贸易传递给国内贸易,影响了整个贸易链条,风险有进一步在国内蔓延和扩大趋势。

(2)金融危机对我国出口贸易的影响

首先,中国经济的外贸依存度高达60%,美国和欧洲市场占了中国总出口的40%。由于美欧经济陷入衰退已不可避免,源于欧美市场的订单大幅减少,国际需求下降,国外市场的一些产品价格也下跌,中国出口必然也会随之放缓。其次,美元贬值对人民币汇率升值的压力将增大,美元的贬值和人民币的升值将给中国企业的出口带来更大压力,中国企业的技术进步和劳动生产率的提升无法消化汇率的升值幅度,加之原材料价格及人力成本的上涨,以及国内信贷紧缩等因素,中国出口企业将面临前所未有的困难。再次,金融危机又必然加大欧美国内的贸易保护主义情绪,欧美政府和企业将频繁利用对华反倾销调查、新技术性标准、绿色环保等贸易壁垒,国际贸易摩擦加大,使得国内企业出口更加困难。

自2007年7月美国次贷危机爆发后,中国对美国的出口大幅回落,到2008年上半年进一步下降8.9%。海关总署数据也显示,2008年11月我国出口与2007年同期相比下降2.2%,这是我国近年来首次出现出口总值单月下降。

与此同时,企业利润增长和出口相关的投资也受到相关影响。根据公布数据,2008 年 11 月份中国制造业采购经理指数(PMI)为 38.8％,比 10 月份再降 5.8 个百分点。这项针对 700 多家制造业厂商的调查数据显示,中国制造业 PMI 指数呈普遍、加速下降态势,其中生产、新订单、采购量、新出口订单、进口等指数下降幅度达 7 个百分点以上,尤其以新出口订单指数降幅最大,达 12.4 个百分点。

(3)金融危机对国内就业的影响

受全球金融危机影响,国内企业因产能缩减而裁员,国外进口商拖欠账款和出口订单减少导致出口型企业倒闭,以及风险在国内蔓延等因素,已影响到中国的就业形势。中国每年 70％以上的新增就业岗位是由中小企业创造的,中小企业是解决中国就业的主力军。目前,欧美国家需求下降,带来中国外贸出口下降,以及运输业等相关行业减速,而从事这些行业的企业大多是中小企业,其中受危机影响最大的是东南沿海地区的劳动密集型企业。这些企业破产倒闭主要是导致劳动力市场中低端劳动者失业,以农民工为主。

中小企业的不景气也将对大学生就业产生不利的影响。首先是人才市场上的供给增加,如已破产倒闭企业的中高层管理者也将加入到再就业的行业中,成为应届大学生强有力的竞争者;其次,市场需求也将减少,如企业效益下滑,招聘的规模也将缩小。根据国家统计局的数字,中国 2008 年 9 月份的 GDP 增长已经降到了 9％,一般来讲,就业弹性系数往往会跟随着 GDP 的下降而同时下降,在就业弹性保持不变的情况下,GDP 的下降意味着就业人数也在下降。失业人数的增加对我国不仅仅是经济上的压力,最重要的是对社会稳定与发展造成更大压力。

(4)全球金融危机所带来的悲观情绪蔓延对国内消费的影响

金融危机所带来的悲观情绪不仅仅对境外市场带来消费预期下降的影响,对国内消费市场具有同样的作用。这种影响主要表现在:一是金融危机对国内消费者带来未来经济下降、个人收入减少预期,导致消费者增加储蓄减少消费;二是金融危机对国内资本市场有很大的负面影响,股市震荡,导致国内消费者的个人财富收入减少,个人消费意愿下降;三是失业压力增大,居民未来保障资金安排增多,减少现时消费。

根据国家统计局公布的数据,代表着消费者对当前经济生活评价的满意指数在 2008 年第三季度降至 90.3,低于年初 0.5 个百分点;而作为消费者对未来经济生活变化预测的预期指数,则回落更为明显,从 2008 年一季度的 97.5 降至二季度的 96.7,再到三季度的 96.2。显然,中国消费者目前在对收入、生活质量、宏观经济、消费支出、就业状况、购买耐用消费品和储蓄的满意程度出现了下降,显示中国消费者对于金融危机对中国的影响还是比较敏感的。

中国从容应对金融危机

面对全球性的金融危机,中国政府从容应对。

2008 年 10 月 8 日,华尔街金融风暴 8 日当天引发世界主要经济体纷纷采取行动施以救援。就在美联储、欧洲央行等主要央行宣布减息的当天,我国央行也宣布了减息举措。中国人民银行 8 日晚间宣布，从 10 月 9 日起下调一年期人民币存贷款基准利率各 0.27 个百分点，其他期限档次存贷款基准利率作相应调整。央行同时还宣布了我国银行存款准备金率 9 年来首度下调的决定：从 10 月 15 日起下调存款类金融机构人民币存款准备金率 0.5 个百分点。

此外，我国将从 10 月 9 日起对储蓄存款利息所得暂免征收个人所得税，这意味着自 1999 年开始实施的存款利息税将被暂时终止。①

2008 年 10 月 21 日，国家主席胡锦涛 21 日晚应约同美国总统布什通电话。双方就召开国际金融峰会、加强国际合作、应对国际金融危机交换了看法。②

2008 年 11 月 5 日，中国政府推出扩大内需、促进增长的 10 大措施，国务院正式确定 4 万亿元投资计划，包括 2 万亿元铁路投资。随后，国务院以及下属各部委又陆续推出了更详细的各类措施，确保实现 2009 年经济增长"保八"目标。

2008 年 11 月 7 日，国务院总理温家宝 7 日下午应约同英国首相布朗通电话，双方就当前国际金融形势交换了意见。温家宝说，中国政府已经并将继续出台进一步扩大内需的一系列措施，维护经济、金融和资本市场稳定，促进经济平稳较快发展。这是中国应对这场危机最重要、最有效的手段，也是对世界最大的贡献。③

11 月 21 日，中国国家主席胡锦涛在秘鲁首都利马出席亚太经合组织工商领导人峰会时，向全世界郑重表达了中国应对这场金融危机的立场："中国将继续推动建设可持续发展的世界经济体系、包容有序的国际金融体系、公正合理的国际贸易体系、公平有效的全球发展体系，坚持在实现本国发展的同时兼顾合作伙伴特别是发展中国家正当关切，支持国际社会帮助发展中国家增强自主发展能力、改善民生，支持推进贸易和投资自由化、便利化，支持各国共同维护世界经济安全，促进各国共同发展繁荣。"

同时，中国出台了一系列刺激经济增长的措施：11 月期间，中国出台了扩大内需的 10 项措施，宣布将投资 4 万亿元人民币拉动内需促进经济增长，并大幅下调金融机构一年期人民币存贷款基准利率。

为了扶助国内企业的发展，2008 年 10 月 21 日中国提高 3486 项商品出口退税率；12 月 24 日，财政部等三部门齐为企业减负 2000 亿元；12 月 4 日，政策性银行 2008 年度贷款额度追加 1000 亿元。

2008 年 12 月 15 日，第六次中美战略对话在华盛顿举行。双方同意，在当前国际形势发生深刻变化背景下，中美应该加强合作，共同应对国际金融危机、气候变化、反恐、防扩散、能源安全等方面的挑战，促进世界和平、稳定和发展。

2008 年 12 月 16 日，温家宝总理会见世界银行行长佐利克，向佐利克介绍了中国的经济形势及应对世界金融危机所采取的政策措施。温家宝说，中国是一个拥有 13 亿人口的大国，我们提出要把扩大内需同经济增长、社会发展、民生改善结合起来。为此，要着力提高农民收入和困难群众的社会保障水平，努力扩大就业渠道，大力发展教育、医疗、文化等社会事业，加快保障性安居工程建设，推进农村饮水、沼气、道路、电力、通信等基础设施

---

① 《新闻分析：保发展我国打出"降率免税"货币财政组合拳》，新华网，2008 年 10 月 8 日。
② 《胡锦涛：中国已采取措施应对金融危机》，新华网，2008 年 10 月 21 日。
③ 《温家宝：扩大内需是中国应对金融危机最佳手段》，中国新闻网，2008 年 11 月 7 日。

建设,保护生态环境,搞好灾后重建和扶贫工作。

2009年1月27日,温家宝总理对瑞士、德国、西班牙、英国和欧盟总部进行正式访问,并出席在瑞士达沃斯举行的世界经济论坛2009年年会,此访有三大目标,一是推动国际社会进一步提振信心,凝聚共识,加强合作,共同应对金融危机;二是促进中国与上述欧洲四国的战略共识,扩大双边务实合作;三是推动中欧关系深入发展。

2009年2月28日,温家宝指出,为应对金融危机,从去年6月份开始采取了一系列措施,现在已形成了一个比较完整的应对方案,称之为"一揽子计划"。包含四个方面:第一,大规模的政府投入和结构性的减税,以扩大内需;第二,大范围内产业调整和振兴规划,涉及十大关系国计民生的重大行业;第三,大力度的科技支撑。准备在两年内加快推进科技专项规划,投入1000亿元,为经济发展提供支撑和后劲;第四,大幅度提高社会保障水平。单就大家关心的医药卫生体制改革,计划在三年内要投入8500亿元。

2009年3月13日,温家宝指出,应对这场金融危机,我们做了长期的、困难的准备,我们预留了政策空间。也就是说,我们已经准备了应对更大困难的方案,并且储备了充足的"弹药",随时都可以提出新的刺激经济的政策。①

2009年4月1日,胡锦涛出席二十国集团领导人第二次金融峰会。胡锦涛指出,当前,国际金融危机仍在蔓延和深化,国际金融市场仍处于动荡之中,全球实体经济受到的影响越来越明显。应对国际

金融危机、推动恢复世界经济增长已成为当前国际社会共同面临的严峻挑战。面对当前复杂多变的国际经济形势,当务之急:一是要尽快稳定国际金融市场,切实发挥金融对实体经济的促进作用,提振民众和企业信心;二是要采取符合各自国情的经济刺激举措,加强各国宏观经济政策协调,共同实现保发展、保就业、保民生;三是要努力抑制贸易和投资保护主义,减少危机对世界各国、特别是对发展中国家造成的损害;四是要按照全面性、均衡性、渐进性、实效性的原则,推动对国际金融体系进行必要改革,避免类似危机重演。②

2009年4月29日,国务院总理温家宝29日主持召开国务院常务会议,讨论并原则通过《关于2009年深化经济体制改革工作的意见》,为应对国际金融危机,调动社会和企业的投资积极性,扩大投资需求,调整和优化投资结构。并确定了今年重点推进的十项改革任务。

与此同时,中国各地密集出台新政策新措施,应对金融危机对经济造成的影响。2009年"两会"结束以来,已有十余省市宣布经济新政。地方省市"保增长"方案普遍升级,反映出从中央到地方高度重视金融海啸冲击的态度,纷纷打出政府投资、补贴企业、提高民生保障等"组合拳",大力提振本地经济。

在中央"保八"目标下,各地方省市今年GDP增长目标均不低于8%。各地方省市要实现GDP增长目标,经济刺激措施就需进一步"加码",预料未来一段时间其余省份也将陆续"升级"保增长措施。在此刺激下,内地经济也可望尽早复苏。③

① 《温家宝解读4万亿经济刺激计划内涵 随时可出新政策》,新华网,2009年3月13日。

② 《胡锦涛阐述G20峰会中国如何应对金融危机》,中国新闻网,2009年4月1日。

③ 《中国各地密集出台新政,保增"组合拳"提振经济》,中国新闻网,2009年4月7日。

在博鳌亚洲论坛 2009 年年会（4 月 17—19 日）开幕式上，温家宝总理发表了题为《增强信心、深化合作、实现共赢》的主旨演讲。

温总理的演讲鼓舞了与会代表们，至 2009 年新兴经济体正显露出逐渐复苏迹象的事实。以中国为例，全球经济增长在 2009 年将接近停滞、发达经济体甚至进入负增长的背景下，中国经济一季度仍取得 6.1％的增长，为全球经济增添了一抹难得的"亮色"，这是博鳌亚洲论坛与会者的普遍感受。"投资增速加快，消费较快增长，国内需求持续提高，结构调整积极推进，银行体系流动性充裕，金融市场平稳运行，社会信心提振，市场预期改善……"澳大利亚福特斯库金属集团执行董事史贵祥对温总理所言的希望感同身受。

危机处置初见成效

在面临着这样一场规模非同寻常的金融危机，消费者和企业的信心指数跌至谷底。美国经济自 2007 年 12 月开始即陷入衰退，日本和欧元区也陷入衰退，新兴经济体的状况不断恶化。国际货币基金组织预测，2009 年世界经济增速仅为 2.2％。其中，发达经济体经济将下滑 0.3％，这将是二战后发达经济体经济首次全年出现负增长。

与国际上大多数国家不同的是，中国应对金融危机的举措在 2009 年有较为良好的表现，经济形势回暖趋势明显。

2008 年第四季度以来，针对国际金融危机愈演愈烈，我国政府反应迅速，果断

提出实行积极的财政政策和适度宽松的货币政策，并提出"出手要快、出拳要重、措施要准、工作要实"的工作要求，迅速研究出台了一系列政策措施。

总体来看，宏观调控政策已初见成效，一些先行指标有回暖迹象，经济增速过快下滑的局面基本得到遏制。事实表明，综合比较世界上主要国家应对金融危机的政策措施，我国政府在出台重大举措时决策及时、果断、有力，体现了独特优越性。

2009 年 2 月 28 日，温家宝总理表示，中国的应对措施见到初步成效，表现在四个方面。第一，信贷投放有所增长。去年 11 月份，新增信贷大约 4400 亿元，12 月份 7700 亿元，1 月份 16200 亿元。第二，消费金额增长指数。去年 11 月份 38％，12 月份 42％，今年 1 月份 45％。第三，消费。今年 1 月份的消费同比增长 18％，但今年 1 月份的物价比去年同比要低。第四，我非常看重的就是发电量。发电量从今年 2 月中旬开始，发电和用电量都恢复了正增长。在全国，2 月中旬增长 15％，环比增长 13.2％，在南方，同比增长 10％，环比增长 8％。[①]

国家统计局发布了我国宏观经济最新运行数据：今年一季度，国内生产总值（GDP）同比增长 6.1％，居民消费价格指数（CPI）同比下降 0.6％。一季度消费拉动中国经济增长 4.3 个百分点，投资拉动 2.0 个百分点。其他一系列数据也表明，我国国民经济运行出现了积极变化，整体表现好于预期。

国家旅游局发布的 2009 年第一季度《中国旅游经济运行报告》显示，第一季度中国旅游经济运行初显止跌回暖的迹象。

---

① 《中国应对金融危机措施初见成效》，机电在线，2009 年 3 月 2 日。

一季度我国旅游接待总人数 5.9 亿人次，同比增长 8.46%；旅游总收入 3433 亿元，同比增长 6.14%。其中，国内旅游人数 5.6 亿人次，同比增长 9.4%，国内旅游总收入 2834 亿元，同比增长 12.9%；从旅游市场的贡献来看，旅游消费对我国国民经济相关行业拉动作用明显。2009 年 1—3 月，入境旅游外汇收入与出口贸易总值的比值分别为 3%、4%、3.5%。

根据国家统计局数据，1—3 月份住宿和餐饮的国内固定资产投资增长 41.4%，比全国水平高出 11 个百分点；酒店吸引对外直接投资 1.99 亿美元，占同期吸引外资规模的 0.9%；从景区投资情况来看，40% 的景区投资同比都有增加。①

中国经济状况能够较快回暖，原因是多方面的。

世界银行高级副行长、首席经济学家林毅夫表示，尽管中国也受到目前金融危机的冲击，但三大因素将帮助中国较好地应对这场金融危机。这三大因素是：中国具有庞大的外汇储备；中国存在资本管制，这就为中国筑起了一道"防火墙"；中国货币政策稳健，中国政府过去 4 年都实现了财政盈余。

应对危机的信心来源于对形势的正确判断。2009 年 2 月 23 日，胡锦涛总书记在中共中央政治局第十二次集体学习上指出，我国经济发展的基本态势没有发生根本变化，我国经济在世界各国经济增长中仍然处在前列；我国经济发展的优势条件没有发生根本变化，改革开放 30 年持续发展为我国打下了应对各种风险和挑战的坚实物质基础；我国工业化、城镇化加快发展的趋势没有发生根本变化，经济发展的内在动力依然强劲；我国发展的外部环境没有发生根本变化，全球经济面临的调整和重组也为我国经济发展带来了新的机遇。

目前，我国仍处于工业化和城市化迅速推进的历史阶段，中国 GDP 总量已超过 25 万亿元，财政收入 6 万亿元左右，外汇储备近 2 万亿美元……即使在遭遇危机之后的 2008 年，中国经济依然取得了较好的成就。②

从 2008 年 10 月份以来，我们采取了灵活的调整宏观经济的政策，把稳健的财政政策调整为积极的财政政策，把从紧的货币政策调整为适度宽松的货币政策。这是保增长、防衰退一个很有力的举措。在这些措施的推动下，从最近两三个月看，有些指标、地区、行业出现了见底回升迹象。有几个表现：

第一，采购经理指数连续几个月上升，由 11 月的 38% 以上，上升到今年 2 月份的 49%。出口订单和订单指数也是已经连续 3 个月上升。

第二，发电量在 2008 年 10 月至 2009 年 1 月出现负增长的情况下，在 2 月中旬以后，社会发电量和用电量，同比和环比都出现了两位数的增长。这是很重要的一个先行指标。

第三，广义货币供应量 M2 连续 3 个月以上的大幅提升。特别是从 2008 年 11 月开始，信贷持续几个月大幅上升。信贷的增长意味着国民经济活动对银行资金需求的增加，这主要是公共设施投资的信贷，同时也引导了一些企业的信贷增加。

第四，从产出指标看，工业增加值增长。扣除自然因素外，和 2008 年 11 月、12

---

① 《旅游业，拉动内需新领域?》，《中国财经报》，2009 年 4 月 30 日。
② 《中国应对金融危机的信心源》，《瞭望》新闻周刊，2009 年 3 月 4 日。

月基本持平,没有下降。工业增加值遏制了下降的趋势。另外一个指标就是全社会固定资产投资的指标,2009年头两个月达到26.5%的增长,也是一个比较好的指标;消费虽然还不理想,但仍然有15.2%的增长。

此外,从全国各地看,股市、车市、房市都有回暖的迹象。所有这些情况说明,从2008年10月份以来,中央出台的措施,应对这次外部经济危机的冲击,到今天为止,已经初步显出了成效。

在2009年3月的"两会"上,国务院总理温家宝作了《政府工作报告》。在当前国际金融危机持续蔓延、仍未见底的背景下,这份报告以事实和数据明确表达了中国政府有信心、有能力应对国际金融危机,继续实现经济平稳较快发展。温家宝指出:"我国经济社会发展的基本面和长期向好的趋势没有改变。我们完全有信心、有条件、有能力克服困难,战胜挑战。我们的信心和力量,来自中央对形势的科学判断和准确把握;来自已经制定并实施的应对挑战、着眼长远的一系列政策举措;来自工业化、城镇化快速推进中的基础设施建设、产业结构和消费结构升级、环境保护、生态建设和社会事业发展等方面的巨大需求;来自充裕的资金、丰富的劳动力资源等要素支撑;来自运行稳健的金融体系、活力增强的各类企业和富于弹性的宏观调控政策;来自改革开放30年建立的物质、科技基础和体制条件。"

中国实施了积极的财政政策和适度宽松的货币政策,推出4万亿元人民币的投资计划,加快制定钢铁、汽车等重点产业调整振兴规划等等。政策措施出台之快速和密集程度,都是历史罕见的。温家宝在报告中如实相告,政府的这些努力已经取得了积极成效:"这些措施对缓解经济运行中的突出矛盾、增强信心、稳定预期、保持经济平稳较快发展,发挥了至关重要的作用。"

针对中国初显成效的经济政策,各国人士对中国积极参与应对国际金融危机的国际合作给予高度评价。

美国财政部长盖特纳认为,中国在遏制目前这场肆虐全球的金融危机的过程中发挥着"非常重要的稳定性作用"。中国正在采取措施,使其经济变得更为强健,刺激国内需求增长,深化金融改革,这些都是非常重要的政策措施。[①]

世界银行东亚及太平洋地区副行长詹姆斯·亚当斯说,截至目前,中国的应对措施是快速而有力的,也是恰当的。中国政府迅速制定和颁布了规模庞大的4万亿元人民币经济刺激计划,通过这一举措向国际社会显示了决心和力量。

坦桑尼亚总统基奎特说,为了抵御国际金融危机的冲击,坦桑尼亚正越来越依靠包括中国在内的亚洲国家市场。

韩国金融委员会发言人李正镐说,相信中国扩大内需的政策对推动世界经济增长会起到积极作用。韩国中国政经文化研究院理事长李映周认为,在一些国家经济出现负增长的时候,中国仍制定了8%左右的经济发展目标,这无疑是对世界经济复苏作出的贡献。

日本大和综合研究所理事长、日本央行前副总裁武藤敏郎说,国际金融危机发生后,中国迅速启动巨额资金扩大内需,显示出新兴经济体有着巨大的经济发展潜力。

巴西中国与亚太研究所所长塞维利

---

① 《美国财政部长:中国在应对危机中发挥着重要作用》,新华网,2009年3月26日。

诺·卡布拉尔说,中国在当前的国际金融危机中表现出一个新兴经济体的智慧和能力,为应对国际金融危机作出了突出贡献。中国经济继续保持增长是克服国际金融危机的希望和动力。面对国际金融危机,中国政府大胆果断地采取了扩大内需的措施,鼓舞了全球市场的信心。中国已经成为讨论和解决国际事务的重要对话者,具有举足轻重的影响力。中国政府在解决国际金融危机问题上所表达的立场和看法代表了广大发展中国家的利益。

南非斯坦陵布什大学副校长阿诺德·万·齐尔认为,中国是"30年来最震撼世界的国家",因为中国社会和经济实现了前所未有的"大突破、大跨越、大发展"。正是综合国力的日渐强盛,让中国在应对国际金融危机时有了更大的回旋余地。

墨西哥国立自治大学教授韦利娅·埃尔南德斯说,为战胜这场罕见的国际金融危机,世界需要"中国经验"。

在西班牙"亚洲之家"举办的"全球危机中的中国"研讨会上,与会专家纷纷表示继续看好中国经济发展。他们认为,中国政府的经济刺激计划,不但帮助中国抵御了国际金融危机的冲击,助推中国经济继续增长,也给外国企业提供了许多发展机会。中国有强大的能力应对危机,能够实现2009年8%左右的经济发展目标,并将先于大多数经济体走出危机的阴影。西班牙前驻中国大使布雷戈拉特认为,中国政府有很强的驾驭经济的能力,中国的国内消费有巨大潜力,中国的经济前景是好的。西班牙英特华投资咨询公司代表莫尔西略认为,中国是一个新兴的巨大市场,中国人民生活水平不断提高,这意味着中国将会继续提供发展机会。扩大内需将不仅有益于中国经济的发展,对其他经济体也是好事。①

神七飞天　太空行走

2008年9月25日21时10分04秒,我国自行研制的,载有翟志刚、刘伯明、景海鹏三位航天员的神舟七号载人飞船在酒泉卫星发射中心发射升空,并准确进入预定轨道。9月27日16时41分00秒,航天员翟志刚身穿中国研制的"飞天"舱外航天服,打开神舟七号载人飞船轨道舱舱门,进行了中国首次太空漫步,在太空中展示五星红旗。28日下午,神七返回舱成功在内蒙古四子王旗着陆,三位航天员自主出舱。我国三名航天员首次成功实施空间出舱活动和空间科学实验,实现了我国空间技术发展的重大跨越。这一举世瞩目的伟大成就向世界宣告,中国已成为世界上第三个独立掌握空间出舱关键技术的国家。我国航天员太空行走迈出的一小步,代表着我们在科技创新征程上迈出的一大步。这是我国载人航天事业发展史上的又一重要里程碑,是我们建设创新型国家取得的又一标志性成果,是中国人民攀登世界科技高峰的又一伟大壮举,是中华民族为人类探索利用外层空间作出的又一卓越贡献。

---

① 《国际社会高度评价我国积极参与应对金融危机合作》,《人民日报》,2009年4月2日。

一

神七的太空之旅

2008年9月25日至28日,中国成功实施了神舟七号载人航天飞行。神舟七号飞天过程的全记录是:

第一日 9月25日

17:30 航天员出征仪式。

中共中央总书记、国家主席、中央军委主席胡锦涛来到航天员公寓问天阁,亲切看望执行飞行任务的三名航天员翟志刚、刘伯明、景海鹏,并为他们壮行。

18:00 三名航天员抵达发射场。确认技术状态后,航天员先后进入神七返回舱。

18:35 翟志刚开始用指挥棒尝试操作。

21:09 神舟七号发射进入1分钟准备,摆杆全部打开。

21:09 火箭点火。

21:10 神舟七号飞船升空。

点火第120秒,火箭抛掉逃逸塔。

点火第159秒,火箭一二级分离成功。

点火第200秒,整流罩分离。

点火第500秒,二级火箭关机。

点火第583秒,飞船与火箭成功分离。

21:22 航天员报告:太阳帆板展开,身体感觉良好。

21:30 北京航天飞控中心宣布:飞船正常入轨。

21:32 载人航天工程总指挥常万全宣布:神舟七号飞船发射成功。

22:07 神七升空后第一次在轨和出舱活动空间环境预报:空间环境平静,对飞船的在轨运行是安全的。

23:19 在神舟七号飞船飞行第二圈过程中,航天员翟志刚首次从飞船返回舱进入轨道舱开展工作。

第二日 9月26日

04:04 神舟七号飞船成功变轨,由椭圆轨道变成近圆轨道。

10:20 航天员开始组装测试舱外航天服。

12:00:36－12:08:46 远望六号船首次精确测控神七飞船。

12:47－12:59 神七飞船成功穿越南大西洋异常区域。

21:47 "飞天"和"海鹰"两套舱外航天服均组装完成。

21:59 航天员翟志刚与飞控中心试验天地对话。

22:25 航天员开始穿个人装备。

23:36 翟志刚着中国自主研发的"飞天"舱外航天服在太空首次亮相。

第三日 9月27日

13:57 返回舱舱门关闭,航天员开始进行出舱前准备工作。

14:00 神七飞行任务总指挥部决定:翟志刚为出舱航天员,刘伯明在轨道舱支持配合翟志刚出舱,景海鹏值守返回舱。

15:30 舱外服气密性检查正常,气压阀检查正常。

15:48 飞控中心批准轨道舱开始泄压。神七轨道舱开始进行第一次泄压。

16:17 神舟七号和北京飞控中心对话,飞船运行正常,航天员表示感觉良好,航天员吸氧排氮结束。

16:22 航天员穿好舱外航天服。

16:24 出舱活动重要步骤均已结束。航天员吸氧排氮、泄压工作准备完毕。

16:26 轨道舱开始第二次泄压,当舱内气压降至2千帕时可满足航天员出舱条件。

16:39　在刘伯明、景海鹏的协助和配合下，中国神舟七号载人飞船航天员翟志刚顺利出舱，实施中国首次空间出舱活动。

16:48　翟志刚在太空迈出第一步，中国人的第一次太空行走开始。

16:58　北京航天飞控中心发出指令："神舟七号，返回到轨道舱。"

16:59　翟志刚进入轨道舱，并完全关闭轨道舱舱门，完成太空行走。

17:01　轨道舱关闭正常。

18:32　中共中央总书记、国家主席、中央军委主席胡锦涛与神七航天员进行天地通话。

19:24　神舟七号飞船飞行到第31圈时，成功释放伴飞小卫星。这是中国首次在航天器上开展微小卫星伴随飞行试验。

20:16　伴飞卫星完成对神舟七号的20分钟拍照，图像十分清晰。

21:45　神舟七号上的三位航天员与家人进行天地通话。

第四日　9月28日

11:06　航天员换好舱内航天服。

11:16　三名航天员穿舱内压力服，做返回准备。返回控制数据将注入飞船。

11:46　返回控制数据已注入飞船。

12:51　神舟七号返回舱舱门关闭，神七返回阶段开始。

15:26　担任搜救回收神七飞船任务的车队已从四子王旗乌兰花镇出发，正在向主着陆场进发。

15:59　四子王旗主着陆区进入高度戒备状态，大小路口均有执勤人员把守，严禁无关人员和车辆进入。

16:22　主着陆场地面搜救分队正向飞船理论落点开进。

16:41　各测控站点进入神七飞船返回跟踪的10分钟准备。

16:44　北京飞控中心发出飞船调姿指令。飞船一次调姿到位。

16:51　北京飞控中心宣布飞船进入正常返回轨道。

17:02　主着陆场六架搜救直升机全部起飞。

17:06　北京航天飞行控制中心向各测控点发出落点预告。

17:12　推进舱和返回舱成功飞离。

17:17　搜救直升机到达指定空域待命。

17:20　神舟七号飞船飞入中国上空。

17:20　返回舱降落伞打开。

17:21　飞船进入黑障区，与地面飞控中心的通信暂时中断。

17:22　飞船进入主着陆场上空。

17:24　飞船飞出黑障区。

17:25　搜救人员在直升机内举牌提示：搜救开始。

17:25　三名航天员向地面通报感觉良好。

17:36　神舟七号完成载人航天任务，返回舱顺利着陆。

18:23　航天员成功出舱。

2008年9月28日，神舟七号载人飞船安然飞回祖国怀抱。①

航天飞机与载人飞船之争

国家高技术研究发展计划（863计划）虽然将载人航天纳入其中，但主要目

---

①　根据新华网、中国航天新闻网等相关报道和资料整理。

的是技术跟踪而非工程项目。

1986年3月,中国政府批准实施国家高技术研究发展计划(863计划),航天技术被列入七大领域。此后,围绕未来载人航天的技术途径问题,特别是中国载人航天在起步阶段是研制航天飞机还是载人飞船,展开了一段较长时间的争论。

863计划七大领域之一的航天技术领域由两个主题(大型运载火箭及天地往返运输系统、载人空间站系统及其应用)和四个分主题(载人空间站系统、载人空间站的应用、大型运载火箭、天地往返运输系统)组成。863计划出台后,中国航天领域围绕载人航天问题开始了长时间的研究、讨论和规划。1986年4月,以屠善澄为首席科学家的航天领域专家组(863-2)在京成立。其主要使命是对航天领域未来高技术尤其是载人航天发展技术途径重新进行论证。载人空间站之所以成为两大主题之一,是因为国际载人航天发展的实践证明空间站是长期载人航天体系的核心,而且此前中国航天界已经对空间站进行了深入详细的研讨。863计划中没有明确的是天地往返运输系统,即该系统以何种形式体现,是像美国一样研制航天飞机还是像苏联一样研制载人飞船,成为研究乃至争论的焦点,进行了三年之久的学术争论。

为了开展天地往返运输系统的研究,航天领域专家组成立了两个专家组,一个是大型运载火箭及天地往返运输系统组(863-204),另一个是载人空间站系统及其应用组(863-205)。1987年,在国防科工委的组织下,成立了863计划航天技术专家委员会和主题项目专家组,对发展中国载人航天技术的总体方案和具体途径进行全面论证。航天工业部、航空工业部、国家教育委员会、中国科学院、中国人民解放军总

参谋部、国防科工委等系统的六十多家科研单位参加了这场大论证,仅航天工业部所属的单位就有第一、三、五、八共四家研究院分别参加了投标。由于投标方案众多,863-204专家组经过初步筛选,圈定六个技术方案,要求在1988年6月底前完成技术可行性论证报告,以便高层专家评审。这六个方案分别是航空工业部601研究所的空天飞机方案、航天工业部北京11研究所提出的V-2火箭飞机方案、805研究所和640研究所联合提出的长城一号航天飞机方案、运载火箭研究院一部提出的天骄一号小型航天飞机方案、航空工业部611研究所提出的借鉴法国"赫尔墨斯"号的航天飞机方案和中国空间技术研究院508研究所提出的多功能载人飞船方案。六个方案中有五个是航天飞机或空天飞机,只有一个是载人飞船。

1988年7月20日—31日,载人航天技术专家委员会召开会议,聘请十七位著名专家对上述六个方案进行了评审。会上专家们的思想比较统一,主要意见是:航天飞机和火箭飞机虽然是未来天地往返运输系统可能的发展方向,但中国目前还不具备相应的技术基础和投资力度,尚不宜作为21世纪初的跟踪目标;带主动力的航天飞机要解决火箭发动机的重复使用问题,难度比较大;可供进一步研究比较的是多用途飞船方案和不带主动力的小型航天飞机方案。根据上述思路在仔细研究了各方案设想后,最后集中到两个方案:一是运载火箭研究院一部提交的天骄1号小型航天飞机方案,一是中国空间技术研究院508研究所提出的多用途载人飞船方案。在专家进行最后评分时,两个方案的得分非常接近,前者是84分,后者是83.69分。

国防科工委和航空航天工业部有关

领导对载人飞船与航天飞机两种方案的学术争论高度关注。1989年2月25日，部党组专门委托庄逢甘、孙家栋两位专家主持召开飞船与小型航天飞机比较论证会。会上，508研究所高技术论证组组长李颐黎作为载人飞船方案的代表发言，他从技术可行性、国家经济承受能力和技术风险等方面将载人飞船方案与小型航天飞机方案作了比较。他认为，从国情出发绝不能搞航天飞机。经过这次比较论证，航空航天部在中国载人航天发展的途径上逐渐达成共识。

1989年7月，863-204专家组完成了"大型运载火箭及天地往返运输系统可行性及概念研究综合报告"。报告提出了中国载人航天由初级到高级两步走的技术途径：第一步，充分利用中国返回式卫星回收的技术，以较少的经费和较短的周期研制出初期的天地往返运输系统——多用途飞船，使中国尽快突破载人航天技术，解决有无问题，满足初期空间应用的要求。第二步，在2015年左右研制出先进而经济的天地往返运输系统——两级水平起降的空天飞机，以适应未来空间站大系统发展的需要。该报告既考虑了近期需要与技术可能，又照顾了未来发展趋势。

1989年10月，航空航天工业部科技委主持召开了小型航天飞机与多用途飞船比较论证会。空间技术研究院代表在会议上介绍了多用途飞船方案，并提交了载人飞船与小型航天飞机的比较分析报告。该报告从任务和要求的适应程度、技术基础情况、配套工程项目规模、投资费用、研制周期五个方面进行了比较，得出了发展多用途飞船是中国"突破载人航天、形成空间站的第一代天地往返运输系统和作为轨道救生艇的适合国情的最佳选择"的结论。1990年6月，航空航天工业部所属各单位一致表示同意以载人飞船起步。至此，在航空航天工业部的范围内对中国载人航天技术发展途径取得了共识。

1991年1月7日，航空航天工业部成立"载人航天联合论证组"。经过三个多月的论证工作，论证组提出了载人飞船工程总体方案和飞船工程的技术指标及技术要求。3月15日，李鹏总理听取了任新民等有关专家的汇报；4月19日，航空航天工业部发出关于开展飞船工程方案论证工作的通知，要求三个单位开展中国载人飞船方案论证。1991年底，航空航天工业部决定载人飞船研制由中国空间技术研究院总抓，其他院参与。1991年12月31日前，三个单位的论证结果先后上报航空航天工业部。1992年1月8日，中央专门委员会召开第5次会议，专门研究中国载人航天发展问题。1992年8月25日，中央专门委员会向党中央、国务院、中央军委呈上了《关于开展中国载人飞船工程研制的请示》。1992年9月21日，中共中央政治局第十三届常委会第195次会议讨论同意了中央专委《关于开展我国载人飞船工程研制的请示》，正式批准实施中国载人航天工程。

2003年10月15日，中国的神舟五号载人飞船发射成功，将中国第一名航天员送上太空。

在中国大型国防项目中，像载人航天规划这样采取的论证方式还是第一次。三年的载人飞船与航天飞机之争以及最终的决策体现了以下特点：①跟踪但没有盲目追随国际潮流；②论证过程充分体现了科学、民主；③现实需要与技术可能密切结合；④顾全大局，服务国家利益；⑤政治与行政尽可能减少干预。由于经过了长期严密的争论与论证，最终决策确定的载人飞船之路更为符合国情,符合载人航天发展规律,因此在执行过程中也比较顺利。中国载人航天工程在技术途径方面的研究、争论与决策过程所提供的宝贵经验,值得其他类似重大工程参考与借鉴。

神七背后的科技创新

当翟志刚在太空中缓缓挪动脚步时,全国上下一片欢腾,整个世界为之动容!中国成为继苏联和美国之后第三个掌握空间出舱活动技术的国家,中国综合国力得到彰显。神七的各种技术创新也成为世界关注的焦点。

神舟七号飞船的准确入轨、正常运行、出舱活动圆满、安全健康返回,使我国首次突破航天员出舱行走技术,这是我国载人航天工程三步走战略第二步第一阶段最核心、最关键技术的重大突破。突破出舱技术是我国载人航天发展第二步战略的第一项重要任务,攻克气闸舱泄复压技术、舱外航天服支持技术、设计舱外行走程序和首次进行空间飞行器间的链路试验等,都使神舟七号成为我国载人航天飞行的一座新的里程碑。

(一)四大突破。从一定意义上而言,神舟五号、神舟六号的两次载人航天飞行,航天员主要依靠运载火箭和飞船的自主飞行,人作为主体真正参与的空间较为有限,而第三次载人航天飞行也就是神舟七号任务,航天员身着舱外航天服首次离开神舟飞船在太空中独立操作与行走,这是在充分继承前两次技术基础上的极大创新。针对这些重大技术状态变化,神舟七号载人航天飞行在四个方面实现了技术突破。

第一,航天员进行出舱活动飞行试验,突破出舱技术。为此,中国航天科技集团公司专门研制了出舱用的气闸舱。

载人航天活动极具挑战性和风险性,把航天员安全送入太空并保证其健康返回已属不易,何况神舟七号要实现太空行走。这是在天地往返技术基础上更上一层楼,难度极大。为此,神舟七号飞船做了较大改动。虽然保持着原来的三舱方案,但为实现航天员的首次舱外行走,要在原来的轨道舱的基础上新研制气闸舱用来调节气压,这是神舟七号与神舟五号、神舟六号最大的不同。"神舟七号飞船研制的大部分挑战,来自于气闸舱研制。"飞船系统总设计张柏楠接受采访时说,尽管是在神六轨道基础上进行修改,但牵一发而动全身。神七的轨道舱(气闸舱)实际上已经是一个全新的航天器。从外形上看,轨道舱去掉了一对太阳板,顶部安装了多个圆球形的气瓶,还捆了一颗伴飞小卫星。从内部结构上看,配备了复压气瓶、两套舱外航天服、泄复压制设备和出舱保障控制台等舱载支持设备,同时还提供了睡袋、食品加热、个人生活品和个人卫生装置等生活设施。为此,气闸舱进行了全新设计,电的排布、防热的措施、火工品的设计、软硬系统的接口等都要重新设计。它在结构度、振动、热真空等极端环境中的试验一个都不能少。除此之外,气闸舱内还装有有线和舱外无线通信系统、舱外活动操作显示界面、照明灯、摄像装置等设备,这一切都凝结着设计师的艰辛和智慧。

第二,首次亮相的舱外航天服。太空是真空状态,太阳粒子、大量的射线、宇宙射线等恶劣的空间环境会对航天员的健康和安全构成威胁。舱外航天服像一个小的生命保障系统,是专家们集智攻关的结晶，数百项高技术浓缩到航天服里，技术含量很高。中国航天科技集团公司参与了舱外航天服头盔、躯干壳体、通风流量分配管路、呼吸系统、活动关节、生理号放大器等产品的研制。舱外航天服壳体具有压力防护、载荷支撑、密封等功能，是名副其实的航天员生命"盔甲"，这些技术在短短几年内取得突破非常不易。19 分35 秒，9165 公里，当翟志刚一边挥动国旗一边在太空中行走时，毫无疑问，他以每秒 7.8 公里的第一宇宙速度，成为"走"得最快的中国人。而他的贴身侍卫就是那通体洁白的"飞天"航天服。这套重达 120千克、造价高达 3000 万元的航天服外观看起来很复杂。从上到下依次是头盔、上肢、躯干、下肢、压力手套、靴子。从内到外，则分为六层：由特殊防静电处理过的棉布织成的舒适层、橡胶质地的备份气密层、复合关节结构组成的主气密层、涤纶面料的限制层、通过热反射来实现隔热的隔热层、最外面的外防护层。服装的四肢部分装有调节带，通过调节上臂、小臂和下肢的长度，身高 1.60 米—1.80 米的人都能穿上这套衣服。壁厚仅 1.5 毫米的铝合金躯干外壳上密集着各种仪器：电控台、气液控制台、气液组合插座、应急供氧管、电脐带。仅是十几厘米见方的电控台里，就有照明、数码管控、机械式压力表等九个开关，气液控制台里的阀门更是多达二十多个。舱外航天服是我国第三次载人航天飞行中最难的一项技术。虽然都是航天服，舱外服跟舱内服完全不一样。舱内服只保证压力，但舱外服什么都要管。飞船的大多数功能都要在舱外服里实现。可以说，舱外服就是一个穿在身上的小型飞船。总的来说，舱外服为航天员提供三个方面的保障：一是辐射、真空、微流尘等环境的防护；二是生命保障，也就

是要保持一个适合人生存的气体和温度湿度环境；三是良好的功效保障，保证航天员穿着舱外服能开展维修器材等太空作业。重而不笨、行动灵活，是中国舱外航天服的一大特点。设计师们在上肢的肩、肘、腕和下肢的膝、踝等关节处，使用了气密轴承。在轴承的作用下，航天员的手脚可以随意转动，同时能严格保证气密性。手背则用上了可以翻折的热防护盖片，不仅能提高手指的热防护能力，还能保证手指关节的活动性。舱外用的手套，看上去特别厚实。手背为白色，手心和指头是灰色的——密密麻麻的灰色橡胶凸粒，具有防滑和隔热的作用。航天服虽然是"批量"生产的，手套却是用国际上先进的"三维数字扫描"技术，为每位航天员量身定做的。出舱活动主要靠手完成操作和"行走"，手套必须灵活，同时又得有相当的厚度以保证气密性、隔热性，这在材料与工艺上几乎是矛盾的。科研人员经过无数次试验，终于制造出了既安全又灵活的手套。中国舱外航天服的手套灵活性国际一流，航天员能够轻松握持直径为25 毫米的物体。此外，在关节上，科研人员巧妙地利用了仿生结构，使关节活动更自如。电控系统上，中国舱外服全部采用数字信号处理，显示屏则采用了国际上最先进的 OLED 技术，使显示器更大、更薄、更省电、更耐受高低温，显示色彩更鲜艳，以方便航天员查看。对于从零开始的中国航天人来说，航天服的九十多个关键部件没有一件成熟产品，无不需要实现"零"的突破。"飞天"是中国研制的第一代舱外航天服，整体设计和各部件的设计、组装都是中国人自己完成的。就目前完成任务的能力而言，已接近国际水平。

　　第三，这次在神舟七号飞船推进舱前段安装有中继终端设备，用以进行在神舟

七号与天链一号中继卫星间的中继链路试验。这是一项十分有意义的科学试验。天链一号卫星在36000公里以外的圆轨道上，而神舟七号距地面350公里，倾角为42度，要在两颗相对运动复杂、倾角各异的空间飞行器间进行无线通讯，在我国尚属首次，意义重大。这项任务的完成可大大提高我国航天测控网的效率，为载人航天今后从事交会对接等对测控覆盖要求更高的活动打下了良好的基础。更为重要的是，这次试验成功后，我国各类运载火箭的发射也可以使用中继卫星，从而大大提高测控覆盖率。

第四，神舟七号飞船在飞行中释放了一颗40千克的小卫星，并在航天员返回地面后使这颗小卫星围绕轨道舱进行伴随飞行。这是我国第一次从一个航天器上释放另一个航天器，验证了在轨释放技术，也考核了小卫星在释放以后是否能成为轨道舱的伴随卫星，以便能更好地观测飞船，同时还检验了地面测控网对两个航天器相对运动的测控能力。这种在轨空间飞行器之间的绕飞试验以前从来没有做过，对于开辟空间技术新领域很有意义。

（二）多项第一。神舟七号飞船载人航天飞行的圆满成功，创下了"中国航天员首次太空出舱"等多项第一。

神舟七号飞船航天员翟志刚完成了中国航天员第一次太空出舱活动，成为中国出舱活动第一人。

他穿着的中国研制的第一件"飞天"舱外航天服通过了太空环境的严峻考验。

在翟志刚的挥动下，五星红旗第一次飘扬于外太空。

翟志刚在出舱活动期间取回了暴露在舱外的固体润滑材料等试验样品。这也是中国第一次进行固体润滑材料外太空暴露试验，标志着中国空间润滑材料研究跨上一个新台阶。现在，科学家们已经在对它进行研究，主要是为了延长这些材料以后再在空间应用时的寿命。

神舟七号飞船成功释放了一颗伴飞小卫星。这是中国研制并在太空释放的第一颗空间伴飞小卫星，标志着中国成为世界上第三个掌握空间释放和绕飞技术的国家。

神舟七号飞船成功开展了中国首颗中继卫星天链一号的第一次卫星数据中继试验，不仅让神舟七号飞船测控覆盖率从14％提到了50％，还对提高中国航天测控能力具有重要意义。它为中国构建天地基一体化航天测控通信系统奠定了基础。一颗中继卫星能够覆盖地球面积的1/3，我国现有的资源卫星、减灾卫星等通过这颗中继星就可以把它们的数据实时传回来。

神舟七号飞船的三名中国航天员搭乘飞船进入太空，是中国"神舟"飞船第一次满载"乘客"进行航天飞行。

神舟七号载人飞船上专门研制的气闸舱第一次在太空应用并获得成功，满足了神舟七号航天员太空出舱任务的需求。神舟七号飞船轨道舱兼具生活和气闸功能，验证了气闸舱的相关技术，为未来空间站气闸舱设计研制奠定了基础。

神舟七号飞船着陆场系统第一次建立了空中搜救指挥平台，并首次应用"北斗"试验卫星导航系统，成功开展了神舟七号飞船返回舱返回着陆过程的航天员搜救和返回舱处置工作。

四

从神舟一号到神舟七号：
创造"中国速度"

从 1999 年神舟一号无人飞船首访太空到 2008 年神舟七号飞天，九年间的七次飞行如同七个台阶、七枚刻度，巡天、问天、飞天，它们所记录的，不仅是中国载人航天工程的不断突破，更是中国航天人的光荣与梦想。

历史将永远铭记这些伟大的时刻——1999 年 11 月 20 日 6 时 30 分，一声惊雷震撼茫茫戈壁，长征二号 F 型运载火箭托举着中国的神舟一号腾空而起，踏上了中华民族探索太空奥秘的飞天旅程。经过 21 小时 11 分钟的太空飞行，神舟一号顺利返回地球，中国载人航天工程首次飞行试验取得圆满成功，实现了天地往返的重大突破。短短八年时间，中国航天人走完了发达国家三四十年走过的路。神舟一号的太空之旅向世界宣告：中国古老的敦煌壁画所描绘的飞天之梦，必定在不远的将来成为现实。

2001 年 1 月 10 日，神舟二号飞船再次载着中国航天人的希望飞上太空。这一次，飞船运行时间从神舟一号的一天增加到了七天。

2002 年 3 月 25 日，神舟三号升空。这一消息，让整个世界听到了"中国追赶"急促的脚步声。神舟三号仍是无人飞船，但船上却有人的身影——"模拟人"。"'他'装载了人体代谢模拟装置、拟人生理信号以及形体假人，能够模拟航天员呼吸和心跳、血压、耗氧以及产生热量等重要生理参数，为航天员进入太空探路。"第一任航天系统总指挥、总设计师宿双宁说，与美国、苏联先把动物送上太空试验不同，"模拟人"是我国载人航天的一项创造。

天路迢迢，征程漫漫。中国航天人飞向太空的每一步既谨慎又大胆。2002 年 12 月 30 日至 2003 年 1 月 5 日，神舟四号无人飞船在零下 20 多摄氏度的严寒中成功发射，并在飞行七天后平安返回。这是我国实施首次载人航天飞行前的最后一次无人飞行试验，飞船的技术状态与载人飞行时完全一致。前三次无人飞行试验中发现的有害气体超标问题，在神舟四号上得到了彻底解决。

发射一次，前进一步。终于，中华民族走到了梦圆九天的时刻。2003 年 10 月 15 日，中国航天员杨利伟乘坐神舟五号飞船成功进入太空。一面鲜艳的五星红旗和一面蓝色的联合国旗在他手中徐徐展开……

两年后的金秋时节，中国航天员费俊龙、聂海胜驾驭神舟六号飞船，遨游太空五昼夜，标志着中国首次开展了真正意义上有人参与的空间实验活动。爱尔兰学者布赖恩·哈维在其著作《中国航天计划：从起源到载人飞行》中这样评价中国的载人航天："这是非常典型的中国式太空计划。他们每次向前迈进一大步，很少重复飞行。"①

2008 年，神舟七号蓄势待发！中国航天员将首次出舱行走，把中国人的脚印留在太空！这将是中国航天史上一个新的高度。

在酒泉卫星发射中心召开的新闻发布会上，有记者问："'神七'任务中，一名

---

① 布赖恩·哈维（爱尔兰）：《中国航天计划：从起源到载人飞行》，《中美安全增刊·神六专题》，2005 年第 3 期。

航天员上天与两名航天员上天，有什么不同吗？"中国载人航天工程副总指挥张建启回答："这不仅是简单数量的增加，而是质的飞跃！"

的确，与"神六"相比，"神七"是一项全新的挑战。为了实现太空行走的目标，在过去的三年里，中国航天人马不停蹄地忙碌着、精心地准备着：

火箭，进行了三十六项技术改进；

飞船，将留轨舱改造成能通向太空的气闸舱；

测控，中继卫星登上历史舞台；

舱外航天服，出舱训练设施……

所有这一切，都是新的课题。而这些新技术的突破和运用，必将推动中国载人航天工程再上一个新台阶。

神七，中国载人航天工程的又一个新起点。

"发射载人飞船、发射空间实验室、建立永久性空间站"是我国载人航天"三步走"的战略目标，神舟七号任务只是航天工程第二步任务的第一步骤，起着承上启下的关键作用。下一步的目标是在不太长的时间内掌握空间交会对接技术，早日建立未来空间站。

我国载人航天事业，是在改革开放伟大历史进程中决策实施和不断推进的。早在20世纪80年代，以邓小平同志为核心的党的第二代中央领导集体审时度势，明确把发展载人航天事业纳入发展高技术的863计划。以江泽民同志为核心的党的第三代中央领导集体，面对世界科技进步突飞猛进、综合国力竞争日趋激烈的新形势，作出了实施载人航天工程的重大战略决策。党的十六大以来，党中央从世界科技大势和中国特色社会主义事业全局出发，适应我国科技事业发展的战略要求，对我国载人航天工程第二步、第三步发展作出全面规划。载人航天工程实施十六年来，各系统各单位和广大航天工作者团结一心、群策群力、锐意创新、拼搏奉献，突破一大批拥有自主知识产权的核心关键技术，先后实现从无人飞行到载人飞行、从一人一天到多人多天、从舱内实验到出舱活动等重大跨越，为我国航天事业发展开辟了广阔前景。载人航天工程不仅有力地带动了我国基础科学和应用科学相关领域加速发展，促进了科技成果向现实生产力转化，为经济社会发展提供了重要推动力量，而且培养造就了一支能够站在世界科技前沿、勇于开拓创新的高素质人才队伍，探索出依托重大工程培养创新型人才和领军人物的有效途径和体制机制。广大航天工作者大力发扬以爱国主义为核心的民族精神和以改革创新为核心的时代精神，培育形成了特别能吃苦、特别能战斗、特别能攻关、特别能奉献的载人航天精神，为全党全军全国各族人民沿着中国特色社会主义道路奋勇前进增添了精神力量。

神舟七号载人航天飞行圆满成功，充分展示了改革开放三十年来我国显著提高的经济实力、科技实力、综合国力，进一步增强了全体中华儿女的民族自信心和自豪感，进一步坚定了全党全军全国各族人民继续推进改革开放和社会主义现代化建设的决心和信念，对于我们在中国特色社会主义道路上实现中华民族伟大复兴必将产生重大而深远的影响。这一成就再一次向世人昭示：中华民族是勤劳智慧、富有创新精神和创造能力的民族，是自强不息、勇于战胜一切艰难险阻的民族，是爱好和平、积极为人类和平与发展的崇高事业不懈奋斗的民族。

社会主义文化的繁荣与发展

中共十六大之后，我国进入全面建设小康社会、加快推进社会主义现代化的新的发展阶段。文化在整个中国特色社会主义事业总体布局和全面建设小康社会全局中的地位和作用越来越突出。党和国家以及全国上下对文化建设更加重视，更加自觉、更加主动地推进社会主义文化建设，在理论和实践上都取得重大进展。

一

中国特色社会主义文化理论的创新与发展

中国特色社会主义文化理论是中国特色社会主义理论体系的重要组成部分。十六大以来，中共中央不断推进实践基础上的理论创新，提出一系列重大战略思想，丰富和发展了中国特色社会主义理论体系。这其中就包含着对文化建设的理论思考，对文化发展规律的探索，形成了一系列新的文化发展理念。这些新的文化发展理念，对于推动社会主义文化发展和繁荣，提供了有力的理论支撑。

2002年11月召开的中共十六大，从全面建设小康社会全局的高度，从提升综合国力，增强民族生命力、创造力和凝聚力的角度，阐明文化建设的战略意义，提出推动社会主义文化的发展与繁荣的任务。十六大报告还第一次把文化建设区分为文化事业和文化产业两部分，第一次把"文化产业"的概念写进党的重要文件中，明确了文化产业在文化建设中的地位和作用。十六大报告强调发展文化产业是市场经济条件下繁荣社会主义文化、满足人民群众精神文化需求的重要途径；要求完善文化产业政策，支持文化产业发展，增强我国文化产业的整体实力和竞争力。这表明中国共产党对文化建设的理论认识有了一个新的飞跃，对文化产品的意识形态属性和产业属性，以及市场经济条件下文化发展规律的认识更加全面和深入，文化事业和文化产业并驾齐驱、共同发展的思路和格局已经明晰。十六大还对文化体制改革做了明确部署，要求"推进文化体制改革。抓紧制定文化体制改革的总体方案。把深化改革同调整结构和促进发展结合起来，理顺政府和文化企事业单位的关系，加强文化法制建设，加强宏观管理，深化文化企事业单位内部改革，逐步建立有利于调动文化工作者积极性，推动文化创新，多出精品、多出人才的文化管理体制和运行机制。按照一手抓繁荣、一手抓管理的方针，健全文化市场体系，完善文化市场管理机制，为繁荣社会主义文化创造良好的社会环境"。这一部署明确了文化体制改革的方向和目标，把文化体制改革引入全面深化的新阶段。十六大关于文化发展的理论论述和战略部署，为推动新世纪新阶段文化的快速发展开辟了道路。十六大之后，文化理论创新不断，文化体制改革深入推进，各项文化事业和文化产业迅速发展。

2003年8月，中共中央政治局进行第7次集体学习，学习内容是世界文化产业发展状况和我国文化产业发展战略。胡锦涛主持学习并讲话，指出，发展文化事业和文化产业,是社会主义文化建设的重要组成部分。发展各类文化事业和文化产业,都要坚持正确导向,把社会效益放在首位,做到社会效益和经济效益的统一,努力宣传科学真理、传播先进文化、塑造美好心灵、弘扬社会正气、倡导科学精神。要坚持解放思想、实事求是、与时俱进,根据新形势下社会主义文化建设的特点和规律,按照文化事业和文化产业的发展要求,不断推进文化体制和机制创新,支持和保障文化公益事业,增强文化产业的整体实力和竞争力。

2004年3月,中共中央发出《关于进一步繁荣发展哲学社会科学的意见》。强调指出,在全面建设小康社会、开创中国特色社会主义事业新局面、实现中华民族伟大复兴的历史进程中,哲学社会科学具有不可替代的作用。必须进一步提高对哲学社会科学重要性的认识,大力繁荣发展哲学社会科学。《意见》分七部分对繁荣发展哲学社会科学做了全面部署:一是繁荣发展哲学社会科学是建设中国特色社会主义的一项重大任务,二是繁荣发展哲学社会科学的指导方针,三是繁荣发展哲学社会科学的目标,四是实施马克思主义理论研究和建设工程,五是积极推进哲学社会科学管理体制改革,六是造就一支高水平的哲学社会科学队伍,七是加强党对哲学社会科学工作的领导。

2004年9月,中共十六届四中全会提出加强党的执政能力建设的五项主要任务,其中就包括"建设社会主义先进文化的能力"。全会通过的《中共中央关于加强党的执政能力建设的决定》,要求坚持马克思主义在意识形态领域的指导地位,不断提高建设社会主义先进文化的能力。把建设社会主义先进文化的能力,作为加强党的执政能力建设的一个主要任务,充

分反映了中国共产党对文化问题的高度重视。《决定》还第一次把"解放和发展文化生产力"这一命题正式写入党的文件中,反映了中国共产党对文化发展的规律和文化体制改革的目标有了新的认识。

2005年4月13日,国务院发布《关于非公有制资本进入文化产业的若干决定》。允许非公有制资本进入文化产业的目的,在于大力发展社会主义先进文化,充分调动全社会参与文化建设的积极性,进一步引导和规范非公有制资本进入文化产业,逐步形成以公有制为主体、多种所有制经济共同发展的文化产业格局,提高我国文化产业的整体实力和竞争力。《决定》对鼓励和支持非公有制资本进入的文化领域、从事的业务等问题做了规定,成为非公有制资本进入文化产业的政策依据。《决定》的出台,表明中央对于如何利用市场经济发展文化产业有了明确的认识。

2005年11月,中共中央政治局召开会议,讨论深化文化体制改革工作。12月,中共中央、国务院发布《关于深化文化体制改革的若干意见》。《意见》充分阐明了深化文化体制改革的重要性和紧迫性,指出,当今世界,文化与经济政治相互交融,在综合国力竞争中的地位和作用越来越突出。必须从全面落实科学发展观、构建社会主义和谐社会的高度,从巩固马克思主义在意识形态领域指导地位的高度,从加强党的执政能力建设的高度,充分认识文化体制改革的重要性和紧迫性,增强责任感和使命感,抓住重要战略机遇期,深化改革,加快发展,为建设社会主义先进文化注入强大动力。《意见》从指导思想、原则要求、目标任务、重塑文化市场主体、调整文化领域结构、培育现代文化市场体系、加强和改进文化领域宏观管理、

加强组织领导等方面对深化文化体制改革做了全面部署,成为深化我国文化体制改革的纲领性文件。2006年3月,全国文化体制改革工作会议在北京召开,李长春在会上作题为《全面落实科学发展观,深入推进文化体制改革》的讲话,要求一定要认真贯彻落实《中共中央、国务院关于深化文化体制改革的若干意见》,要全面领会党的十六大以来党中央关于发展社会主义先进文化的一系列新观点新论断,把思想认识统一到中央关于深化文化体制改革的重大决策部署上来。要坚持解放思想,转变观念,遵循社会主义精神文明建设的特点和规律,适应社会主义市场经济发展的要求,树立新的文化发展观。要不断深化对文化地位和作用、文化发展方向、文化发展动力、文化发展思路、文化发展格局、文化发展目的的认识,坚决冲破一切妨碍发展的思想观念,坚决改变一切束缚发展的做法和规定,坚决革除一切影响发展的体制弊端,做到思想上不断有新解放,理论上不断有新发展,实践上不断有新创造。

2006年9月,中共中央办公厅、国务院办公厅印发《国家"十一五"时期文化发展纲要》,论述了"十一五"时期发展文化的重要意义,阐明了文化建设的指导思想、方针原则、发展目标和重点,对理论和思想道德建设、公共文化服务、新闻事业、文化产业、文化创新、民族文化保护、对外文化交流、人才队伍等八个方面的任务做了概要的规划,同时也提出了具体的组织保证和政策措施,既具有宏观指导意义,又具有很强的实际操作性。《纲要》是新中国成立以来由中央制定的第一个专门部署文化建设的规划纲要,是中共十六大以来党的文化发展理念具体化为文化发展实践的指导性文件。《纲要》总结了国

内文化发展先进地区的实践经验,借鉴了发达国家发展文化产业的成功做法,并有诸多创新之处。比如,明确要求各地要充分利用先进技术和现代生产方式,改造传统的文化生产和传播方式,推进产业升级,延伸产业链,首次提出了"创新文化生产方式,培育新的文化业态"的思想。

2006年10月,中共十六届六中全会通过的《中共中央关于构建社会主义和谐社会若干重大问题的决定》,提出了建设和谐文化的目标,强调要建设社会主义核心价值体系,树立社会主义荣辱观、坚持正确的思想舆论导向、广泛开展和谐创建活动。《决定》提出和谐文化这一命题的着眼点,在于形成全社会共同的理想信念和道德规范,打牢全党全国各族人民团结奋斗的思想道德基础。社会主义核心价值体系则是建设和谐文化的根本,是形成全民族奋发向上的精神力量和团结和睦的精神纽带。马克思主义指导思想、中国特色社会主义共同理想、以爱国主义为核心的民族精神和以改革创新为核心的时代精神、社会主义荣辱观,构成社会主义核心价值体系的基本内容。从和谐文化的着眼点,社会主义核心价值体系的基本内容,以及和谐文化和社会主义核心价值体系的关系来看,中国共产党对新世纪新阶段思想道德建设的基本内容和规律都形成了新的认识,在话语表述上也焕然一新。在战略部署上,把社会主义核心价值体系建设作为根本,以社会主义核心价值体系引领社会思潮,对于在深刻变动中越来越呈现多样化、复杂化的社会思想道德现状具有极强的针对性。

2006年11月,胡锦涛在第八次文代会、第七次作代会上发表讲话,进一步阐述了繁荣社会主义先进文化、建设和谐文化的重要性,并对文艺工作者提出四项要

求：一切有理想有抱负的文艺工作者，都要担当起时代赋予的神圣使命，积极投身讴歌时代的文艺创造活动；都要密切同人民群众的血肉联系，积极反映人民心声；都要大力发扬创新精神，积极开拓文艺的新天地；都要做到德艺双馨，积极履行人类灵魂工程师的职责。胡锦涛的讲话是新世纪新阶段指导文艺工作的纲领性文件，为新形势下繁荣发展社会主义文学艺术事业进一步指明了方向。

2007年8月，中共中央办公厅、国务院办公厅发布《关于加强公共文化服务体系建设的若干意见》。《意见》阐述了加快建设公共文化服务体系的重要性；明确了公共文化服务体系建设的指导思想和目标任务；确定了广播电视村村通工程、全国文化信息资源共享工程、乡镇综合文化站和基层文化阵地建设工程、农村电影放映工程、农家书屋工程等五项重大文化服务工程；要求通过建立健全公共文化设施网络、充分发挥现有文化设施的作用、加强公共文化产品生产、积极开展公益性文化活动、提高产业支撑和市场供给能力等途径，增强公共文化产品的生产供给能力；提出通过推进公益性文化事业单位改革、创新公共文化服务方式、提高公共文化服务水平等方式创新公共文化服务运行机制。发展公共文化服务体系是新世纪新阶段推进文化事业发展的主要途径，《意见》对公共文化服务体系建设的全面部署，体现了党和国家对于发展文化事业的思路越来越明晰。

2007年1月，中共中央政治局进行第38次集体学习，胡锦涛主持学习并讲话，他强调，加强网络文化建设和管理，充分发挥互联网在我国社会主义文化建设中的重要作用，有利于提高全民族的思想道德素质和科学文化素质，有利于扩大宣传思想工作的阵地，有利于扩大社会主义精神文明的辐射力和感染力，有利于增强我国的软实力。我们必须以积极的态度、创新的精神，大力发展和传播健康向上的网络文化，切实把互联网建设好、利用好、管理好。能否积极利用和有效管理互联网，能否真正使互联网成为传播社会主义先进文化的新途径、公共文化服务的新平台、人们健康精神文化生活的新空间，关系到社会主义文化事业和文化产业的健康发展，关系到国家文化信息安全和国家长治久安，关系到中国特色社会主义事业的全局。胡锦涛还就加强网络文化建设和管理提出五项要求。

2007年10月，中共十七大报告对于发展文化的重要意义做了高度的评价，并提出"推动文化大发展大繁荣"、"兴起社会主义文化建设新高潮"的任务。报告从四个方面对文化建设做了部署：建设社会主义核心价值体系，增强社会主义意识形态的吸引力和凝聚力；建设和谐文化，培育文明风尚；弘扬中华文化，建设中华民族共有精神家园；推进文化创新，增强文化发展活力。报告中还写入了"文化软实力"这一重要命题，充分反应了中国共产党对当今世界文化发展的历史趋势和我国文化发展方位的科学把握，把提高国家文化软实力、实现社会主义文化大发展大繁荣作为增强综合国力和中华民族伟大复兴的新的战略着眼点。

2008年11月，李长春在《求是》杂志发表题为《深入学习实践科学发展观推动社会主义文化大发展大繁荣》的文章，从八个方面总结了中共十六大以来文化发展理念的创新。一是在文化地位和作用上，明确文化建设是中国特色社会主义事业总体布局的重要组成部分，文化越来越成为民族凝聚力和创造力的重要源泉、越来越成为综合国力竞争的重要因素，丰富精神文化生活越来越成为我国人民的热切愿望。二是在文化发展方向上，要明确牢牢把握社会主义先进文化前进方向，建设社会主义核心价值体系，发展面向现代化、面向世界、面向未来的，民族的、科学的、大众的社会主义文化。要大力发展先进文化，支持健康有益文化，努力改造落后文化，坚决抵制腐朽文化。三是在文化发展目的上，明确要坚持以人为本，满足人民群众日益增长的精神文化需求，保障人民基本文化权益，丰富人民精神文化生活。四是在文化发展动力上，明确要坚持改革创新和科技进步，破除制约文化发展的体制性障碍，不断解放和发展文化生产力。五是在文化发展思路上，明确要一手抓公益性文化事业、一手抓经营性文化产业，一手努力构建覆盖城乡、惠及全民的公共文化服务体系，一手壮大文化产业、繁荣社会主义文化市场，一手抓繁荣、一手抓管理，推动文化全面协调健康发展。六是在文化发展格局上，明确要积极吸引民营资本、海外资本参与文化建设，形成以公有制为主体、多种所有制共同发展的文化产业格局，以民族文化为主体、吸收外来有益文化的文化对外开放格局。七是在文化发展战略上，明确要提升国家文化软实力，提高全民族的思想道德素质和科学文化素质，促进人的全面发展，实施文化"走出去"战略，增强中华文化国际影响力。八是在文化发展领导力量和依靠力量上，明确要始终坚持党对文化工作的领导，充分发挥人民群众在文化建设中的主体作用，最大限度地发挥广大文化工作者的积极性、主动性、创造性。

文章最后指出：这些重要的文化发展理念，初步回答了新世纪新阶段我国社会主义文化发展的一系列重大问题，是科学发展观在文化建设领域的具体体现，是新的历史条件下文化发展规律的客观反映，一定要贯彻落实到文化建设的各个方面，并在实践中不断发展和完善。

二

社会主义核心价值体系建设

改革开放以来，我国社会发生了深刻变化。社会的经济成分、组织形式、就业方式、分配方式等等都发生了巨大变化，社会阶层进一步分化和细化，利益要求多样化。人们思想活动的独立性、选择性、多变性和差异性不断增强，社会思想空前活跃，人们的价值观也呈现出多样化趋势。特别是进入新世纪以来，经济体制深刻变革、社会结构深刻变动、利益格局深刻调整、思想观念深刻变化，导致各种思想观念高度活跃，相互碰撞和交融，对于社会主义意识形态的吸引力和凝聚力，构建和谐社会的共同的思想基础形成严峻挑战。在这一背景下，中共十六届六中全会提出建设社会主义核心价值体系具有极强的现实针对性。它是有效凝聚社会各个阶层、各个利益群体，不断巩固全党全国各族人民团结奋斗共同思想基础的有力武器，是思想文化建设上的一个重大理论创新。把建设社会主义核心价值体系作为主线，贯穿到文化建设的各个方面，是在文化建设上贯彻落实科学发展观的根本要求，是以科学发展观统领文化建设的根本体现。十六大以来，社会主义核心价值建设在思想理论创新和宣传、道德风尚建设方面都取得明显成绩。

1.丰富和发展中国特色社会主义理论体系，巩固全党全国各族人民团结奋斗的共同思想基础兴起学习贯彻"三个代表"重要思想新高潮。中共十六大把"三个代表"重要思想确立为中国共产党必须长期坚持的指导思想,十六大之后,全党全国开展了学习宣传十六大精神,全面学习贯彻"三个代表"重要思想的活动。2005年初开始,中共中央又用一年半的时间在全党开展了以实践"三个代表"重要思想为主要内容的保持共产党员先进性教育活动。学习贯彻"三个代表"重要思想的活动,围绕全面建设小康社会的奋斗目标和战略部署,坚持用"三个代表"重要思想指导实践、解决问题、推动工作,把做好非典型肺炎防治工作作为贯彻"三个代表"重要思想的自觉实践,把学习贯彻"三个代表"重要思想与共产党员先进性教育结合起来,取得了明显成效。

不断推进中国特色社会主义理论体系创新。中共十六大以来,为全面推进中国特色社会主义事业的发展,中共中央召开了六次全委会,作出了一系列重大战略决策,以胡锦涛为总书记的中共中央提出了科学发展观、构建社会主义和谐社会、加强党的执政能力建设和先进性建设、建设创新型国家、建设社会主义新农村、树立社会主义荣辱观、走和平发展道路等一系列重大的战略思想。中共十七大提出了中国特色社会主义理论体系的科学命题,把邓小平理论、"三个代表"重要思想以及科学发展观等重大战略思想概括为这一体系的基本内容。科学发展观被确定为我国经济社会发展的重要指导方针,发展中国特色社会主义必须坚持和贯彻的重大战略思想。根据十七大的部署,从2008年9月开始,中共中央在全党分批开展深入学习实践科学发展观活动,深入宣传阐释科学发展观的重大意义、科学内涵、精神实质和根本要求,兴起了学习实

践科学发展观的热潮。科学发展观等一系列重大战略思想的提出,以及深入学习实践科学发展观活动,引起全党全国人民的广泛共识和国际社会的广泛关注,巩固和加强了全党全国人民共同奋斗的共同思想基础,在国际社会赢得了良好形象,有力地推动了全面建设小康社会的步伐。

实施马克思主义理论研究和建设工程。2004年1月,中共中央发出《关于进一步繁荣发展哲学社会科学的意见》和《关于实施马克思主义理论研究和建设工程的意见》,明确提出和布置实施马克思主义理论研究和建设工程。4月,中央实施马克思主义理论研究和建设工程工作会议在北京召开,胡锦涛会见出席会议的全体代表并发表讲话。此后,中共中央、国务院和有关部门又不断推出一系列举措推动马克思主义理论研究和建设工程的实施。马克思主义理论研究和建设工程实施以来,已取得丰硕成果。完成了关于毛泽东思想、邓小平理论和"三个代表"重要思想研究、十六大以来理论创新研究、国外马克思主义研究等大量成果。编写出版了《科学发展观学习读本》、《思想道德修养与法律基础》、《中国近现代史纲要》、《毛泽东思想、邓小平理论和"三个代表"重要思想概论》、《2005:理论热点面对面》、《理论热点面对面(2006)》等读本、教材和通俗读物。对于推进中国特色社会主义理论创新,促进社会主义核心价值体系建设,发挥了积极作用。

2.大力弘扬民族精神和时代精神,唱响主旋律

弘扬抗震救灾精神、北京奥运精神、载人航天精神。自2003年以来,我国先后经历了2003年春的"非典"疫病灾害、2008年初南方部分地区严重低温雨雪冰冻灾害以及2008年5月的四川汶川特大地震

灾害。中共中央、国务院领导全党和全国人民成功取得了抗击灾害的胜利，充分展现和弘扬了伟大的民族精神。特别是在波澜壮阔的抗震救灾斗争中，中共中央领导全党、全军和全国人民，用理想凝聚力量、用信念铸就坚强、用真情凝结关爱，大力培育和弘扬了万众一心、众志成城，不畏艰险、百折不挠，以人为本、尊重科学的伟大抗震救灾精神。

2008年，北京奥运会和残奥会成功举办，向世界展示了中国改革开放和社会主义现代化建设的巨大成就，展示了中国人民昂扬向上的精神风貌。9月，北京奥运会残奥会总结表彰大会对北京奥运精神作了全面概括。这些精神是以爱国主义为核心的民族精神和以改革创新为核心的时代精神的生动体现。不仅为成功举办北京奥运会、残奥会提供了重要思想保证，也为全面建设小康社会、加快推进社会主义现代化、实现中华民族伟大复兴提供了强大精神动力。

2003年10月、2005年10月、2008年9月，神舟五号、神舟六号、神舟七号载人航天飞行都获得圆满成功。充分展示了改革开放以来我国显著提高的经济实力、科技实力和综合国力，激发了中华民族的自豪感和凝聚力。广大航天工作者大力发扬以爱国主义为核心的民族精神和以改革创新为核心的时代精神，培育形成了特别能吃苦、特别能战斗、特别能攻关、特别能奉献的载人航天精神，为全党全军全国各族人民沿着中国特色社会主义道路奋勇前进增添了精神力量。

开展主题宣传教育活动，唱响时代主旋律。2003年以来，围绕隆重纪念毛泽东诞辰110周年、邓小平诞辰100周年、陈云诞辰100周年、纪念中国人民抗日战争暨世界反法西斯战争胜利60周年、红军长征

胜利70周年、香港回归10周年、建军80周年、改革开放30周年等重大节庆日和纪念日，中共中央和相关部门广泛开展主题宣传和教育活动，深入进行革命历史和革命传统教育，进行爱国主义教育、理想信念教育和改革开放教育。弘扬民族精神，唱响继续解放思想、坚持改革开放、推动科学发展、促进社会和谐的时代主旋律。

3. 培育良好社会风尚、提高公民文明素质

扎实推进公民道德建设。2001年9月，中共中央印发的《公民道德建设实施纲要》，成为指导新时期公民道德建设的纲领性文件。十六大以来，遵循《纲要》要求和部署，社会各界共同努力，人民群众积极参与，公民道德建设在实践中开拓创新、扎实推进、蓬勃发展。社会主义荣辱观深入人心，社会道德风尚发生可喜变化。

2003年9月，中央文明委发出《关于进一步加强公民道德建设的意见》，紧紧围绕全面建设小康社会的奋斗目标，对加强公民道德建设工作作出部署。《意见》决定从2003年开始，将《纲要》印发的9月20日定为"公民道德宣传日"。自2004年开始，在"公民道德宣传日"来临之际，中宣部、中央文明办会同有关部门连续多年举办中国公民道德论坛和公民道德建设系列网谈，举办公民道德建设知识竞赛，持续探讨进一步加强改进公民道德建设的措施和办法，动员社会各界关心、支持和参与公民道德建设。2006年3月，胡锦涛看望全国政协委员时提出以"八荣八耻"为主要内容的社会主义荣辱观，全社会反响十分强烈，公民道德建设形成新的热潮。2007年9月，新中国成立以来首次评选表彰道德模范活动在北京举行，李明素等53名同志荣获"全国道德模范"，孙茂

芳等 254 名同志荣获"全国道德模范提名奖"。这些道德模范为当代中国社会树起新的道德标杆,展示了近年来公民道德建设的丰硕成果。

深入开展"讲文明树新风"活动。2006 年 2 月,中央文明委、北京奥组委在全国组织开展"迎奥运、讲文明、树新风"活动。从 2006 年初到 2008 年北京奥运会举办,活动历时 3 年,按照部署动员、全面展开、形成高潮、巩固成果四个阶段在全国展开。这一活动声势大、效果好。奥运志愿服务感动中国、感动世界。文明礼仪知识普及活动参与面广、影响力大,公益广告传播文明、引领风尚、形成声势。活动大大提升了环境文明、秩序文明、行为文明,人们的道德情操、文明境界得到升华,文明礼仪、志愿服务蔚然成风,展示了当代中国人讲文明、重礼仪、团结友善的精神风貌。

深化文明创建活动。2005 年 10 月、2009 年 1 月,中央文明委分别召开了首届和第二届全国精神文明建设工作表彰大会,授予一批全国文明城市(区)、全国文明村镇、全国文明单位、全国精神文明建设先进工作者、全国创建工作先进城市(区)、全国创建先进单位荣誉称号。2006 年和 2009 年,中央文明办、建设部、国家旅游局分别表彰首批和第二批全国文明风景旅游区和全国创建文明风景旅游区工作先进单位,深化拓展创建文明风景旅游区活动。2006 年,中央文明办、国家旅游局联合开展实施提升中国公民旅游文明素质行动计划,集中纠正我国公民旅游中的不文明行为,着力提升我国公民的文明素质和全社会的文明程度,到 2008 年底前已取得阶段性成果。

4.净化社会文化环境,加强未成年人思想道德建设和大学生思想政治教育

高度重视新形势下未成年人思想道德建设和大学生思想政治教育。2004 年 2 月、8 月,中共中央、国务院先后颁发《关于进一步加强和改进未成年人思想道德建设的若干意见》和《关于进一步加强和改进大学生思想政治教育的意见》。2004 年 5 月、2005 年 1 月,全国加强和改进未成年人思想道德建设工作会议、全国加强和改进大学生思想政治教育工作会议先后在北京召开。胡锦涛在两次会议上分别发表重要讲话,深刻阐明了新形势下加强和改进未成年人思想道德建设以及大学生思想政治教育工作的重要性和紧迫性,明确提出了相应的指导思想、重要原则和主要任务。两个《意见》、两次会议、两篇重要讲话,表明中共中央和国务院对于新形势下未成年人思想道德建设和大学生思想政治教育高度重视,有力推动了未成年人思想道德建设和大学生思想政治教育工作的开展。

净化社会文化环境,促进未成年人健康成长。十六大以来,特别是中共中央、国务院《关于进一步加强和改进未成年人思想道德建设的若干意见》下发以来,各地各部门认真贯彻中央决策部署,大力实施文化环保工程,组织开展专项行动,强力净化社会文化环境,取得明显成效。但是情况依然不容乐观,仍然存在一些群众反映强烈的突出问题。为此,2009 年 1 月,中共中央办公厅、国务院办公厅颁发《关于进一步净化社会文化环境,促进未成年人健康成长的若干意见》。2 月,中央文明办在北京专门召开了全国净化社会文化环境工作会议。随后,全国各地、各相关部门全面开展了整治互联网低俗之风、网吧专项治理、净化荧屏声频和校园周边环境治理等各项工作。进一步净化社会文化环境,是社会主义精神文明建设

以及加强和改进未成年人思想道德建设的基础工程,是实现亿万家庭最大希望和切身利益的民心工程,是确保中国特色社会主义事业后继有人的希望工程,对于促进未成年人健康成长,中国特色社会主义事业的顺利发展具有长远意义。

文化事业和文化产业协调发展,文艺创作大繁荣

1. 发展公益性文化事业,构建公共文化服务体系

十六大以来,伴随对文化发展规律的不断深入探索和深化认识,党和国家对于如何发展公益性文化事业的思路越来越清晰。发展公益性文化事业的根本任务,就是构建覆盖全社会的公共文化服务体系,为人民群众提供基本的公共文化服务,保障人民收听收看广播电视、读书看报,进行公共文化鉴赏、参与大众文化活动等基本文化权益。建设公共文化服务体系,必须坚持公益性、基本性、均等性、便利性的原则,坚持以政府为主导,以公共财政为支撑,以公益性文化事业单位为骨干,以基层为重点,鼓励全社会积极参与,创新公共文化服务方式。遵循这一发展思路,十六大以来的公共文化服务体系建设取得举世瞩目的成就,覆盖全社会的公共文化服务体系初步建成。

公共文化基础设施建设取得明显成就,公共文化服务网络服务能力日益增强。国家大剧院工程、国家图书馆二期暨国家数字图书馆工程等一大批国家级和地方重点文化设施先后建成并投入使用。文化信息资源共享工程、广播影视数字化工程等重要文化工程项目建设顺利推进。广播电视"村村通"工程、农村电影放映工程、乡镇综合文化站等农村文化建设重点工程广泛实施。目前,全国共有县以上公共图书馆 2799 个,文化馆 3217 个(含群艺馆),博物馆 1722 个,文化站 37384 个,社区、村文化室 137665 个。除文化文物系统外,其他部门的图书馆、展览馆、科技馆、工人文化宫(俱乐部)、青少年宫等公益文化事业也有了快速发展。据统计,目前全国共有高校系统图书馆 1100 多个,科研专业图书馆 8000 多个,全国工会系统有工人文化宫、俱乐部 3.9 万个;全国各种青少年校外活动场所 12000 多家,其中教育系统有 2600 多家,共青团系统有 1400 多家,妇联系统有 1200 多家。全国还有科技馆 400 多个,展览馆 158 个。[①] 自 2004 年起,各类公共博物馆、纪念馆、陈列馆、美术馆、文化馆、图书馆以及基层文化活动中心逐步向全社会免费开放,公共文化服务能力不断增强。

公共文化建设投入不断增加。2001年至 2007 年,全国文化事业投入总计 859.9 亿元。其中,2007 年,全国文化事业费达到 198.96 亿元,比 2006 年增加了 40.93 亿元,增长了 25.9%。2007 年全国人均文化事业费达到 15.06 元,比 2006 年的人均 11.9 元增长了 26.4%。2007 年农村文化投入 56.13 亿元,比 2006 年的44.6 亿元增加了 11.53 亿元,增长 25.9%。[②]

① 蔡武主编:《改革、发展、繁荣——改革开放 20 年中国文化发展报告》,文化艺术出版社,2008 年 12 月,第 113 页。

② 蔡武主编:《改革、发展、繁荣——改革开放 20 年中国文化发展报告》,文化艺术出版社,2008 年 12 月,第 112 页。

2008 年,全国文化事业费达248.04亿元,比 2007 年增加 49.08 亿元,同比增长 24.67%。各省(区、市)文化事业费较 2007 年都有较大幅度的增长,有 22 个省份的增幅超过了 20%。其中,增幅最高的为海南省,增幅高达 125.25%。①

2007－2008 年全国各地区文化事业费情况表

单位:亿元,%

省　份	2007 年文化事业费	2008 年文化事业费	增幅
全国	198.96	248.04	24.67
北京	12.70	14.81	16.61
天津	4.19	5.28	26.01
河北	4.57	5.14	12.47
山西	5.56	7.38	32.73
内蒙古	5.35	6.63	23.93
辽宁	6.29	8.32	32.27
吉林	4.15	5.46	31.57
黑龙江	5.01	5.45	8.78
上海	11.16	13.41	20.16
江苏	11.18	13.85	23.88
浙江	14.92	18.92	26.81
安徽	4.53	5.09	12.36
福建	5.47	6.73	23.03
江西	3.48	4.53	30.17
山东	9.27	11.68	26.00
河南	5.51	7.78	41.20
湖北	6.11	7.22	18.17
湖南	4.57	5.58	22.10
广东	17.52	20.32	15.98
广西	3.57	5.08	42.30
海南	0.99	2.23	125.25
重庆	3.27	4.63	41.59
四川	7.26	11.08	52.62

省　份	2007 年文化事业费	2008 年文化事业费	增幅
贵州	2.96	3.88	31.08
云南	5.65	7.94	40.53
西藏	0.98	1.11	13.27
陕西	3.89	6.00	54.24
甘肃	3.08	3.94	27.92
青海	1.37	1.48	8.03
宁夏	1.37	2.32	69.34
新疆	3.95	4.67	18.23

数据来源:中华人民共和国文化部网站——2008 年全国文化统计数据分析报告之一。

2. 发展经营性文化产业,提升文化产业整体实力和竞争力

经营性文化产业的根本任务,是繁荣文化市场,满足人民群众多层次、多方面、多样化的精神文化需求。经营性文化产业的发展坚持以市场为导向,调动社会力量,紧紧抓住经营性文化单位转企改制这一重点,推动经营性文化产业在市场竞争中不断壮大。十六大以来,我国文化产业经历了由小到大、从弱变强的发展历程,从 2003 年起,文化产业增加值增幅高于同期 GDP 增幅 5 到 6 个百分点,文化产业的增长势头明显快于一般经济领域。据不完全统计,2008 年文化及相关产业总产值大约为 6000 多亿元,就业人数约为 1200 万人。产业门类日益齐全,产业链不断延伸,传统文化产业得到改造提升,新兴文化业态蓬勃发展,文化产业总体素质不断增强。

从中央到地方涌现出中国对外文化

---

① 中华人民共和国文化部网站——2008 年全国文化统计数据分析报告之一,http://www.mcprc.gov.cn/xxfb/whtj/200906/t20090616_71146.html。

集团公司、北京儿童艺术剧院股份有限公司、深圳歌剧团等一批有实力、有竞争力的大中型国有或国有控股文化骨干企业，以及上海盛大网络发展有限公司、浙江宋城集团控股有限公司等一批在全国影响较大的民营龙头文化企业。据统计，截至2006年，我国拥有民营文化企业29万多个，民营文化企业拥有从业人员320万。[1]以公有制为主体、多种所有制共同发展的文化产业格局逐步形成。

《国家"十一五"时期文化发展规划纲要》确定的文化创意、影视制作、出版发行、数字内容和动漫等9大重点文化产业不断壮大。2008年我国网络游戏出版产业的实际销售收入达183.8亿元，比2007年增长了76.6%，同时为电信、IT等行业带来高达478.4亿元的直接收入，收入规模超过传统娱乐内容产业。新闻出版业市场潜力初现，新媒体出版增长达40%以上，投资增长36%，产值增长40%左右。[2]

实施重大文化项目带动战略，推动国家数字电影制作基地建设工程、国产动漫振兴工程等一批具有战略性、引导性和带动性的重大文化产业项目，在重点领域取得跨越式发展。2004—2008年，文化部先后命名三批共137个国家文化产业示范基地企业和单位，以及两批共4个国家级文化产业示范园区。文化产业基地和区域性特色文化产业群建设快速发展，文化产业整体实力和竞争力显著增强。以文化会展为平台推动文化产业发展。2008年，第四届中国（深圳）国际文化产业博览交易会、第四届中国西部（西安）文化产业博览会、2008中国义务文化产品交易博览会成交额分别达到702.32亿、58.77亿、18.6亿元人民币。[3]

对国家文化出口重点企业进行鼓励和扶持，奖励优秀文化出口产品和服务项目，组织文化企业参加国际文化会展，拓展国际文化交流与合作。2007年，文化部、商务部等6部门出台了《文化产品和服务出口指导目录》，公布了《2007—2008年度国家文化出口重点企业和文化出口重点项目》，奖励了自2005年以来在国际文化市场上表现出色的9个优秀出口文化企业和18个优秀出口文化产品和服务项目。培育出像杂技芭蕾《天鹅湖》、原生态歌舞《云南映象》、舞蹈《杨贵妃》等一批具有民族文化特色、自主知识产权和原创性的知名文化品牌，中华文化的国际竞争力不断扩大。据商务部统计，2007年我国文化出口产品和服务进出口贸易总额为166.4亿美元，其中核心文化产品进出口贸易总额达到129.2亿美元，比2006年增长26.6%，是2001年的3.7倍；文化服务进出口贸易额为37.2亿美元，比2006年增长39.9%，是2001年的6.1倍。[4]

3. 繁荣文艺创作，丰富人民群众精神文化生活

十六大以来，我国文学艺术创作繁荣，涌现出一大批各种艺术形式的优秀作品，大大丰富了广大人民群众的精神文化生活。

通过大力实施文化精品工程，充分发挥精神文明建设"五个一工程"、国家舞台艺术精品工程、国家重点出版工程的示范

① 韩永进编著:《新的文化自觉》,文化艺术出版社,2008年1月,第205页。
② 《中国文化产业在全球经济"寒冬"中逆风飞扬》,《光明日报》,2009年6月19日。
③ 数字来源:蔡武在2009年全国文化厅局长会议上的讲话。
④ 蔡武主编:《改革、发展、繁荣——改革开放20年中国文化发展报告》,文化艺术出版社,2008年12月,第97页。

带动作用,推动产生了一大批展示中国特色、反映时代风貌、思想性艺术性观赏性俱佳的精品力作。获得第十届精神文明建设"五个一工程"(2003—2006)特等奖的电影《张思德》、《云水谣》、《太行山上》,电视剧《恰同学少年》、《延安颂》、《插树岭》、《亮剑》,话剧《立秋》等作品在人民群众中产生了广泛的影响。其中,话剧《立秋》自2004年至2009年共演出500场,观众达50多万人次。国家舞台艺术精品工程自2002年以来推出了50台精品剧目和一批优秀作品。此外,国家重大历史题材美术创作工程,国家昆曲艺术抢救、保护和扶持工程,国家重点京剧院团专项资金的设立和实施,"文华奖"剧目评选与展演,"交响乐之春"演出季,中国京剧艺术节,全国声乐比赛,全国杂技比赛等活动持续举办,推动了话剧、儿童剧、戏曲、杂技、舞蹈、音乐、音乐剧、舞剧、歌剧、美术等艺术门类的创作达到了空前的繁荣和发展。

伴随着人民群众文化消费需求的不断增长,文化产业的不断壮大,文学艺术产品在数量上增长迅速。影视内容生产方面,2007年电影年产量超过400部,电视剧产量超过1.4万集,影视动画年产量突破10万分钟。新闻出版方面,2007年,全国共出版图书248283种,期刊9468种,报纸1938种,录音制品15314种,录像制品16641种,电子出版物8652种。

2008年,是中国的奥运年。为迎接北京奥运会而举行的北京奥运重大文化活动,境内部分由近170台全国优秀舞台剧(节)目展演和62项专业艺术展览构成,通过国家舞台艺术精品工程精品剧目展演、非物质文化遗产优秀剧种展演、国家艺术院团优秀剧(节)目展演、群众演艺和少儿演艺优秀剧(节)目展演、奥运主题剧目展演、"中国交响乐之春"、"京昆情韵"戏曲展演、"梦幻之旅"杂技展演、民族风情歌舞展演等九大板块的展演,生动展现了我国舞台艺术创作演出的最新风貌,其参演剧目数量之多、质量之高、范围之广,是新中国成立以来舞台艺术最为集中的一次精彩展示;专业艺术展览形式多样,内容丰富,包括我国古代文物精品展示、民族民间艺术品展示、故宫典藏历代绘画精品展览、我国近现代艺术大师精品展览等,向世界生动展示了我国丰富多彩的民族文化传统和创新、发展的丰硕成果。这些优秀舞台剧(节)目和艺术展览在展现奥运人文精神的同时,也成为2008年最为耀眼的中华文化风景线。①

坚持创新,促进教育科学发展

从2002年12月中共十六大召开到2009年10月中华人民共和国建国六十周年,我国教育进入坚持创新,促进教育科学发展的新阶段。

在这个阶段,我国社会发展呈现一系列新的阶段性特征,主要是经济实力显著增强,但同时生产力水平总体上还不高,自主创新能力还不强。党中央在科学分析我国全面参与经济全球化的新机遇新挑战,全面认识工业化、信息化、城镇化、

---

① 《彰显时代精神　服务人民大众——2008年中国文化建设回眸》,《光明日报》,2009年1月6日。

市场化、国际化深入发展的新形势的基础上,深刻把握我国发展面临的新课题新矛盾,提出了科学发展观,并以此为指导提出建设创新型国家的宏伟目标。

教育战线以科学发展观统领教育工作全局,坚持实施科教兴国和人才强国战略,作出优先发展教育和建设人力资源强国的重大部署,把促进教育公平和办人民满意的教育作为国家基本教育政策,把实施素质教育和提高教育质量作为教育工作的重点,推动教育事业全面协调可持续发展,基本形成现代化国民教育体系,为我国从人力资源大国转变为人力资源强国迈出了坚实的步伐。

一

坚持实施科教兴国和人才强国战略

中共十六大以来,以胡锦涛为总书记的党中央高度重视教育,坚持实施科教兴国和人才强国战略。

2002年12月,党的十六大提出了全面建设小康社会的宏伟目标,对我国人才资源开发工作提出了更高要求。十六大报告确立了"尊重劳动、尊重知识、尊重人才、尊重创造",即"四个尊重"的重大方针;大力营造鼓励人们干事业和干成事业的社会氛围。

2003年5月,为保证全面建设小康社会宏伟目标的实现,中央政治局召开会议,研究了进一步加强人才工作的问题。会议总结了我们党近年来人才工作的成绩,明确了新世纪新阶段人才工作的紧迫任务,提出了做好人才工作的总体要求,并决定召开一次全国人才工作会议,解决

人才工作和人才队伍建设面临的主要问题,从而推进了人才强国战略的实施。

2003年12月19日至20日,中共中央、国务院在北京召开了全国人才工作会议,全面部署实施人才强国战略。中共中央总书记胡锦涛在全国人才工作会议上强调:"人才问题是关系党和国家事业发展的关键问题。全党同志必须从全局和战略的高度,以高度的政治责任感和历史使命感,把实施人才强国战略作为党和国家一项重大而紧迫的任务抓紧抓好,努力造就数以亿计的高素质劳动者、数以千万计的专门人才和一大批拔尖创新人才,建设规模宏大、结构合理、素质较高的人才队伍,充分发挥各类人才的积极性、主动性和创造性,开创人才辈出、人尽其才的新局面,大力提升国家核心竞争力和综合国力,为全面建设小康社会和实现中华民族的伟大复兴提供重要保证。"[1]

会议讨论了《中共中央、国务院关于进一步加强人才工作的决定》。2003年12月26日,中共中央和国务院正式颁布了这份文件。这是中共中央和国务院第一次专门就加强人才工作作出决定。《决定》强调:①坚持"以人为本",把促进发展作为人才工作的根本出发点。②坚持科学的人才观,把品德、知识、能力和业绩作为衡量人才的主要标准,并提出了不拘一格选拔人才的"四个不唯"标准:不唯学历,不唯职称,不唯资历,不唯身份。③努力形成科学的人才评价和使用机制,建立由品德、知识、能力和业绩四要素构成的素质评价指标体系。④遵循人才资源开发规律,坚持市场配置人才资源的改革取向,推进政府部门所属人才服务机构的体制改革,实现各类人才和劳动力市场联网

---

① 《人民日报》,2003年12月20日。

贯通,建立充满生机与活力的人才工作机制。⑤以鼓励劳动和创造为根本目的,加大对人才的有效激励和保障,形成鼓励人才干事业、支持人才干成事业、帮助人才干好事业的社会环境。⑥着重培养造就大批适应改革开放和社会主义现代化建设的高层次和高技能人才,带动整个人才队伍建设。党政人才、企业经营管理人才和专业技术人才是我国人才队伍的主体,必须坚持三支人才队伍建设一起抓,同时要坚持分类指导,整体推进。⑦人才资源开发要与经济社会协调发展,按照统筹城乡发展、统筹区域发展、统筹经济社会发展、统筹人与自然和谐发展、统筹国内发展和对外开放的要求,实行人才结构的战略性调整,优化人才资源配置,促进人才合理分布,发挥人才队伍的整体功能。⑧坚持党管人才的原则,重点做好制定政策、整合力量、营造环境的工作,努力做到用事业造就人才、用环境凝聚人才、用机制激励人才、用法制保障人才。《决定》站在全面建设小康社会、加快推进社会主义现代化建设的高度,坚持"人才资源是第一资源"的科学论断,把实施人才强国战略确定为新世纪新阶段的根本任务,确立了党和国家人才工作的基本思路和宏观布局,对增强我国的综合国力和国际竞争力具有十分深远的影响。

2006年1月9日,党中央、国务院在新世纪召开了第一次全国科学技术大会。以胡锦涛为总书记的党中央向全党全国人民发出号召:"为建设创新型国家而努力奋斗",并强调"要切实把经济社会发展转入科学发展的轨道"。2007年,十七大报告把优先发展教育,建设人力资源强国作为改善民生为重点的社会建设的六大任务之首。这是新时期新阶段党中央为更好实施人才强国战略提出的重大战略

目标,即切实在科学发展观的统领下,以科学人才观为指导,总结经验,找出差距,改革、健全人才体制和机制,努力开创人才辈出、人尽其才、才尽其用、用尽其效的新局面,加快建设一支规模宏大、结构优化、素质较高的人才队伍,为建设创新型国家提供坚强有力的人才保证和更为广泛的智力支撑。

为了大力实施人才强国战略,推动教育事业持续健康协调快速发展,教育部提出了关于实施人才强国战略的总体思路,即以邓小平理论和"三个代表"重要思想为教育发展与人力资源开发的根本指针,牢固树立人才资源是第一资源的思想,坚持党管人才的原则,大力推进人才强国战略。具体的举措有:

——加强基础教育,为提高民族素质、人人成才奠定坚实的基础。基础教育是一切教育的基础,也是提高民族素质的基础。在新一轮教育振兴行动计划中,确立了农村教育是教育工作重中之重的战略地位,已经制定出台了一系列政策措施,加快农村教育发展,深化农村教育改革。比如,实施国家西部地区"两基"攻坚计划,到2007年底,力争使西部地区普及九年义务教育人口覆盖率达到85%以上,青壮年文盲率下降到5%以下。经济发达地区要率先实现高水平、高质量"普九"。

——发展职业教育,培养数以亿计的高素质劳动者、数以千万计的技能型人才特别是高技能人才。没有职业教育的大发展,就不可能有中国的工业化,也不可能有中国的现代化。目前,正在抓紧实施"现代制造业、服务业技能型紧缺人才培养培训计划"和"农村劳动力转移培训计划"两大计划,以服务为宗旨,以就业为导向,大力发展职业教育。

——发展高等教育,培养数以千万计

的专门人才和一大批拔尖创新人才。高等学校，特别是正在建设中的高水平大学，是培养高层次拔尖创新人才后备队伍的主要基地，是汇集高层次人才的战略高地。教育部继续实施"985 工程"、"211 工程"等重大工程，以建设一批高水平大学和重点学科为战略重点，统筹协调学科建设、人才培养、科技创新、队伍建设和国际合作等各方面工作，进一步提升高等教育为实施人才强国战略培养人才的质量。具体举措有：①加大对优秀拔尖创新人才的支持力度，吸引、培养一批高水平学科带头人，为此要继续实施"长江学者奖励计划"，面向海内外吸引、遴选一批具有国际领先水平的学科带头人；继续实施"春晖计划"，积极吸引优秀留学人员回国工作，支持海外知名学者短期回国进行合作研究和学术交流；要立足国内高校，设立专项经费，遴选一批学术基础扎实、具有创新潜力的优秀青年人才予以重点扶持，培养一大批中青年学术带头人和学术骨干；要进一步加大对高校教师的培养力度，提高教师队伍的整体素质，实施高校教师"学历提升工程"、"高等学校访问学者计划"等。②加强创新团队建设，积极探索"学科带头人＋创新团队"的学科队伍汇聚模式。要充分发挥多学科优势，以科研基地或重大科研项目为载体，打破人才所在部门和单位之间的行政壁垒，构建并重点支持一批创新学术团队，使其承担关键领域的前沿学科研究和国家重大科研项目。鼓励高校积极探索人才组织新模式，逐步建立以学术带头人为核心凝聚学术队伍的机制。③深化改革，进一步营造高校高层次人才建设的制度环境。按照"按需设岗、公开招聘、择优聘任、合同管理"的原则，加快推进教师聘任制，探索"按劳分配"与"知识要素参与分配"相结合的新方式和新途径，全面推行"以岗定薪、优劳优酬"的分配制度。坚持以能力和业绩为重点，创新并完善有利于尊重和保护创新思想的学术评价制度，由过程管理向目标管理转变，由单纯的数量评价向更加注重质量评价转变。提高经费使用中用于人员聘任和人才支持、奖励费用的比例。逐步授予课题负责人自主招收博士生、招聘博士后及其他辅助人员的权利。④加强西部地区高校人才队伍建设。设立"西部高校人才基金"，支持西部高校面向国内外聘任中青年优秀学术带头人，鼓励人才向西部高校流动和进行合作研究。在国家留学基金中实施"西部地区人才培养特别项目"，加快西部高校的国际交流与合作。在继续实施"对口支援西部地区高等学校计划"的基础上，进一步加大国家重点建设高校对西部地区高校人才队伍建设的支持力度。发挥政府在人才配置中的政策调节作用。⑤切实加强对高层次人才工作的领导，为此，教育部成立人才工作领导小组，加强战略规划、领导决策和综合协调，大力推进"人才强校"战略；各高校要把这一工作列入学校"一把手"工程；构建科学合理的优秀人才培养和支持体系，促进优秀人才的可持续发展。

——加快推进终身教育体系建设，推动建立学习型社会。构建完善的终身教育体系是建设学习型社会的根本保证，是成人教育和继续教育改革与发展的根本方向。今后，将大力发展多样化的成人教育和继续教育，加强学校教育和继续教育相互结合，进一步改革和发展成人教育，完善广覆盖、多层次的教育培训网络，推动建立学习型社会。

——"青少年是党和国家事业的未来，是中华民族的希望。不仅要大力提高他们的科学文化素质,更要大力提高他们的思想道德素质。"各级各类教育在培养德智体美全面发展的一代新人的过程中,要切实把德育放在首位、落到实处,推进未成年人思想道德建设,为中国特色社会主义事业培养合格建设者和接班人。

与此同时,针对贫困地区面临的共同问题是生产生活条件恶劣,人才奇缺,而条件恶劣、经济状况差、社会发展滞后,导致人才外流,人才外流又造成新的落后,形成恶性循环的状况,国务院扶贫办提出,要从人才基础建设入手,对农村中学阶段教育体制进行改革试点。具体做法是:调整教学内容,针对目前普通初、高中毕业生回乡后难以适应农村生产实际的问题,在农村普通中等教育中增加一部分农业技术的课程;调整高中阶段的教育结构,适当减少普通教育的比例,增加职业高中和农业技术学校的比例,或在普通中学开设农业技术专业班;制定急需人才的专门培训计划,每年在高考接近录取分数线的高中毕业生中选择优秀者,定向到大专院校和科研单位学习发展县域经济急需的专业,学成后回县服务,其费用由财政和个人按一定比例分别负担。

实施科教兴国战略和人才强国战略以后,教育优先发展的战略地位日益凸显,政府履行公共教育职责得到较好落实。教育经费投入快速增长,总投入从1978 年的 94 亿元,增加到 2007 年的12000 多亿元,增长 128 倍,在 GDP 和财政支出中所占比例越来越大。学校的办学条件明显改善,教育的信息化程度和教育教学设施水平得到很大提高,促进了优质教育资源的共享和教育教学方式的创新。教师的社会地位显著提升,工作和生活条件有了较大改善,实现了义务教育教师工资与公务员基本相同。

我国教育的整体水平实现了历史性跨越,各级各类教育入学率进一步提高,国民受教育水平进一步提高。我国国民人均受教育年限超过了 8.5 年,比世界平均水平高一年,新增劳动力平均受教育年限提高到 10 年以上。全国总人口中有大学以上文化程度的已达七千多万人,从业人员中有高等教育学历的人数已位居世界前列,初中以上文化程度的劳动力在世界上遥遥领先。在上述成就的基础上,我国教育改革与发展的重点是,进一步提高教育质量和注重培养创新型人才,加速完成从人口大国向人力资源强国的转变。

二

制定《2003－2007 年教育振兴行动计划》

面对新世纪的挑战,中共十六大对推进社会主义现代化建设和中华民族伟大复兴进程作出了全面战略部署,提出要在本世纪头 20 年,集中力量,全面建设惠及十几亿人口的更高水平的小康社会,这是我国现代化建设必须紧紧抓住并且可以大有作为的重要战略机遇期。这一时期新型工业化、信息化和城镇化的进程将显著加快,我国的综合国力、国际竞争力和人民生活水平将进一步提高,对于国民素质和创新能力将提出新的更高要求。

但是,我国毕竟是在经济实力不强的条件下支撑着世界上最大规模的教育,人民群众不断增长的教育需求同教育供给特别是优质教育资源供给不足的矛盾,是现阶段的主要矛盾,而且是一个长期存在的矛盾。具体表现为,教育总体水平不高、国际竞争力不强、人才培养结构不合理、区域之间教育发展不均衡、教育投入不足仍是制约发展的瓶颈；教育观念、培养模式乃至管理体制、运行机制都存在着许多问题；教育基础设施和教师队伍的水平也远远不能适应现代化教育的要求；教育信息化和现代化手段与发达国家差距有拉大的危险；终身教育体系框架尚未形成，还不能适应社会主义现代化建设的要求，也不能满足人民群众多样化的教育需求。可以说，从国际竞争和国内现代化建设的多方面需要来看，我国教育在取得历史性成就的同时，还面临着前所未有的严峻挑战，面临着许多热点和难点问题。

为了贯彻落实中共十六大和十六届三中全会的精神，教育部在"三个代表"重要思想指导下，在国家科教领导小组的高度重视和直接领导下，经过深入思考和广泛调研，在充分总结 1998—2002 年《面向 21 世纪教育振兴行动计划》实施以来教育工作取得的丰硕成果和宝贵经验基础上，制定了《2003－2007 年教育振兴行动计划》(以下简称新一轮《行动计划》)。2003 年 12 月 30 日，国家科技教育领导小组召开的第二次全体会议审议了这个计划，并广泛征求中央部委、省、自治区、直辖市人民政府、民主党派中央和人民团体等方面的意见。2004 年 3 月 3 日，国务院正式批转了《2003－2007 年教育振兴行动计划》。

新一轮《行动计划》凝聚了重要战略机遇期教育发展的战略思考和行动方向，共有 14 部分 50 条。新一轮《行动计划》指导思想是，高举邓小平理论伟大旗帜，以"三个代表"重要思想为指导，坚持教育为人民服务的宗旨，巩固成果，深化改革，提高质量，持续发展，办好让人民满意的教育，努力实现中共十六大和十六届三中全会对教育系统提出的三大历史性任务。其核心内容，归纳起来就是坚持"一个宗旨"、实现"三项任务"和"八字方针"。

坚持一个宗旨，就是办好让人民满意的教育。中共十六大确定的教育方针，突出了教育为人民服务的思想，提出了教育在促进人的全面发展中不可替代的重要历史使命。促进人的全面发展是社会主义的本质特征之一，是实践"三个代表"重要思想的一面旗帜，是全面建设小康社会的必然要求。因此，办好让人民满意的教育，是教育系统坚定不移地实践"三个代表"重要思想，以人为本，努力促进人与经济社会的全面发展的根本立足点。

实现三大任务，是十六大对教育提出的要求。一是构建中国特色社会主义现代化教育体系，形成比较完善的现代国民教育体系，形成全民学习、终身学习的学习型社会；二是培养一代社会主义建设者和接班人，造就数以亿计的高素质劳动者、数以千万计的专门人才和一大批拔尖创新人才；三是加强教育同科技、同经济的结合，推进科技创新，加速科技成果向现实生产力转化，为现代化建设事业作出知识贡献。这一目标反映了我国全面建设小康社会的基本要求，也符合国际教育改革与发展的普遍趋势，标志着我国教育进入了建设现代国民教育体系和世界最大的学习型社会，从教育大国逐步迈向教育强国行列的新时期。

贯彻八字方针，就是"巩固、深化、提高、发展"，这是贯穿于新一轮《行动计划》的一条主线。一是巩固成果，要充分总结第一轮《行动计划》实施以来教育工作取得的丰硕成果和宝贵经验；二是深化改革，教育改革是一项复杂的社会系统工程，必须以改革促发展，坚持整体配套、重点推进；三是提高质量，质量是教育的生命线，在加快发展的同时，要把提高教育质量作为头等大事来抓；四是持续发展。发展是硬道理，要聚精会神搞建设，一心一意谋发展,全力促进各级各类教育的持续健康协调快速发展。

新一轮《行动计划》紧密联系我国教育工作的实际,重在具体行动和专项措施,有很强的可操作性。概括起来包括两大战略重点、六项重大工程和六个重要举措。

两大战略重点,即重点推进农村教育发展和重点推进高水平大学和重点学科建设。

重点推进农村教育发展与改革的工作思路是:全面贯彻《国务院关于进一步加强农村教育工作的决定》,坚持把农村教育摆在重中之重的地位,加快农村教育发展,深化农村教育改革,促进农村经济社会发展和城乡协调发展。工作目标是:①努力提高普及九年义务教育的水平和质量,为2010年全面普及九年义务教育和全面提高义务教育质量打好基础;②深化农村教育改革,发展农村职业教育和成人教育,推进"三教统筹"和"农科教结合";③落实"以县为主"的农村义务教育管理体制,加大投入,完善保障机制;④建立和健全助学制度,扶持农村家庭经济困难学生接受义务教育;⑤加快推进农村中小学教师队伍建设;⑥实施"农村中小学现代远程教育计划"。

重点推进高水平大学和重点学科建设的工作思路是:充分集成各方面资源,统筹协调学科建设、人才培养、科技创新、队伍建设和国际合作等各方面工作,深化改革,开拓创新,使重点建设高等学校和重点学科的水平显著提高,带动全国高等教育持续健康协调快速发展。具体工作目标是:①继续实施"985工程"和"211工程",努力建设若干所世界一流大学和一批国际知名的高水平研究型大学,并在全国范围内逐步形成布局合理、各具特色和优势的重点学科体系,使一批重点学科尽快达到国际先进水平;②以"长江学者奖励计划"和"高等学校创新团队计划"为重点,加大实施"高层次创造性人才计划"力度。高等学校要大力推进"人才强校"战略,努力构建吸引、培养和用好高层次创新人才的支持体系,以学科带头人为核心凝聚学术队伍,紧密结合关键领域的前沿学科研究和国家重大现实问题研究,促进学科综合,开发配置人才资源;③推进"研究生教育创新计划",推动研究生教育观念、体制和运行机制的创新,提高研究生培养质量,促使拔尖创新人才脱颖而出;④启动"高等学校科技创新计划",按照国家创新体系的总体布局,坚持面向科技前沿和现代化建设需要,加强科技创新平台建设,着力解决关系国民经济、社会发展和国家安全的重大科技问题,加速科技成果向现实生产力的转化;⑤实施"高等学校哲学社会科学繁荣计划",加强新世纪学术带头人和学术新人的扶持培养,组织重大课题攻关,力争取得一批具有重大学术价值和社会影响的标志性成果。

六项重大工程,一是实施"新世纪素质教育工程",全面贯彻党的教育方针,以培养德智体美等全面发展的一代新人为根本宗旨,以培养学生的创新精神和实践能力为重点,加强和改进学校德育工作;深化基础教育课程改革;加快考试评价制度改革;积极推进普通高中、学前教育和特殊教育的改革与发展;加强和改进学校体育和美育工作;加强语言文字规范化工作,优化国家通用语言文字的应用环境。二是实施"职业教育与培训创新工程",大力发展职业教育,大量培养高素质的技能型人才特别是高技能人才,以就业为导向,大力推动职业教育转变办学模式,大力发展多样化的成人教育和继续教育。

三是实施"高等学校教学质量与教学改革工程"，进一步深化高等学校的教学改革，完善高等学校教学质量评估与保障机制。四是实施"促进毕业生就业工程"，健全毕业生就业工作的领导体制、运行机制、政策体系和服务体系，面向就业需求，深化教育系统内外的各项改革。五是实施"教育信息化建设工程"，加快教育信息化基础设施、教育信息资源建设和人才培养，全面提高现代信息技术在教育系统的应用水平。六是实施"高素质教师和管理队伍建设工程"，全面推动教师教育创新，构建开放灵活的教师教育体系，完善教师终身学习体系，加快提高教师和管理队伍素质，进一步深化人事制度改革，积极推进全员聘任制度。

六个重要举措，一是加强制度创新和依法治教，加强和改善教育立法工作，完善中国特色教育法律法规体系；切实转变政府职能，强化依法行政，促进决策与管理的科学化和民主化；健全教育督导与评估体系，保障教育发展与改革目标的实现；推进教育管理体制改革，为教育发展提供制度保障；深化学校内部管理体制改革，探索建立现代学校制度。二是大力支持和促进民办教育持续健康协调快速发展，认真贯彻《民办教育促进法》，积极鼓励和支持民办教育的发展；注重体制改革和制度创新，多种形式发展民办教育。三是进一步扩大教育对外开放，加强全方位、高层次的教育国际合作与交流；深化留学工作制度改革，扩大国际间高层次学生、学者交流；大力推广对外汉语教学，积极开拓国际教育服务市场。四是改革和完善教育投入体制，建立与公共财政体制相适应的教育财政制度，保证经费持续稳定增长；拓宽经费筹措渠道，建立社会投资、出资和捐资办学的有效激励机制；完善国家和社会资助家庭经济困难学生的制度；严格管理，不断提高教育经费的使用效益。五是加强党的建设和思想政治工作，加强和改进学校党的建设工作；实施高等学校马克思主义理论课和思想品德课建设计划；增强高等学校思想政治工作的针对性、实效性和吸引力、感染力；抓好党风廉政及行风建设，保证教育事业持续健康发展。六是构建和完善中国特色社会主义现代化教育体系；努力建设和完善中国特色社会主义现代化教育体系；加大对西部地区、少数民族地区、革命老区和东北地区等老工业基地的教育支持力度，促进东、中、西部地区教育协调发展；立足全面建设小康社会目标，研究制定《2020年中国教育发展纲要》。

制定和实施新一轮《行动计划》，体现了新一届政府把教育作为一项最重要的工作、用更大的精力和更多的财力加快教育事业发展的坚定信心；是教育系统在"三个代表"重要思想指导下谋划发展、规划未来的智慧结晶；是教育系统进一步落实科教兴国战略和人才兴国战略，实现教育新跨越的行动方略。

把素质教育作为教育工作的主题

十六大以来，党中央、国务院始终把全面贯彻党的教育方针、全面推进素质教育摆在教育工作的首要位置，鲜明地提出，素质教育是全部教育工作的主题，并采取一系列举措推动素质教育向纵深发展。

1.中央连续颁发两个文件，德育为先落在实处

2004年2月，中共中央、国务院颁布

了《进一步加强和改进未成年人思想道德建设的若干意见》，同年8月又颁布了《进一步加强和改进大学生思想政治教育的意见》（以下简称"两个文件"）。在半年之内，中央连续颁发关于学校德育工作的文件，这在党的历史上和我国教育史上尚属首次。两个文件的颁布标志着党中央和国务院对学校德育工作的高度重视，为大、中、小学德育工作指明了方向。

新时期新阶段，我国学校德育面临着诸多问题和挑战。例如：在新的社会条件下，我国城乡家庭教育也出现了诸如"留守儿童"、进城务工农民子女、流浪儿童、离婚和再婚家庭的孩子等许多新情况；从教育系统的情况看，思想道德建设在体制机制、思想观念、内容形式、方法手段、队伍建设、经费投入、政策措施等方面还有许多与和谐社会建设不相适应的地方；从社会环境看，诚信缺失、封建迷信、贪污受贿、邪教和黄赌毒等都对未成年人造成消极影响。

针对新形势下，未成年人思想道德建设和大学生思想政治教育工作存在许多亟待加强的薄弱环节，以及种种不利于未成年人健康成长的社会环境和消极因素，"两个文件"深刻阐明了进一步加强和改进未成年人思想道德建设和大学生思想政治教育的指导思想、基本原则和主要任务。

第一，明确了指导思想。文件指出：未成年人思想道德建设和大学生思想政治教育要坚持以马克思列宁主义、毛泽东思想、邓小平理论和"三个代表"重要思想为指导，深入贯彻十六大精神，全面落实《爱国主义教育实施纲要》、《公民道德建设实施纲要》，紧密结合全面建设小康社会的实际，针对未成年人身心成长的特点，积极探索新世纪新阶段未成年人思想

道德建设的规律，坚持以人为本，教育和引导未成年人树立中国特色社会主义的理想信念和正确的世界观、人生观、价值观，养成高尚的思想品质和良好的道德情操，努力培育有理想、有道德、有文化、有纪律的，德、智、体、美全面发展的中国特色社会主义事业建设者和接班人。

第二，确立了基本原则。文件指出：加强和改进未成年人思想道德建设要遵循以下原则：①坚持与培育"四有"新人的目标相一致、与社会主义市场经济相适应、与社会主义法律规范相协调、与中华民族传统美德相承接的原则。既要体现优良传统，又要反映时代特点，始终保持生机与活力。②坚持贴近实际、贴近生活、贴近未成年人的原则。既要遵循思想道德建设的普遍规律，又要适应未成年人身心成长的特点和接受能力，从他们的思想实际和生活实际出发，深入浅出，寓教于乐，循序渐进。多用鲜活通俗的语言，多用生动典型的事例，多用喜闻乐见的形式，多用疏导的方法、参与的方法、讨论的方法，进一步增强工作的针对性和实效性，增强吸引力和感染力。③坚持知与行相统一的原则。既要重视课堂教育，更要注重实践教育、体验教育、养成教育，注重自觉实践、自主参与，引导未成年人在学习道德知识的同时，自觉遵循道德规范。④坚持教育与管理相结合的原则。不断完善思想道德教育与社会管理、自律与他律相互补充和促进的运行机制，综合运用教育、法律、行政、舆论等手段，更有效地引导未成年人的思想，规范他们的行为。

第三，规定了主要任务。文件指出：未成年人思想道德建设的主要任务是：①从增强爱国情感做起，弘扬和培育以爱国主义为核心的伟大民族精神。深入进行中华民族优良传统教育和中国革命传统

教育、中国历史特别是近现代史教育,引导广大未成年人认识中华民族的历史和传统,了解近代以来中华民族的深重灾难和中国人民进行的英勇斗争,从小树立民族自尊心、自信心和自豪感。②从确立远大志向做起,树立和培育正确的理想信念。进行中国革命、建设和改革开放的历史教育与国情教育,引导广大未成年人正确认识社会发展规律,正确认识国家的前途和命运,把个人的成长进步同中国特色社会主义伟大事业、同祖国的繁荣富强紧密联系在一起,为担负起建设祖国、振兴中华的光荣使命作好准备。③从规范行为习惯做起,培养良好道德品质和文明行为。大力普及"爱国守法、明礼诚信、团结友善、勤俭自强、敬业奉献"的基本道德规范,积极倡导集体主义精神和社会主义人道主义精神,引导广大未成年人牢固树立心中有祖国、心中有集体、心中有他人的意识,懂得为人做事的基本道理,具备文明生活的基本素养,学会处理人与人、人与社会、人与自然等基本关系。④从提高基本素质做起,促进未成年人的全面发展。努力培育未成年人的劳动意识、创造意识、效率意识、环境意识和进取精神、科学精神以及民主法制观念,增强他们的动手能力、自主能力和自我保护能力,引导未成年人保持蓬勃朝气、旺盛活力和昂扬向上的精神状态,激励他们勤奋学习、大胆实践、勇于创造,使他们的思想道德素质、科学文化素质和健康素质得到全面提高。

文件从中华民族的伟大复兴、国家的前途命运、党的事业后继有人的战略高度强调了德育工作的重要地位;从新世纪、新阶段面临的新情况、新问题的角度,强调了德育工作的重要性和紧迫性;从努力开创未成年人思想道德建设和大学生思想政治工作新局面的角度,为学校德育工作指明了方向。

为了全面贯彻落实中央文件精神,教育部制定了一系列配套文件,主要有:《关于整体规划大、中、小学德育体系的意见》《关于加强和改进高等学校校园文化建设的意见》《关于加强和改进高等学校校园网络管理工作的意见》《关于加强和改进大学生心理健康教育的意见》《关于加强和改进高等学校辅导员和班主任队伍建设的意见》《关于加强和改进大学生社团工作的意见》《普通高等学校学生管理规定》《中小学班主任工作规定》等等。

在贯彻落实中央文件的过程中,许多地方教育行政部门和各级各类学校加强和改进了大中小学德育工作。"育人为本、德育为先"的理念深入人心,达成共识;整体规划了大中小学德育体系,努力把社会主义核心价值体系融入国民教育全过程,把德育融入学校工作的各个环节,学校成为德育的主课堂、主渠道、主阵地,学校、家庭、社会紧密结合推进德育,未成年人思想道德建设和大学生思想政治教育都取得了显著成绩,得到了切实的加强和改进。特别是全面实施了高校思想政治理论课新的课程方案,完成了《马克思主义基本原理概论》《毛泽东思想、邓小平理论和"三个代表"重要思想概论》《中国近代史纲要》和《思想道德修养与法律基础》四本教材的编写,已在全国高校进行了第一轮教学,受到学生的普遍欢迎,思想政治理论课教学状况得到了初步改善,有力地推进了马克思主义中国化最新成果进教材、进课堂、进学生头脑的工作。形势政策教育、社会实践、校园文化建设蓬勃开展,网络思想政治教育不断推进,校外教育活动更加丰富多彩。出台了一系列规章制度,寓思想政治教育于服务和管理之中。高校辅导员和中小学班主任队伍得到加强。

2.素质教育重点突破、全面展开

全面推进素质教育虽然取得一定进展，但问题依然突出，一些地方的"应试"教育现象甚至愈演愈烈。问题主要表现在：片面追求升学率的现象没有得到根本扭转，中小学生的课业负担依然沉重，学生的身心健康受到摧残，思维方式被僵化等等。这些现象引起了一些老教育工作者的关注。

2005年，胡锦涛等中央领导同志就素质教育工作作出重要批示，要求进行系统调研，提出对策建议。教育问题已经不仅是教育领域的问题，它牵动着千家万户、社会的方方面面，必须予以重视和认真研究解决。2005—2006年，根据中央领导的指示精神，教育部与中宣部、人事部、社科院、团中央、国家统计局等部门组成了素质教育调研组，对我国全面推进素质教育的状况进行了系统调研。各部门从自身不同的工作角度对素质教育问题进行了认真研究，对存在的问题进行了深入分析，提出了进一步推进素质教育的思路和举措。经过广泛而深入的素质教育大讨论，关于素质教育的认识有了很大提高，素质教育正在形成全党全社会共同关心、各部门齐心协力推进的工作格局。

3.把加强体育作为推进素质教育的突破口

长期以来，由于片面追求升学率的影响，社会和学校存在重智育、轻体育的倾向，学生课业负担过重，休息和锻炼时间严重不足；另一方面由于体育设施和条件不足，学生体育课和体育活动难以保证。近期体质健康监测表明，青少年的耐力、力量、速度等体能指标持续下降，视力不良率居高不下，城市超重和肥胖青少年的比例明显增加，部分农村青少年营养状况亟待改善。这些问题如不切实加以解决，将严重影响青少年的全面、健康成长，乃至影响国家和民族的未来。

为了扭转上述状况，2007年4月29日，由教育部、国家体育总局、共青团中央和北京市人民政府联合举办的"全国亿万青少年学生阳光体育运动"全面启动。中共中央政治局常委李长春出席了启动仪式。2007年5月7日，中共中央、国务院发布《关于加强青少年体育增强青少年体质的意见》，要求学校保证学生每天锻炼一小时，每个学生掌握两项以上体育技能，切实提高广大青少年的健康体质，把加强学校体育工作作为全面推进素质教育的重要突破口。《意见》强调："体育锻炼和体育运动，是加强爱国主义和集体主义教育、磨炼坚强意志、培养良好品德的重要途径，是促进青少年全面发展的重要方式，对青少年思想品德、智力发育、审美素养的形成都有不可替代的重要作用。各地和各级各类学校必须全面贯彻党的教育方针，高度重视青少年体育工作，使广大青少年在增长知识、培养品德的同时，锻炼和发展身体的各项素质和能力，成长为中国特色社会主义事业的合格建设者和接班人。"

全国各地认真贯彻落实《意见》精神，一是上好体育课，不得以任何理由削减、挤占体育课时间；二是认真组织开展"全国亿万学生阳光体育运动"，确保学生每天一小时的课外体育锻炼时间和锻炼效果；三是确保学生睡眠休息时间，减轻学生课业负担；四是认真实施《国家学生体质健康标准》。

这一举措对于深入贯彻全面发展的教育方针，推进素质教育进一步向纵深发展，具有重要意义。

4. 深化新一轮基础教育课程改革

2005 年，教育部开展的基础教育新课程改革，已覆盖全国九年义务教育阶段的全部学校。根据"先培训，后上岗"的要求，教育部组织了全国大规模的教师培训。培训内容分为通识培训、标准培训和教材培训；培训方式首次引入了参与式培训。通过培训，使广大教师对新课程理念、目标、内容和所倡导的教学活动等有了初步的认识，为实践新课程奠定了基础。在上述改革的基础上，教育部修订了义务教育学科课程标准，深入推进基础教育课程改革。

2003 年 3 月 31 日，教育部印发《普通高中课程方案（实验）》和 15 个学科课程标准（实验），并于 2004 年秋季开始普通高中新课程实验。到 2009 年初，全国共有包括北京、上海、广东、宁夏、山西、江西、河南、新疆（包括兵团）等 21 个省市实验高中新课程，使用新课程的学生累计总数达 1.5 亿人。在实验基础上的新课程标准的修订和完善工作逐步展开，教育观念和培养模式正在发生深刻变革，为全面推进素质教育奠定了坚实基础。

同时，以实行综合素质评价、均衡分配重点高中部分招生名额为关键举措的中考改革取得重要突破并在全国范围内推广；与新课改相适应的高考内容改革、16 省市高考自命题改革、高校自主招生改革、高职单独招生考试改革试点等稳步推进并不断深化，促进了课程改革和高考改革的进一步深入。

5. 建设高素质的教师队伍

"振兴民族的希望在教育，振兴教育的希望在教师"。我国现有教师 1300 多万，是一个相当大的群体，教师整体素质的高低直接关系到素质教育的成败，乃至整个教育的兴衰。

2002 年教育部《关于"十五"期间教师教育改革与发展的意见》明确提出，建立"在终身教育思想指导下，按照教师专业发展的不同阶段，对教师的职前培养和在职培训一体化"和"以现有师范院校为主体，其他高等学校共同参与，培养与培训相衔接，体现终身教育思想的、开放的教师教育体系"。教师教育开始进入以走向开放、提升层次、培养培训一体化为主要特征、旨在提高教师教育质量的改革发展的新阶段。到 2008 年底，小学专任教师 562.19 万人，学历合格率 99.27%；全国初中专任教师 347.55 万人，学历合格率 97.79%；普通高中专任教师 147.55 万人，学历合格率 91.55%。①

2007 年 8 月 31 日，胡锦涛在全国优秀教师代表座谈会上强调："尊重教师是重视教育的必然要求，是社会文明进步的重要标志，是尊重劳动、尊重知识、尊重人才、尊重创造的具体体现。"他强调，要"注重吸引优秀人才当教师，鼓励优秀人才长期从教、终身从教"，"积极推进教师教育创新，提高教师整体素质和业务水平"。②蕴含其中的思想就是教师专业化，进一步明确了教师队伍建设的方向。

把师德建设放在首位。涌现出孟二冬、方永刚等一大批先进典型，以及一大批新时期优秀教师，抗震救灾英雄（先进）集体和英雄（先进）个人。2008 年 6 月 25 日，教育部公布新修订的《中小学教师职业道德规范（征求意见稿）》，首次明确教师要保护学生的安全是应该遵守的职业

---

① 《2008 年全国教育事业发展统计公报》，《中国教育报》，2009 年 7 月 18 日。
② 胡锦涛：《在全国优秀教师代表座谈会上的讲话》，《人民日报》，2007 年 9 月 1 日。

精神。

完善教师工资、津贴补贴制度。2008年12月23日,国务院办公厅转发人力资源社会保障部、财政部、教育部《关于义务教育学校实施绩效工资的指导意见》,决定从2009年1月1日起,在全国义务教育学校实施绩效工资,确保义务教育教师平均工资水平不低于当地公务员平均工资水平,同时对义务教育学校离退休人员发放生活补贴。这项分配制度的改革举措,对于提高教师待遇、加强教师队伍建设具有非常重要的意义。

不断创新农村中小学教师培养和补充机制。通过实施农村教师特设岗位计划、西部志愿者计划、城镇教师支援农村教育和师范生实习支教计划,定期选派城镇学校教师到农村学校交流任教,积极推动区域内城镇学校教师向农村学校流动。

实行师范生免费教育。2007年5月9日,国务院办公厅转发教育部、财政部、中央编办、人事部《教育部直属师范大学师范生免费教育实施办法(试行)》,决定从2007年秋季入学的新生起,在教育部直属师范大学实行师范生免费教育。本年中央财政出资,教育部直属6所师范大学招收免费师范生1万余人,重点加强农村中小学师资队伍建设,充分体现了"振兴教育的希望在教师"的思想,对于加强教师队伍建设起到了积极而又深远的推动作用。

加强职业教育教师队伍建设。通过建立中等职业学校教师到企业实践制度,以及面向社会广泛吸引专业技术人员、高技能人才到中等职业学校兼职任教等措施,职业教育教师队伍得到扩大,职业教育教师整体素质得到提高,正在形成一支专兼结合、结构合理、有职教特色的"双师型"教师队伍。

高等学校实施"人才强校"战略取得显著成效,加强了学科带头人、中青年学术骨干、优秀人才和创新团队建设,高校教师队伍的整体素质有了很大提高。

四

教育改革与发展取得新进展

中共十六大以来,在党中央、国务院的领导下,教育系统认真贯彻落实科学发展观,坚持"巩固、深化、提高、发展"的方针,我国教育改革与发展取得了新进展。

1. 以农村为重点,普及和巩固义务教育

我国农村教育面广量大,农村中小学教育质量的高低,不仅直接关系到农村青少年德智体美全面发展,而且关系到国家各级各类人才的培养和全民族素质的提高。农村教育影响广泛,关系农村经济和社会发展的全局,在全面建设小康社会中起着基础性、先导性、全局性作用。为了进一步发展农村教育,党和政府出台了一系列相关政策和重大举措。

(1)全面实现城乡免费义务教育

2003年,国务院颁布了《关于进一步加强农村教育工作的决定》,并召开了新中国建立以来第一次全国农村教育工作会议,要求把农村教育摆在教育工作重中之重的战略地位,作出新增教育经费主要用于农村的重大决策,对加快农村教育发展,深化农村教育改革,促进农村经济社会和城乡协调发展,具有十分重要的意义。2005年底,国务院决定建立中央和地方分项目、按比例分担的农村义务教育经费保障新机制。2007年农村义务教育经费保障新机制已经在全国农村地区全面推开,有步骤地实现了我国农村义务教育保障机制的根本转变。在全国农村普遍实行免除学杂费的义务教育，并向全部农村义务教育阶段学生免费提供教科书，补助家庭经济困难寄宿生生活费，将义务教育全面纳入公共财政保障体系，解决了农村孩子上学难问题。

2008年8月12日，国务院发出通知，决定从2008年秋季学期开始，全部免除城市义务教育阶段公办学校学生学杂费，同时进一步强化政府对义务教育的保障责任。当年9月1日，免除了全国城市2800万义务教育阶段学生学杂费，至此，城乡免费义务教育全面实现，惠及全国城乡义务教育阶段1.6亿多名学生。这是继农村免费义务教育全面实现之后，我国教育发展史上的又一个里程碑式的伟大成就。

(2)实施国家西部地区"两基"攻坚计划

由于我国经济、文化教育发展不平衡，到2002年，西部地区仍有372个县(市、区)以及新疆生产建设兵团的38个团场尚未实现"两基"。为扶持这些地区实现"两基"目标，国务院决定实施《国家西部地区"两基"攻坚计划(2004—2007年)》。

该计划于2003年12月30日由温家宝总理主持召开的国家科教领导小组会议审议通过。国务院成立了国家西部地区"两基"攻坚领导小组，国务委员陈至立任组长，教育部、国家发改委、财政部、科技部、农业部、国务院扶贫办、国务院西部开发办等有关部门的负责人任成员。

2004年2月16日国务院办公厅转发教育部、国家发改委、财政部和国务院西部开发办《国家西部地区"两基"攻坚计划(2004—2007年)》。"两基"攻坚计划的目标是：

第一，到2007年，西部地区整体上实现基本普及九年义务教育和基本扫除青壮年文盲目标，"两基"人口覆盖率达到85%以上，初中毛入学率达到90%以上，扫除600万文盲，青壮年文盲率下降到5%以下。

第二，到2007年，西部各省、自治区、直辖市及新疆生产建设兵团要分别实现各自的"两基"目标，切实巩固提高现有的"两基"成果，完成攻坚任务，有条件的省、自治区、直辖市通过国家"两基"评估验收。

第三，截至2002年尚未实现"两基"的372个县(市、区)以及新疆生产建设兵团的38个团场，到2007年，除特别困难的达到国家"普六"验收标准外，其余的要达到国家"两基"验收标准。具体措施是：实施"农村寄宿制学校建设工程"，解决西部"普九"的瓶颈问题；实施"两免一补"，扶持贫困家庭学生就学；实施"农村中小学现代远程教育工程"，缓解西部优质教学资源短缺和师资不足问题，促进均衡发展；大力加强教师队伍建设；深化教学改革，提高教育质量；加大教育对口支援力度；明确各级政府责任，进一步完善农村义务教育管理体制。

2004年2月26日，国务院办公厅召开国家西部地区"两基"攻坚工作会议，部署工作任务。会议明确提出，实施"两基"攻坚是政府行为。国务委员陈至立出席会议并讲话。会后，西部各省、自治区、直辖市和新疆生产建设兵团均相继成立了领导小组，其中一半以上省份的领导小组组长由政府主要领导担任。2004年7月5日，教育部、国家发改委和财政部分别与西部12个省、自治区、直辖市和新疆生产建设兵团签署"两基"攻坚责任书。随后，各省也相继与所辖攻坚县签订了责任书。有关单位还相继制定和完善一系列制度：

教育部、国家发改委和财政部制定了《国家西部地区农村寄宿制学校建设工程实施方案》、国务院办公厅转发了教育部、国家发改委、财政部、建设部、国土资源部《关于进一步做好农村寄宿制学校建设工程实施工作的有关意见》、国家"两基"攻坚办制定了《国家西部地区农村寄宿制学校建设工程专项资金管理暂行办法》、《西部地区农村寄宿制学校建设工程土建项目管理暂行办法》等制度。

国家西部地区"两基"攻坚计划是党中央、国务院着眼于最广大人民群众的根本利益,从根本上解决西部地区农业、农村和农民问题的重大战略举措,它给千百万农村孩子带来了一生的希望。在党中央、国务院的高度重视和关怀下,通过各级政府和相关部门的共同努力,到2007年底,西部地区"两基"攻坚目标如期实现,西部农村学校面貌发生了根本变化。据统计,西部地区"两基"人口覆盖率从2003年的77%提高到2007年的98%;国家财政投入数百亿元的资金,建设7000多所寄宿制学校,支持数以万计的学校改造危房和生活设施,使广大农村地区和边疆地区孩子的学习生活条件得到根本改善,解决了农村孩子上学"进得来"的问题;实施"农村中小学现代远程教育工程",中央和地方政府累计投入110多亿元资金,建设了覆盖全国农村的远程教育网络,农村孩子们共享到了优质教育资源,让走进校门的农村学生"学得好"。同时通过建立和完善资助困难学生的制度,加大"两免一补"力度,解决了让农村孩子"留得住"的问题。

(3)建立进城务工就业农民子女接受义务教育的制度

随着我国城市化进程不断加快,进城务工就业农民子女接受义务教育的问题日益突出。针对这种新情况,国家先后出台了一系列政策措施,保障进城务工就业农民的子女接受义务教育。

2003年9月17日,国务院办公厅转发了由教育部、中央编办、公安部、国家发改委、财政部、劳动保障部制定的《关于进一步做好进城务工就业农民子女义务教育工作的意见》。《意见》强调,做好进城务工就业农民子女义务教育工作,是实践"三个代表"重要思想的具体体现,是贯彻落实《中华人民共和国义务教育法》、推动城市建设和发展、推进农村富余劳动力转移以及维护社会稳定的需要,是各级政府的共同责任。各级政府要以强烈的政治责任感,认真扎实地做好这项工作。进城务工就业农民流入地政府(以下简称流入地政府)负责进城务工就业农民子女接受义务教育工作,以安排他们到全日制公办中小学就读为主。地方各级政府特别是教育行政部门和全日制公办中小学要建立完善保障进城务工就业农民子女接受义务教育的工作制度和机制,使进城务工就业农民子女受教育的环境得到明显改善,九年义务教育普及程度达到当地水平。

为了贯彻落实《意见》精神,教育部成立了"进城务工就业农民子女义务教育工作领导小组";进一步完善有关政策法规,要求各地对进城务工就业农民子女的教育收费与当地学生一视同仁,督促各地将涉及农民工子女教育的有关费用纳入正常的财政预算支出范围;2004年11月29日至12月10日,国家教育督导团派出督查组对天津、湖北、浙江和福建4省、直辖市进城务工就业农民子女义务教育工作进行了专项督导检查。

各地坚持"以流入地政府管理为主,以全日制公办中小学就读为主"的原则,积极发挥各地方政府的作用，规范民工子女学校的办学行为，扩大公办学校借读规模，妥善安排、依法保障进城务工就业农民子女接受义务教育，进城务工就业农民的子女接受义务教育的状况有了明显的改善。例如，武汉市加大对进城务工就业农民子女义务教育的投入，市级财政设立专项资金，补助接收进城务工就业农民子女人数较多的区和学校，在安排教育费附加时，将进城务工就业农民子女入学数作为基数同标准划拨。福建省晋江市对公办学校接收进城务工就业农民子女就学，在公用经费拨付方面与本地学生执行同一标准。北京、上海、天津、湖北、福建等地对安排到指定公办学校就学的进城务工就业农民子女，一律免收借读费，与本地学生一样严格按"一费制"收取费用。一些地方还建立了贫困生入学救助机制，减免了家庭贫困的进城务工就业农民子女的杂费，有的学校还对特别困难的学生给予了生活补助。与此同时，留守在农村老家的"留守儿童少年"也得到社会和有关部门的关注。

但进城务工就业农民子女的义务教育工作也存在一些问题，诸如：接受进城务工就业农民子女就读的公办学校数量仍不足；保障进城务工就业农民子女接受义务教育的经费不足；进城务工就业农民义务教育阶段随迁子女的基本情况不详，义务教育资源供给与进城务工就业农民子女急剧增加的态势不适应；一些民工子女学校办学条件较差，教育教学质量较低等等。为解决上述问题，各级政府有许多工作要做，如进一步增加接收进城务工就业农民子女接受义务教育的公办学校数量；加大政府对进城务工就业农民子女义务教育工作的经费投入，建立专项资金，重点补助接收进城务工就业农民子女较

多的学校；加强对16周岁以下进城务工就业农民子女数量的统计工作，为做好进城务工就业农民子女义务教育工作提供较为准确的数据；加强调查研究，密切关注进城务工就业农民子女义务教育工作中出现的新情况、新问题，综合考虑城市化进程和进城务工就业农民的流入趋势，科学规划中小学发展和学校布局，努力改善接收进城务工就业农民子女较多的学校的办学条件；加强对民办民工子女学校的管理和扶持，对不符合基本办学条件的不予审批，对条件不完备的要促进其改善办学条件。

（4）贯彻实施新修订的《义务教育法》

1986年《中华人民共和国义务教育法》对促进中国基础教育的发展起了重要的作用。但是，随着社会和经济的发展，原来的义务教育法的一些规定，已不再适应新的情况，因此有必要对义务教育法进行修订。

义务教育法的修订同时也是全国人民关注的一个焦点。2003年，在十届人大一次会议上，有近600名代表强烈要求修订义务教育法。2004年和2005年，每年又都有22件议案涉及修订义务教育法，签名的代表分别是727名和740名。有近1/4人大代表连续三年为一部法律的修订提出议案，这在全国人民代表大会的历史上是罕见的。2003年6月，十届人大常委会将修订义务教育法列入立法计划，义务教育法修订工作随即启动。

2004年6月，教育部将《义务教育法》的修订送审稿报请国务院审批。国务院法制办在多次会同教育部、财政部进行讨论和研究之后，修改形成了一份共8章95条的征求意见稿。

2005年3月，十届全国人大三次会议上，21位全国人大代表领衔提出了修改

《义务教育法》的议案。此次人代会上,共有740名全国人大代表参与提交了22件议案,建议修改《义务教育法》。

2005年8月18日至19日,21名领衔提出修订《义务教育法》议案的全国人大代表,与国务院法制办、教育部、财政部的有关人士及部分专家学者一起座谈,主要就由教育部起草、国务院法制办三易其稿后最终形成的《中华人民共和国义务教育法(修订)(征求意见稿)》展开讨论。

2006年1月4日,国务院总理温家宝主持召开国务院常务会议,讨论并原则通过《中华人民共和国义务教育法(修订草案)》。

2006年6月29日,全国人大常委会审议通过了新义务教育法。这是现行《义务教育法》自1986年颁布以来的一次重大修改。新修订的《中华人民共和国义务教育法》于2006年9月1日实施。

与1986年的《义务教育法》相比,新《义务教育法》有九大突破:第一,指明了义务教育均衡发展这个根本的方向。第二,明确了义务教育承担实施素质教育的重大使命。第三,新的《义务教育法》回归了义务教育免费的本质。第四,进一步完善了义务教育的管理体制,强化了省级的统筹实施。第五,确立了义务教育经费保障机制。第六,保障接受义务教育的平等权利。第七,规范了义务教育的办学行为。第八,建立了义务教育新的教师职务制度。第九,增强了《义务教育法》执法的可操作性。新的《义务教育法》为在新的起点上高质量实施九年义务教育提供了法律保障,促进了义务教育的健康发展。

义务教育和整个基础教育取得长足发展。到2008年底,实现"两基"验收的县(市、区)累计达到3038个(含其他县级行政区划单位207个),占全国总县数的99.1%,"两基"人口覆盖率达到99.3%。小学学龄儿童净入学率达到99.54%;初中阶段毛入学率98.5%。全国青壮年文盲率进一步下降到3.58%。[1] 与此同时,幼儿教育和特殊教育取得长足发展;高中阶段教育发展迅速,北京、上海等一些经济发达城市已率先普及了高中阶段教育。2008年,全国高中阶段教育(包括普通高中、成人高中、中等职业学校)在校学生达到4576.07万人。高中阶段毛入学率达到74%,比2002年的42.8%提高了31.2个百分点。[2]

2.以服务为宗旨,以就业为导向,职业教育取得重大突破

坚持以服务为宗旨,以就业为导向,是职业教育不断适应经济社会发展需要,不断提供多样化的成才途径,走向面向人人的教育的过程。十六大以来,党和国家更加明确了职业教育的重要性,把职业教育放在更加重要的战略地位,将加快中等职业教育作为整个教育工作的战略突破口。在科学发展观的指导下,我国职业教育基本实现了又好又快的发展。

(1)高度重视职业教育

世纪之交,由于高校扩招、一度盲目普及普通高中以及传统观念的影响等多方面的原因,中等职业教育迅速滑坡,招生数连续几年出现下降,规模也有所缩小,造成生产服务一线技能型人才的严重紧缺,直接影响国家的经济建设,引起社会强烈反响。为了扭转这种局面,党中央、国务院旗帜鲜明地把大力发展职业教

---

①　《光明日报》,2008年2月21日。

②　教育部:《2008年全国教育事业发展统计公报》,《中国教育报》,2009年7月18日。

育作为教育工作的战略重点。2002年、2004年、2005年，国家连续召开三次全国职业教育工作会议，我国职业教育的改革与发展取得了重大突破。

2002年，国务院召开全国职业教育工作会议，并印发了《国务院关于大力推进职业教育改革与发展的决定》。《决定》指出，职业教育是中国教育体系的重要组成部分，是中国国民经济和社会发展的重要基础。要实施科教兴国战略、促进经济社会可持续发展、促进就业和再就业、解决"三农"问题，就必须高度重视并加快职业教育的改革与发展。《决定》明确提出，要"推进职业教育办学思想的转变。坚持'以服务为宗旨、以就业为导向'的职业教育办学方针，积极推动职业教育从计划培养向市场驱动转变，从政府直接管理向宏观引导转变，从传统的升学导向向就业导向转变。促进职业教育教学与生产实践、技术推广、社会服务紧密结合，推动职业院校更好地面向社会、面向市场办学"。这个职业教育的办学思路，逐步成为各级政府和全社会的共识，并引导着职业教育不断深化体制、运行机制和教育教学的改革创新，在服务中求支持，在改革中求发展。

2004年6月17日至19日，经国务院批准，教育部、国家发改委、财政部、人事部、劳动和社会保障部、农业部和国务院扶贫办等七部门再次召开全国职业教育工作会议，并印发了《教育部等七部门关于进一步加强职业教育工作的若干意见》，对推进职业教育在新形势下快速持续健康发展提出了一系列政策措施。具体举措是：认真实践"三个代表"重要思想，坚持科学发展观，大力推进职业教育快速持续健康发展；坚持以就业为导向，增强职业教育主动服务经济社会发展的能力；切实加快技能人才培养，为新型工业化提供人力资源支持；大力加强农村职业教育，为解决"三农"问题提供服务；深化办学体制改革，促进多元办学格局的形成；完善就业准入制度和职业资格证书制度，积极推进职业院校学生职业资格认证工作；加快职业教育实训基地建设，切实提高学生职业技能；深化职业院校人事制度改革，加强"双师型"教师队伍建设；多渠道增加投入，为职业教育的改革与发展提供坚实的条件保障；加强领导，营造发展职业教育的良好社会氛围，在全社会弘扬"三百六十行、行行出状元"的风尚，营造有利于职业教育发展和技能人才培养与使用的良好环境。

2005年，国务院再次召开全国职业教育工作会议。温家宝总理在会上发表了重要讲话，明确提出，要深刻认识大力发展职业教育的重要性和紧迫性。职业教育是我们国家经济和社会发展的重要基础，同时也是教育工作的战略重点之一。大力发展职业教育，是推进我国工业化、现代化的迫切需要。大力发展职业教育和技能培训，使广大农民适应工业化、城镇化和农业现代化的要求，这也是我国现代化建设的一项重大战略性任务。大力发展职业教育，也是完善现代国民教育体系的必然要求，教育事业发展规律的内在要求。这次会议进一步明确了"十一五"期间我国职业教育改革与发展的指导思想、目标任务和政策措施，是我国职业教育发展史上新的里程碑。会后，国务院发布了《国务院关于大力发展职业教育的决定》，从认识、制度和措施等方面对大力发展职业教育进行了明确阐释和规定。

在党中央和国务院的领导下，我国职业教育改革和发展的思路日益清晰，主动服务经济社会发展的能力明显增强，对我国职业教育的改革和发展起到了巨大的推动作用。

（2）发展职业教育的政策措施

党中央、国务院把职业教育作为经济社会发展的重要基础和教育工作的战略重点，出台了一系列加快发展职业教育的政策措施，推动我国职业教育进入了一个新的发展阶段。这些措施主要有：

一是加大公共财政对职业教育的投入，加强职业教育的基础能力建设。"十五"期间，在财政部和国家发改委的支持下，中央财政对职业教育的投入力度不断加大，职业教育专项经费逐年增加，国债资金开始用于职业教育。国家还启动了旨在提高职业教育基础能力的职业教育实训基地、县级职教中心、示范性中等职业学校、示范性高等职业技术学院的建设计划，"十一五"期间，中央财政用于这方面建设的经费将超过100亿元，大大改善了职业院校的办学条件。教育部等部委组织实施了"国家技能型人才培养培训工程"、"国家农村劳动力转移培训工程"、"农村实用人才培训工程"、"成人继续教育和再就业培训工程"，年培训城乡劳动者达到1.5亿人次。职业教育事业的发展为经济发展、促进就业与社会和谐作出了贡献。这些项目直接支持了近1500所职业院校，大大增强了职业教育的基础能力。在中央的示范带动下，各地也纷纷加大财政对职业教育的投入，有力地支持了职业教育的改革与发展。

二是建立并完善职业学校学生的资助体系。2006年财政部、教育部出台《关于完善中等职业教育贫困家庭学生资助体系的若干意见》，明确了要建立贫困家庭学生助学金制度、奖学金制度、以学生参加生产实习为核心的助学制度、学费减免制度等资助制度。2007年颁发《国务院关于建立健全普通本科高校高等职业学校和中等职业学校家庭经济困难学生资助政策体系的意见》，明确规定2007年起，国家助学金资助所有全日制中等职业学校在校农村学生和城市家庭经济困难学生。资助标准为每生每年1500元，国家资助两年，第三年实行学生工学结合、顶岗实习。2009年，温家宝所作的《政府工作报告》中，更是明确提出了中等职业教育免费，首先从农村中等职业教育与涉农专业做起的措施，这对中国职业教育的发展、对推进教育公平以至于社会公平将有无法估量的重大意义。

三是深化职业教育改革。在办学方向上，坚持面向社会、面向市场、面向企业、面向农村，把加快职业教育发展与繁荣经济、促进就业、消除贫困、维护稳定和建设先进文化紧密结合起来。在培养模式上，坚持与生产劳动相结合，着力培养学生的实践能力和就业能力，大力推行工学结合、校企合作和半工半读，积极推广"订单式"培养。在办学体制上，坚持办好骨干公办院校，积极引导和推动民办职业教育发展，鼓励发展职业教育集团。在布局结构上，充分发挥城市和东部地区优质职业教育资源和就业市场的优势，积极推进东西部之间、城乡之间的职业院校联合招生、合作培养、联动发展。在办学机制上，坚持实行政府主导、面向市场、多元办学的机制，充分发挥行业、企业的作用，大力推动职业院校与企业密切合作、共同发展。2004年，教育部以实施"制造业和现代服务业技能型紧缺人才培养培训工程"为契机，邀请行业、企业专家按照工作流程和岗位需要共同开发的"核心课程与训练项目"，替代了传统的教学大纲和教材，彻底改变了职业教育闭门造车的办学模式，更大程度地体现了行业、企业技术发展与进步，从满足用人单位的需要，为学生提供更多的"做中学"的机会，并形成职业教育教学改革的新机制，推动产教结合、校企合作的进展。中国机械工业联合会、西门子公司、微软、Autodesk、ATA、高等教育出版社、北大青鸟等一大批企业积极参与"工程"实施，为相关院校提供师资培训、教学软件和设备支持。一汽丰田公司已与教育部签订协议，从 2004 年至 2010 年，连续出资对职业院校进行捐助，2004 年已经捐赠价值五百多万元的教具与实训设备；美国 Autodesk 公司提供了 50 个节点的 AUTOCAD 软件实验室 100 个，并提供免费的师资培训；珠海市欧亚汽车有限公司向 28 所院校捐赠汽车维修软件，并投资 200 多万元与珠海第三职业中学共建汽修实训基地。

四是实施"职业院校制造业和现代服务业技能型紧缺人才培养培训工程"。2003 年 12 月 3 日，教育部、劳动保障部、国防科工委、信息产业部、交通部、卫生部联合发出《关于实施"职业院校制造业和现代服务业技能型紧缺人才培养培训工程"的通知》，教育部办公厅分别会同有关部委办公厅或行业组织印发了相关专业领域技能型紧缺人才培养培训指导方案，并公布了参加此项工程的职业院校和合作企事业单位的名单，正式启动了"职业院校制造业和现代服务业技能型紧缺人才培养培训工程"。"工程"以经济结构调整和行业人力资源需求预测为基本依据，进一步引导职业院校从劳动力市场的实际需要出发，坚持正确的办学指导思想，坚持以就业为导向，以全面素质为基础，以能力为本位，帮助学生形成健康的劳动态度、良好的职业道德和正确的价值观，把提高学生的职业能力放在突出的位置，加强实践教学，努力造就制造业和现代服务业一线迫切需要的高素质技能型人才。"工程"的目标任务是：在数控技术

应用、计算机应用与软件技术、汽车运用与维修、护理 4 个专业领域，在全国选择确定 500 多所职业院校作为示范性培养培训基地（其中高职院校 250 多所，中等职业学校 340 多所）；建立校企合作进行人才培养的新模式，由相关职业院校与各地推荐的 1400 多个企事业单位合作，加强基地建设，培养培训技能型紧缺人才。2003—2007 年相关专业领域共输送毕业生 100 万人，提供短期技能提高培训 300 万人次，以缓解劳动力市场上技能型人才的紧缺状况。

2004 年 4 月 30 日，教育部、财政部制定了《关于推进职业教育若干工作的意见》，决定实施"职业教育实训基地建设项目"。从 2004 年到 2007 年，用四年左右的时间，在全国分期分批建设一批条件较好、适应技能型人才培养培训需要的职业教育实训基地。主要涉及的专业领域有数控技术、汽车维修技术、计算机应用与软件技术、电工电子技术、建筑技术等。文件印发后，教育部和财政部认真组织实施，到 2004 年底，初步落实资金 1 亿多元，支持江苏、上海、浙江、江西、湖北、四川、辽宁、吉林、黑龙江等 9 省市 51 个职业教育实训基地建设。

"工程"的启动标志着职业教育和成人教育制度创新、机制创新以及教育教学改革和课程建设进入新的阶段。2004 年，参加"工程"的职业院校已达 1000 多所，企业达 2000 多家，促进了校企合作、工学结合，实现了校企双赢。"工程"的实施还带动了全国中等职业学校的专业建设。北京、上海、天津、辽宁、内蒙古等 20 个省、自治区、直辖市教育厅（局）结合当地实际情况，在 4 个专业领域之外增加了本地区技能型紧缺人才的其他专业领域，如北京增加了物流、机电技术、电子信息技术等专业；天津增加了旅游管理专业；新疆增加

了棉花、石油化工、餐饮等专业。此外,各地也结合实际制定了更加具体的目标和措施,如河南提出三年内提供 10 万职业学校毕业生,短训 30 万人次;江苏、四川、山东、辽宁都提出停止通过简单组织文化课统考来评价职业学校教学质量的做法。

"工程"的实施是适应我国经济结构调整、促进制造业和现代服务业发展、实现工业化的需要,也是职业教育系统求真务实、认真实践"三个代表"重要思想,努力让人民满意的具体体现。

(3)职业教育步入快车道

在党和政府的重视、领导下,通过社会的共同努力,职业教育取得了新的发展:

在规模上,中等职业教育持续快速发展,2005 年、2006 年,中等职业学校连续两年分别扩招 100 万人,招生规模达到了 750 万人,2007 年再扩大招生 50 万人,达到 801 万人,2008 年达到 820 万人,大体上和普通高中持平。2007 年独立设置的高职院校达到 1168 所,占普通高等学校总数的 60% 以上,高等职业教育招生人数达到 300 万人左右,占普通高校招生总数的一半以上。社区教育、继续教育和远程教育也有很大发展,参加各种形式培训的城乡劳动者达到 1 亿多人次。教育结构体系的进一步合理化,初步实现"现代国民教育体系更加完善"的目标,为我国走新型工业化道路、推进产业结构调整和经济发展方式转变作出了重要贡献。

在质量方面,人才培养模式更加灵活多样,办学质量明显提高,中等职业学校毕业生就业率达到 95% 以上。同时,中等职业学校服务意识服务能力不断地增强。基于自身的生存发展与观念意识的提高,职业学校面向应往届初中毕业生,面向未升学的普通高中毕业生、退役复员军人、农民工子女、下岗职工,开始面向人人;与任何一个历史时期相比,职业院校都成为提供更多机会的面向大众的教育。

中等职业学校学生资助政策体系进一步健全,新的中等职业学校学生资助政策全部落实到位后,受资助学生达 1600 万人。学生资助面从 2006 年的 5%,到 2007 年开始,受资助的学生达到 1600 万人,覆盖到学生总数的 90%。同时,高职学生也能享受到国家奖学金、助学金和助学贷款,受资助面达到 20% 以上。

这一时期,职业教育特别是中等职业教育扩大招生规模,并逐渐由规模发展到质量发展,以质量来确保规模,深化职业教育管理、办学、投入等方面的体制改革,加强职业教育基础能力建设为职业教育可持续发展提供了保障,形成了大规模培养技能型人才的能力,基本适应了经济社会和人民群众对职业教育的强烈需求。据统计,全国共有 14000 所中等职业学校,近 1100 所高等职业学校;2008 年,全国中等职业教育和高等职业教育招生总规模达到 1100 万人,在校生超过 3000 万,分别占据了高中阶段教育和高等教育的半壁江山。

3.高等教育人才培养质量不断提升,对现代化建设的贡献能力不断增强

从 1999 年,党中央、国务院决定大幅度扩大高等教育招生规模,我国高等教育取得了跨越式的发展,基本满足了进入新世纪后我国现代化建设对专门人才的需求,是把我国建设成为人力资源大国的战略举措。但是,由于高等教育规模连年扩大,办学条件没有相应发展,教学质量有所下降。在某些地区、某些高校,轻视教学、忽视质量的现象还相当严重;最为突出的问题是教学投入严重不足、教学管理相当薄弱和教学改革亟待深入。

为了扭转这种局面,国家一方面采取

宏观调控政策，适当控制高等教育招生增长的幅度，2006 年、2007 年招生人数增幅保持在 6%、5%，使高等教育在保持稳定的基础上，不断提高大众化程度，到 2008 年高等教育的毛入学率已达 23.3%，研究生在学人数由 1980 年的 2.2 万人增加到 128.30 万人；其中博士生 23.66 万人，硕士生 104.64 万人。全国各类高等教育总规模达到 2907 万人。①

另一方面，下大力气提高高等教育人才培养质量。2004 年，教育部启动了"高等学校教学质量与教学改革工程"（简称质量工程）。其内容包括：第一，以信息技术为手段，深化教学改革和人才培养模式改革。第二，继续推进教授上讲台，每年评选和表彰 100 名国家级教学名师，鼓励教授为学生讲授大学基础课程和专业基础课程。第三，建设 1500 门精品课程，并将精品课程的教案上网，推进优质教育资源共享。第四，改革大学公共英语教学标准、手段和考试方法，推进基于计算机的个性化英语教学，提高大学生的英语综合实用能力。第五，积极推进制度创新，改革教学评估工作，建立五年一轮的普通高等学校评估制度。第六，建设一批基于互联网的国家级示范教学基地和基础课程实验教学示范中心，促进并提高学生的创新能力和实践能力。第七，大力发展以就业为导向的高等职业教育，促进产学研结合，培养应用性技术人才。第八，进一步调整学科专业结构，规范专业设置管理，加强对高职高专院校专业建设与发展的宏观指导。第九，推动高等医学教育的改革和发展，逐步理顺医学教育体制。第十，加强电子图书馆与教材建设以及实验设备等优质教育资源共享。第十一，进一

步加强素质教育，加强对大学生的爱国主义教育、法制教育、诚信教育和社会责任心教育。第十二，实施访问教师计划，继续推进双语教学和聘请国外优秀教师来华讲授专业课程。教育部把"质量工程"的有关内容纳入高等学校教学评估指标体系，作为国家和社会检查评估学校教学工作的重要指标之一。

2004 年 12 月，教育部召开了全国普通高等学校本科教学工作会议。会议主题是"大力加强教学工作，切实提高教学质量"。会后教育部印发了《关于进一步加强高等学校本科教学工作的若干意见》。《意见》明确提出加强本科教学工作的主要任务和基本举措：着眼于国家发展和人的全面发展的需要，加大教学投入，强化教学管理，深化教学改革。坚持传授知识、培养能力、提高素质协调发展，注重能力培养，着力提高大学生的学习能力、实践能力和创新能力，全面推进素质教育，培养数以千万计德智体美全面发展的高素质专门人才和一大批拔尖创新人才。教育部部长周济在讲话中强调，要进一步学习和落实科学发展观，继续贯彻"巩固、深化、提高、发展"的"八字方针"，就必须一方面坚持促进高等教育的持续发展；另一方面更加注重深化改革和提高质量，尤其要重视教学质量的提高。按照这样一种思路，要将工作重心由前一阶段高度重视规模发展，转移到在规模持续发展的同时，更加注重提高质量。由于教学工作在提高质量中处于突出地位，因此，在工作重心转移的过程中，尤其要大力加强教学工作，切实提高教学质量。实现工作重心的转移，既是时代的必然要求，也是高等教育发展的根本需要，更是高等教育领域

---

① 教育部：《2008 年全国教育事业发展统计公报》，《中国教育报》，2009 年 7 月 18 日。

贯彻落实科学发展观的必然选择。会后，各地和高校出台了许多加强教学工作、提高教育质量的措施，高等教育教学质量工作得到加强。

2006年，教育部在实施"高等学校教学质量与教学改革工程"的基础上，启动了新的"高等学校本科教学质量与教学改革工程"，着力于促进各级各类高等院校科学定位，狠抓质量，特色发展。为了完成此工程，中央财政在"十一五"期间将斥资25亿元。从2003年到2007年底，基本完成了五年一轮的高校本科教学水平评估工作，推动了学科专业结构的调整，加强了教学团队建设，促进人才培养模式变革，强化了学生的实践能力、创造能力、就业能力和创业能力培养。研究生教育改革稳步推进，创新型人才培养得到加强。

高校科技创新和社会服务水平不断提高，成为基础研究的主力军、高新技术研究的重要方面军和科技成果转化的强大生力军，在国家和区域创新体系中正在发挥越来越重要的作用。"十五"期间，全国高校累计争取科技活动经费1300多亿元，承担各类课题61.9万项，发表论文146.3万篇。截至2006年年底，高校专利拥有量达4.5万项。"十五"期间高校共获国家自然科学奖75项，技术发明奖64项，科技进步奖433项，分别占全国总数的55.1%、64.4%、53.6%。2004年，两项国家技术发明一等奖均为高校所摘取，填补了该奖项六年的空白。2006年高等学校又囊括了体现我国重大原始创新能力的自然科学奖和技术发明奖的全部3项一等奖。实施了"高校哲学社会科学繁荣计划"。高校师生积极参与"马克思主义理论研究和建设工程"，推进哲学社会科学

学科体系和教材体系建设，加强教学和科研队伍建设，成为各级党委、政府和社会各方面的"思想库"和"智囊团"。目前，全国有80%以上的哲学社会科学人员在高校，有80%以上的哲学社会科学研究成果来自高校，推动了理论创新，为社会主义现代化事业作出了重要贡献。①

4.教育公平迈出重大步伐

十六大以来，党和国家始终把坚持教育公益性和促进教育公平作为国家基本教育政策，推动各级政府落实发展教育的责任。2006年修订的《中华人民共和国义务教育法》特别强化义务教育的公益性，规定了在实施义务教育中的公平，要求推进义务教育的均衡发展，保障所有儿童接受良好的义务教育。2007年，中共十七大报告明确提出："教育是民族振兴的基石，教育公平是社会公平的重要基础。"教育公平既是和谐社会的重要内容，又是和谐社会的重要基础，还是和谐社会的实现途径。为了促进教育公平，党和政府采取了多项政策措施，并取得了显著的成效。

一是坚持以发展促公平，努力保障人民依法接受教育的权利和机会。党的十七大报告指出："科学发展观，第一要义是发展，核心是以人为本，基本要求是全面协调可持续，根本方法是统筹兼顾。"落实科学发展观的精神，就必须坚持各级各类教育的协调和统筹发展，努力为社会提供更多的教育机会。事实证明，我国义务教育的全面普及保障了城乡少年儿童小学、初中入学机会的公平，高中阶段教育的发展规模和高等教育的大众化水平也取得长足进展，并在发展各级各类教育的同时，不断提高质量，满足了人民群众对教育的多样化需求。

---

① 周济：《教育部2008年度工作会议上的讲话》，《中国教育报》，2008年1月4日。

二是坚持以改革促公平，在一定教育资源总量情况下，调整教育资源的配置方式，推动公共教育资源向农村、中西部地区、贫困地区、边疆地区、民族地区倾斜，加强东部对中西部、城市对农村的教育对口支援工作，逐步缩小城乡、区域教育发展差距，促进公共教育协调发展。在整体推进教育公平的同时，把统筹区域内义务教育均衡发展，作为推进教育资源配置方式调整的一个优先领域。各级教育入学率统计指标表明，我国男性与女性学龄人口、汉族与少数民族学龄人口之间的入学率已无明显差距。

三是坚持以资助促公平。为了不让一个家庭经济困难学生失学，初步建立起以政府为主导的家庭经济困难学生资助政策体系。

在义务教育阶段，相继推出一系列补助政策：实行"两免一补"（即免学杂费和书本费、补助寄宿生的生活费）；全面免除农村义务教育学杂费，继而全面免除城乡义务教育阶段所有学生的学杂费，为农村学生提供免费教科书；为家庭经济困难学生提供寄宿生生活，继而又普遍提高了家庭经济困难寄宿学生生活补助标准和农村中小学校生均公用经费标准；等等。2008 年，中央财政用于农村义务教育保障机制经费达到 527 亿元，地方财政也投入了大量资金以落实保障机制，小学和初中生均公用经费基准定额分别提高到 150 元和 250 元；小学和初中生均补助标准分别提高到 90 元和 140 元；免除城市义务教育阶段学生学杂费，安排了专项资金 40.1 亿元。同时，教育系统抗震救灾和灾后重建专项资金以及各项教育重大改革项目与工程项目经费得到全面落实，还推动中央

财政安排专项资金 20.6 亿元，帮助解决北方高寒地区冬季取暖费问题。[①]

在职业教育阶段，先是设立了中等职业教育国家助学金，后是实施了中等职业教育免费，首先从农村中等职业教育与涉农专业做起的政策。

在高等教育阶段，初步形成了奖、贷、助、补、减和勤工俭学有机结合的高校家庭经济困难学生资助政策体系。国家每年用于资助职业教育和高等教育家庭贫困学生的财政投入和学校安排的助学经费总额将达到 500 亿元，惠及 2000 万学生，使家庭经济困难学生都能上得起大学、接受职业教育。此外，普通高中家庭经济困难学生资助体系已经部署启动。

同时，坚持以公办学校为主、以流入地为主，对农民工子女接受义务教育实行与当地学生同等对待的政策，保障了进城农民工子女接受义务教育的权利；进一步加强了对农村留守儿童学习、生活的管理，初步建立起了学校、家庭、社会三结合的教育管理网络；通过实施农村寄宿制学校建设工程、农村中小学现代远程教育工程、中西部农村初中校舍改造工程和新农村卫生新校园建设工程等国家重大工程项目，进一步改善了农村学校办学条件；积极推进区域内义务教育均衡发展、规范办学秩序，治理乱收费，全面实施高校招生"阳光工程"。

上述政策措施的实施成为促进教育公平和社会公正的有效手段。我国教育正朝着让"全体人民学有所教"、"人人享有接受良好教育机会"、"让所有的孩子都能上得起学、上好学"的理想境界迈进。

5. 教育对外开放不断拓展，教育国际竞争力不断增强

---

① 周济：《教育部 2009 年度工作会议上的讲话》，《中国教育报》，2009 年 1 月 6 日。

十六大以来,我国教育对外合作交流向更高层次、更广领域发展,已经与184个国家、地区和国际组织建立了教育合作与交流关系,与32个国家和地区签订了相互承认学历学位协议。我国大学与世界知名大学和科研机构的"强强合作"不断推进,有力地促进了高水平大学的科技创新和人才培养。

留学工作不断推进。2005年,教育部提出了"三个一流"的选派办法,即"选拔国内一流的学生,派到(海外)一流的大学和学科专业,师从一流的导师"。按照这"三个一流"的要求,公派出国留学人员的结构更加合理、层次不断提高,成为培养高层次人才的重要渠道。2007年设立"国家建设高水平大学公派研究生项目"。根据该项目规定,从2007—2011年每年选派5000名研究生赴国外一流高校深造。该项目是新中国成立以来最大规模的公派研究生项目。与此同时,优秀自费留学生奖励政策取得了良好效果,吸引优秀留学人员回国工作、服务和创业的政策更加完善。来华留学事业不断发展。改革开放30年来,有120多万人出国留学,累计接收167个国家的来华学生87万人次,越来越多国家的青少年将我国作为留学主要目的国。①

汉语国际推广事业蓬勃发展。2004年11月21日,中国第一所海外"孔子学院"在汉城汉语水平考试韩国办事处举行挂牌仪式。2005年1月5日,教育部等四部门发出通知,联合实施汉语桥工程,加强汉语的国际推广工作,国际上学习汉语的人数快速增加,汉语正在加快走向世界。2007年4月9日,孔子学院总部成立,成为全球孔子学院的最高管理机构。

目前,已有249所孔子学院遍布全球,孔子学院已成为海外汉语推广的基地、世界了解中国的窗口、促进中国与各国交流合作的平台,中华文化在世界的影响不断扩大。

中共十六大以来,在科学发展观指导下,教育战线沿着中国特色社会主义教育发展道路,坚持教育以育人为本,办学以教师为本,实现教育由外延式发展向内涵式发展的转变,推动教育又好又快科学发展,不断完善中国特色社会主义教育体系,提高了国民的素质,培养了大批人才,对国家的经济建设、科技进步和社会发展作出了重大贡献。

但是,从国际竞争和国内现代化建设的多方面需要来看,我国教育在取得历史性成就的同时,还面临着前所未有的严峻挑战和许多亟待解决的问题。同时还必须清醒地看到,我国仍处于并将长期处于社会主义初级阶段。这个基本国情就决定了我国是在经济实力不强的条件下支撑着世界上最大规模的教育,也决定了现阶段教育面临的主要矛盾是人民群众不断增长的教育需求同教育供给特别是优质教育资源供给不足的矛盾,而且这个矛盾是长期存在的。具体表现为,教育总体水平不高、国际竞争力不强、人才培养结构不合理、区域之间教育发展不均衡、教育投入不足仍是制约发展的瓶颈;教育观念、人才培养模式、教育基础设施、教师队伍的水平乃至管理体制、运行机制都相对滞后;终身教育体系框架尚未形成。教育的这种状况还不能适应社会主义现代化建设和提高国民素质的要求,也不能满足人民群众多样化的教育需求。因此,教育改革与创新势在必行。

---

① 刘延东:《教育部2009年度工作会议上的讲话》,《中国教育报》,2009年1月4日。

正是在这种背景下,中央于2008年8月正式启动《国家中长期教育改革和发展规划纲要》制定工作。温家宝总理在中南海先后四次召开座谈会,亲自听取来自全国各地教师、校长和教育专家对教育工作的意见和建议。规划纲要将进一步确定2020年我国教育改革发展的战略目标、总体任务和重大部署,对教育规模、结构、质量以及分阶段和分地区的目标提出具体要求,明确各级各类教育发展的工作任务,明确中长期深化教育改革的重点,研究提出保障教育改革发展的重大政策措施,反映了我国现代化建设和时代进步对教育的新要求,也反映了我国教育理论与实践的新发展。

总之,我国教育事业的发展已经进入全面提高质量、促进公平,努力让孩子们上好学的新阶段。预计21世纪前50年,即到新中国教育百年的时候,我国要建成更加完善的现代国民教育体系,建设世界最大的学习型社会,实现从教育大国到教育强国的战略转变,从人力资源大国跨入人力资源强国的行列。

国家重点基础研究发展计划——973计划

国家重点基础研究发展计划(以下简称"973计划")是国家在对现有基础研究工作部署的基础上,围绕农业、能源、信息、资源环境、人口与健康、材料等重点领域,瞄准科学前沿和国家经济、社会和科技自身发展中的重大科学问题,开展创新研究的基础研究计划。总体目标是为解决21世纪初我国经济和社会发展中的重大问题,提供有力的科学支撑,培养和锻炼一支优秀的基础研究队伍,形成一批高水平的研究基地,提升我国基础研究的原始性创新能力,并以此带动我国基础研究乃至科学技术事业的全面发展。制定和实施973计划是党中央、国务院为实施"科教兴国"和"可持续发展战略",加强基础研究和科技工作作出的重要决策;是实现2010年以至21世纪中叶我国经济、科技和社会发展的宏伟目标,提高科技持续创新能力,迎接新世纪挑战的重要举措。

一

973计划的产生

1997年3月2日,李鹏、李岚清、宋健等国家领导参加了全国政协八届五次会议的科技和科协组联会,李鹏在听取多位政协代表的发言后,提出了制订国家重点基础研究发展规划的意见。国家科委党组对此极为重视,多次召集会议,认真研究如何落实这一指示精神,并听取和征求科技界专家和国家有关部门领导的意见。3月19日和4月23日,国家科委两次召开大型研讨会,深入研讨"国家重点基础研究发展规划纲要"的框架。这两次研讨为规划制定提供了科学依据。6月4日,国家科技领导小组召开第三次会议,听取了时任国家科委主任的朱丽兰同志所作的《关于加强我国重点基础研究的汇报提纲》,会议决定由国家科委负责制定《国家重点基础研究发展规划》(以下简称《规划》),瞄准科学前沿和国家发展中的重大关键问题,重点选择对我国经济建设和社会发展有重大意义的基础研究领域,如农业、能源、信息、资源环境、人口与健康等，力争有所突破。这次会议决定国家单独拨出一定经费予以支持，确保国家重点基础研究发展规划的实施。7月22日，江泽民就加强基础研究工作做了重要批示："基础研究很重要，人类近现代文明进步史已充分证明，基础研究的每一个重大突破，往往都会对人们认识世界和改造世界能力的提高，对科学技术的创新、高技术产业的形成和经济文化的进步产生巨大的不可估量的推动作用。建国以后特别是改革开放以来，我国基础研究取得了举世瞩目的重大成就。但是由于国家财力毕竟有限，我们不可能一时在各个领域都投入更多的力量。必须从社会和经济的长远发展需要出发，统观全局，突出重点，实行'有所为、有所不为'的方针，继续加强基础科学研究。"

为制定好《规划》，国家科委又召开了多种形式的座谈会，邀请全国各有关方面的科技专家和部门管理专家出谋划策，深入研讨。国家科委在大量研讨工作的基础上，研究归纳了重点学科领域中的重大问题和科学前沿，为制定规划提供了决策依据。同时，国家科委还分别听取了中国科学院和工程院的意见，并多次征求中国科学院、中国工程院、教育部、国家自然科学基金委员会等有关部门的领导的意见，听取他们的建议。这些意见和建议对于《规划》的起草和制定起到了十分重要的作用。

1997年9—10月，国家科委就如何贯彻、实施国家科技领导小组第三次会议的精神作了一系列研讨和部署。1998年初，国家科委召开《规划》有关领域的发展需求研讨会，从世界科技和经济的发展趋势和我国的国情出发，集中研讨我国经济和社会发展的重大、长远的战略需求，探讨其中的重大科学问题。5月底，国家科委在北京召开了部分大学校长、研究所所长和科学家参加的研讨会，就重点基础研究规划项目的要求、标准、指导思想进行了研讨。通过研讨，与会代表进一步明确了制定《规划》的时代意义，对重点规划项目的组织实施等问题达到了思想上的共识。专家们按照国家科技领导小组第三次会议的精神及《规划》的指导思想，围绕重点资助领域范围反复研讨，初步选定了几个"项目建议"作为下一步计划立项、遴选过程中的案例。在这些研讨会中，既探讨了在实际工作中落实中央要求的可行性，又提出了规划项目的遴选标准、遴选模式和立项评审程序。

根据国家科技领导小组第三次会议精神，科技部聘请了19位对基础研究工作和国家重大需求有深入了解、能充分反映科技界意见的科学家，成立了国家重点基础研究发展计划专家顾问组，为《规划》和计划的制定、实施开展咨询、顾问、评议和监督工作，以充分保证规划和计划项目选题、评审的科学性、民主性和公正性。与此同时，科技部和国家自然科学基金委员会还共同成立了"973计划联合办公室"，加强973计划与国家自然科学基金等计划的协调和衔接。1998年12月15日，科技部批准首批15个项目立项，其中农业领域2项，能源领域1项，信息领域3项，资源环境领域3项，人口与健康领域3项，材料领域3项，12月23日，国家重点基础研究发展规划首批项目启动实施会在北京召开，973计划进入组织实施阶段。

二

973 计划的指导思想、主要任务和遴选原则

1.973 计划的指导思想

973 计划以坚持统观全局、突出重点，"有所为，有所不为"作为方针，坚持"择需、择重、择优"、"公开、公平、公正"的原则，坚持以人为本，鼓励学科交叉，推动合作交流。其战略目标是加强原始性创新，在更深的层面和更广泛的领域解决国家经济与社会发展中的重大科学问题，以提高我国自主创新能力和解决重大问题的能力，为国家未来发展提供科学支撑。①

973 计划是具有明确国家目标、对国家发展和科学技术的进步具有全局性和带动性作用、需要国家大力组织和开展的基础研究发展计划，属于基础研究范畴，因此要遵循基础研究的特点和规律，与其他方面的基础研究工作是互相联系、互为补充的，而且要着眼于国家经济、社会长远发展和科技自身发展中的重大科学问题。通过 973 计划项目的实施，可以优化我国对基地建设、人才培养、体制改革等方面工作的部署，增强我国的创新能力。

2.973 计划的主要任务

973 计划的主要任务有四个：一是紧紧围绕农业、能源、信息、资源环境、人口与健康、材料等领域国民经济、社会发展和科技自身发展的重大科学问题，开展多学科综合性研究，提供解决问题的理论依据和科学基础，解决我国经济、社会和科技自身发展中的重大关键科学问题，力争在重大科学前沿取得突破；二是部署相关

的、重要的、探索性强的前沿基础研究；三是培养和造就适应 21 世纪发展需要的高科学素质、有创新能力的优秀人才，锻炼一支优秀的基础研究队伍；四是重点建设一批高水平、能承担国家重点科技任务的科学研究基地，并形成若干跨学科的综合科学研究中心，提升我国基础研究的原始性创新能力。

（1）支持一批对国民经济与社会发展有制约作用的重大科学问题的研究

973 计划从国家战略需求出发，加强了对农业、能源、信息、资源环境、人口与健康、材料等重要领域的重大基础研究，2006 年，又启动了蛋白质研究、量子调控研究、纳米研究、发育与生殖研究四个重大科学研究计划，并纳入 973 计划。973 计划的实施，调动了基础研究领域的科学家服务于国家战略目标的积极性和主动性，促进了高校和研究单位之间的强强联合，促进了产学研的结合，促进了科技界和产业界的大力协作，促进了学科的交叉和融合，从而实现了跨学科、跨领域、跨部门、跨行业、跨地区的优势集成，解决了大批关键科学问题，推动了我国的农业技术、能源技术、信息技术、材料技术、纳米技术、生物技术、制造技术和环境技术的发展，为社会生产力的跨越式发展奠定了基础。

（2）稳定一支高水平的基础研究队伍，培养一批创新人才

科技创新，人才是关键。973 计划始终把培养和造就创新人才、营造有利于创新人才成长的环境作为重要任务。973 计划实施十余年的实践表明，973 计划在凝聚培养优秀中青年人才和科技领军人才、造就基础研究骨干团队方面发挥了重要

---

① 《国家重点基础研究发展计划简介》，http://www.973.gov.cn/AreaAppl.aspx。

作用。973 计划组织实施中,中青年科研人员发挥了重要的作用,在承担 973 计划的近 3 万人队伍中,45 岁以下的占 78%,项目首席科学家中 45 岁以下的占 44%,课题负责人中 45 岁以下的占 59%。[①] 在老一辈科学家的大力支持和培养下,一批优秀的中青年人才通过承担 973 计划取得了突出成就,不仅在科学素质和创新能力方面得到全面提高,而且战略思维和把握学术方向的能力上不断增强,逐渐成长为各自领域的学术带头人。973 计划作为基础研究计划具有开放性,凝聚了大批海外归国的优秀研究人员,其中包括一批国际知名的华裔科学家,如脑与神经科学领域的蒲慕明教授、材料科学领域的韩志超教授、信息科学领域的姚期智教授等。他们的加盟,不仅大大提升了 973 计划的研究水平,还为海外学者以多种形式参与祖国的建设作出了良好的示范,也为世界科学的发展作出了贡献。973 计划造就了一批跨部门、跨单位的强强联合的优秀团队,他们处于科学发展的前沿,了解本领域的发展态势,视野开阔、思路敏捷,具有合理的年龄和知识结构,是我国科技事业发展的宝贵财富。这批优秀团队将在引领经济社会发展的科技创新活动中发挥重要作用。牢固树立"人才资源是第一资源"的战略思想,积极实施人才战略。切实用好和稳住关键人才,积极培育后备力量,加大对以中青年科学家为骨干的研究群体的支持力度。以项目为纽带、基地为依托、人才为核心,采取有效措施,营造以人为本、人才辈出的良好环境。积极引进海外人才,大力开展国际交流与合作,鼓励和扶持一批有突出成绩、有组织能力、有国际影响的科学家和研究骨干走向世界,

提高我国国际科技地位与影响。

(3)改进和完善 973 计划管理,营造有利于原始性创新的环境

基础研究与国家需求的结合是一个新的课题,在世界上的先例也不多,既要引导科学家围绕着国家目标服务,又要营造宽松的环境,鼓励他们自由探索。经过十余年的发展完善,我们已经形成了具有中国特色的 973 计划组织实施和管理模式。973 计划充分发挥专家在咨询和决策方面的作用,从战略规划、年度指南制定到项目立项都要充分尊重专家的意见,保证了 973 计划实施的科学性、民主性和公正性,在科技界树立了良好的声誉。

3.973 计划的遴选原则

973 计划项目是对国家的发展和科学技术的进步具有全局性和带动性、需要国家大力组织和实施的重大基础性研究项目。项目的立项要按照"统观全局,突出重点,有所为,有所不为"的指导思想,在现有基础研究工作部署的基础上,鼓励优秀科学家和研究集体面向我国未来经济建设和科学技术发展的需要,围绕农业、能源、信息、资源环境、人口与健康、材料等国民经济、社会发展及科技自身发展的国家需求和有重大影响、能在世界占有重要一席之地的重点学科领域,瞄准科学前沿和重大科学问题,开展多学科综合研究和学科交叉研究,提供解决重大关键问题的理论依据和形成未来重大新技术的科学基础。

973 计划项目应结合我国经济、社会和科技发展的需要,统一部署,分年度组织实施。项目研究期限一般为五年。973 计划项目按照专家评议、择优支持的工作方法和"择需、择重、择优"、"公开、公平、

① 万钢:《以科学发展观为指导 推动基础研究服务于创新型国家建设》,《中国基础科学》,2008 年第 5 期。

公正"的原则遴选,强调国家需求与重大科学问题的结合,原则要求围绕我国社会、经济和科技自身发展的重大需要,解决国家中长期发展中面临的重大关键问题的基础性研究;瞄准科学前沿重大问题,体现学科交叉、综合,探索科学基本规律的基础性研究;发挥我国的优势与特色,体现我国自然、地理与人文资源特点,能在国际科学前沿占有一席之地的基础性研究。

973 计划项目实行"2+3"的管理模式,即项目执行两年后,进行中期评估,重点评估项目的"工作状态"和"研究前景",围绕项目总体目标,根据"集中目标、突出重点、精干队伍、择优支持"的原则,调整和确定后三年的研究计划;并根据中期评估情况,对有突破前景的重点课题,根据课题的实际需要进行强化支持,从而保证重点工作得到重点支持。

973 计划的实施与成效

自 1998 年至 2008 年,973 计划立项 382 项,重大科学研究计划立项 82 项,国家财政投入 82 亿元,取得了一大批科研成就,调动了基础研究领域的科学家服务于国家目标的积极性和主动性,促进了强强联合,实现了优势集成,解决了大批关键科学问题,充分体现了科技的支撑和引领作用。同时,973 计划在凝聚培养优秀中青年人才和科技领军人才、造就基础研究骨干团队方面发挥了重要作用。973 计划还凝聚了大批海外归国的优秀研究人员,大大提升了 973 计划的研究水平。经过十年的发展完善,973 计划已经形成了中国特色的重大基础研究计划组织实施和管理模式。

973 计划部署中认真贯彻"择重、择需、择优"、"公开、公平、公正"原则,努力将国家重大战略需求与科学家的创新精神结合起来,推动跨部门、跨行业、跨地区、跨领域、跨学科的联合和优势集成。

1.围绕国家重大需求进行重点部署

从 1998 年始,973 计划每年发布项目申报指南,采取"自上而下"和"自下而上"相结合的方式,根据规划进行部署。

农业领域围绕农业结构调整和提高农产品国际竞争力,重点部署了重要农作物种质资源发掘、优质高产育种和水肥的高效利用、动物疫病及养殖生物病害、动植物功能基因组等方面的研究。能源领域针对我国能源结构与能源消耗带来的环境问题,重点安排了燃煤污染防治、煤炭高效转化利用、提高石油采收率、石油天然气勘探与低耗转化、大规模电力系统稳定性和安全等方面的研究。信息领域重点在大规模科学计算、高性能软件、系统芯片、网络环境下的海量信息处理与知识发掘、信息与网络安全等方面进行了部署。资源环境领域围绕西部生态环境问题、北京及周边地区大气污染问题、重大天气和地震灾害、海洋环境及可持续发展、重要矿产资源勘探等方面进行了重点部署。人口与健康领域围绕人口质量和人民健康,在重要疾病(肿瘤、心脑血管疾病等)发病机理及疾病基因组学、创新药物、脑科学与脑疾病、人类生殖健康与出生缺陷等方面进行了部署。材料领域重点部署了对传统产业发展影响较大的新一代钢铁材料、铝材和通用高分子材料等方面的研究,加强纳米、超导、稀土功能材料、信息功能材料等高技术新材料的基础研究。同时,安排了一批体现我国优势和特色、具有创新性、交叉性的重要前沿科学问题研究。

2.阶段性成效日益显露

973 计划的实施使科学家们受到极大鼓舞。根据 SCI 数据库资料,1997 年我国科学家发表的 SCI 论文仅 1.7 万篇,2006 年达到 8 万多篇,跃升至世界第二科学技术的方阵,与英、德、日等国相当;同时,高质量论文数量也显著增加,并在近年频频出现在《自然》《科学》和各学科领域的权威学术刊物上。文献计量学分析表明,我国各学科领域的影响力全面提升,其中材料科学、化学、物理学等学科的影响力尤为突出。

我国科学家群体在国际上的学术地位和学术影响也逐渐提升。近几年来,我国越来越多的科学家当选为欧美国家的院士,或在国际学术机构担任重要的职务。仅 2006 年到 2007 年,我国大陆地区(不包括港澳台地区)就有 12 位科学家当选为发展中国家科学院的院士,10 人当选为国际欧亚科学院院士,12 人当选为美、欧等国的科学院或工程院外籍院士,9 人当选为国际重要学会、协会的主席,14 人被推选为国际重要学术杂志的主编或副主编。

(1)在科学前沿领域取得一批原创性成果,产生了重要的国际影响

在生命科学、信息科学、纳米科学、地球科学、数学、物理学和化学等学科的若干领域取得一批原创性成果,在《科学》、《自然》及相关学科一流杂志发表了系列重要论文,在国际上占据了重要的一席之地。

非线性光学晶体研究保持国际领先地位,在紫外和深紫外非线性光学晶体的设计、生长和原型激光器的研制等方面取得了创新成果。成功地生长出 $20 \times 10 \times 1.8mm^3$ 全透明的 KBBF 单晶,突破了以往该晶体的厚度始终未能超过 1mm 的极限;在国际上首次提出 KBBF 棱镜耦合技术,实现了深紫外 200—193nm 的激光有效输出,已合作研制出使用 6 倍频激光作为光源的超高分辨率光电子能谱仪。

量子信息和通信研究取得了一批有国际影响的重要创新成果,在国际上首次实现了五粒子纠缠态以及终端开放的量子态隐形传输,研究成果先后被美国物理学会和欧洲物理学会评选为 2004 年度国际物理学十大进展之一;实现了从北京到天津长度 125 公里通信光缆的量子密钥分配。在有机分子薄膜上实现了超高密度的信息存储,其结果远远超过国外最高水平。

超强超短激光研究取得重要创新成果,在 CPA 新一代超强超短激光新原理、新方法的开拓及小型化 OPCPA 超强超短激光系统的集成创新取得重大进展,实现了 3.67TW 的输出功率,并研制成功具有高光束质量和国际一流水平整体性能的 CPA 超强超短激光装置;首次在实验上观测到高次谐波谱双峰分裂新现象,提出利用原子系统的量子相干控制产生高强度相关原子束的新机制,建立了强场相互作用的非微扰量子电动力学理论模型与计算方法,并应用于解释和预言强场激光物理实验现象。

纳米材料和纳米结构研究取得系列创新成果,居于国际前沿。提出了利用模板和有机物催化热解法相结合制备单壁纳米碳管的方法;制备出超细碳纳米管和碳纳米管线;组装出世界上最细且性能良好的扫描隧道显微镜用探针;发现块体纳米铜的超延展性和孪晶界面诱导纳米铜的高强度和高导电性特性;采用低温生长方法在硅单晶衬底上制备出具有原子级平整度的铅薄膜,实现了对其厚度的单原子层精确控制。

蛋白质结构与功能研究取得突破。首次获得了菠菜捕光复合体（LHCII）2.72A 分辨率的三维结构解析；成功解析了线粒体呼吸链膜蛋白复合物 II 及其与抑制剂复合体的晶体结构，这些成果说明我国蛋白质晶体学已经进入世界先进水平。

在大脑的认知、神经信号传导、神经生长等方向取得了一批创新成果，在 Science、Nature、Neuron 等国际著名刊物发表了一批重要论文。

转基因属间克隆鱼的成功诞生，标志着我国在动物克隆基础研究领域取得新的突破。并首次从分子水平发现细胞质影响克隆鱼发育的新证据。

免疫学研究取得新的重要突破，发现了一种具有特殊负向免疫调控功能的新型 DC 亚群，对传统免疫学中普遍认为的成熟 DC 不再增殖的传统理论提出了挑战。

创造新物质的分子工程学方面，作出了高水平的研究成果，在 Science、Nature、Account of Chemical Research、Jacs 等化学领域国际权威杂志发表论文四十多篇，在国际上产生了重要影响。

古生物研究方面，在后生动物、脊椎动物、鸟类等重要生物类群的起源，寒武纪生物大爆发，古生代、中生代和新生代的生物大辐射，古生代三次生物大灭绝及其后的复苏，探索生物和环境协同演变的基本规律等方面，取得了一系列重大发现和创新性成果。

海洋科学研究方面，首次从生态系统水平上建立了以鳀鱼为例的配额捕捞评估与管理模型，发现中华哲水蚤在温带陆架浅海度夏策略，被认为是国际全球海洋生态系统动力学（GLOBEC）计划实行以来有代表性的研究成果之一。在近海环流的形成机理和变异方面，揭示了东海黑潮"多核结构"的形成机理；发现东海南部外陆架环流的存在，模拟出"流—涡结构"的分布和变异形态；阐述了南海环流"多涡结构"演化规律；发展了风—浪—潮—流耦合数值模式。

数学机械化方法研究方面，证明了某类代数系统全局优化的"有限核"定理，为众多科学领域全局优化提供了新方法，并完成了数学机械化自动推理平台；从理论上证明了任意可逆线性变换可以整数实现，并给出了一个充要条件和整数实现的快速算法，基于此理论提出的"多成分变换"技术已被 JPEG2000 图像压缩国际标准采纳。

大规模科学计算研究中，发展了适合求解大型偏微方程组的自适应算法、辛算法、多尺度算法等算法；首创性地将辛算法用于大气海洋 GPS 资料同化，并建立了新一代大气环流模式 GAMIL1.0。

（2）基础理论的源头创新推动了技术创新，形成的自主知识产权提升了产业竞争力，为国民经济建设提供了支撑

通过对钢铁凝固和结晶控制等基础理论研究发展的新一代钢铁材料，其强度约为目前普通钢材的 1 倍，研究成果已部分应用于汽车、建筑等行业。

针对高性能聚烯烃材料工业生产中的关键问题，提出了高分子熔体拉伸流动稳定性理论，并求解得出熔体拉伸稳定性判据，设计出适合高速拉伸的 BOPP 薄膜专用料的链结构，开发出了 400 米/分钟的超高速 BOPP 专用料，产品质量超过进口产品。

在国际上首次建立一水硬铝石型铝土矿反浮选理论和技术。原创的浮选脱硅法和改进的拜尔法有可能使我国可利用的铝土矿资源扩大 2—5 倍。

在量子激光器和探测器研究方面,研制成功 1 微米波段 3.6w 大功率长寿命量子点激光器、镓砷/铝镓砷量子级联激光器和世界上第一个短腔长单模应变补偿铟镓砷/铟铝砷量子级联激光器,研制出国际上第一只镓铟氮砷/镓砷多量子阱谐振腔增强探测器。利用多波长、多阶光存储方法,大幅度提高光盘存储密度和容量的新一代光存储技术。在国际上首次提出并制备了渐变应变有源区的偏振不灵敏半导体光放大器,首次采用张应变量子阱和压应变准体材料交替生长制备出半导体光放大器等。

在硅基集成器件微型化研究方面,研制成功栅长为 22nm 的新型 CMOS 器件和栅长为 36nm 的 CMOS32 分频电路。化合物半导体电子器件研究,成功获得了截止频率超过 100GHz 的 PHEMT 晶体管。场发射平板显示研究方面,研制出带栅结构的硅纳米线冷阴极和 WO3 纳米线冷阴极阵列。集成微机电系统研究,提出了稀薄空气阻尼能量转移模型—Bao 模型和微机械孔板结构压膜空气阻尼模型—修正的雷诺方程。

在高性能优化算法研究上,发展了能够快速寻找有效解空间和算法的创新方法,将计算速度提高了一个数量级;发展了多空间搜索等大规模优化算法,并应用于互联网搜索、移动通信与多媒体通信系统等技术领域。

(3)促进了基础研究与国家目标的结合,在国家重大战略需求方面解决了一批关键科学问题,为我国可持续发展提供了科学支撑

化石能源高效清洁利用方面取得多项创新成果。针对我国汽油产品中烯烃及硫含量过高这一急需解决的瓶颈问题,开发出具有自主知识产权多产异构烷烃

催化裂化(MIP)、催化汽油加氢异构脱硫降烯烃(RIDOS)等新工艺流程,实现了大规模工业应用。发展了中温烟气脱硫技术,仅用相当于湿法脱硫技术 4% 的水,即可使脱硫效率达到 85%—95%;提出和证明了等离子体 NOx 还原反应的机理,开展的 NOx 脱除新技术已初步推广应用。天然气、煤层气优化利用的催化基础研究,在国际上首创紫外拉曼光谱在催化原位、动态表征中的应用理论和技术等。

在石油勘探开发和提高采收率方面,建立了碳酸盐岩油、气源岩分级评价方法和指标体系,提出了中国叠合盆地海相烃源岩的四种分布预测模式和两种非烃源岩的发育模式;提出碳酸盐岩作为烃源岩的有机质丰度下限为 TOC=0.5% 的标准,已作为中国石油和中国石化两大股份公司的新标准,在新一轮油气资源评价中发挥了重要作用;从分子尺度上掌握了驱油用表面活性剂结构与性能关系,设计并生产出具有自主知识产权的廉价、高效、无污染的驱油用烷蒽苯磺酸盐表面活性剂产品。在天然气藏勘探与开发方面,建立了气源灶评价的新指标体系,推动了气源灶定量评价的发展等。

战略矿产资源研究方面,围绕东部环太平洋成矿域,初步建立了中新生代和晚古生代大陆成矿理论,发展了多项找矿预测的新技术、新方法,提出一系列大矿和大型矿集区的靶区。在古特提斯成矿域方面,编制了新一代青藏高原主碰撞带地质图和构造纲要图。

生态环境方面,建立干旱和半干旱地区区域环境系统集成模式,为干旱化预测和"有序人类活动"虚拟试验提供了有效工具。在西部干旱区生态环境演变与调控方面,提出天山北部山地—绿洲—荒漠系统的生态建设与可持续农业范式及西

北干旱区生态区划,建立了沙漠地区重大工程防护体系建设的技术集成。深入研究了土壤质量与侵蚀、酸化和酸沉降以及土—气界面气体交换之间的关系,提出了稻田生态系统是太湖地区环境友好、可持续利用的农业生态系统的观点。

环境污染防治方面,在国际上首次发表氯苯生产过程和产品中的多氯联苯和二噁英类杂质产生机制及含量,相关数据被联合国环境规划署作为评估氯苯生产过程二噁英类 52 释放量的依据。对北京及周边地区空气污染进行了综合监测,获得了一批精确的定量结果,获世界气象组织高度评价,并被评为全球仅有的两个先导性示范项目之一。

我国近海有害赤潮形成机理和预测方面,首次在东海发现大规模亚历山大藻有害赤潮,证实了关键物理海洋过程在东海赤潮形成中的重要作用。2005 年在东海赤潮高发区水域发现大规模的米氏凯伦藻赤潮,提出了赤潮防治的建议。

重大灾害形成机理与预测方面,揭示了中国大陆强震活动受控于活动地块运动而集中分布于活动地块边界的基本事实,发展了中长期强震预测的方法。提出了梅雨锋中尺度暴雨的多尺度物理模型和梅雨锋暴雨的天气学模型,发展了适用于我国的配有三维变分同化方案的中尺度暴雨数值预报模式系统。基于"季风—暖池—ENSO 循环相互作用理论"和"大气热力适应理论"等重要气候理论,成功地预测了拉尼那事件的演变和华北的严重干旱气候。提出了一个跨季度气候数值预测系统,为我国气候数值模式的更新换代提供了基础等。

(4)农业、人口与健康领域基础研究水平显著提升,为提高人民生活质量和生活水平奠定了科学基础

农业基础研究方面,植物基因测序取得了重大突破,完成了中国超级杂交水稻(籼稻)基因组工作框架图。首次克隆了与水稻分蘖形成有关的重要基因 MOC1,该成果是近年来在植物形态建成特别是侧枝形成领域中最重要的发现之一;克隆了直接参与水稻纤维素合成与调控 BC1 基因。成功克隆猪 FSH—β 基因,在国际上率先发现该基因是影响猪产仔数的主效基因或遗传标记。

农业资源高效利用方面,在国际上首次构建了以 5% 的样本代表 85% 以上遗传多样性的水稻、小麦、大豆核心种质,为深化我国种质资源研究和作物育种奠定了重要基础;光合与固氮作用的基因调控水平相互作用研究中,提出了影响新的固氮效率的基因调控模型,为提高农作物氮利用效率奠定了理论基础;在植物抗旱机理研究方面,开发的气孔振荡抗旱剂,使作物产量比对照组高 1 至 2 倍。

农业生态安全方面,在分子水平对我国烟粉虱的生物型进行了鉴定,开发成功大豆疫霉快速分子检测技术,系统开展了小麦矮腥黑粉菌种(TCK)入侵中国的风险研究。首次发现昆虫抗药性变化与乙酰胆碱受体相关功能位点的突变有关。研制成功一类结构新颖、具有独立知识产权的高活性烟碱类化合物 IPP—44。发现高致病性禽流感病毒已逐渐获得对哺乳动物的感染能力,并证明其对小鼠的致病性与 PB2 蛋白的第 701 位氨基酸有密切的关系。

疾病致病基因定位、克隆和功能研究方面取得重大突破。单基因疾病方面,克隆了遗传性乳光牙本质致病基因,明确 DSPP 基因突变导致遗传性乳光牙本质;克隆了 A—1 型短指症致病基因,明确了 IHH 基因在导致人类遗传疾病中的作用;

克隆了房颤致病基因,解释了多元通路折返造成房颤的发病机制。多基因疾病方面,发现在人类 4 号染色体 4p15.1—4q12 区域存在鼻咽癌的易感基因,首次证明了鼻咽癌的遗传易感性;发现肝癌和胃癌的肿瘤原发灶和转移灶基因表达高度一致,显示肿瘤转移与肿瘤大小、包膜完整性无明显关系,而与肿瘤本身基因表达有关;初步提供了 PRKCZ 作为 2 型糖尿病易感基因的证据。

通过对急性早幼粒细胞性白血病(APL)发病机制的揭示和临床研究,使初发 APL 成为第一个有可能治愈的成人白血病,治疗方法已得到广泛应用。

重要传染病的基础研究方面,完成了痢疾杆菌四个代表株的全基因组测序;从分子水平确定我国 HIV 流行的传播线路;在国际上率先解析了 SARS 冠状病毒的主要蛋白酶(3CLpro)的三维结构,揭示了 3CLpro 与底物结合的精确模式。

生殖健康方面,首次克隆到生殖系统第一个天然抗菌肽基因 Bin1b,为男性避孕药的设计和男性不育的诊疗提供了线索;发现囊性纤维化(CF)女性患者因囊性纤维跨膜电导调节因子(CFTR)基因突变,影响了受精,揭示了不育机理。

创新药物研究方面,建立和完善了新药创制的系列研究平台和新方法。在国际上首先发现 CD146 分子选择性地在肿瘤血管内皮细胞高表达,为新型抗肿瘤药物的筛选提供了一个新的靶分子。建立了包括基质金属蛋白酶高通量筛选、肿瘤新生血管抑制剂筛选等八十多种新颖的酶、受体和细胞水平筛选模型,发现了一批针对重大疾病、具有新结构或新颖药理作用的先导化合物和候选新药。治疗早老性痴呆症药物希普林(ZT-1)、抗肿瘤药物沙尔威辛(Salvicine)和力达霉素(Li-damycine)等三种新药进入临床研究,其中希普林在欧洲三十多家医院完成了 Ⅱ 期临床试验。

生物医用材料骨诱导理论得到国际认可,建立了比较完整的原创性骨诱导理论,基于该理论研制出新一代骨诱导人工骨。

3.973 计划实现了跨部门的强强联合,凝聚了一批优秀人才

973 计划实行项目首席科学家负责制,强调在国家目标引导下的优秀科学家联合,优势集成,大大推动了中国科学院、高校等不同部门和行业及不同学科、领域间的优势整合,凝聚了一支高水平基础研究队伍。

1999 年 45 个项目的 57 位首席科学家中,50 岁以下的有 22 人,占 39%;其中 45 岁以下的有 17 人,占 30%。另外还有 10 位 45 岁以下的青年优秀人才为首席助理。

2000 年,参加项目研究的科研人员 2177 人,其中:具有高级职称的研究人员 855 人,占 39.3%,年龄在 45 岁以下的 1453 人,占 66.7%。另外还有研究生 885 人,参加了项目研究工作。新立项的 27 个项目共有 32 位首席科学家,其中 50 岁以下有 10 人,占 31%。

"十五"期间,参加 973 计划在研项目的科研人员有 1.8 万余人,其中:具有高级职称的研究人员 11914 人,约 80% 的项目承担人员为 45 岁以下科研人员。

据不完全统计,有 502 位两院院士、392 位国家杰出青年科学基金获得者、140 位中国科学院"百人计划"入选者、140 位教育部"长江学者奖励计划"特聘教授和一批学有所成的海外学者等高层次优秀人才参与了 973 计划的研究工作,形成了优秀团队和协同攻关的群体。

4.973 计划坚持实行规范化科学管理

在充分借鉴国内外基础研究管理经验的基础上,973 计划制定了一套比较科学和规范的管理模式,为建立适应我国国情的国家重点基础研究计划管理方式进行了有益的探索。一是设立专家顾问组开展对规划的咨询、项目的评议和管理的监督,确保实施 973 计划的战略性、科学性、公正性;二是项目管理实行"2＋3"模式,5 年期项目在执行 2 年后中期评估一次,可对项目进行必要的调整,使后 3 年任务、目标、队伍更科学合理,绩效评估与滚动资助模式,促进了研究队伍始终具有新鲜活力和蓬勃生机。三是作为财政部和科技部试点,率先实行课题制管理,即分项目全额预算,过程控制和全成本核算,有效地规范了科研经费管理,为科学家研究创新提供了财务保障。四是由优秀科学家强强联合申报的项目组织方式,极大地整合了国内优势力量以国家发展需求为目标的科学研究,使过去条块分割、各自为战的情况大为改观。

5.加强了国际合作交流,促进资源共享

973 计划支持在双边、多边科技合作协议框架下,实施国际合作研究项目。鼓励和扶持一批作出突出成绩、有国际影响的科学家走向世界,参与科学前沿的国际竞争与合作。发挥 973 计划的组织优势,孕育在国际上有重要影响的重大研究计划,逐步提升我国基础研究的国际竞争力。利用海外人才资源,创造条件吸引、聚集海外科学家参与我国重点基础研究工作。针对基础研究条件资源的特点,加强项目内部和项目之间科学数据与成果资料、标准、规范的共享。

973 计划自 1998 年实施以来,围绕农业、能源、信息、资源环境、人口与健康、材料、综合交叉与重要科学前沿等领域进行了战略部署,2006 年又落实了《国家中长期科学和技术发展规划纲要》的部署,启动了蛋白质研究、量子调控研究、纳米研究、发育与生殖研究四个重大科学研究计划,1998 至 2008 年共立项 384 项。

十年来,973 计划始终坚持面向国家重大需求,立足国际科学发展前沿,解决中国经济社会发展和科技自身发展中的重大科学问题,显著提升了中国基础研究创新能力和研究水平,带动了中国基础科学的发展,培养和锻炼了一支优秀的基础研究队伍,形成了一批高水平的研究基地,为经济建设、社会可持续发展提供了科学支撑。

973 计划遵循科学发展规律,借鉴国内外重大项目组织管理模式,探索出具有中国特色的基础研究重大项目组织实施和管理模式,建立了专家咨询与政府决策相结合的科学决策模式,实现了项目管理与经费管理有机结合的科学管理模式,探索了联合多部门行业共同推进计划发展的组织模式,完善了符合科学发展规律的重大基础研究项目评价模式。①

973 计划实施以来,始终坚持基础研究与国家重大需求紧密结合,集中力量解决国家经济社会发展中的重大问题;始终坚持发挥专家在咨询和决策方面的作用,建立了科学决策机制;始终坚持项目、基地、人才的结合,在解决重大问题的同时凝聚和培养骨干研究团队,以人才队伍建设促进基础研究发展;始终坚持以管理创

---

① 《国家重点基础研究发展计划(973 计划)组织实施情况》,http://www.973.gov.cn/ReadCont.aspx? aid＝419。

新促进科研创新,建立了体现中国特色的基础研究与国家目标结合的组织管理模式,营造了有利于创新的良好环境;始终坚持弘扬科学精神和科学道德,鼓励科学家紧密围绕国际目标,集中优势力量开展创新研究,解决了经济社会发展中的一批重大科学问题,体现出重大的应用价值。①

中国共产党宗教工作理论与实践

十六大以来,中国共产党和政府以科学发展观为指导,高度重视宗教工作,第一次明确提出了党的宗教工作基本方针,第一次把党的宗教工作基本方针纳入党章之中,要求全面贯彻党的宗教工作基本方针,加强党的宗教工作,致力于探索和谐宗教。

加强和改善对宗教工作的领导

十六大以来,党一直强调要加强和改善对宗教工作的领导,并取得了很大的成就。

1.中国共产党和政府明确宗教工作在党和国家工作中的重要地位

2006年7月,胡锦涛在全国统战工作会议上首次提出宗教关系是社会政治生活领域涉及国家全局的五大社会关系之一,着重从政党关系、民族关系、宗教关系、阶层关系、海内外同胞关系等五个方面,对充分发挥统一战线的优势和作用、为构建社会主义和谐社会作出更大贡献作了深刻阐述,并要求各级政府要"正确认识和处理信教群众和不信教群众、信仰不同宗教群众之间的关系,积极引导宗教与社会主义社会相适应"。

胡锦涛提出要"正确认识和处理宗教问题,切实做好宗教工作,关系党和国家工作全局,关系社会和谐稳定,关系全面建设小康社会进程,关系中国特色社会主义事业发展。我们要从这样的战略高度,充分认识做好新形势下宗教工作的重要性"。② 要深化认识,增强做好新形势下宗教工作的责任感和自觉性,站在党和国家事业的高度,准确把握我国宗教问题的新特点新趋势,深刻认识宗教工作的政治性、政策性和群众性,切实加强宗教工作,妥善处理宗教关系,发挥宗教在构建社会主义和谐社会中的积极作用。

他从全面建设小康社会的高度出发,强调能否保持和促进宗教关系的和谐,事关中国特色社会主义事业全局,事关构建社会主义和谐社会的进程,全党必须高度重视。这是对科学发展观的丰富,也是进一步夯实认识和理解新阶段宗教工作基本方针的重要基础。

2.改善宗教工作

要加大对宗教干部、宗教界人士以及宗教研究者的培训力度。2008年1月16日,贾庆林在全国宗教工作系统表彰大会暨2008年全国宗教工作会议上指出:"要

① 刘延东:《坚持着眼未来 突出支撑引领 不断开创我国基础研究事业的新局面》,http://www.973.gov.cn/ReadCont.aspx? adid=421。

② 《全面贯彻党的宗教工作基本方针 积极主动做好新形势下宗教工作》,《人民日报》,2007年12月20日。

努力建设高素质的宗教工作干部队伍,加强学习培训,强化业务能力,增强大局意识和责任意识,不断提高依法管理宗教事务的水平。"①回良玉强调:"要全面贯彻党的宗教工作基本方针,支持引导宗教界人士和信教群众在促进经济社会发展中发挥积极作用。深入实施宗教事务条例,进一步提高依法管理宗教事务的能力和水平。突出加强基层宗教工作,着力提高做好新形势下信教群众工作的本领。以此次表彰为契机,切实抓好宗教工作队伍的自身建设。"②2008 年 2 月 2 日,贾庆林在与全国宗教团体负责人座谈会上的讲话强调:"要坚持强基固本,着力加强中青年宗教教职人员的培养,不断增强他们的领导能力、服务能力和管理能力,使他们切实成为适合我国国情、符合时代要求、能够真正代表和引领信教群众的代表人士。"③对全国宗教工作系统先进集体和先进工作者进行表彰,这在我国宗教工作历史上是第一次,充分体现了党和政府对宗教工作的高度重视和对广大宗教工作干部的亲切关怀。加强对宗教干部的培训力度,将有助于提高他们的自身素质,更好地服务于和谐社会建设,这是党和政府宗教工作的重要内容。

要加强信教群众工作。胡锦涛强调,"做好信教群众工作是宗教工作的根本任务",在宗教工作中深入贯彻科学发展观,要求"坚持以人为本,最大限度地把信教群众团结起来,把他们的智慧和力量凝聚到实现全面建设小康社会、加快推进社会主义现代化的共同目标上来"。要求我们在观察宗教问题时要眼中有"人","要真心实意关心信教群众特别是生活困难的信教群众,帮助他们解决实际困难,组织和支持他们积极发展生产、改善生活、勤劳致富,使信教群众切实感受到党和政府的关怀和温暖"。在宗教工作中要围绕着"人","要加强宗教教职人员队伍建设。要加大培养、选拔、使用工作力度,努力造就一支政治上靠得住,学识上有造诣、品德上能服众的合格宗教教职人员队伍。要发挥爱国宗教团体的积极作用,帮助和指导他们增强自养能力,依法依章搞好自我管理,反映信教群众意愿,切实维护宗教界合法权益。"④2008 年 2 月 2 日,在与全国性宗教团体负责人座谈会上,贾庆林希望宗教界人士和各宗教团体坚持以人为本,深入细致地做好信教群众工作,密切与他们的联系,维护他们的合法权益,最大限度地把广大信教群众团结起来,把他们的智慧和力量凝聚到全面建设小康社会、加快推进社会主义现代化的共同目标上来。要坚持服务社会,进一步发挥宗教的积极作用,努力促进社会的团结和谐,不断增强与社会主义社会相适应的能力。⑤ 中国共产党坚持以人为本,高度重视宗教的群众性,突出尊重和保护公民宗教信仰自由权利和合法权益,为信教群众发挥积极作用提供了重要保障。

中国共产党和政府强调宗教工作的重要性,提出要加强和改善对宗教工作的领导,为顺利开展宗教工作提供了清晰的思路。

① 《贾庆林会见全国宗教工作系统先进集体和先进工作者》,《人民日报》,2008 年 1 月 17 日。
② 同上。
③ 《贾庆林与全国性宗教团体负责人举行迎春座谈》,《人民日报》,2008 年 2 月 3 日。
④ 《全面贯彻党的宗教工作基本方针 积极主动做好新形势下宗教工作》,《人民日报》,2007 年 12 月 20 日。
⑤ 《贾庆林与全国性宗教团体负责人举行迎春座谈》,《人民日报》,2008 年 2 月 3 日。

二

开创宗教工作的新局面.

1.党的宗教工作基本方针得到贯彻落实

中国共产党和政府从全局高度看待宗教工作,推进党的宗教工作基本方针的贯彻落实。

党的宗教信仰自由政策得到贯彻落实。2004 年 11 月,国务院颁布的《宗教事务条例》第一条中清晰地指出,制定本条例的目的是"为了保障公民信仰自由,维护宗教和睦与社会和谐",并强调"信教公民和不信教公民、信仰不同宗教的公民应当相互尊重、和睦相处"。① 2006 年 7 月 10 日,胡锦涛在全国统战工作会议上强调,要"正确认识和处理信教群众和不信教群众、信仰不同宗教群众之间的关系,积极引导宗教与社会主义社会相适应;正确认识和处理社会各阶层的关系,推动和实现全社会和谐相处、共同发展"②。党和国家尊重和保护公民的宗教信仰自由权力,保护正常的宗教活动,纠正干涉宗教信仰自由、排斥和歧视信教群众、侵犯宗教团体和宗教活动场所合法权益的现象。在党和政府的正确引导下,各级党委和政府高度重视信教群众的力量,尊重不同阶层信教群众的利益,不断发挥他们的积极作用,把他们的力量凝聚在建设社会主义和谐社会的目标上来。

依法管理宗教事务得到保障。宗教工作要更加科学化、法制化、制度化。胡锦涛在新一届中央政治局第二次集体学习时指出:"要坚持党的宗教工作基本方针。发挥宗教界人士和信教群众在促进经济社会发展中的积极作用,关键是要把党的宗教工作基本方针贯彻好、落实好。要全面贯彻党的宗教信仰自由政策,坚持依法管理宗教事务,坚持独立自主自办,坚持积极引导宗教与社会主义社会相适应,鼓励我国宗教界发扬爱国爱教、团结进步、服务社会的优良传统,支持他们为民族团结、经济发展、社会和谐、祖国统一多作贡献。"③ 用科学发展观统领宗教工作,巩固和发展中国共产党同宗教界的爱国统一战线,把广大信教群众和不信教群众团结起来,把他们的智慧和力量凝聚起来共同投身于全面建设小康社会、实现中华民族伟大复兴的宏伟事业。加强民主制度建设,颁布法律、条例来维护宗教界群众的根本利益,以保证宗教工作的民主性和法制性。2004 年 11 月国务院颁布的《宗教事务条例》为维护宗教和睦与社会和谐提供了法律保障。这就突出了党的宗教工作更加科学化、法制化、制度化。各级党委和政府深入贯彻落实科学发展观,实施《宗教事务条例》加强三支队伍建设,夯实基础、基层工作,解决难点、热点问题,着力服务国家发展大局。不断推动理论政策学习研讨的深入,加强宗教教职人员的培训,推进《宗教事务条例》深入贯彻。

继续坚持独立自主自办原则。支持宗教界独立自办。2008 年 2 月 2 日,在与全国性宗教团体负责人座谈会上,贾庆林指出,"要坚持对外交往,大力宣传我国宗教信仰自由的真实状况,展示我国各宗教

---

① 《宗教事务条例》,《人民日报》,2004 年 12 月 19 日。

② 《不断巩固和壮大统一战线 共同建设中国特色社会主义》,《人民日报》,2006 年 7 月 13 日。

③ 《全面贯彻党的宗教工作基本方针 积极主动做好新形势下宗教工作》,《人民日报》,2007 年 12 月 20 日。

和谐共处的良好关系,抵御境外利用宗教进行的渗透"。① 在 2008 年 3 月的"两会"上,胡锦涛与西藏代表团审议时强调,要加强民族工作和宗教工作,全力维护西藏社会和谐稳定,这就体现了中国共产党对宗教坚持独立自主原则的重视和关注。宗教界人士和信教群众积极开展对外友好往来。我国宗教界与世界联系日益密切,一是在对抗西方敌对势力意识形态的渗透方面,坚持独立自主自办的方针,高举爱国爱教的伟大旗帜,维护民族和国家的最高利益。二是在开展与世界宗教的对话与合作方面,不断把中国化的宗教发扬光大,走向世界,携手共建和谐世界。如 2006 年 4 月举行的首届世界佛教论坛以"和谐世界,从心开始"为主题,为世界佛教搭建了一个平等、多元、开放的高层次对话平台;2007 年佛教交响乐《神州和乐》赴东南亚巡回演出成功,展示中国佛教和谐的理念。宗教界加大与世界宗教方面的交流力度,增进了解,扩大共识,展示中国和平发展、开放发展、合作发展、和谐发展的新形象。

积极引导宗教与社会主义社会相适应。2007 年 2 月,贾庆林在与宗教团体负责人座谈会上指出"要充分发掘和发挥各宗教中有益于社会和谐的积极因素。要努力对宗教教义作出符合社会进步要求的阐释,对有利于和谐的教义思想和行为规范加以挖掘和提倡,同时消除那些不利于和谐的因素和现象,从而在思想和实践两方面,为构建社会主义和谐社会作出应有的贡献"。② 中国共产党因势利导,积极引导宗教自身建设,服务于和谐社会建设

的大局。如伊斯兰教解经工作中提倡的和平、和睦、两世吉庆、鼓励宗教道德修养等等就是其自身适应时代发展和社会进步的内在要求,是伊斯兰教与社会主义社会相适应的新探索;深化基督教神学思想建设工作;佛教界加强自身建设,更好地为构建和谐社会多作贡献;道教弘扬优良传统;保证天主教"一会一团"工作稳定性和连续性,扩大中国天主教爱国会影响和提高其地位等等。

积极引导宗教界人士作为国家联系信教群众的重要纽带,在国家社会生活中日益发挥着重要的作用。如宗教界人士能够参加全国人大和政协会议,参与协商国家大事,为国家的经济发展、社会和谐作出贡献。发出"属于宗教界的声音"。宗教界的代表和委员们的建议引起广泛关注。

2. 积极引导宗教界人士和信教群众在经济建设、社会稳定和慈善事业方面作出贡献

支持参与经济建设。2005 年 8 月 27 日,贾庆林在庆祝西藏自治区成立 40 周年时看望宗教界人士,希望他们"要充分发挥自己的积极影响,引导广大僧众和信教群众把智慧和力量凝聚到发展生产、改善生活上来,为西藏的跨越式发展和长治久安作出新的贡献"。③ 2006 年 5 月,刘延东在中国伊斯兰教第八次全国代表会议上也指出,"希望伊斯兰教界深切关注民族地区经济社会的发展,把大力发展农村经济、提高农村信教群众的生活水平放到重要位置,团结和推动广大农村信教群众

① 《贾庆林与全国性宗教团体负责人举行迎春座谈》,《人民日报》,2008 年 2 月 3 日。
② 《与全国宗教团体负责人座谈会上的讲话》,《中国宗教》,2007 年第 2 期。
③ 《贾庆林高度重视西藏宗教工作》,《中国宗教》,2005 年第 9 期。

集中精力发展农业经济,繁荣社会事业"。① 2006 年 7 月,胡锦涛在全国统战工作会议上,明确要求要处理好"宗教关系","为促进社会主义经济建设"服务,"要积极引导宗教与社会主义社会相适应,使信教群众在全面建设小康社会的宏伟目标下最大限度地团结起来"。② 宗教界人士和信教群众积极"为促进社会主义经济建设"服务,发挥宗教在进行经济建设中的特殊优势。如广大穆斯林群众发扬伊斯兰教"两世吉庆"传统,抓住国家实施西部大开发战略、扶持人口较少民族发展的大好机遇,努力发展本地区、本民族特色的经济。

鼓励参与慈善事业。宗教界要发扬乐善好施、扶危济困的优良传统,为构建和谐社会贡献力量。2006 年 5 月 12 日,贾庆林会见中国伊斯兰教第八次全国代表会议代表时指出,要"进一步增强服务意识,发挥好桥梁和纽带作用,及时向穆斯林群众传达党和政府的方针政策,反映他们的愿望和要求,维护他们的合法权益。要力所能及地广泛开展社会公益活动,树立新形势下伊斯兰教服务社会的良好形象"。③ 这是对伊斯兰教界的要求,也是对中国宗教界的要求。刘延东强调,宗教要"积极参与社会慈善事业。继续发扬优良传统,积极探索参与的方式和途径,在搞好自养的基础上,力所能及地为社会公益事业和福利慈善事业作贡献,树立爱国宗教团体的良好形象。"④ 中国共产党提倡宗教界参与慈善事业,共同促进社会和谐。在慈善事业上,宗教界人士和信教群众积极参与社会慈善事业。宗教界人士

和信教群众在扶贫、济困、救灾、助残、养老、支教、义诊等方面发挥有益作用。2008 年春节期间,我国出现罕见低温冻雨灾害,宗教界发扬服务社会的优良传统,为抗灾救灾作出很大贡献。为经济建设服务,为社会稳定服务,为慈善事业服务,这是目前的大局,也是中国宗教的努力方向。

支持宗教界人士和信教群众在维护社会稳定方面作出贡献。如藏传佛教积极反对达赖喇嘛分裂祖国统一的行为。宗教界人士和信教群众通过多种形式和渠道发挥自身的特殊优势,加强与港澳和台湾宗教界的交往,增进民族情感和文化认同,促进香港、澳门的繁荣稳定,推动两岸关系朝更加密切的方向发展,促进祖国统一等等。支持宗教界着力服务国家工作大局开拓新局面,如利用宗教交流做台湾人民工作、赴德举办中国教会圣经事工展、广泛开展多方面宗教交流和宗教外宣活动等等。

3. 信教群众工作不断深入

中国共产党和政府把宗教界人士和信教群众定位为建设中国特色社会主义的积极力量,把他们作为构建社会主义和谐社会的一分子,一方面向宗教界人士和信教群众提出了新的要求,引导他们参加到建设中国特色社会主义中来,另一方面充分肯定了宗教界人士和信教群众的积极作用和重要地位,有利于提高他们的积极性和主动性。

中国共产党和政府密切联系宗教界人士和信教群众,把做好信教群众宗教工作作为宗教工作的根本任务,推动信教群

① 《刘延东部长在中国伊斯兰教第八次全国代表会议开幕式上的讲话》,《中国穆斯林》,2006 年第 3 期。
② 《不断巩固和壮大统一战线 共同建设中国特色社会主义》,《人民日报》,2006 年 7 月 13 日。
③ 《贾庆林会见中国伊斯兰教全国代表会议代表》,《人民日报》,2006 年 5 月 13 日。
④ 《全国宗教团体领导人研讨会举行 刘延东出席会议并发表讲话》,《中国宗教》,2006 年第 11 期。

众工作不断深入。做好信教群众工作，已经成为党和国家宗教工作的根本任务。一方面切实尊重和保护信教群众的宗教信仰自由，坚持政治上团结合作、信仰上相互尊重，增强党在信教群众中的凝聚力和向心力；切实保护他们在政治、经济、社会、生活包括宗教生活领域的合法权益，使他们真实感受到党和国家的关怀和温暖。另一方面加强对信教群众的教育引导，深入爱国主义教育，增强其国家意识和公民意识；开展法制教育，增强其法律意识；引导信教群众明辨是非，广泛开展独立自主原则的教育，揭露境外敌对势力以维护"宗教自由"为名实现其政治图谋的险恶用心；帮助信教群众认清敌对势力利用宗教分裂祖国的本质，提高信教群众抵御渗透的自觉性和坚定性等等。真正做到了把代表信教群众根本利益的要求落实到中国共产党和国家制定、实施的宗教政策中去，落实到各级宗教工作干部的思想和行动中去，落实到关心信教群众生产和生活的工作中去。

宗教工作，最根本的是做信教群众的工作。构建社会主义和谐宗教，最根本的也是以信教群众为本，做好信教群众的工作。做好群众工作的具体实践充实和丰富了中国共产党的宗教工作的内容。

4. 三支队伍建设不断加强

中国共产党加强对我国宗教界的三支队伍建设，即：爱国宗教人士队伍建设、宗教工作干部队伍建设和宗教研究者队伍建设。

不断加强爱国宗教人士队伍建设。贯彻好宗教信仰自由政策，把宗教教职人员的教育培养工作作为一项紧迫任务提到议事日程，力求使他们具有较高的宗教教义和道德修养，在信教群众中有较高威信，爱国爱教，与党和政府团结合作。如

配合中央统战部"百千万工程"，在加强宗教界人才培养的同时，国家重点加强宗教院校工作，并重视做好宗教院校思想政治工作。国家从五大宗教中选出部分中青年教职人员，与中国人民大学合作举办爱国宗教界人士研修班，以提高他们的文化素养。还切实关心宗教界人士的生活，积极探索解决宗教教职人员生活保障问题。如着力解决宗教房产问题。这就体现了党"以人为本"的管理理念，在服务中实施管理，在管理中体现服务，做好宗教界上层人士工作，培养了一支合格的爱国宗教教职人员队伍。

努力加强高素质的宗教工作干部队伍建设。加强对宗教干部队伍的培训学习，强化业务能力，增强大局意识和责任意识，不断提高依法管理宗教事务的水平。努力改善宗教工作干部队伍力量薄弱问题，逐步形成一支从中央到地方、到基层全覆盖、会管理、能执法的宗教工作专兼职干部队伍。国家宗教局确定用三年时间将全国市县宗教局工作干部轮训一遍，并于2007年举办了8期宗教工作干部培训班，26个省（区、市）的近1500名基层工作干部参加培训。并从八个方面（勤奋学习、学以致用，心系群众、服务人民，真抓实干、务求实效，艰苦奋斗、勤俭节约，顾全大局、令行禁止，发扬民主、团结共事，秉公用权、廉洁从政，生活正派、情趣健康）来加强作风建设，提高干部素质，拥有振奋的精神和良好的作风，以创造实实在在的业绩。

不断加强宗教研究者队伍建设。宗教研究者具备理论探索和创新的能力，在马克思主义宗教观的基础上，结合当今国际国内形势，在不断发展的宗教工作的实践中做好宗教理论的探索与创新。如2003年全国宗教工作理论务虚会在北京

召开,号召理论界、学术界的同志积极参加,做好理论研讨工作。2006年和谐社会理论提出以后,中国宗教学会召开研讨会讨论如何发挥宗教在构建社会主义和谐社会中的积极作用的问题。2006年12月,中国宗教学会第六次会议暨"科学发展观与宗教研究"学术研讨在京举行,遵循"百花齐放、百家争鸣"的方针,发扬实事求是和理论联系实际的学风,开展国内外学术交流和友好活动。中国宗教学会认真团结科研机构和宗教研究工作者,为他们提供沟通信息的桥梁,有效推动了我国宗教研究"三支队伍"的协作和新生力量的培养。许多学校设立宗教学专业或者宗教研究所,专门研究宗教问题和培养宗教研究者。还编辑出版许多学术著作,如中国宗教学会编著的《中国宗教学》(一、二、三辑)、中国社科院世界宗教研究所编著《中国宗教年鉴》等等,既推动了宗教理论的发展,又有利于培养新的宗教专家学者。宗教研究者从深度剖析宗教如何与社会和谐相处,如何发挥积极作用。理论的创新带动实践的创造,使宗教工作在与时俱进的马克思主义理论的指导下,不断有新发现、新创造。

十六大以来,中国共产党和政府根据中国宗教情况的新变化,结合新的实践和新的要求,从构建社会主义和谐社会的高度,强调明确宗教工作在党和国家工作中的重要地位,强调宗教问题事关全局,宗教工作关系社会和谐;要求加强和改善对宗教工作的领导,要求宗教工作要更加科学化、法制化、制度化,保持宗教政策关于经济建设方面的连续性和稳定性,大力支持各宗教开展文化建设,支持宗教界独立自办,加大对宗教干部、宗教界人士以及宗教研究者的培训力度,加强信教群众工作等,为宗教工作提供了新的思路,有利于宗教工作的开展,开创了宗教工作的新局面。

信访工作发展的新阶段

2002年中国共产党十六大召开以来,中央政治局常委会和国务院常务会议专门听取汇报,对加强新时期信访工作作出了一系列重大决策部署,系统回答和解决了新形势下信访工作面临的重大理论和实践问题。2005年《信访条例》的修订,使信访工作建设进入一个依法治理与制度创新的全新时期。2007年3月10日,中共中央、国务院颁发《关于进一步加强新时期信访工作的意见》并召开了第六次全国信访工作会议,为做好新时期信访工作指明了方向。10月,中共十七大召开,从加快推进以改善民生为重点的社会建设的高度,强调"要妥善处理人民内部矛盾,完善信访制度,健全党和政府主导的维护群众权益机制。"

当前,信访工作已进入一个全新的发展阶段,信访工作是构建社会主义和谐社会的基础工作,是党的群众工作的重要组成部分,是以改善民生为重点的社会建设的重要内容。

一

新阶段信访工作的功能定位

国家的高度重视和巨大的信访压力,促使各地各部门适应新时期人民内部矛盾发展变化的特点,改进信访工作方法,创新信访工作机制,在实践中创造信访工作新办法、新举措,推动信访工作改革进一步深入开展,信访工作形势呈现出新的特点,信访工作的功能也发生了新变化。

1. 新阶段的信访工作形势与特点

2003年,中共十六届三中全会作出的《中共中央关于完善社会主义市场经济体制若干问题的决定》,根据实践发展的要求,对进一步完善社会主义市场经济提出了明确的目标和任务。[①] 当前,随着改革的深化和利益格局的调整,已进入改革发展的关键时期,"经济体制深刻变革,社会结构深刻变动,利益格局深刻调整,思想观念深刻变化。"[②]这既是一个发展机遇期,也是一个矛盾凸显期;同时,又面临着工业化、信息化、城镇化、市场化、国际化深入发展的新形势新任务。[③] 在这一关键时期,国家发展面临着新课题新矛盾,信访工作也遇到了许多新情况、新矛盾、新问题,信访工作形势呈现出新的特点。

第一,信访总量有所下降,但仍在高位运行。中国共产党十六大以来,在中共中央、国务院的坚强领导下,各地各部门和全国信访战线认真贯彻落实中央决策部署,从解决群众最关心、最直接、最现实的利益问题入手,全力破解信访难题,推动信访形势发生了积极可喜的变化,实现了全国信访总量、集体上访量、非正常上访量、群体性事件发生量持续下降,信访秩序明显好转的良好局面。[④] 2005年,信访总量在持续攀升12年后出现了第一次下降,出现"三个下降一个好转",即信访总量同比下降6.5%,"倒金字塔"式的增幅状况得到改变;集体访批次基本持平,人次下降14%;初信初访下降9.1%;信访秩序好转。[⑤] 2006年,信访形势进一步明显好转,信访总量又下降了15.5%,2007年继续稳中有降,全国信访形势呈现出"四下降、一好转"(即信访总量、集体上访、非正常上访、群体性事件下降,信访秩序好转)的良好局面。[⑥] 但值得注意的是,全国县级以上党政信访工作机构受理的信访总量虽然有所下降,但全年仍在1000万件(人)次以上的高位运行,如果加上各系统、各部门及县以下各级机构受理的群众信访,数量还要更大,而且其中多年积累的问题解决的难度越来越大,新的问题仍在不断产生,深层次的矛盾逐渐呈现,其中多数涉及群众的切身利益。

第二,信访内容日益多样化,反映的问题相对集中,政策性、群体性问题突出。群众信访反映的内容涉及方方面面,大至对国家发展、建设提出批评和建议,小至要求解决个人生产、生活中的问题。从近

① 《中共中央关于完善社会主义市场经济体制若干问题的决定》(2003年10月14日中国共产党第十六届中央委员会第三次全体会议通过),新华网,http://news3.xinhuanet.com/newscenter/2003-10/21/content_1135402.htm。
② 《中共中央关于构建社会主义和谐社会若干重大问题的决定》(2006年10月11日中国共产党第十六届中央委员会第六次全体会议通过),人民网,http://politics.people.com.cn/GB/1026/4932440.html。
③ "胡锦涛在党的十七大上的报告"(2007年10月15日),新华网,http://news.xinhuanet.com/newscenter/2007-10/24/content_6938568_2.htm。
④ 李同欣、秦佩华、丁志军:《夯实构建和谐社会的基础工作——党的十六大以来信访工作成就综述》,《人民日报》,2007年9月19日。
⑤ 王学军:《以科学发展观为统领 努力开创信访工作新局面》,《人民信访》,2006年第3期,第15页。
⑥ 《信访工作法制化建设迈出重要步伐——新修订的〈信访条例〉实施三周年综述》,《人民日报》,2008年4月24日第5版。

年来群众信访反映的问题看,主要集中在农村土地征用、城镇房屋拆迁、国有企业改制等五个方面。这些问题大多数与政策的制定和执行相关,涉及群体性利益,处理难度较大,有些问题久拖不决,形成了相当数量的重复访。2004年1至8月,全国县以上党政信访工作机构和中央有关部委接待的反映这五个方面的来访,同比增长125.6%,其中,重复访占31.34%。2004年国家信访局受理五个方面突出问题信访件占信访总量的26%。① 根据目前各级信访统计数据分析,各种利益矛盾已占社会矛盾纠纷总量的70%—80%,成为社会矛盾的主要表现形式之一;不服行政处理决定、法院裁判和要求政府解决实际问题类信访,各占总量的30%—40%左右;控告、检举类信访约占总量的20%左右;对政府工作提出意见、建议类信访约占总量的10%左右。②

第三,信访诉求形势日趋激烈,集体访、异常访明显增多。从近来有关统计数据看,在全国,群众采取书信形式信访的约占25%,采取走访形式信访的约占75%。在走访中,集体上访(指5人以上)的人次约占走访总人次的70%。经过各级各部门的不懈努力,2006年1月至10月,全国县以上党政信访工作机构接待的群众集体上访批次、人次同比分别下降了10.9%和15.7%。11月与5月相比,到北京重点地区和敏感部位的非正常上访下降了71.3%。但不可忽视的是,集体上访的人次仍占较大比例,有组织的跨地区跨部门的串联集体上访有所增加,上访过程中的过激行为仍不断发生,非正常上访的情况还时有反复,西方敌对势力插手敏感信访问题的情况需引起高度警惕。③

2. 构建社会主义和谐社会的基础工作

中共十六大以来,中央政治局常委会和国务院常务会议专门听取汇报,对加强新时期信访工作作出了一系列重大决策部署。胡锦涛总书记等中央领导同志亲力亲为,率先垂范,对信访工作的批示和指示多达六百多件次。这些重要批示和指示,系统回答和解决了新形势下信访工作面临的重大理论和实践问题,为做好新时期信访工作指明了前进方向。④

2003年3月,"孙志刚事件"⑤发生,案件经过媒体报道,引起了全国各地乃至海外各界人士的强烈反响。为从根本上解决城市生活无着的流浪乞讨人员的问题,完善社会救助制度和相关法规,当年6月18日,国务院总理温家宝主持召开国务院常务会议,审议并原则通过了《城市生活无着的流浪乞讨人员救助管理办法(草案)》,自8月1日起公布施行,同时废止1982年国务院发布的《城市流浪乞讨人员收容遣送办法》。⑥ 2003年7月16日,民政部第三次部务会议通过《城市生活无着

---

① 曹康泰、王学军:《〈信访条例〉辅导读本》,中国法制出版社,2005年,第16页。
② 刘永华:《信访制度的法治思考》,人民网,2004年6月1日。
③ 中央党校进修一班第40期A班社会发展方向第三课题组:《从信访工作中的问题看和谐社会建设难点重点》,《中国党政干部论坛》,2007年第3期。
④ 李同欣、秦佩华、丁志军:《夯实构建和谐社会的基础工作——党的十六大以来信访工作成就综述》,《人民日报》,2007年9月19日。
⑤ 在广州工作的27岁大学生孙志刚,因没有随身带暂住证而被广州公安黄村派出所收容,并于3日后遭殴打致死。2004年初,国内各大网站和一些权威媒体把孙志刚列为2003年影响中国十大人物。
⑥ 《人民日报》,2003年6月19日。

的流浪乞讨人员救助管理办法实施细则》，①《实施细则》的实行，进一步使《救助管理办法》的内容落到实处，更具有操作性。

2003 年 4 月 14 日至 7 月 21 日，胡锦涛、温家宝、曾庆红等中央领导人对做好当前信访工作、减少群众"重复来访"和"集体来访"问题作了一系列重要批示。2004 年 3 月 22 日，国务院印发了《全面推进依法行政实施纲要》，确立了建设法治政府的目标，要求"切实解决人民群众通过信访举报反映的问题"。② 5 月，全国信访工作座谈会在京召开，提出了此后一个时期信访工作总体思路。9 月 19 日，中共第十六届中央委员会第四次全体会议通过《中共中央关于加强党的执政能力建设的决定》，要求"健全正确处理人民内部矛盾的工作机制，完善信访工作责任制，综合运用政策、法律、经济、行政等手段和教育、协商、调解等方法，依法及时合理地处理群众反映的问题"。③ 2005 年 4 月 13 日，国务院新闻办公室发布《2004 年中国人权事业的进展》白皮书，指出：国家重视通过信访渠道依法保障公民的批评、建议、申诉、控告和检举权利。④ 2005 年《信访条例》的修订并颁布，使信访工作建设进入了一个依法治理与制度创新的全新时期。

2006 年 8 月 5 日，胡锦涛总书记在听取信访工作汇报时指出："信访工作是为人民排忧解难的工作，也是构建社会主义和谐社会的基础性工作"，明确了信访工作在新时期的定位。2006 年 10 月，中国共产党第十六届六中全会在对构建社会主义和谐社会的整体部署中，对信访工作"统筹协调各方面利益关系，妥善处理社会矛盾"方面提出了新的更高的要求，确立了信访工作在构建和谐社会中的基础性地位，赋予了新的职责任务。⑤

2007 年 3 月 10 日，中共中央、国务院颁发《关于进一步加强新时期信访工作的意见》，⑥这是今后一个时期信访工作的重要指导性文件，为做好信访工作指明了方向。3 月 27 日至 28 日，在北京举行第六次全国信访工作会议，全面总结了第五次全国信访工作会议特别是党的十六大以来信访工作涌现的经验，提出了今后一个时期信访工作的目标和任务。

《意见》明确新时期信访工作的定位是：信访工作是党和政府的一项重要工作，是构建社会主义和谐社会的基础性工作，是党的群众工作的重要组成部分。这个定位明确了新时期信访工作的地位和作用，不仅涵盖了过去对信访工作的一切表述，而且丰富了其内涵。这个定位主要有三层含义：一是信访工作作为党和政府全部工作的重要组成部分，各级党委政府

---

① 《城市生活无着的流浪乞讨人员救助管理办法实施细则》（中华人民共和国民政部令第 24 号），《人民日报》，2003 年 7 月 23 日。

② 《全面推进依法行政实施纲要》（2004 年 3 月 22 日），新华网，http://news. xinhuanet. com/zhengfu/2004-04/21/content_1431232. htm。

③ 《中共中央关于加强党的执政能力建设的决定》（2004 年 9 月 19 日），《十六大以来重要文献选编》（中），中央文献出版社，2006 年版，第 287 页。

④ 国务院新闻办公室：《2004 年中国人权事业的进展》，2005 年 4 月。中央政府门户网站，http://www. gov. cn/zwgk/2005-05/27/content_1600. htm。

⑤ 《中共中央关于构建社会主义和谐社会若干重大问题的决定》（2006 年 10 月 11 日中国共产党第十六届中央委员会第六次全体会议通过），人民网，http://politics. people. com. cn/GB/1026/4932440. html。

⑥ 《人民日报》，2007 年 6 月 25 日第 1 版。

必须从政治的全局的高度，充分认识做好新时期信访工作的重要性，认真履行做好信访工作的政治责任。二是信访工作作为构建社会主义和谐社会的基础性工作，必须坚持党和政府的统一领导，把信访工作放在党和国家工作全局中去谋划、去部署。三是信访工作作为党的群众工作的重要组成部分，必须充分发挥信访工作是党和政府联系群众的桥梁、倾听群众呼声的窗口、体察群众疾苦的重要途径等作用，要在正确处理人民内部矛盾、维护社会和谐稳定，加强党风廉政建设和反腐败斗争中发挥重要作用。这个定位是贯穿整个《意见》的主线，是"纲"，是"魂"，《意见》的全部内容都是围绕这个定位展开的。①

2007 年 10 月，中共十七大召开，从加快推进以改善民生为重点的社会建设的高度，强调"要妥善处理人民内部矛盾，完善信访制度，健全党和政府主导的维护群众权益机制"②，进一步明确了信访工作的定位。中共十七大报告把"加快发展社会事业，全面改善人民生活"确立为全面建设小康社会奋斗目标的一个新要求，把社会建设同经济建设、政治建设、文化建设，一起列为中国特色社会主义事业的总体布局和基本目标。信访工作是为人民群众排忧解难的工作，它反映的是群众的合理诉求和社情民意，解决的是群众最关心、最直接、最现实的利益问题，化解的是人民内部矛盾和社会不和谐因素，维护的是社会安定团结稳定。所以说，信访工作是以改善民生为重点的社会建设的重要内容。

二

2005 年《信访条例》的颁布

随着市场经济制度的确立和"依法治国"的理念的提出，信访工作改革进一步深入开展。2003 年"信访洪峰"后，信访工作面临的困境引起了一场有关信访制度存废问题的广泛而又激烈的争论。这一争论促成 2005 年《信访条例》重大修改，决策者既不弱化信访制度，也不强化信访制度，而是在现有的条件下"规范信访制度"。在这种规范中，新修订的《信访条例》呈现出了一些新亮点。

十六大以来，新的中央领导集体提出了以人为本、执政为民和建立社会主义和谐社会等许多新的执政理念。面对新形势新情况，社会各界更加关注信访工作的规范化、法制化建设，2005 年 1 月 5 日，国务院第 76 次常务会议讨论通过《信访条例（修订草案）》，1 月 10 日，温家宝总理签署第 431 号国务院令。③

这次修订《条例》的基本思路是突出"四个如何"，即如何畅通信访渠道、如何创新工作机制、如何强化工作责任、如何

① 国家信访局党组：《加强和改进新时期信访工作的纲领性文件——关于学习贯彻〈中共中央、国务院关于进一步加强新时期信访工作的意见〉的几点体会》，《人民日报》，2007 年 7 月 5 日。

② 参见《高举中国特色社会主义伟大旗帜，为夺取全面建设小康社会新胜利而奋斗》（胡锦涛同志代表第十六届中央委员会向大会作的报告），《人民日报》，2007 年 10 月 16 日。

③ "温家宝主持召开国务院常务会议，审议并原则通过《信访条例（修订草案）》"，《人民日报》，2005 年 1 月 6 日。

维护信访秩序。修订后的《信访条例》,共分 7 章 51 条。① 与 1995 年《信访条例》6 章 44 条相比,新增和修改达 46 条,新增和修改条款占《信访条例》内容的 90%,新增和修改字数占《信访条例》内容的 85%。《信访条例》以畅通信访渠道为主线,以规范信访工作行为和群众信访行为为两个基本面,以信访工作程序为架构,以强化责任为重点,程序性和实体性规定相结合,进一步明确信访法律关系中相关主体的权利义务,健全了六个方面制度。②

新修订的《信访条例》内涵丰富,针对性和可操作性比较强,充分体现了以人为本的理念和全心全意为人民服务的宗旨,体现了民主与法制的精神,体现了构建社会主义和谐社会的要求。从具体内容上看,《信访条例》在以下几个方面有了重大突破:一是突出了畅通信访渠道,以更好地加强党和政府与人民群众的联系、及时了解社情民意并化解社会矛盾。二是创新了信访工作机制,以提高处理信访事项的效率和效果。三是强化了信访工作责任,以促进群众反映的合法、合理问题及时得以解决。四是健全了维护信访秩序制度,以更好地保护广大信访群众的合法权益,维护社会稳定。③

全国性信访高潮十几年居高难下的现状,的确需要政府尽快作出反应,所以新条例的出台难免有应急而生的意味。《信访条例》的修改可谓大刀阔斧,但不能说脱胎换骨,因为它并未解决实际工作当中信访的制度设计和功能定位模糊的问题,因而有关信访制度的争议也没有因新

《信访条例》的施行而停止。④《信访条例》修订本身也存在立法程序上的缺失。修订工作基本是在封闭状态下进行的,虽然征求过学者等有关人员的意见,但并没有公开、广泛地向社会征求建议和意见。⑤

一部良法需要付诸实践才可能产生预期的效果,一部新条例不可能完全改观信访现实,也难以理想化地革除现行信访制度的诸多弊端,但是它的确朝着信访法制化的方向又迈出了重要一步。2005 年《信访条例》的颁布使争论暂时告一段落,然而却远未结束。学界更多的关注信访制度合理性研究以及改革路径和方向的研讨,推动信访制度进一步深入研究与探讨,渐进地改革信访制度迈出了重要的一步。

创新工作体制,构建大信访工作格局

构建大信访工作格局,是多年来信访工作积极探索的有效成果,也是目前信访工作体制改革的主要目标之一。考察大信访工作格局构建的必要性及其模式选择,探寻大信访工作格局的发展规律,总结大信访工作格局的实践成效,是进一步深化信访工作体制创新的必然要求。

1. 构建大信访工作格局的路径选择

新的形势和任务要求建立与之相适应的工作新体制,整合现有的各种资源,构建大信访工作格局已成为信访工作者

① 《信访条例》(国务院令第 431 号),《人民日报》,2005 年 1 月 18 日。
② 曹康泰、王学军主编:《信访条例辅导读本》,中国法制出版社,2005 年版,第 21—22 页。
③ 国家信访局编:《信访条例讲话》,法律出版社,2005 年版,第 15—18 页。
④ 陈庆云:《信访改革取向与制度创新问题研究》,《法学杂志》,2005 年第 6 期。
⑤ 刘武俊:《〈信访条例〉6 个新亮点》,《法律与生活》,2005 年第 3 期。

和社会各界的共识。具体到构建大信访工作格局路径选择上却众说纷纭，莫衷一是，概括起来，有以下三种表述：

人大体系下的大信访工作格局

以人大为中心的大信访格局有以下两种模式：一是保留原信访部门，采取人大主导下的联合模式，将现在人大的信访机构作为总协调点，统一受理信访案件，而其他部门的信访机构则作为人大信访机构派驻的工作部门，建立一种以人大信访为中心、各部门信访为具体负责办事机构的联合模式。二是撤销各部门信访机构，集中放在全国人民代表大会和地方各级人民代表大会之下，成立一个专门处理信访个案的专门委员会，与人大的其他专门委员会相并列，并系统地建立民众的利益表达组织。把信访全部集中到各级人民代表大会，通过人民代表来监督一府两院的工作，以加强系统性和协调性。

党政、人大、司法"各司其职、三位一体"的大信访格局

有学者指出，转型期信访制度改革必须充分挖掘信访制度的积极功能，有效地整合信访资源，根据党政、人大、司法各自的性质重整信访组织体系，确定功能重心，努力探索信访救济与司法救济的契合点。鉴于目前我国各级党政机关、人大、司法都设有相应的信访机构，可以充分利用现有的资源进行整合，构建党政、人大、司法三位一体、各司其职的大信访格局，引导群众根据不同诉求选择不同救济渠道，从而将大量的社会矛盾和纠纷进行合理分流。

党政主导的大信访工作格局

在党政主导的大信访工作格局模式中，起核心作用的是党委政府联合信访机构，甚或直接是党政部门，可称为党政主导的大信访工作格局。这种模式最为学者诟病，理论表述尚有欠缺，但在实践中却卓有成效，不断创新。从理论上对其论证的多为信访工作者或个别学者，具体表述不一，多见于信访部门工作文件或领导讲话。

2. 构建大信访格局的逻辑与现实的考量选择

从理论上考量，在选择社会改革方案时，必须充分考虑现实合理性因素，现实合理性是第一位的；逻辑合理性是由现实合理性之中产生出来的，是第二位的。"只要这样按照事物的真实面目及其产生情况来理解事物，任何深奥的哲学问题……都可以十分简单地归结为某种经验的事实"，[①] 在现实合理性与逻辑合理性产生矛盾时，逻辑合理性只能服从于现实合理性。

从逻辑合理性考量，构建人大体系下的大信访格局无疑是最优选择。首先，符合我国民主政治体制。《中华人民共和国宪法》第二条规定：中华人民共和国一切权力属于人民。人民行使国家权力的机关是全国人民代表大会和地方各级人民代表大会。人民依照法律规定，通过各种途径和形式，管理国家事务，管理经济和文化事业，管理社会事务。宪法的这一规定，说明我国的各级人民代表大会，是人民行使当家做主权力的机关，同时宪法还为人民参与国家生活规定了广泛的参与渠道，上述规定恰恰与信访制度的实质目标相吻合。其次，这种模式有利于信访制度发挥功能优势。将人大的信访机构作为主要负责机构的同时，再辅以各部门的信访机构，统一对人大的信访委员会负

---

① 《马克思恩格斯全集》(第一卷)，人民出版社，1995年版，第76页。

责,这样配置的合理性在于可以将信访资源进行统一的调配,形成一个比较完整的信访处理体系,有利于发挥信访的信息沟通功能,便于人民群众反映民情民意,及时将好的建议提供给立法机关。从信访的机构设置来看,可以脱离行政权力和司法权力的干涉,保持相对独立性和客观性,信访委员会成为专门受理信访案件的机关,有利于信访事业向专业化、规范化和现代化的方向发展,这样可以集中处理热点、难点问题,节省社会资源,提高工作效率。① 第三,这种模式有利于国家的稳定和发展。从目前我国的现实情况而言,正处于社会转型时期,新的制度还没有完全建立起来,旧的制度还在不同程度上发挥着作用,因此就更需要有一种开放的、灵活的机制来协调各种矛盾,确保社会的稳定和发展。在这一前提下,建立一种稳妥的制度来消除社会的不满,促进社会公平就显得尤为必要。对于信访制度来讲,其汇集信息、舒缓矛盾、矫正不公的制度功能正好可以发挥优势。

然而,从现实利弊考虑,在目前条件下,构建人大体系下的大信访格局时机尚未成熟。我国人大本身监督能力相当薄弱,信访工作机构如果划归人大,原有的监督机制没有了,新的也难以建立。另外,构建这种模式需要的前提条件也是很高的,一是需要配合我国的人大体制改革,二是需要培养和挑选高素质的信访专业人员,三是需要一定的过渡时间。同时,目前国家资源主要掌握在行政机关手中,信访工作机构转入人大,可支配的资源有限,工作开展也会受到影响。从中央到地方,各级党委、人大、政府、法院和检察院及相关职能部门都设有信访机构,其中起到核心作用的是党委政府联合信访机构。这些建议混淆了信访制度的功能,信访制度至少在目前只是一项纠纷解决机制,更主要的已经不是公民进行民主政治参与的形式。无论实行请愿制度还是申诉专员制度,最多是创建了一项公民的参政方式,而无助于纠纷的解决。即使实行了人大一元化的信访主导机制,也不可能避免上访。因为牌子挂到哪里并不重要,重要的是能不能解决问题。②

至于"三位一体,各司其职"的大信访格局,实质上是对现有的信访权进行分解,相应地拓宽公民参政和维权的渠道,保障公民通过多元化的制度渠道行使和维护宪法规定的各项权利。这种模式良性运行的前提是行政、立法、司法三部门权力独立,互相制衡。事实上,目前司法机关仍缺乏足够的独立性。司法机关由当地政府财政供养,人、财、物均由地方管理,地方党委、人大机关和政府可以把法院视为同级地方政府的一个职能部门,很多地方政府甚至把司法机关配合政府工作作为衡量地方司法机关工作表现的标准之一。这种模式实际上是借鉴西方三权分立体制的简单翻版,虽然在一定程度上可以通过明确分工、各司其职地处理信访问题,但无法从根本上解决信访体制存在的弊端。

从现实合理性考量,当前应坚持党政主导的大信访格局,并进一步深入改革创新。但是,我们必须承认,这种模式确实存在若干缺陷,必须尽快予以改革、调整。需要强调的是,坚持当前的大信访格局,并非否认信访体制的继续改革创新。为

① 田文利:《信访制度改革的理论分析和模式选择》,《社会科学前沿》,2005年第2期。
② 施付阳:《信访制度:去留两徘徊》,中国法院网,http://www.chinacourt.org/2008-06-15。

了国家的长治久安,当前的党政主导的大信访格局必须坚持;同时,也必须按照逻辑合理性进行改革。

3. 构建大信访工作格局的实践创新

联席会议是构建大信访工作格局的有效方式之一,也是化解矛盾纠纷、构建社会主义和谐社会的一个长效机制和工作体制。早在1979年,为了避免信访工作中的"踢皮球"现象,北京怀柔县委就建立了信访联席会议制度。① 中央国家机关信访联席会议始办于1991年,后来一些地方政府也采取了地区性的联席工作会议制度,中央国家机关信访联席会议一共召开了7次会议,到1996年因为各种原因停办。② 2004年8月,为进一步加大处理解决信访问题的力度,中共中央、国务院建立了处理信访突出问题及群体性事件联席会议制度。联席会议针对农村土地征用问题、城镇拆迁安置问题、国有企业改制问题、部分企业军转干部问题、涉法涉诉问题等信访突出问题,成立了5个专项工作小组,每个小组设有具体负责人,并每月定期举行会议。客观地说,信访联席会议制度由于有各职能部门参加并召开联席会议,在解决某个具体问题的时候自然要比权微言轻的信访局更加有效。但是它同样也存在弊端,联席会议具有一种"特事特办"的性质,它并非一种日常性的工作机制。面对众多的信访事件,地方官员不可能为每件事都去开一次联席会议。在实际操作中,各地联席会议通常以突击

解决上级督办的上访案件为主。因此,即使建立了联席会议制度,上访者依然需要通过上级施压来解决问题。结果,一些地方虽然设立了信访联席会议,但去省进京上访的势头并没有减弱。③ 信访联席会议的恢复和完善对于化解信访洪峰起到了一定的作用,也解决了一些长期积累的信访矛盾,但是难以从源头上、根本上化解体制性的信访矛盾。

近年来,河南省委、省政府按照中央关于加强新时期信访工作的一系列决策部署,河南省创造性地探索了一条以群众工作统揽信访工作新道路。2005年初,义马市委、市政府针对新形势下信访稳定工作遇到的新情况、新问题,对信访机制进行了改革:构建一个平台,就是建立群众工作局;健全一个网络,就是群众工作网络;完善五项机制,即民意沟通机制、评估听证机制、便民服务机制、社会保障机制、排查调处机制。④ 2006年8月11日,中共河南省委、河南省人民政府作出了《关于在全省学习推广义马经验进一步做好新形势下信访稳定工作的决定》,在市、县(市、区)信访局的基础上设立群众工作部,作为同级党委工作部门;同时保留信访局为同级政府工作机构,负责群众工作的组织指导和综合协调。⑤ 义马经验得到了中央领导的充分肯定和高度评价,胡锦涛、温家宝、罗干、周永康、王刚、华建敏等中央领导相继作出重要批示,对学习推广

① 《努力提高信访工作的质量和效率》,《人民日报》,1979年3月24日。

② 魏仲民:《共同架起一座桥》,中国行政管理学会信访分会编:《在光荣的信访岗位上》,中国民主法制出版社,1999年版,第114—119页。

③ 许志永、姚遥、李英强:《宪政视野中的信访治理》,《甘肃理论学刊》,2005年第3期。

④ 《全方位开展群众工作,促进社会和谐发展——河南省义马市积极探索群众工作新路》,《上海信访》,2006年第10期。

⑤ 《创新体制机制,破解信访难题——河南省创新信访工作努力促进社会和谐发展》,《人民日报》,2008年4月25日。

义马经验提出了明确要求。除河南外，全国已有 10 个省份的 18 个地市、137 个县（市、区）成立群众工作部。① "义马经验"引起了社会各界的高度关注，在全省乃至全国产生了积极广泛的影响。

四

建立健全信访工作长效机制，创新信访工作方法

信访工作机制的创新，是提高信访工作质量和效率的关键。2007 年 6 月，中共中央、国务院联名下发《关于进一步加强新时期信访工作的意见》，指出"要建立健全长效工作机制，努力提高信访工作效率和管理水平"，为此提出了建立"四个长效机制"，即：建立健全信访工作综合协调机制，建立健全信访问题排查化解机制，建立健全信访信息汇集分析机制，建立健全信访工作督查机制。② 这些都要求要把机制的建立和健全放在全部信访工作的重要位置，立足当前，着眼长远，锲而不舍地探索和全面推进信访工作长效机制的形成与建立。

毛泽东曾经说过："我们不但要提出任务，而且要解决完成任务的方法问题。我们的任务是过河，但是没有桥或没有船就不能过"，③信访工作方法是做好新时期信访工作的"桥"与"船"。面对着信访工作遇到的新情况、新问题，为了适应新时期信访工作的要求，各地各部门从切实维护人民群众的根本利益出发，审时度势，创新信访工作思路，创造了许多切实有效的好方式、好做法。

1. 领导责任制

信访工作是各级领导机关的一项重要职责，各级机关领导要做好信访工作最重要的一项任务就是要履行好信访工作责任制。信访工作领导责任制是由多项工作制度和工作要求组成的，其中，领导接待日制度、下访制度和领导包案制度是落实领导信访工作责任制的重要制度。

（1）领导接待日

领导接待日制度包括：参与接待的领导人员的范围、接待日期、接待来访群众反映问题的范围、接待方式、信访事项的处理以及有关工作要求等内容。各地各部门认真贯彻落实中央 5 号文件精神，纷纷设立领导接待日制度，切实帮助群众解决实际问题，推动了信访工作的开展。农业部、广电总局等部门坚持每月一次的部（局）领导接待日制度，认真了解和处理来访群众反映的问题。2008 年 3 月 15 日，昆明市政府发出《关于实行"市长接待日"制度的公告》，决定实行"市长接待日"制度，设立批示办理制度、协调制度、督办报告制度、责任追究制度。④ 2008 年 3 月 26 日，湖北省在全国率先全面开展县市区委书记大接访活动，各县市区都制定了活动细则。⑤

2009 年 4 月，中办、国办转发《关于领导干部定期接待群众来访的意见》，要求：领导干部定期接待群众来访要坚持公开

① 《构建新时期信访工作新格局——各地各部门贯彻落实中央 5 号文件精神综述》，《人民日报》，2007 年 9 月 26 日第 1 版。
② 《关于进一步加强新时期信访工作的意见》（中发〔2007〕5 号文件），《人民日报》，2007 年 6 月 25 日。
③ 《关心群众生活，注意工作方法》，《毛泽东选集》第一卷，人民出版社，1991 年版，第 139 页。
④ 《昆明举行首个"市长接待日"活动》，人民网，http://politics.people.com.cn/GB/14562/7026569.html。
⑤ 《面对面接待，限时间解决：湖北启动县市区委书记大接访》，《人民日报》，2008 年 4 月 1 日。

透明、规范有序,方便群众、解决问题的原则。领导干部定期接待群众来访的主要方式方法有:公示、接访、包案、落实。领导干部定期接待群众来访的基本要求是:热情负责地接待群众、认真解决突出问题、严格依法按政策办事、强化思想疏导工作。领导干部定期接待群众来访,是坚持党的群众路线、密切联系群众的具体体现,是正确处理人民内部矛盾、提高党的执政能力的重要形式,对促进社会主义和谐社会建设,具有十分重要的意义。①

(2)领导下访

领导下访是信访工作的一种基本形式和主要方法,是一些地方在处理信访问题的实践中总结出来的成功经验,《信访条例》将其上升为行政法规所确定的内容,在全国范围内加以推广。《信访条例》第十条规定:"县级以上人民政府及其工作部门负责人或者其指定的人员,可以就信访人反映突出的问题到信访人居住地与信访人面谈沟通。"②《意见》指出,要认真坚持党政领导干部带案下访制度。这既是对党政干部重视信访工作的具体要求,也是推动信访问题解决的重要方法。

与领导接待日制度相比,领导下访制度的内容和方式有很多相同之处,在处理问题上都是发挥领导的作用协调化解信访突出问题,在接待方式上都需要领导面对面地做信访群众的工作,在工作机制上

高度重视对信访问题的协调督办等。对于如何开展领导下访活动,《信访条例》、《意见》均没有进行详细规定,但是一些地方已经形成了一套比较成熟的做法。2004年9月,河南省动员4万多省市干部"下访",努力把问题解决在基层。③ 从2007年3月份开始,河北省保定市组织市县乡三级1.8万多名干部,深入全市6200多个村。④ 山东省曹县纪委建立干部下访长效机制,制定了《纪检干部下访制度》,规定曹县纪委每年至少组织6次干部下访活动,到信访量大、信访问题突出的村接待信访群众。⑤ 这些好的经验与做法为各地建立和推行领导下访制度提供了很好的借鉴。

2009年4月,中共中央办公厅、国务院办公厅转发《关于中央和国家机关定期组织干部下访的意见》,要求"中央和国家机关各部门要把干部下访作为一项重要工作,统一组织每年至少一次,分散组织根据本部门实际情况自行安排"。中央和国家机关定期组织干部下访,是推动落实中央决策部署、及时了解社情民意、督导解决信访突出问题、促进社会和谐的有效举措。⑥

(3)领导包案

对一些重大、疑难、复杂的信访问题,各地普遍建立了由党政主要领导包案会审和带案下访制度,明确责任,亲力亲为,

① 中办、国办转发《关于领导干部定期接待群众来访的意见》等三个文件,新华网:http://news. xinhuanet. com/newscenter/2009—04/14/content_11185706. htm。

② 《信访条例》,中国法制出版社,2005年版,第5页。

③ 于津涛、姜殊:《百姓上访成因于体制不顺,官员下访破解执政难题》,《瞭望东方周刊》,网络版2005年2月4日。

④ 《干部"大下访",矛盾"大化解"——保定市组织万名干部大下访有效化解矛盾纠纷》,《人民日报》,2007年8月21日。

⑤ 《山东省曹县纪委建立了干部下访长效机制》,新华网,http://www. sd. xinhuanet. com/news/2009—03/23/content_16036154. htm。

⑥ 《人民日报》,2009年4月15日。

建立台账,限期结案,一包到底。2007年以来,烟台市对排查出的二百多起涉及农村土地征用、城镇房屋拆迁、国有企业改制、环境保护、劳动和社会保障等方面的重点信访案件全部实行了市领导包案。领导包案,集中化解了大批疑难复杂矛盾纠纷。① 浙江、甘肃、辽宁等地普遍推行重点信访案件领导包案制度,特别是采取"老案领导包、新案要倒查"的办法,做到了包协调、包督办、包落实、包稳控,仅2006年,省市县三级领导就包案解决疑难信访案件1.2万余件。②

《意见》强调指出,健全信访工作领导体制:党委、政府统一领导、部门协调,各负其责、齐抓共管。切实加强对信访工作的领导,是做好新时期信访工作的根本和关键。《意见》从领导体制、落实责任、队伍建设三个方面提出了明确要求。③

2. 拓宽信访渠道

信访渠道的畅通与否直接决定着党和政府能否及时了解社情民意,决定着人民群众能否实现宪法赋予的参政议政、批评建议权利。2005年《信访条例》通篇都围绕着进一步畅通信访渠道作了相应规定,总则、信访事项的提出、受理、办理和督办各个章节都有论述,并新增添了第二章"信访渠道",共5条,专门就畅通信访渠道的相关问题作了较为详细的规范。《意见》指出,要进一步畅通信访渠道,依法规范信访秩序。要通过开通信访绿色通道、专线电话、网上信访等多种渠道,引导群众更多地以书信、传真、电子邮件等书面形式表达诉求,确保民情、民意、民智顺畅上达。

(1)专线电话

"专线电话",是设置的方便群众向地方行政主要负责人提出意见建议的专门电话,是群众表达诉求的重要渠道。"专线电话"具有方便、快捷、受众面广的特点,在解答群众咨询、解决群众日常生活中遇到的困难、参与公共事务管理、维护社会稳定等方面具有明显的优势。

1983年,武汉市和沈阳市政府率先开通市长热线,近年来各地陆续启用了形式多样的专线电话。截至2007年6月,全国已有600多个城市开通。不少城市除12345外,还有12315(工商)、12358(物价)、12369(环保)、12366(税务)等诸多行业热线电话,有的城市热线电话超过100个。科学合理的运行机制,是专线电话畅通工作的保障。2007年,北京、南宁、厦门、济南、大庆市已开始不同程度地整合了市内的热线资源,广州、哈尔滨正在酝酿之中。④ 从大多数城市反映的情况看,整合服务热线已是大势所趋。2007年5月15日,北京市非紧急救助服务中心正式开始运转。中心拥有200个坐席,在统一号码"12345"下,整合了原有各区县及各相关职能部门的政府服务热线和公益性服务热线,实现了对全市除紧急报警之外的一切公众咨询、求助的统一受理。⑤

(2)绿色通道

所谓"绿色邮政",是指群众以书信的形式向地方党委、人大、政府、政协及其部

---

① 《烟台市领导包案解决重大信访难题》,《人民日报》,2008年1月11日。
② 《党的十六大以来信访工作成就综述》,《人民日报》,2007年9月19日。
③ 王学军主编:《学习贯彻〈中共中央国务院关于进一步加强新时期信访工作的意见〉百题解读》,人民出版社,2008年版,第197页。
④ 《市长热线电话:政府与市民的"连心桥"》,《人民日报》,2007年6月22日。
⑤ 《北京:"12345"探索城市管理新模式》,《人民日报》,2007年6月22日。

门提出信访事项时,只要在信封正面右上角注明"群众来信"字样,就可以免贴邮票,有关部门对受理的信件一律按规定认真处理。这是一种方便群众通过写信反映问题的方式。[①]

"绿色通道"的开通,使大量群众反映的问题得到了快速有效的解决,受到广大群众的欢迎。2007年3月1日,湖南省开通"人民来信绿色通道",省信访局设立来信查询电话,实行公开办信。2007年,全省共受理此类来信22万多件,其中省信访局受理17800件,省委、省政府主要领导亲自批阅1200多件。[②] 全国各级各部门均成立了"绿色通道"领导小组,设立"绿色通道"办公室具体负责各项工作的实施。为规范办理程序,确保运作质量,山东省嘉祥县把办理程序规定为"十个关口",即:邮递、呈报、交办办理、告知、受理、答复、审查交办办结信件、回访、反馈、结案归档。[③] 2007年,石家庄在全市建立"信访绿色通道",并建立和完善登记、转办、交办、答复等操作程序和工作流程,确保"件件有着落、事事有回音"。[④]

"绿色通道"的有效运行,转变了群众信访观念,实现了"信"升"访"降,有利于引导群众以理性合法的形式表达利益诉求,降低群众信访成本,方便群众信访活动。

(3)信访代理

信访代理的范围主要包括涉及本辖区内多数群众的切身利益,易发生群体性矛盾,需要有关职能部门解决的问题,将要发生的群体性信访事件及部分不属于街道职能范围的信访事件等。结合信访事项的具体情况和信访人的意愿,采取相对灵活的信访代理方式,主要形式有:全权委托代理,协助委托代理,邀请下访代理。

信访代理制度是地方政府信访工作在拓宽信访渠道方面的一项新尝试,山东省章丘市设立信访代理服务中心,负责全市信访代理工作的协调调度。至2007年,全市共设立信访代理服务分中心56个,信访代理工作站1251个,已形成上下贯通、市、乡镇(街道)、村(社区)三级联动的信访代理工作网络。[⑤] 济南市以双向承诺为基础,积极探索建立了"群众张嘴、干部跑腿"的信访代理制度,村村设立信访代理站,由代理员代群众"信访",减少了越级上访、重复上访。[⑥]

(4)信访超市

为适应建设社会主义新农村的需要,河北省邢台县从2004年开始在一个乡镇探索"信访超市",到2005年8月,已在全县18个乡镇、办事处推广。"信访超市"24小时"营业",什么人都能来,什么事都管,是一个集信访接待、矛盾排调、法律援助、政策咨询和"三农"服务为一体的综合性

① 王学军主编:《学习贯彻〈中共中央国务院关于进一步加强新时期信访工作的意见〉百题解读》,人民出版社,2008年版,第107页。

② 《湖南省探索建立党和政府主导的群众权益维护机制》,《人民日报》,2008年4月18日。

③ 参见焦丽萍:《建设信访"绿色通道",密切党群干群关系——山东省嘉祥县畅通"绿色邮政"构建和谐社会》,《中国集体经济》,2008年第2期。

④ 《石家庄建立"信访绿色通道"——信访邮件免费邮寄,开通免费专线电话,信访电邮专人负责》,《人民日报》,2007年7月4日。

⑤ 《有人办事,有人管事——山东章丘市实行"信访代理制"》,《人民日报》,2007年8月7日。

⑥ 《畅通信访渠道 促进社会建设——山东省强化信访工作努力促进社会和谐发展》,《人民日报》,2008年2月22日。

服务平台。河北省在总结邢台县创办乡镇信访服务中心经验的基础上,从2006年4月开始在全省推广这一做法。一年来全省已建立乡镇信访服务中心1473个,占全省乡镇总数的70.1%,还有376个在建设中。乡镇信访服务中心将信访和服务关口前移,把大量矛盾消灭在乡镇和萌芽状态。①

其他各地,在举办"信访超市"方面也作出了有益的探索。2005年,湖北省嘉鱼县先后在人才市场举办了两期"信访超市",县"四大家"领导和公安、工商等24家职能部门主要负责人一起,集中接待来访群众。② 2006年4月,湖北崇阳县拆除政府围墙,构建"没有围墙的政府",在机关大院门口设立联合接访中心,15个县直部门在这个"信访超市"现场办公,配合县领导接访。县委书记、县长等主要领导轮流带头接访,每半月一次。③

3.社会参与

信访工作社会参与的指导原则是"根据信访工作的实际需要,政府主导,社会参与,有利于迅速解决纠纷"。参与者包括相关社会团体、法律援助机构、相关专业人员、社会志愿者等。其中法律援助机构是指依据《法律援助条例》规定,由直辖市、设区的市或者县级人民政府司法行政部门确立的负责受理、审查法律援助申请,指派或者安排人员为有关公民提供法律援助的机构。④ 社会参与方式:运用咨询、教育、协商、调解、听证等方法,依法、及时、合理处理信访人的投诉请求。

信访治理需要社会的参与,治理理论告诉我们,实现善治有赖于政府与公民、政治国家与市民社会之间的积极而有成效的合作。⑤ 人大代表、政协委员在政治生活中担负着参政议政和开展监督的重要职责,当前各地纷纷推出人大代表、政协委员接待信访、参与信访处理、设立热线电话等参与信访工作新举措。河南省焦作市积极探索实施信访事项三级终结制度的有效途径,把"公论评议、质询听证、专家会审"三步走的办法应用到信访事项的"办理、复查、复核"程序中。在评议、听证和会审三步走中,充分发挥人大代表和政协委员资源。⑥ 贵阳市人大将信访工作与人大监督工作结合起来,拓宽公民有序政治参与渠道,以更有效的方式维护群众合法权益,其做法和经验被全国人大称之为"贵阳模式",并在全国推广。⑦

法律机构和律师参与信访工作有其独特的优势:律师较信访工作人员来说地位相对独立,有助于缓解信访人和政府的对立情绪,防止发生过激行为;可以克服信访工作人员对专业法律、法规的欠缺,实现"诉访分流",降低维权的成本;律师参与信访可以为上访者提供法律服务,提供知识和道义上的支持。山东省青岛市

① 《稳定的"解压阀"和谐的"新平台"——河北省乡镇"信访超市"纪实》,《人民日报》,2006年8月17日。

② 《嘉鱼信访超市"办不下去了"——督办专班进乡镇,来访减少不能成"市"》,《人民日报》,2006年7月31日。

③ 《拆掉保护门,推倒隔心墙,打通和谐路——湖北崇阳构建"没有围墙的政府"》,《人民日报》,2007年11月18日。

④ 《法律援助条例》(国务院令第385号,2003年7月16日国务院第15次常务会议通过),《人民日报》,2003年8月1日。

⑤ 参见俞可平:《权利政治与公益政治》,社会科学文献出版社,2003年版,第二部分第二节"治理与善治"。

⑥ 《构建解决疑难信访问题的新平台——河南省焦作市采取"三步走"实现信访事项三级终结》,《人民日报》,2007年11月18日。

⑦ 景伯平:《信访"贵阳模式"的昭示》,《当代贵州》,2005年第6期。

信访系统推行"诚信接访"工作,在市人民来访接待室建立律师参与接待群众来访机制,设立律师信访接待窗口和办公室。同时,建立律师咨询电话、电子信箱,及时为信访人或信访工作机构提供法律咨询,市法律援助中心还指派律师,参与市信访局日常接待咨询工作。① 安徽省池州市创立了信访听证制度,由池州市政府发文聘请信访评议员对争议案件作出评议,政府有关部门对于信访听证团作出的裁定一般都予以认可。②

建立政府主导、社会参与、有利于迅速解决纠纷的工作机制,是畅通信访渠道,保护公民权利,加强党和政府同人民群众联系的重要措施。拓宽和疏通各种参与渠道,必须健全和完善参与机制,从制度上加以保障,"程序化是法律的生命形式,因而也是法律的内部生命表现"。③因此,规范社会参与程序是确保公民权益、维护信访秩序的必然要求。同时,必须加强社会参与过程中的法律保障。

4.加快推进信访信息系统建设

实现信访工作信息化、现代化是当前社会信息化进程迅猛发展的需要,是政府职能转变、开启电子政务、提高工作效率的需要。2006年8月,胡锦涛在听取周永康汇报时指出:"改进和做好信访工作要充分利用信息化工具和手段,要建立和完善信访信息系统。"④

全国信访信息系统是以政府上网工程作为基础支撑,通过整合充实现有的信息资源,构建一个跨机构、综合化、支持前台(门户网站)和后台(包括内部管理信息系统、电子办公系统、数据库、安全平台和业务平台以及决策支持系统等),能够实现资源共享与跨部门协同应用的智能化综合系统。⑤

全国信访信息系统已于2006年底完成一期工程,并于2007年1月4日正式开通,截至2007年6月,已有19个省区市建成了省信息数据中心。目前,国家投诉受理中心正在抓紧筹建。国家信访局在全国29个省份选取100个单位进行了"网上信访"试点,与全国信访信息系统联网,构建成了高效、便捷的反映民意、纾解民困的新通道。⑥

为进一步畅通信访渠道,经批准在国家信访局设立国家投诉受理办公室,依据《信访条例》负责受理通过电子邮件和信函提出的投诉事项。2009年1月1日起,国家投诉受理办公室开始试运行。根据安排,国家投诉受理办公室目前专题受理"三农"方面的内容。信访人可以通过国家信访局网站"网上投诉"栏目或致信国家投诉受理办公室提出投诉事项。⑦

---

① 《决不让上访群众失望——山东青岛市"诚信接访"出成效》,《人民日报》,2008年6月6日。
② "池州首创信访案件听证评议制度",《安徽日报》,2004年3月2日。
③ 《马克思恩格斯全集》第1卷,人民出版社,1979年,第178页。
④ 《国家信访局关于深入学习贯彻胡锦涛总书记重要指示精神的意见》,国信发[2006]14号。
⑤ 曹康泰、王学军主编:《信访条例辅导读本》,中国法制出版社,2005年版,第112页。
⑥ 《信访工作法制化建设迈出重要步伐——新修订的〈信访条例〉实施三周年综述》,《人民日报》,2008年4月24日。
⑦ 国家信访局网站:http://www.gjxfj.gov.cn/2008—12/30/content_15324605.htm。

中国特色社会主义
军事理论的新篇章

2002年11月，中共十六届一中全会选举胡锦涛为中共中央总书记。2004年9月，中共十六届四中全会决定，同意江泽民辞去中共中央军事委员会主席职务，决定胡锦涛任中共中央军事委员会主席。2005年3月，第十届全国人民代表大会第三次会议选举胡锦涛为中华人民共和国中央军事委员会主席。中共中央总书记、国家主席、中央军委主席胡锦涛从中国特色社会主义事业的战略全局出发，深刻认识国际国内形势的新变化，准确把握世界军事变革的新动向，科学判定中国国防和军队建设的历史方位，在国防和军事建设领域提出了一系列新思想、新观点、新论断，形成了新世纪新阶段国防和军队建设科学发展的重大战略思想。胡锦涛关于国防和军队建设的重要论述，涵盖国防和军队建设的各个领域、各个方面，科学地、系统地回答了新世纪新阶段国防和军队建设的地位、目标、任务、原则、理念、思路、内容、方法等一系列重大问题，是中国特色社会主义军事理论的崭新篇章。

一

以科学发展观为国防和
军队建设的重要指导方针

科学发展观是以胡锦涛为总书记的中共中央提出的重大战略思想，是马克思主义中国化的最新理论成果。在2005年12月召开的中央军委扩大会议上，胡锦涛强调指出：科学发展观"是我国经济社会发展的重要指导方针，也是加强国防和军队建设的重要指导方针"。在国防和军队建设中贯彻落实科学发展观，总体要求是："坚持党绝对领导下的人民军队的根本性质和宗旨，着眼有效履行新世纪新阶段我军历史使命，以提高信息化条件下的威慑力和实战能力为根本出发点和落脚点，全面加强革命化现代化正规化建设，全面落实'五句话'总要求，统筹中国特色军事变革与军事斗争准备，统筹机械化建设与信息化建设，统筹诸军兵种作战力量建设，统筹当前建设与长远发展，统筹主要战略方向与其他战略方向建设，进一步实施科技强军战略，着力推动军事理论创新、军事技术创新、军事组织体制创新和军事管理创新，加快转变战斗力生成模式，充分发挥广大官兵的主体作用，坚持军民结合、寓军于民，实现国防和军队建设全面协调可持续发展。"胡锦涛强调指出，人民解放军现代化建设处在机械化任务尚未完成同时又面临信息化任务的特殊历史时期。推进国防和军队现代化建设，要从中国的国情和军情出发，按照国防和军队现代化建设"三步走"的战略构想，以建设信息化军队、打赢信息化战争为战略目标，以机械化为基础，以信息化为主导，推进机械化和信息化的复合发展，实现部队火力、突击力、机动能力、防护能力和信息能力整体提高，增强人民解放军信息化条件下的威慑和实战能力。在中共十七大报告中，胡锦涛进一步把这种能力概括为"应对多种安全威胁、完成多样化军事任务的能力"。

新世纪新阶段，中国人民解放军在新

的历史起点上努力开创现代化建设新局面。坚持把科学发展观作为国防和军队建设的重要指导方针,贯彻统筹经济建设和国防建设、实现富国和强军统一的战略思想,全面履行新的历史使命,增强应对多种安全威胁、完成多样化军事任务的能力。军队加快机械化和信息化复合发展,积极开展信息化条件下军事训练,推进军事理论、军事技术、军事组织和军事管理创新,不断提高打赢信息化条件下局部战争的核心军事能力和实施非战争军事行动的能力。

1.新世纪新阶段中国人民解放军的历史使命

在新世纪新阶段,中共中央总书记、国家主席、中央军委主席胡锦涛全面分析时代发展的要求和国家安全形势的变化,提出新世纪新阶段中国人民解放军的历史使命,即:为党巩固执政地位提供重要的力量保证,为维护国家发展的重要战略机遇期提供坚强的安全保障,为维护国家利益提供有力的战略支撑,为维护世界和平与促进共同发展发挥重要作用。

"三个提供、一个发挥"的历史使命,体现了中国共产党的历史任务对中国人民解放军的新要求,适应了国家安全形势的新变化,反映了国家发展战略的新需要,顺应了世界军事变革的新趋势,把党的任务、人民的幸福、国家的根本利益与军队职能任务紧密地联系在一起,进一步指明了军队建设发展的方向,拓展了国防和军队建设的战略视野,实现了人民解放军历史使命的又一次与时俱进。

2.发扬听党指挥、服务人民、英勇善战的优良传统

胡锦涛在纪念红军长征胜利70周年大会上的讲话中对红军长征胜利的经验进行了深刻总结,对人民军队优良传统进行了新的概括。他指出:"红军长征胜利充分说明了一个真理:建设一支听党指挥、服务人民、英勇善战的革命军队,是革命的依托、民族的希望。"2007年12月,在会见军事科学院第六次党代会代表时,胡锦涛再次强调,始终坚持人民解放军听党指挥、服务人民、英勇善战的优良传统,为有效履行新世纪新阶段人民解放军历史使命作出新的贡献。在庆祝中国人民解放军建军80周年暨全军英雄模范代表大会上的讲话中,胡锦涛进一步明确指出:"人民解放军的优良革命传统,集中起来就是听党指挥、服务人民、英勇善战。"听党指挥,是人民军队的政治属性和军魂;服务人民,是人民军队的根本宗旨;英勇善战,是人民军队履行根本职能的集中体现。胡锦涛的重要指示,把人民解放军的性质、宗旨和职能、使命高度统一起来,精辟概括了人民军队的优良传统,全面深刻地揭示了人民解放军建设的基本经验和根本规律,从历史和时代的高度对军队建设提出了新的要求。

二

完善"三步走"发展战略构想

1997年12月中央军委扩大会议根据国家安全需求和经济社会发展水平,提出国防和军队现代化建设"三步走"的发展战略,有计划有步骤地推进国防和军队现代化建设。随着实践的发展,"三步走"发展战略思路更加清晰,体系日臻完善。这一战略构想主要包括:

一是推进国防和军队信息化。以信息化为国防和军队现代化的发展方向,立足国情军情,积极推进中国特色军事变革,科学制定国防和军队建设战略规划、

军兵种发展战略,2010 年前打下坚实基础,2020 年前基本实现机械化并使信息化建设取得重大进展,21 世纪中叶基本实现国防和军队现代化的目标。

二是统筹经济建设和国防建设。坚持经济建设和国防建设协调发展的方针,统筹国家资源,兼顾富国和强军,使国防和军队发展战略与国家发展战略相适应。将国防建设有机融入经济社会发展之中,形成经济建设和国防建设协调发展的科学机制,为实现国防和军队现代化提供丰厚的资源和持续发展的动力。国防建设要兼顾经济社会发展需要,坚持军民兼容互利,提高和平时期国防资源的社会利用效益。在全面建设小康社会进程中实现富国和强军的统一。

三是深化国防和军队改革。发展是国防和军队建设的第一要务,改革是国防和军队发展的动力。进一步调整改革军队体制编制和政策制度,逐步推进军队组织形态的现代化,争取到 2020 年形成一整套既有中国特色又符合现代军队建设规律的科学的组织模式、制度安排和运作方式。调整改革国防科技工业体制和武器装备采购体制,提高武器装备研制的自主创新能力和质量效益。建立和完善军民结合、寓军于民的武器装备科研生产体系、军队人才培养体系和军队保障体系。建立和完善集中统一、结构合理、反应迅速、权威高效的国防动员体系。

四是走跨越式发展的道路。坚持以机械化为基础,以信息化为主导,加快机械化和信息化复合发展。坚持科技强军,发展高新技术武器装备,实施人才战略工程,开展信息化条件下军事训练,全面建设现代后勤,切实转变战斗力生成模式。坚持突出重点,分清主次,有所为有所不为,在最关键的领域努力实现跨越式发

展。坚持勤俭建军,注重科学管理,使有限的国防资源发挥出最大效益。

体制编制的进一步调整改革

2003 年 9 月,中共中央、中央军委决定,在军队裁员 50 万的基础上,2005 年前再裁减军队员额 20 万,军队总规模将保持230 万人。根据中共中央批准的《2005 年前军队体制编制调整改革总体方案》,2005 年前军队体制调整改革的任务是:压缩规模,改革体制,优化结构,调整编组,完善制度,从编成结构上提升军队战斗力。

此次全军体制编制调整改革工作从2003 年展开,2005 年年底完成。主要成果如下:

一是压缩军队规模。陆军部队是精简重点,共减少编制员额 13 万余人。军区机关和直属单位、省军区系统,裁减 6 万余人。通过调整,海军、空军和第二炮兵占全军总员额的比例明显上升,提高了3.8%,陆军部队的比例下降了 1.5%。

二是精简机关、直属单位。团以上机关部门共减少 3000 余个,团以上机关直属单位减少 400 余个。农副业生产机构、文体单位、驻铁路车站军代表处、物资机构等有较大压缩。全军共减少训练机构31 个。

三是优化军兵种内部编成。精简陆军,减少装备技术落后的一般部队,加强海军、空军和第二炮兵建设。优化部队内部编成和军兵种规模结构,提高各军兵种高新技术部队的比例。陆军撤销部分集团军及师、团,增加实行集团军—旅—营体制集团军的数量,组建了一批高新技术

装备部队。海军、空军撤销部分舰艇大队和航空兵师、团、场站,组建了一些技术含量较高的水面舰艇、航空兵、地空导弹部队。预备役部队减少部分步兵师,增加了兵种师(旅)的数量。

四是改革完善领导指挥体制。重点精简军以上机关和直属单位,减少指挥层次,健全作战指挥体系,强化指挥功能。调整机关职能,撤并部门,减少内设机构和人员,机关机构和人员均减少15%左右。通过调整总部有关部门的职能和联合作战指挥功能,完善了总部领导指挥体制。海军撤销航空兵机关,基地改为保障基地。空军撤销军(基地)机关,组建区域性指挥所。调整后,海军、空军作战部队分别由舰队、军区空军直接领导。

五是逐步实现三军一体化的联勤保障体制。扩大以军区为基础的联勤保障范围,减少重复设置的保障机构,精简后勤人员,将军兵种领导管理的后方医院、疗养院和通用物资仓库划归联勤系统统一整编。除总部和海军、空军、第二炮兵保留专用仓库和总医院外,其他后方仓库和医院、疗养院均划归联勤系统统一整合。全军共减少8个联勤分部(办事处)、94座后方仓库、47所医院和疗养院。

六是改善官兵编配比例。通过精简机构,减少副职领导干部;几十种管理岗位和专业技术岗位,原来由干部担任,改为士官履职;实行文职人员制度,将部队部分保障岗位改由非现役人员担任,把有限的现役干部员额用于指挥作战岗位,大幅减少干部数量,使全军官兵的编配比例得到优化。全军共精简干部17万人。减少军职以上领导干部岗位150余个,近7万干部岗位改由士官担任,2万余个文职干部岗位改为非现役的文职人员岗位。2006年,人民解放军开始施行文职人员和非现役公勤人员制度。

七是调整院校体制编制。健全军地并举培养军事人才的体制和制度,加快建立和完善以任职教育为主体、军事高等学历教育和任职教育相对分离的新型院校体系。按照规模化、集约化办学的要求,优化院校体系结构,精简部分军地通用或同类数量偏多的院校,合并同驻一地或任务相近的院校。全军共减少院校15所。

2006年,全军按新的体制编制运行。人民解放军朝着规模适度、结构合理、机构精干、指挥灵便、战斗力强的目标迈出了新步伐。经过体制编制调整改革,陆军机动作战部队共有18个集团军,陆军员额进一步减少。海军撤销航空兵机关,基地改编为保障基地。下辖北海、东海、南海3个舰队。舰队下辖舰艇支队和航空兵师等。空军撤销军(基地)机关,实行区域性指挥,下辖沈阳、北京、兰州、济南、南京、广州、成都7个军区空军。军区空军下辖航空兵师、地空导弹师(旅、团)、高炮旅(团)、雷达旅(团)以及其他保障部队。第二炮兵撤销、合并部分建制单位,优化了作战部队编成。下辖导弹基地、训练基地和相关保障部队等。

四

推进机械化条件下军事训练向信息化条件下军事训练转变

1.探索一体化训练的方式方法

2004年初,总参谋部决定按照"顶层设计、理论先行、试点引路、打牢基础、逐步推进"的思路开展一体化训练探索。根据部署,南京军区、成都军区作为全军一体化训练的试点。其他几个军区、海军、空军、第二炮兵和武警部队结合自身实际相继确定一批试点部队进行探索。总部组织部队、院校和科研单位对68个课题进行了集中研究攻关。2004年10月,在江苏南京举办全军一体化训练骨干集训。2005年10月,在成都军区进行了全军一体化训练试点成果研究交流活动,集中交流了开展一体化训练的探索成果。2006年初,总参谋部根据胡锦涛大抓军事训练的重要指示,明确提出要积极稳妥地研究探索一体化训练,要继续深化一体化联合作战和训练的理论研究,研究军兵种内部集成和联合训练的方法和路子。南京军区以联合战役战术训练为主要形式,探索了"军兵种内部集成打基础、军兵种协作练技能、军兵种专项联训促融合、军兵种课题合训强整体"的训练路子。成都军区按照"战建训一体互动、军兵种一体联动"的思路,构建有利于体系能力生成的训练内容,搭建军兵种信息共享的系统平台,探索集成联训的形式和方法,建立跨军种、跨建制的联训机制。

2.全军军事训练会议

2006年6月24日至27日,全军军事训练会议在北京召开。这次会议的任务和目的是:深入贯彻胡锦涛关于大抓军事训练的重要指示,全面落实科学发展观,进一步明确新世纪新阶段军事训练的指导思想,理清发展思路,研究对策措施,推进军事训练创新发展。胡锦涛到会作了重要指示。他指出:加强新世纪新阶段军事训练,要着眼有效履行人民解放军历史使命,以新时期军事战略方针为统揽,以提高一体化联合作战能力为目标,围绕推进机械化条件下军事训练向信息化条件下军事训练转变的主题,坚持从实战需要出发从难从严训练,坚持全面提高官兵素质,坚持走科技兴训之路,坚持以改革创新推动训练发展,为确保打得赢、不变质

服务。他指出,军事训练作为和平时期生成和发展部队战斗力的基本途径,对于确保我军打赢信息化条件下局部战争,增强应对多种安全威胁、完成多样化军事任务的能力,具有至关重要的作用。他强调,要立足机械化信息化复合发展的实际,更加自觉地主动地推进机械化条件下军事训练向信息化条件下军事训练的转变。总参谋长梁光烈作了关于训练形势和贯彻军委新世纪新阶段军事训练决策部署的报告。中央军委副主席郭伯雄在会议上指出,军事训练是加强部队全面建设,解决打得赢、不变质两个历史性课题的战略举措,必须从战略和全局的高度充分认识军事训练的重要意义,把军事训练真正摆到战略位置。

会议总结了人民解放军在长期的军事训练实践积累的六条基本经验,制定下发《关于加强新世纪新阶段军事训练的决定》,对新世纪新阶段军事训练创新发展进行全面部署,要求全军从实战需要出发,从难从严训练,不断深化科技练兵,持续推进军事训练改革,把军事训练提高到一个新水平。

3.加强信息化条件下军事演习

2004年9月,海军组织"蛟龙—2004"演习。同月,济南军区组织"铁拳—2004"陆军机械化步兵师山地进攻战斗实兵实弹演习,武装直升机部队、空军强击机和歼击机部队同陆军机械化部队联合演练了信息化条件下联合山地进攻作战各课目。2005年9月,北京军区组织"北剑—2005"红军加强装甲机动师进攻战斗与蓝军加强师空降兵机动反击作战实兵检验性对抗演习。参演部队包括2个装甲师、2个歼击机中队、1个空降团和炮兵、工程兵、防化兵、陆军航空兵、通信、电子对抗、侦察、装备应急保障等部队,人数近万人。

这是人民解放军历史上规模最大的装甲师与装甲师实兵对抗演习,有 24 个国家的四十多名军事观察员应邀观摩了演习。2006 年,济南军区组织"确山—2006"演习。2007 年 8 月,南京军区某集团军组织一场信息化条件下军兵种联合对抗演练。10 月,济南军区组织"铁拳—2007"实兵检验性演习,重点检验部队在复杂电磁环境下的指挥控制、机动、火力打击、保障和防护能力。

2008 年 8 月 26 日至 9 月 25 日,总参谋部组织以信息化条件下联合作战为背景的"砺兵—2008"实兵对抗演练。北京军区、济南军区、空军部队官兵 5200 余人参加了此次演习。演习分为战备等级转换、跨区投送、战斗部署与战斗实施四个阶段。这是人民解放军首次组织的迎外跨区联合演习,是首次在复杂电磁环境下组织的实兵对抗演习,是空降兵首次采用人机同装同降方式参加的陆空联合演练,重在检验部队建设成效,为谋划军队建设转型提供科学决策依据。有 36 个国家的军事代表团和观察员观摩了先期战斗行动和立体攻防行动等内容演练。这是自 2003 年以来人民解放军第六次邀请多国军队人员观摩演习,也是邀请国家最多、层次最高、规模最大的一次。

五

加强"五支队伍"建设

2004 年以后,中央军委和总部出台一系列政策法规,采取有力措施,大力加强军队人才队伍建设,继续实施军队人才战略工程,以指挥军官队伍、参谋队伍、科学家队伍、技术专家队伍和士官队伍"五支队伍"建设为重点,造就大批高素质新型军事人才。2007 年、2008 年,共投入 7 亿元专项补助经费,用于军队人才培训。2008 年 4 月,中央军委印发《关于加强和改进军队干部培训工作的意见》,明确提出健全完善以逐级培训为主体、岗位培训为补充、培训与使用相一致的全程全员培训体系,形成院校教育与部队训练衔接、军事教育与国民教育并举、国内培养与国外培训结合的格局。

指挥人才和参谋人才是军队人才队伍的主体和建设的重点。2005 年 6 月,总政治部颁发《中国人民解放军团级以上指挥军官通用能力基本标准(试行)》,首次对团级以上指挥军官必须具备的基本能力作出规定。2006 年 7 月,总政治部下发《关于在全军作战部队实行考核与考试相结合选拔副团职领导干部的通知》,要求全军对拟提升或平职交流的营、团职干部进行考核与考试,考核与考试结果作为干部调整使用、确定后备干部以及送学培养的主要依据。2008 年 3 月,《中国人民解放军指挥军官考核评价纲要》、《中国人民解放军指挥军官考核评价实施办法》和《中国人民解放军指挥军官考核评价标准(试行)》印发施行,标志着体现科学发展要求的指挥军官考评体系初步形成。

国防大学加大联合作战指挥人才培养力度。2006 年 6 月,国防大学从海军、空军和第二炮兵层层筛选的 76 名推荐对象中选出调入 16 名优秀指挥员接受岗前培训。成批选调军兵种优秀指挥员到国防大学执教,是改善教研队伍结构、建设综合性联合指挥大学和实施一体化联合作战教学采取的一项重要措施。2007 年,国防大学又在全军范围内聘请近期免职或退休的大军区级、军师级领导干部和高级专业技术军官、武官担任特聘教官。2006 年 12 月,第二炮兵指挥学院、石家庄陆军指挥学院、南京陆军指挥学院、海军指挥学院和空军指挥学院共同签署军兵种指挥学院教学协作协议,开始联合办学。2007年8月,总参军训和兵种部、总政干部部联合下发《关于开展联教联训试点的通知》。随后,国防大学与石家庄陆军指挥学院、南京陆军指挥学院、海军指挥学院、空军指挥学院和第二炮兵指挥学院联教联训试点工作全面展开。军校教育在不增加投入的情况下,实现跨地区、跨军种、跨体系联合协作,有利于提高教学质量和效益,满足部队联合训练的需求。

海军构建了以"三级七阶"为主体、多级轮训为补充的联合作战指挥人才培训体系,基本实现了兵种合训、指参合训和机关合训。空军积极探索联合作战指挥人才基地化、网络化训练新路,构建基础训练、作战模拟、军事演习互为补充的实践锻炼平台。第二炮兵大力推进指挥和参谋军官多岗位交流锻炼,促使干部交流由一般型向培养型交流转变,局部交流向大范围交流转变,单一交流向系统交流转变。武警部队派出指挥员参与重大军事行动联指决策、与俄罗斯内卫部队联合组织反恐演习,有效提高了各级指挥员的联合意识和决策能力。广州军区注重用联合作战指挥人才标准引领人才培养,加大投入,依托军地院校开办培训班,大规模组织指挥干部双向任(代)职、岗位互换。南京军区把联合作战素质作为指挥员考评重点,形成了组织上按联合作战要求考评干部、干部按联合作战要求自觉锻炼的良好局面。2006年11月,四总部决定,对800名全军优秀指挥军官和优秀参谋人才予以通报表彰,并颁发证章、证书和奖金。

专业技术人才是军队人才队伍的重要组成部分。2004年7月,中央军委下发《关于加强军队专业技术人才队伍建设的意见》,对新时期军队专业技术人才队伍建设作出了全面部署,提出了一系列政策措施。2006年3月,经中央军委批准,四总部联合颁布《中国人民解放军专业技术人才奖励规定》,首次将聘用的专业技术文职人员纳入奖励范围,首次设立军队科技创新群体奖。2007年7月,中央军委发布《军队吸引保留高层次专业技术人才的规定》,采取有效措施重点吸引保留科技领军人才、学科拔尖人才和技术专家人才。为适应人才的需求,进一步加大科学家队伍和技术专家队伍的培养力度。2005年9月,教育部、总政治部有关部门研究确定,2006年军队继续实施"高层次人才强军计划"。2005年12月13日,人民解放军6名专家当选为中国工程院院士,占新当选院士的12%。至此,人民解放军的中国工程院院士达到73名。截至2005年,全军共设立博士后科研流动站和工作站116个,覆盖了9个学科门类的38个一级学科,先后招收了1448名博士后研究人员。

士官队伍是部队建设的骨干力量。2005年1月,四总部颁发《关于加强士官人才队伍建设的意见》,对士官队伍建设相关的政策制度作出具体规定。2006年3月,海军召开人才建设工作会议,将士官培训纳入"海军人才工程",出台并落实多项相关措施,确立了"三级五阶"士官培训新模式,即对初级、中级和高级士官,分五个阶梯进行培训。2007年4月,总部推广济南军区把军队特有专业纳入国家职业技能鉴定范围的做法。同年12月,空军从非军事部门具有专业技能的公民中招收的24名通信士官,圆满完成在空军大连通信士官学校为期4个月的军事培训任务,以优异成绩通过了专家组的考核验收后,被正式授予二期或一期士官军衔，并奔赴一线部队。

建立和实行文职人员制度，是军队干部人事制度进行的一项重大调整改革。2005年3月，经中央军委批准，总政治部、总后勤部下发《聘用文职人员工作实施方案》，要求遵循社会主义市场经济条件下依法用人的基本要求，坚持公开平等、竞争择优的原则，采取先易后难、分段实施、逐步到位的方式，切实保证现有文职干部队伍的思想稳定和新聘文职人员的质量。2005年6月，国务院、中央军委颁发《中国人民解放军文职人员条例》，对文职人员的性质地位等基本问题、聘用工作的主要环节以及文职人员制度与军地相关政策的衔接等作了规定。2006年，相继出台配套文件《关于贯彻执行〈中国人民解放军文职人员条例〉若干问题的意见（试行）》、《关于签订文职人员聘用合同有关问题的规定（试行）》、《军队文职人员生活福利待遇经费和公务事业费管理规定》、《文职人员保密管理暂行规定》、《关于军队文职人员社会保险有关问题的通知》、《关于文职人员着装和被装供应有关问题的通知（试行）》、《军队文职人员住房保障办法》、《文职人员聘用合同》和《文职人员人事争议调解协议》等。从2006年2月起，军队部分岗位开始面向社会招聘非现役文职人员。招聘单位主要是军队军级以上单位的机关（不含担负作战任务、试验任务的军级单位机关）和非作战部队。截至2007年2月，全军共招聘文职人员6000余名。全军招聘的文职人员中，应届毕业生占32％，社会流动人才占68％。从事教学、工程技术、实验、医疗、图书档案管理岗位工作的文职人员，全部具有本科以上学历，其中聘用到教学岗位的文职人员具有研究生学历的占55％以上；从事护理、艺术岗位工作的文职人员，多数具有大专以上学历，其中本科以上的接近30％。军队首批招聘的文职人员主要分布在院校基础课教学及图书档案管理、科研院所的工程、实验及医院的护理、药剂、医技、医疗等专业的初级技术岗位。

六

大力开展部队教育

1."四个教育"

2006年5月14日，中共中央总书记、国家主席、中央军委主席胡锦涛在会见驻昆明部队师以上领导干部时发表重要讲话，要求全军"紧密结合形势任务，深入开展我军历史使命教育、理想信念教育、战斗精神教育和社会主义荣辱观教育"。同年6月，总政治部发出通知，要求全军和武警部队各级党委和政治机关认真贯彻落实胡锦涛的重要指示，大力开展四个教育，切实把这四个教育作为新时期军队思想政治教育的主要内容来抓。全军各级党委和政治机关精心组织部署，在认真总结忠实履行新世纪新阶段我军历史使命教育、战斗精神培育、学习贯彻党章活动和树立以"八荣八耻"为主要内容的社会主义荣辱观学习教育的经验做法的基础上，进一步研究把握特点规律，切实把四个教育不断引向深入。全军各部队组织官兵认真学习毛泽东、邓小平、江泽民、胡锦涛关于思想政治建设特别是思想政治教育的重要论述，关于我军历史使命、理想信念、战斗精神和社会主义荣辱观的重要论述，把握基本观点、基本精神和基本要求，并把科学发展观作为抓好这几项重大教育的根本指导和核心内容，加以反复学习。同时，把学理论与学传统、学英模结合起来。历史使命教育,坚持向军事斗争准备聚焦,不断强化官兵忠诚使命、献身使命、不辱使命的革命精神。理想信念教育,突出强化坚持党对军队绝对领导的军魂意识,更加坚定中国特色社会主义信念。战斗精神教育,着力解决好官兵在当兵打仗、练兵打仗、立足现有装备打胜仗方面存在的问题,进一步坚定敢打必胜的信心。社会主义荣辱观教育,以广泛开展"八荣八耻"实践活动为有效途径,帮助官兵确立正确的价值取向。四个教育的广泛开展,最大限度地调动广大官兵的主动性、积极性和创造性,努力为国防和军队现代化建设作贡献。

2. 纪念建军80周年暨全军英雄模范代表大会

2007年8月1日上午,庆祝中国人民解放军建军80周年暨全军英雄模范代表大会在北京人民大会堂召开。中共中央、国务院、中央军委,各民主党派中央、全国工商联领导人和无党派人士代表,军队老干部代表,已故党和国家领导人以及元帅、大将遗孀,全军英雄模范代表,各国驻华使节和武官,以及首都各界代表共约六千人,出席此次盛会。胡锦涛在会上发表了重要讲话。军队老干部代表、原昆明军区司令员张铚秀,英模代表、解放军航天医学工程研究所副所长杨利伟,地方双拥代表、北京市副市长赵凤桐,在会上先后发言。

共有421名正式代表和81名特邀代表出席这次大会。他们中既有革命战争年代、社会主义革命和建设时期的著名战斗英雄,也有改革开放新时期涌现出来的重大典型。如:王海、韩德彩、柴云振、麦德贤、隆志勇、吴孟超、杨利伟、丁晓兵、李中华、方永刚、济南第二团、杨根思连、海上猛虎艇、杜凤瑞中队、南京路上好八连、硬骨头六连、红九连、大功三连、神仙湾边防连、某集团军防空旅代表等。

当日下午,全军英雄模范代表大会举行全体会议,会议由中央军委副主席曹刚川主持,中央军委副主席郭伯雄发表讲话。中央军委副主席徐才厚,中央军委委员梁光烈、李继耐、廖锡龙、陈炳德、靖志远出席了会议。南京军区空军原副司令员韩德彩、某集团军特种大队参谋长颜启昌、海军哈尔滨舰士官朱桂全、第二军医大学第三附属医院院长吴孟超、武警某部副政委丁晓兵等5位英模先后在大会上发言。

这次全军英雄模范代表大会,是继1950年全军战斗英雄代表会议、1987年全军英雄模范代表会议之后召开的又一次群英盛会,是全军部队政治生活中的一件大事,对于在新形势下进一步弘扬人民军队的优良传统,为建设信息化军队、打赢信息化战争,忠实履行人民军队的历史使命,具有深远的意义。

3. 当代革命军人核心价值观教育

2008年12月,胡锦涛在军队一次重要会议上强调,要围绕强化官兵精神支柱,大力培育"忠诚于党,热爱人民,报效国家,献身使命,崇尚荣誉"的当代革命军人核心价值观。当代革命军人核心价值观的培育,是新的历史条件下军队思想政治建设的一项重大战略任务。2009年初,总政治部发出通知,要求全军和武警部队贯彻落实胡锦涛重要指示,大力培育当代革命军人核心价值观。践行当代革命军人核心价值观活动在全军和武警部队展开。为配合教育,2009年3月,总政治部宣传部组织摄制了"当代革命军人核心价值观电视系统辅导讲座"。同年4月,总政治部宣传部向部队连以上单位下发两套10幅当代革命军人核心价值观宣传画,进一步营造浓厚的教育氛围。

大联勤体制改革

为适应世界军事后勤发展的大趋势，推进中国特色军事变革，加速实现全军一体化保障，提高综合保障效益，中央军委决定深化联勤保障体制改革。2004 年 7 月 1 日，在济南战区启动大联勤体制改革试点。

大联勤体制改革的内容包括四个方面：一是联勤机关三军一体。在联勤机关的名称上，将军区联勤部改称军区（战区）联勤部，明确联勤部的定位和性质，面向三军、服务三军、保障三军，使其真正成为战区三军联勤工作的领导机关；在联勤机关的编成上，不仅增设了对军兵种保障的职能部门，而且按规定增加了军兵种干部数量，军兵种干部比例由原来的 12％增至 45％，军兵种干部进入决策层，同时增设军兵种特种保障职能部门。联勤分部的编成方式与联勤部相同。使联勤机关真正成为属于三军、服务三军的合成型机关。二是保障内容三军一体。对战区内诸军兵种部队的后勤保障，不再划分通用保障和专用保障，统一由联勤系统组织实施，简化保障关系，提高保障效益。三是保障力量三军一体。将战区内所有后方仓库、医院、疗养院、物资机构、工程保障机构等后勤保障实体，全部划归联勤系统，统一管理、统一建设、集约使用，使战区后勤资源形成整体力量，对三军部队实施有力保障。四是保障渠道三军一体。在后勤保障的计划和供应上，由过去的多系统分头组织实施，改由联勤系统一家组织实施；在后勤保障关系上，由过去按建

制系统垂直保障、封闭运行，改由联勤系统组织横向保障，实现建制关系与保障关系的相对分离，形成有效监督机制。

在大联勤试点的基础上，首个三军联勤保障互动平台于 2006 年 1 月在北京战区正式启动。这个平台是北京军区针对联勤保障改革实践中出现的军兵种部队保障信息互不兼容、保障协调难度大等问题，进一步优化结构、整合资源，率先搭建"需求实时可知、资源实时可视、调拨实时可控"的三军联勤保障互动平台。2006 年 4 月，全军首个作战后勤保障能力评估体系在北京军区部队全面启动。在济南军区大联勤卫生改革试点的同时，全军卫生系统的大联勤改革也同步进行。从 2004 年 7 月 1 日开始，全军卫生系统已将海空军部队飞行、潜艇和潜水人员的医疗、保健、疗养保障，军兵种部队的疾病监测、卫生监督和"三防"医学救援，全部纳入联勤范围。2005 年 10 月，全军已基本实现卫生大联勤。同时，全军还建立起战区机动卫勤保障力量体系。2005 年 6 月，陆、空军联合卫勤保障演习成功实施。

经过两年多的试点运行和配套机制不断完善，中央军委决定 2007 年 4 月在济南战区正式实行以三军后勤保障一体化为核心的大联勤体制。

大联勤改革，是继 2000 年以军区为基础的联勤改革后，人民解放军后勤保障体制的一次历史性跨越。

八

武器装备建设的新成就

随着中国特色军事变革的深入发展，人民解放军机械化、信息化建设步伐明显加快。2004 年以后，中央军委和总部颁布

《中国人民解放军合成军队战斗装备保障条令》《全军通用装备成建制成系统形成作战能力和保障能力建设纲要》《中国人民解放军装备预先研究条例》《关于深化装备采购制度改革若干问题的意见》《装备采购计划管理规定》《装备采购合同管理规定》等法规文件，进一步规范武器装备研制、管理、采购等方面工作。根据中央军委的指示和部署，人民解放军加紧构建中国特色现代化武器装备体系。坚持自力更生、自主创新，优先发展适应一体化联合作战需要的信息化武器装备，有重点有选择地改造升级现有装备。初步形成快速机动、立体突击的陆军装备体系，海空一体、适应近海防卫作战的海军装备体系，空地一体、攻防兼备的空军装备体系，核常一体、射程衔接的第二炮兵地地导弹装备体系，综合集成、一体化发展的电子信息装备体系。

人民解放军以指挥信息系统为重点的军事信息系统建设取得成效，主战武器系统信息化水平逐步提高，信息化支撑环境得到改善。2006年军事综合信息网开通运行，信息基础设施更加完善，基础信息保障能力和信息安全保障水平得到提高。一体化联合作战指挥控制系统建设取得进展，战场信息支援保障能力显著增强。信息化训练手段有了较大发展，测绘导航、气象水文和空间环境保障体系进一步优化，一批后勤、装备保障信息系统研制成功并装备部队，全军院校"数字校园"建设全面展开。人民解放军着眼提升主战武器系统的快速感知、目标定位、敌我识别和精确打击能力，对部分在役坦克、火炮、舰船和飞机进行了信息化改造，一批信息化水平较高的新型作战平台研发成功，精确制导弹药的比例和规模不断扩大。人民解放军初步建立信息化领导、管理和咨询工作体系，信息化建设的集中统一领导得到加强。信息化理论探索和重大现实问题研究不断深化，制定了军队信息化建设中长期规划和指导性意见，修订完善了技术规范，适应信息化发展需要的院校教育和人才队伍建设得到加强。

人民解放军主战装备不断取得新突破。2004年11月，中国自主研制的新一代歼击教练机"山鹰"设计定型试飞，2005年底通过设计定型，2006年提供国内、国外用户装备使用。新机的整体性能达到国际先进水平，标志着中国教练机的生产技术迈上一个新的台阶。歼—10型战斗机，是中国自主研制生产的新一代多用途战斗机，采用大量新设计、新技术、新工艺，创造了中国航空史上数十个"第一"。2006年12月，空军航空兵部队首批成建制装备歼—10型战斗机。2008年6月，中国自主研发的新一代超音速教练机"猎鹰03"在南昌首飞成功。该机是一种融合多项最新航空技术的新一代超音速教练机，标志着中国在教练机的研制方面已经达到国际同类产品先进水平。2004年11月，成功研制直8、直9、直11三大系列产品，标志着中国在突破直升机最核心的旋翼系统设计、试验和制造关键技术方面取得重大进展。海军装备立足国内，对现有装备进行全面整顿和齐装配套，利用国内外新技术，改进装备性能，提高发展起点。新型导弹护卫舰、导弹驱逐舰、潜艇、海军轰炸机、歼击机、岸基和舰载反潜机以及新型导弹和武器装备研制成功并陆续装备部队。2004年10月，"近程超低空便携式防空导弹"等一批国产导弹武器在珠海航展亮相，其中有的产品技术已达到世界先进水平。

航天技术取得新突破。2005年10月12日，"神舟"六号载人飞船，载着中国人民解放军航天员大队航天员费俊龙、聂海胜，在酒泉卫星发射中心成功发射。10月17日凌晨4时33分，"神舟"六号载人飞船返回舱成功着陆于内蒙古主着陆场。在5天的太空飞行中，航天员根据地面指令和计划安排，成功进行了穿越轨道舱与返回舱、工效学评价、医学试验、轨道舱飞船设备操作等一系列空间科学实验，圆满完成预定空间科学实验活动。"神舟"六号载人航天是中国首次进行多人多天飞行，首次进行真正意义上有人参与的空间实验活动，标志着中国载人航天事业又迈出新的重要一步。2008年9月25日21时10分04秒，"神舟"七号载人飞船载着中国人民解放军航天员大队航天员翟志刚、刘伯明和景海鹏，在酒泉卫星发射中心发射升空。在航天飞行中，翟志刚、刘伯明进入飞船轨道舱，着舱外航天服完成出舱活动准备，9月27日16时41分，翟志刚出舱进行太空行走并取得圆满成功。19时24分，飞船搭载的伴随卫星被成功释放。28日17时37分，返回舱成功着陆于内蒙古主着陆场。"神舟"七号载人航天飞行圆满成功，实现了中国空间技术发展具有里程碑意义的重大跨越，标志着中国成为世界上第三个独立掌握空间出舱关键技术的国家。2006年，在北斗一代导航卫星的基础上，开始建设拥有自主知识产权的全球卫星导航系统——北斗卫星导航系统。

九

中外联合军事演习

中国人民解放军贯彻国家对外政策，发展不结盟、不对抗、不针对第三方的对外军事关系，开展多种形式的军事交流与合作，努力营造互信协作的军事安全环境。中国已与150多个国家建立军事关系，在109个国家设立武官处，有98个国家在中国设立武官处。中俄两军深化战略互信，高层互访频繁，两国国防部长率先通过直通电话联络，多层次、多领域务实合作继续深入发展。中美军事关系逐步发展，正式开通中美国防部直通电话，首次举行两军士官交流，就查找朝鲜战争前后美军失踪人员下落正式启动军事档案合作。中日防务关系取得进展，举行第七、第八次防务安全磋商，实现首次舰艇互访，就建立海上联络机制进行首次专家组磋商。中国与东盟、印度、巴基斯坦等周边国家防务交流得到新的拓展，与印度开启防务安全磋商。中国与欧洲国家防务部门和军队沟通渠道保持畅通，与发展中国家的军事合作得到加强。

1．"和平使命—2005"军事演习

2005年8月18日至25日，中俄两国军队举行"和平使命—2005"中俄联合军事演习。

此次联合军事演习，是根据2004年7月6日签署的《中华人民共和国国防部和俄罗斯联邦国防部关于举行联合军事演习的备忘录》举行的，目的在于进一步增强两国政治军事互信，深化中俄战略协作伙伴关系，加强在防务安全领域的合作，提升两军合作与交流水平。演习在俄罗斯联邦符拉迪沃斯托克和中华人民共和国山东半岛及附近海域举行。此次联合军事演习，中俄双方参演兵力近万人，其中中方参演兵力7000余人。

8月18日上午11时（北京时间18日上午8时），"和平使命—2005"中俄联合军事演习正式开始。演习分三个阶段实施。8月18日至19日为第一阶段：战略磋商，定下行动决心。中国人民解放军总参谋长梁光烈与俄罗斯联邦武装力量总参谋长巴卢耶夫斯基，就双边关系、国际和地区形势及共同关心的问题交换意见，并达成共识。副总参谋长、中俄联合军事演习导演部中方总导演葛振峰，俄罗斯国防部作战组组长、陆军副总司令、中俄联合军事演习导演部俄方总导演莫尔坚斯科伊分别向两军总参谋长报告中俄联合军事演习的准备情况。随后双方总导演向参演部队下达演练课目，提出演练要求。导演部双方参谋长向参演部队介绍战略战役初始态势、宣布作战时间。战役指挥部依据导演部意图，展开第一阶段演练。

8月20日至22日为第二阶段：重点演练形成战役企图、定下战役企图、组织协同动作。8月20日至22日，中俄双方参演兵力移师中国山东半岛和黄海海域，进行兵力投送与展开、定下决心、组织战役协同为主要内容的演练。8月21日，中俄联合军事演习双方总导演共同批复联合战役决心书和决心图。

8月23日至25日为第三阶段：进行海上封锁、两栖登陆和强制隔离作战三个实兵课目。23日首先开始海上封锁作战实兵演练，包括航空兵夺取和保持局部海区制空权，舰机协同反潜，潜艇、航空兵、水面舰艇合同打击敌舰艇编队，水面舰艇编队对空防御四方面内容。24日，进行两栖登陆作战演习。25日，进行强制隔离作战演习。25日下午，中俄两军举行"和平使命－2005"中俄联合军事演习闭幕式。

中共中央政治局委员、中央军委副主席、国务委员兼国防部长曹刚川和俄罗斯联邦国防部长伊万诺夫亲临现场观摩指导。中央军委委员、总参谋长梁光烈，中央军委委员、海军司令员张定发，中央军委委员、第二炮兵司令员靖志远，观摩了第三阶段的演习。吉尔吉斯斯坦国防部

长伊萨科夫、塔吉克斯坦国防部长海鲁洛耶夫、哈萨克斯坦国防部副部长塔斯布拉托夫、乌兹别克斯坦国防部副部长尼亚佐夫也观摩了演习。

2."和平－07"海上多国联合军事演习

2007年8月，中国、美国、英国、法国、意大利、孟加拉国、巴基斯坦和土耳其等国联合举行"和平－07"海上多国联合军事演习。

此次多国联合军事演习由巴基斯坦海军倡导并主办，目的是应对不断增加的海上恐怖主义威胁与挑战，促进各国海军之间的合作与交流，提高各国海军应对恐怖袭击和联合行动的能力。此次演习是中国海军首次参加海上多国联合军事演习。中国海军"连云港"号导弹护卫舰和"三明"号导弹护卫舰组成舰艇编队参演，参加了包括主炮实弹射击、联合搜救、对海面小目标防御与攻击、对空防御和海上阅兵等多个项目的演练。3月8日至11日，多国联合军事演习进入海上演练阶段。9日下午，中国海军负责指挥海上搜救演习项目。为指挥此次搜救演习，中国海军制定了周密的计划，并进行了有效的组织协调。下午3时15分，"连云港"号开始行使联合编队指挥权。中国海军指挥多国联合舰队近3小时，完成任务后，将指挥权交给巴基斯坦"巴布尔"号。

3月13日下午，参加"和平－07"海上多国联合军事演习的中国海军舰艇编队启程回国。

3."和平使命－2007"联合反恐军事演习

2007年8月9日至17日，"和平使命－2007"联合反恐军事演习在中国乌鲁木齐和俄罗斯车里雅宾斯克举行。这次演习是中国人民解放军历史上第一次派

出较大规模的陆空军部队到境外参加的多国联合军事演习。演习旨在表明上海合作组织成员国共同应对新威胁、新挑战、维护地区安全与稳定、促进共同发展与繁荣的意志,共同打击"三股势力"的坚定决心和行动能力,反映成员国在防务安全领域的合作水平,彰显上海合作组织在维护地区和平与稳定,推动建设和谐世界、和谐欧亚地区中的重要作用。演习由哈萨克斯坦共和国、中华人民共和国、吉尔吉斯斯坦共和国、俄罗斯联邦、塔吉克斯坦共和国、乌兹别克斯坦共和国六国武装力量共同组织实施。有6500名军人和80架战机参加演习。中方参演兵力为1600人,包括1个陆军战斗群、1个空军战斗群和1个综合保障群。主要参演装备包括轮式步战车、轮式装甲车、突击炮、运输直升机、武装直升机、歼击轰炸机、运输机及伞兵战斗车等。上海合作组织成员国元首到车里雅宾斯克现场观摩。

联合军事演习分两大阶段:战略磋商和联合反恐战役的准备与实施。战略磋商阶段在中国乌鲁木齐举行,联合反恐战役的准备与实施在俄罗斯车里雅宾斯克举行。

中方参演部队以铁路、空中转场和空中输送等方式进行。7月20日,中国人民解放军参加联合反恐军事演习部队首批铁路输送的官兵在新疆吐鲁番启程,27日在满洲里换乘俄方提供的专列,开赴俄罗斯境内演习地域雅宾斯克州的切巴尔库尔演习场。整个行程5300余公里。30日,中方参演部队陆航分群空中转场第一梯队,从新疆阿勒泰机场起飞,穿越中俄边境海拔4374米的友谊峰西侧山谷,于北京时间30日20时10分抵达俄罗斯境内第一个转场机场巴尔瑙尔。8月3日,中国参演部队在演习地域集结完毕。

第一阶段:战略磋商。北京时间8月9日9时30分,战略磋商正式开始。哈萨克斯坦国防部第一副部长兼参谋长委员会主席阿尔腾巴耶夫、吉尔吉斯斯坦国防部第一副部长兼总参谋长尤加伊、俄罗斯国防部第一副部长兼总参谋长巴鲁耶夫斯基、塔吉克斯坦国防部第一副部长兼总参谋长纳德罗夫、乌兹别克斯坦国防部联合参谋部副总参谋长乌斯芒别科夫、中国人民解放军总参谋长梁光烈先后就国际和地区形势,特别是上海合作组织所在地区的安全形势以及各国武装力量以反恐为核心的防务安全合作发表意见。中国人民解放军副总参谋长、"和平使命—2007"联合反恐军事演习联合导演部中方总导演许其亮,俄罗斯联邦武装力量陆军副总司令、"和平使命—2007"联合反恐军事演习联合导演部俄方总导演莫尔坚斯科伊,分别就演习的企图立案、演习的准备与实施情况向上合组织成员国武装力量总参谋长作专题报告。

第二阶段:联合反恐战役准备与实施阶段。8月11日,联合反恐战役军事演习参演部队举行誓师大会。演习开始前,各国参演部队进行过三次演练。8月17日,实兵演习正式开始。

演习的具体构想是:A国恐怖武装在N国北部边境地区国际恐怖武装的支持下,依托城市和居民点,加紧构筑防御工事,控制交通要道,煽动民众与政府对抗。联合战役指挥部决定:集中使用力量,采取"空地一体、分进合击、聚力围歼"的战法,首先封控边境地区,夺取外围要点,分割包围恐怖武装;多渠道后多路突进,分区清剿,歼灭恐怖武装,恢复社会秩序。

8月17日13时,实兵演习开始。无人侦察机、武装直升机、歼击轰炸机率先出动,展开立体侦察和火力突击。接着·

轮式步兵战车、装甲运兵车、特种输送车、武装直升机出动,夺控要点。然后参演的多兵种、多火器分区清剿、立体追歼。15时整,在中、俄、塔地面部队和空、机降分队协同作战下,逃窜之敌被合围聚歼。实兵演练历经120分钟圆满结束。

"和平使命—2007"联合军演,是中国人民解放军第一次在境外参加的较大规模的陆空联合演习。胡锦涛对全体参演部队官兵表示慰问,祝贺他们出色完成了军演任务。中国国务院副总理吴仪,中央军委副主席、国务委员兼国防部长曹刚川等参加观摩。

此外,中国还与一些国家举行了双边或多边军事演习,主要有:2004年8月,中巴举行"友谊—2004"联合反恐军事演习。2005年11月至12月,中国海军与巴基斯坦、印度和泰国海军分别举行"中巴友谊—2005""中印友谊—2005"、"中泰友谊—2005"海上联合搜救演习。2006年9月,中国与塔吉克斯坦共和国举行"协作—2006"联合反恐军事演习。2006年9月和11月,中美两国海军先后在美国圣迭戈附近海域和中国南海海域举行海上联合搜救演习。2006年12月,中国和巴基斯坦联合举行"友谊—2006"联合反恐军事演习。2007年5月,中国海军参加第二届西太平洋海军论坛多边海上演习。2007年9月,中国海军与西班牙海军举行"中西友谊—2007"海上联合军事演习。2007年7月和2008年7月,在中国广州和泰国清迈分别举行"突击—2007"、"突击—2008"中泰陆军特种作战分队反恐联合训练。2007年12月和2008年12月,中国和印度在中国昆明和印度贝尔高姆地区分别举行"携手—2007"、"携手—2008"中印陆军反恐联合训练。

参加联合国维持和平行动

中国人民解放军自1990年至2008年共参加18项联合国维和行动,累计派出维和官兵11063人次,有8名维和官兵在执行任务中牺牲。截至2008年11月底,中国有1949名维和官兵在联合国9个维和任务区和联合国维和部队执行任务。

2005年3月24日,联合国安理会通过决议,授权在苏丹南部部署一支维和部队,帮助苏丹北南双方落实业已达成的和平协议,恢复当地秩序。同年3月29日,联合国维和机构要求中国派遣一支维和部队赴苏丹参加维和行动,中国人民解放军济南军区受命组建这支部队。2006年5月,435名中国维和军人(其中运输分队100人、医疗分队60人、工兵分队275人),首次奔赴苏丹执行维和任务。2007年和2008年,中国派出赴苏丹(瓦乌)维和部队,负责联合国苏丹特派团及其赋予的营区建设、道路修筑、机场维护、医疗救护、物资输送等维和保障任务。

2006年4月16日,中国维和工兵营抵达黎巴嫩的贝鲁特国际机场,前往位于黎南部的驻地哈尼亚特执行维和任务。参加黎巴嫩维和任务的中国维和工兵营由182人组成。这是中国第一支到中东地区执行联合国维和任务的部队。该营下辖一个排雷连、一个工程连、一个保障连和一个医院,它作为联合国驻黎巴嫩维和部队的组成部分,部署在黎巴嫩南部地区,执行排雷、修建和维护道路、建筑物、停机坪等任务,并承担对黎巴嫩南部地区的人道主义救助任务。此后,中国又派出了多批部队赴黎巴嫩执行维和任务。

十一

参加抢险救灾

2005 年 6 月,国务院、中央军委公布《军队参加抢险救灾条例》。2006 年 11 月,中央军委批准颁发《军队处置突发事件总体应急预案》。人民解放军专门组建了 19 支抗洪抢险专业应急部队。据不完全统计,2007、2008 年两年,军队和武警部队共计出动兵力 60 万人次、各型车辆(机械)63 万台次、飞机和直升机 6500 余架次,组织民兵预备役人员 139 万人次,参加抗洪、抗震、抗冰雪、抗台风和灭火等救灾行动 130 余次,抢救转移群众 1000 万人次。2006 年至 2008 年,人民解放军参加抢险救灾主要行动有:2006 年重庆地区抗旱救灾,2006 年中国南部部分地区抗台风救灾,2008 年南方部分省区抗冰雪灾害,2008 年四川汶川抗特大地震灾害。

1. 参加抗击冰雪灾害

2008 年 1 月,南方部分地区出现严重低温雨雪冰冻灾害,造成湖南、湖北、贵州、广西、江西、安徽等十几个地区不同程度受灾,交通受阻、电力中断、通信不畅、能源紧张,人民群众生产生活受到严重困扰。

中央军委和四总部迅速作出部署,24 小时之内全军和武警部队就出动 15.8 万名官兵、民兵预备役人员 30.3 万次,总部从被服仓库中紧急调运 41.9 万床棉被和 21.9 万件棉大衣运往南方灾区。中央军委派出 3 个工作组,分赴广东、湖南、江苏、安徽、湖北、贵州等受灾重点地区,实地指导部队抗灾救灾。180 多名将军靠前指挥,2200 多名师团领导带领官兵昼夜奋战在抗灾第一线。

此次抗击冰雪灾害斗争,人民解放军和武警部队主要担负疏通交通干线、救助受灾群众、恢复电力线路等急难险重任务,共投入 22.4 万人、民兵预备役人员 103.6 万人,派出军用运输机和直升机 226 架次,清理冰雪道路 3.6 万余公里,运送各种物资 6.2 万吨,共向灾区群众捐款 1.27 多亿元,捐献御寒衣被 150 多万件(套),派出 500 多批次医疗服务小分队,为夺取抗击冰雪灾害斗争的胜利作出重要贡献。

2. 参加四川汶川抗震救灾

2008 年 5 月 12 日下午 2 点 28 分,四川省汶川地区发生里氏 8.0 级地震。这次地震是新中国成立以来破坏性最强、波及范围最广、救灾难度最大的一次地震,灾区总面积约 50 万平方公里,地震波及四川、甘肃、陕西、重庆等 10 个省(区、市),受灾人数高达 4625 万多人。5 月 12 日晚,中共中央政治局常务委员会召开会议,全面部署抗震救灾工作。会议要求立即组织人民解放军、武警部队、民兵预备役和医疗卫生人员,尽快赶赴灾区,全力抢救受伤人员。

全军和武警部队迅速启动应急预案。总参谋部下达开展抗震救灾工作的紧急指示,在全军范围内紧急调集兵力支援灾区。总政治部及时发出做好部队抗震救灾政治工作指示,并派出工作组到一线指导。总后勤部火速调集大批救灾物资,组织全军医疗队随救灾部队陆续开赴灾区。总装备部为救灾部队调配的各种专业救灾器材,源源不断运往灾区。

地震发生 2 小时 07 分,成都军区 2 架直升机冒雨起飞查看灾情,驻灾区的 9100 名官兵紧急出征开赴一线;13 日凌晨 4 时 41 分,济南军区 1.8 万名官兵,通过铁路输送和摩托化行军方式,千里驰援灾区;有"铁军"称号的某红军师"秋收起义"团

300 名官兵,摩托化开进 1300 公里抵达震区彭州;14 日凌晨,2750 名海军陆战队官兵,分乘 200 多辆特种车辆,从广东湛江出发,43 小时穿越四省一市,长途奔袭 2000 余公里抵达灾区;空军部队星夜起航,至 14 日凌晨,出动各型运输机 34 架,在恶劣气候条件下飞行 79 架次,将在武汉、开封、洛阳集结的 10891 名官兵及装备,空运到成都附近 4 个机场;第二炮兵两支工程部队从国防施工一线携重型设备通过铁路输送到达,武警部队从国家经济建设前沿快速转战灾区;在陇南和陕南,兰州军区、空军及当地武警部队 4000 多名官兵也在第一时间迅速抵达灾区展开救援;解放军总医院高级专家医疗队、沈阳军区医疗队、"华益慰医疗救援队"等 103 支部队医疗队和 2 个野战医院也紧急赶到灾区。5 月 12 日,地震当天就有 2 万官兵抵达救灾现场。

5 月 14 日,经中央军委批准,总参谋部决定再向地震灾区增派 3.2 万人。5 月 15 日,中央军委再次调集 61 架军用直升机火速转场执行救灾任务,16 小时内从全国各地全部飞抵灾区。随后,中央军委决定动用军队战略储备,再次向灾区紧急空运 12700 顶班用帐篷、10 万份单兵作战食品、20 万件御寒衣被、18 辆医疗救护车、200 台野外发电机、200 台切割机、100 万双手套、100 万副口罩,共计 1450 吨急需物资器材。

人民解放军和武警官兵心系灾区人民安危,肩负党和人民期望,从高级将领到普通士兵,发扬英勇顽强、不怕牺牲、连续作战的战斗作风,承担起抗震救灾最紧急、最艰难、最危险的任务。英雄的人民子弟兵勇于突进震中地带,敢于跨越生死界线,克服千难万险,进入千村万户,为灾区人民带去生命的希望和生活的勇气。

此次汶川抗震救灾,人民解放军和武警部队共出动兵力 14.6 万人,动员民兵预备役人员 7.5 万人,动用各型飞机和直升机 4700 余架次,车辆 53.3 万台次,救出生还者 3338 人,转移受困群众 140 万人,运送和空运空投救灾物资 157.4 万吨。派出 210 支医疗队、心理救援队和卫生防疫队,巡诊医治受伤群众 136.7 万人。救灾部队严格执行群众纪律,将从废墟中清理出来的数亿元现金和大量贵重物品详细登记造册,如数移交物主或当地政府有关部门。人民解放军和武警部队官兵还向地震灾区捐款 4.27 亿元、捐赠衣被 2.1 万件(套),部队各级党组织和广大党员还交纳 9.64 亿元"特殊党费"支援抗震救灾。抗震救灾中,成都军区某陆航团邱光华、李月、王怀远、陈林、张鹏 5 位机组人员光荣牺牲,济南军区某红军师炮兵指挥连实习士官武文斌因长时间救灾过度劳累光荣牺牲。

7 月 20 日,中央军委主席胡锦涛签发《组织抗震救灾部队分期分批回撤》命令。明确在安排足够兵力确保圆满完成抗震救灾任务的前提下,按照"统筹安排、保障需要、区分缓急、分期分批"的要求,于 21 日开始,有计划组织部队分期分批回撤。10 月 8 日,中共中央、国务院、中央军委在北京人民大会堂隆重举行全国抗震救灾总结表彰大会。受到党中央、国务院、中央军委表彰奖励的共有 138 个救灾英雄集体和 236 个救灾模范。

十二

参加北京奥运安保

根据北京奥运会组委会的请求,人民解放军和武警部队积极参加奥运安保,支援奥运筹办，为 2008 年中国成功举办北京奥运会、残奥会作出了贡献。

在奥运安保工作中，人民解放军主要担负北京市及京外赛区的空中安全，濒海赛区及周边赛区的海上安全，参加处置核生化恐怖袭击和爆炸等恐怖事件，提供情报支援，组织抢险救援、医学救援和直升机运输，加强奥运会期间边境的管理和控制等任务。人民解放军共出动 4.6 万人，动用 98 架飞机、60 架直升机、63 艘舰船以及部分地空导弹、雷达和防化工程保障装备等。武警部队主要担负火炬接力传递保卫，比赛场馆、要人住地、涉奥机场警戒守卫，开闭幕式现场、重要外宾在华活动以及重大热点赛事活动警卫，与奥运密切相关的水、电、气、油、通信枢纽等重要民生目标以及京津冀人工消（减）雨地面火箭发射阵地守卫，配合公安机关担负各赛区周边、环京要道设卡堵截和赛区社会面武装巡逻，比赛场馆安全检查，反恐、反劫机、处置突发事件等任务。武警共投入 8.5 万官兵参加奥运安保，妥善处置各类有碍目标安全的情况近 300 起，查控禁带物品 9000 余件，限带物品 14 万余件。

在支援奥运筹办工作中，人民解放军和武警部队组织 1.4 万余名专业和群众演员，参加奥运会、残奥会开幕式、闭幕式大型文艺表演和仪式演奏。组织 6900 余名专业志愿者，担负交通保障、颁奖升旗、医疗救护、场馆服务等 84 个项目支援任务。驻京部队还先后出动官兵 67 万人次，参加首都机场航空走廊、国家奥林匹克森林公园等 36 个奥运重点工程建设。

"一国两制"在港澳的成功实践

香港于 1997 年回归祖国后走过了十几年不平凡的道路。"一国两制"、"港人治港"、"高度自治"的方针得到全面落实，中央政府严格按照"香港特别行政区基本法"办事，特区政府全面行使基本法授予的行政管理权、立法权、独立的司法权和终审权，香港居民享有广泛的民主权利和自由。香港继续保持原有的资本主义制度和生活方式，继续保持繁荣和稳定。

一

政治体制与首届特区政府

香港特别行政区由全国人民代表大会授权，依照基本法的规定，享有行政管理权、立法权、独立的司法权和终审权。

行政主导是香港政治体制的特点之一。行政长官不仅是特区政府首脑，也是包括立法机关和司法机关在内整个特区的首长。首任行政长官董建华于 1996 年 12 月 11 日由 400 人的推选委员会选出，受中央政府委任，任期 5 年。2002 年 7 月 1 日，董建华获连任。2005 年 3 月，他以健康为由辞职，由曾荫权接任。行政长官一职由中央政府任命，其产生办法根据特区实际情况和循序渐进的原则，最终达至由一个有广泛代表性的提名委员会按民主程序提名后普选产生的目标。

行政长官通过身边的咨询机构——行政会议来执政。行政会议的成员由行政长官任命,一般来自主要行政官员、立法会议员和社会人士。行政会议是行政长官制定政策的顾问团,任期不超过行政长官的任期。

行政机关分三个相对独立的层次。第一层次负责高层决策和协调,由政务、财政、律政三个司组成。首任司长分别为陈方安生、曾荫权、梁爱诗。第二层次由制定具体政策的16个局构成:公务员事务局、政制事务局、教育统筹局、民政事务局、规划地政局、房屋局、资讯科技及广播局、保安局、卫生福利局、运输局、环境食物局、工务局、经济局、库务局、财经事务局、工商局。第三层次为执行层,由几十个对应政策局的部门构成。

三司之外设有若干直接对行政长官负责的机构,如公务员叙用委员会、申诉专员公署、审计署、廉政公署、中央政策组等。

这些机构职务的名称多从港英政府改称而来。布政司改为政务司司长,财政司改为财政司司长,律政司改为律政司司长等。有些改名体现了非殖民化的原则,去掉了"皇家"、"总督"等前缀。另外,机构职能也根据新的情况作了局部调整。

总的来说,特区政府承袭了港英政府的行政体制,体现了"基本不变"这一原则。要说"变",最大的变化是设立了行政长官制。行政长官制体现了"港人治港"取代"英人治港"的原则。行政长官既对中央政府负责,也对香港特区负责。根据基本法,行政长官向中央政府提请任命或建议免除各司司长、副司长,各局局长,廉政专员,审计署署长,警务处处长,入境事务处处长,海关关长。行政长官还可依照法定程序自行任免各级法院法官和公职人员。

虽然行政长官享有如此广泛的行政主导权,但面对庞大的公务员队伍,在特区政府成立初期,他一般只能接受文官升迁规则导致的结果。所有的政策局只对司长负责,而任期制的行政长官则要面对领导十几万公务员的常任制司长。

为了推动新旧制度的衔接,2002年7月,董建华在他第二个任期开始时对行政体制作了重要改革,实行了高官问责制。主要内容是:所有司、局长由公务员改为行政长官以合约方式任用的政治官员,任期不超过本届行政长官;各局长由对司长负责改为同司长一起,直接对行政长官负责,各自承担政治责任;行政长官可以从公务员队伍中也可以从社会上任用司局长;原公务员局长一职改为各局常任秘书长,职责是带领属下公务员执行问责局长的决策,代表局长回答立法会的质询;将16个政策局合并为11个局,加上3个司长,共14位问责制官员一起进入行政长官领导的行政会议。

问责制既强化了行政长官的领导权威,又向11位局长下放了权力,使他们与行政长官共同承担"一国两制"的政治责任,把旧的公务员体制与新的行政长官制度较好地结合起来。董建华之后,继任行政长官曾荫权继续加强了这一制度。

特区的立法机构是中国政府"另起炉灶"建立起来的。1992年10月,末代港督彭定康推行"三违反"的"政改方案"①,单方面提升立法局地位,改变传统的行政主

①　即违反中英两国政府关于香港问题的联合声明的有关规定和精神,违反英方关于要使香港政制发展同基本法衔接的承诺,违反中英双方已达成的有关谅解。

导,试图自搞一套立法班底强加于未来的特区政府。中国政府被迫放弃原来设想的由末届立法局议员直接过渡为特区首届立法会成员的"直通车"方案,改由香港特别行政区筹委会按照基本法的规定"另起炉灶",成立临时立法会在回归之日取代立法局接管香港立法权。

1996年12月21日,香港特区第一届政府推选委员会选出临时立法会议员(以下简称"临立会"),共60名,与立法局相等。34名立法局议员报名参选临立会,33人当选,包括立法局主席黄宏发。1997年1月25日,临立会议员选出临立会主席范徐丽泰。

临立会一成立便开始了面向特区的立法工作,任务是根据《基本法》及其全国人大香港特区筹委会的实施意见修订现行港英法例,为1997年的接管作准备。至回归前,共修订了13项这样的条例草案。1997年7月1日凌晨2时45分,临立会召开了回归后的首次会议,三读通过特区政府律政司长梁爱诗提交的《香港回归条例草案》。该草案确认13项修订条例草案在获行政长官签署生效后公布,同意香港特区终审法院首席法官、常任大法官、香港特区高等法院首席法官的任命,规定维持香港现有法律、法律制度与程序延续性的各项过渡事宜。

英国政府对临立会的成立非常不满,反指责中方违反《基本法》。回归当月,临立会的合法性也遇到了司法方面的挑战。在香港特别行政区诉马维騉〔1997〕HKC315的刑案中,被告律师认为所控罪行是普通法中的罪行,虽然《香港回归条例》把前殖民地法律采用为香港特区法律,但临立会不是依据《基本法》成立的立法机关,它通过的《香港回归条例》没有法律效力。上诉法院裁决,临立会由筹备委

员会行使全国人大按照中国法律授予的权力依法成立,亦在1997年3月14日为全国人大会议所确认。基于上述事实,临立会通过的法例具有法律效力。这项裁决确立了香港特区的法治和司法独立,为香港法制发展铺平了道路。

在回归后的一年中,临立会共处理了50宗法案,省览了343项附属法例,通过修订、废除全面清除了与基本法相抵触的前殖民地法律和条例,为香港的平稳过渡和保持繁荣提供了法律保障。

1998年6月,香港特区选举产生了首届正式立法会,投票人数达到空前的1489705人,总投票率为53.29%,完全按照《基本法》附件二《香港特别行政区立法会的产生办法和表决程序》选出了60名议员。其中30人由功能团体产生,10人由选举委员会选出,20人由地方分区直选产生。首届立法会任期两年,从2000年6月第二届立法会起,以后每届任期4年。根据《基本法》"香港特别行政区的实际情况和循序渐进的原则",第二届立法会选举规定60个议席中,30席由功能团体产生,6席由选举委员会选出,24席由地方分区直选产生。2004年第三届立法会的选举废除了选举委员会的选举,分区直选和功能团体各选30席。2008年第四届立法会和2012年第五届选举依然照此比例。

《基本法》规定的立法会产生办法,其目标是最终达到全部议员由普选产生。把握这一进程是中央政府的责任,由全国人大常委会主导。2007年12月29日全国人大常委会通过《关于香港特别行政区2012年行政长官和立法会产生办法及普选问题的决定》,决定香港可以于2017年普选产生行政长官,之后可以实行全部议员由普选产生。

立法机构是香港各种政治力量汇集

之处,其成分比例和政治倾向对特区稳定影响甚大。在港英末届立法局中,亲英的泛民主派占优势,共 31 席。中、左派占 29 席。特区立法会扭转了这一倾向。第一届立法会,中、左派占 40 席。其中民建联 10 席,自由党 10 席,港进联 5 席,早餐 5 席,劳联 1 席,其他 9 席。泛民主派共占 20 席。其中民主党 13 席,前线 4 席,民权党 1 席,其他 2 席。第二届立法会,中、左派力量共 39 席。其中民建联 11 席,自由党 8 席,港进联 5 席,早餐 8 席,劳联和工联会各 1 席,其他 5 席。泛民主派共 21 席。其中民主党 12 席,前线 2 席,职工联 2 席,民协和街工各 1 席,其他 3 席。第三届立法会,中、左派共占 35 席。其中民建联 10 席,自由党 10 席,早餐 4 席,工联会 3 席,劳联 1 席,其他 7 席。泛民主派共 25 席。其中民主党 9 席,四十五条关注组 4 席,职工联 2 席,前线、民协、街工、四五运动各 1 席,其他 6 席。第四届立法会,中、左派力量共 37 席。其中民建联 10 席,自由党 7 席,工联会 4 席,泛联盟 3 席,汇贤智库、西九新动力、劳联各 1 席,独立人士 10 席。泛民主派共 23 席。其中民主党 8 席,公民党 5 席,社民联 3 席,职工盟、前线、民协、街工、公民起动、社总和独立人士各 1 席。总的来说,立法会实现了以爱国爱港者为主体,同时也融进了亲英的消极力量,甚至反共分子,只是将其控制在一定范围。

特区的司法制度完整地保留了港英时期独立的司法体系。所不同的是,港英最高法院不享有司法终审权。这项权力始终掌握在英国枢密院司法委员会手里。回归后,中央国家权力机关把司法终审权授予了香港特区,并特设了终审法院,以取代原有的最高法院。

特区法院的组织体系分三层。最高层是终审法院,首席法官李国能。中层是高等法院,设上诉法庭和原诉法庭,对民事、刑事案件行使审判权。下层由区域法院、裁判署法庭和其他专门法庭构成。

战胜亚洲金融危机

香港回归时正值亚洲金融危机蔓延。这次危机实际上是西方投机家利用经济全球化的规则,以做空当地股市和货币为手段,攻击亚洲经济的弱点,从而实现财富从东方到西方的转移。1997 年 1 月,以索罗斯为代表的西方金融炒家拿最弱的泰铢开刀,半年后得手。香港回归第二天,泰国被迫放弃固定汇率,实行汇率浮动,泰铢兑美元的汇率当天下跌 17%。西方金融炒家趁乱开始狙击菲律宾、印尼、马来西亚、新加坡、韩国以及中国台湾地区。这些国家和地区的汇率相继失守。

香港回归之初经济状况良好,在一片混乱之中鹤立鸡群,8 月 7 日恒生指数竟创下了 16673 点历史新高,第三季度香港 GDP 的季增长率仍保持在 5.8%。但是好景不长,从 1997 年 10 月起,情况开始恶化。10 月 17 日,拥有 800 亿美元外汇储备的新台币突然失守,一天之内对美元贬值 3.46%。10 月 20 日,国际炒家转向香港,矛头直指联系汇率制。他们在世界范围内疯狂地沽空港币,并且汇市、股市、期市三管齐下。几天之内,港元对美元现汇迅速低至 7.8∶1,而远期汇价则下探到 8.44∶1。10 月 23 日,香港恒生指数大跌 1211.47 点,10 月 28 日又暴跌 1438 点,跌至 8775 点。

面对国际炒家的连番进攻,10 月 24 日行政长官董建华重申特区政府捍卫联系汇率制的决心。在特区政府的支持下，香港财务司和金融管理局采取了抛售美元回收港元、提高港元利率、减少港币供应量等反制措施。两天内便抛售了36亿美元的外汇储备，使港元汇率回升至7.5：1的高位。但是在汇市上遭到惨败的国际炒家却在香港股市上获利后席卷而去。年底，恒生指数和楼市价格从最高点分别下跌20.3%和25%。

1998年香港经济进入负增长的衰退时期，全年GDP为-5.3%，较上年下降10个百分点。第三季GDP的季增长率更是降至-7.5%，较上年同期直泻12个百分点。国际炒家狂妄地把香港金融市场称为可以随时光顾的"自动提款机"，通过传媒唱衰港币。他们把宝押在回归前香港经济的泡沫上，认为港元与美元挂钩成本高昂，难以支撑，于1998年8月调集资金对港元发起了势头更猛的第二波冲击。这次他们变换手法，一是在纽约、悉尼、香港、伦敦汇市上24小时狂沽港元，推高同业银行拆息，二是在香港抛售港元，在股市上抛售恒指期货和股票现货，压低股票价格。三是大肆鼓噪港元与美元脱钩的消息，动摇港人信心。8月中旬，恒生指数洞穿7000点，下跌至6600点。虽然金管局依靠雄厚的外汇财力可以不断收回港元，但不能制止基本货币减少造成股市资产的瞬间蒸发和楼市资产的大幅贬值。如果股市崩盘，可能引发整个金融体系的瘫痪，香港国际金融中心的地位将不复存在。

在这种情况下，特区政府多次召开紧急会议商量对策。当时港人的主要顾虑是自由主义信条。曾荫权后来回忆说："我很信一个自由经济的政府在市场领域

是不应该干预不应该插手的，但是当时的市场完全破坏了，不能不做事。"特区政府终于不顾西方国家质疑，在中央政府的大力支持下，决定动用财力坚决干预市场，不惜一切代价捍卫联系汇率制。

特区政府是有条件这么做的。首先，香港回归时，中央政府向特区政府移交了4575亿港元的巨额财政储备，到1998年，香港储备了近900亿美元的外汇资金；二是中国政府实行了人民币不贬值的政策，大大减缓了特区政府的外部压力；三是1998年3月19日，朱镕基总理在记者会上向世界宣布"中央将不惜一切代价维护香港的繁荣稳定，保护它的联系汇率制度"，[①]为特区政府绞杀金融大鳄提供了实质保证。

从1998年8月14日到28日的两周内，特区政府先后动用1181.2亿港元的外汇储备，在股市上陆续购入精选的33种蓝筹股股票，把股市从8月13日的6600点拉升至8月22日的7829点。28日为期指结算日，港股出入资金达790亿港元，成交量创历史新高。

这一仗为资本主义市场经济开创了一个政府挽救市场的成功案例。在亚洲各国相继失败，而西方国家的建议又不灵的背景下，香港成功击退了国际炒家。索罗斯为首的量子基金等损失惨重，被迫离场。这是他们兴风作浪以来的首次失败。香港的联系汇率制及其国际金融中心的地位得以坚持，也使港人在经济衰退中看到了复苏的希望。而特区政府在股市探底时低成本持有的33种优质蓝筹股则随着情况的好转给政府带来了丰厚的财政收益。到1999年6月21日，这些股票的市值已升至2127亿港元，赢利达939

---

① 1998年3月19日，朱镕基总理等答中外记者问，《人民日报》，1998年3月20日。

亿港元。

<h2 style="text-align:center">三</h2>

三次人大释法

《香港特别行政区基本法》是一部国家权力机关授权香港特区实行高度自治，使其享有行政管理权、立法权、独立的司法权和终审权的宪法性法律，它在授出各种权力之后仍然保持着国家权力机关对香港特区的最高管辖权。10 年来，全国人大常委会解释《基本法》成为国家权力机关对香港特区行使管辖和从事宪制活动的重要形式。这样的释法共进行了三次。

第一次释法发生在 1999 年，涉及香港终审法院关于居港权的司法解释。

居港权问题涉及港人在内地所生子女来港居留的权利。《基本法》把这些子女在港英时期不享有的这项权利给予了他们，但由于规定不详，引起了具体哪些人才符合法定条件而享有这项权利的争议。这是香港回归后连续出现的重大民生问题。1998 年，特区政府因试图遣返一批没有取得特区居留权证书的港人在内地所生子女，被其中的吴嘉玲等人以特区政府剥夺他们依法享有的居港权为由告到法院，并上诉至终审法院。1999 年 1 月 29 日终审法院判决特区政府败诉，因为遣返所依据的特区临立会制定的《1997 年人民入境（修订）（第 3 号）条例》的相关规定与《基本法》相抵，是违宪和无效的。首席法官李国能声称："香港法院有权审核特区立法机关所制定的法例或行政机关之行为是否符合《基本法》，倘若发现有抵触《基本法》的情况出现，则法院有权裁定有关法例或行为无效。"又说："特区法院是否具有司法管辖权去审核全国人民代表大会或其常务委员会的立法行为……依我之见，特区法院确实有此司法管辖权，而且有责任在发现（与《基本法》）有抵触时，宣布此等行为无效。"

这一判决引起了两大问题。其一，关于特区法院可以审核全国人大及常委会立法行为的判词既与主权及其授权概念相抵，也违反《基本法》第 158 条"本法解释权属于全国人民代表大会常务委员会"的具体规定，结果在内地和香港各界引起轩然大波。在特区政府的要求下，终审法院于 1999 年 2 月 26 日作出以下澄清：特区法院的司法管辖权来自《基本法》，在审理案件时所行使解释《基本法》的权利来自《基本法》第 158 条第二和第三款的授权；1 月 29 日的判词没有质疑人大常委会根据第 158 条所具有解释《基本法》的权力；如果人大常委会对《基本法》作出解释，特区法院必须以此为依归。

其二，关于居港权的判决，特区政府在 1999 年 4 月 28 日公布的评估报告中指出，如果执行终审法院对《基本法》的解释，那么未来 10 年便会有 167 万大陆居民来港定居，这将严重影响香港的稳定与繁荣。1999 年 5 月 20 日特区行政长官向国务院提交了一份报告，请求中央人民政府协助解决实施《基本法》有关条款遇到的问题。6 月 11 日，国务院向人大常委会提请解释这些条款。6 月 26 日人大常委会作出了解释，指出终审法院 1 月 29 日判决所解释的《基本法》有关条款，涉及中央管理的事务和中央与香港特别行政区的关系，终审法院在判决前没有依照《基本法》第 158 条第 3 款的规定请全国人大常委会作出解释，而终审法院的解释又不符合立法原意。经征询全国人大常委会香港基本法委员会的意见，全国人大常委会决定，对《基本法》中有关内容作出解释。这个解释澄清了《基本法》中"中国其他地区的人进入香港特别行政区须办理批准手续"以及"香港特别行政区永久性居民"的定义,使两年来困扰港人的居港权问题最终得到解决。

第二次释法是关于2007年以后行政长官和立法会产生办法的解释,发生在2004年上半年。当时七一游行刚过,泛民派的政治影响上升。由于《基本法》允许2007年行政长官和立法会的产生办法可以不同于前两届,泛民派提出了2007年实行"双普选"的政改要求,将"双普选"作为再次鼓动港人反对中央和特区政府的政治纲领,试图通过普选控制行政管理权和立法权。

《基本法》附件一第七条和附件二第三条对两个产生办法的表述分别是"2007年以后各任行政长官的产生办法如需修改,须经立法会全体议员三分之二多数通过,行政长官同意,并报全国人民代表大会常务委员会批准","2007年以后香港特别行政区立法会的产生办法和法案、议案的表决程序,如需对本附件的规定进行修改,须经立法会全体议员三分之二多数通过,行政长官同意,并报全国人民代表大会常务委员会备案"。

对这两个条款的不同理解和认识,主要集中在四个问题上:①"2007年以后"是否含2007年;②"如需"修改是否必须修改;③由谁确定需要修改及由谁提出修改法案;④如不修改是否继续适用现行规定。

2004年4月6日,全国人大常委会针对香港政制发展中脱离中央主导权和《基本法》的错误倾向,根据部分全国人大代

表的意见,自行启动了《基本法》的解释程序,对上述四个问题作出明确回答。4月26日,全国人大常委会审议行政长官提交的报告,决定2007年行政长官和2008年立法会的选举不实行双普选。全国人大常委会副秘书长乔晓阳指出:推进香港民主逐步向前发展是中央一以贯之的方针政策。回归6年多来,香港的民主一直在中央的支持下按照《基本法》规定的步骤向前发展。毫无疑问,香港目前的民主水平是香港历史上从未有过的,而这些进步无不是在中央支持下取得的,今后中央也必将会一如既往地支持按照《基本法》的规定不断推进香港民主向前发展。① 这次释法明确了香港的政治体制是由全国人大依据宪法的规定,通过《基本法》予以确定的,中央对香港政治体制的发展具有主导权和决定权。

第三次释法发生在2005年4月27日,十届人大常委会应代理行政长官曾荫权经国务院提出的请求,就行政长官任期未满缺位情况下新行政长官的任期问题解释《基本法》第53条第二款。

2005年3月10日,董建华辞去行政长官一职。依照《基本法》第53条的规定,政务司长曾荫权代理行政长官;新任行政长官则应在6个月内由行政长官选举委员会产生。此前必须先决定新任行政长官的任期,但《基本法》没作明文规定。特区政府认为在行政长官缺位情况下,新行政长官的任期应是原行政长官任期的剩余部分,即"两年半",到2007年6月止。有些人不同意这种意见。他们依据《基本法》第46条的规定主张任期仍然为5年。这种分歧本来可在香港特区"高度自治"

---

① 罗政:《乔晓阳一行就全国人大常委会关于香港特区2007年行政长官和2008年立法会产生办法有关问题的决定与香港各界会面》,见《人民日报》,2004年4月27日。

范围内,通过修订《行政长官选举条例》有关规定把任期明确下来而获得解决。但由于以下原因,这一分歧成为除非人大出面释法否则将可能导致宪政危机的重大问题。原来,本届选委会的任期截至2005年7月13日届满,新任行政长官必须在7月10日前产生。这就是说,留给修订《行政长官选举条例》的时间不多。已有立法会议员及个别市民公开表示将就《条例》的修订草案提出司法复核。4月4日,法庭已收到一份司法复核申请。更有人指责"两年半"不过是中央操控行政长官人选的一种政治安排,想考察曾荫权能否胜任。因此,特区政府面对两个问题:其一,为确保修订草案的立法程序如期完成,需要有一个对《基本法》有关条文的权威性及决定性的法律解释,方可为这一立法提供稳固的基础。其二,如出现司法复核情况,司法程序一经展开,需要一段较长时间才能完成,极有可能不能依法在7月10日如期选出新的行政长官。为此,4月6日,代理行政长官曾荫权提请国务院请求人大常委会出面释法。人大常委会的解释支持了"剩余任期"的意见,因为选委会的任期也是5年。

三次人大释法明确了中央权力机关的责任,提高了基本法的权威,化解了香港自己无法解决的难题,增强了香港居民对"高度自治"的理解,推进了香港法制。

四

内地与香港签署《关于内地与香港建立更紧密经贸关系的安排》

2003年,经济衰退、SARS袭击和23条立法三大问题汇集香港,特区政府经历了前所未有的考验。

香港回归后有过两次经济衰退。第一次从1997年10月始,经1998年全年GDP负增长,到1999年4月。之后到2001年6月,香港经济出现过一个小阳春,GDP增长率最高回升到两位数,达10.5%(2000年)。第二次经济衰退从2001年7月开始。主要原因是亚洲金融危机、美国"9·11"事件和美国泡沫经济破灭等因素导致外部需求疲软,影响到以金融为支柱的香港经济。到2003年,香港失业率高达7.9%;住宅、写字楼价格大幅下降,分别为1997年的62.2%和70.7%,等于滚动下跌三次,每次三分之一。房价下跌的结果不能使大家都买得起房子,而是让家庭因负债加重而变得更穷。如果你不仅付不起按揭购房的月供,而且把房子卖掉、拿出全部财产也抵偿不了购房贷款和利息,那就处在一种资不抵债的负资产状态。香港金融管理局的资料显示,2003年6月共发生了105,697宗负资产按揭,占所有按揭的22%,涉及金额1,650亿港元。以每宗负资产按揭代表一个家庭,每家3—5口计算,约20—30万人沦为"负资产阶级"。

同年3月,源于华南地区的非典型性肺炎袭击香港,使经济困难雪上加霜。特区政府采取了积极有力的应对措施,医护人员坚守岗位,社会各界群策群力,终于控制住了疫情。"非典"先后夺去299名港人的生命,重创了香港的旅游业、零售业、餐饮业和娱乐业。

同年6月,疫情刚过,香港社会围绕国家安全立法问题的政治争议进入了高峰。背景如下:

《基本法》第23条规定香港特别行政区应自行立法禁止危害国家安全的七种罪行,即禁止任何叛国、分裂国家、煽动叛乱、颠覆中央人民政府及窃取国家机密的行为,禁止外国的政治性组织或团体在香港特别行政区进行政治活动,禁止香港特别行政区的政治性组织或团体与外国的政治性组织或团体建立联系。2002 年 9 月 24 日,特区政府公布《实施基本法第 23 条咨询文件》,征求全体港人对国安立法的意见。公众对咨询反应热烈,社会各界提出了许多宝贵意见和建议。在为期 3 个月的咨询期间,共收到 9 万多份意见书、20 多万个签名,此外还有 800 多个社团以团体形式递交了意见书。这些意见书绝大多数表示支持就《基本法》第 23 条立法,并且对立法的取向、途径、内容提出了相当明确具体的意见。尽管如此,当特区政府于 2003 年 2 月 26 日把咨询后形成的《国家安全(立法条文)条例草案》提交立法会首读和二读审议时,其中一些条款还是引起了很大争议。

2003 年 6 月,当"非典"疫情解除后第 23 条立法问题重新提上审议日程时,争议再起。泛民派强烈反对《条例草案》,为经济衰退和疫情夹击下的香港公众提供了机会发泄不满,导致 7 月 1 日数十万人上街游行。游行队伍的主要成分是困境中的中产阶级,他们大多数人借此表达了对经济现状和生活水平下降的不满以及多方面的诉求,并非如泛民派和西方媒体所说针对 23 条立法。

为了社会和谐与稳定,特区政府于 7 月 7 日凌晨宣布无限期押后提交《条例草案》二读。9 月 5 日,行政长官董建华宣布,鉴于香港社会对该项立法的具体条文仍存在一些疑虑,为了使社会大众有足够时间了解和思考,决定撤回《条例草案》。相信经过向社会各界充分咨询后,该项立法一定能够取得广大市民的理解和支持,并最终顺利完成。他还表示,特区政府更加需要社会、政府、各阶层市民和工商界把精力集中到发展经济、增加就业上来。中央政府为帮助香港经济复苏,大力推出一系列措施,香港经济开始出现新的景象。我们应该抓住这个难得的机会,充分发挥自身的优势,把经济转型工作向前推进。

香港的经济困难和港人的诉求始终受到中央政府的关怀。中央政府采取了多种措施促进香港的经济复苏和民生改善。其中最重要的决策是 2003 年 6 月 29 日和 9 月 29 日,中央政府根据特区政府请求,从战略高度出发,经过多年调研与协商,同特区政府签署了《关于内地与香港建立更紧密经贸关系的安排》(简称 CEPA),于 2004 年 1 月 1 日开始分期实施。CEPA 是一项消除两地要素流动不对称和发挥各自优势的安排,类似建立自由贸易区,涉及金融、商品、旅游、服务、关税、投资等各个方面。CEPA 极大地带动了香港经济。CEPA 不仅符合 WTO 原则,而且单方面给香港以特殊优惠,使香港能够充分分享大陆高速发展的成果。而对中国的和平发展与统一大业来说,香港的繁荣仍然具有不可取代的战略意义。CEPA 几乎起到立竿见影的效果。借助 2003 年第四季的强劲反弹,香港进入了长达几年的持续增长。2004－2007 年,香港本地生产总值分别比上年增长 8.1％、7.3％、6.8％、6.3％。① 经济的发展和民生的改善扭转了香港的信心指数。回归 10 周年的一项调查显示,香港居民中对中央政府的信任程度达到 58％,对"一国两制"的信

① 根据特区统计处 2005 年 3 月 31 日和 2006 年 3 月 28 日,特区财政司 2006 年 2 月 28 日和 2008 年 2 月 27 日宣布的数字。

心达到 78%，对香港前途和中国前途的信心分别达到 83% 和 88%，均创历史新高。[①]

2007 年 7 月 1 日，胡锦涛在庆祝香港回归祖国 10 周年大会暨香港特别行政区第三届政府就职典礼上概括了香港回归后实行"一国两制"的主要经验：①坚持全面准确地理解和贯彻执行"一国两制"方针。②坚持严格按照基本法办事。③坚持集中精力发展经济、改善民生。④坚持维护社会和谐稳定。

五

"一国两制"与回归后的澳门

澳门接踵香港于 1999 年 12 月回归祖国后，"一国两制"方针成功地付诸实践。中央政府和澳门特区政府各司其职，严格按照澳门特别行政区基本法办事。中央不干预澳门自治范围内的事务，特区政府实行"澳人治澳"、高度自治。所有居民依法享有广泛的自由和民主权利，履行相应义务。澳门原有的社会制度、经济制度不变，生活方式不变，文化传统和特色不变，并得到进一步的发展。

澳门原非香港那样成功的资本主义社会，现代化程度仅处在中低阶段。回归前几年，在亚洲金融危机的影响下，澳门经济更是逐年放缓，连续多年处于负增长状态，失业率高，黑社会猖獗，治安状况恶化，遗存问题很多。回归实现了澳门同胞的夙愿，也使澳门进入了高速发展的历史时期。特区政府在中央政府的关怀下和内地周边省份配合下，率领澳人，上下一致，一边治理历史遗存问题，一边谋取未来发展大计，很快取得了显著的成效。

一是大力整治警务组织，加强粤澳合作，与珠、港联手打击跨境犯罪活动，基本解决了治安痼疾，使澳门成为世界上最安全的城市之一。二是发展经济，改善民生，加强澳、港和内地多方位的交流合作，使澳门融入珠三角经济带的发展。2003 年 10 月 17 日，中央政府与特区政府签署《内地与澳门关于建立更紧密经贸关系的安排》，内容与香港 CEPA 基本相同，两个 CEPA 同时实施。这些措施扭转了回归前负增长的趋势，使澳门进入了持续的两位数增长轨道。2004 年澳门 GDP 增长率达到惊人的 27%。三是改革与发展旅游博彩业，取消或限制专营，引入竞争，开放博彩市场，修订相关法规，发展服务设施，提振澳门经济。四是利用葡语文化优势，加强对外经济文化联系。澳门已成为中国联系覆盖两亿人口横跨四大洲八个国家和地区的葡语世界的重要纽带。五是发展澳台关系。赴澳台胞已占澳门国际机场客运量的 75%。澳门为两岸关系的发展提供了重要平台。六是 2009 年 1 月 7 日，澳门特区立法会先于香港高票通过《维护国家安全法》法案。

新时期大陆
对台政策新思维

2002 年 11 月党的十六大召开以来，以胡锦涛为总书记的新一届中央领导集

---

① 《信报》，2007 年 4 月 27 日。

体牢牢把握国家总体发展战略,准确判断台海形势,认真总结对台工作经验,在继承江泽民八项主张的基础上,又灵活务实地提出了对台工作的新思想、新主张、新论述,并据此推出、实施一系列惠台政策措施,不仅有效打击了"台独"分裂势力,而且开启了两岸关系迈向和平发展之路的大门。尤其是2008年5月国民党重新执政以后,大陆审时度势,抓住岛内政局发生重大积极变化的历史性机遇,在秉持"建立互信、搁置争议、求同存异、共创双赢"的方针下,重启两岸两会制度性协商,促成两岸全面实现"三通",并不断推进两岸关系进入大交流、大合作、大发展的历史轨道。

自2002年底以来,以胡锦涛为总书记的新一届中央领导集体,针对国内和国际两个大局,以及两岸关系形势的发展变化,在坚持一个中国原则坚定立场的前提之下,解放思想、实事求是,形成了以胡锦涛关于新形势下发展两岸关系的四点意见、《反分裂国家法》、党的十七大政治报告、胡锦涛纪念《告台湾同胞书》发表30周年座谈会上的重要讲话等为核心的对台战略新思维,对遏制"法理台独"、促进两岸关系和平发展意义重大。

一

把"反独"、"遏独"作为首要任务,将台湾问题视为国家核心利益

自2002年8月抛出"一边一国论"后至2008年5月下台之前,陈水扁不仅拒不承认"九二共识",在岛内全面推动"去中国化"的"渐进式台独"活动,还在2004年前后推动"公投制宪",2004年"大选"当天举办带有"统独"意涵的"和平公投"。实现连任后,陈水扁推进"台独"的步伐明显加快,"台独"分裂活动日渐猖獗。特别是陈水扁当局通过推动所谓"宪政改造"、"入联公投"、"以台湾名义加入联合国"等"台独"分裂活动谋求"台湾法理独立",对我国国家主权和领土完整构成严重危害,严重威胁台海地区乃至亚太地区的和平稳定。

以胡锦涛为总书记的党中央根据两岸关系发展形势的复杂变化,作出了"台湾问题涉及中国的核心利益","当前对台工作的首要任务是反对和遏制'台独'分裂势力及其活动"的重大科学论断,一次次挫败了"台独"分裂势力的分裂图谋。

2004年5月17日,距离陈水扁5月20日举行"就职典礼"还有三天,中共中央台湾工作办公室、国务院台湾事务办公室受权就当前两岸关系问题发表声明(以下简称"声明")。"声明"指出:"坚决制止旨在分裂中国的'台湾独立'活动,维护台海和平稳定,是两岸同胞当前最紧迫的任务"。"声明"强调,"台独"没有和平,分裂没有稳定;"在中国人民面前,没有任何事情比捍卫自己国家的主权和领土完整更为重要,更加神圣";如果台湾当权者铤而走险,胆敢制造"台独"重大事变,中国人民将不惜一切代价,坚决彻底地粉碎"台独"分裂图谋。这一先发制人、积极主动的政策宣示严重震撼了"台独"分裂势力。2004年11月19日,胡锦涛在智利首都圣地亚哥会见新加坡总理李显龙时曾两次提道:"台湾问题涉及中国的核心利益,必须谨慎处理。"2005年1月28日,全国政协主席贾庆林在纪念江泽民发表《为促进祖国统一大业的完成而继续奋斗》十周年的重要讲话中指出,维护国家主权和领土完整,是一个国家、一个民族的核心利益。我们愿继续以最大的诚意、尽最大的努力

争取和平统一的前景,但我们绝不容忍"台独",绝不允许任何人以任何方式把台湾从中国分割出去。2008年3月4日,中共中央总书记、国家主席、中央军委主席胡锦涛在看望参加全国政协十届三次会议民革、台盟、台联界委员,并参加联组会时,就新形势下发展两岸关系提出的"四点意见"(以下简称"四点意见")中第四点指出"反对'台独'分裂活动决不妥协"。胡锦涛强调,维护国家主权和领土完整,是国家的核心利益。任何人要危害中国的主权和领土完整,13亿中国人民坚决不答应。在反对分裂国家这个重大原则问题上,我们决不会有丝毫犹豫、含糊和退让。"台独"分裂势力必须放弃"台独"分裂立场,停止一切"台独"活动。2005年,《反分裂国家法》首次以法律的形式对"台独"分裂势力及其活动画出红线,这是大陆将"遏独"视为国家核心利益的最高体现。《反分裂国家法》第八条明确规定,"台独"分裂势力以任何名义、任何方式造成台湾从中国分裂出去的事实,或者发生将会导致台湾从中国分裂出去的重大事变,或者和平统一的可能性完全丧失,国家得采取非和平方式及其他必要措施,捍卫国家主权和领土完整。

2007年春夏以来,陈水扁当局无视各方警告,肆无忌惮地推动"入联公投"、"以台湾名义加入联合国"等"台独"分裂活动。对此,胡锦涛、吴邦国、温家宝、贾庆林、曾庆红等中央领导人多次重申绝不容忍"台独",绝不允许任何人以任何方式把台湾从中国分割出去的立场和态度。2007年9月6日,国家主席胡锦涛在出席亚太经合组织第十五次领导人非正式会议时严正指出,我们必须对台湾当局提出更加严厉的警告,搞任何形式的"台独"分裂活动都是绝对不能得逞的。2008年3月4日,胡锦涛强调,"台湾问题事关祖国的完全统一,事关国家核心利益"。"台独"分裂活动已成为对国家主权和领土完整的最大祸害、对两岸关系发展的最大障碍、对台海地区和平稳定的最大威胁。只有坚决遏制"台独"分裂活动,才能实现两岸关系和平发展的前景,才能维护两岸同胞的福祉。[①]

以国家核心利益概念取代过去传统的"台湾是中国神圣领土"的讲法充分说明了台湾问题的核心价值所在,敏感性所在,重要性所在。把"反独"、"遏独"作为阶段性的首要任务,这是前所未有的,体现了新一届中央领导集体对两岸局势的清醒认识。

中国人民反对"台独"分裂活动、捍卫国家主权和领土完整的正义事业得到了国际社会的普遍理解和支持。美国、欧盟、俄罗斯、日本、澳大利亚、新加坡等纷纷重申坚持一个中国政策,反对陈水扁"台独"分裂活动,陈水扁当局历年提出的以观察员身份"加入世界卫生组织"以及所谓"加入联合国"的提案均被否决。2008年3月22日,陈水扁顽固推行的"入联公投"以失败而告终,"法理台独"遭受重挫。民进党也因候选人谢长廷选票大幅落后于国民党候选人马英九而使"台独政权"得以终结,祖国大陆"反独"、"遏独"取得了阶段性的重大胜利。

---

① 新华社电:《胡锦涛强调,牢牢把握两岸关系和平发展的主题》,2008年3月5日。

二

对台政策的法制化

2005 年 3 月 14 日，十届全国人大三次会议审议并以赞成 2896 票、弃权 2 票的结果高票通过《反分裂国家法》。该法以邓小平理论和"三个代表"重要思想为指导，以宪法为依据，贯彻中央对台工作的大政方针，紧紧围绕反对和遏制"台独"分裂势力分裂国家的活动、促进祖国和平统一这个主题，充分体现我国以最大的诚意、尽最大的努力争取和平统一的一贯主张，同时表明全中国人民维护国家主权和领土完整，绝不允许"台独"分裂势力以任何名义、任何方式把台湾从中国分裂出去的共同意志和坚定决心。①《反分裂国家法》的出台，既是国家法律进一步完善化的重要一步，也是我国二十多年来对台政策措施法制化的重要标志，是我国对台政策的重大创新，表明我国对台工作开始进入新的历史阶段。

自 1979 年《告台湾同胞书》发表以来，大陆为了发展两岸关系、促进国家和平统一，进行了长期不懈的努力。30 年来，在祖国大陆对台政策的积极影响下，两岸关系尤其是两岸经贸文化交流快速发展，人员往来不断扩大，两岸同胞的相互了解逐渐加深、感情更加融洽，两岸广大民众从中得到的实惠越来越多，大家的共同利益联结得越来越密切，希望台海稳定、两岸互利合作、共创美好未来的心愿更加强烈。

但是，与此同时，岛内"台独"分裂活动甚嚣尘上。事实上，李登辉在台湾当权之后，就一步一步地显露出分裂国家的图谋。1999 年，李登辉抛出所谓的"两国论"，宣称"两岸是特殊的国与国之间的关系"，旨在破坏两岸都是中国不可分割领土的现状。2000 年民进党上台后，陈水扁打着"民主"、"改革"、"认同台湾"等旗号，在岛内大搞"去中国化"、"文教台独"、"台湾正名"、"一边一国"等"台独"分裂活动。在国际上刻意制造"一边一国"，谋取"台独"国际空间。2003 年以来，陈水扁当局妄图利用所谓"宪法"和"法律"形式，通过"公民投票"、"宪政改造"等方式，为实现"台独"分裂势力分裂国家的目标提供所谓"法律"支撑，改变大陆和台湾同属一个中国的事实，把台湾从中国分裂出去，从而割断两岸法律关系，实现"法理台独"。这些分裂国家的"台独"活动，严重威胁着中国的主权和领土完整，严重破坏和平统一的前景，严重损害中华民族的根本利益，严重威胁着台海地区乃至亚太地区的和平稳定。

对此，广大公众、社会各界人士和海外侨胞都纷纷提出意见与建议，强烈要求中国政府采取法律手段，坚决反对和遏制极少数"台独"分裂势力的分裂活动。全国人大代表、全国政协委员也相继提出了不少对台立法的议案、建议和提案，充分反映了广大人民的意愿。在这种情况下，制定《反分裂国家法》不仅具有迫切性和必要性，也具有了坚实的民意基础。

2004 年 12 月 29 日，十届全国人大常委会第十三次会议全票通过全国人大常委会关于提请审议《反分裂国家法（草案）》的议案，决定提请十届全国人大三次会议审议。2005 年 3 月 8 日，出席十届全国人大三次会议的近三千名全国人大代

---

① 王兆国关于《反分裂国家法（草案）》的说明，2008 年 3 月 8 日。

表分团审议《反分裂国家法(草案)》。代表们审议时踊跃发言,赞成和支持《反分裂国家法(草案)》。3月14日,《反分裂国家法》高票通过,成为我国对台政策的第一部基本法。

《反分裂国家法》共十条,四部分,一千字左右,内容丰富,用词严谨、重点突出。第一部分(第一条)阐释本法的立法宗旨和适用范围:"为了反对和遏制'台独'分裂势力分裂国家,促进祖国和平统一,维护台湾海峡地区和平稳定,维护国家主权和领土完整,维护中华民族根本利益,根据宪法,制定本法。"第二部分(第二、三、四条)明确界定台湾问题的性质,"世界上只有一个中国,大陆和台湾同属一个中国,中国的主权和领土完整不容分割",这等于是将一个中国原则法制化。"国家绝不允许'台独'分裂势力以任何名义、任何方式把台湾从中国分裂出去。"台湾问题是中国内战遗留问题,解决台湾问题是中国的内部事务,"不受任何外国势力的干涉"。"完成统一祖国的大业是包括台湾同胞在内的全中国人民的神圣职责。"第三部分(第五、六、七条)突出"以和平方式实现国家统一";强调"坚持一个中国原则,是实现国家和平统一的基础;以和平方式实现国家统一,最符合台湾海峡两岸同胞的根本利益";规定大陆在"维护台海地区和平稳定、发展两岸关系"方面采取的"五个鼓励和推动"措施;指出实现和平统一的途径是"台湾海峡两岸平等的协商和谈判",并列举出六大协商与谈判议题。以上条文充分体现了大陆"希望通过和平的方式实现祖国统一"的诚意,以及"尽最大努力维护广大台湾同胞福祉"的善意。第四部分(第八、九、十条)是核心部分,明确划定"台独红线",其中第八条是核心的核心,即明确指出"台湾分裂势力以任何名义、任何方式造成台湾从中国分裂出去的事实,或者发生将会导致台湾从中国分裂出去的重大事变,或者和平统一的可能性完全丧失","采取非和平方式和其他必要措施"解决"台独"分裂问题。在界定使用"非和平方式"前提的同时,该法又强调"尽最大可能保护台湾平民和在台湾的外国人的生命财产安全和其他正当权益"等,在于强调《反分裂国家法》是针对"台独"分裂势力,不是针对台湾人民及在台湾的外国人,也不会影响在大陆的台商的权益。

《反分裂国家法》的通过与实施,顺乎民心,合乎民意,既受到海内外所有中国人的热烈欢迎与坚决拥护,又击中了极少数"台独"分裂势力的要害。它是两岸人民根本利益的法律体现,标志着大陆对台工作已进入"依法反独"、依法推动两岸各项交流的阶段,这是大陆对台政策的新突破,对于推动两岸关系的不断发展意义重大。因此,《反分裂国家法》是一部加强和推进两岸关系的法,是一部和平统一的法,而不是针对台湾人民的,也不是一部"战争法"。① 总之,是"一部符合中华民族根本利益的法律"。

三

不断丰富和发展"一个中国"的内涵

坚持一个中国原则是祖国大陆解决台湾问题、实现国家和平统一的一贯立场,是历届中央领导制定对台方针政策的根本基础。以胡锦涛为总书记的新一届

---

① 《人民日报》(海外版),2005年3月16日。

中央领导集体,在坚持将一个中国原则视为制定对台政策、发展两岸关系和实现祖国统一基石的基础上,又根据两岸关系的新变化与新形势,对一个中国的内涵进行了丰富和发展。

自胡锦涛同志出任中共中央总书记以来,岛内"台独"分裂势力幻想中国新一代领导人调整"一中"原则,甚至妄图通过种种手段逼迫大陆在"一中"原则问题上作出让步。对此,新一届中央领导在多次讲话和多个文件中始终强调,坚持一个中国原则是发展两岸关系和实现祖国和平统一的基石。2003年3月11日,胡锦涛总书记在参加十届人大一次会议台湾代表团审议时提出,"要始终坚持一个中国原则","在这个事关中华民族根本利益的大是大非问题上,我们的立场是坚定的、一贯的。我们提出世界上只有一个中国,大陆和台湾同属一个中国,中国的主权和领土完整不容分割,就是要表明,中国是两岸同胞的中国,是我们的共同家园"。2005年3月4日,胡锦涛总书记将"坚持一个中国原则决不动摇"作为新形势下发展两岸关系"四点意见"中的第一点,强调"坚持一个中国原则,是发展两岸关系和实现祖国和平统一的基石"。3月14日,《反分裂国家法》第五条明确规定,"坚持一个中国原则,是实现祖国和平统一的基础。"2007年10月15日,中国共产党第十七次全国代表大会的政治报告中指出,"坚持一个中国原则,是两岸关系和平发展的政治基础"。2008年5月,承认"九二共识"、坚持一个中国原则的国民党上台执政,两岸关系发生了重大积极变化。2008年12月31日,胡锦涛总书记在纪念

《告台湾同胞书》30周年座谈会上发表了《携手推动两岸关系和平发展 同心实现中华民族伟大复兴》(以下简称胡锦涛"六点意见")的重要讲话,强调"两岸在事关维护一个中国框架这一原则问题上形成共同认知和一致立场,就有了构筑政治互信的基石,什么事情都好商量"。

新一届中央领导集体在坚持一个中国原则坚定立场的同时,也根据两岸形势的发展变化,不断丰富和发展着一个中国的内涵。2005年,贾庆林提出:"尽管两岸迄今尚未统一,但大陆和台湾同属一个中国的事实从未改变,这就是两岸关系的现状。"[1]国台办副主任王在希称之为"一个中国"的"新三段论",即"世界上只有一个中国,大陆和台湾同属一个中国,尽管两岸尚未统一,大陆和台湾同属一个中国的事实并未改变,这就是两岸关系的现状"。[2] 这是对原"一中三段论"(世界上只有一个中国,大陆和台湾同属一个中国,中国的主权和领土完整不容分割)新的说法。2005年3月4日胡锦涛"四点意见"再次重申了这一说法,并于2007年写入党的十七大政治报告,报告还强调,"中国是两岸同胞的共同家园,两岸同胞理应携手维护好、建设好我们的共同家园"。"四点意见"中还强调:中国是包括2300万台湾同胞在内的13亿中国人民的中国,大陆是包括2300万台湾同胞在内的13亿中国人民的大陆,台湾也是包括2300万台湾同胞在内的13亿中国人民的台湾。任何涉及中国主权和领土完整的问题,必须由全中国13亿人民共同决定。新一届中央领导集体的这些表述既体现了对中国主权领

① 新华社电:贾庆林在江泽民同志《为促进祖国统一大业的完成而继续奋斗》重要讲话发表10周年纪念会上的讲话,2005年1月28日。
② 《人民日报》(海外版),2005年1月29日。

土统一不可分割的坚定立场，又体现了统一过程中两岸人民的相互尊重与平等。2008年年底，胡锦涛"六点意见"中对一个中国的内涵再次予以丰富和发展。胡锦涛指出："1949年以来，大陆和台湾尽管尚未统一，但不是中国领土和主权的分裂，而是上个世纪40年代中后期中国内战遗留并延续的政治对立，这没有改变大陆和台湾同属一个中国的事实。两岸复归统一，不是主权和领土再造，而是结束政治对立。"

新一届中央领导集体对一个中国原则的继承以及对一个中国内涵的丰富与发展，既体现了我党对台政策的一贯性，也展现了大陆对台湾同胞的宽广胸怀，以及对两岸现状的深刻认识，既有利于争取台湾民心，又有利于最大限度地推动两岸关系和平发展。

四

确立和平发展的两岸关系主题

和平发展是当今世界的潮流，也是两岸同胞的共同追求。新一届中央领导集体在认真分析两岸关系的复杂性以及祖国实现和平统一的长期性之际，将和平发展确定为当前发展两岸关系的主题。

党的十六大以来，胡锦涛总书记多次指出，"和平是人类社会发展目标的根本前提，也是两岸共同发展繁荣的根本前提"。2005年4月，胡锦涛总书记与时任国民党主席连战首次会谈时，就将"构建和平稳定发展的两岸关系"列为重要议题，并达成"两岸和平发展共同愿景"。随

后与亲民党主席宋楚瑜会面时再次强调，"求和平、求稳定、求发展，是两岸同胞的共同企盼"。2006年4月，胡锦涛总书记在会见出席"两岸经贸论坛"的中国国民党荣誉主席连战及台湾各界人士时，提出了"和平发展理应成为两岸关系发展的主题，成为两岸同胞共同为之奋斗的目标"的重要主张，并就此提出四点建议：第一，坚持"九二共识"，是实现两岸和平发展的重要基础。第二，为两岸同胞谋福祉是实现两岸关系和平发展的根本归属。第三，深化互利双赢的交流合作，是实现两岸关系和平发展的有效途径。第四，开展平等协商，是实现两岸关系和平发展的必由之路。党的十七大报告对台政策重要论述中首次将"达成和平协议"、"建构两岸关系和平发展框架"等新观点写进党的正式文件，并明确强调，"我们将牢牢把握两岸关系和平发展的主题，真诚为两岸同胞谋福祉、为台海地区谋和平，维护国家主权和领土完整，维护中华民族根本利益"。

2008年国民党上台后两岸关系逐步迈入和平发展轨道，两岸双方面临着继续推动两岸关系和平发展的重大现实问题。2008年12月31日，胡锦涛总书记发表重要讲话，提出"首先要确保两岸关系和平发展"的重要论断，深刻阐述了两岸关系为什么要和平发展，怎样才能和平发展的重大问题，成为指导新形势下对台工作的纲领性文件。[①] 胡锦涛总书记在讲话中指出，我们要牢牢把握两岸关系和平发展的主题，积极推动两岸关系和平发展，实现全民族的团结、和谐、昌盛。我们应该把坚持大陆和台湾同属一个中国作为推动两岸关系和平发展的政治基础，把深化交

---

① 《站在新起点　开创新局面——专访中共中央台办、国务院台办主任王毅》，《人民日报》（海外版），2009年1月19日。

流合作、推进协商谈判作为推动两岸关系和平发展的重要途径,把促进两岸同胞团结奋斗作为推动两岸关系和平发展的强大动力,携手共进,戮力同心,努力开创两岸关系和平发展新局面。对此,国务院台湾事务办公室王毅主任指出,胡锦涛总书记"六点意见"描绘了两岸关系和平发展的蓝图,阐明了我们为之努力的政策目标。①

总之,构建和平发展的两岸关系是新一代中央领导集体在推动对台工作、统领两岸关系发展和祖国统一进程的一个核心概念,是大陆制定新时期对台政策的根本思路和指导今后对台工作的科学发展观。它极大地丰富了我党和平统一思想的内涵,标志着大陆对台政策的重大理论创新和深化,为推动两岸关系和平发展,进而早日实现两岸统一营造了有利的两岸环境和国际环境。

五

务实灵活地促成两岸两会协商

无论两岸关系形势如何变化,祖国大陆自确立"和平统一、一国两制"的基本方针以来,一直为推进两岸和平谈判进程进行着不懈的努力。新一届中央领导集体将开展平等协商作为实现两岸关系和平发展、进而实现祖国和平统一的必由之路,不仅抓住机遇重启两岸两会制度化协商机制,还积极推动两岸就"尽快结束敌对状态"、"签署和平协议"、"构建两岸关系和平发展框架"等方面进行协商谈判。

党的十六大以来,以胡锦涛为总书记

的新一届中央领导集体在不同场合多次呼吁:"我们希望通过对话和谈判解决分歧。只要台湾当局明确接受一个中国原则,两岸对话和谈判就可以恢复。我们愿意在一个中国原则的基础上,务实、平等地进行协商,妥善处理台湾方面关心的问题,使两岸关系得到改善和发展。"为尽快恢复两岸谈判,胡锦涛总书记在多次重要讲话中不仅放宽了谈判议题,还扩大了谈判对象。"四点意见"中指出,只要台湾当局承认"九二共识",两岸对话和谈判即可恢复,而且什么问题都可以谈。不仅可以谈我们已经提出的正式结束两岸敌对状态和建立军事互信、台湾地区在国际上与其身份相适应的活动空间、台湾当局的政治地位、两岸关系和平稳定发展的框架等议题,也可以谈在实现和平统一过程中需要解决的所有问题。对于台湾任何人、任何政党朝着承认一个中国原则方向所作的努力,我们都欢迎。只要承认一个中国原则,承认"九二共识",不管是什么人、什么政党,也不管他们过去说过什么、做过什么,我们都愿意同他们谈发展两岸关系、促进和平统一的问题。《反分裂国家法》第七条指出:国家主张通过台湾海峡两岸平等的协商和谈判,实现和平统一。协商和谈判可以有步骤、分阶段进行,方式可以灵活多样。台湾海峡两岸可以就下列事项进行协商和谈判:①正式结束两岸敌对状态;②发展两岸关系的规划;③和平统一的步骤和安排;④台湾当局的政治地位;⑤台湾地区在国际上与其地位相适应的活动空间;⑥与实现和平统一有关的其他任何问题。为了促进两岸关系的和平发展,党的十七大报告首次郑重呼

---

① 《站在新起点　开创新局面——专访中共中央台办、国务院台办主任王毅》,《人民日报》(海外版),2009年1月19日。

吁：在一个中国原则的基础上，协商正式结束两岸敌对状态，达成和平协议，构建两岸关系和平发展框架，开创两岸关系和平发展新局面。2008年3月4日，胡锦涛总书记谈到两岸关系时再次重申，台湾任何政党，只要承认两岸同属一个中国，我们都愿意同他们交流对话、协商谈判。谈判的地位是平等的，议题是开放的，什么问题都可以谈。通过谈判，寻求解决两岸政治、经济、军事、文化、对外交往等重要问题的办法，对未来两岸关系发展进行规划。

但由于陈水扁当局顽固坚持"台独"分裂政策，两岸协商与对话迟迟难有进展。2008年3月22日，承认"九二共识"的国民党候选人马英九赢得台湾执政权，岛内局势发生了重大积极变化，两岸关系发展面临着难得的历史机遇。这一局面来之不易，值得倍加珍惜，新一届中央领导集体审时度势，积极推动两岸对话谈判。4月29日，胡锦涛总书记会见国民党荣誉主席连战时提出了"建立互信、搁置争议、求同存异、共创双赢"的"十六字方针"，呼吁两岸双方在"九二共识"的基础上尽早恢复两岸协商谈判，务实解决各种问题，切实为两岸同胞谋福祉、为台海地区谋和平。5月28日，胡锦涛总书记在会见前来访问的国民党主席吴伯雄时表示，当前，恢复两岸协商谈判并取得实际成果，是两岸关系改善和发展的重要标志。我们应该在"九二共识"基础上尽快恢复海协会和海基会的交往协商，通过平等协商务实解决两岸间的有关问题。6月11日—14日，海峡两岸受权民间团体大陆海协会与台湾海基会在北京举行中断9年后的首度复谈。期间，胡锦涛总书记在会见台湾海基会董事长江丙坤时指出，海协会和海基会在"九二共识"的共同政治基础

上恢复商谈并取得实际成果，标志着新形势下两岸关系改善和发展有了一个良好开端，表明两岸双方有智慧、有能力通过协商谈判解决有关问题，造福两岸同胞。胡锦涛进一步表示，今天，两岸比以往任何时候都更有条件携手合作、共同发展。协商谈判是实现两岸关系和平发展的必由之路。世界上不同国家、不同民族尚且能够通过协商谈判化解矛盾、解决争端、开展合作，两岸同胞是一家人，更应该这样做，而且应该做得更好。希望两会今后在商谈中做到平等协商、善意沟通、积累共识、务实进取。

在重启两岸两会制度化协商机制后，新一届中央领导集体积极推动两岸就"正式结束敌对状态、达成和平协议"等问题展开协商谈判。对此，胡锦涛总书记"六点意见"中提出，把深化交流合作、推进协商谈判作为推动两岸关系和平发展的重要途径，并再次呼吁在一个中国原则的基础上，协商正式结束两岸敌对状态，达成和平协议，构建两岸关系和平发展框架。2009年5月26日，胡锦涛总书记在会见国民党主席吴伯雄时进一步表示，两岸可以就国家尚未统一特殊情况下的政治关系问题、建立两岸军事安全互信机制问题进行务实探讨。两岸协商总体上还是要先易后难、先经后政、把握节奏、循序渐进，但双方要为解决这些问题进行准备、创造条件。双方可以先由初级形式开始接触，积累经验，以逐步破解难题。

大陆积极促成两岸两会重启协商，并继续呼吁两岸双方积极协商谈判，对两岸关系的改善、发展，以及两岸和平发展框架的建构都将产生重大而深远的影响，也为未来两岸协商谈判并最终实现和平统一指引了方向。

六

确立对台工作"以人为本"
的指导思想

中国共产党始终把为两岸同胞谋福祉作为发展两岸关系的根本归宿，以最大诚意、尽最大努力推动两岸关系和平发展。"寄希望于台湾人民"是实现祖国完全统一的重要基础。换句话说，实现和平统一，说到底是一个人心向背的问题。20世纪70年代末确立"和平统一、一国两制"的基本国策后，大陆即提出解决台湾问题"寄希望于台湾人民"的方针。随着科学发展观中"以人为本"核心思想的确立与实践，新一届中央领导集体对"寄希望于台湾人民"的认识进一步深化，思想上有了新的解放，实践中有了新的突破。

尽管自陈水扁上台以来"台独"活动甚嚣尘上，但以胡锦涛为总书记的新一届领导集体在加大反对、遏止"台独"分裂活动力度的同时，也充分认识到台湾同胞在反对"台独"、推动两岸关系和平发展中的重要动力作用，因此将贯彻"寄希望于台湾人民"的方针置于非常突出的位置。2003年3月11日，胡锦涛在参加十届人大一次会议台湾代表团审议时提出"要深入贯彻寄希望于台湾人民的方针"；"解决台湾问题、实现祖国的完全统一，我们寄希望于台湾人民。2300万台湾同胞是我们的手足兄弟，是发展两岸经济文化交流、扩大人员往来的重要力量，也是遏制台湾分裂势力的重要力量"；"要争取广大台湾同胞理解和支持我们的方针政策，同我们一道共同推进两岸关系和祖国和平统一进程"。2005年1月28日，全国政协主席贾庆林在江泽民《为促进祖国统一大业的完成而继续奋斗》重要讲话发表10周年纪念会上指出，我们了解台湾同胞特殊的遭遇，理解台湾同胞爱乡爱土的感情，尊重台湾同胞当家做主的愿望，维护台湾同胞的权益。我们愿意与台湾同胞一道，努力推动两岸关系和平稳定发展、实现互利双赢。"四点意见"则进一步确立了贯彻"寄希望于台湾人民"的方针决不改变的对台工作指导思想。胡锦涛总书记指出："台湾同胞是我们的骨肉兄弟，是发展两岸关系的重要力量，也是遏制'台独'分裂活动的重要力量。无论在什么情况下，我们都尊重他们、信赖他们、依靠他们，并且设身处地地为他们着想，千方百计照顾和维护他们的正当权益。只要是对台湾同胞有利的事情，只要是对促进两岸交流有利的事情，只要是对维护台海地区和平有利的事情，只要是对祖国和平统一有利的事情，我们都会尽最大努力去做，并且一定努力做好（即"三个有利于"）。这是我们对广大台湾同胞的庄严承诺。"十七大报告更是从两岸同胞是"血脉相连的命运共同体"、"两岸同胞建设共同家园"的角度，强调要继续实施和充实惠及广大台湾同胞的政策措施，依法保护台湾同胞的正当权益；强调实现祖国完全统一是两岸同胞共同的伟大事业，并将"三个有利于"写入党的政治报告中，体现大陆"寄希望于台湾人民"的方针的决心和诚意。2008年5月28日，胡锦涛总书记会见首次以执政党主席身份来访的国民党主席吴伯雄时表示，我们关心、尊重、信赖台湾同胞。对一些台湾同胞在两岸关系问题上存在误解和疑虑，我们不仅会基于同胞情怀予以理解，而且会采取积极措施予以化解。2008年底胡锦涛的"六点意见"中指出，对于部分台湾同胞由于各种原因对祖国大陆缺乏了解甚至存在误解、对发展两岸关系持有疑虑，我们不仅愿意以最大的包容和耐心加以化解和疏导，而且愿意采取更加积极的措施让越来越多的台湾同胞在推动两岸关系和平发展中增进福祉。对于那些曾经主张过、从事过、追随过"台独"的人，我们也热诚欢迎他们回到推动两岸关系和平发展的正确方向上来。我们希望民进党认清时势，停止"台独"分裂活动，不要再与全民族的共同意愿背道而驰。只要民进党改变"台独"分裂立场，我们愿意作出正面回应。

对台湾政策"以人为本"的指导思想，不仅为"寄希望于台湾人民"的方针注入新的内涵，也使大陆自2005年以来牢牢地掌握了两岸关系的主导权，在争取台湾在野党和主流民意、推进两岸合作交流、争取"反独"力量共同遏制"台独"、维护两岸和平稳定等方面，都取得了显著的成效。

合情合理安排台湾参与国际组织活动

台湾无权参加联合国世界卫生组织及其他只有主权国家才能加入的国际组织。但是，考虑到台湾经济社会发展的需要和台湾同胞的实际利益，中国政府对台湾同外国进行民间性质的经济、文化往来不持异议，并在一个中国前提下，采取了许多灵活措施，为台湾同外国的经贸、文化往来提供方便。同时，中国政府保障台湾同胞在国外的一切正当、合法权益，一贯致力于维护台湾同胞在国外的正当的、合法的权益。

党的十六大以来，针对台湾的国际活动空间问题，新一届领导集体一再呼吁台湾当局在"一中"原则基础上，通过政治对话与政治谈判，找到双方都能接受的解决

办法，大陆并为此作出了长期不懈的努力。2005年，胡锦涛总书记在与来访的国民党主席连战先生达成"讨论台湾民众关心的参与国际组织活动的问题，包括优先讨论参与世界卫生组织活动的问题"，"双方共同努力，创造条件，逐步寻求最终解决办法"。胡锦涛总书记的讲话既坚持了一个中国的原则，又充分考虑到祖国统一前台湾人民在国际上的实际利益与自尊需求，为解决台湾国际活动空间问题指明了方向。但是陈水扁当局倒行逆施，在国际上执意制造"一中一台"和"两个中国"，企图以"台湾"名义加入联合国及只有主权国家才可以加入的其他国际组织，直接破坏了两岸关系发展的基础，使两岸关系出现严重挫折和倒退。

2008年5月马英九上台后，大陆相关部门继续与台湾有关方面沟通台湾参与国际组织活动的问题。在马英九当局承认"九二共识"和坚持一个中国原则的基础上，已经当选台湾地区领导人之一的萧万长以"两岸共同市场基金会董事长"身份参加了2008年4月的博鳌论坛，这是大陆在处理台湾参与国际组织活动的一大创举。同年12月，胡锦涛总书记首次提出"对台湾参与国际组织活动问题，在不造成'两个中国'、'一中一台'的前提下，可以通过两岸务实协商作出合情合理安排"。在此基础上，台湾于2009年4月7日加入"国际卫生条例"（IHR），并于4月28日接获世界卫生组织总干事陈冯富珍邀请，以观察员身份、以"中华台北"名义参加5月18日在瑞士日内瓦举行的第62届世界卫生大会（WHA）。对此，胡锦涛总书记在2009年5月26日会见国民党主席吴伯雄时表示，"这表明，两岸中国人有能力、有智慧妥善解决台湾参与国际组织活动问题，也表明我们促进两岸关系和平

发展的诚意"。台湾地区领导人马英九认为,台湾获邀参加WHA,与两岸关系的改善有相当大的关系。台"立法院长"王金平指出,这是台湾退出联合国"38年来的一大突破",意义重大。吴伯雄则表示,这"只是一个点的突破",希望两岸"不断累积善意、建立互信"。

2009年5月18日,台"卫生署长"叶金川率领"中华台北"代表团,以观察员身份参加了在瑞士日内瓦举办的第62届世界卫生组织大会,这是台湾自1971年退出联合国以来首次参与联合国体系下的正式活动。岛内媒体和国际社会认为,台湾此次能够以"中华台北"名义和观察员身份出席世界卫生大会,正是大陆这一政策宣示付诸实践的具体成果,反映大陆方面对台湾同胞参与国际事务愿望的尊重,有利于将来两岸以"一中原则"为基础展开政治谈判,从而促进两岸加深互信,推动两岸和平发展迈向更和谐、更稳定的阶段。①

两岸关系的重大发展

2008年台海局势拨云见日,两岸关系峰回路转。5月20日,国民党重新执政后,笼罩在台海上空的阴霾终于散去,坚持"九二共识"的台湾当局新任领导人马英九为提升岛内经济执行灵活开放的大陆政策,两岸关系面临前所未有的历史契机。在这种情况下,大陆秉持"建立互信、搁置争议、求同存异、共创双赢"的方针,积极推动两岸关系取得了重大历史性突破,并进入和平发展轨道。

两岸党际交流不断取得新进展

民进党上台后顽固坚持"台独"立场和分裂路线,造成两岸关系高度紧张,两岸政治对峙不断升级。以胡锦涛为总书记的新一届中央领导集体站在中华民族伟大复兴的高度,于2005年主动邀请国民党主席连战、亲民党主席宋楚瑜和新党主席郁慕明访问大陆,自此两岸党际交流呈现新格局,为两岸关系的和平发展以及两岸人民的相互了解发挥了重要作用。

2005年4月底至5月中旬,应中国共产党中央委员会总书记胡锦涛的邀请,中国国民党主席连战、亲民党主席宋楚瑜分别率团访问大陆,展开"和平之旅"和"搭桥之旅"。胡锦涛总书记分别与连战和宋楚瑜在北京举行会谈并进一步阐述了"四点意见"的基本思想,双方就促进两岸关系改善和发展的重大问题及两党交往事宜,广泛而深入地交换了意见。"胡连会"、"胡宋会"分别达成的《中国共产党总书记胡锦涛与中国国民党主席连战会谈新闻公报》、《中国共产党总书记胡锦涛与亲民党主席宋楚瑜会谈公报》等诸多重要共识,确认并强化了两岸三党坚持一个中国原则、认同"九二共识"、反对"台独"这一发展两岸关系的政治基础。同时,中国共产党与国民党、亲民党建立的党际交流机制也取得了历史性突破。7月7日,新党主席郁慕明应胡锦涛总书记之邀赴大陆展开"民族之旅",胡锦涛总书记在北京

---

① 香港《文汇报》,2009年4月30日。

接见了郁慕明一行。

连战访问大陆是自 1945 年国共重庆会谈之后 60 年来国共两党主要领导人的首次会谈，具有重大的历史和现实意义。"宋楚瑜登陆"则是中国共产党与亲民党之间首次进行两党交流对话，同样具有重要意义。连、宋的"大陆行"圆满成功，扭转了"台独"猖獗、两岸关系紧张的局面，开创了两岸政党直接对话的先例，营造了两岸关系缓和的氛围，岛内要求两岸关系和平、稳定、发展的呼声不断高涨，"大陆热"再次在台湾掀起高潮。

此后，胡锦涛总书记多次同国民党领导人会面，就促进两岸关系和平发展达成重要共识。双方本着"建立互信，搁置争议，求同存异，共创双赢"精神，妥善处理了一系列问题。尤其是，2008 年 3 月至今，国共两党的交流和互动非常活跃，胡锦涛总书记在不同场合与国民党高层人士多次会面。2008 年 4 月 12 日，中共中央总书记胡锦涛在博鳌会见了萧万长先生率领的台湾两岸共同市场基金会代表团一行，就两岸经济交流合作问题交换意见。5 月 28 日，胡锦涛总书记在北京会见中国国民党主席吴伯雄和他率领的中国国民党大陆访问团全体成员。胡锦涛总书记表示，吴主席首次以国民党主席的身份率团来访，是新形势下国共两党关系和两岸关系的一件大事。6 月 13 日，胡锦涛总书记在北京会见了前来参加两会协商的台湾海基会董事长江丙坤和海基会代表团成员。8 月 8 日，胡锦涛总书记在人民大会堂分别会见中国国民党荣誉主席连战、中国国民党主席吴伯雄、亲民党主席宋楚瑜，对他们前来出席北京奥运会开幕式并观看奥运会比赛表示欢迎，祝愿台湾体育健儿在北京奥运会上取得好成绩，并再次对台湾各界支持大陆同胞抗击四

川汶川特大地震灾害表示衷心感谢。11 月 21 日，胡锦涛总书记和夫人刘永清在利马会见了连战和夫人连方瑀。2009 年 5 月 26 日，胡锦涛总书记在北京会见中国国民党主席吴伯雄一行全体成员，并同吴伯雄举行会谈。在谈到在新的起点上进一步发展两岸关系时，胡锦涛强调，"国共两党交流对话特别是高层交往对保持两岸关系发展势头具有不可替代的重要作用。'国共论坛'是一个成功的论坛，应该继续办下去，而且要越办越好"。

国共两党加强交流对话和良性互动，是大陆崭新的对台政策催生及台湾岛内民意驱动的结果，不但使两岸互动格局彻底改变，也为大陆贯彻落实"寄希望于台湾人民"的方针提供了新的着力点和突破口，对国共平台固定化、制度化和机制化具有重要促进作用，对增进国共两党互信，建设性地推动两岸关系和平发展有不可替代的重要作用。

二

两岸两会重启协商及其制度化发展

从 2008 年 6 月至 2009 年 4 月，大陆海协会与台湾海基会最高领导人分别在北京、台北、南京举行了三次会谈，双方共签署了 9 项协议和 1 项共识，对海峡两岸经济合作、人员往来，维护两岸同胞的正当权益和正常秩序，推动两岸关系和平发展进入一个新阶段，以及对台海地区的长久和平乃至整个国际局势的稳定意义重大。

2008 年 5 月 26 日和 6 月 3 日，两岸受权民间团体海基会与海协会分别进行人事调整。两会均表示，双方应在"九二

共识"的基础上,尽早恢复实质协商,共同开展两岸关系的双赢新局,进而建立两岸长期和平与稳定的互动关系。两会商定,6月11日至14日在北京举行两会复谈。在海峡两岸同胞的热切期盼中,海协会和海基会在北京如期举行会谈,标志着中断九年多的两会制度化协商正式恢复。6月12日9时,海协会长陈云林和海基会董事长江丙坤在北京钓鱼台国宾馆五号楼庆功厅,隔着长长的谈判桌各自微笑地伸出右手,紧紧地握在一起,首次"陈江会"由此拉开帷幕。这是一个值得纪念的日子,距离1993年4月两会领导人汪道涵、辜振甫在新加坡举行的"汪辜会谈"已经15年,距离1998年10月在上海的"汪辜会晤"已达9年。6月13日上午,海峡两岸关系协会与海峡交流基金会举行签字仪式,两会领导人签署了经平等协商形成的《海峡两岸包机会谈纪要》与《海峡两岸关于大陆居民赴台湾旅游协议》。这是一个书写历史的时刻,两会在"九二共识"的基础上,恢复了中断9年的两岸制度性协商机制。

两会在"九二共识"基础上恢复商谈,标志着两岸关系朝和平发展方向迈出了新的一步。此次两会商谈快速直接,议题多样,内容深入,成果丰硕,为两岸商谈带来一个全新的制度性谈判模式,为未来两岸政治谈判奠定了基础,因此具有"里程碑"意义。

2008年11月3日至7日,海协会长陈云林率领协商代表团抵达台湾,与台湾海基会进行第二次"陈江会"。陈云林踏上宝岛的一刻是历史性的一刻,是两岸和平、经济双赢的重要一步,拉开了两岸两会自创立以来领导人首次在台湾会谈的序幕。在两岸交流历史上,陈云林这一小

步,是两岸关系发展的一大步,这一刻整整花了60年。此次历史性商谈取得了六项成果,一是两岸签署了《海峡两岸空运协议》、《海峡两岸海运协议》、《海峡两岸邮政协议》和《海峡两岸食品安全协议》四项协议。其中,前三项协议的签署,使得两岸同胞期待了30年之久的两岸直接通航、通邮变为了现实。二是两会举行了研讨金融问题的座谈会。三是就改善大陆居民赴台湾旅游措施进行了交流。四是完成了两岸互赠大熊猫、珙桐树和长鬃山羊、梅花鹿的手续,解决了延宕3年多的赠台大熊猫赴台事宜。五是商谈规划了下一阶段两会商谈的议题和加强两会会务联系与交流事宜。六是广泛接触了台湾各界人士,增进了了解,加深了感情。陈云林说,此次访问是海协会领导人首次访台,是两会首次在台湾举行正式商谈,海协会领导人也首次与台湾当局领导人进行会面,这开启了两会制度化协商的新里程。中台办、国台办主任王毅表示,海协会代表团不辱使命、不负重托,为两岸关系书写了新的历史,这是一次开拓之旅、合作之旅、和平之旅。台湾舆论高度评价两会台北会谈成果,认为这次会谈宣告两岸关系向和平发展迈出一大步,四项协议正式生效后,两岸交流互动呈现新局面,其后续效应更使两岸关系进入崭新境界。①

2009年4月26日,大陆海协与台湾海基会在南京举行第三次"陈江会"并取得重大积极成果,双方签署《海峡两岸金融合作协议》、《海峡两岸空运补充协议》、《海峡两岸共同打击犯罪及司法互助协议》等三项协议,以及一项关于大陆资本赴台投资的共同声明。同时,江丙坤还邀

---

① 台湾《工商时报》,2008年11月5日。

请陈云林于今年下半年赴台进行第四次
"陈江会",陈云林表示接受。第三次"陈
江会"硕果累累,受到两岸及国际舆论的
好评。国台办主任王毅指出,这次签署的
三项协议和达成的一项共识,是两会商谈
的新成果,也是两岸关系的新进展,可以
说,两岸经济往来正常化的目标正在实
现。建立定期航班,标志着空中直航更加
完善和规范,两岸人员往来迎来了新局
面。启动金融合作,标志着两岸经济关系
从实体经济发展到金融领域,迈出了新步
伐。陆资入岛达成共识,标志着两岸经济
往来从单向投资发展到双向投资,实现了
新突破。共同打击犯罪及开展司法互助,
标志着两会协商从经济性议题扩展到社
会性议题,丰富了新内涵。① 马英九对会
谈成果表示肯定。海基会董事长江丙坤
在 4 月 26 日致辞时指出,南京会谈展现出
两岸两会制度化协商已迈入常态化阶段,
这是两岸关系迈向正常化的一项重要指
标。大陆台商对此次南京会谈成果反响
热烈,岛内民众也普遍持肯定态度。台
"陆委会"5 月 5 日的民调显示,62.8%的
民众满意第三次"陈江会"的结果。

两岸两会在不到一年的时间里举行
了三次"陈江会谈",说明两岸两会目前已
达成一年两次、交替在大陆和台湾举行会
谈的制度化安排,显示两会制度化协商已
经向纵深推进。台湾海基会董事长江丙
坤指出,两会恢复协商以来,进展越来越
顺利,对两岸关系的发展具有重要意义:
一是建立了沟通协商机制,二是累积了互
信,三是解决了两岸交流中的问题,四是
有利于两岸双方共创未来。② 显然,两岸

关系在经历了 60 年来重大历史性跨越后,
进入了和平发展的新时期。

两岸"三通"全面实现

随着两岸两会制度化协商的不断进
展,两岸"三通"水到渠成。但是两岸"三
通"的这一历史性突破却整整经历了近三
十年的时间,承载着祖国大陆几代人的不
断努力。

"三通"是两岸直接"通邮、通商、通
航"的简称。1949 年以后的三十多年间,
由于海峡两岸处于对峙状态,两岸人员往
来和通邮、通航、通商全部中断,骨肉同胞
"咫尺之隔,竟成海天之遥"。1979 年元
旦,全国人大常委会发表的《告台湾同胞
书》首倡两岸"双方尽快实现通邮、通航"。
1981 年 9 月 30 日,时任全国人大常委会
委员长的叶剑英在新华社发表谈话时,呼
吁两岸"双方共同为通邮、通商、通航、探
亲、旅游以及开展学术、文化、体育交流提
供方便,达成有关协议",是为大陆首次明
确提出"三通"概念,之后大陆就"三通"问
题提出了"一个中国、直接双向、互惠互
利"的基本原则。从此之后,大陆有关方
面和两岸同胞一道,排除种种干扰和破
坏,不断推动"三通"进程。但陈水扁当局
出于政治目的阻挠两岸实现"三通",使得
双向、直接、全面的"三通"迟迟无法实现。

党的十六大以来,新一届中央领导集
体为便利在大陆越来越多的台商返乡过
年,批准台湾 6 家航空公司共 16 架次包

---

① 《人民日报》(海外版),2009 年 4 月 27 日。
② 同上。

机,从台北、高雄经停港澳至上海往返接送台商。这是五十多年来台湾航空公司的飞机首次循正常途径停降大陆机场,也是两岸之间首次台商春节包机。2004年,陈水扁当局坚持不合理的"单向单程"主张,两岸春节包机未能实施。2005年,第二次台商春节包机成功实施,大陆民航客机完成了56年来的首次赴台飞航。两岸航空公司实现了"共同参与、双方对飞、双向载客,多点、不中停第三地"等一系列重大突破,但搭载对象仍限于台商及眷属,大陆就学及生活的台湾学生和其他台胞不包括在内。2006年,在大陆的积极推动和台湾有关部门的努力下,两岸客运包机从原来的春节包机扩大到清明、端午、中秋、春节四个主要民族传统节日期间的两岸包机,搭载对象扩及所有持有效证件的台湾居民。2007年起扩及"紧急医疗救援包机"和货运包机。

2008年两岸关系的改善,尤其是两岸两会重启协商为两岸"三通"的尽快实现奠定了基础。6月两岸两会重启协商后,两岸自7月4日起实现了"周末包机直航"和"大陆居民赴台旅游"。二次"陈江会"后,两岸于2008年12月15日正式全面启动"三通"。这一天,两岸同胞分别在北京、天津、上海、福州、深圳以及台北、高雄、基隆等两岸的多个城市同时举行海上直航、空中直航以及直接通邮的启动和庆祝仪式,标志着两岸"三通"已经迈出历史性步伐。自1979年大陆提出两岸"三通"至今,两岸"三通"终于由间接、单向、局部向直接、双向的历史性跨越,这是两岸关系发展史上具有里程碑意义的大事,掀开了中华民族历史浓墨重彩的一页。2009年4月第三次"陈江会"后,两岸开通定期客运航班,由"包机"到"定期航班",并增开南线和第二条北线双向直达航路,两岸

空中客运历史性地真正实现了正常化,空中直航的目标也顺利达成,标志着两岸"三通"已全面实现。

"合则两利,通则双赢"。两岸"三通"的实现不仅将使两岸交流突破瓶颈,开大门、迈大步,还将使两岸民众的往来交流更加密切,两岸同胞的感情更加融洽,联系更加密切、互动更加频繁,使两岸经济合作更加紧密,而这势必为两岸关系和平发展奠定更为坚实的基础,提供更加充沛的动力。可以预计,实现"三通"后,两岸关系将迎来一个大交流、大合作、大融合和大发展的崭新局面。

四

两岸民间交流平台渐趋多元

两岸民间交流始终是两岸交流合作的重要推动力量。自2005年始,两岸关系从破冰之旅到春暖花开的每一步推进,都无不得益于两岸民间交流从形式到内容的不断突破和纵深拓展。如今,两岸民间交流更呈势如破竹之势,汇成一股不可逆转的洪流。两岸交流与互动的平台也在不断完善与发展,并逐步形成多层次、多元化的平台。除两岸两会平台之外,两岸经贸论坛、博鳌亚洲论坛以及海峡论坛都已成为当前两岸民间交流与互动的重要平台。同时,海峡两岸不同城市、不同行业之间也在陆续建立专业与部门之间的互动平台。

一是两岸经贸论坛。国共两党于2005年4月达成建立两岸定期沟通平台,即举办"国共论坛"的重要共识。2006年4月14日,国共两党合作举办的首届"国共论坛",双方在论坛结束后发表了《共同建议》,大陆方面还宣布了"促进两岸交流合

作、惠及台湾同胞的15项政策措施"。参加此次论坛开幕式的国台办主任陈云林指出,两岸经贸论坛既是两党交流与对话的一种机制,也是为两岸民间交流搭建一个新的平台,我们希望通过这个平台,就两岸关系发展中的重大问题,广泛地听取两岸各界有识之士的意见和建议,集思广益,共同推动两岸关系朝着和平、稳定的方向发展。同年10月17日,国共双方在海南博鳌共同举办第二届"国共论坛"——两岸农业合作论坛。此次论坛会后,大陆宣布了扩大两岸农业合作以及惠及广大台湾农民的20项政策措施,为推动两岸经贸交流与合作发挥了实实在在的作用。2007年4月30日,第三届"国共论坛"——两岸经贸文化论坛在北京召开,教育部、人事部、公安部等部门隆重推出欢迎台湾高校来大陆招生、增加3个台胞落地口岸签注点、向台湾居民开放15类(项)专业技术人员资格考试等13项政策措施。从此次论坛起,"国共论坛"更名为"两岸经贸文化论坛",文化领域开始成为双方交流与合作的重点之一。2008年12月20日,第四届两岸经贸文化论坛在上海召开,论坛的主题是"扩大深化两岸经济交流与合作",三项议题分别是:拓展两岸金融及服务业合作、促进两岸双向投资、构建两岸经济合作制度化安排,同时举办一场文化沙龙。这些都是当时两岸经济界、两岸民众十分关心的重要课题,也是下一步发展两岸关系亟须探讨和解决的重点领域。在闭幕式上,中共中央台办主任王毅表示,本届论坛在两岸关系出现转折性变化的新形势下举办,权威性更加增强,代表性更为广泛,研讨更为务实,透明度更加提高。王毅并就加强两岸合作、携手应对国际金融危机,宣布了大陆各有关部门为此制定的10项政策措施。在国民

党重新执政以及两岸关系步入和平发展轨道的新形势下,国共两党的这次例行互动与对话,被赋予了承前启后、继往开来的特殊意义,受到海内外的普遍关注。

另外,2005年以来,国共两党的"两岸青年论坛"、国共两党县市长交流和基层党务交流频繁进行,中国共产党和亲民党于2006年举办了"两岸精英论坛"等,这些不同形式的党际交流平台都在不同时期发挥了重要作用,取得了良好成效。

二是博鳌亚洲论坛。自2008年3月马英九当选为台湾地区领导人之后,博鳌亚洲论坛开始成为两岸在国际社会进行相关议题交流与互动的重要平台。2008年4月12日—13日,萧万长以台湾两岸共同市场基金会董事长的身份应邀出席在海南举办的第七届博鳌亚洲论坛。在此之前,萧万长已经5次率团出席博鳌亚洲论坛年会,但此次由于正值台湾"大选"刚刚结束,而萧万长又是当选人之一,因此备受瞩目。尤其是,中共中央总书记胡锦涛与其亲切会见,更是成为岛内外高度关注的热点议题。4月12日,胡锦涛会见参加博鳌论坛的萧万长,就新形势下发展两岸关系交换了看法。胡锦涛提出"四个继续",即"在新的形势下,我们将继续推动两岸经济文化等各领域交流合作,继续推动两岸周末包机和大陆居民赴台旅游的磋商,继续关心台湾同胞福祉并切实维持台湾同胞的正当权益,继续促进恢复两岸协商谈判"。萧万长则表示,"希望两岸能'正视现实、开创未来、搁置争议、追求双赢',为两岸关系开创互信、互谅、互助、互利的新时代"。舆论认为,"胡萧会"是1949年来两岸最高层次的接触,体现了大陆对台政策的灵活务实性,是两岸关系正常化过程中迈出的重要一步,对促进两岸交流具有正面意义。博鳌论坛也成为两

岸高层互动的新渠道和两岸民间交流的制度化平台。2009年4月18日,温家宝总理在博鳌会见了前来参加第八届博鳌亚洲论坛的台湾"国泰慈善基金会董事长"钱复,并提出"面向未来、捐弃前嫌、密切合作、携手并进"的"十六字方针",宣布了五项重大措施,包括推动大陆企业赴台投资、扩大对台产品采购等,对于台湾应对全球经济金融危机有重要意义。此次"温钱会"获得岛内主流民意的好评,普遍认为大陆宣布的利好措施有利于台湾应对国际金融危机,也为两岸关系的和平发展注入新动力。马英九在钱复行前接见代表团一行时表示,"两岸关系要走该走的路,也要走得稳,走得稳就要经常有互动,通过各种管道互动。博鳌论坛也是一个机会"。① 萧万长则指出,博鳌论坛不仅是亚太区域的经贸论坛,更成为两岸高层经贸政策对话的重要平台。种种讯息显示,两岸已将博鳌论坛视为两岸经贸对话的重要平台。

三是海峡论坛。首届海峡论坛是在已举办了三届"海西论坛"基础上发展扩大并更名的论坛。2009年5月15日—22日,由中台办、国台办等26个国家部委、群团组织、民主党派和福建省人民政府以及台湾地区28个民间社团机构联合主办的首届海协论坛在福建省隆重举行,共有8000多名不分蓝绿的台湾各界和各层级民众参加,台湾25个县市也都有县市长或代表参加,总与会人数超过万人。此次论坛的主题是"扩大民间交流、加强两岸合作、促进共同发展",包括论坛大会、海峡两岸经贸交易会、海峡文化艺术周、两岸民间交流嘉年华等4大板块18场大型经济文化交流活动,议题多样,涉及经济、文化、教育、艺术、学术等多个方面。论坛内容广泛,有经贸交易会,有高层研讨会,有圆桌会议,有专题论坛,有县市主题日。因此,此次论坛的规模之大、内容之丰富、代表性之广泛前所未有,是迄今为止参加人数最多、两岸合办单位最多、场次规模最大的两岸交流活动,是台湾各界参与最广泛的一次两岸交流盛会,是大陆努力打造的两岸民间交流与互动的综合型新平台,是在两岸关系步入和平发展轨道的新形势下推动两岸民间交流的一个创举。

五

和平发展两岸关系的岛内民意基础不断扩大

自2005年以来,大陆始终秉承"以人为本"和建构"两岸命运共同体"的原则,积极主动出台一系列惠台政策措施,并最终赢得岛内主流民意的认可与支持,要求两岸关系和平发展的民意基础不断扩大。

2005年5月3日,中共中央台湾工作办公室、国务院台湾事务办公室主任陈云林在上海宣布,大陆同胞向台湾同胞赠送一对象征和平团结友爱的大熊猫。同时宣布,大陆有关方面将于近期开放大陆居民赴台湾旅游,扩大开放台湾水果准入并对其中十余种实行零关税。其中,大熊猫团团圆圆于2008年12月23日平安抵达台湾,架起了大陆同胞和台湾同胞友谊与亲情的桥梁。2005年5月13日,大陆方面又宣布了进一步为台湾居民入出境提供便利、对在高等院校就读的台湾学生按照大陆学生标准同等收费、逐步放宽台湾同胞在大陆就业条件等3项措施。2006

---

① (台湾)《中国时报》,2009年4月15日。

年4月15日,大陆通过首届"国共论坛"推出了促进两岸交流合作、惠及台湾同胞的15项政策措施。这些措施多是大陆单方面可以兑现的,惠及台湾的农民、渔民、学生、商人、医生等各界人士,为他们带来方便、机会和利益。2006年10月17日,大陆又在第二届"国共论坛"闭幕式上宣布了4大类20项两岸农业交流新政策措施,对于解决台湾中南部农民的经营困难、促进大陆农业的开放发展等都将大有好处,将为两岸农业合作走向双赢铺平道路,也将为两岸农业合作交流向纵深发展提供一个新平台。2007年3月19日,商务部新增19种台湾农产品享受零关税。4月27日,教育部、人事部、民航总局、公安部、交通部等多个部委在第三届两岸经贸文化论坛闭幕式上公布了开放台湾大学来大陆招生等13项促进两岸交流的政策措施。2007年10月1日,公安部开始实施包括实行中国公民免填出入境登记卡等12项措施,使取道厦金航线往返海峡两岸的台湾居民,在"十一"黄金周期间享受到了前所未有的便利。同年11月7日,国家广电总局宣布了台湾影视业在大陆播出发行的优惠措施。2008年2月27日,卫生部公布了台湾居民申请大陆医师资格的条件。同年12月22日,中共中央台办主任王毅在第四届两岸经贸文化论坛上就加强两岸合作、携手应对国际金融危机,宣布了大陆各有关部门为此制定的10项政策措施。中国国民党主席吴伯雄说,对台湾的企业来说,这的确是一份扎扎实实的政策"牛肉",也是一剂"强心剂"。在2009年5月举办的两岸首届海峡论坛上,王毅主任释放推动大陆企业赴台投资、扩

大对台产品采购等8大惠台措施,在岛内引起强烈反响。台湾媒体指出,大陆源源而来的开放陆资、开放观光客、开放直航港口,到日前在海峡论坛大会中宣布的惠台八措施,一波又一波地带来资金、人潮、炒作题材,让台湾的股市飙涨、观光胜地人潮如织。民众对马英九当局的满意度也大步走扬。①

大陆的惠台政策措施及两岸关系的积极进展赢得岛内民众的支持与肯定。2008年,岛内多家民调显示,支持、赞成两岸关系和平发展的民众比例不断升高。56%的民众赞成继续推动两岸交流,50%认为两会协商成果对台湾发展有正面影响,56%赞成马当局继续推动两岸交流。②台"行政院研考会"2008年6月20日民调显示,73%的民众认为两岸复谈有助于两岸关系和平发展。针对第三次"陈江会",台"陆委会"公布民调显示,有超过七成以上的民众支持通过两岸制度化的协商来处理两岸交流问题,超过六成以上的民众满意此次会谈整体结果,同时认为所达成的三项协议及一项共识,对台湾的经济发展有"好的影响"。同时,台湾民众认为大陆对台湾当局和台湾民众持敌意态度的比例也明显下降:52.7%认为大陆对台湾民众态度友善,44.6%觉得不友善,这是"陆委会"调查以来首次有过半民众认为大陆对台湾民众态度友善,并首次超过不友善的比例,显示近年来广大的台湾民众对大陆隔阂、误解和敌意明显降低,并且已经呈现出逐渐向有利于两岸关系和平发展方向改变的趋势。

总之,新一届中央领导集体确立了"以人为本"的对台工作指导思想后,积极

①　(台湾)《经济日报》,2009年5月19日。
②　(台湾)《中国时报》,2008年11月7日。

主动推行了七十多项嘉惠于台湾民众的政策措施,真正将寄希望于台湾人民的方针落到了实处,增强了大陆与台湾民众之间的相互信任和良性互动,提升了岛内民众和平发展两岸关系的意愿。这为大陆推动两岸关系和平发展,以及构建两岸关系和平发展框架奠定了日益广泛的民意基础。

两岸经贸和各项民间交流取得新突破

随着台湾经济对大陆依存度的提升,台湾民众对两岸关系和平发展的总方向认知更加清晰,这种认知与大陆推动两岸交流的努力一起形成了巨大合力,共同促成两岸迈向大交流、大合作、大发展的新时代。

一是两岸经贸交流向正常化方向发展。两岸经贸交流始终是最活跃和积极的因素,是稳定和推动两岸关系不可或缺的重要力量。尤其是2008年国民党重新执政以后,两岸两会重启制度化协商、多次两岸经贸论坛的召开、两岸"三通"的全面实现、大陆惠台政策的不断出台,以及台湾当局对两岸经贸政策的积极松绑等,都使得新时期两岸经贸交流与合作向正常化方向发展。商务部台港澳司2009年初发布的统计显示,两岸贸易和台商对大陆投资持续增长,台湾已成为大陆第七大贸易伙伴、第九大出口市场、第五大进口来源地。大陆是台湾第一大出口市场、最大贸易顺差来源地、第二大进口来源市场、第一大对外投资地区,以及最大贸易伙伴。截至2008年12月底,两岸贸易累计达8600亿美元,台湾方面顺差超过5500多亿美元,大陆累计批准台资项目77506个,累计吸收台湾直接投资476.6亿美元。尽管两岸经贸在2008年下半年受到世界金融危机的严重影响,但还是取得了可喜成绩。2008年,两岸贸易总额达1292.2亿美元,同比上升3.8%。其中,大陆对台湾出口为258.8亿美元,同比上升10.3%;自台湾进口为1033.4亿美元,同比上升2.3%。大陆逆差为774.6亿美元。大陆共批准台商投资项目2360个,同比下降28.5%;实际使用台资金额19亿美元,同比上升7.0%。按实际使用外资统计,台资在大陆累计吸收境外投资中占5.6%,排在第五位。

二是两岸人员往来取得新突破。随着大陆居民赴台旅游人数的增多,以及两岸"三通"的全面实现,两岸人员往来呈现出崭新局面。截至2008年底,台湾居民来大陆累计达5140万人次,这个数字是2300万台湾居民的两倍之多,大陆居民赴台累计超过191万人次。据有关部门统计,现在每年有超过430万人次的台湾同胞往返于两岸,有近70万台湾同胞常年在大陆工作和生活。两岸同胞交往由最初台湾同胞来大陆探亲、旅游,逐渐扩大到投资市政建设、乡镇发展、经商、就学、就业,进而发展到文化、教育、科技、卫生、体育、宗教等多领域的双向交流。这些交流交往活动,成为两岸关系保持总体稳定与发展的支柱和动力。尤其是,2009年3月两会期间,温家宝总理"真心希望能有机会到台湾去走一走、看一看……即使走不动,就是爬我也愿意去"的讲话,展现了温情,释放出了大陆对改善两岸关系的最大善意,点燃了大陆民众的"台湾热"。台"移民署"受理大陆民众赴台申请案件由过去的每天几百件猛增为目前(2009年4月)每天4000件。事实上,自2008年7月开放大陆居民赴台旅游以来,大陆民众赴台旅游人数不断增加。尤其是自 2009 年春以来赴台旅游热度不断升温,旅游人数急剧增加。自 2008 年 7 月至 2009 年 4 月中旬,累计近 710 个旅行团、共计 20 万人次赴台。

两岸人员往来的新突破直接推进两岸民间交流与合作更加热烈。民间交流与互动的层次大幅提高、数量明显增多,两岸的交流渠道拓展、领域拓宽、形式多样、频繁程度提高,两岸民间行业团体开展技术性、业务性磋商取得重要成果。

三是两岸文教交流呈现新局面。党的十六大以来,以胡锦涛为总书记的党中央提出并实施了一系列促进两岸文化交流与合作的政策和举措,两岸文教交流空前活跃。尤其是马英九执政以后,两岸文教交流呈现出新局面。据不完全统计,2003 年至 2007 年 10 月底,经文化部审核、审批的对台湾地区文化交流项目累计约 2000 多项、近 2 万人次。5 年来,两岸围绕中华文化这一交流主体,在教育、文艺、科技、体育、卫生、影视、新闻出版、学术等方面的交流都呈现出领域不断拓宽、内容逐渐深入、合作层级提高、规模逐步扩大的特点。两岸广播、电影、电视、网络的交流合作在互信、互助、互爱的主格调下健康有序地开展,两岸宗教界的交流互动仍然保持热络势头。两岸文化领域的各项交流经常是你中有我,我中有你,形成了一派生机盎然的大文化大交流的崭新局面。① 马英九上台以来,两岸文教交流迈向范围更广、层次更高的新台阶,如两岸艺术活动交流的品牌效益更加明显,一些文化交流活动呈现出机制化、系列化发展态势;大陆文化团体赴台交流活动与

2008 年之前相比较更加活跃;两岸文化产业合作也迈出新步伐,尤其是台湾产业界积极来大陆参加各类国际性文化产业博览会;两岸教育交流蓬勃发展,两岸之间从幼儿教育、基础教育、中小学教育、职业技术教育、高校教育,直至继续教育等领域全面展开交流与合作,两岸校际交流与合作不断深化。

四是两岸同胞感情进一步加深。新时期以来,尤其是 2008 年以来,两岸经贸、文化、社会交流和人员往来呈现出的新局面,有利于两岸同胞加深了解、增进感情。2008 年 5 月 12 日汶川特大地震发生后,台湾同胞感同身受,慷慨援助,体现了患难与共、血浓于水的手足亲情。2008 年 8 月 8 日,北京奥运会拉开帷幕,广大台湾同胞以前所未有的热情,和大陆同胞共襄奥运盛举,共同见证中华民族百年盛事。这热情贯穿了北京奥运会从申办、筹办到举办的整个过程,也远远地超越了运动比赛本身,这对两岸交流乃至两岸关系都产生了深刻、长远的积极影响。2008 年底"团团"、"圆圆"安抵台湾,给台湾同胞带去了欢乐和祥和。2008 年下半年世界金融危机肆虐全球,两岸就共度危机多次展开交流与合作,大陆先后推出系列惠台政策措施,有利于密切两岸同胞关系。

总之,随着两岸关系的和平发展,两岸经济关系、文化交流与合作、民间往来等将更加紧密,两岸民众互信也将逐渐增强,两岸共同利益逐渐增多,两岸情感基础逐渐加强,两岸关系发展必将进入"大交流、大合作、大发展"的崭新历史时期。

---

① 张华:《促交流 谋合作 创新局——十六大以来两岸文化交流综述》,《统一论坛》第 6 期,2007 年 12 月。

新世纪的中国国家安全

进入 21 世纪,"和平与发展"仍是世界的两大主题,国际安全形势总体稳定,各国安全合作增强。但是,世界安全挑战依然严峻复杂,"一超多强"的局面没有发生根本改变,局部战争和地区热点问题不断,南北差距拉大,国际恐怖势力、民族分裂势力、极端宗教势力在一些地区还很活跃,环境污染、毒品走私、跨国犯罪、严重传染性疾病等非传统安全问题日益突出。

中国的安全环境继续改善,但是"生存安全与发展安全、传统安全威胁与非传统安全威胁、国内安全问题与国际安全问题交织互动"。① 美国通过阿富汗战争和"颜色革命",增加了在阿富汗和中亚国家的军事部署,美国同日本、韩国、泰国、菲律宾建立的安全同盟仍然存在,并在东亚部署了战区导弹防御系统。日本军事大国倾向明显。朝鲜半岛局势时有动荡,印巴对峙问题尚未解决,中国的周边安全不容乐观。同时,"台独"、"藏独"和"疆独"分裂势力依然存在,南海问题国际化,经济安全、社会安全、信息安全、食品安全、重大传染性疾病等非传统安全问题日益显现,中国安全面临的不稳定因素增多。

根据国内外安全形势的变化,以胡锦涛同志为总书记的新一届中央领导集体,高度关注国家生存和发展利益,提出了国家安全的一系列思想,并进行了一系列的相关实践。

一

深化新安全观,坚持和平发展道路,建设和谐世界

新安全观已经成为指导中国国家安全的重要思想。1997 年前后,中国与东盟对话的过程中,提出新安全观思想,包含了"互助、互利、平等、协作"等内容。胡锦涛强调,新安全观就是"安全上相互信任、加强合作,坚持用和平方式而不是战争手段解决国际争端,共同维护世界和平稳定"。② 新安全观坚持和平共处五项原则,倡导超越政治制度和意识形态的差异,尊重不同的社会制度和发展道路,反对干涉内政;坚持通过对话与合作解决争端,反对动辄诉诸武力或以武力相威胁;坚持摒弃冷战思维,以对话与合作促进各国的共同安全和互利共赢。

2003 年 5 月,胡锦涛在莫斯科国际关系学院发表演讲,阐述了推动建立公正合理的国际政治经济新秩序的五项主张:我们应该促进国际关系民主化;我们应该维护和尊重世界的多样性;我们应该树立互信、互利、平等和协作的新安全观;我们应该促进全球经济的均衡发展;我们应该尊重和发挥联合国及其安理会的重要作用。这再一次向世界表达了中国的新安全观,

---

① 《中国政府发表〈2008 年中国的国防〉白皮书》,新华网,http://news. xinhuanet. com/newscenter/2009－01/20/content_10688192_1. htm。

② 胡锦涛:《高举中国特色社会主义伟大旗帜　为夺取全面建设小康社会新胜利而奋斗》,人民出版社,2007 年版,第 47 页。

也表明中国将坚持不懈地深化新安全观来推动世界的和平与发展。

新安全观所针对的问题,既包括传统安全问题,也包括非传统安全问题;既包括军事安全问题,也包括非军事安全问题。新安全观的关注点,更多的是非传统安全问题和非军事安全问题。新安全观的提出,矫正了以往过于强调军事安全的倾向,将"以人为本"等理念带入安全观,提升了对于非军事领域安全问题的关注,形成了涵盖综合安全的安全思想。

2005年12月,国务院新闻办公室发表《中国的和平发展道路》白皮书,从和平发展是中国现代化建设的必由之路、以自身的发展促进世界的和平与发展、实现与各国的互利共赢和共同发展、建设持久和平与共同繁荣的和谐世界等方面,系统阐述了中国的和平发展道路,有力地驳斥了"中国威胁论"。坚持用和平方式解决国家发展的问题,是党冷静观察和准确把握国际国内安全环境所作出的科学抉择。胡锦涛在党的十七大报告中明确提出"中国将始终不渝走和平发展道路",回答了中国以什么样的方式实现国家富强的问题,这是向国际社会作出的郑重承诺。

为了回答世界各国应该如何相处的问题,胡锦涛提出了建设和谐世界,它是新时期中国国际战略原则的新概括。2005年4月,胡锦涛在亚非峰会上的讲话中首次提出"共同构建一个和谐世界"的新论断。2005年7月,"和谐世界"被写入《中俄关于21世纪国际秩序的联合声明》,标志着建设和谐世界理念进入到国际视野。2005年9月,胡锦涛在联合国成立60周年首脑会议上发表《努力建设持久和平、共同繁荣的和谐世界》的重要讲话,全

面地提出了建设和谐世界的重要思想,并明确提出三点倡议:坚持多边主义、维护共同安全;坚持互利合作,实现共同繁荣;坚持包容精神,共建和谐世界。这是我们党和国家为世界和平发展作出的重大理论贡献,得到了国际社会的高度评价和积极反应。2006年8月,胡锦涛在中央外事工作会议上,进一步阐述了"和谐世界"的思想:"要致力于同各国相互尊重、扩大共识、和谐相处,尊重各国人民自主选择社会制度和发展道路的权利,坚持各国平等参与国际事务,促进国际关系民主化;致力于同各国深化合作、共同发展、互利共赢,推动共享经济全球化和科技进步的成果,促进世界普遍繁荣;致力于促进不同文明加强交流、增进了解、相互促进,倡导世界多样性,推动人类文明发展进步;致力于同各国加深互信、加强对话、增强合作,共同应对人类面临的各种全球性问题,促进和平解决国际争端,维护世界和地区安全稳定。"①2007年10月,胡锦涛在党的十七大报告中,进一步丰富了推动建设和谐世界的思想。

和谐世界,主张加强国际经济合作,消除贫困,主张世界不同文明和发展模式相互尊重,求同存异。建设和谐世界,要求各国在政治、经济、文化上友好合作,共同应对全球性的传统和非传统安全挑战,实现世界的和平与繁荣。建设和谐世界,是中国为现代化建设营造良好外部环境的客观需要。建设和谐世界的提出,更好地把国内发展与对外开放统一起来,把中国的发展与世界的发展联系起来,把中国人民的根本利益与世界人民的共同利益结合起来,体现了传统和谐思想与现代双赢思想的结合,体现了社会主义与世界发

---

① 《人民日报》,2006年8月24日。

展潮流的结合。

"统筹国内国际两个大局,树立世界眼光,加强战略思维,善于从国际形势发展变化中把握发展机遇、应对风险挑战,营造良好国际环境。"①构建和谐社会和建设和谐世界相互结合、相辅相成,共同构成了新时期中国总体发展战略。一方面,国内构建和谐社会建设是基础。只有大力推进国内社会主义和谐社会建设,才能更好地推进和谐世界建设;另一方面,建设和谐世界又是国内构建和谐社会的重要外部条件。"中国人民既通过争取和平的国际环境来发展自己,又通过自己的发展来促进世界和平。"②当今中国的安全和发展,内外关联度进一步增强,越来越受国际因素的影响。世界经济和金融波动、国际能源资源供求、国际安全局势变化等,都会给中国的经济发展和社会稳定带来影响。中国要实现现代化,既需要稳定的国内环境,又需要和平的国际环境。对内构建和谐社会,对外推动建设和谐世界,统筹内部安全与外部安全、传统安全与非传统安全,只有把国内国际两个大局统筹起来,妥善处理好中国同国际社会的关系,才能驾驭各种复杂局面,切实维护我国重要战略机遇期内的安全和发展利益。

维护国家主权,积极处理台湾、西藏和南海问题

维护国家主权和领土完整,是国家的核心利益。西方敌对势力在台湾、西藏、南海以及"东突"问题上否定中国主权的意图十分明显。与"台独"、"藏独"、"东突"等分裂活动进行坚决斗争,要始终增强国家主权意识,完善国家安全战略。胡锦涛强调:"在我们这样一个人口众多发展中社会主义大国,任何时候都必须把独立自主、自力更生作为自己发展的根本基点,任何时候都要坚持中国人民自己选择的社会制度和发展道路,始终把国家主权和安全放在第一位,坚决维护国家主权、安全、发展利益,坚持中国的事情按照中国的情况来办、依靠中国人民自己的力量来办,坚决反对外部势力干涉我国内部事务。"③

陈水扁上台后,谋求通过"宪政改造"、"公投制宪"、"入联公投",实现"台湾法理独立"。中国先后与多米尼克、格林纳达、塞内加尔、乍得、哥斯达黎加等国建交或复交,并挫败了陈水扁当局挤入联合国和世界卫生组织的图谋。

---

① 胡锦涛:《高举中国特色社会主义伟大旗帜 为夺取全面建设小康社会新胜利而奋斗》,人民出版社,2007年版,第16页。

② 胡锦涛:《携手建设持久和平、共同繁荣的和谐世界》,新华月报编《时政文献辑览(2004年3月—2006年3月)》(下),人民出版社,2006年版,第1001页。

③ 胡锦涛:《在纪念党的十一届三中全会召开30周年大会上的讲话》,人民出版社,2008年版,第28页。

2004 年 5 月 17 日，中共中央台办、国务院台办受权发表声明，提出两岸"共同构造两岸和平稳定发展的框架"。2005 年 3 月 4 日，胡锦涛在看望参加全国政协十届三次会议民革、台盟、台联界委员时，就新形势下发展海峡两岸关系提出了四点意见：第一，坚持一个中国原则决不动摇。第二，争取和平统一的努力决不放弃。第三，贯彻寄希望于台湾人民的方针决不改变。第四，反对"台独"分裂活动决不妥协。胡锦涛在对台工作的四点指示中，对两岸谈判的内容给予了更明确的界定和拓展："不仅可以谈我们已经提出的正式结束两岸敌对状态和建立军事互信、台湾地区在国际上与其身份相适应的活动空间、台湾当局的政治地位、两岸关系的和平稳定发展的框架等议题，都可以谈在实现和平统一过程中需要解决的所有问题。"①

为反对和遏制"台独"分裂势力及其活动，2005 年 3 月 14 日，全国人大十届三次会议通过《反分裂国家法》。这部重要法律，将中央关于解决台湾问题的大政方针以法律的形式固定下来，表明了中国人民维护国家主权和领土完整、绝不允许"台独"分裂势力以任何名义、任何方式把台湾从中国分裂出去的共同意志和坚定决心。胡锦涛指出："台湾任何政党，只要承认两岸同属一个中国，我们都愿意同他们交流对话、协商谈判，什么问题都可以谈。"②2005 年 4 月 29 日，胡锦涛与连战举行会谈，这是 60 年来国共两党最高领导人的首次正式会谈。两党决定：促进正式结束两岸敌对状态，达成和平协议，建构两岸关系和平稳定发展的架构，包括建立军事互信机制，避免两岸军事冲突。随后，台湾的亲民党和新党领导人也先后访问大陆，就台湾问题与我党达成多项共识。

2008 年 3 月，陈水扁下台，台湾政局发生了积极变化，两岸关系迎来了难得的历史机遇。2008 年 11 月，大陆海协会会长陈云林和台湾海基会董事长江丙坤在台北签署了有关海峡两岸空运、海运、邮政和食品安全的四项协议。这标志着两会沟通的渠道已进入制度化，两岸关系进入到新的里程。12 月 15 日，大陆与台湾海运直航、空运直航、直接通邮全面启动，直接"三通"构想基本实现，对于海峡两岸关系的发展具有里程碑意义。

2008 年 12 月 31 日，胡锦涛在出席纪念《告台湾同胞书》发表 30 周年座谈会时，提出了推动两岸关系和平发展的六点重要主张：恪守一个中国，增进政治互信；推进经济合作，促进共同发展；弘扬中华文化，加强精神纽带；加强人员往来，扩大各界交流；维护国家主权，协商涉外事务；结束敌对状态，达成和平协议。胡锦涛还指出："为有利于两岸协商谈判、对彼此往来作出安排，两岸可以就在国家尚未统一的特殊情况下的政治关系展开务实探讨。为有利于稳定台海局势，减轻军事安全顾虑，两岸可以适时就军事问题进行接触交流，探讨建立军事安全互信机制问题。"③

达赖集团与国外反华势力一起，就所谓"人权"和"西藏"问题攻击中国政府，鼓吹西藏"高度自治"，最终实现"西藏独

---

①　《人民日报》，2005 年 3 月 5 日。

②　胡锦涛：《高举中国特色社会主义伟大旗帜　为夺取全面建设小康社会新胜利而奋斗》，人民出版社，2007 年版，第 45 页。

③　胡锦涛：《携手推动两岸关系和平发展　同心实现中华民族伟大复兴——在纪念〈告台湾同胞书〉发表 30 周年座谈会上的讲话》，人民出版社，2009 年版，第 10 页。

立"。2008 年 3 月 14 日,达赖集团策划煽动在拉萨制造了严重打砸抢烧的暴力犯罪事件。同年 4 月,北京奥运圣火境外传递时,遭遇少数"藏独"分子与国外反华分子的干扰破坏。

中央政府在维护祖国统一和领土完整这个原则问题上,没有丝毫动摇。从 2002 年以来,中央政府已经同达赖喇嘛的私人代表进行了多次坦诚的接触商谈。双方在相互观点上仍然存在很大分歧。2008 年 4 月 12 日,胡锦涛在会见澳大利亚总理陆克文时表示,西藏事务完全是中国内政。我们和达赖集团的矛盾,不是民族问题,不是宗教问题,也不是人权问题,而是维护祖国统一和分裂祖国的问题。胡锦涛强调,拉萨等地发生的严重暴力犯罪事件,并不像某些人宣扬的是什么"和平示威"、"非暴力"行动,而是赤裸裸的暴力犯罪。对于这种严重侵犯人权、严重扰乱社会秩序、严重危害人民群众生命财产安全的暴力犯罪活动,任何一个负责任的政府都不会坐视不管。胡锦涛强调,我们同达赖进行对话的大门是敞开的。现在双方接触商谈的障碍不在我们,而在达赖方面。如果达赖真有诚意,就应落实在行动上。只要达赖方面停止分裂祖国的活动,停止策划煽动暴力活动,停止破坏北京奥运会的活动,我们随时愿意同他继续接触商谈。

中国坚决维护南海的主权。2009 年 3 月 5 日,马来西亚总理兼国防部长巴达维登陆南沙群岛的弹丸礁和光星仔礁,宣布拥有"主权"。3 月 10 日,菲律宾总统阿罗约签署"领海基线法",将南沙部分岛礁和黄岩岛划入菲律宾。美国插手南海争端,偏袒东南亚国家,使南海问题复杂化。为了捍卫中国对南海诸岛的主权,2009 年 3 月 8 日,中国舰艇驱逐美军"无暇"号监测船。3 月 15 日,中国渔政 311 船开始对南海的巡航。

三

推进强军建设,拓展军事安全合作

在战争形态没有消亡以前,军事手段仍然是维护国家安全最重要的手段,军事安全仍然是国家安全领域中最重要的因素。中国奉行防御性的国防政策,在战略上始终坚持防御、自卫和后发制人的原则,它的立足点是维护国家的安全和统一。

国防和军队建设关系着国家的安全和发展全局。2006 年 3 月 6 日,胡锦涛指出:"我们一定要认清国际形势的发展变化和我国安全形势面临的新情况新特点,认清我国经济社会发展和国防建设的阶段性特征,进一步增强加快国防和军队建设的责任感和紧迫感。要把维护国家主权和安全放在第一位,进一步强化忧患意识,加快推进中国特色军事变革,加强军队全面建设,加紧推进军事斗争准备,坚决履行好捍卫国家主权、统一、领土完整和安全的神圣职责。"①

胡锦涛坚持走中国特色精兵之路的国防建设理论。2003 年中国宣布裁减军队员额 20 万,2005 年底完成裁军 20 万人任务,军队规模保持 230 万人。2004 年 12 月,中央军委颁布《中央军委关于加强军队党组织能力建设的意见》。《意见》指

---

① 《胡锦涛参加十届全国人大四次会议上海和解放军代表团的讨论并发表重要讲话》,新华月报编《时政文献辑览(2004 年 3 月—2006 年 3 月)》(下),人民出版社,2006 年版,第 960 页。

出,加强军队党组织能力建设的主要任务是,按照全面推进军队革命化、现代化、正规化建设的要求,紧紧围绕实现建设信息化军队、打赢信息化战争的战略目标,不断提高加强军队思想政治建设、把握部队建设正确方向的本领,领导军事斗争准备、带领部队完成信息建设的本领,依法从严治军;加强部队正规化建设的本领。

在国防建设上,胡锦涛强调把科学发展观作为国防和军队建设的重要指导方针,科学统筹国防建设和经济建设,坚持国防建设与经济建设协调发展的方针,实现富国和强军的统一。

"积极推进机械化条件下军事训练向信息化条件下军事训练转变,不断提高部队信息化条件下的防卫作战能力。"①依据国家总体规划,国防和军队现代化建设实行三步走的发展战略,在2010年前打下坚实基础,2020年前后有一个较大的发展,到21世纪中叶基本实现建设信息化军队、打赢信息化战争的战略目标。②

中国拓展了军事安全合作的领域和范围,积极参与多边联合军事演习。2003年8月,上海合作组织成员国武装力量举行代号为"联合—2003"的联合反恐军事演习,这是上海合作组织框架内首次举行的多边联合反恐军事演习。2003年10月下旬和11月中旬,中国海军分别与巴基斯坦和印度海军举行了海上联合搜救演习。这是中国海军首次与外国海军举行非传统安全领域的联合军事演习。2005年,中国海军先后与巴基斯坦、印度和泰国三国海军举行了以联合搜救为主要内容的非传统安全领域演习。2005年8月,中俄举

行了"和平使命—2005"联合军事演习。2006年9月和11月,中美海军在美国圣迭戈附近海域和中国南海海域举行了海上联合搜救演习。2005年9月27日,中国邀请了24个周边和西方主要国家的军事观察员和驻华武官观摩了在北京军区举行的"北剑—2005"演习,这是新中国成立以来邀请国家最多、对外展示规模最大的演习。2006年12月,中国和巴基斯坦举行了"友谊—2006"联合反恐军事演习。2007年8月,中国、俄罗斯、哈萨克斯坦、吉尔吉斯斯坦、塔吉克斯坦、乌兹别克斯坦6个国家,在新疆和俄罗斯车里雅宾斯克共同举行了打击恐怖主义、分裂主义、极端主义的联合反恐军事演习,这是中国军队第一次在境外参加的较大规模的陆空联合演习。2007年12月和2008年12月,中国与印度在昆明和印度贝尔高姆地区分别举行了陆军反恐联合训练。2007年3月,中国与巴基斯坦等7个国家在阿拉伯海共同举行"和平—07"海上联合演练。2007年5月,中国与新加坡等8个国家在新加坡附近海域共同举行西太平洋海军论坛多边海上联合演习。2007年10月,中国与澳大利亚、新西兰在塔斯曼海域举行三边海上联合搜救演习。2007年7月和2008年7月,中国与泰国在广州和泰国清迈分别举行了陆军特种作战反恐联合训练。近年来,中国海军舰艇编队访问了巴基斯坦、印度、泰国、美国、加拿大和菲律宾。中国与俄罗斯、英国、法国、美国、巴基斯坦、印度、南非等国家海军举行了双边海上联合演练。中国还积极参加

---

① 温家宝:《政府工作报告:2007年3月5日在第十届全国人民代表大会第五次会议上》,人民出版社,2007年版,第51页。

② 国务院新闻办公室:《2006年中国的国防》,新华月报编《时政文献辑览(2006年3月—2007年3月)》,人民出版社,2007年版,第421页。

联合国维和行动,在利比里亚、科索沃地区、海地和苏丹执行维和任务。

随着时代的前进,国家安全利益逐渐超出领土、领海、领空范围,不断向海洋、太空、电磁空间扩展和延伸。海洋安全、太空安全、电磁空间安全,已经成为国家安全的重要领域。2008年9月,"神舟七号"载人航天飞行取得圆满成功,中国人进行了第一次太空行走。中国成为了世界上第三个独立掌握空间出舱关键技术的国家,从而在太空安全领域居于有利的地位。

四

深化大国关系,促进周边和国际安全合作

维护中国的安全利益,处理好与美国、俄罗斯等大国的关系是关键。

2006年4月,胡锦涛访问美国,两国元首一致同意,中美不仅是利益攸关方,而且应该是建设性合作者,双方应从战略高度和长远角度看待和处理两国关系,全面推进21世纪中美建设性合作关系。2009年4月1日,胡锦涛在伦敦会晤美国新任总统奥巴马。他们一致同意,共同努力建设21世纪积极合作全面的中美关系。他们一致强调:中美作为两个主要经济体,将同各国一道努力推动世界经济恢复强劲增长,稳定国际金融体系,避免再度发生如此重大的危机。他们还表示,中美同意增加国际金融机构资源,以帮助新兴市场国家和发展中国家应对资金短缺;坚定支持惠及各方的全球贸易和投资流动,抵制保护主义,维护健康稳定的中美贸易关系。中美首脑会晤中,胡锦涛对中美关系重新定位:第一,应该是积极的关系;第

二,应该是合作的关系;第三,应该是全面的关系。奥巴马表示,美国政府坚定承诺奉行一个中国政策,坚持中美三个联合公报。美方欢迎并支持两岸改善关系,并希望取得更大进展。西藏是中国领土的一部分,美国不支持"西藏独立"。中美首脑会晤,重新定位了双边关系,把中美合作关系引领到新起点。

中美经贸领域的互利合作成效显著。2006年9月,中美战略经济对话机制启动。12月,首次中美战略经济对话在北京举行。中国通过中美战略经济对话等渠道,促进美国妥善处理中美经贸摩擦问题,维护两国经贸合作。2007年,中美双边贸易额达3020.8亿美元,中美现已互为第二大贸易伙伴,美国成为中国的最大外资来源地之一。中美进一步加强经济合作关系,有助于建立新的世界经济和金融安全体系。

中国坚持就台湾问题做美方工作,并对美方损害中国主权的言行进行了坚决斗争。2003年6月,布什在与胡锦涛会晤时表示,美国政府坚持基于美中三个联合公报的一个中国政策,反对"台独"。12月,布什在温家宝访美时首次公开表示,反对台湾领导人单方面改变现状。美国政府还多次公开表明反对台湾陈水扁的"入联公投"。

近年来,中美在朝核、反恐、伊拉克、伊朗核问题等问题上进行了密切的交流与合作,加强了地区和国际安全方面的共同合作,维护了共同安全利益。在朝鲜半岛核问题上,中美都主张实现半岛无核化,维护半岛和平与稳定,共同推进朝核问题六方会谈。中美建立了中长期反恐交流与合作机制。中美就禽流感问题进行了及时沟通与协调。中美保持着接触与沟通,致力于以外交和谈判方式妥善解

决伊朗核问题。中美在印度洋地震海啸救援行动中都投入了大量人力、物力,为缓解灾情及灾后重建作出积极贡献。中美在联合国改革等问题上进行了密切的磋商与协调。

中国与俄罗斯之间的对话与合作也在不断地深化中。2006 年 3 月,普京访华,出席"俄罗斯年"开幕式。中俄互办"国家年"活动,对于发展两国关系具有战略意义。2007 年 3 月,胡锦涛访问俄罗斯,提出中俄要做真诚互信的政治合作伙伴、互利共赢的经贸合作伙伴、共同创新的科技合作伙伴、和谐友好的人文合作伙伴、团结互助的安全合作伙伴,为中俄战略协作伙伴关系的发展指明了方向。

2008 年 5 月 23 日至 24 日,俄罗斯总统梅德韦杰夫访问中国。中俄两国元首强调,双方在涉及对方核心利益问题上相互支持,是中俄战略协作伙伴关系的核心内容。中俄签署协定,互办"2009 年俄语年"与"2010 汉语年"。中俄双方重申,发展长期稳定的中俄战略协作伙伴是两国对外政策的优先方向,符合中俄两国和两国人民根本利益,有利于两国的发展与繁荣,对地区和世界的和平、稳定与发展也具有重要意义。2009 年 4 月 1 日,胡锦涛在伦敦会晤俄罗斯总统梅德韦杰夫。胡锦涛指出,在世界经济形势复杂严峻的形势下,中俄需要加强合作,共克时艰。第一,双方应该加强沟通和磋商,特别是在二十国集团框架内协调立场,推动国际金融体系改革。第二,双方可以通过中俄金融合作分委会和中俄财长对话等渠道,就保持各自国家经济金融体系和金融市场稳定、共同应对国际金融危机等议题进行深入沟通和交流。第三,加强双边务实合

作,认真履行已签协议,积极推动天然气、核能等领域大项目合作。中俄首脑会晤,双方就推进中俄战略协作伙伴关系、共同应对国际金融危机、加强在国际事务中的合作达成重要共识,有利于维护地区及世界的和平与稳定。

中国与周边国家增加睦邻互信,维护和平的周边环境。2008 年 5 月 6 日至 10 日,胡锦涛展开"暖春之旅",访问日本。中日双方一致认为,发展中日长期稳定的睦邻友好关系,符合两国和两国人民的根本利益,对亚洲和世界的和平、稳定、繁荣具有重要意义。访问期间,胡锦涛同日本首相福田康夫签署了中日关于全面推进战略互惠关系的联合声明,中日双方发表了两国政府关于加强交流与合作的联合新闻公报。2009 年 4 月 2 日,胡锦涛在伦敦会见日本首相麻生太郎。胡锦涛就中日关系提出五点建议:一是保持两国高层交往势头。二是进一步推动经贸合作。三是持之以恒开展各领域交流。四是加强两国在国际事务中特别是在亚洲的合作。五是妥善处理敏感问题,维护好两国关系大局。中日双方还决定加强两国战略互惠关系,扩大两国各领域沟通和合作,共同应对国际金融危机。2006 年 11 月,胡锦涛访问印度。胡锦涛对发展中印关系提出了 6 点建议:①加强对话磋商,增强政治互信;②深化经贸合作,实现互利双赢;③拓展务实合作,扩大共同利益;④促进人文交流,巩固友好基础;⑤推进边界谈判,保持边境安宁;⑥加强多边合作,维护共同利益。① 这对中印深化战略伙伴关系的发展具有重要意义。中印两国政府还主办"中印友好年"、"印中友好年",增进了中印友谊。2005 年,中国和巴基斯

① 《人民日报》,2006 年 11 月 22 日。

坦签署了《睦邻友好合作条约》，确立了战略合作伙伴关系。近年来，中国还与韩国建立全面合作伙伴关系，与蒙古建立睦邻互信合作伙伴关系，与越南建立全面战略合作伙伴关系，与阿富汗建立全面合作伙伴关系，与哈萨克斯坦、吉尔吉斯斯坦、塔吉克斯坦签订睦邻友好合作条约，与乌兹别克斯坦签订友好合作伙伴关系条约。

中国积极解决与周边国家的陆地和海域划界问题，并积极发展边海防合作。2004年10月，中俄签署了《中俄关于中俄国界东段的补充协定》，最终以法律方式确定了两国边界。2008年10月，中俄勘界确定，半个黑瞎子岛重新回归中国。2006年4月，中印签订了《关于解决中印边界问题政治指导原则的协定》等12项协议，就解决边界问题的政治指导原则达成共识，为最终解决中印边界问题创造了条件。2004年，中国与越南签订的《中越北部湾划界协定》正式生效，划定了中国与周边邻国的第一条海上边界线。2008年，中国和越南陆地边界勘界立碑工作圆满结束，对于发展中越和平友好关系具有重要意义。目前，中国已与12个邻国签订陆地边界条约或协定，并正同印度、不丹谈判解决边界问题。2005年，中国与越南签署《中越海军北部湾联合巡逻协定》，与菲律宾签署《海事合作谅解备忘录》，与印度尼西亚签署《海上合作谅解备忘录》。2006年7月，中印重新开放连接中印的乃堆拉山口边贸通道。

中国积极参加地区安全对话。2003年4月，中国促成中朝美三方会谈，启动和谈进程。2005年9月19日，第四轮六方会谈第二阶段会议发表共同声明，确立了半岛无核化总体目标。2007年2月13日，第五轮六方会谈第三阶段会议发表《落实共同声明起步行动》共同文件。

2007年10月3日，第六轮六方会谈第二阶段会议发表《落实共同声明第二阶段行动》共同文件，半岛无核化、有关国家关系正常化、对朝经济与能源援助等各方面取得了新进展。这维护了朝鲜半岛和东北亚的和平，为朝鲜半岛核问题和平化发挥了重要作用。2002年7月，在第九届东盟论坛外长会议上，中国提交了《中国关于新安全观的立场文件》，强调共同培育新的安全观念，通过合作促进安全。2002年11月，中国与东盟发表《关于非传统安全领域合作联合宣言》，启动了中国与东盟在非传统安全领域的全面合作。2004年11月，中国与东盟就"10＋1"地区一体化问题签署多个协定，规定各方力争在2010年签署自由贸易协定，届时中国与东盟将形成一个有18亿人口统一市场。2006年7月，中国—东盟安全问题研讨会成功举行，开启了双方安全对话的进程。2005年4月，上海合作组织与东盟和独联体签署谅解备忘录，确定在反恐领域开展合作。2005年7月，上海合作组织阿斯塔纳峰会通过《上海合作组织成员国合作打击恐怖主义、分裂主义和极端主义构想》。2007年，上海合作组织比什凯克峰会上签署《上海合作组织成员国长期睦邻友好合作条约》，将和平友好的思想以法律形式确定下来，进一步增强了中国与上海合作组织成员国的合作。中国还积极推进中日韩三方合作，推动东亚峰会发展。

中国还加强在多边机构中的磋商和协调，不断深化同各国和国际机构的多边安全合作，为维护世界和平发挥积极作用。中国积极参与了亚太经合组织、亚欧会议、亚洲合作对话、亚洲相互协作与信任措施会议等合作机制，与非洲和阿拉伯国家共同创立了中非合作论坛、中阿合作论坛，与拉美里约集团、南方共同市场、安第斯共同体建立了对话磋商机制,与欧盟建立了领导人定期会晤机制。中国主张按照公正、合理、全面、均衡的原则,实现有效裁军和军备控制,防止大规模杀伤性武器扩散,积极推进国际核裁军进程。中国还积极参与有关气候变化的国际谈判和多边会议,出台《中国应对气候变化国家方案》,表明应对气候变化的负责态度。2003年6月,胡锦涛出席在法国埃维昂举行的八国峰会,表明中国在维护世界和平与发展中将发挥更积极的作用,承担更大的责任。中国主张推动建立集体安全机制,强化联合国作为集体安全机制的核心地位,共向14项联合国维和行动派出军事人员、警察和民事官员3000多人次。中国在伊朗核问题上,主张通过谈判寻求解决分歧,支持国际原子能机构发挥作用;在中东问题上,呼吁巴以按照联合国有关决议和"土地换和平"的原则,通过政治谈判解决争端;在苏丹达尔富尔问题上,坚持政治解决方向,为推动达尔富尔维和行动和政治进程发挥了有效作用。

五

注重经济安全和文化安全

冷战结束后,国家安全问题的综合性和复杂性进一步增强,国家安全的关注领域从过去主要对付来自外部的武装侵略和颠覆,延伸到关注经济增长、文化的价值和影响力等等。国家安全概念的内涵和外延扩大,由军事安全、政治安全衍变为涵盖经济安全、文化安全等方面的"综合安全"。经济安全在国家安全中的地位进一步提升。

世界经济发展不平衡加剧,国际经济竞争更加激烈,发达国家在经济科技方面占优势的压力将长期存在。中国加入世界贸易组织后,对外贸易和投资摩擦增加,维护经济安全的任务更加艰巨。中国的经济安全存在以下威胁:发达国家推行贸易保护主义,设置贸易壁垒和实施技术封锁,全球或地区性经济危机。根据变化了的国内外安全环境,中国强调经济因素在国家安全中的核心地位,高度重视经济安全,增强抵御和化解各种金融风险的能力。

中国积极同各国进行能源对话和合作。随着中国经济与世界经济接轨,中国石油和某些矿产的对外依存度增大,能源安全问题凸显。2004年,中国和哈萨克斯坦签署油气全面合作协议,启动了阿塔苏至阿拉山口原油管道项目。2006年,中国首条陆上石油进口管道——中哈原油管道建成运营。21世纪,中国的能源安全更依赖于海洋安全,维护海上通道安全是中国面临的重大课题。中国必须关注自己的海上通道安全,保护自己的海外资源利益。2008年12月,中国海军舰艇编队赴索马里海域护航,保护索马里海域的中国船舶以及国际组织运送人道主义物资船舶的安全,这是中国海军第一次在太平洋之外行动,体现了中国维护国际能源通道安全,确保能源安全的决心。

中国积极推动世界银行、国际货币基金组织的改革,增加发展中国家的发言权和代表性。中国积极参与世界突发经济事件的处理,树立起负责任的大国形象。国际金融危机发生后,中国同韩国、马来西亚、印度尼西亚等国家和地区签署了双边货币互换协议,为地区贸易的发展提供更加便利的资金支付支持。2009年1月,中国与欧盟发表了《中欧联合声明》,表示要加强协调双方的宏观经济政策,共同应对全球金融危机。2007年6月8日,胡锦涛在德国海利根达姆发表《在八国集团同发展中国家领导人对话会议上的讲话》，指出："国际社会应该尊重各国自主选择社会制度和发展道路的权利，着力帮助发展中国家增强自我发展能力。国际经济体系改革应该充分反映世界经济格局的变化，增加发展中国家的发言权和代表权。"[①]2009年4月2日，胡锦涛在伦敦举行的二十国集团领导人第二次金融峰会上发表了题为《携手合作 同舟共济》的重要讲话。指出，当前，最紧迫的任务是全力恢复世界经济增长，防止其陷入严重衰退；反对各种形式的保护主义，维护开放自由的贸易投资环境；加快推进相关改革，重建国际金融秩序。我们应该进一步落实国际社会达成的共识，树立更坚定的信心，采取更有效的措施，开展更广泛的合作，实施更合理的改革，努力取得实质性成果。这对于稳定国际金融市场、恢复世界经济增长具有重要意义。

在新的历史条件下，各国软实力的竞争日趋激烈，文化的碰撞和冲突不断发生，中国的文化安全面临着严峻的挑战。"如何才能使不同文明共存和发展，归根到底在于'和'。这就是国与国之间的和平，人与人之间的和睦，人与自然之间的和谐。"[②]胡锦涛强调，应该充分尊重各国文明的多样性，鼓励各种文明在对话交流中相互借鉴、取长补短，倡导各种文明在相互包容、求同存异中共同发展。应该尊重各国自主选择本国发展道路的权利，以民主平等的精神，尊重本地区文化、宗教和价值观的多样性。

胡锦涛提出了"国家文化软实力"的新概念，通过加强对外传播和交流，树立中国良好的国际形象，提高自身的国际声誉和地位，扩大中华文化在国际社会中的话语权和影响力。胡锦涛指出："一个民族的文化，往往凝聚着这个民族对世界和生命的历史认知和现实感受，也往往积淀着这个民族最深层的精神追求和行为准则。"[③]中国加强了对外文化交流，增进了同世界各国人民对中国的了解。近年来，中国与有关国家举办"文化周"、"文化节"、"文化年"等活动，2006年、2007年中俄成功互办"国家年"，促进了两国的文化交往。中国还在海外兴办孔子学院，推行中华民族的传统文化。2008年，一些西方国家媒体、非政府组织借中国举办北京奥运会之机，恶意干扰奥运火炬境外传递，将北京奥运会政治化。对此局面，中国政府积极向国际社会宣传北京奥运会，主动与世界媒体交流沟通，赢得多数国家的理解与支持。

提高党处理国际事务的执政能力

国际环境总体对中国有利，但是，霸权主义和强权政治依然存在，局部冲突和热点问题此起彼伏；世界范围内社会主义处于低潮的力量对比并没有改变，敌对势力加紧对我国进行的渗透和破坏并没有停止。当前全球经济失衡加剧，国际金融市场风险增大；贸易保护主义加剧，贸易

① 中华人民共和国外交部政策研究室编：《中国外交：2008年版》，世界知识出版社，2008年版，第319页。

② 温家宝：《尊重不同文明 共建和谐世界》，新华月报编《时政文献辑览（2004年3月—2006年3月）》（下），人民出版社，2006年版，第1709页。

③ 胡锦涛：《在美国耶鲁大学的演讲》，新华月报编《时政文献辑览（2006年3月—2007年3月）》，人民出版社，2007年版，第967页。

摩擦增多。国际政治经济因素复杂多变，一方面，中国加入世界贸易组织后，在更大程度上对外开放；另一方面，西方敌对势力并没有放弃"西化"、"分化"的图谋，加紧进行渗透和破坏活动。这些，对党加强应对国际复杂局势的能力提出了更高的要求。

胡锦涛强调，要充分认识加强党的执政能力建设的重大意义，要全面推进党的建设新的伟大工程。"党的执政能力建设关系党的建设和中国特色社会主义事业的全局，必须把提高领导水平和执政能力作为各级领导班子建设的核心内容抓紧抓好。"①2004 年 9 月 19 日，党的十六届四中全会通过《中共中央关于加强党的执政能力建设的决定》，提出全党要提高五个方面的能力：驾驭社会主义市场经济的能力、发展社会主义民主政治的能力、建设社会主义先进文化的能力、构建社会主义和谐社会的能力、应对国际局势和处理国际事务的能力。十六届四中全会还把确保国家的政治安全、经济安全、文化安全和信息安全作为加强党的执政能力建设的重要内容，这对于增强全党的国家安全意识具有重要意义。

21 世纪头 20 年，对我国来说，是一个必须紧抓住并且可以大有作为的重要战略机遇期。必须紧紧抓住发展这个第一要务，聚精会神搞建设，一心一意谋发展；自觉地促进科学发展，要善于学会用世界眼光看问题，自觉地把中国的发展同世界的发展、把中国的改革开放和社会主义现代化建设的实践同国际形势的发展变化紧密联系起来。

加强党的执政能力建设，要求党的各级干部更好地适应统筹国内国际两个大局的新要求，既努力掌握国内现代化建设需要的各种本领，又努力掌握对外政策的相关知识；既善于处理国内事务，又善于处理涉外事务。要求各级干部掌握中央对外工作方针政策和重大战略部署，又掌握国际社会的基本情况、国际规则和国际惯例。国际安全是国家稳定和发展的外部环境，必须高度重视。党的各级干部要主动适应对外开放不断扩大、国际化程度不断提高的趋势，开拓国际视野，培养世界眼光，学习人类创造的一切优秀文明成果，不断提高应对国际局势和处理国际事务的能力，从容应对关系中国主权与安全的国际突发事件，战胜来自政治、经济、社会的各种困难和挑战。

坚持"以人为本"，
重视"人的安全"

进入 21 世纪，国家安全经历着重大的变化，国家安全关注的对象已经扩展到"人的安全"。国家安全不仅体现在它是国家生存和发展的基本条件，更体现在它是国民的安全与利益的根本保障。

科学发展观，核心就是"以人为本"，强调解决人民最关心、最直接、最现实的利益问题，最大限度地增加和谐因素、减少不和谐因素。胡锦涛指出："必须坚持以人为本。全心全意为人民服务是党的根本宗旨，党的一切奋斗和工作都是为了

---

① 胡锦涛：《高举中国特色社会主义伟大旗帜　为夺取全面建设小康社会新胜利而奋斗》，人民出版社，2007 年版，第 51 页。

造福人民。"①"我们坚持以人为本,就是要坚持发展为了人民、发展依靠人民、发展成果由人民共享,关注人的价值、权益和自由,关注人的生活质量、发展潜力和幸福指数,最终是为了实现人的全面发展。"②

2006年3月27日,胡锦涛在中共中央政治局第三十次集体学习时讲话指出:"人的生命是最宝贵的。我国是社会主义国家,我们的发展不能以牺牲精神文明为代价,不能以牺牲生态环境为代价,更不能以牺牲人的生命为代价。"③近年来,发生了南方低温雨雪冰冻、四川汶川特大地震等重大自然灾害和"非典"、"禽流感"等重大疫情,党和政府成功应对和处理这些突发事件,展示了处理危机和保障人民生命安全的能力。

中国政府坚持"执政为民"、"外交为民",切实加强了对海外公民的安全保护。随着对外开放的不断扩大和海外投资的快速增长,在海外的中国公民的数量直线上升,遭遇危险和困难的概率也大大上升。涉外领事保护案件逐年递增。2004年约2万起,2005年2.9万起,2006年3.1万起,2007年3万余起。④ 2004年7月19日,国务院专门召开了工作会议,部署加强境外人员和机构的安全保护。⑤ 2004年7月,外交部专门设立涉外安全事务司,保护中国公民在国外的安全。2004年12月26日,印度尼西亚附近海域发生印度洋海啸,在当地旅游的中国公民发生重大伤亡。胡锦涛高度关心中国公民和机构的安危,多次指示外交部及中国驻外使领馆全力以赴,救助中国公民。外交部立即行动,全力搜寻和救助包括港澳台同胞在内的中国公民。⑥ 近年来,中国还妥善处理了美国"卡特里娜"飓风救援、阿富汗、伊拉克、巴基斯坦、尼日利亚、埃塞俄比亚、尼日尔、刚果(布)和苏丹的中国公民遭绑架或枪杀,以及莫斯科友谊大学火灾、沙特朝觐踩踏、约旦安曼爆炸事件等数十起涉及中国公民的重大突发性事件。2006年,中国先后对所罗门群岛、东帝汶、黎巴嫩、汤加的中国公民成功地实施撤侨行动,凸显了中国政府"以人为本"和对海外中国公民的爱护。

新世纪的中美关系

2001年以来,中美关系平稳发展,取得了长足的进步。两国元首实现了互访,胡锦涛在访问中积极评价了中美关系的发展势头,指出中美关系已超越双边关系的范畴,越来越具有全球影响和战略意

---

① 胡锦涛:《高举中国特色社会主义伟大旗帜　为夺取全面建设小康社会新胜利而奋斗》,人民出版社,2007年版,第15页。

② 胡锦涛:《在美国耶鲁大学的演讲》,新华月报编《时政文献辑览(2006年3月—2007年3月)》,人民出版社,2007年版,第965页。

③ 《人民日报》,2006年3月29日。

④ 国务院研究室编:《奋进的历程　辉煌的成就:2003—2007年政府工作》,中国言实出版社,2008年版,第926页。

⑤ 张历历:《当代中国外交简史》,上海人民出版社,2009年版,第331页。

⑥ 《中国将建立五项机制保护海外公民安全》,人民网,http://politics.people.com.cn/GB/1027/3979899.html。

义。中美在维护世界和平、促进共同发展方面拥有广泛而重要的共同战略利益,肩负着共同责任。中美双方不仅是利益攸关方,而且更应该是建设性合作者。双方应共同努力,全面推进中美建设性合作关系。① 2009 年 1 月,奥巴马当选为美国新一任总统,4 月 1 日,利用出席二十国集团领导人金融峰会的机会,胡锦涛在英国伦敦会见了奥巴马。胡锦涛分析了当前中美关系的特点,强调一个良好的中美关系不仅符合两国和两国人民的根本利益,而且有利于促进亚太地区乃至世界的和平、稳定、繁荣。奥巴马表示,美中关系是世界上最重要的双边关系。中国作为一个大国在令人瞩目地向前发展。美中两国不仅有着非常紧密的经济关系,而且在重大国际和地区问题上有着许多共同利益。②

一

小布什执政初期的中美关系

1. 小布什竞选纲领中的对华关系

出于竞选政治的需要,布什在竞选和执政初期奉行了一条所谓的"ABC 路线":Anything but Clinton,凡是克林顿主张的我都反对。在中美关系上,克林顿与江泽民主席达成的"共同致力于建立中美建设性战略伙伴关系"的提法首当其冲。1999 年 11 月 19 日,布什在加州里根图书馆作对外政策演讲,谈到中国时说:"我们必须把中国看清楚。……中国是竞争者,而不是战略伙伴。我们必须不抱恶意地与中国打交道,但也必须不抱幻想。"③2000 年 8 月,共和党全国代表大会通过的竞选纲领在阐述对华政策时,称中国为"美国在亚洲的关键挑战",因此"中国是美国的战略竞争者,而不是战略伙伴。"④

布什把中国定义为"战略竞争者"的讲话显然来自其顾问班子的设计。2000 年初,赖斯在《外交事务》杂志上发表的代表布什外交政策纲领的文章中鲜明地提出:"中国不是'维持现状'的大国,而是一个试图改变亚洲力量的均势并使自己得到好处的大国,仅凭这一点,它就是一个战略竞争者,而不是克林顿政府所称的'战略伙伴'。"⑤布什提出标新立异的"战略竞争者",这个提法引起了人们对中美关系的忧虑。克林顿批评说:美国与所有的大国之间"都既是竞争关系,又是伙伴关系",把某个国家说成纯粹的"竞争对手",会给美国带来麻烦,因为这预示今后 20 年它们之间将会是"一种敌对关系"。⑥

布什受保守派思想库及学者影响在台湾问题上表现得尤为明显。遵循传统基金会和"美国新世纪计划"政策声明的思路,布什主张对台采取"明晰化"的政策:既反对大陆动武,也反对台湾独立。一方面,他公然否认中国大陆有权将其统治强加于台湾人民,声称:"一旦中国大陆动武,美国将帮助台湾自卫,"还明确表示支持《加强台湾安全法》,赞成把台湾纳入

---

① 《胡锦涛主席同布什总统举行会谈》,载《人民日报》,2006 年 4 月 21 日。
② 《胡锦涛会见美国总统奥巴马》,载《人民日报》,2009 年 4 月 2 日。
③ "George W. Bush Foreign Policy Speech,"November 19,1999.
④ Republic National Committee:"Principled American Leadership,"www.rnc.org.
⑤ Condoleezza Rice:"Campaign 2000:Promoting the National Interest,"Foreign Affairs,Jan-Feb. 2000, p. 57.
⑥ 《中美关系的轨迹:1993—2000 年大事纵览》,时事出版社,第 281 页。

战区导弹防御系统;另一方面,布什也明确地说,希望台湾不要宣布"独立",如果战争是由台湾的挑衅而发生,美国绝不会介入。在美国对台政策的两条政策界限,即"一个中国政策"与《与台湾关系法》之间,布什的政策宣示逼近强硬派的下限。

2."南海撞机"事件

2000年的美国总统大选是一场势均力敌的较量,而结果却是一个戏剧性的场面。11月7日投票结束后,共和党候选人布什与民主党候选人戈尔之间的选举人票数始终相差无几,拥有25张选举人票的佛罗里达州被称为决定胜负的关键。最初的计票结果显示,布什在这个州的选民票数仅多出1200张。根据该州法律,差距不到1%应该重新计票。于是,在是否重新计票的问题上两党展开了一系列的诉讼。12月12日,美国联邦最高法院以5比4的结果作出一项裁决,反对在该州进行人工重新计票,宣布佛罗里达州最高法院允许的重新计票的裁决"违反宪法"。民主党通过重新计票来挽回胜利的最后一线希望就被法院的一纸裁决断送了,布什也因此称为美国历史上第一位通过打官司赢得白宫宝座的美国总统。很快,人们都看到了一个充满保守色彩的布什执政班子和执政纲领。

在亚太政策方面,布什班子批评克林顿忽视传统盟国日本,过于抬升中国的作用是错误的。因此,负责亚太事务的主要官员当中,副国务卿阿米蒂奇、助理国务卿凯利、国安会亚太事务资深主任帕特森都是日本问题专家,副国防部长沃尔福威茨则是印度尼西亚问题专家,没有中国问题专家,重日轻华的倾向十分明显。在对华政策方面,布什政府内部实际上有三派看法:一派以国务卿鲍威尔为代表,主张对华接触,"中国不是战略伙伴,但也不是我们无法避免的和不可转变的仇敌";另一派以国防部长拉姆斯菲尔德为代表,主张对话强硬,认为中国在军力、战略意图、对台政策以及大规模杀伤性武器扩散等方面都构成了威胁;第三派的观点居中摇摆,布什总统本人就属于这一派,经常在他的讲话中会发出前后不一致的信息。

在经历了中美关系二十多年的峰谷间震荡,并遭遇里根、克林顿执政初期的冲击之后,中国方面对于美国大选以及政党政治的负面效应已深有体会。为了缓解小布什上台带来的周期性冲击,中国政府采取了一系列主动的外交举措。2001年2月,前驻美大使李道豫、朱启桢和前驻加拿大大使张文朴访问美国,与美国朝野各界进行沟通,包括前总统乔治·H.布什。同年3月,钱其琛副总理访问美国,受到了美方高规格的接待,会见了包括布什总统、切尼副总统、国务卿鲍威尔、国防部长拉姆斯菲尔德、国家安全事务助理赖斯在内的政要以及一些国会议员。通过钱副总理的访问,双方都表示了重视发展中美关系、继续改善中美关系的愿望,美方表示坚持一个中国原则,恪守中美之间的三个联合公报。

不过,三位前大使和钱副总理访美带来的一线阳光很快就被乌云覆盖。2001年4月1日发生了"南海撞机事件"。美国EP-3电子侦察机在中国专属经济区海域上空与前来拦截的中国战斗机发生了碰撞,中方一架战机坠毁,美方侦察机严重受损,不得不迫降在中国海南岛陵水机场。这一意外事件再度激发了中国民众对美国霸权主义行径的愤慨,谴责美国侦察机入侵中国专属经济区并致使中方机毁人亡。而美国舆论认为中国在挑衅并关心被扣押在海南的24名美军官兵的人身安全。① 中美关系被推向了危机漩涡。

"南海撞机事件"后，美国政府顶住了国内反华舆论的压力，保持了冷静和克制，配合中国通过外交途径来解决危机。与此同时，布什政府在中国关注的加入WTO、申办奥运会等问题上释放善意，以缓解危机的气氛。布什总统明确表示支持中国WTO并给予中国永久性正常贸易待遇。6月1日，布什致函美国参、众两院领导人，正式要求国会同意延长对华正常贸易关系。② 随后，美国贸易谈判代表罗伯特·佐利克访问北京，就中国加入WTO的遗留问题达成了协议。在中国申奥问题上，布什政府采取了"中立"的立场，并强烈敦促众议院国际关系委员会不要把反对中国申办奥运会的议案提交众议院大会。媒体透露布什政府官员的看法认为中国获得2008年奥运会的举办权将产生积极的效应，同时这种"中立"态度有助于促进中美两国的关系。③

尽管在"撞机事件"的初期，中美之间由于政治和技术的原因出现了短暂的沟通障碍，但是双方高层都理智地保持了克制，这为中美的危机管理提供了基本的前提，使得双方能够展开比较冷静的磋商和谈判。7月4日，根据双方达成的协议，美方租用俄罗斯运输机将EP-3侦察机拆卸装运回国，"撞机事件"基本得以化解。次日，布什主动打电话给江泽民主席，重申两国建立"建设性关系"的重要性，并表

示期盼出席10月份在上海举行的亚太经合组织领导人非正式会议。

2001年7月25日，中国外长唐家璇在河内的东盟地区论坛外交会议期间会晤美国国务卿鲍威尔，随后鲍威尔启程对中国进行访问。通过这次访问，鲍威尔在与中国领导人的会晤以及接受中央电视台的采访中都表示，美国希望同中国建立友好的、建设性的关系，希望中国继续发展和进步。在谈到中美关系的定位时，鲍威尔表示，他不选择"伙伴"和"敌人"这两个词中的一个，"美中关系是如此复杂，又包括很多方面，所以简单地用一个词来涵盖是不正确的。这是一个复杂的关系，但也是一个越来越建立在友谊和信任基础上的关系，建立在共同努力解决问题的基础上的关系。"④

3."9·11"事件后的中美关系

2001年9月11日，美国东部时间8时45分，一架波音767客机出人意料地出现在纽约湾上空，继而掉转机头向纽约世界贸易中心的一座摩天大厦冲去，浓烟和烈火立即包围了这座纽约最高建筑。18分钟后，另一架波音757客机直直地飞过来，撞向世界贸易中心双子座的另一栋大楼。美国各家电视台的摄像机从不同角度完整地记录下了这令人瞠目结舌的景象。9时43分，在美国首都华盛顿，又有一架波音767客机从低空掠过，撞向美国国防部所在地——五角大楼。五角大楼

① 1982年联合国第三次海洋法会议通过的《海洋法公约》规定，200海里专属经济区属于国家管辖范围。其他国家在专属经济区享有三项自由：飞越自由、水上航行自由、海底铺设电缆管道自由，但行使这三项自由不能影响沿海国的国家安全。中方认为美方在专属经济区海域从事军事侦察危害中国安全，美机未经许可降落在中国的机场则侵犯了中国领空。美方历来不承认联合国海洋法的规定，认为事发海域属于公海，中国的拦截侵犯了美方的公海飞行自由。
② 《人民日报》，2001年6月3日。
③ 杨洁勉：《对小布什政府对华政策的分析和思考》，《国际问题研究》2001年第5期。
④ 《人民日报》2001年7月29日。Embassy of the United States of America："Powell Stresses US Wants Friendly Ties with China,"Washington File，August 1st 2001 p. 3.

的一角立即被毁。10点05分,纽约世界贸易中心南楼倒塌。10点28分,世贸中心北楼自上而下彻底坍塌。11时26分,美国联合航空公司确认该公司一架从新泽西州纽瓦克飞往旧金山的波音757飞机,在宾夕法尼亚州匹兹堡东南坠毁,据分析,其袭击目标可能就是美国总统府所在地——白宫。数小时之后,47层的世贸中心7号楼也轰然倒下。

美国总统布什在电视讲话中宣布:"很明显,我们国家正在被恐怖主义分子袭击。"这场恐怖袭击是史无前例的。有人把这次恐怖袭击比作第二个"珍珠港",然而它制造的伤亡损失和精神创伤远远高于"珍珠港"。布什政府立即发出了"发动打击恐怖主义活动的战争"誓言,把目标锁定在恐怖大亨本·拉登身上,为其提供藏身之处的阿富汗塔利班政权成为首要打击目标。美国举国上下呈现出同仇敌忾的气势。

"9·11"事件发生后不久,中国国家主席江泽民迅速致电美国总统布什,表达了中国政府和人民对这一事件的慰问和哀悼。第二天,江泽民主席再次与布什总统通电话,表示中国愿意向美国提供"一切必要的支援和协助"。9月20日,中国外长唐家璇访问美国,代表中国政府和人民向美方表示深切的哀悼和慰问,以及与美国展开反恐合作的真诚意愿。唐家璇是"9·11"事件后第一个访问美国的外国外长,因此得到了美国政府的高度重视和热情接待。9月21日,布什总统在白宫会见了唐家璇外长,表示希望同中国加强合作,共同打击国际恐怖主义。中国领导人在"9·11"事件后的第一时间向美国伸出

了合作的双手,由此拉开了中美反恐合作的序幕。

10月18日,布什如约出席了在上海举行的亚太经合组织领导人非正式峰会,这是"9·11"事件以及反恐战争的大幕拉开后,美国总统的第一次出访。当时在美国国内有人质疑在安全占主导地位的战争状态下布什是否有必要出席在中国举行的以经济为主题的国际会议,布什力排众议到访上海,一方面显示了对多边国际合作的重视;另一方面也显示了进一步改善中美关系的决心。同时,APEC上海峰会也为两国领导人提供了布什当政以来的首次会晤,两位领导人深入交换了关于中美关系和反对恐怖主义等重大问题的意见,达成了共同努力发展"坦率的建设性的合作关系"的共识。这为中美关系提出了一个新的定位,在英文当中被表达为"Candid constructive and cooperative",因此被称为三个"C"。①

中美在反恐领域的合作主要表现在情报、经济和金融、外交、刑事合作等领域。

在情报交流领域,"9·11"事件后不久,两国情报专家就开始讨论合作打击恐怖主义的问题,中国向美国提供了有关"基地"组织和塔利班的情报。中国在反恐情报领域与美国的合作得到了美国政府的公开赞扬。

在经济和金融领域,中国积极响应美国在冻结恐怖主义资产和资金方面合作的倡议。中国香港、澳门特区政府也在金融领域为反恐斗争作出了重要的贡献。2003年7月29日,中美签署双方海关《集装箱安全倡议》(CSI)合作原则声明。这

---

① 《人民日报》,2001年10月20日。Embassy of the United States of America:"Bush and Jiang Meet in Shanghai,"*Washington File*,October 22nd p. 3.

是进一步推动两国实质性反恐合作的重要组成部分。

在外交领域,中国为国际反恐合作的顺利展开起到了积极的、具有关键性的作用。江泽民主席和中国领导人多次发表讲话和声明,谴责恐怖主义罪行,支持国际反恐斗争。中国无条件地支持联合国安理会通过反对国际恐怖主义的1373号决议,为美国反恐战略的展开铺平了道路。美国国务院反恐事务协调员泰勒大使认为:"中国对反恐怖主义联盟最有益的帮助在于它提供的外交支持。在联合国安理会通过第1373号决议的努力中,中国是一个非常、非常重要的部分。"①

随着美国打击阿富汗塔利班政权的战争的展开,巴基斯坦明确支持美国的反恐战争,为美国第一阶段反恐的展开起到了积极的作用。中国关闭了与阿富汗的边界以防止塔利班和基地分子进入中国。中国允许前往阿富汗参战的美国航空母舰在香港停留。这些都为美国的军事行动提供了支持和配合。

中美反恐合作符合两国的共同利益,也适应了国际形势变化带来的客观要求。首先,国际恐怖主义是人类社会的公害,威胁到整个国际社会的和平与安全。反对和打击国际恐怖主义、开展国际反恐合作是每个主权国家义不容辞的责任。其次,"9·11"事件之后,反恐成为美国国家安全战略的首要任务,美国的全球反恐必须依靠国际社会的支持和国际合作。中国作为国际体系中的主要大国,成为美国反恐战略中必须依靠的伙伴。最后,中国也是恐怖主义的受害者,国际恐怖主义与民族分离势力相勾结,已经成为威胁中国

西北边疆以及中亚地区和平与稳定的祸源。因此,推动中美反恐合作有利于促进中美关系的良性互动和稳定发展。

根据2001年10月两国领导人在APEC上海峰会上达成的共识,中美反恐合作的机制化不断深入。到2005年为止,中美双方分别在两国首都举行了4次反恐措施。在首次反恐磋商中,双方决定成立中美金融反恐磋商机制,以推动金融领域的反恐合作。这种定期的磋商机制加深了两国在反恐领域的谅解、协商、合作与配合。

2002年2月21日—22日,布什再次访问中国。这次访问是为了补上五个月前由于反恐形势紧张而推迟的对北京的访问。抵达北京的日期选在2月21日,这是一个是经过悉心部署、富含深意的日期。1972年2月21日,美国总统尼克松抵达北京,开启了中美关系的新纪元。2002年恰逢尼克松访华30周年,在游览八达岭长城时,布什在当年尼克松止步的地方象征性地再向前迈进了一步,意在表示继续推动中美关系进步。江泽民在与布什的会谈中指出:在当前复杂多变的国际形势下,中美发展建设性合作关系的战略意义不容忽视,"中美之间的共同利益和对世界和平肩负的共同责任不是减少了,而是增加了;中美关系的重要性不是下降了,而是上升了"。②

2002年8月,美国常务副国务卿阿米蒂奇来华访问时宣布将"东突厥斯坦伊斯兰运动"列入国际恐怖主义组织名单。9月11日,中美共同努力促使联合国安理会正式将该组织列入联合国颁布的恐怖主义组织和个人名单,决议要求冻结其资产

① 孙晋忠:《反恐合作与中美关系》,《国际问题研究》,2005年第2期,第16页。
② 新华社:《布什访华—中美关系继往开来的重要访问》,《人民日报》,2002年2月23日。

并实施武器禁运。中美还与巴基斯坦合作,于 2003 年 10 月 2 日在巴基斯坦和阿富汗边境地区击毙了"东突厥斯坦伊斯兰运动"头目艾山·买合苏木。2004 年 4 月,美国国务院再度将该组织列入国际恐怖主义组织名单。这一合作配合了中国打击民族分裂主义势力的努力。

2002 年 10 月 25 日,布什夫妇在得克萨斯州克劳福德的家庭牧场会见了来访的中国国家主席江泽民以及夫人。布什穿着不扎领带的西装便服在家欢迎客人,江主席则身穿夹克。这种家庭式的亲切气氛,使两国领导人的会面十分轻松。两位领导人交换了关于反恐、台湾问题、伊拉克、朝核问题以及有关双边军事交往问题的看法。会谈结束后,布什总统亲自驾车陪江主席参观牧场,然后设家宴款待江主席夫妇。

2002 年 10 月,中国同意美国联邦调查局在北京设立办事处。该办事处于 2004 年 4 月 21 日正式挂牌运行,这是美国联邦调查局首次进入中国,推动了双方在情报领域实质性合作关系的深化,促进了双边的互信。2004 年 10 月,美国联邦调查局宣布招收中国学员,并派专家与中国联合制订 2008 年北京奥运会的安保计划。布什总统于 2007 年 9 月 APEC 悉尼峰会期间宣布将出席北京奥运会的开幕仪式,北京奥运成为中美联合反恐的合作重点。

4. 中美在台湾问题上形成微妙共识

2000 年 3 月,具有强烈台独倾向的民进党领导人陈水扁在台湾地区领导人选举中获胜,对台海局势造成了重大的影响,也对中美关系构成了严峻的挑战。布

什执政之初的对华政策受到"新保守主义"思想的影响,对中国怀有很深的战略疑虑,主张把中国看成美国的"战略竞争者"。在此思想的指导下,布什政府一度采取了事实上纵容台独的"清晰化"策略。突出表现为 2001 年 4 月 24 日接受美国广播公司采访时,布什说出了"尽其所能帮助台湾自卫"的言论。①

美台军售和军事合作在这一时期也达到了近十多年来未曾出现过的一个高峰。美国同意售台 4 艘基德级驱逐舰、8 艘柴油动力潜艇、12 架 P-3C 反潜巡逻机,这是历年来美台间达成的最大一笔武器交易。2002 年 3 月,台湾"国防部长"汤曜明赴美参加"国防峰会"并同美国国防部副部长沃尔福威茨会面,使其成为 1979 年以来访问美国的台湾最高级"国防部"官员。

布什执政初期的对台政策显然极大地刺激了陈水扁和岛内台独势力的野心。陈水扁很快把自己当政之初言不由衷的"四不一没有"承诺抛在脑后,在岛内大搞"本土化"、"主体化"、"绿化"运动,尽其所能地推行其"渐进式台独"路线。陈水扁的种种举动显然不利于"9·11"事件后的美国全球战略布局。为了维护海峡局势的稳定,布什政府不得不调整海峡两岸的政策。

2002 年 5 月 1 日,布什在白宫椭圆形办公室会见了时任中国国家副主席的胡锦涛。布什说,美国政府和我本人高度重视美中关系。美中两国都是大国,双方开展合作对两国和世界极其重要。胡锦涛强调,台湾问题事关中国的主权和领土完整,是中美关系中最重要、最敏感的核心

---

① "President Bush Discusses His First 100 Days in Office", *ABC News*, April 25, 2001; Embassy of the United States of America: Washington File, April 26, 2001, p. 1.

问题。台湾问题如处理不好,将会影响两国关系的稳定和发展。中方希望美方认真恪守一个中国政策和中美三个联合公报原则,为中国实现和平统一发挥建设性的作用。布什说,美方了解台湾问题的敏感性。美国政府奉行一个中国政策,遵守美中三个联合公报。美方的这一政策立场没有改变。① 胡锦涛在台湾问题上的表态引起了美国方面的重视,美国国防部副部长沃尔福威茨随后两次公开表示"美国遵守'一个中国'政策,不支持台湾独立,也无意使台湾与中国大陆分离"。②

然而,陈水扁在"台独"问题上仍然一意孤行,越走越远。2002年8月3日,陈水扁公然抛出"一边一国"的论调,实际上对美国的一个中国政策构成了直接的挑战。陈水扁在第一任期内"拼政治"、"拼台独",导致岛内经济萧条、民生凋敝、社会不宁。2003年10月,陈水扁在出访南美途中过境纽约,接受一个人权组织的颁奖,并会见了二十多名美国国会议员,受到了前所未有的"礼遇"。在新一轮地区领导人选举中,其民意支持率落后于泛蓝阵营。在此情况下,陈水扁公然打出"公投立法"的旗号,企图利用"公投"进一步制造法理台独。

陈水扁一再挑战美国对台政策的底线,引起了布什政府越来越强烈的不满。2003年伊拉克战争后,美国虽然很轻松地推翻了萨达姆政权,但同时也将13万军队和巨大的政治、财政资源陷进了伊拉克的流沙阵;在阿富汗,美国还肩负着捉拿本·拉登、清剿"基地"残余的任务;在朝鲜和伊朗,美国面临着棘手的核问题。布

什政府不希望在台湾海峡地区再出现动荡,从而影响整个亚太地区的稳定。2003年11月,白宫和国务院频繁表态,反对两岸任何一方试图单方面改变现状。国家安全委员会负责东亚事务的资深主任莫健三次秘密访问台湾,并带去布什总统的亲笔信,要求陈水扁停止恐怕会危及台海安全的行为,包括"公投"。

2003年12月9日,在迎接中国总理温家宝的白宫联合记者招待会上,双方领导人积极评价中美关系取得的进展,充分肯定会谈富有成果,表示双方在广泛领域有着共同利益,将进一步加强两国互利合作。他们还回答了记者的提问。当被问及美方是否认为台湾应取消计划于明年3月举行的"防卫性公投"时,布什表示,台湾领导人的言行表明,他们可能要单方面作出改变现状的决定,美国对此表示反对。③ 布什当着中国总理的面,用如此直言不讳、不加外交辞令修饰的语言批评陈水扁,显然表明了美国对台湾当局所作所为的严重不满。

2004年台湾地方领导人选举之后,美国对台的基本政策立场进一步明晰化。4月21日,在众议院国际关系委员会纪念《与台湾关系法》25周年的听证会上,负责亚太事务的助理国务卿凯利在证词中全面系统地阐明了美国对台政策。该证词的基调仍然是反对台海任何一方单方面改变现状,但以下几点值得注意:

第一,台海地区的现状要由美国来定义。这句话的含义是美国在台湾问题上的政策取决于美国的国家利益和判断,反

① 《人民日报》,2002年5月2日。
② 《胡锦涛副主席访美过后布什政府对台政策调整透视》,新浪网:http://news.sina.com.cn/c/2002-05-17/1545578691.html。
③ 《人民日报》,2003年12月10日。

过来说,陈水扁所谓"一边一国"的现状定义不能左右美国的政策。针对陈水扁提出的"修宪"时间表,美国将"明确地和直白地表示意见,如果我们感觉这种努力将对美国的安全利益带来潜在的负面影响,或者可能破坏台湾自身的安全。如果要美国支持,那么台湾的修改宪法就应该是有限度的。如果我们不知道限度何在,那么将不予以支持"。

第二,必须严肃对待中国政府不放弃使用武力的声明。中国政府声明在台湾宣布独立等情况下不放弃使用武力,美国虽然对此持有强烈异议,"但我们和台湾领导人如果把这些声明看作虚声恫吓那是不负责任的","我们敦促台湾人民也同样严肃地看待这些声明"。

第三,台独不利于台湾的和平与繁荣。"在我们看来,任何单方面走向独立不会使台湾得到比它现在已经享有的自由、自治、繁荣和安全更多的东西",而大陆对台独的反应"将可能摧毁台湾已经建立起来的东西"。因此,陈水扁必须"实施负责任的、民主的和克制的领导,这是保证台湾的和平与繁荣的未来所必须的"。

第四,鼓励台海两岸展开对话。"美国不是两岸争端的直接当事方,但是我们有重要的利益尽我所能地创造一个有益于和平解决的环境。恢复双方对话是重要的第一步。""美国承诺向台湾提供必要的防御性武器和防卫服务以帮助台湾满足其自卫的需要……我们不希望台湾把这种支持视为抵制这种对话的空白支票"。①

从整体上看,布什总统的表态和凯利

的证词的基本政策倾向是维持当前台海格局的稳定,促进局势的缓和、稳定与改善,这在客观上打击了台独势力的嚣张气焰,有利于我反独促统的斗争。2004 年 10 月 25 日,美国国务卿鲍威尔在结束对华访问前接受香港凤凰卫视专访时指出:"我们的只有一个中国的政策已经很清楚了。台湾不是独立的国家,没有作为一个国家的主权。这是我们坚定的、并将继续持续下去的政策……美国的立场,一个中国政策是建基于三个联合公报的。我再重复一遍:我们不支持台独运动。"②2005 年 3 月 20 日,新任国务卿赖斯女士在访华时也表示:维护台海局势的安宁并和平解决台湾问题符合美国的利益,美方将为此而努力;美国政府坚持一个中国政策、遵守美中三个联合公报的立场不会改变。③

5. 中美合作领域的扩展与深化

"9·11"事件之后,从布什参加 APEC 上海峰会到温家宝总理访美,中美两国元首和政府首脑实现了五次互访。除此之外,两国领导人还在 2002 年 10 月 APEC 墨西哥首脑峰会、2003 年 6 月法国埃维昂八国集团南北领导人非正式对话会议,2003 年 10 月 APEC 曼谷峰会等国际场合进行了会谈。在短短两年零两个月时间内,中美领导人会面和会谈多达八次,这一频率和密度在两国交往的历史上是空前的。在反恐的大背景下,双方领导人通过面对面的沟通和磋商,在各自关心的最重大的国际、国内问题上达成了共识,由此奠定了中美关系迈入新阶段的政治基础。

---

① "Kelly Says Taiwan Relations Act Key to West Pacific Stability,"Embassy of the United States of America: *Washington File*, April 22, pp. 5—12.

② 参见凤凰卫视网站:http://news. phoenixtv. com/phoenixtv/4599686463356928/20050421/538881. shtml

③ 《人民日报》,2005 年 3 月 21 日。

首先,在美国最为关注的反恐和反扩散问题上,中国发挥了不可替代的作用。虽然在伊拉克问题上,中国在联合国安理会反对美英动用武力,但是在朝鲜核问题上,中国发挥了主导性的作用。2002年10月16日,朝鲜代表在与来访的美国特使詹姆斯·凯利会谈中承认有核计划,11月14日,美国以朝违反《美朝核框架协议》为由停止向朝鲜提供重油,朝鲜半岛的局势由于核问题而骤然紧张起来。2003年4月23日—25日,在中国的协调下,中、朝、美三方在北京举行了会谈。随后,在各方共同推动下,中国作为东道国主持了朝核问题六方会谈机制,8月27日—29日首轮会谈在北京举行。虽然和平解决朝核危机的外交努力十分艰险,但是中国在其中发挥的作用始终得到了包括美国在内的各方的高度赞赏,朝核问题成为促进中美建设性合作关系不断深化的一个推进器。

其次,在中国最为关注的台湾问题上,美国明确作出了"反台独"的承诺。2000年主张台独的民进党陈水扁当选台湾地区领导人,竭力推行"渐进式台独"、"法理台独",在两岸问题上不断挑战中美关系的基础和底线。布什执政初期偏向台湾的政策也极大地鼓励了"台独"的倾向。在这种情况下,中国领导人通过多种方式向美国阐明"台独"的危险性,敦促美方从中美关系的大局出发,停止向台湾方面发出"错误的信号"。2003年底,陈水扁出于选举政治的需要推动所谓的"统独公投",迫使布什当局不得不清楚地说出反对台湾独立的立场。布什总统在与温家宝总理的记者见面会上说出反对台湾地区领导人"单方面改变现状"的言行,从而为中美关系的稳定发展扫除了一个重大

隐患。

最后,中美双边关系的各种对话与交流机制不断得到加强和深化。两国最高领导人通过面对面的交流形成了互相信任、坦诚相见的私人关系,尤其是在胡锦涛主席和布什总统之间的信任关系使得很多问题都可以通过最高层级的磋商得到谅解或解决。在两国最高领导人的推动下,中美其他层级的对话与交流机制也得到了很大的发展。例如,江泽民主席与布什总统在克劳福德牧场的会晤决定恢复两军的交往,举行国防部副部长级防务磋商,并将举行战略安全多边军控的副外长级会谈。布什与温家宝的会谈中商定提高中美商贸联委会的级别,由吴仪副总理担任中方主席,埃文斯商务部长和佐利克贸易代表担任美方共同主席。

2004年3月15日,美国国务卿科林·鲍威尔在美国ABC电视台接受采访说:"我们同中国已经取得了过去20年来最好的关系";同年11月,他再次指出:"这是过去30多年来美国与中国的最好关系"。① 2004年4月14日—15日,美国副总统迪克·切尼访问中国,在北京与中国领导人会晤并在上海复旦大学发表演讲。在布什政府内,切尼一贯被认为是"低调但颇具影响力"的政治人物。作为共和党内强硬派的代表人物,切尼在中美关系上的历史记录并不令人欣慰,因此他的来访特别值得关注。在访问期间,切尼与中国主要领导人进行了议题广泛的晤谈,既谈及中美关系、台湾、经贸合作等双边重点问题,也涉及朝核、反恐、伊拉克重建等国际和地区热点。双方就"共同点"和"分歧"坦诚交换意见,并一致认为两国共同点远大于分歧,愿共同努力,推动合作。

---

① 参见:U.S. Department of State Web site:http://usinfo.state.gov.

二

小布什第二个任期时的中美关系

2004年美国大选，布什击败民主党候选人约翰·克里连任美国总统。美国在伊拉克的困境成为这次大选外交政策辩论的主题，对华政策在此次大选过程中受到的影响很小。布什的连任也保持了美国对华政策的连续性，在他的任期内，中美关系出现了超过七年之多的超常稳定期。

1. 中美对话与交流的机制化

"9·11"事件之后中美关系发展的一个突出特点是两边对话与交流机制的不断深入和提升。对话不是谈判，其主要目的不是要达成具有约束力的协议或条约，也不是要作出具体的政策决定，而是为了沟通和"交心"，就关系到各自国家利益和政策关切的问题阐明立场、作出解释，尽可能地消除彼此的误解和疑虑，推动共识。[①] 因此，与其他形式的外交活动相比，国与国之间的对话在形式、内容上的最大特点是灵活性。对话可以是双边的，也可以是多边的；可以是定期机制化的，也可以不定期随机性的；可以在盟国和友好国家之间进行，也可以在敌国和冲突国家之间进行。在和平与发展日益成为国际关系主要潮流的今天，对话成为世界各国外交的一个重要机制和手段。

（1）中美双边对话机制。早在中美建立外交关系之初，中美之间已经建立了很多对话机制。在经贸领域，中美在1983年建立了联合经济委员会（JEC），由两国财政部就金融、货币领域共同关心的问题交换意见。1983年，中美还成立了商贸联委（JCCT），由美国商务部与中国外贸部（现归入商务部）之间就双边贸易、知识产权保护等问题展开对话。中国加入WTO之后，随着双边经贸关系的飞速发展，中美经贸领域的对话机制得到了很大的提升和发展。2003年，美国国务院与中国发展与改革委员会之间建立经济发展与改革对话机制（EDRD），由双边的副部级官员就宏观经济政策、长期发展战略以及市场改革等问题展开对话。2004年，中美商贸联委对话机制由事务官员的局级提升到内阁级，中国国务院副总理与美国商务部长、贸易谈判代表共同主持。

在其他领域，中美之间也形成了很多对话机制。1979年邓小平同志访美期间与卡特总统签署了中美政府间科技合作协定，根据该协定双方建立了政府间科技合作联合委员会机制，每两年轮流在两国举行会议。截至2006年，中美科技合作联委会举办了12次会议，为促进两国政府间科技合作与政策对话，保持双边科技界高层接触，加强互信和理解，推动科技合作创造了有利环境。1990年，中美建立人权磋商机制，为政府间人权对话开辟了一条渠道，截至2005年共举行了13轮对话。1999年，中国全国人大与美国众议院开启每年两次的定期交流机制。2004年，中国全国人大与美国参议院建立"中国全国人大—美国参议院议会小组"，双方每年各派遣12名资深议员参加会议。在安全领域，中美之间也建立了副部长级的年度防务磋商机制、海上军事安全磋商机制以及反恐、核不扩散等对话机制。2007年12月，在中美第三次战略经济对话中，双方在能源领域达成了"十年能源计划"即在

[①] 傅梦孜等：《战略对话与中美关系》，《现代国际关系》，2005年第8期。

未来十年开展广泛合作,推动技术创新和高效、清洁能源及应对气候变化的技术的应用,推进自然资源的可持续性以应对能源和环境问题。根据这个计划,中美两国政府决定将清洁和可再生能源议题从中美战略经济对话议题中分离出来,设立一个独立的对话机制。

在中美关系30年的风风雨雨历程中,中美的对话机制发展也不是一帆风顺的,其中多次出现对话交流机制被迫中止、推迟的现象,尤其是在人权、军事、国会交流领域的对话进行得不太顺利。不过即便如此,不同层次、不同领域中美对话机制为两国职能部门官员定期或不定期的会晤与沟通提供了平台,在总体上为稳定和推动两国关系的发展起到了非常积极的作用。

(2)中美战略对话机制。2004年11月20日,在刚刚结束的大选中胜出的布什总统出席在智利首都圣地亚哥举行的APEC领导人非正式会议。他抵达后的第一项活动就是与胡锦涛主席会面。布什首先谈到台湾问题,他明确表示美国坚持一个中国政策,遵守三个联合公报,不支持单方面改变台湾现状和宣布"独立"的言行,不会向台湾当局发出不一致的信号。他说,在其即将到来的第二任期中,他与中国领导人在双边关系方面谈得最多的恐怕将是台湾问题。由此可以看出,布什深知台湾问题在中美关系中的高度敏感性和不可回避性,深知妥善处理这个问题是中美关系稳定发展的关键。在胡锦涛点明"台独"的危险性之后,布什表示将确保美方不发出会引起误解的信号,以免让人误认为美国支持"台独"。

两位领导人认为,为了充实中美建设性合作关系的内涵,双方努力保持中美高层交往的积极势头;加强两国战略对话;发挥原有三大联委会机制的作用,努力推动两国经贸、金融、科技合作进一步健康发展;继续按照双向、互利原则,加强反恐、执法、卫生、环保等领域的交流与合作;继续就朝鲜半岛核问题、伊拉克重建及其他国际和地区问题开展密切磋商和协调。在充分发挥已有的中美商贸联委会、中美经济联委会和中美科技联委会三大机制的同时,双方同意建立两国战略对话机制以保持战略沟通的共识。会晤中,布什和胡锦涛还确定在2005年内实现互访。布什还表示说,他特别希望2008年能到北京观看奥运会,那时的北京和中国肯定又大不一样了。胡锦涛当即对他发出邀请。①

根据双方领导在这次会议上达成的共识。2005年8月1日,我国外交部副部长戴秉国与美国副国务卿佐利克在北京举行了首次中美定期"战略对话",全方位就两国关系及地区和全球问题直接对话。这一对话机制的设立在中美关系发展中具有历史性的意义。

关于这个对话机制的名称,中美之间实际上有不同的说法。中方为了把这个对话机制与中俄、中日、中印的战略对话机制相对应,也称之"战略对话"(Strategic Dialogue)。而美方不太愿意用"战略"这个词,认为美国以"战略"冠名的对话都是在盟国之间进行的,于是美方一开始称为"全球对话"(Global Dialogue),后来改称"高层对话"(Senior Dialogue)。双方称呼的不同反映了各自不同的政治考虑,但称呼的不同并没有妨碍这一对话机制的实质性意义。

中美战略对话的基本背景是近年来中

① 《中美元首智利会晤纪实　布什希望来北京看奥运会》,《环球时报》,2004年11月29日。

美关系发展的一些重要变化。第一,中美的共同利益扩大。中美经贸合作日益形成相互依存、互利共赢的基本格局,给两国人民带来了巨大实惠,也促进了世界经济增长。第二,美国对中国的需求上升。例如,在反恐、核不扩散、朝核问题以及保持美国经济的稳定发展等方面,美国比以往更需要中国的合作和帮助。第三,在最敏感的台湾问题上,中美展开了有限的合作,两国在抑制"台独"势力过快增长方面形成了一定共识。第四,美国对中国的战略怀疑上升。随着中国经济发展以及实力和影响的不断扩大,美国国内的一些势力日益感到不自在,甚至萌生一种莫名其妙的恐惧感。"挑战论者"声称,崛起的中国将冲击现有的国际秩序,是美国和国际社会面临的最重大的外交挑战;"排挤论者"认为,中国在东亚的坐大,意味着终有一日会把美国挤出东亚;"威胁论者"鼓噪中国正在扩充军事实力,打破了地区力量均衡,将"威胁"其他国家或地区的安全。

中美关系处在了一个关键的节点上,双边关系错综复杂,美国对华关注异常升温,而中美关系对全球的影响也日益扩大。在这样的敏感的时刻,迫切需要中美两国就共同关切的具有战略性的、全球性的、长期性的问题进行高层级的对话。当时,中美现有的对话机制都集中在具体的领域上,主要是为了解决两国关系中的具体问题,服务于功能性和专业性话题,显然无法满足现实发展提出的战略性要求。中美战略对话也就应运而生。中方首先提出战略对话倡议,表现了中国作为一个迅速发展的大国所具有的自信、开放性以及对中美关系的重视;而美国的积极回应表明,作为

全球唯一的超级大国,美国的政策决策者决定把与中国相关的问题提升到新的历史高度处理,愿意同中国就双边、地区和全球重大战略性问题坦诚交换意见。

中美战略对话机制的设计初衷就是要超越具体问题,就双方重大的安全关切进行磋商,就各自最为重大的战略关切进行坦率的会谈,释解两个国家之间存在的根深蒂固的战略疑虑,确保双边关系长期平稳发展。美国国务院发言人汤姆·凯西在第一次战略对话举办前表示:会谈"旨在以一种完整的方式进行利益评估,考虑关系双方利益的问题,并讨论如何最好地处理双方的分歧。这一次跟以前所有的对话都是不一样的,它不在于解决某一个具体的问题,而在于建立起为这个关系长期发展的一个指导性的框架"。①

在2005年8月1日举行的首轮战略对话中,中美双方讨论了台海、军事、能源、人权、反恐、贸易以及中美元首今年实现互访等议题。中国外交部会后发布的消息称,双方"坦诚、深入地交换了意见"。美国常务副国务卿佐利克在会后举行的记者招待会上表示美中首次战略对话是"有益的"。他认为:"我们(美国)的政策是将中国融入世界安全、经济和政治体系,而如果你想到中国是安理会常任理事国、世贸组织成员、防核扩散协约国等等身份,你便清楚,中国早已是国际社会中的重要一员了,"因此"现在的关键是,考虑美中双方在合作过程中,如何减少在寻求共同利益时候的代价,维持稳定的合作机制。这是这几天大家着手做的,相信在将来的几年里也有意义。"②

---

① 倪峰:《中美高层战略对话的意义》,《中国社会科学院院报》,2005年9月1日。

② 李静:《中美合作求共赢》,中新社,北京,2005年8月2日电,http://news.sohu.com/20050802/n226539586.shtml。

首轮对话的成功开启了中美在战略、全球领域定期化和机制化的磋商和交流。期间由于美方的人事调整,佐利克辞去常务副国务卿而空缺职位迟迟没有被正式填补,第三次对话推迟半年举行,由外交部副部长杨洁篪与美国负责政治事务的副国务卿伯恩斯主持。2008年1月17日,第五次中美战略对话在贵阳举行,中国外交部副部长戴秉国和美国常务副国务卿内格罗蓬特共同主持对话。迄今为止,中美已经举行的五轮战略对话进行得相当顺利,双方从战略角度,就国际形势、中美关系和其他共同关心的重大国际和地区问题进行了坦诚、深入和建设性的讨论,为增进互信、扩大共识、拓展合作,推进建设性合作关系向前发展发挥了积极的作用。

(3)中美战略经济对话机制。2006年5月30日,美国总统布什提名亨利·保尔森出任财政部长,接替当天早些时候宣布辞职的约翰·斯诺。初看起来,这项任命只是人进人出的美国政府"旋转门"的又一次旋转而已,谁也不会想到这项跟外交没有直接关系的任命竟然会在中美关系领域留下历史性的足迹。

亨利·保尔森毕业于美国常青藤名校达特茅斯大学和哈佛大学商学院。20世纪70年代曾经担任美国国防部长幕僚助理、尼克松总统期间的总统幕僚助理和白宫内务委员会成员。随后弃官从商加入著名的投资银行高盛集团,在华尔街打拼二十多年,1999年出任高盛集团董事长和首席执行官。在他的领导下,高盛集团迅速崛起为华尔街最赚钱的投资银行。为了延揽保尔森入阁,布什总统着实费了一番苦心。两人在白宫长谈了一个下午,布什答应给他更大的国内和国际经济政策的决策权,实质权力与国防部长及国务卿平起平坐,让他可以"有一番作为",这才让他下决心放弃年薪3830万美元的高盛董事长职位,接受一个年薪仅20万美元的财政部长任命。

保尔森在华尔街的崛起恰好是中国经济创造奇迹的时候,任何一个精明的华尔街投资银行家都不可能忽视中国巨大的市场诱惑。保尔森也不例外,但是他对中国的重视以及与中国的关系却创造了整个华尔街乃至美国的又一个奇观。从1992年到2006年,保尔森曾经到访中国不下70次,平均每年5次,这个记录恐怕很难有人超过。2001年"9·11"事件发生时,保尔森正在北京。2002年"非典",很多人避之唯恐不及之时,他如约飞往北京访问,被《人民日报》海外版在头版头条称赞为"患难之中见英雄"。保尔森是清华大学经济管理学院顾问委员会的首任主席,还支持好友约翰·桑顿到清华大学经济管理学院执掌教鞭。高盛也因此在中国创造了无数个"第一",成为获准在中国设立合资投资银行的第一家华尔街公司,赢得了数家中国大型企业海外募股(IPO)的承销业务。

在保尔森出任财政部长之际,中国即将渡过"入世"的保护期,中国的经济发展带来了巨大的出口和中美贸易不平衡,要求人民币汇率升值的声音在美国国会日益高涨。作为财政部长,刚刚上任的保尔森直接就面对着来自中美贸易和人民币汇率问题的巨大压力。保尔森十几年频繁往来于中美,与中国政界、金融界和学术界的高层人物保持着密切的联系,这一独特的优势使得他在处理中美经贸关系问题上有其独到的认识和见解。2006年7月,保尔森向布什总统提出的,在处理美中双边问题的时候只有现在的双边商贸联席会议是不够的,还需要建立更高一层的对话机制,以保证双边关系的长期稳定。

2006 年 8 月 21 日,中国国家主席胡锦涛应约同美国总统布什通电话。布什表示,美方希望加强两国在经济领域的对话与合作,使两国经贸关系继续保持强劲发展势头。胡锦涛主席说:"随着中美经济联系日益密切,加强双方在经济领域的对话,有利于两国经贸合作和中美建设性合作关系的发展,对世界经济增长和全球稳定安全也会产生积极影响。中方愿意同美国继续就此保持联系。"①

中美两国领导人达成的重要共识催生了又一项具有重要意义的双边对话机制:中美战略经济对话(SED)。为了落实这个重要共识,保尔森于 9 月 19 日—22 日又一次踏上了访华的旅程,同以往不同的是,这一次是以美国财政部长的身份来了中国。国务院副总理吴仪与他就建立中美战略经济对话事宜进行了会谈,并通过《中美关于启动两国战略经济对话机制的共同声明》的形式正式宣布了新机制的诞生。

2006 年 12 月 14 日,中美战略经济对话在北京正式亮相,其不同寻常之处迅速引起了媒体的高度关注。首先是规格之高超越了中美现有的全部对话机制,中国国务院副总理吴仪和美国财政部长保尔森分别以两国元首的特别代表身份主持对话会议。其次是出席对话的双方主要代表人数之多、地位之显赫无愧媒体给出的"超豪华阵容"之誉。除了保尔森之外,美国方面出席首次战略经济对话的高级官员还包括商务部长古铁雷斯、能源部长博德曼、劳工部长赵小兰、卫生与公众服务部长莱维特。美国政府一共有 14 位内阁级官员,在那一天竟然有 5 位同时出现

在另一个国家首都,这在国际外交舞台上也算是绝无仅有的盛事了。

首次中美战略经济对话主要代表名单

美方代表	中方代表
总统特别代表、财政部部长亨利·保尔森	国家主席特别代表、国务院副总理吴仪 财政部部长金人庆
联邦储备委员会主席本·伯南克	中国人民银行行长周小川
能源部部长塞缪尔·博德曼	国家发改委主任马凯
商务部部长卡洛斯·古铁雷斯	商务部部长薄熙来
卫生及公共服务部部长迈克尔·莱维特	卫生部部长高强
美国贸易代表苏珊·施瓦布	商务部副部长高虎城
环境保护署署长史蒂芬·约翰逊	环保总局局长周生贤

根据中华人民共和国商务部网站资料制作

中美两国负责经济事务的最高级官员会聚一堂,面对面地进行对话,战略经济对话的分量由此可见一斑。而在战略经济对话的分量背后,则是中美经贸的结构性相互依赖关系的现实。2006 年,按照中国海关统计,中美贸易总额达到 2626 亿美元,互为对方第二大贸易伙伴。以单个国家计算,美国是中国最大的海外市场,而中国是美国增长最快的出口市场。伴随着双边贸易的迅速增长,美国在华投资规模也日益扩大,截至 2006 年美国对华实际投资累计达 540 亿美元。根据美中贸易委员会的调查,81% 的在华美资企业都获得了盈利,而超过一半的企业在华业务毛利率高于其全球平均水平。

① 新华社:《背景资料:中美战略经济对话机制》,2007 年 5 月 23 日,http://world.people.com.cn/GB/5766043.html。

中美经贸的相互依赖性是两国经济结构的互补性所决定的。美国在资本、服务和技术领域的比较优势以及中国在劳动力、市场领域的比较优势在双边的经贸往来中都得到了充分发挥。美国的消费者得到了优质廉价的商品，美国的投资者获得了更加广阔的市场空间。中国获得了企业技术、管理水平的提高，劳动力就业的增加以及外汇的收入。中美经贸关系体现了经济全球化的浪潮和市场的基本规律，因此具有其内在的强劲发展动力。

中美经贸的相互依赖性已经在两国之间形成了共荣共损的利益关联性。所谓的相互依赖，就意味着一旦中断这种关系，双方都要为此付出巨大的代价。如果中美经贸关系出现波折，不仅意味着中国出口的下降、沿海企业生产的下滑、出口加工型企业工人的失业，而且也意味着美国市场的通货膨胀、涉华贸易行业的萧条与失业、在华投资企业利润的下降以及华尔街金融市场的不稳定。2006年12月，受人民币升值2.5%的影响，美国节日市场上来自中国的纺织品和服装的价格上涨了5%，而玩具价格上涨了10%。

中美经贸的相互依赖也在两国之间造成了越来越多的贸易纠纷与摩擦。中美经贸虽然在总体上给两个国家都带来了福利的增加，但是这一增加的福利在两国内部的分配都是不均衡的。这是经济全球化在世界各地造成的一个普遍性的难题，全球化使得商品、资本、技术和生产可以跨国自由流动，但是劳动力却不可能随之流动。于是，当美国的高劳动力成本导致制造业向外转移，与此同时中国的廉价劳动力产品大量输入的时候，就不可避免地造成了美国部分产业的凋敝和工人的失业。在这一市场经济规律下的自然结果会在政治上造成巨大的压力和麻烦。当工厂倒闭和失去工作之后，企业主和工人就会通过政治的渠道和手段寻找保护，通过美国国会转化为挑战中美经贸关系稳定的政治压力。

经贸问题的"政治化"已经成为干扰中美关系稳定的重大挑战。围绕人民币汇率、贸易不平衡、开放中国资本市场、知识产权保护、气候变化与环境等问题，美国国内的各种利益集团都从各自的利益出发，通过国会、行政当局对中国"漫天要价"、横加指责。这使得原本错综复杂的中美经贸关系变得更加敏感而尖锐。正如吴仪副总理在战略经济对话会中指出的："经贸问题只有依据经济规律才能正确地把握和处理，绝对不能把经贸问题政治化。经贸问题政治化不仅于事无补，而且将使问题复杂化，不仅损害中美经贸关系，甚至对中美整体关系的发展都会造成严重的负面影响。"[①]

面对"经贸问题政治化"的挑战，战略经济对话机制通过双边高层官员的直接沟通和交流，在很大程度上有助于加强双方的理解，避免经贸摩擦上升为对抗和冲突。2007年5月22日，吴仪副总理在美国首都华盛顿举办的第二次中美战略经济对话会议的开幕式上讲话指出，要从中美长期战略合作的高度来认识中美经贸关系。双方应从维护两国国家利益的高度来加强两国间的经贸合作，坚决反对贸易保护主义，妥善解决经贸合作中的各种问题，推动中美经贸关系进一步稳定地发

---

① 车玉明、刘洪:《第二次中美战略经济对话开幕 吴仪、保尔森主持》,新华网华盛顿2007年5月22日电,ht-tp://news. xinhuanet. com/world/2007-05/23/content_6137589. htm。

展,使其继续成为繁荣两国经济、造福两国人民的重要力量,为推动中美建设性合作关系不断向前发展奠定坚实的基础。

吴仪的这段讲话准确地反映了中美经济战略对话的性质和意义。

长期性和战略性。战略经济的意义在于确保中美两国长期性、战略性和宏观经济的发展。中美经济发展的战略性集中体现为双方在经济全球化时代的共同利益和责任。全球化是一个历史性的机遇,中美两国都抓住了这个机遇,获得了巨大的发展利益。美国的科技、金融与服务业优势在全球化时代得到了空前的发挥,而中国经济快速发展的主要动力是全球化带来的国际贸易自由化。共同的利益同时也意味着共同的责任,维护现存国际体系的问题与全球化的发展是中美两国共同面临的使命。近年来,中美两国提出"利益攸关方"和"建设性合作者"的概念,为双边关系在全球化时代提供了战略性的定位。

对话性与合作性。战略经济对话的性质是通过对话缓和摩擦、消除误解、增进信任、扩大合作。中美经济关系出现矛盾和摩擦是不可避免的,在相当长的时间里将是结构性的现象。但是,矛盾和摩擦不能发展为恶性的冲突和对抗。当前,美国对中国改革开放和发展的状况缺乏深入的了解,而中国对美国经贸决策的复杂性也缺少透彻的分析。这带来了双方信息沟通的障碍以及对彼此行为正确的预期,有可能陷入到所谓的"囚徒困境"。为了走出两败俱伤的"囚徒困境",中美需要建立良性的对话和信息沟通机制。近年来,中美关系通过领导人会晤、热线、高层

战略对话、联合商贸委员会等各个层次、各个领域的对话机制已经形成了良性互动的格局,而战略经济对话则是其中规模最大的组成部分。

2. 超越双边、面向全球的中美关系

(1)"负责任的利益攸关方"。随着中国的崛起以及反恐背景下中美战略合作的深化,美国媒体和社会中掀起了一阵中国热。2005年,《财富》杂志把全球年会的会场搬到了北京;《新闻周刊》推出了用著名影星章子怡作封面的"中国专刊";《时代》杂志也不甘落后,专刊的封面是身穿印有LV标志中山装的毛泽东半身像。在媒体"中国热"同时,美国战略思想界也掀起了一场新的对华政策辩论,美国各大思想库纷纷召开以中国为主题的讨论会、辩论会。《大西洋月刊》6月号推出了关于中国的系列文章,封面是一位眼光怒射的中国海军士兵的形象,主打文章是《我们应如何与中国作战:另一场冷战》。《外交事务》9-10月号发表了中国学者改革开放论坛理事长郑必坚撰写的《中国向大国地位的"和平崛起"》,以及北京大学国际关系学院院长王缉思教授的《中国寻求中美关系的稳定》。①

围绕"如何与崛起的中国打交道?"的主题,美国国内的观点大致分为三大派:一派认为随着经济的发展,中国的军备实力在加强,在亚太地区的影响力不断上升,因此在战略上对美国构成了威胁,美国不得不进行防范乃至遏制,谓之"屠龙派";另一派认为中国的发展不断地融入世界秩序,中美在战略上有很多共同利益,因此美国应该加强与中国的接触与互动,谓之"拥抱熊猫派";第三派的观点居

---

① Zheng Bijian:"China's 'Peaceful Rise' to Great-Power Statues"; Wangjisi:"China's Search for Stability with A-merica,"*Foreign Affair*, September/October,2005.

中,认为中国的崛起既是机遇也是挑战,美国应该"两面下注",谓之"骑墙派"。

在美国学者展开对华政策辩论的同时,中国学者对中美关系提出了不同的意见和看法。中国学者的分歧是围绕着美国对华政策的走向展开的,大体上可以分为两大派。一派观点认为美国对华政策已经或正在发生"质变",美国已经认识到中国的崛起不可阻挡,美国准备接受并鼓励中国在国际社会上发挥"负责任的"作用。这些观点可以算作"乐观派"。另一派观点认为美国在国内掀起新一轮"中国威胁论",在经贸关系上制造摩擦和障碍,在中国周边邻国投棋布子,对中国的防范和威胁日渐增强。这些看法算是"悲观派"。

2005年9月21日,美国常务副国务卿罗伯特·佐利克在纽约美中关系全国委员会的演讲中提出要"鼓励中国成为国际体系中一名负责的利益攸关方"。①"负责任的利益攸关方"(Responsible Stakeholder)概念立即在中美战略思想界引起了广泛的关注。佐利克阐述这个概念的逻辑是:"所有的国家都为促进国家利益进行外交。作为负责任的利益攸关方,其目标更远大:他们认识到国际体系维系着他们的和平繁荣,因此努力维护这个体系",因此"在对外政策方面,中国面临着很多机会,能够成为负责任的一员。"②在过去的30年,美国两党历届总统都致力于把接触中国,把中国拉入现存的国际秩序。这项政策已经取得了成效,中国已经融入国际社会,作为国际社会的一员享受着全球化带来的好处。现在,随着中国的

"和平崛起",美国新的对华政策应该促使中国负担起维护国际体系稳定和繁荣的责任。

佐利克创造的"负责任的利益攸关方"概念立即引起了一阵激烈的讨论。单单对Stakeholder的中文翻译就出现了五六个版本:"股东"、"持股人"、"合伙经营者"、"利益相关方"、"利益攸关方"……③而对其内涵的理解在学术界也出现了两种看法:一种意见强调"负责任的"方面,认为美国提出的这个概念隐含着圈套,让中国对美国的利益负责任,以此来牵制中国;另一种意见肯定"利益攸关方"的正面意义,认为美国接受并鼓励中国在国际事务中发挥更加积极的作用,为中美关系开辟了更广泛的合作空间。

对"负责任的利益攸关方"内涵的争论实际上也反映了对中美关系定位的不同看法。正当人们争论不休的时候,布什开始了对中国的第三次访问。2005年11月14日—21日,布什访问东亚四国、出席亚太经合组织(APEC)首脑非正式峰会后来到了北京。临行前,布什在接受凤凰卫视的采访中强调"中美关系非常重要,这是很复杂的关系"。敏感的观察家注意到布什关于中美关系的表述在过去的"坦诚、建设性合作"之外又增加了一个"C",即"复杂性"(complex),这个词从字面上包含了"复杂的"(complicated)和"全面的"(comprehensive)两个含义。美国国家安全委员会亚太资深主任迈克尔·格林认为,媒体把这个词翻译成"复杂性"强调不确定和困难是不准确的,"全面性"更加

---

① Robert B. Zoellick,"Whither China:From Membership to Responsibility?"Remarks to National Committee on U. S. —China Relations,New York City,September 21,2005.

② "Whither China:From Membership to Responsibility?"

③ 美国国务院网站上提供的中文翻译是"利益相关方",中国官方使用的翻译是"利益攸关方"。

符合布什使用这个词的初衷。①

实际上由于伊拉克和"卡特琳娜飓风",此时的布什已提前进入到"跛鸭总统"的状态,他访问中国的行程也的确显示了他在外交议程中平衡国内政治的矛盾的"复杂性"。布什在出访前在白宫会见达赖喇嘛,在日本的讲话中表扬台湾的民主,显然是做给国内关心民主、人权的自由派和亲台势力看的。到了北京后,布什一边去老山国家自行车训练基地骑自行车,显示对中国人民的友好和北京奥运的支持;一边去教堂做礼拜,显示对中国宗教自由的关心。在中美关系的议程上,布什带来的贸易赤字、人民币汇率、知识产权保护、宗教自由等一箩筐问题明显带有美国国内政治的色彩。

但是,中国方面还是对布什的来访表示了热情的欢迎,双方展开了坦诚和富有建设性的会谈。中国方面表示要加强知识产权保护的力度,再次重申不排斥美国在亚太地区发挥建设性的作用。美国方面则详细了解了朝核问题和朝鲜的情况,耐心听取了关于中国民主、人权方面的发展。中方还提出了中日关系和靖国神社问题,布什表示了忧虑。在会谈中,胡锦涛主席指出:"中美关系已远远超出双边范畴,越来越具有全球意义,"显示了中国领导人立足全球视野推动中美关系稳定与发展的战略高度。② 这个表态实际上也从积极的方面回应了佐利克"负责任的利益攸关方"的提法。

随着中国的快速发展和壮大、中美双边结构性相互依赖关系的加深,中美超越双边、面向全球的建设性合作关系不断得到巩固与发展。事实上,中美关系在很多方面进步与发展的现实已经超出了人们

的主观认知。

(2)中美在朝核、伊核问题上的合作。早在20世纪50年代,朝鲜就着手开发核技术。1985年朝鲜在苏联的逼迫下加入《核不扩散条约》。1994年朝美达成《核框架协议》,结束了第一次朝核危机。小布什上台后将朝鲜列为"邪恶轴心国"之一,指责朝鲜违背《核框架协议》。朝鲜宣布美朝协议失效,并再次退出《核不扩散条约》,导致了第二次朝核危机。

由于相互间的极端不信任,美国不愿意与朝鲜展开直接对话。为此,中国为主的"六方会谈机制"在朝核问题上发挥着关键性的作用。2003年8月27日至29日,由中国作为主席国,朝鲜、美国、韩国、俄罗斯和日本参加的关于朝核问题的六方会谈在北京举行。2005年9月13日,朝核问题第四轮六方会谈经过两个阶段的艰苦谈判,达成共同声明,确立了半岛无核化的总体目标,其中包括朝方承诺放弃一切核武器及现有核计划,早日重返《核不扩散条约》。同年11月,各方在第五轮会谈第一阶段会议中达成主席声明,重申根据"承诺对承诺、行动对行动"原则全面履行共同声明,早日实现可核查的朝鲜半岛无核化目标。

然而,2006年7月和10月,朝鲜先后试射导弹和进行核试验,朝核问题一度面临严重的危机。联合国安理会先后通过了1695号决议和第1718号决议,对朝鲜的导弹试验和核试验表示谴责,要求朝鲜立即放弃核武器和核计划,无条件重返六方会谈,并决定针对朝鲜在导弹等大规模杀伤性武器上采取制裁措施。中国积极斡旋两个决议的产生并投了赞成票。

① 陈东晓:《"复杂性"与中美关系结构的新变化》,《美国研究》,2006年第2期。
② 《解放日报》,2005年11月25日。

2007年2月13日,朝核问题第五轮六方会谈第三阶段会议通过了《落实共同声明起步行动》的共同文件,朝鲜同意最终弃核,邀请国际原子能机构人员进行核查;公布全部核计划清单。美国同意展开双边谈判解决悬而未决的双边问题,启动不再将朝列为"支持恐怖主义国家"、终止对朝适用《敌国贸易法》的进程。各方同意合作向朝方提供经济、能源及人道主义援助,首批紧急能源援助相当于5万吨重油。为了全面落实共同声明,六方同意设立朝鲜半岛无核化、朝美关系正常化、朝日关系正常化、经济和能源合作、东北亚和平与安全机制5个工作组。

伊朗核问题同样由来已久,只是近年来凸显出来。2005年8月保守强硬派总统内贾德上台后,伊朗认为拥有核武器不但可以阻遏美国的"政权更迭"图谋,还能有力地对抗以色列的威胁,扩大自己在中东地区的影响力,巩固在中东地区的大国地位。而美国的国家安全无法容忍中东地区存在着一个反美反以的伊斯兰原教旨主义政权拥有核武器。因此,伊核问题表面上看是一个防扩散问题,本质上反映的是美国与伊朗之间的矛盾和敌对关系。

中国从一开始就主张对话和磋商来解决伊核问题。2006年3月,中国参与了美、俄、英、法、德在柏林的六国磋商机制,积极协调各方在伊朗核问题上的立场。7月31日,中国支持通过了安理会1696号决议案,要求伊朗在一个月内中止核计划,否则将面临经济制裁。12月23日,经过磋商,在降低了制裁伊朗的级别之后,中国支持通过制裁伊朗的安理会决议,显示了对维护核不扩散机制的决心。

伊朗核问题在表面上形成了中俄对美英法的局面。同朝鲜核问题不同,俄罗斯在伊朗核问题上的关切和作用要高于

中国。在朝鲜问题上,中国处在居中调解的重要位置上,责无旁贷地发挥自己的独特作用。在伊朗核问题上,无论从地缘政治来说,还是从经济利益层面而言,伊朗其重要性对俄罗斯都是毋庸讳言的。因此,在安理会正式讨论制裁伊朗草案时,美俄就出现了明显的分歧。美国要求严厉制裁伊朗,迫使其放弃核计划,而俄罗斯则认为制裁过于严厉反而会使得整个政治解决的努力失败。但是,伊朗核问题的和平解决符合国际社会的根本利益,中国为此付出自己独特的努力,中美在该问题上的沟通和协调也在得到加强。

(3)中美在气候变化问题上开辟新的合作领域。2007年7月,美国财长保尔森把青海湖作为来华访问的第一站,把气候变化问题列入讨论的议程。这些举动绝非个人的闲情雅致,也不是空穴来风,在其背后有广阔的国际战略背景,也有深厚的国内政治基础。

从国际层面上看,气候变化已经成为国际关系博弈的焦点。2009年4月,在英国等西方国家的推动下,联合国安理会首次讨论了气候变化议题。欧盟决定到2020年将温室气体排放在1990年基础上减少20%。在6月初的八国集团首脑峰会上,东道主德国把气候变化列为首要讨论的议题,建议发达国家执行强制减排计划,到2050年的全球温室气体排放比1990年减少50%,未来40年全球气温上升幅度控制在2摄氏度。

作为世界第一大温室气体排放国,美国在全球变暖问题上负有最大的责任。布什政府出于保护国内产业的需要,在执政之初就否决了《京都议定书》。当前,在欧洲国家咄咄逼人的气候攻势下,布什政府一方面仍然拒绝承担强制减排义务;另一方面抛出一项应对气候变化的"长期战

略"，邀请全球 15 个主要温室气体排放国从今年秋天开始举行一系列会议，争取在 2008 年底前达成新的减排目标以取代 2012 年到期的《京都议定书》。

在国内层面上，2005 年的卡特里娜飓风、2006 年的暖冬让越来越多的美国公众关注气候和全球变暖问题，前副总统戈尔制作的纪录片《被否认的真相》也起到了推波助澜的效应。民主党控制国会参众两院之后，公众与环保组织对气候变化问题的关注迅速转化为国会的政治压力。此外，美国各州也纷纷开始制订地方立法来限制温室气体排放。共和党人施瓦辛格当州长的加利福尼亚率先推出了减少温室气体排放的州立法，应对气候变化已经成为跨党派的共识。

中国是美国应对气候变化的长期战略的关键性因素之一。伴随着经济的快速发展，中国已然成为最大的温室气体的排放国之一。布什政府为了应对气候变化问题上的国际国内压力，迫切需要得到中国作为"利益攸关方"的配合。与此同时，西方社会泛起的"中国环境威胁论"也已经成为破坏中美关系气氛的不和谐因素。在气候变化问题上，中美既有共同利益也有分歧；既存在合作的空间也存在着矛盾。通过对话与合作，中美可以在气候问题上开辟双边合作的新亮点。而如果一味采取防范和对抗的姿态，气候问题则可能恶性发展成双边斗争的新焦点。

冷战后中美关系发展的一条重要经验就是"增加信任、减少麻烦、发展合作、不搞对抗"。在错综复杂的国际国内背景下，中美关系始终如逆水行舟、不进则退。因此，在气候变化问题上增信释疑、塑造

新的合作亮点对于中美关系的健康稳定发展具有战略性的意义。

三

胡锦涛主席对美国的国事访问

2002 年 2 月 21 日至 22 日，美国总统布什对中国进行了工作访问，10 月 22 日至 25 日，江泽民主席对美国进行了工作访问。同年 4 月 27 日至 5 月 3 日，时任国家副主席的胡锦涛对美国进行了正式访问。此后，中美两国保持了高层交往的势头。2005 年 11 月 19 日至 21 日，布什总统访华。胡锦涛主席在与布什的会谈中提出了进一步发展中美建设性合作关系的五点建议：第一，保持两国高层交往的积极势头。第二，共同开创中美经贸合作的新局面。第三，加强两国在能源领域的互利合作。第四，加强两国在反恐、防扩散、防控禽流感问题上的合作。第五，扩大两国在人文领域的交流与合作。[①] 2006 年 4 月 18 日至 21 日，胡锦涛主席对美国进行了国事访问，访问期间，胡锦涛主席同美国政府官员、国会议员、地方官员、工商、学术等各界人士以及美国公众进行了广泛的交流，并在西雅图、华盛顿和耶鲁大学发表了重要演讲。胡锦涛积极评价了中美关系的发展势头。指出中美关系已超越双边关系的范畴，越来越具有全球影响和战略意义。中美在维护世界和平、促进共同发展方面拥有广泛而重要的共同战略利益，肩负着共同责任。中美双方不仅是利益攸关方，而且更应该是建设性合

① 《胡锦涛主席与布什总统举行会谈 两国元首一致同意，增进了解，扩大共识，加深互信，全面推进二十一世纪中美建设性合作关系》，载《人民日报》，2005 年 11 月 21 日。

作者。双方应共同努力,全面推进中美建设性合作关系。①

2006年4月20日—22日,中华人民共和国主席胡锦涛对美国进行国事访问。布什在白宫南草坪欢迎胡锦涛主席的讲话中指出:"作为国际体系的利益攸关方,我们两个国家共享众多的战略利益。"双方领导人表明"利益攸关方"(Stakeholders)是一个复数的概念。布什在"利益攸关方"的英文单词后面加了一个"s",这个复数的概念表明它并不是专门用来要求中国的,美国与中国一样,都是"国际体系中的利益相关者",都应该为世界的和平与繁荣发挥作用、承担责任。在随后举行的午宴上,胡主席回应道:"中美两国不仅要成为利益攸关方,而且要成为建设性的合作者。"②

胡锦涛主席的这次访问得到了美国各界的普遍赞赏。他们认为,中美两国首脑进行了一次"实质的讨论会",会谈的气氛、深度、广度以及成效值得高度肯定。美国国家安全委员会负责亚洲事务的资深主任伟德宁透露说,布什与胡主席的会谈非常成功,以至于拉长了时间,不得不让两位第一夫人等他们吃饭;布什还打破外交礼宾常规,要求更换午宴的座位,让他与胡锦涛主席同桌并肩而坐,以便利用吃饭的时间继续讨论。

在胡锦涛主席出访之前,中美经贸问题、贸易逆差、人民币汇率、知识产权保护问题一度在媒体中被炒得沸沸扬扬,而出乎人们预想的是,这些问题并没有成为两国领导人会谈的重点。两国领导人花费了很多时间进行讨论的重点问题是伊朗核问题、朝核六方会谈、苏丹的人道主义

危机和台湾问题,两国领导人在这一系列问题的"解决目标上享有共识"。从会谈的内容中可以清楚看到,除了台湾问题,伊朗、朝核与苏丹都是超越中美双边关系之外的,涉及地区安全与国际形势稳定的问题。作为当今世界唯一的超级大国和最大的发展中国家,美国和中国在谋求自身发展的同时应该对全球的和平与繁荣作出贡献,这正是两位领导人在讲话中共同提到的"利益攸关方"的题中之意。

2006年至2007年的中美关系克服了美国中期选举后,民主党控制国会、布什政治权威进一步"跛鸭化"的不利局面,在双边和全球层面上继续保持稳定发展的局面。在双边关系层面上,中美共同面对台湾新一轮立法机构和地区领导人选举的挑战。布什在 APEC 悉尼首脑峰会期间重申美国政府的立场是:"不支持台独,不支持公投,反对以台湾加入联合国的公投,反对单方面改变现状的举动。"针对台湾岛内的局势,美国政府高级官员八次发表公开警告,从美国驻台代表杨苏棣、美国在台协会主席薄瑞光、助理国务卿帮办柯庆生、常务副国务卿内格罗彭特到国务卿赖斯,层级不断升高,言辞也日加严厉。在应对台独势力挑衅方面,中美之间的沟通也达到了前所未有的高度。

经贸问题的政治化构成了中美双边关系层面上存在的另一个挑战。按照中方的统计,2006年中美贸易总额2627亿美元,美国是中国最大的贸易伙伴和海外出口市场。按照美方统计,中国是美国第二大贸易伙伴和第三大出口市场。然而全球化给美国带来了竞争加剧、产业外移

---

① 《胡锦涛主席同布什总统举行会谈》,载《人民日报》,2006年4月21日。

② 《人民日报》,2006年4月21日,第一版。2007年3月21日,已经从国务院卸任的佐利克在上海发表演讲,把他首创的"负责任的利益攸关方"进一步发展为"全球利益攸关方"(Globe Stakeholders)。

以及结构性的失业等问题。经贸问题成为中美关系中麻烦最多的领域,围绕贸易不平衡、人民币汇率、知识产权等问题,国会酝酿的针对中国的议案不下二三十个。面对这一挑战,中美两国政府在 2006 年展开了战略经济对话。吴仪副总理在会议上指出,要从中美长期战略合作的高度来认识中美经贸关系,反对经贸问题政治化。

在全球层面上,中美作为"利益攸关方"的意义得到了鲜明的体现。2006 年中美两国在处理朝鲜导弹试验事件、核试验事件上进行了密切沟通和协调。在苏丹达尔富尔问题上,中国的作用一度引起美国公众的误解,某些人权组织甚至以此为理由呼吁抵制北京奥运会,但是中国所奉行的"不干涉内政"原则和耐心劝解的外交手段为国际社会的努力创造了途径。苏丹政府接受了非盟领导下的国际维和部队,中国也派出部队参与行动。中国在达尔富尔问题上独特的作用和独特的方式得到了国际社会的普遍赞同。同样,在缅甸、巴基斯坦、伊朗等问题上,美国也日益认识到与中国加强的协调与合作的重要性。2007 年 9 月 6 日,在 APEC 悉尼峰会期间,胡锦涛主席在与布什总统的会谈中再次指出:"中美既是利益攸关方又是建设性的合作者。"①

2008 年 3 月 14 日,在流亡海外的达赖集团的策动下,西藏拉萨发生了打砸抢事件,在北京奥运即将召开的背景下,西方社会掀起了一轮反华狂潮,甚至出现了阻挠奥运圣火传递的卑劣事件。欧洲某些政治人物公开支持达赖,企图利用奥运会来达到羞辱中国的目的。布什政府顶

住了国内某些人权组织的压力,明确表示反对将北京奥运会政治化。4 月 7 日,美国白宫发言人弗拉托在白宫记者招待会上说,布什总统出席北京奥运会开幕式的计划没有改变,美国运动员也将如期参加北京奥运会。布什本人也明确表示,他把北京奥运会视为一次体育盛事,而不是一个公开批评的场合,如果不出席北京奥运会将是对"中国人民的伤害"。

2008 年 7 月 9 日,国家主席胡锦涛在出席日本北海道洞爷湖举行的八国集团与发展中国家领导人对话会议期间会见美国总统布什。布什对四川汶川大地震给中国人民造成的巨大生命财产损失表示同情和慰问,对中国政府迅速有效的救灾行动予以高度评价,对两岸关系的改善表示高兴。布什表示,我本人和我的家人热切期待出席北京奥运会开幕式,预祝北京奥运会取得成功。②

布什政府在奥运会问题上的明确表态给了中国以极大的支持。2008 年 8 月 8 日,布什携全家出席了北京奥运会的开幕式,自封为美国体育代表团的"拉拉队长",饶有兴趣地观赏了女子沙滩排球、中美男篮等比赛。8 月 10 日,国家主席胡锦涛在中南海瀛台会见了布什。布什祝贺中国政府和人民给世界各国人民奉献了一场壮观、成功的奥运会开幕式。胡锦涛高度评价布什总统执政 7 年多来为推动中美建设性合作关系发展作出的重要贡献。双方领导人对两国关系的发展给予了一致的肯定,并表示共同致力于推动关系的进一步稳定发展。③

2008 年 11 月 15 日,国家主席胡锦涛

---

① 《人民日报》,2007 年 9 月 6 日。
② 《人民日报》,2008 年 7 月 10 日。
③ 《人民日报》,2008 年 8 月 11 日。

出席在美国首都华盛顿举行的二十国集团领导人金融市场和世界经济峰会并发表重要讲话，11 月 21 日在秘鲁首都利马举行的 APEC 首脑峰会上与总统任内的布什会面。双方就中美关系和共同关心的应对国际金融危机、促进世界经济发展、维护世界和平等重大国际和地区问题深入交换了意见。布什表示，很高兴能在过去的几年中同胡锦涛主席一道，把美中关系发展到今天这样的局面，并表示将继续为两国关系发展作出积极努力。胡锦涛再次对布什就任总统以来为发展中美关系所作的积极努力表示赞赏，希望他继续发挥积极影响，促进中美关系发展。①这是布什任期内与中国领导人的最后一次会面，也是这一年内两国领导人的第三次会面。

四

奥巴马政府对华外交开局良好

布什执政八年，尤其自"9·11"事件以来，中美关系实现了一段超常规的相对稳定的发展。2008 年，中美即将迎来建交 30 周年，而这一年恰好又是新一轮的美国大选和政权轮替年。

中美关系自建交以来的历程明显地受到两个周期律的影响。一个"小周期"，在 20 世纪 90 年代表现为每年 6 月前关于中国最惠国待遇的审议；在中国加入 WTO 并获得永久正常贸易待遇之后，就是每年 3—6 月围绕美国国防部的《中国军力报告》和国会经济与安全评估委员会的《中国经济发展对军事现代化影响的评估

报告》等文件出现的"中国军力"、"人权"、"贸易不平衡"等反华噪音。②

另一个是所谓的"大周期"，即四年一度的美国大选，几乎每次都多多少少地会出现一些"中国问题综合征"，反对党候选人总会把前任政府的对华政策拿出来横加指责，把中美关系献上政党政治的祭坛，通过指责对手"姑息中国"、"对华软弱"来树立自己的强硬形象。当选举出现政党轮替之后，反对党候选人当上总统之后，会带来一个竞选效应发酵的阶段，中美关系在这期间就会受到新总统强硬政策的冲击，关系曲线随之下滑到谷底。随后，中美关系自身的性质会让这条关系曲线回升，通常到这位总统执政的中后期又会上升到某个新的高峰。

1981 年从卡特到里根、1993 年从老布什到克林顿，除了里根到老布什共和党内的相对平稳过渡之外，中美关系跌宕起伏的"大周期"律相当明显。2001 年从克林顿到小布什，中美关系的发展曲线很不幸地再一次应验了"大周期"的规律。

2008 年的美国总统大选，中美关系不再是选举的热点话题，没有成为两党争斗的工具。奥巴马和麦凯恩在对华政策的表态基本一致，都支持中国的发展、在国际上发挥更大作用，只是侧重点不同。共和党强调一个和平、繁荣和民主的中国，增加军事透明度；民主党鼓励中国成为一个帮助美国领导 21 世纪的负责任角色。11 月 8 日，当选总统奥巴马在与中国国家主席胡锦涛的通话中表示："中国是一个伟大的国家，中国的发展和成功符合美国利益。在当今国际舞台上，美中关系是至关重要的关系，发展美中合作不仅有利于

---

① 《人民日报》，2008 年 11 月 16 日、23 日。
② 关于中美关系"小周期"规律，参阅本章第四节"国内政治"的相关论述。

两国,也有利于世界。美中关系面临很多发展机遇,希望双方加强合作,推动美中关系取得更大发展,造福两国人民。美方希望同中方加强在安全、气候变化、地区热点等问题上的磋商和协调,推动问题的解决。"①

在全球金融危机的背景下,度过而立之年的中美关系面临更加紧迫而重大的战略合作的要求。2009 年 1 月,刚刚宣誓就职的奥巴马总统在给胡主席的电话中连续用了三个"重要"来描述中美关系:其一,"对中美两国而言,没有比两国关系更为重要的双边关系";其二,"作为世界上两个最重要的经济体,中美两国加强合作至关重要"。2 月 16 日—22 日,新任美国国务卿的希拉里·克林顿把她的首次出访目的地放在了亚洲,中国成为此次访问的最后一站。这位美国政坛叱咤风云多年的铁娘子刚刚踏上北京的土地就对记者表示:"我希望人权、台湾和西藏问题不会妨碍其他更广泛问题的解决。"②在应对国际金融危机、朝鲜核问题等更加重要的议题上,中美需要更加密切与务实的合作。

4 月 1 日,国家主席胡锦涛在伦敦 G20 峰会的场合会见了美国总统奥巴马,这是美国新政府执政以来两国元首的首次会面,也是全球金融危机背景下中美两国携手合作的重要表现。无论从承前启后的中美双边关系角度,还是从风雨飘摇的全球经济角度看,胡主席与奥巴马的这次会面都被赋予了十分重要的意义。胡锦涛指出:新时期中美关系应该具有以下特点。第一,应该是积极的关系。第二,

应该是合作的关系。第三,应该是全面的关系。奥巴马表示,美中关系是世界上最重要的双边关系。美中两国不仅有着非常紧密的经济关系,而且在重大国际和地区问题上有着许多共同利益。美方对两国关系在现有坚实基础上继续向前发展的前景感到乐观,赞同使两国关系变得更加积极、合作、全面。双方要相互尊重彼此核心利益,妥善处理分歧,使两国关系不断向前发展。③

新世纪的中俄关系

2000 年 3 月普京当选俄罗斯联邦总统后,中俄关系进入了一个新的发展时期。与 20 世纪 90 年代相比,新世纪的中俄关系展示了新的前景,不仅基础更加坚实,而且步入了快速发展的轨道。其主要特点是,两国领导人建立了良好的关系,不仅定期会晤,而且常常通过"热线",就中俄关系和国际上的重大问题交换看法、协调行动。这样就保证了两国关系能够承前启后,继往开来,在 20 世纪 90 年代由江泽民主席和叶利钦总统创立的基础之上,继续稳步健康地向前发展。

新世纪的中俄关系可划分为三个时期,即:普京就任总统后的第一任期、第二任期,以及梅德韦杰夫就任总统后的

---

① 《人民日报》,2008 年 11 月 9 日。

② 《美国国务卿务实态度让大赦国际"极度失望"》,人民网:http://world.people.com.cn/GB/14549/8855369.html。

③ 《人民日报》,2009 年 4 月 2 日。

时期。

一

普京任总统后的中俄关系
（第一任期，2000—2004 年）

1. 普京就任俄罗斯总统后首次访华

2000 年 7 月 17 日至 19 日，普京对中国进行了就职后的首次国事访问。江泽民主席与普京总统举行了正式会谈。在此之前的 7 月 5 日，江泽民曾在杜尚别会见了前来出席"上海五国"元首会晤的普京。

江泽民在会谈中回顾了中俄关系的发展历程。他指出：经过双方的共同努力，两国战略协作伙伴关系发展顺利，成果显著。普京任总理后，重视发展对华关系，并为深化两国各领域的合作作出了不懈的努力。当选俄总统以来，普京多次重申将继续发展中俄战略协作伙伴关系，并把中国作为就任总统后出访亚洲的第一个国家，我们对此表示高度赞赏。江泽民指出：中俄是联合国安理会常任理事国，又是拥有核力量的国家，对世界的和平与安全负有重大责任。中俄建立和发展战略协作伙伴关系是两国正确的历史选择，是两国战略利益的需要，也是维护世界和平与稳定的需要，有利于推动世界多极化进程。

普京指出，俄罗斯政府高度重视发展俄中关系，在俄首任总统叶利钦和江泽民主席的不懈努力下，两国关系已经有了坚实的基础。他这次访华的目的就是要巩固两国间业已存在的友好合作关系，制定发展两国关系的长远目标。

在谈到中俄两国的经贸合作时，江泽民指出，两国应加强各个领域的全面合作，包括经贸合作，以充实中俄战略协作伙伴关系的物质基础。他认为：第一，中俄地缘接近，两国在经济、科技、资源、人才等方面具有很大的互补性，可挖掘的潜力很大。双方应本着互信互利的原则，遵循市场经济的规律多作探讨。第二，两国总理定期会晤机制为推动两国各个具体领域的合作做了大量工作，发挥了重要作用。双方要充分准备，搞好今秋将要举行的第五次总理会晤，力争多达成一些协议。第三，中方对进口俄罗斯的产品将实行同等优先的原则，希望俄方也采取相应措施，扩大中国产品在俄市场的份额。双方共同努力，推动两国经贸合作均衡发展。第四，双方积极采取措施，为两国企业合作创造良好的环境。相信在双方的不懈努力下，中俄经贸合作水平一定会有更大的提高和飞跃。

会谈后，江泽民和普京共同签署了《中华人民共和国和俄罗斯联邦北京宣言》和《中华人民共和国主席和俄罗斯联邦总统关于反导问题的联合声明》。①

《反导问题的联合声明》是普京此次访华与江泽民签署的重要文件。联合声明指出：

1972 年《限制反弹道导弹系统条约》（以下简称《反导条约》）仍是全球战略稳定与国际安全的基石，是削减和限制进攻性战略武器和防止大规模杀伤性武器扩散的关键性国际协议框架的基础。维护和严格遵守《反导条约》是至关重要的。

美国建立《反导条约》所禁止的国家导弹防御系统的计划令人深感忧虑。中国和俄罗斯认为，这一计划的实质是谋求

---

① 新华网北京 2000 年 7 月 18 日电。

单方面的军事和安全优势。实施这一计划不仅对俄罗斯、中国和其他国家的安全,而且也对美国自身的安全以及全球战略稳定造成最严重的消极后果。因此,中国和俄罗斯坚决反对这一计划。

破坏《反导条约》将会引发新一轮军备竞赛,使冷战后世界政治中出现的积极趋势发生逆转。这无疑不符合世界任何一个国家的根本利益。主张修改裁军领域这一基本条约的国家必将对破坏国际稳定与安全以及由此引发的一切后果承担全部责任。

中俄两国迄今在维护全球战略平衡与稳定问题上所进行的合作是令人满意的。基于两国平等信任的战略协作伙伴关系,中国和俄罗斯将继续就上述问题进行密切协作,并在各自承担的国际义务的框架内,在与此相关的其他领域加强合作,以维护本国、地区和全球安全。①

2.《中俄睦邻友好合作条约》的签订

2001 年 7 月 15 日至 18 日,江泽民主席对俄罗斯进行了国事访问。在与普京总统的会谈中,双方对中俄两国关系的发展感到满意。江泽民说,普京总统一年前访华时,我们商定,为使中俄关系在新世纪长久保持健康发展的势头,使中俄友好世代相传,双方一起制定一个指导中俄友好合作关系的法律文件。这项工作已经完成,今天我们将在这里签署《中俄睦邻友好合作条约》。我同意俄罗斯朋友们的评价,这是"世纪条约",是指导中俄关系的纲领性文件。我们高度评价双方在条约谈判过程中表现出的相互理解、信任与合作精神。中俄关系如何发展,不仅关系到我们两国人民的根本利益,也将对全人类的未来产生重大而深远的影响。《中俄睦邻友好合作条约》将两国永做好邻居、好伙伴、好朋友的意愿和决心用法律形式固定下来,彻底摒弃了那种不是结盟就是对抗的冷战思维,是以互信求安全、互利求合作新型国家关系的体现。有了这一纲领性文件的指导,21 世纪中俄关系长期稳定健康的发展就有了保证。

普京说,在 20 世纪 90 年代中叶,俄中两国作出了一个重要选择,那就是建立了两国间的战略协作伙伴关系。今天双方要签署的《俄中睦邻友好合作条约》,就是促进两国战略协作伙伴关系的最重要因素之一。签署这一条约,不仅是俄中两国关系中的重大事件,而且也是国际政治中的一个非常重要的事件。

16 日,江泽民主席与普京总统在莫斯科克里姆林宫举行会谈。双方签署了《中俄睦邻友好合作条约》。② 在条约中,规定了两国今后在政治、经济、贸易、科技、文化和国际事务中合作的原则和方向。条约共计 25 条,包括如下内容:

缔约双方根据公认的国际法原则和准则,根据互相尊重主权和领土完整、互不侵犯、互不干涉内政、平等互利、和平共处的原则,长期全面地发展两国睦邻、友好、合作和平等信任的战略协作伙伴关系。

缔约双方在其相互关系中不使用武力或以武力相威胁,也不相互采取经济及其他施压手段,彼此间的分歧将只能遵循《联合国宪章》的规定及其他公认的国际法原则和准则,以和平方式解决。缔约双方重申,承诺互不首先使用核武器和互不将战略核导弹瞄准对方。

---

① 新华网北京 2000 年 7 月 19 日电。
② 新华网莫斯科 2001 年 7 月 16 日电。

缔约双方相互尊重对方根据本国国情所选择的政治、经济、社会和文化发展道路,确保两国关系长期稳定发展。

中方支持俄方在维护俄罗斯联邦的国家统一和领土完整问题上的政策。

俄方支持中方在维护中华人民共和国的国家统一和领土完整问题上的政策。

俄方重申1992年至2000年期间两国元首签署和通过的政治文件中就台湾问题所阐述的原则立场不变。俄方承认,世界上只有一个中国,中华人民共和国政府是代表全中国的唯一合法政府,台湾是中国不可分割的一部分。俄方反对任何形式的台湾独立。

2002年2月28日,中国外交部部长助理刘古昌和俄罗斯副外长洛休科夫在北京互换了《中俄睦邻友好合作条约》批准书。

3. 江泽民主席对中俄关系的回顾和展望

2002年12月1日至3日,普京总统应邀对中国进行国事访问。

江泽民在与普京的会谈中,回顾了10年来中俄关系的发展历程。他说,我们两国关系从相互视为友好国家,发展建设性伙伴关系,直至确立战略协作伙伴关系,连续上了三个大台阶,所有这些成果集中体现在我们去年签署的《中俄睦邻友好合作条约》中。现在我们之间的高层交往十分活跃并已定期化、机制化。经贸合作快速发展,规模日增。在国际事务中的磋商与协作非常密切。

江泽民说,我认为,10年来我们两国关系迅速发展的成功经验可归纳为:第一,高度的政治互信是基石。《中俄睦邻友好合作条约》中确立了两国世代友好、

永不为敌的和平思想,有了高度的政治互信,才有两国关系今天的大好局面。第二,登高望远,着眼未来,从战略高度和长远眼光看待和规划中俄关系。第三,保持密切高层交往并机制化,及时处理和解决新情况、新问题。第四,相互尊重、互谅互让,相互考虑和照顾对方合理利益,通过谈判寻求彼此可接受的解决问题的办法,使双边关系保持良好发展。第五,树立互信、互利、平等、协作为核心的新安全观,实现了两国边境地区的军事信任与相互裁军,共同倡导成立了上海合作组织,使我们各自的国内经济建设有了和平的周边环境。

江泽民说,刚刚召开的十六大选举产生了新一届中央委员会,党的中央领导集体顺利实现了新老交替。新任总书记胡锦涛同志也将与你会见。我相信你们一定会很快建立良好的工作关系,双方密切配合,继续推动中俄战略协作伙伴关系不断充实、深化。①

普京祝贺中共十六大取得圆满成功。他说,我们衷心祝愿并深信,十六大提出的宏伟目标一定能够实现。俄方将同中国新一代领导人携手合作,使俄中睦邻友好合作关系不断向前发展。

4. 普京总统到北京大学演讲

2002年12月3日上午,江泽民陪同正在中国访问的普京来到北京大学。江泽民说,普京总统选择到北京大学向大学生们发表演讲,说明他具有政治家的战略眼光,因为中俄睦邻友好,世界各国人民的友好,归根到底要由年轻一代来继承和发展。中国的未来,俄罗斯的未来,世界的未来,都是属于年轻一代的。

普京表示非常高兴到北大演讲。他

---

① 新华社北京2002年12月2日电。

说,北大作为五四运动的摇篮,在中国历史上具有特殊重要地位。中俄两国是具有独特文明的伟大国家,这在很大程度上决定了两国在世界舞台上的地位。发展俄中关系至关重要。①

普京的演讲持续了近40分钟,其中有一个同学向普京询问,他对中国特别是中国文化的了解程度。普京回答说,如果让他找一个名副其实的伟大文化,首先就是中国的文化。现在,俄罗斯的年轻人对中国文化有着浓厚的兴趣。

5. 胡锦涛主席到莫斯科国际关系学院演讲

2003年5月26日至31日,胡锦涛主席对俄罗斯进行国事访问,并出席了在莫斯科举行的上海合作组织成员国元首第三次会晤和在圣彼得堡举行的建市300周年庆典活动。

在与普京的会谈中,胡锦涛指出:中国新一届中央领导集体高度重视发展中俄战略协作伙伴关系。我们愿同俄方一道,遵循《中俄睦邻友好合作条约》以及双方十多年来签署的一系列重要文件的精神,发挥好业已形成的高层交往和政府合作等机制的作用,使中俄关系继续保持积极向上的发展势头。

普京表示完全赞同胡锦涛对两国关系的积极评价和就进一步发展双边合作提出的建议。他说,《俄中睦邻友好合作条约》签署近两年来,俄中关系全面发展,特别是经贸合作富有成果。俄方愿同中方共同努力,在落实好两国间现有的大型合作项目的同时,积极探索开拓包括环保、金融和投资等新的合作项目和领域。俄方也希望在人文、教育和科技领域扩大双方的交往与合作。

在俄期间,胡锦涛还来到莫斯科国际关系学院,发表了题为《世代睦邻友好 共同发展繁荣》的演讲。莫斯科国际关系学院创办于1944年,是俄罗斯专门培养国际问题专家的高等学府,也是俄罗斯的外交官摇篮。许多外国领导人都在这里发表过演讲。

胡锦涛在演讲中指出:"在历史的演进中,伟大的俄罗斯人民为人类文明进步作出了杰出贡献。在中国人民争取解放的长期斗争中,在新生的中华人民共和国开展经济建设的时期,俄罗斯人民给予了我们多方面的支持和援助,对此中国人民永远不会忘记。"

胡锦涛说:"十多年来,在双方的精心培育和共同努力下,中俄关系保持着积极的发展势头。2001年,两国元首签署的《中俄睦邻友好合作条约》,标志着中俄战略协作伙伴关系进入了一个新的发展阶段。中俄关系的顺利发展给双方带来了实实在在的好处。我们解决了历史遗留的边界问题,把漫长的边界变成了两国人民友好合作的纽带。我们相互尊重对方的国家主权,支持对方维护本国统一和领土完整的努力。我们大力发展互利合作,双边贸易额已经从20世纪90年代中期的60亿美元提高到去年的120亿美元,其他领域的合作也取得了可喜成果。中俄两国一直在国际事务中相互协调、相互支持,维护两国的共同利益,促进世界的和平、稳定和发展。可以说,中俄关系发展正面临着良好的历史机遇。我们应该紧紧抓住和运用这一历史机遇,继续推动两国关系向前发展。"②

---

① 新华网北京2002年12月3日电。
② 《人民日报》,2003年5月28日。

6. 两国经贸关系的发展

进入新世纪以来,中俄经贸关系在 20 世纪 90 年代的基础上得到继续发展。据中国海关总署统计,2001 年,中俄贸易总额达到 106.7 亿美元,创历史新高。新世纪头两年,中俄贸易显示三个显著特点:一是增长速度很快;二是中国对俄罗斯的需求旺盛,中国总是处于逆差;三是与中国同美日欧等国和地区的贸易相比,从总体规模来讲,中俄双边贸易水平仍与政治关系不相适应。

中俄两国是邻国,在发展经贸关系方面,具有地理和经济互补上的优势。为了改变贸易水平与政治不相适应的情况,2001 年 9 月,中俄两国总理在第六次定期会晤时签订了经贸合作文件,为中俄两国经贸的发展提供了法律文件的保障。普京总统 2002 年 6 月在一次记者招待会上也指出:"俄中两国在经贸领域还有许多工作没有做,这不符合两国的潜力。这个领域的关系不应低于政治关系和军事技术关系所达到的水平。"① 两国随后确定,将在 2005 年实现双边贸易额达到 200 亿美元的目标。

经过两国政府和企业的共同努力,2002 年中俄双边贸易额上升到 119.3 亿美元。2003 年虽然在中国出现了"非典"疫情,俄罗斯也出现了不利于中国的石油管线分歧,但两国贸易额仍继续增长,达到 157.6 亿美元。2004 年,中俄贸易额突破 200 亿美元,达到 212.3 亿美元,同比增长 34.7%,提前实现了两国领导人确定的目标。②

从统计数字可以看出,进入新世纪,至 2004 年,两国贸易以年平均增长 30%

的速度在上升。这是中俄两国政府共同努力的结果,符合两国和两国人民的共同利益。当然,与中俄的大国地位及双边战略协作伙伴关系相比,中俄经贸关系仍然很不平衡,仍有很大的提升空间。

普京连任总统后的中俄关系
(第二任期,2004—2008 年)

1. 胡锦涛主席提出推动中俄关系全面发展的四项原则

2004 年 10 月 14 日,俄罗斯总统普京抵达北京,开始对中国进行为期 3 天的国事访问。除北京外,他还将访问西安。这是普京连任总统后首次访华。这次访问也是中俄两国庆祝建交 55 周年活动的重要组成部分。

胡锦涛主席于 14 日下午与普京总统举行了会谈,双方就进一步深化中俄战略协作伙伴关系和重大国际和地区问题广泛深入地交换了意见。两国元首回顾了建交 55 年来双边关系发展的历程,一致认为,坚持睦邻友好是双方共同的方针,开展战略协作是两国的战略选择;一致同意,遵循《中俄睦邻友好合作条约》的原则和精神,不断充实两国战略协作伙伴关系的内涵,造福两国和两国人民;一致表示,采取切实措施落实好《〈中俄睦邻友好合作条约〉实施纲要》,永做好邻居、好朋友、好伙伴。

普京说,中华人民共和国成立第二天,俄中两国即建立了外交关系。我们今天继承了传统友谊,又将两国关系推向了

---

① 转引自《百年中俄关系》,世界知识出版社,2006 年版,第 416—417 页。

② 引自《百年中俄关系》,世界知识出版社,2006 年版,第 417 页。

战略高度。俄方把发展同中国的关系作为优先方向之一，愿为发展双边合作迈出新的步伐。

胡锦涛表示，回顾过去，面向未来，中方愿与俄方一道，按照以下四项原则，进一步推动中俄战略协作伙伴关系全面深入向前发展。一是坚持相互尊重、平等相待、相互支持，不断增强政治互信。在涉及国家主权和领土完整的问题上，彼此尊重对方的立场和所奉行的内外政策。二是坚持优势互补，互利互惠，立足长远，谋求共同发展。双方应充分发挥现有双边合作机制的作用，重点深化两国贸易投资合作，加快推进能源大项目、高科技和地方合作。三是坚持协调配合，相互信赖，深化协作，共同营造良好的国际环境。继续采取多种方式加强双方在重大国际和地区问题上的沟通与协调，坚持多边主义，支持联合国在国际事务中发挥重要作用，推动建立公正合理的国际政治经济新秩序。四是坚持取长补短，相互借鉴，扩大交流，为两国世代友好奠定牢固的社会基础。双方要扩大人文合作与社会交往，加深两国人民的传统友谊。

普京完全赞同胡锦涛的看法和建议。

会谈后，两国元首签署了《中华人民共和国与俄罗斯联邦联合声明》并批准了《〈中俄睦邻友好合作条约〉实施纲要》，还出席了其他 12 个双边合作文件的签字仪式。

2. 签署《中华人民共和国和俄罗斯联邦关于中俄国界东段的补充协定》

2004 年 10 月 14 日，普京总统访华期间，中国外交部长李肇星与俄罗斯外交部长拉夫罗夫签署了《中华人民共和国和俄罗斯联邦关于中俄国界东段的补充协定》。这个协定与《中苏国界东段协定》以及《中俄国界西段协定》一起，标志着 4300 多公里的中俄边界线走向全部确定。

中俄边界线的长度一般称"4300 多公里"，具体讲，中俄东段边界 4320 公里，西部边界 54 公里，总长度约 4374 公里。①多年来，中俄双方以有关边界条约为基础，根据公认的国际法准则，本着平等协商、互谅互让的精神，通过谈判，分别于 1991 年和 1994 年签署了《中苏国界东段协定》和《中俄国界西段协定》，确定了中俄 98% 的边界线走向。这一次，双方就额尔古纳河上游阿巴该图洲渚及黑龙江中游黑瞎子岛的两个地段的边界问题达成协议，用和平对话的方式，成功解决两国间复杂而敏感的边界问题，为中俄各领域关系的全面发展消除一大隐患。

李肇星表示，中俄边界问题的解决增进了双方的政治互信，丰富了中俄战略伙伴协作关系的内容，为两国人民世代友好、睦邻合作提供了可靠保障。拉夫罗夫说，俄中两国 40 年来关于边界问题的谈判和努力今天终于画上了完满句号。这是两国 300 多年交往史中首次全线标定边界线，在边界问题上达成百分之百的共识，具有"突破性"的意义。②

3. 签署《中华人民共和国和俄罗斯联邦关于 21 世纪国际秩序的联合声明》

2005 年 6 月 30 日，胡锦涛主席抵达莫斯科，对俄罗斯进行国事访问。这是胡锦涛主席根据中俄两国元首年度会晤机制对俄罗斯进行的国事访问。

7 月 1 日下午，胡锦涛和普京在克里姆林宫签署了《中华人民共和国和俄罗斯

---

① 引自《百年中俄关系》，世界知识出版社，2006 年版，第 437 页。
② 中国新闻网 2004 年 10 月 14 日。

联邦关于 21 世纪国际秩序的联合声明》。当两国元首交换签署生效的声明文本时，大厅内爆发出长时间的掌声，数百名记者争相捕捉这一历史性瞬间。这份引起人们广泛关注的政治文件，为中俄战略协作伙伴关系赋予了新的内涵，是胡锦涛主席此次俄罗斯之行取得的重要成果。声明指出：

只有以公认的国际法原则和准则为基础，在公正、合理的世界秩序下，才能解决人类面临的问题。世界各国应严格遵守互相尊重主权和领土完整、互不侵犯、互不干涉内政、平等互利、和平共处的原则。

应充分保障各国根据本国国情选择发展道路的权利、平等参与国际事务的权利和平等发展的权利。必须和平解决分歧与争端，不采取单边行动，不采取强迫政策，不以武力威胁或使用武力。

各国的事情应由各国人民自主决定，世界上的事情应以多边集体为基础通过对话和协商决定。国际社会应彻底摒弃对抗和结盟的思维，不寻求对国际事务的垄断和主导权，不将国家划分为领导型和从属型。

世界文化和文明的多样性应成为相互充实而不是相互冲突的基础。当今世界的主流要求不是搞"文明冲突"，而是必须开展全球合作。应尊重和维护世界文明的多样性和发展模式的多样化。各国历史背景、文化传统、社会政治制度、价值观念和发展道路的差异不应成为干涉别国内政的借口。应在相互尊重和包容中开展文明对话与经验交流，相互借鉴，取长补短，以求共同进步。应加强人文交流

以建立国家间友好信任的关系。

中俄新型国家关系正为建立国际新秩序作出重大贡献。中俄关系的实践印证了本声明所述原则的生命力，同时表明，在此基础上可以有效发展睦邻友好合作关系，解决各种问题。两国决心与其他有关国家共同不懈努力，建设发展和谐的世界，成为安全的世界体系中重要的建设性力量。①

在会见记者时，胡锦涛指出："联合声明阐明了中俄在一些重大国际问题上的共同主张，显示出两国促进世界和平、稳定、繁荣的坚定决心，对深化两国在国际领域的战略协作、促进国际形势健康发展具有重要意义。"普京表示，联合声明阐述了双方对国际政治最关键问题的共同立场；俄中两国发展睦邻友好和战略协作伙伴关系，对两国人民乃至全世界都具有非常重要的意义。②

4. 普京总统出席中俄经济工商界高峰论坛并发表演讲

2006 年 3 月 21 日至 22 日，俄罗斯总统普京对中国进行国事访问，并出席"俄罗斯年"开幕式和中俄经济工商界高峰论坛开幕式。

21 日，胡锦涛与普京举行中俄首脑定期会晤。这是两国元首在不到一年时间内的第五次会晤。他们一致同意进一步加强、深化两国战略协作和务实合作，把中俄战略协作伙伴关系推上更高水平。

同日上午，胡锦涛和普京在钓鱼台国宾馆出席了中俄经济工商界高峰论坛。普京在开幕式上发表了演讲，他指出，近年来，俄中两国经贸合作成效显著。首先是双边贸易增长很快。3 年前我们确定了

---

①　新华网 2005 年 7 月 3 日。
②　新华网莫斯科 2005 年 6 月 30 日电。

目标,要将双边贸易额提高到 200 亿美元,去年俄中贸易额已达到 290 亿美元。两国投资合作也发展很快。现在俄罗斯已有数百个中方投资项目,还有总价值 20 多亿美元的约 20 个项目即将落实。俄罗斯的资金也不断流入中国市场。现在俄罗斯对华投资已超过 5 亿美元。我们不能小看两国合作的成就,但也必须坦率承认还存在一些问题,其中最主要的是双边贸易结构不合理和俄罗斯对华出口以原料为主。

我们要充分挖掘双边合作中还没有利用起来的巨大潜力。要充分发挥两国在高科技领域的合作能力,包括核能、环境保护、医疗卫生、航天技术、民用航空技术等领域。此外还要发展农业领域合作,更合理地开发海洋生物资源。我们也要充分利用俄罗斯的经济特区优势,优先发展高科技。

普京指出,俄中关系发展迅速,经济增长很快,教育领域的交流也十分重要。目前俄中高校之间师生交往非常频繁。现在有 1.3 万中国公民在俄罗斯学习。我们两国很多教育机构里都建有俄语或汉语教学中心。我们正准备通过合办大学和研究生院来扩大两国教育领域合作。我们也正考虑建立俄中助学基金。

为实现我们确定的合作优先发展目标,我们需要更加重视地区之间的交往。特别是在两国毗邻地区,地方之间的交往对促进彼此的经济增长作用很大。我在 2004 年会见了中国西部地区负责人,胡锦涛主席在 2005 年会见了俄西伯利亚地区负责人,这都表明两国的地方间合作意义重大,发展前景良好。

普京在演讲的最后说,我相信,通过今天的论坛,双方企业之间的交往和互信会得到进一步加强,也希望两国经济工商界人士开辟更多新的合作领域。希望你们提出新建议,我们非常愿意为这些建议的落实提供支持。预祝俄中经济工商界高峰论坛成功。①

访问期间,普京还与胡锦涛共同出席了"俄罗斯年"开幕式。随后,"俄罗斯年"的 207 项活动将陆续展开,涵盖了两国交往与合作的各个领域。为增进两国人民之间的相互了解,两国元首确定今年在中国举办"俄罗斯年",2007 年在俄罗斯举办"中国年"。中俄互办"国家年"活动在中俄关系史上尚属首次,是落实两国睦邻友好合作条约原则和精神的重要步骤。

5. 胡锦涛主席提出不断发展中俄关系的五点建议

2007 年 3 月 26 日至 28 日,国家主席胡锦涛对俄罗斯进行国事访问并出席"中国年"开幕式等活动。

3 月 26 日下午,胡锦涛主席同普京总统举行了会谈。胡锦涛表示,2006 年是中俄关系取得重要进展的一年。两国共同庆祝了中俄战略协作伙伴关系建立 10 周年,在中国首次举办了"俄罗斯年"。两国关系继续在高水平上保持健康稳定发展的良好势头。两国高层领导人交往频繁,双方在涉及对方核心利益的问题上相互支持,一批大型合作项目陆续启动,各领域合作均取得重要进展。在国际和地区事务中,双方密切配合,维护两国共同利益,为促进世界和平稳定发挥了重要作用。

胡锦涛指出,未来十年是两国国家建设和发展的关键时期。中俄都面临对内促进发展、保持和谐和对外维护和平、加强合作的相同任务。中方愿同俄方一道,

---

① 新华网北京 2006 年 3 月 22 日电。

不断提高两国关系水平。胡锦涛就此提出五点建议：第一，做真诚互信的政治合作伙伴。深入贯彻《中俄睦邻友好合作条约》确定的世代友好的和平思想，坚持将发展中俄关系作为两国外交的优先方向，加强双方在涉及对方核心利益的问题上的相互支持。第二，做互利共赢的经贸合作伙伴。着眼长远，坚持在互利互惠的基础上开展合作，保持双边经贸额和相互投资快速增长的势头，推动基础设施建设、能源、科技、核能、原料深加工等领域合作取得实质性进展，改善贸易结构，整顿贸易秩序，优化投资环境。第三，做共同创新的科技合作伙伴。发挥各自潜力和优势，开展多层次、多渠道、全方位的科技合作。第四，做和谐友好的人文合作伙伴。以互办"国家年"为契机，大力推进人文合作。加强两国青年交流，为中俄友好培养接班人。第五，做团结互助的安全合作伙伴。加强战略安全合作，有效应对新威胁新挑战，推动上海合作组织框架下的安全合作，坚决打击"三股势力"，维护地区安全稳定。为世界和平、稳定、发展作出贡献。

普京表示，互办"国家年"活动是两国元首作出的正确决定，具有战略意义，对两国经贸往来和文化交流发挥了积极作用，相信"中国年"会像"俄罗斯年"一样取得圆满成功。他强调，一年来，俄中经贸关系发展良好，两国企业对加强合作兴趣愈加深厚，相互投资增加，俄方支持更多企业到中国投资，支持两国银行对此提供支持。两国能源合作进展顺利、规模不断扩大，原油管道建设进展良好，天然气合作积极推进。只要双方加强协商，一定会实现互利双赢。①

6. 中俄经贸关系的发展

在普京连任总统后，随着两国战略伙伴关系的稳步推进以及两国经济的持续增长，双边经贸合作快速稳定发展，贸易规模不断扩大，能源、科技、通信、金融、交通等各领域合作全面、深入开展，并取得了丰硕成果。

以 2005 年为例。据中国海关统计，2005 年中俄贸易额达 291 亿美元，比上年增长 37.1%，高出全国外贸增幅 14 个百分点。这一增幅也大大超过中俄经贸中长期规划所确定的 20%—25% 的年均增速。中国成为俄罗斯第四大贸易伙伴，俄罗斯是中国第八大贸易伙伴。在贸易规模不断扩大的同时，中国对俄出口商品结构稳步改善。出口商品虽仍以服装、鞋类等轻纺产品为主，但机电产品和高新技术产品出口及占比均呈快速增长态势，其中 2005 年 1 月—11 月机电产品出口增幅达 70%，高新技术产品增幅达 58%，分别占中国对俄出口的 24% 和 7%。

自 2005 年以来，两国投资规模稳中有升。经中国商务部批准和备案，截至 2005 年底，中国在俄投资项目共 657 个，中方协议投资额约为 9.77 亿美元。中国在俄投资主要分布在能源、矿产资源开发、林业、贸易、轻纺、家电、通信、建筑、服务、房地产开发等领域。截至 2005 年底，俄在华投资累计设立企业 1849 个，合同投资金额累计约为 14.05 亿美元，实际投资额累计约为 5.41 亿美元。俄对华投资主要集中在制造业、建筑、交通运输等领域。

边境地区经贸合作为两国睦邻友好合作奠定了坚实的物质基础，也为中国沿边地区对外开放和经济发展带来良机。据中国海关统计，2005 年中俄边贸额达

---

① 新华网莫斯科 2007 年 3 月 26 日电。

55.7 亿美元,同比增长 32.7％,占同期双边贸易额的 19.1％,占同期中国边贸额的 42.4％。两国边境地区经贸合作正从单一的易货贸易,扩大到资源开发、工程承包等经济技术和投资合作,并逐步建立起跨境生产加工基地、科技成果产业化园区,合作领域不断扩大。

7. 中俄人文合作委员会第九次会议在莫斯科举行

2008 年 10 月 26 日在莫斯科举行了中俄人文合作委员会第九次会议。正在俄罗斯访问的国务委员、中俄人文合作委员会中方主席刘延东与俄罗斯副总理、中俄人文合作委员会俄方主席茹科夫共同主持了会议。

刘延东首先感谢俄罗斯政府和人民对中国抗震救灾及北京奥运会给予的大力援助与支持。她说,应梅德韦杰夫总统邀请,一千多名中国地震灾区的中小学生到俄罗斯疗养,这充分体现了俄罗斯人民对中国人民的深情厚谊,相信这一举措将进一步促进中俄世代友好。刘延东指出,近年来,中俄战略协作伙伴关系持续健康稳定发展,各领域合作面临难得的发展机遇。两国人文交流与合作不断扩大和深化,在中俄战略协作伙伴关系中的地位和作用日益凸显。中俄两国人文合作是"民心工程",对增进双方政治互信、加深两国人民相互了解和友谊、丰富中俄战略协作伙伴关系的内涵、推动中俄关系长期健康稳定发展具有重要意义。中方愿与俄方一道,充分利用中俄人文合作委员会这一重要平台,巩固基础,务实推进,深化合作,全面发展,开创中俄人文合作新局面,夯实中俄战略协作伙伴关系的社会基础。

茹科夫表示,在俄中双方共同努力下,两国在人文领域里的合作卓有成效。双方在"国家年"框架下举办的各项活动加强了两国友好往来,充实了两国关系的内涵。俄方愿与中方共同努力,采取切实措施,积极开展工作,全面推进俄中人文务实合作,为俄中战略协作伙伴关系发展作出更大贡献。

会议全面总结了中俄人文合作委员会第八次会议以来双方人文合作的特点和成果,就进一步深化教育、文化、卫生、体育、旅游、媒体、电影和档案等领域合作,以及举办中俄"语言年"活动等事项深入交换了意见并达成广泛共识。①

8. 中俄在军事领域的合作

中国人民解放军总参谋长助理章沁生在接受"国家年"网站访谈时说,中俄两军的交流合作已取得很好的成绩和巨大成就。这将对两军的现代化建设产生深远的影响。

章沁生说,中俄两国有着传统友谊,友好交往源远流长。两国建交以来,特别是两国建立战略协作伙伴关系以后,两国关系不断深入发展,实现了政治上互信、经济上互动、军事上合作,这是一个很了不起的成就。他表示,两国军事方面的合作正呈现级别高、数量多、领域宽、重务实等四大特点。他概括了双方军事合作的几个方面:第一,高层交往密切。近年来两国领导人完成了互访,军方领导人也完成了互访。俄罗斯副总理兼国防部长伊万诺夫已五次访华。俄罗斯总参谋长巴卢耶夫斯基上将也多次访华。中国中央军委副主席郭伯雄上将 2004 年访问俄罗斯,今年 5 月总参谋长梁光烈上将访问俄罗斯。这些都表明两军高层的访问是频繁的、密切的。第二,战略磋商成果显著。

---

① 新华网莫斯科 2008 年 10 月 26 日电。

在中俄两国元首的倡导下,双方致力于推动两军的友好合作关系。从 1997 年开始,两军就建立了总参谋部之间的年度定期战略磋商机制。到现在已经举行了十轮磋商,每轮磋商都取得了卓越的成果。战略磋商主要是就双方关心的世界形势、地区形势交换意见和看法,就共同关心的一些重大热点问题、敏感问题及时沟通,达成共识。第三,专业交流务实有效。双方在诸军兵种和其他各个领域都展开了交流,涉及军事指挥、军事后勤、军事装备还有院校培训以及测绘、边防、公检法等方面。第四,联合演习举世瞩目。去年 8 月,中俄两军在俄罗斯远东地区和中国山东半岛地区成功地举行了联合军演,这次演习在国际国内都产生了良好的影响。通过演习的实践,展示了两军的战略能力和军队拥有的实际战斗水平。①

梅德韦杰夫担任总统时期(2008—　)

1. 梅德韦杰夫总统首次访华

2008 年 5 月 23 日至 24 日,俄罗斯总统梅德韦杰夫对中国进行了国事访问。

5 月 23 日下午,胡锦涛主席同梅德韦杰夫总统举行了会谈。两国元首高度评价中俄战略协作伙伴关系的建立和发展,一致同意继往开来,共同努力,推动中俄战略协作伙伴关系更好地向前发展。

胡锦涛再次祝贺梅德韦杰夫就任俄罗斯联邦新一届总统,对他就任后首次访华表示热烈欢迎。胡锦涛说,中俄战略协作伙伴关系建立 12 年来硕果累累。双方建立了完备的各级别会晤磋商机制,保持

了高水平的政治互信;制定并签署了 200 多个法律文件,为两国关系发展奠定了牢固的法律基础;彻底解决了历史遗留的边界问题,为两国关系的发展创造了有利条件;两国经贸合作不断扩大,双边贸易额连续 8 年保持较高增长;双方成功举办了"国家年"活动,使各领域务实合作达到前所未有的高水平;两国在国际和地区事务中也进行了卓有成效的协调与合作。

胡锦涛就更好更快地发展中俄战略协作伙伴关系提出四点建议:①进一步增进政治互信,加强相互支持。②深化务实合作,提高合作层次和水平。③全面推进人文合作,进一步增进两国人民的友好感情。④进一步加强在国际和地区事务中的战略协作。

梅德韦杰夫表示,俄中两国是战略合作伙伴。俄中关系发展是全球和平稳定的重要因素。俄中关系建立在牢固的法律基础上,双方合作已形成完整体系,建立了多方面合作机制。俄方高度重视发展同中国的战略协作伙伴关系,愿同中方一道全力推动双方在经贸、能源、高科技、环保、人文、地方往来等方面的合作和在重大国际地区问题上的对话与配合。

梅德韦杰夫再次代表俄罗斯政府和人民就四川大地震造成重大生命和财产损失向中国政府和人民表示同情和慰问。他表示相信中国政府和人民一定能克服各种困难,取得抗震救灾的胜利,俄罗斯将继续向中国提供支持。梅德韦杰夫代表俄罗斯政府邀请地震灾区一些中小学生到俄罗斯疗养。梅德韦杰夫赞赏中国为举办北京奥运会所作的积极努力,祝愿北京奥运会取得圆满成功。

胡锦涛高度评价并感谢俄方在我国

---

① 新华网北京 2006 年 10 月 12 日电。

四川汶川大地震发生后向中方提供的宝贵支援，以及对北京奥运会的大力支持。胡锦涛表示，在包括俄罗斯在内的国际社会的支持、帮助下，中国政府和人民一定能战胜这场特大地震灾害，重建美好家园；一定会切实履行对国际社会的承诺，同国际奥林匹克大家庭一道，继续努力，把北京奥运会办好。

会谈后，两国元首签署了《中俄关于重大国际问题联合声明》，出席了能源、航空、林业、旅游领域双边合作文件的签字仪式并共同会见记者。①

2. 梅德韦杰夫总统到北京演讲

正在中国访问的俄罗斯总统梅德韦杰夫，5月24日下午来到北京大学办公楼礼堂发表演讲。作为中国地震发生后首位到访的外国元首，梅德韦杰夫在演讲开始，就对中国遭受的巨大损失表示慰问，并承诺将尽力为中国提供必要的援助。此前，俄罗斯已在第一时间向四川灾区运送了多批物资，俄罗斯救援队也奔赴灾害现场参与营救。

梅德韦杰夫曾在国立圣彼得堡大学工作长达九年，因此，他对高校有着一份特殊的感情，他说："有水平的高等院校，培养新一代学者和思想家，他们最终将成为社会名流，也会肩负起科学、经济、政治、文化领域创造新成就的责任；他们将落实对社会最有益的、最先进的科研成果。""知识主导前进，可以使来自不同国家、不同民族、信仰不同、宗教不同的人统一起来"，他希望两国所有的人，特别是青年人，要尊重对方的传统和文化，也继承两国的最好的历史经验，让两国伟大的人民世代友好相传。

梅德韦杰夫指出，俄中两国关系的牢固基础就是2001年签署的《睦邻友好合作条约》，他认为俄中边界问题的成功解决则是双方成功解决历史遗留问题的典范。

梅德韦杰夫熟悉中国文化。在谈到学生的培养时，他用了一句中国俗语"长江后浪推前浪，世上新人换旧人"；说到教育时，他引用了孔子的"学而时习之不亦乐乎"；说到知识的价值时，他则引用老子的"使我介然有知，行于大道"。

梅德韦杰夫表示，不仅是他对中国文化感兴趣，他的俄罗斯人民、尤其是年轻人对中国文化的兴趣也正在与日俱增。他说，在我国愿意学习汉语、了解贵国灿烂文化的青年，数量不断增加。我确信我们要更积极地发展青年交流，举办更多的文化、体育和娱乐领域的大型活动，为两国青年创造新的机会。②

新世纪中国同周边国家关系

一

东亚区域合作进程中的中国与东盟关系

进入21世纪，东亚地区国际关系的一个显著特征是，区域内国家间的合作广泛

---

① 新华网北京2008年5月24日电。
② 中国新闻网2008年5月25日。

展开,合作进程加快,区域合作机制逐步建立,合作领域迅速扩大。东亚合作的主渠道是"10+3"(即东盟加中日韩三国)合作机制。自1997年这一机制建立,发展到今天已经成为一个涵盖整个东北亚和东南亚的区域性合作框架。而在东亚区域合作框架中最有效的机制则是中国与东盟"10+1"合作。中国政府秉持"以邻为善,以邻为伴"的外交方针,在参与和推动东亚合作进程中,中国与东盟的"10+1"合作放在东亚合作框架中的核心位置。

中国在建立东亚合作机制之初,便明确表示了对东盟主导作用的支持,并且在东亚合作进程中一直坚持这一立场。由于中国的措施得当,再加上中国与东盟国家山水相连的地缘优势,使得中国与东盟整体间的"10+1"合作成为东亚合作框架中最有活力的一个机制,①这一合作机制将为东亚合作进程不断提供重要的推动力,同时也成为双方走向东亚,继而走向世界的基础。② 在中国与东盟的"10+1"合作框架中,有三个重要的切入点。其一,安全领域。2002年11月4日签署的《南海各方行为宣言》,从根本上削减了东盟国家对中国的疑虑。《中国与东盟关于非传统安全领域合作联合宣言》启动了中国与东盟在非传统安全领域的全面合作。2003年10月中国率先加入了"东南亚友好合作条约",突出表明了中国愿为维护东南亚次区域的和平与安全作出贡献。其二,政治关系。2003年中国与东盟国家签署了"面向和平与繁荣的战略伙伴关系"联合宣言。这是在全球伙伴关系模式中第一个由国家与次区域国际组织建立的此类关系。这一创举在整体上大大加

强了中国与东盟关系。2004年11月中国—东盟首脑会议上,双方发表了《落实中国—东盟面向和平与繁荣的战略伙伴关系联合宣言的行动计划》,全面规划了今后5年双方在各领域的合作,标志着双方关系更加全面、系统、规范和务实。其三,经济合作。在2001年11月召开的第五次"10+1"中国—东盟会议上,中国与东盟一致同意今后10年内建立中国—东盟自由贸易区。2002年11月,中国与东盟签署了《全面经济合作框架协议》,启动了中国与东盟全面经济合作的进程。2004年中国、东盟签署了《中国—东盟全面经济合作框架协议货物贸易协议》和《中国—东盟争端解决机制协议》,将中国—东盟自由贸易区推进到实质性阶段。2005年7月中国与东盟双方全面启动降税进程。同时双方在农业合作、产业分工、基础设施建设等方面的项目也在逐步落实。

此外,在东亚区域合作框架中,还有一个重要的次区域合作安排值得重视,那就是湄公河流域的开发与合作。"澜沧江—湄公河次区域"是由亚洲开发银行所界定的特定区域。亚行的发展中成员国位于亚洲和太平洋地区,亚行把这一地区称作"区域"。而"澜沧江—湄公河次区域"则指"柬埔寨、老挝、缅甸、泰国、越南和中华人民共和国的云南省的这部分地区"。中国非常重视发展湄公河流域国家间的友好合作关系,对湄公河流域的开发日益重视。中国政府始终站在国家战略的高度,以积极而务实的态度推动湄公河次区域经济合作的发展。中国参与"澜沧

① Evelyn Goh"China and Southeast Asia",*Foreign Policy In Focus*,December 12,2006,http://www.fpif.org/fpiftxt/3780。

② 王景荣:《与中国的合作是东盟走向世界的基础》,《人民日报》,2006年10月21日。

江—湄公河次区域"合作的总体目标是：沟通中国西南地区与中南半岛的陆上通道，实现中国西南地区与东南亚市场的对接；加强中国与东南亚乃至南亚各国间的相互交流与经济联系，发展多层次、多形式、多内容的经济技术合作，并与各国发展伙伴关系；实现区域可持续发展；增加就业，提高收入，消除贫困，促进社会进步和人民生活水平的提高；通过鼓励对话和确定实施共同项目，使次区域合作得到扩大和发展，从而形成互利互惠的经济合作关系，努力营造一个适合国际贸易与投资的环境，促进中国与东盟自由贸易区的尽快形成，建立中国与东南亚各国稳定而长久的友好合作关系，并最终保障和促进湄公河次区域的和平与发展。在以上目标的指导下，中国积极推动并参与湄公河次区域各类合作项目。目前已与湄公河沿岸各国在交通、能源、电讯、环境、旅游、人力资源开发等众多领域开展了广泛而深入的合作，而且成效显著。① 自 1992 年起，中国政府先后参加了由亚洲开发银行倡导的大湄公河次区域合作、由东盟倡导的东盟—湄公河流域开发合作及中、老、缅、泰四国毗邻地区的"黄金四角经济合作"等机制②，中国是东盟—湄公河流域开发合作计划的"核心国"，还与湄公河委员会建立了对话关系。在 2002 年 11 月 3 日首次召开的"大湄公河次区域经济合作领导人会议"上，中国加入和签署《大湄公河次区域便利运输协议》和《政府间电力贸易协议》，还首次发表了《中国参与湄公河次区域合作国家报告》。中国也采取积极措施支持泛亚铁路和曼昆公路的项目建设。2005 年 7 月 5 日，大湄公河次区域经济合作第二次领导人会议在昆明开幕，中国国务院总理温家宝出席开幕式，并发表题为"加强伙伴关系，实现共同繁荣"的主旨讲话。温家宝就推进大湄公河次区域经济合作提出七点建议，包括：加强基础设施建设；推进贸易投资便利化；深化农业发展合作；重视保护资源与环境；加强人力资源培训；积极推进卫生合作；探索多元化筹集发展资金。③ 在会议期间，中国发改委、外交部、财政部联合发表了《中国参与大湄公河次区域合作国家报告》。《报告》分 12 个部分，对中国与大湄公河次区域国家的经济贸易关系，中国参与大湄公河次区域合作的新进展，中国与大湄公河次区域各国开展交通运输合作、电力合作、电信合作、农业合作、环境保护合作、旅游卫生和人力资源开发合作、贸易与投资合作、禁毒合作的设想作了详细介绍。《报告》指出，在新世纪，中国将按照"与邻为善、以邻为伴"的周边外交方针，以"睦邻、安邻、富邻"政策为出发点，为大湄公河次区域经济社会全面发展和人民生活

---

① 陆建人：《提升合作惠及沿岸—大湄公河次区域合作与中国的作用》，《人民日报》，2005 年 6 月 24 日。

② 中、老、缅、泰毗邻地区经济四角机制（Golden Quadripartite Economic Cooperation，GQEC）是四国交界地区的小区域经济管理合作，又称"黄金四角计划"、"五清沟通计划"。其宗旨是建设中国西南通向中南半岛的陆上通道和经济走廊，实现中国与东盟两大市场的对接，并促进小区域内的经贸发展。"黄金四角"合作开始于 1993 年，地域范围约 16 万平方公里，大致包括了云南省的西双版纳州和思茅地区，老挝的上寮地区（北方七省），缅甸东部的景栋地区（萨尔温江以东地区），泰国北部五府（包括清莱、清迈等）在内的相互毗邻区域。

③ 《大湄公河次区域经合峰会开幕 温家宝讲话》，中国网，http://www.china.com.cn/chinese/PI-c/907276.htm.

水平的提高作出贡献。① 几年来,中国资助了南北经济走廊及大湄公河次区域信息高速公路一期工程的建设,制定落实《大湄公河次区域贸易投资便利化战略行动框架》的国家计划,并从2006年1月1日起对柬埔寨83项、老挝91项和缅甸87项输华产品实行了单方面零关税待遇。中国还举办了首届大湄公河次区域农业部长会议,建成开通了大湄公河次区域农业信息网,推动举办了大湄公河次区域公共卫生论坛,并在电信、农业、卫生、能源、贸易投资等领域为各国提供了四百多人次的培训。这些行动不仅推动大湄公河次区域合作走向深入,也为促进各国发展作出了贡献。② 中国政府领导人在出席亚欧会议,东盟与中日韩,中国与东盟首脑会晤等重要国际场合都发表过重要讲话,多次阐明中国政府在湄公河次区域合作中的积极态度和立场,中国将致力于加强与次区域内和区域外国家以及一些地区性、国际性组织开展经济合作,谋求共同发展。③

二

中国与朝鲜和韩国关系

第二次世界大战后朝鲜半岛摆脱了日本军国主义长达36年的殖民统治。但在东西方两大阵营对立的情况下,这里又分裂为朝鲜和韩国两个相互独立的国家,并成为冷战对抗的热点地区。中国曾在抗美援朝战争中与朝鲜人民结下了深厚

的情谊。改革开放后的中国采取了务实的外交政策,在与朝鲜继续保持友好合作关系的同时,与韩国建立了外交关系,并开展了广泛而紧密的经济合作,从而使中国与朝鲜半岛南北双方的关系得到了平衡发展。

1. 新世纪的中朝关系

进入21世纪以来,中朝关系进入了一个新的发展时期。两国相互交流的程度大大加深,友好合作的领域大大拓展。

2000年5月29日,应中国国家主席江泽民的邀请,朝鲜劳动党总书记、国防委员会委员长金正日在朝韩首脑会晤前夕对中国进行了非正式访问。这是金正日在金日成去世后接管权力以来第一次出国访问,也是自金日成1991年访华以来中朝两国之间的第一次最高级会晤。金正日总书记在世纪之交的重要历史时刻访华,无疑对进一步增进中朝两党、两国的相互了解、信任、友谊与合作,对推动中朝友好关系面向新世纪的发展具有重要的意义。在金正日访华期间,中国国家领导人江泽民、李鹏、朱镕基、李瑞环、胡锦涛等分别与其进行会见。两国领导人在亲切、友好的气氛中,就进一步发展中朝两党两国关系、国际和地区形势等共同关心的重大问题交换了意见,并取得了多项共识。双方确定了发展两国关系的"继承传统,面向未来,睦邻友好,加强合作"的十六字方针,表示将通过共同努力,不断充实中朝友好合作关系的内涵,把两国关系带入新世纪,推进到一个新的发展水平。金正日总书记充分肯定了中国改革

① 《〈中国参与大湄公河次区域合作国家报告〉发表》,人民网,http://politics.people.cn/GB/1026/3518893.html。
② 《合作的纽带　共同的家园——在大湄公河次区域合作第三次领导人会议上的讲话》,《人民日报》,2008年3月28日。
③ 李义敢:《云南省参与澜沧江——湄公河次区域合作:2003—2015年规划研究》,云南民族出版社,第140页。

开放取得的巨大成就,认为邓小平提出的改革开放政策是正确的,朝鲜党和政府支持这一政策。为了帮助朝鲜克服困难,中方向朝方提供了粮食和物资无偿援助,朝方对此表示了衷心感谢。① 金正日的访问,开启了两国最高领导人相互访问的大门。

2001年1月15日至20日,距首次访华不到八个月,金正日再次对中国进行了非正式访问。在访问期间,金正日重点对上海进行了为期4天的参观考察。随后在2001年9月3日—5日,应金正日总书记的邀请,中共中央总书记、国家主席江泽民对朝鲜进行正式友好访问。访问期间,双方就共同关心的重大国际和地区问题深入交换了意见,并相互通报了各自国家的政治、经济形势,双方还就进一步巩固和加强中朝传统友好合作关系达成了重要共识。双方确认,将本着"继承传统,面向未来,睦邻友好,加强合作"的精神,共同努力把两党、两国和两国人民之间的友好合作关系推向更高的发展水平。② 此后,中朝两党和两国政府间的高层领导每年互访不断,中朝关系的发展进入一个新的历史阶段。

2002年5月,中共中央政治局委员、北京市委书记贾庆林率中国共产党代表团访问朝鲜,受到金正日总书记的会见和宴请。金正日高度评价了朝中两党、两国关系的发展,希望这种友好合作关系不断得到加强和发展。贾庆林表示,不断加强中朝睦邻友好和全面合作,不仅有利于两

国人民,也有利于地区和世界的和平与稳定。中方愿与朝方共同努力,进一步扩大两国友好合作关系。同年10月,以朝鲜最高人民会议常任委员会副委员长杨亨燮为团长的朝鲜国家代表团对中国进行正式友好访问,全国人大常委会委员长李鹏、国家副主席胡锦涛分别会见。③据不完全统计,2002年,中朝副部级代表团互访达数十个,涉及外交、党务、军队、科技、工会、青年、农林等许多领域。2002年4月,朝已故国家主席金日成诞辰90周年之际,中国政府向朝鲜无偿提供了价值5000万元人民币的物资援助。2002年,中朝双边贸易在前一年迅速恢复的基础上,继续不断得到发展。双方经济交往在数量上稳步增长的同时,涉及领域也逐步扩大。进出口品种主要集中在农林水产品、轻工业产品、钢铁、矿产品、机械设备和能源。④

2003年是中国新老领导人交替的一年,中朝两国在这一年里继续保持密切的高层交往。1月,朝鲜最高人民会议议长崔泰福率朝鲜最高人民会议代表团来华出席亚洲议会和平协会执行理事会会议,与全国人大常委会委员长李鹏进行了会见。4月,朝鲜国防委员会第一副委员长赵明禄访华,中国国家主席胡锦涛会见了来访的客人。10月29日至31日,中共中央政治局常委、全国人大常委会委员长吴邦国率中国国家代表团对朝鲜进行正式友好访问。访问期间,吴邦国委员长与金正日总书记、金永南委员长、内阁总理朴凤柱等朝鲜党和国家领导人举行会谈。

① 《江泽民同金正日举行会谈——就进一步发展中朝两党两国关系、国际和地区形势等共同关心的重大问题交换意见取得共识》,《人民日报》,2000年6月2日;中华人民共和国外交部政策研究室编:《中国外交:2001》,世界知识出版社,2003年版,第28页。

② 《为了友谊,为了和平——热烈祝贺江泽民总书记访朝圆满成功》,《人民日报》,2001年9月6日。

③ 中华人民共和国外交部政策研究室编:《中国外交:2003年版》,世界知识出版社,第131页。

④ 中华人民共和国外交部政策研究室编:《中国外交:2003年版》,世界知识出版社,第132页。

吴邦国委员长全面阐述了"继承传统、面向未来、睦邻友好、加强合作"发展两国关系的16字方针的内涵，表明了中国新一届中央领导集体继承和发扬中朝传统友好的决心，体现了在新形势下推动中朝关系取得新进展的积极愿望。金正日等朝鲜领导人表示，不论国际风云如何变幻，朝鲜党和政府都将继续坚定不移地巩固和发展朝中友好合作。双方确认将两国传统友好合作提升到新的水平。① 在这一年中，两国外交部门为通过对话和平解决朝鲜半岛核问题保持着密切的沟通与合作，4月举行了中、朝、美北京三方会谈，8月举行了中、朝、美、韩、俄、日北京六方会谈。此外，两国还在政党、军事、科技、工会、妇女、青年、农林、广电、新闻出版、文艺等各个领域广泛开展了交流与合作。两国地方之间特别是边境省市之间的交流也十分活跃。据不完全统计，2003年，中朝副部级互访团组有近五十个。中朝双边贸易继续保持增长势头，中国为朝鲜最大贸易伙伴。②

在中朝建交55周年之际，2004年4月，应中共中央总书记、国家主席胡锦涛邀请，朝鲜劳动党总书记、国防委员会委员长金正日从4月19日至21日对中国进行了非正式访问。访问期间，中共中央总书记、国家主席胡锦涛与金正日举行了会谈。中共中央军委主席江泽民、全国人大常委会委员长吴邦国、国务院总理温家宝、全国政协主席贾庆林、国家副主席曾庆红也分别会见了金正日总书记。③ 两党两国领导人在亲切、友好、坦诚的气氛中相互通报了各自国内情况，就进一步发展

中朝两党两国关系、国际和地区形势及朝鲜半岛核问题交换了意见，取得了广泛的共识。中方建议，双方应进一步加强两党两国高层交往，增进相互理解与信任；加强相互交流，深化各个领域的全面合作；加强在国际和地区重大问题上的沟通、磋商与合作；进一步发展两国的经贸合作。④ 金正日总书记对此表示完全赞同，并表示，进一步加强和发展朝中友谊是两党和两国人民的共同愿望和意志，朝方愿与中方一道继承朝中两党两国密切合作的传统，为继续巩固和发展朝中友好合作关系作出新的努力。

2005年两国高层互访不断。3月22日至27日，应国务院总理温家宝邀请，朝鲜内阁总理朴凤柱对中国进行正式友好访问。国家主席胡锦涛、全国政协主席贾庆林分别会见，温家宝与朴凤柱举行会谈。温家宝表示，在新形势下，中方愿与朝方继续加强在重大问题上的沟通与协调，深化经贸合作，推动两国友好合作关系不断向前发展。朴凤柱表示，不断巩固和发展朝中友好关系是朝方坚定不移的政策，朝方希望朝中友好关系在新世纪里取得更大发展。双方还就朝鲜半岛核问题等共同关心的国际与地区问题交换了意见。双方有关部门签署了《关于促进和保护投资协定和环境合作协定》。7月12日至14日，国务委员唐家璇作为胡锦涛主席的特别代表访朝，与朝鲜外务相白南舜举行会谈，朝鲜领导人金正日、内阁总理朴凤柱分别会见。双方就双边关系和共同关心的国际和地区问题交换了意见。

①　中华人民共和国外交部政策研究室编：《中国外交：2004年版》，世界知识出版社，第110页。
②　同上，第111页。
③　中华人民共和国外交部政策研究室编：《中国外交：2005年版》，世界知识出版社，第103页。
④　《胡锦涛同金正日举行会谈》，《人民日报》，2004年4月22日。

10月8日至11日,国务院副总理吴仪率中国政府代表团访朝。朝鲜领导人金正日、最高人民会议常任委员会委员长金永南、内阁总理朴凤柱分别会见。吴仪还出席了大安友谊玻璃厂竣工仪式和朝鲜劳动党建党60周年纪念活动。

特别值得指出的是,2005年10月28日至30日,应朝鲜劳动党总书记、国防委员会委员长金正日的邀请,中共中央总书记、国家主席胡锦涛对朝鲜进行了正式友好访问。在访问期间,胡锦涛就进一步发展两党两国关系提出了四点建议:一是继续密切高层往来,加强相互沟通;二是拓展交流领域,丰富合作内涵;三是推进经贸合作,促进共同发展;四是积极协调配合,维护共同利益。金正日赞同并表示,无论国际形势发生什么变化,朝方都将从战略的高度把握朝中友好,把发展朝中友谊作为坚定不移的战略方针。① 中朝双方还签署了《中朝经济技术合作协定》,为未来加强两国经贸关系确定了具体的合作领域。两国合作领域的拓宽,则在12月24日至27日,朝鲜内阁副总理卢斗哲率朝鲜政府代表团访华过程中得到实现。中国副总理曾培炎和朝鲜内阁前总理卢斗哲分别代表中国和朝鲜政府签署了《中朝政府间关于海上共同开发石油的协定》,从而将两国经济合作的领域作出了新的拓展。② 作为朝鲜最大贸易伙伴国,中国继续向朝鲜提供了力所能及的援助。

2006年1月10日至18日,应中共中央总书记、国家主席胡锦涛邀请,朝鲜劳动党总书记、国防委员会委员长金正日又一次对中国进行了非正式访问。中国国家领导人都亲切会见了金正日,双方就双边关系及共同关心的问题深入交换意见,达成广泛共识。金正日还访问了湖北、广东,直接了解中国的经济建设所取得的成就。③ 这次访问使朝鲜方面对中国改革开放的方针政策有了更加深入的认识。4月4日至6日,中共中央政治局委员、中央军委副主席、国务委员兼国防部长曹刚川上将访朝。朝鲜最高人民会议常任委员会委员长金永南、国防委员会第一副委员长兼人民军总政治局长赵明禄次帅予以会见。④ 4月18日至22日,全国人大常委会副委员长、全国妇联主席顾秀莲访朝。5月30日至6月6日,朝鲜外务相白南舜对中国进行正式访问。国务院总理温家宝、国务委员唐家璇分别会见,外交部长李肇星与白举行会谈。双方就双边关系和共同关心的国际与地区问题交换了意见。7月10日至15日,为纪念《中朝友好合作互助条约》签订45周年,中共中央政治局委员、国务院副总理回良玉和朝鲜最高人民会议常任委员会副委员长杨亨燮分别率友好代表团进行互访。朝鲜最高人民会议常任委员会委员长金永南、国防委员会第一副委员长赵明禄、内阁总理朴凤柱会见回良玉副总理一行。中共中央总书记、国家主席胡锦涛,全国人大常委会委员长吴邦国分别会见杨亨燮一行。在10月9日朝鲜进行核试验当天,中国政府外交部

① 《胡锦涛同金正日举行会谈》,《人民日报》,2005年10月29日;中华人民共和国外交部政策研究室编:《中国外交:2006年版》,世界知识出版社,第102页。

② 中华人民共和国外交部政策研究室编:《中国外交》世界知识出版社,2006年版,第102页。

③ 《胡锦涛同金正日举行会谈》,《人民日报》,2006年1月19日;中华人民共和国外交部政策研究室编:《中国外交:2007年版》,世界知识出版社,第100页。

④ 中华人民共和国驻朝鲜民主主义人民共和国大使馆官方网站:http://kp.china-embassy.org/chn/zcgxzxxx/t288467.htm。

发表声明,对朝鲜无视国际社会的普遍反对,悍然实施核试验,表示坚决反对。不久,中共中央总书记、国家主席胡锦涛特别代表国务委员唐家璇于 18 日—19 日访问朝鲜,与朝鲜劳动党总书记、国防委员会委员长金正日进行了会见。唐家璇国务委员向金正日总书记转达了胡锦涛主席的口信,并就中朝关系、朝鲜半岛局势等共同关心的问题同金正日总书记深入交换了意见。显然,中朝两国在重大的国际问题上保持着直接的相互沟通与交流。

随着解决朝核问题的六方会谈取得重要进展,在 2007 年中朝两国相互协调与合作的关系得到了发展。

2007 年 3 月 4 日元宵节之际,金正日总书记时隔七年再次做客中国大使馆。刘晓明大使转达了胡锦涛总书记的亲切问候和重要口信。金正日总书记表示感谢。外交部长杨洁篪于 7 月 2 日至 3 日对朝鲜进行正式访问,这也是杨洁篪就任外长后第一次正式出国访问。在金正日总书记予以亲切会见时,转达了胡锦涛主席的亲切问候和口信。访问期间,杨洁篪外长与朴义春外务相举行了会谈,会见了朝鲜内阁总理金英日。中共中央政治局委员、书记处书记、中宣部部长刘云山同志于 10 月 29 日至 30 日访问朝鲜,与朝党中央书记崔泰福举行会谈,向朝方通报了中共十七大有关情况。这是中国共产党首次在党代会后派中央政治局委员来朝通报情况。金正日总书记会见并设宴款待时,刘云山书记转达了胡锦涛总书记的亲切问候和重要口信。胡锦涛总书记在三次口信中表示,中国党和政府十分珍惜并高度重视由两党两国老一辈领导人亲手

缔造和培育的中朝传统友谊。中方愿与朝方一道,继续本着"继承传统、面向未来、睦邻友好、加强合作"的原则,认真落实近年来双方达成的重要共识,不断深化中朝友好合作关系,使之更好地造福于两国人民,并为实现本地区持久和平、共同繁荣作出更大贡献。金正日总书记感谢胡锦涛总书记的亲切问候和口信,并作出了积极回应。他表示,朝中友谊是两国老一辈革命家给我们留下的宝贵遗产,已深深扎根于朝中人民心中。朝方高度重视朝中友谊,不会因局势变化和世代更替而改变。朝方愿同中方共同努力,加强沟通与协调,推动朝中关系不断向前发展。在国际舞台上,2007 年中朝相互支持,密切配合。朝方坚持一个中国政策,坚决反对台湾当局"台独"分裂活动,在涉台问题上予以中方坚定支持。中朝在联合国保持密切合作,朝方多次在国际机构竞选中支持中方候选人。中方支持联合国通过关于支持半岛南北双方加强对话和实现和平统一的决议案,反对有关国家提出无理指责朝鲜人权状况、干涉朝鲜内政的议案。中朝双方在六方会谈中进行了良好合作,与其他有关方一道促成"2·13"、"10·3"两个共同文件,为维护朝鲜半岛和东北亚地区的和平与稳定作出了贡献。①

近年来中朝两国领导人密切的交流与互访,表明中朝关系的传统友谊得到了巩固,而且还向友好合作伙伴关系的方向发展。两国关系的稳定和发展,不仅有利于加强中朝两国人民间的友好合作,而且对东北亚地区的维持和平稳定发挥着积极的作用。

---

① 中华人民共和国驻朝鲜民主主义人民共和国大使馆官方网站:http://kp. china-embassy. org/chn/zcgx/gchf/t394892. htm。

2. 新世纪的中韩关系

进入新世纪以来,中韩两国高层互访频繁,两国政治关系继续向前稳步推进。2000 年 9 月和 11 月,国家主席江泽民分别在纽约和文莱两度会见了韩国总统金大中,双方就中韩关系和朝鲜半岛形势以及其他共同关心的问题交换了意见。10 月 17 日至 22 日,应大韩民国总统金大中邀请,国务院总理朱镕基对韩国进行正式访问。访问期间,朱镕基总理与金大中会谈,并会见了韩国总理李汉东、国会议长李万燮和主要政党领导人及工商界知名人士。双方一致同意将中韩合作伙伴关系推进到全面合作的新阶段。为此,双方将继续保持高层往来与接触的势头,深化经贸科技领域里的互利合作,加强各个领域的全方位交流与合作,密切在国际和地区事务中的沟通与协调。此外,双方在成立中韩投资促进机构、21 世纪中韩经济合作研究会,设立支持中国西部地区绿化造林的项目,中国在韩国设立文化中心等问题上达成一致。两国外长分别代表本国政府正式签署了《中韩引渡条约》。2000年中韩两国签署的重要双边条约还有《中韩刑事司法互助条约》和《中华人民共和国政府和大韩民国政府渔业协定》。①

2001 年 5 月 23 日至 27 日,应韩国国会议长李万燮邀请,全国人大常委会委员长李鹏对韩国进行正式访问。访问期间,李鹏委员长与韩国会议长李万燮举行会谈,并分别会见韩国总统金大中、国务总理李汉东以及韩国政界、经济界、韩中友好团体代表等各界人士。6 月 19 日至 22日,应朱镕基总理邀请,韩国国务总理李汉东来华进行工作访问。朱镕基总理与

其会谈,江泽民主席、李鹏委员长分别会见。在就进一步发展中韩友好合作关系交换意见时,朱镕基总理高度评价韩方为发展中韩关系所作的努力,希望双方再接再厉,切实推动两国合作伙伴关系在新世纪的全方位发展。李汉东表示希望双方在信息、金融、能源、钢铁等领域进一步开展互利合作,为两国全面合作关系增添更为实质性的内涵。双方就朝鲜半岛等共同关心的问题交换了意见。李汉东代表韩方感谢中国政府一贯支持半岛南北争取实现和解的政策。10 月 19 日,江泽民主席在上海会见出席上海 APEC 会议的韩国总统金大中。11 月 5 日,朱镕基总理出席在文莱举行的第 5 次东盟与中、日、韩领导人会议期间,会晤韩国总统金大中。同年 6 月 30 日,《中韩水产品卫生管理协定》签署,同日,2000 年签署的《中韩渔业协定》生效。②

2002 年是中韩建交十周年暨中韩国民交流年。两国间业已建立的合作伙伴关系进入全面合作的新阶段。中韩高层访问或会晤频繁。10 月 27 日,江泽民主席在墨西哥洛斯卡沃斯出席亚太经合组织第十次领导人非正式会议(APEC)期间,会见韩国总统金大中,双方进行了亲切友好的交谈。韩国国会议长李万燮于同年 1 月访华,4 月来华出席亚洲议会和平协会第三届年会。4 月,韩国总理李汉东出席博鳌亚洲论坛首届年会。3 月,韩国外交通商部长官崔成弘访华。8 月,中国外交部长唐家璇访问韩国,会见了韩国总统金大中和议长朴宽用。唐外长说,韩国是中国周边睦邻外交的重要环节,中国高度重视与韩国的关系。中国政府对韩

① 中华人民共和国外交部政策研究室编:《中国外交:2001 年版》,世界知识出版社,第 32—33 页。
② 中华人民共和国外交部政策研究室编:《中国外交:2002 年版》,世界知识出版社,第 30—31 页。

政府的着眼点是促进政治互信和经济互利，共同维护朝鲜半岛的和平与稳定。①

2003年，中韩关系继续保持良好发展势头，两国在政治、经济、文化等各领域的交流与合作不断扩大和深化。两国领导人频繁互访并在国际多边场合多次会晤。7月7日至10日，应中国国家主席胡锦涛邀请，韩国总统卢武铉对中国进行国事访问，双方就中韩关系、半岛形势、朝核等共同关心的问题深入交换了意见，宣布建立中韩全面合作伙伴关系，确定双边贸易额五年内达到1000亿美元的目标和一些新的合作领域。两国还签署了《中韩民事和商事司法协助条约》、《中韩关于标准化和合格评定的合作安排》和《中韩两国工程院工程科技合作谅解备忘录》，中方同意韩方在成都设立总领事馆。9月2日至4日，全国人大常委会委员长吴邦国访韩。9月24日至28日，韩国国会议长朴宽用访华。10月7日，温家宝总理在印尼"10＋3"会议期间会见韩国总统卢武铉。10月19日，胡锦涛主席在泰国曼谷出席亚太经合组织第十一次领导人非正式会议期间会见卢武铉总统。11月1日，国务院总理温家宝会见前来出席博鳌亚洲论坛2003年年会的韩国副总理金振构。

2003年两国在各层面、各领域的交流与合作更加密切。2月，韩国候任总统特使李海瓒访华。同月，时任国务院副总理钱其琛作为中国政府特使访韩，出席新任总统卢武铉就职仪式。4月，韩国外长尹永宽应邀访华，与李肇星外长会谈，温家宝总理会见并表示将同韩方共同努力，推动中韩关系发展到更高水平。6月，韩国新千年民主党最高委员郑大哲率该党代表团访华。8月，中国外交部部长李肇星

访韩，与尹永宽外长会谈并会见卢武铉总统，卢表示韩重视对华关系，并将与中方密切配合，共同推动朝核问题的和平解决。11月，外交部副部长戴秉国访韩，就双边关系和六方会谈问题交换了意见。双方外交当局间多次举行磋商，在朝核等地区和国际问题上进行了密切协调与合作。

2004年8月26日至30日，应韩国国会议长金元基邀请，全国政协主席贾庆林对韩国进行正式友好访问，会见韩国总统卢武铉、国会议长金元基、总理李海瓒。双方就中韩关系及其他共同关心的问题深入交换意见，达成广泛共识。双方一致同意从两国关系大局和长远战略高度出发，妥善处理两国关系中出现的问题。10月7日，温家宝总理在越南河内出席第五届亚欧首脑会议期间会见卢武铉总统，双方积极评价两国关系，表示将继续为实现朝鲜半岛无核化，维护朝鲜半岛和东北亚地区和平与稳定作出积极努力。11月19日，国家主席胡锦涛在智利圣地亚哥出席亚太经合组织第十二次领导人非正式会议期间会见卢武铉总统，双方就中韩关系和地区形势等共同关心的问题交换意见，一致表示将共同致力于推动中韩全面合作伙伴关系不断向前发展。11月29日，温家宝总理在老挝万象出席东盟与中日韩领导人会议期间与卢武铉总统再次会晤，双方就双边关系、半岛问题和东北亚合作进一步交换了意见。

2005年6月21日至23日，应国务院总理温家宝邀请，韩国总理李海瓒对中国进行正式访问，国家主席胡锦涛、全国人大常委会委员长吴邦国分别会见，温家宝

---

① 中华人民共和国外交部政策研究室编：《中国外交：2003年版》，世界知识出版社，第253页。

与其举行会谈。① 2005 年 11 月,胡锦涛主席访韩,韩国政府宣布承认中国的完全市场经济地位,双方并就进一步深化和扩大"全面合作伙伴关系"达成协议。

2006 年,我国与韩国全面合作伙伴关系继续深化和发展。双方高层互访和会晤频繁。1 月 9 日至 10 日,韩国国会议长金元基访华,国家主席胡锦涛、全国政协主席贾庆林分别会见,吴邦国委员长与其举行会谈。双方签署了《中国全国人大与韩国国会合作协议》。同年 10 月 13 日,韩国总统卢武铉对中国进行工作访问,国家主席胡锦涛与其举行会谈。双方就两国关系和共同关心的地区、国际问题交换了意见,达成了重要共识。两国元首一致同意,不断深化中韩全面合作伙伴关系,为维护和促进半岛及东北亚和平、稳定与发展而共同努力。全国人大常委会委员长吴邦国、国务院总理温家宝分别会见。②

在双边政治关系加强的同时,两国的经贸关系也在建交后得到迅猛发展。进入新世纪以来,中韩双方继续在中韩经济部长定期磋商机制以及中韩经济贸易和技术合作联合委员会、产业合作委员会、投资合作委员会等定期会议机制的制度性框架下就发展中韩经贸关系等问题频繁交换意见。同时为促进中韩贸易的健康发展签署了一系列贸易协定。例如:2001 年 4 月 19 日至 21 日,中韩双方就保证中韩大蒜贸易协议的全面执行问题达成协议,并签署了大蒜贸易协议备忘录。③ 2005 年中韩双方发表了《中韩经贸合作中长期发展规划联合研究报告》,确定了

2012 年双边贸易额达到 2000 亿美元的目标。2005 年 11 月中韩两国有关部门还签署了《关于扩大贸易救济领域合作的备忘录》、《关于促进两国贸易投资发展的备忘录》等文件,进一步为扩大两国经贸合作奠定了基础。④

目前,中国是韩国第一大贸易伙伴,最大的出口市场和最大的投资对象国,韩国是中国的第三大贸易伙伴和第四大外商直接投资来源地。在 1992 年到 1996 年的 4 年间,中韩双边贸易的增长率大大超过了世界贸易的增长率。1991 年韩国外贸总额为 1533.95 亿美元,1995 年为 2301.77 亿美元,增长达 50%。中国对外贸易同期分别为 1356.3 亿美元和 2808.5 亿美元,增长 107%。而同期中韩双边贸易则由 44.44 亿美元增加到了 169.82 亿美元,增长了 282%。在从 1987 年到 1997 年的 10 年时间里,中韩双边贸易额激增了 17 倍。2004 年,中国首次成为韩国最大的贸易伙伴,双边贸易额达到 793 亿美元,超过韩美(716 亿美元)以及与韩日(678 亿美元)。2005 年两国贸易总额甚至达到 1005 亿美元,远远超过同期的韩美(719 亿美元)和韩日(724 亿美元)。2006 年,中韩两国双边贸易额达 1340 亿美元,同比增长 20%。在投资领域,1992 年建交后,韩国对华投资的规模和数量都大幅度地提高和扩大。1988 年韩国对华投资项目只有几个,资金仅 1 万美元。但到 2005 年 9 月底,韩国来华投资项目累计达 37532 项,实际使用资金达 29515 亿

① 中华人民共和国外交部政策研究室编:《中国外交》,世界知识出版社,2006 年版,第 199 页。
② 中华人民共和国外交部政策研究室编:《中国外交》,世界知识出版社,2007 年版,第 199 页。
③ 中华人民共和国外交部政策研究室编:《中国外交》,世界知识出版社,2002 年版,第 33 页。
④ 中华人民共和国外交部政策研究室编:《中国外交》,世界知识出版社,2006 年版,第 199 页。

美元,比 1988 年增长了约 600 倍。①

据海关总署公布的数据显示,中韩两国 2007 年双边贸易总额达 1598.9 亿美元,比前一年增长了 19.1%。其中,中国对韩出口额为 561.4 亿美元,同比增长 26.1%;进口额达 1037.5 亿美元,同比增长 15.6%。② 从统计数据我们就可以看出中韩经贸关系的强劲发展势头,健康良好的中韩经贸关系也势必会在新世纪里对中韩政治关系和文化科技交往以及人员往来产生重大的推动作用。

随着两国政治关系的缓和及经贸关系的发展,中韩之间的文化交流也得到了迅速发展。两国一衣带水,隔海相望,每周有近八百个航班穿梭于两国之间。以韩国电影、流行音乐、服饰为代表的“韩流”正以强劲势头在中国掀起了韩国大众文化的热潮。同时,中国文化也颇受欢迎。中韩文化交流与互动在政府和民间的双轨推动下,取得了积极的成果,频繁的文化交流从另一个层面推动了两国政治关系的进一步发展。两国在文化、科技、教育等领域的友好合作深入发展,地方交往活跃。两国关系中政治、经济、文化呈现出良好的“三向”互动,进一步推动中韩关系的整体提升。早在 2000 年 12 月,中国文化官员代表团访韩,双方在首尔签署了《中韩 2001—2002 年文化交流计划》。③ 在中韩文化交流中,半官方或民间团体在其中扮演了举足轻重的角色。例如中国人民外交学会在其中发挥了巨大的推动作用。2000 年 6 月 7 日至 19 日,

应中国人民外交学会的邀请,韩国前总统卢泰愚访华,全国政协副主席赵南起会见,卢出席了在重庆市举行的“中韩未来论坛”第七次研讨会并发表演说。④ 受外交学会邀请,2001 年 7 月 2 日至 6 日,韩中亲善协会西部考察团访华;7 月 9 日至 11 日,韩国大国家党副总裁李富荣率韩国国会议员代表团访华;同年 10 月 10 日至 16 日,应外交学会邀请,韩国前总理姜英勋率韩国 21 世纪韩中交流协会代表团访华,出席外交学会与韩中交流协会在扬州共同举办的“纪念中韩建交九周年中韩领导人论坛”。12 月 10 日至 19 日,应外交学会邀请,韩国前总统全斗焕访华。⑤ 除外交学会外,中国国际交流学会、中国人民对外友好协会等中国半官方或民间组织也在中韩文化及其他联系方面作出了积极贡献。韩国的韩国国际交流财团也在中韩民间交往中发挥着积极作用。

韩国在 2004 年底成立了世界上第一个中国孔子学院和亚洲第一个中国文化中心。全韩 140 所 4 年全日制大学,都设有中文系。中韩在教育和旅游方面也交流甚密。中韩两国政府于 2004 年 5 月 13 日在京签订了《中韩青少年交流协议》。根据协议,韩国自 2004 年起,每年邀请 500 名中国青年访韩。两国青年可以通过参观学校、企业、农村,特别是家访、民宿、座谈、联欢等活动加深双方的相互理解及对对方国情的真实了解与认识。⑥ 2006 年 9 月 21 日至 30 日,“感知中国·韩国行”活动在韩国的

---

① 韩国海关,2004 年和 2005 年的贸易统计数据。参见:王俊生《中韩在第二次朝核危机中的共同立场和相互协调分析》,载于《当代韩国》2008 年春季号(总第 56 期),第 26—34 页。

② 参见中国海关总署官方网站:http://www.customs.gov.cn/default.aspx？tabid＝400。

③ 中华人民共和国外交部政策研究室编:《中国外交:2001 年版》,世界知识出版社,第 35 页。

④ 同上,第 35 页。

⑤ 中华人民共和国外交部政策研究室编:《中国外交:2002 年版》,世界知识出版社,第 31—34 页。

⑥ 《中韩签订青少年交流协议》,《京华时报》,2004 年 5 月 14 日第 A06 版。

首尔和釜山成功举行。此举对于推动中韩两国民众的相互了解意义重大。截至2006年11月，韩国在华学习的留学生已达到514万人，占外国留学生在华总数的38％，成为在华外国留学生最多的国家。目前，中国还是韩国人出访最多的国家，2006年访华的韩国人几乎占韩国总人口的10％，达到了440余万人。此外，常住中国的韩国人已超过50万人。

2005年韩中两国政府决定把2007年作为韩中交流年。2007年4月10日，在韩国访问的中国总理温家宝与韩国总理韩德洙出席了在首尔举行的韩中交流年开幕式。此举体现出中韩官方对这一活动的高度重视。在两国政府的积极推动下，2007年中韩两国举行了体育、文化与学术交流等100多项政府与民间的庆祝活动。根据中国韩国友好协会的统计，截至2008年7月，中韩友好城市关系统计已达110对。①

进入新世纪以来，"中韩全面合作伙伴关系"迅速得到深化和发展。在政治关系方面，双方高层互访和会晤频繁；两国外交、军事、经贸、文化部门继续保持密切沟通与协调；经贸关系密切；两国在文化、科技、教育等领域的友好合作深入发展；地方交往活跃，民间往来密切；双方在朝鲜半岛核问题、区域合作、联合国以及东盟等地区和国际事务中继续保持了密切沟通与协调。在中韩关系中尽管还存在诸多困难和挑战，但中韩关系不断向前深入发展的趋势是历史发展的必然，是任何力量都无法阻挡的，在经济全球化和信息化的今天更是如此。

中国与印度和巴基斯坦关系

南亚是中国的近邻，又是世界上最不稳定的地区之一。与南亚国家发展睦邻友好关系是中国外交的重要组成部分。与南亚关系搞好了，对于稳定我们的西南边陲，保障中国改革开放的顺利进行，促进西部开发有着很重要的意义。

1. 新世纪的中印关系

1998年中印关系却出现了反复。这年5月印度违背了世界人民防止核扩散和南亚无核化的愿望，进行了核武器试验，而且令人不解的是印度把"中国威胁论"作为其进行核试验重要的理由。对于印度的行为中国政府予以了谴责，中印关系由此出现挫折。尽管由于南亚的核武装化，导致中国西部战略形势发生变化，使得南亚安全问题突出起来，中国对印巴两国进行的核试验和核武装表示了反对的态度。但是，中国并没有也不想与印度为对手。相反，双方在促进经济发展，维护地区稳定，反对恐怖主义和极端主义的威胁方面存在着重大的共同利益。中国对与继续发展中印友好合作关系的愿望并没有改变。在中印双方的共同努力下，两国关系逐渐得到了恢复。

1999年2月，中印两国外交部官员在北京举行了首轮会晤，确认中印互不构成威胁。4月，中印边界问题联合工作小组第11轮会谈在京举行。6月中旬，印外长贾斯旺特·辛格应邀访华。会谈中，双方

---

①　参见中国韩国友好协会官方网站：http://www.china-korea.org/news/2005/04/04/17152084867444.html。

确认中印关系发展的前提应该是互不视对方为威胁,基础则应是两国共同倡导的和平共处五项原则。中印作为世界上两个最大的发展中国家,有很多地方可以互相学习。面对当前国际形势发生深刻变化,在维护发展中国家的合法权益,建立公正合理的国际政治和经济新秩序方面,中印两国有着很多共识。双方愿共同努力推动双边关系继续恢复和改善。一个稳定、正常、友好的中印关系符合两国人民的根本利益,也有利于促进亚洲乃至世界的和平、稳定与发展。① 辛格的访华标志着中印关系已步入改善的进程。

2000 年 5 月 28 日至 6 月 3 日,印度总统纳拉亚南对中国进行国事访问。双方就共同关心的地区和国际问题交换了意见并取得了许多共识。江泽民主席在会谈中提出了促进两国关系发展的四点意见:①增加人员往来,增进彼此了解和信任;②扩大经贸合作,为两国关系的发展铺垫更加厚实的基础;③加强在国际事务中的协调与配合;④登高望远,求同存异,妥善处理历史遗留问题。双方再次确认建立面向 21 世纪的建设性伙伴关系。② 同年 3 月中印首轮司级安全对话在北京举行。2001 年 1 月中旬,中国人大常委会委员长李鹏对印度进行了正式友好访问。李鹏强调两国应“增进了解,发展友谊,加强合作”。7 月,各国议会联盟主席、印联邦院副议长赫卜杜拉女士率议员、工商界人士组成的友好代表团访华。9 月,中印名人论坛首次会议在新德里举行。③ 这样,通过两国领导人的沟通和交流,中印

关系逐渐趋于稳定。

中国经济发展和政治稳定,印度认识到中国更多的是印度未来发展的机遇而非威胁。中国为了稳定周边环境和推动市场多元化,也需要与印度协调关系。“9·11”事件以后两国在反恐问题上扩大了共识。这就为双方发展稳定良好的合作关系创造了条件。2002 年 1 月,双方签署包括旅游、科技、水利、空间等领域的 6 个推动中印关系全面发展。3 月,印度外长辛格乘中印首航班机访华。4 月,中印外交部举行首轮反恐磋商。6 月,江泽民主席在阿拉木图出席亚洲相互协作与信任措施会议峰会期间会见印度总理瓦杰帕伊。④ 2003 年 1 月,印度人民院议长乔希对中国进行正式友好访问。4 月,就在“非典”流行病在中国肆虐之时,印度国防部部长费尔南德斯访华。5 月,胡锦涛主席在出席圣彼得堡建市 300 周年庆典期间会见瓦杰帕伊总理。6 月,瓦杰帕伊总理对中国进行正式访问。双方签署《中印关系原则和全面合作宣言》,印度明确承认,西藏自治区是中华人民共和国领土的一部分。双方再次确认中印之间应发展长期建设性合作伙伴关系。10 月,温家宝总理在印尼巴厘岛出席中国—东盟会议期间再次会见瓦杰帕伊总理。11 月,全国政协主席贾庆林对印度进行正式友好访问。⑤ 这样,中印两国在经历了一段波折后,再次回到正常国家间关系的轨道上。

此后中印两国领导人在各种场合就发展和协调两国关系进行了认真的交流。

2004 年 2 月,中共中央政治局委员、

①　中华人民共和国外交部政策研究室编:《中国外交:2000 年版》,世界知识出版社,第 116 页。

②　中华人民共和国外交部政策研究室编:《中国外交:2001 年版》,世界知识出版社,第 110—111 页。

③　外交部政策研究室编:《中国外交:2002 年版》,世界知识出版社,第 98 页。

④　《人民日报》,2002 年 6 月 5 日。

⑤　外交部政策研究室编:《中国外交:2004 年版》,世界知识出版社,第 139 页。

书记处书记、中央组织部部长贺国强对印度进行友好访问。3月，中央军委副主席、国务委员兼国防部长曹刚川上将访印。6月28日，胡锦涛主席和温家宝总理分别就和平共处五项原则创立50周年，与卡拉姆总统和辛格总理互致贺电。6月和7月，李肇星外长在出席亚洲合作对话和东盟地区论坛会议期间，两次会见印度外长纳特瓦尔·辛格。10月，唐家璇国务委员访印。11月，陈至立国务委员访印。11月30日，温家宝总理在出席中国与东盟领导人会议期间会见印度总理辛格。

值得注意的是，两国领导人超越双方关系，而从战略的高度来审视两国在地区和全球国际关系中的地位与作用。2005年1月，中印举行首次战略对话。4月，温家宝总理成功访印，两国领导人共同签署了《中印联合声明》，宣布建立"面向和平与繁荣的战略合作伙伴关系"，从而将双边关系进一步升级。访问期间，中印边界问题特别代表还签署《解决中印边界问题政治指导原则的协定》，将平等协商互谅互让与和平谈判作为未来解决两国边界问题的基本原则。① 同月，胡锦涛主席在印尼出席亚非峰会期间会见印度总理辛格。7月，胡锦涛主席在上海合作组织阿斯塔纳峰会期间会见印度外长纳特瓦尔·辛格。9月，胡锦涛主席在纽约出席联合国成立60周年首脑会议期间会见印度总理辛格。10月，温家宝总理在出席上海合作组织成员国总理第四次会议期间会见印度外长纳特瓦尔·辛格。12月，温家宝总理在出席东盟与中日韩等领导人会议期间会见印度总理辛格。

为了加深中印两国战略伙伴关系的

程度，两国领导人确定将2006年作为"中印友好年"。1月，外交部副部长武大伟与印度外秘萨仁山在北京举行第二次中印战略对话。4月，中共中央书记处书记、中央纪律检查委员会副书记何勇率中共代表团访印。6月，胡锦涛主席在上海会见前来出席上海合作组织峰会的印度政府代表、石油与天然气部长迪奥拉。7月，印度议会人民院议长查特吉访华，双方签署《中国全国人大与印度人民院合作谅解备忘录》。同月，胡锦涛主席在出席八国集团同发展中国家领导人对话会议期间，与俄罗斯总统普京、印度总理辛格举行中印俄三国领导人会晤。9月，李肇星外长在出席第61届联大会议期间，与印度国防部长慕克吉会晤。11月，胡锦涛主席对印度进行国事访问。双方发表《联合宣言》，制定深化两国战略合作伙伴关系的"十项战略"，并签署《投资促进和保护协定》等13份合作文件。

2007年是"中印旅游友好年"。1月，全国政协副主席、中央统战部部长刘延东率领中共代表团访印。温家宝总理与印度总理辛格在东亚峰会期间举行会晤。2月，李肇星外长访印并出席中印俄三国外长会晤。4月，李肇星外长赴印度新德里出席第14届南盟峰会。5月，杨洁篪外长在德国汉堡出席第八届亚欧外长会议期间会见印度外长慕克吉。6月，胡锦涛主席在出席八国集团同发展中国家领导人对话会期间与印度总理辛格会晤。8月，温家宝总理接受即将离任的印度报业托拉斯驻华记者约瑟夫独家采访。杨洁篪外长在出席东盟地区论坛系列外长会期间会见印度外长慕克吉。9月，全国政协

---

① 《外交部谈解决中印边界问题的政治指导原则》，http://news. xinhuanet. com/newscenter/2005-04/13/content_2824999. htm。

副主席王忠禹率团访印。唐家璇国务委员会见来华访问的印度政府特使梅农。杨洁篪外长在出席第 62 届联大会议期间会见印度外长慕克吉。10 月,胡锦涛总书记、温家宝总理分别会见来华访问的印度国大党主席、团结进步联盟主席索尼娅·甘地。杨洁篪外长在出席中俄印三国外长哈尔滨会晤期间会见印度外长慕克吉。11 月,温家宝总理在出席新加坡东亚峰会期间会见印度总理辛格。12 月,全国人大中印友好小组主席、财经委员会副主任委员贾志杰访印,启动中印议会定期交流机制。这一系列的措施,进一步夯实了中印两国战略伙伴关系的基础。

2. 新世纪的中巴关系

1991 年 2 月,巴基斯坦总理谢里夫应邀访华。中共中央总书记江泽民、国家主席杨尚昆和国务院总理李鹏都与之举行了会见和会谈。中国领导人在会谈中尽管国际风云变幻,国内情况变化,中国之间始终相互信任和支持,这种建立在和平共处五项原则基础上的中巴友谊堪称国家关系的典范。同年 10 月,杨尚昆主席对巴基斯坦进行国事访问。1992 年 10 月,谢里夫总理再度访华。1993 年 12 月,李瑞环主席访巴。同月,再次当选总理的贝·布托来华访问。中国领导人对来访的贝·布托指出,不管国际风云如何变幻,中国都将是巴基斯坦可以信赖的朋友,中巴友谊具有坚实的基础和强大的生命力。贝·布托则强调,两国关系经历了时间的考验,是全天候的关系。① 1994 年 12 月,巴总统莱加里访华。1995 年 9 月,贝·布托总理作为中国政府的特邀嘉宾出席在北京举行的联合国第四次世界妇女大会。同年 11 月,乔石委员长访巴。1996 年 12 月,江泽民主席应邀对巴进行国事访问。此次访问是中巴关系中的一件大事,两国领导人确定了建立面向 21 世纪的中巴“全面合作伙伴关系”。江泽民主席还在巴发表了题为《世代睦邻友好,共创美好未来》的重要演讲,首次全面阐述中国的南亚政策,提出了中国与南亚国家共同构筑面向 21 世纪的长期稳定的睦邻友好关系的五点主张:一、扩大交往,加深传统友谊;二、互相尊重,世代睦邻友好;三、互利互惠,促进共同发展;四、求同存异,妥善处理分歧;五、团结合作,共创美好未来。② 此后直到 20 世纪 90 年代末期,中巴两国的高层互访不断,两国间的友好合作关系显得更加巩固。

进入 21 世纪以来,中巴全面合作伙伴关系进一步深入发展。双方高层接触频繁,政治互信不断增强。2000 年 1 月,现任巴基斯坦国家领导人的首席执行官穆沙拉夫对中国进行工作访问。中国领导人对来访的客人指出,中国政府历来重视同友好邻邦巴基斯坦的友谊,愿为继续推动两国全面友好合作伙伴关系在新的世纪取得更大发展作出应有的努力。穆沙拉夫则明确表示,巴基斯坦政府和人民珍视与中国建立持久、密切和友好的关系,并将在新世纪中进一步加强这一关系。③ 访问期间,两国政府还签订了《经济技术合作协定》。7 月,唐家璇外长应邀对巴基斯坦进行正式访问。9 月,江泽民主席在联合国千年首脑会议期间会见了巴基斯坦首席执行官穆沙拉夫。显然,虽然巴基斯坦内部出现政权更迭,但中巴两国友好

---

① 外交部外交史研究室编:《中国外交概览,1994》,世界知识出版社,1994 年版,第 81 页。
② 外交部政策研究室编:《中国外交》,世界知识出版社,1997 年版,第 95 页。
③ 外交部政策研究室编:《中国外交》,世界知识出版社,2001 年版,第 100 页。

合作关系并没有受到任何影响。2001年是中巴建交50周年,两国举行了一系列丰富多彩的庆祝活动。5月,朱镕基总理应邀访巴。12月,穆沙拉夫总统对中国进行国事访问。① 两国领导人密切的互访和交流得到了突出的体现。2001年12月和2002年2月,江泽民主席先后两次与穆沙拉夫总统通电话,双方就"9·11"事件后的国际形势交换了意见。2002年1月,穆沙拉夫总统在赴尼泊尔出席"南盟"峰会途中过境北京。3月,吴邦国副总理率中国政府代表团访巴,并出席中巴合作建设的瓜达尔港口项目开工仪式。5月,唐家璇外长访问巴基斯坦。6月初,江泽民主席在阿拉木图"亚信"峰会期间会晤了穆沙拉夫总统。6月底,巴外交国务部长哈克访华。8月初,穆沙拉夫总统在访问孟加拉国和斯里兰卡后过境北京。可见在"9·11"事件之后,两国领导人就全球反对恐怖主义和其他双方所关心的重大国际问题进行密切的沟通和协调。2003年3月,巴总理贾迈利正式访华。11月,穆沙拉夫总统在海南出席博鳌亚洲论坛第二届年会后对中国进行国事访问,两国元首共同签署了《关于中巴双边合作发展方向的联合宣言》。《宣言》肯定了两国所建立的"面向未来的全面合作伙伴关系",是建立在"和平共处五项原则基础上的中巴关系堪称国与国关系的典范"。为了"进一步密切双边关系,深化和拓展两国全天候友谊和全面合作伙伴关系",双方将政治、经济、安全和社会文化等各方面开展深入的合作。② 这份文献全面规划了中巴两国

间的全面友好合作伙伴关系,突出地反映了两国睦邻友好关系的成熟和巩固。

值得更加重视的是,2005年4月,温家宝总理访巴,双方签署《中巴睦邻友好合作条约》。该《条约》总结了五十多年来两国关系的成功经验,规划了双边合作的未来发展方向,是一份具有重大历史和现实意义的文件。③ 同时双方还宣布发展更加紧密的战略合作伙伴关系,从而将两国关系提升到了一个新的高度。同月,胡锦涛主席在雅加达出席亚非峰会期间会见穆沙拉夫总统。7月,胡主席在阿斯塔纳出席上海合作组织峰会期间会见巴总理阿齐兹。9月,胡主席出席联合国成立60周年峰会期间再次会见穆沙拉夫总统。10月8日,巴北部地区发生强烈地震,造成重大人员伤亡和财产损失。中国政府迅速派出救援队和医疗队,提供2050万美元物资和现汇援助,并宣布提供3亿美元优惠出口买方信贷用于巴灾区重建。2006年2月,穆沙拉夫总统再次对华进行国事访问。6月,穆沙拉夫总统来华出席上海合作组织峰会,与胡锦涛主席会谈。11月,胡锦涛主席正式访问巴基斯坦,这是中国国家主席十年来首次访巴。2007年3月,巴基斯坦外长卡苏里访华,中国政府特使、交通部长李盛霖访巴并出席瓜达尔港开港仪式。4月,李肇星外长访巴。同月,阿齐兹总理正式访华并出席博鳌亚洲论坛年会。

在中国改革开放近三十年以来的国际风云变幻中,中巴关系经受住了任何考验,一直保持着睦邻友好与相互合作的密

---

① 外交部政策研究室编:《中国外交》,世界知识出版社,2002年版,第87页。

② 《中国和巴基斯坦关于双边合作发展方向的联合宣言》,http://news.xinhuanet.com/newscenter/2003-11/04/content_1160240.htm。

③ 《温家宝同阿齐兹会谈 签署中巴睦邻友好合作条约》,http://news.xinhuanet.com/world/2005-04/06/content_2791380.htm。

切关系,为中国与周边国家间的关系和世界上的发展中国家间关系树立了一个良好的典范。良好的中巴关系既符合两国的根本利益,给双方带来了互惠互利的良好成果;也为亚洲的和平稳定,特别是全球开展反恐事业带来了积极的影响。

四

中国与蒙古和中亚邻国的关系

改革开放以来,中亚地区对中国的国家安全和经济发展具有十分重要的战略地位。冷战后期,来自于蒙古和中亚地区的军事压力,曾对新中国的国家安全造成了巨大的威胁。冷战结束后,苏联分裂出来的中亚国家中有三个成为中国新的邻国:哈萨克斯坦、吉尔吉斯斯坦和塔吉克斯坦。中国开展主动积极的睦邻友好外交,同蒙古和中亚国家恢复和建立了友好合作关系,与这些国家在共享发展的机遇,共同应对所面临的挑战。

1. 新世纪的中蒙关系

近年来,随着中蒙两国交往的不断加强,两国间在文化领域存在的合作空间越来越大。中蒙之间有着蒙古族共同的生活方式和文化素养,提高两国间文化交流有利于促进中蒙全方位合作。1998年中蒙签署《中华人民共和国政府和蒙古国政府相互承认学位学历的协定》,2000年双方签署《利用中国无偿援助款项培养蒙古留学生项目执行计划》,2002年至2003年度,蒙古公派在华进修、留学人员达180人,两国间合作意向在不断加强。但同时也应该看到,该领域的具体实施措施并不是很多。例如,美俄两国在蒙古都有与蒙

古合办的电视台,而我国在这一领域仍未有举措。因此,提高中蒙间的文化交流,应体现民族性和经常性,加强政府间、民间文化团体交流,定期举办民族性文化活动,不断强化中国文化在蒙古的宣传和影响力度。中蒙关系处于稳定发展的进程中。

2. 中哈关系的建立与发展

进入新世纪,双边关系中的各方面都取得了重要发展和突破。2002年是中哈建交十周年,两国领导人继续保持频繁的接触,对双边关系的发展起到了重要的推动作用。12月,纳扎尔巴耶夫总统对中国进行国事访问。中哈签署了《中华人民共和国和哈萨克斯坦共和国睦邻友好合作条约》、《中华人民共和国和哈萨克斯坦共和国关于打击恐怖主义、分裂主义和极端主义的合作协定》等重要文件,为新世纪两国关系的发展奠定更加坚实的法律基础。此外,哈萨克斯坦国务秘书兼外交部长卡·托卡耶夫对中国进行正式访问,与唐家璇外长共同签署《中华人民共和国和哈萨克斯坦共和国关于中哈国界线的勘界议定书》,标志着中哈两国边界问题获得全面彻底解决,为两国在边境地区开展合作创造更加良好的关系。另外,中哈有关部门、地方之间的交往十分活跃,在经贸、交通、能源等领域的合作快速发展,不断取得新成果。①

2003年中哈友好关系取得新发展。6月,中国国家主席胡锦涛对哈进行首次国事访问。双方重申将保持经常性高层政治对话,巩固政治互信,加强经贸合作。双方签署《中华人民共和国和哈萨克斯坦共和国联合声明》等文件,并就分阶段建设中哈石油管道达成一致。

---

①　中华人民共和国外交部政策研究室编:《中国外交》,世界知识出版社,2003年版,第188—189页。

2004 年,中国与哈萨克斯坦成立中哈合作委员会,两国友好关系取得显著成果。两国保持密切高层往来与接触。双方签署了《中华人民共和国和哈萨克斯坦共和国联合声明》、《中华人民共和国政府和哈萨克斯坦共和国政府关于成立中哈合作委员会的协定》、《中华人民共和国政府和哈萨克斯坦共和国政府关于在油气领域开展全面合作的框架协议》等文件。值得一提的是,两国经贸领域合作进一步发展,能源合作发展迅速。9 月底,哈萨克斯坦阿塔苏至中国阿拉山口原油管道项目建设正式开工。

2005 年 7 月,中国与哈萨克斯坦建立战略伙伴关系,标志着两国关系进入了新阶段。7 月 4 日,中国国家主席胡锦涛和哈萨克斯坦总统纳扎尔巴耶夫在阿斯塔纳签署了《中华人民共和国和哈萨克斯坦共和国关于建立和发展战略伙伴关系的联合声明》。① 两国保持密切高层接触;各部门以及地方之间的交往日趋活跃;军事、安全交流继续发展;能源、经贸、人文等领域合作进一步发展。哈萨克斯坦已成为中国在独联体国家中的第二大贸易伙伴。

2006 年,中哈战略伙伴关系取得新进展。高层交往密切,政治互信加深。哈萨克斯坦总统对华进行国事访问;双方签署《中华人民共和国和哈萨克斯坦共和国 21 世纪合作战略》和《中华人民共和国和哈萨克斯坦共和国经济合作发展构想》等双边合作文件。

2007 年 1 月 3 日,我国和哈萨克斯坦迎来了建交 15 周年。总的看来,中哈建交以来,两国各方面关系都很好,合作顺利,

现在已经成为好邻居、好朋友、好伙伴。2006 年 6 月 14 日,胡锦涛主席在会见哈萨克斯坦总统纳扎尔巴耶夫时说,两国关系发展势头良好。两国政治、经贸、能源、安全、人文等领域合作都取得显著成果。高度的政治互信、坚实的法律基础、有效的互利合作、丰富的民间交往、密切的国际协作,已构成中哈关系牢固的战略支撑。胡锦涛主席对中哈关系的评价,准确地反映了中哈关系的现状。②

尽管中哈关系还存在一些问题,但必须看到,中哈关系积极方面占主流,良好的国家关系为进一步深化各方面合作、解决存在的问题奠定了坚实的基础。

3. 中国与吉尔吉斯斯坦及塔吉克斯坦关系的发展

2002 年是中吉和中塔建交十周年。双方高层接触与互信频繁,政治互信增强,各领域合作扩大和加强。6 月,吉尔吉斯斯坦总统阿卡耶夫对中国进行工作访问,双方签署了《中华人民共和国和吉尔吉斯斯坦共和国睦邻友好合作条约》,为两国在新世纪的稳定发展奠定了坚实的法律基础。此外,议会批准中吉国界有关补充协定,使两国历史遗留的边界问题获得最终解决,为中吉关系不断发展提供了可靠保障。两国在军事、安全领域往来进一步加强,合作进入新阶段。中吉军队在边境地区成功举行首次联合反恐军事演习。吉外长阿·艾特玛托夫访华时与唐家璇外长共同签署《中华人民共和国和吉尔吉斯共和国关于打击恐怖主义、分裂主义和极端主义的合作协定》。《协定》的签署是落实上海合作组织成员国《打击"三

① 中华人民共和国外交部政策研究室编:《中国外交》,世界知识出版社,2006 年版,第 180 页。
② 赵常庆:《中哈关系发展前景广阔》,中国社会科学院网站:http://www.cass.net.cn/file/2006122084458.html。

股势力"上海公约》的具体举措,将有力地促进中吉在打击"三股势力"方面的合作。中塔两国高层交往也保持积极势头,为双边关系的发展发挥着重要的促进作用。5月,塔吉克斯坦总统拉赫莫诺夫对中国进行工作访问。双方签署了《中华人民共和国和塔吉克斯坦共和国联合声明》、《中华人民共和国和塔吉克斯坦共和国关于中塔国界的补充协定》、《中华人民共和国政府和塔吉克斯坦共和国关于在能源领域合作的协定》等重要文件。其中,中塔国界补充协定的签署标志着中塔边界问题画上了一个圆满的句号。2003年,中塔继续保持高层交往。双方签署《中华人民共和国政府和塔吉克斯坦共和国政府关于中塔边境口岸及其管理制度的协定》和《中华人民共和国和塔吉克斯坦共和国关于打击恐怖主义、分裂主义和极端主义的合作协定》。

总起来说,中国与哈萨克斯坦、吉尔吉斯斯坦和塔吉克斯坦三国的友好合作关系在三个方面得到了迅速的发展。首先,政治上中国与这三个国家间一直保持着经常的高层往来,就共同关心的双边和地区问题进行密切磋商和协调。其次,在安全领域,中国与这三个国家都面临这"三股恶势力"的威胁与挑战,因此,不仅在双边关系中,而且在"上海合作组织"和"亚洲安全信任会议"的地区安全多边合作框架内能够开展紧密的安全合作。最后,作为发展中国家,中国与这三个国家在经济合作领域有着广阔的前景,这些国家所拥有的丰富能源资源与中国先期经济发展的优势能够互补,使得相互间可以在多层次多领域开展深入的经济合作。

未来中国与中亚国家间的关系将在稳定和发展中得到提升。

4. 中阿关系的发展

2002年,中国与阿富汗新政府建立了密切的联系,2月恢复了中国驻阿富汗使馆的正常工作,积极参与阿富汗重建,中阿关系得到全面恢复和发展。由于阿富汗国内战乱而一度中断的两国高层政治交往得到恢复。中阿不存在任何悬而未决的问题。在援助方面,中国政府向阿富汗政府提供了力所能及的战后重建援助,成为国际上最早兑现支援阿富汗承诺的国家之一。①

2005年是中华人民共和国与阿富汗伊斯兰共和国建交50周年。中国重视发展对阿传统关系,支持阿进一步推进和平重建进程,并继续向阿富汗重建提供力所能及的帮助。两国高层保持密切接触,政治互信加强;经贸往来活跃;国防、宗教、文化等领域的交流也很活跃。

2006年,中华人民共和国与阿富汗伊斯兰共和国关系提升为全面合作伙伴关系。建立在和平共处五项原则基础上的中阿睦邻友好与互利合作关系得到进一步深化和扩展。中国重视发展对阿富汗传统友好关系,支持阿推进和平重建过程,并继续向阿富汗重建提供力所能及的帮助。6月18日—21日,阿富汗总统哈米德·卡尔扎伊对中国进行国事访问。访问期间,双方发表了联合声明,宣布建立全面合作伙伴关系。② 双方还签署了《睦邻友好合作条约》、《贸易和经济合作协定》、《航空运输协议》等11个合作文件。①两国高层往来密切;②在地区和国际事务中的合作进一步加强,中国支持阿富汗

<hr />

① 中华人民共和国外交部政策研究室编:《中国外交》,世界知识出版社,2003年版,第75—76页。
② 中华人民共和国外交部政策研究室编:《中国外交》,世界知识出版社,2007年版,第52页。

积极开展区域合作；③两国经贸往来活跃；④在国防、安全、教育、资源和新闻等领域合作良好。

2007年1月，阿富汗议会长老院主席穆贾迪迪率团访华。7月，我驻意大利大使董津义代表杨洁篪外长出席在罗马召开的阿富汗法治重建国际会议，在国际社会中对重建阿富汗的努力作出了贡献。8月，阿富汗外长斯潘塔正式访华，11月，中国外长杨洁篪再回访，双方就共同关心的双边和国际问题进行了深入的交换意见。而同月的阿富汗国民军总长访问中国，则在军事安全领域实现两国间的合作与沟通。

总之，中国和阿富汗两国有着传统的友好合作关系，在当前恐怖主义成为国际安全的重大威胁的时期，两国间的合作无论对两国的国家安全，还是对地区和国际社会的和平稳定都有着十分重大的意义。

新世纪中国与发展中国家关系

新世纪以来，中国更加重视同发展中国家关系，把维护发展中国家的权益作为自己的国际义务，坚决支持它们维护民族独立和发展民族经济，努力加强同它们的合作，积极促进它们之间的团结。

一

中国与发展中国家关系概况

2005年，当联合国改革再一次被提到国际政治的议事日程的时候，中国政府公布关于联合国改革问题的立场文件，明确提出联合国改革应该"在安全和发展两方面均应有所建树，特别是扭转联合国工作'重安全、轻发展'的趋势，加大在发展领域的投入"；"改革应最大限度地满足所有会员国、尤其是广大发展中国家的要求和关切"，"要重视发展中国家的需要，实现全球协调、平衡和普遍的发展"。在联合国安理会改革问题上，中国主张"优先增加发展中国家代表性。发展中国家已占联合国会员国总数的2/3以上，但在安理会的代表性严重不足。这个状况必须纠正。应让更多国家，特别是中小国家有更多的机会轮流进入安理会，参与其决策。坚持地域平衡原则，并兼顾不同文化和文明的代表性。"①

中国对发展中国家的援助在目的和方式上作了一些调整。冷战期间主要从战略方面考虑的援助，越来越多从人道主义出发对外提供援助，中国政府表示，随着中国经济持续发展，经济总量不断提高，中国在力所能及的范围内，对外提供援助的力度也适当地加快，而且根据各个国家情况的不同，援助方式也要多样化，以使得中国对发展中国家的援助切实地

---

① 《中国政府发布关于联合国改革问题的立场文件》，http://news. xinhuanet. com/newscenter/2005－06/08/content_3056781. htm

在第一线发挥作用。同时,中国努力探讨同广大发展中国家进行双边互利合作的新途径,在继续强调与广大发展中国家关系是中国外交立足点的同时,转变了以前以援助为主、甚至是唯一的合作方式,提出了拓展与发展中国家经贸关系的四项原则,即"平等互利,讲求实效,形式多样、共同发展"。本着这样的原则,中国积极支持并参与南南合作,与发展中国家的合作已成为中国全方位对外开放战略的一部分,合作内容不断丰富,规模迅速扩大,形成经济上合作共赢的局面。

中国政府于 2004 年专门召开全国对发展中国家经济外交工作会议,国务院总理温家宝在会上强调,必须从国际政治经济的大势、从国内经济社会发展的大局、从外交工作的大战略和总方针上,充分认识对发展中国家经济外交工作的重要性,要坚持"相互尊重、平等相待,以政促经、政经结合,互利互惠、共同发展,形式多样、注重实效"的指导原则,推动对发展中国家的经济外交工作上一个新水平。他指出,"要善于把政治上的友好、互信同经济上的合作、交流结合起来,以政促经,政经结合";"经济合作的形式要多种多样,注重实效,把贸易与投资、援外资金与信贷资金、'走出去'与'请进来'结合起来"。会议提出,今后一个时期,一要更好地发挥对外援助的政治效应和经济效应;二要推动更多企业到发展中国家投资合作,利用境外资源,扩大工程承包,拓展国际市场;三要扩大与发展中国家的进出口贸易规模,提升出口产品的档次,积极开展服务贸易;四要深化与发展中国家的多边和区域合作,在国际经贸组织和多边机制中努力维护发展中国家的利益;五要充分发挥高层互访和多边会晤的作用。

由于广大发展中国家是一个具有众多国家的群体,由于其所处的历史、政治和地理位置有所不同,中国与他们的关系也呈现出地域性的特点。

二

中国与撒哈拉沙漠以南非洲国家的关系

中国新的领导集体就职后,更加重视与广大非洲国家的关系,中非关系继续发展往来堪称南南合作典范。

1. 政治关系

在新世纪的前六年,中非领导人和外长互访达 200 多次,其中中国领导人访非 50 多次。中国新一届政府组成后,进一步加强了与非洲的关系。2004 年 2 月,2006 年 4 月和 2007 年年初,胡锦涛主席先后分别访问非洲 4 国、3 国和 8 国,2006 年 6 月温家宝总理访问了非洲 7 国。中国外交部长每年的第一次出访都选择非洲。从非洲方面看,仅 2006 年中非论坛北京峰会期间,与中国有外交关系的 48 个非洲国家都派出了高级代表团与会,其中有 42 位国家元首和政府首脑。如此高密度、高级别互访凸显了非洲在中国外交议程中所占的分量,也充分体现了双方领导人对继承和发扬中非传统友好的高度重视。

2004 年胡锦涛主席访非时提出了"坚持传统友好,推动中非关系新发展;坚持互助互利,促进中非共同繁荣;坚持密切合作,维护发展中国家的权益"三点倡议。在中国同阿拉伯和非洲国家建交 50 周年的 2006 年 4 月,中国国家主席胡锦涛访问

---

① 《全国对发展中国家经济外交工作会议在京召开》,《人民日报》,2004 年 9 月 3 日。

了沙特阿拉伯、摩洛哥、尼日利亚和肯尼亚等亚非四国。6月，温家宝总理访问了埃及、加纳、刚果（布）、安哥拉、南非、坦桑尼亚和乌干达7国。2007年2月，胡锦涛主席访问了喀麦隆、利比里亚、苏丹、赞比亚、纳米比亚、南非、莫桑比克、塞舍尔8个非洲国家。如此频繁和高规格的对非洲地区国家的访问，既是中非关系良好发展的象征，又进一步推动了中非全面伙伴关系的发展，特别是在这些高层访问期间签署的数十项双边合作协议，为中非关系的发展提供了基本的框架和平台。

在新中国与非洲国家开启外交关系50周年的2006年1月，中国政府发表了《中国对非洲政策文件》，这一旨在推动中非关系长期稳定发展、互利合作不断迈上新的台阶的政策文件，全面阐述了中国对非政策的目标及措施，规划了今后一段时期双方在各领域的合作。文件全文近5000字，除前言外，分为"非洲的地位和作用"、"中国与非洲的关系"、"中国对非洲政策"、"加强中非全方位合作"、"中非合作论坛及后续行动"及"中国与非洲地区组织的关系"6部分。文件指出，加强同非洲国家的团结与合作，始终是中国独立自主和平外交政策的重要组成部分。这是中国政府首次发表对非洲政策文件。11月，中非合作论坛北京峰会暨第三届部长级会议在北京成功举行，这是迄今中国举办的与会领导人最多的一次国际盛会。会议通过《中非合作论坛北京峰会宣言》和《中非合作论坛——北京行动计划（2007—2009年）》，峰会宣言重点反映了双方对重大国际问题的看法和主张，郑重宣示建立和发展中非新型战略伙伴关系。北京行动计划主要阐述未来3年中非经济社会领域合作的规划和内容，体现双方互利互惠、共同发展的合作精神。这次峰会

是地理相隔遥远而心灵相距很近的两个地区人民进行的一次重要对话，是中非关系长期发展的结果。

2. 经贸关系

中非互利共赢的经济合作在新世纪不断得到拓展的方式和标志，是双方共同创建的中非合作论坛。在2000年中非合作论坛部长级会议上，中国承诺，"继续在力所能及的范围内提供各种援助，并随着中国经济发展水平的提高和综合国力的增强，逐步扩大援助规模"。中国作出包括两年内减免非洲国家欠中国到期债务100亿元人民币在内的四项庄严承诺。随后在论坛框架内，中国免除了非洲31个国家欠华到期债务156笔，总金额约109亿元人民币，给予非洲一些最不发达国家190种输华商品免关税待遇。2003年12月在埃塞俄比亚首都亚的斯亚贝巴召开的中非合作论坛第二届部长级会议体现了中非合作的一些新特点：一是合作领域更加广泛，合作的内容更加深入。除传统的政治和经济合作外，文化、科技和军事领域的合作也将进一步加强。二是会议提出的合作内容不仅更加广泛、深入，而且具有相当的针对性。三是中非合作进一步"务实化"。本次论坛发表了《中非合作论坛——亚的斯亚贝巴行动计划（2004－2006年）》，并举办了"中非企业家大会"，来自中国和非洲30多个国家的400多名企业家参加了此次为期3天的大会。会议将中国与非洲企业界的积极性调动起来，明确树立了"论坛搭台，企业唱戏，让企业成为中非合作的主体"的思想。四是会议还给中非合作规定了一些"硬指标"。如对"非洲人力资源开发基金"增加33％的资金投入，今后三年为非洲培养、培训10000名各类人才等。在此次会议上中国政府明确承诺：将在中非合作论坛框架内逐步增加对非援助；进一步开放市场，对非

洲最不发达国家部分商品进入中国市场给予免关税待遇;鼓励和推动中非企业间开展互利合作,支持中国企业赴非投资。

在 2006 年召开的中非合作论坛峰会上,胡锦涛主席再次宣布,到 2009 年使中国对非洲国家的援助规模比 2006 年增加 1 倍;随后 3 年内向非洲国家提供 30 亿美元的优惠贷款和 20 亿美元的优惠出口买方信贷;设立中非发展基金,基金总额逐步达到 50 亿美元,鼓励和支持中国企业到非洲投资;为支持非洲国家联合自强和一体化进程,援助建设非洲联盟会议中心;免除同中国有外交关系的所有非洲重债穷国和最不发达国家截至 2005 年底到期的政府无息贷款债务;进一步向非洲开放市场,把同中国有外交关系的非洲最不发达国家输华商品零关税待遇受惠商品由 190 个税目扩大到 440 多个等 8 项措施;今后 3 年内在非洲国家建立 3 至 5 个境外经济贸易合作区;今后 3 年内为非洲培训、培养 15000 名各类人才;向非洲派遣 100 名高级农业技术专家;在非洲建立 10 个有特色的农业技术示范中心;为非洲援助 30 所医院,并提供 3 亿元人民币无偿援款帮助非洲防治疟疾,用于提供青蒿素药品及设立 30 个抗疟中心;向非洲派遣 300 名青年志愿者;为非洲援助 100 所农村学校;在 2009 年之前,向非洲留学生提供中国政府奖学金名额由目前的每年 2000 人次增加到 4000 人次。[①]

为了推动在中非论坛上承诺的落实,2007 年 2 月胡锦涛主席访问 8 个非洲国家期间表示,中方将本着互利共赢、友好协商、高效务实的原则,根据非洲国家的需要,统筹规划,分步实施,认真落实 8 项措施;在措

施框架内,向 8 国提供无偿援助、无息贷款和优惠贷款,确定援助项目,落实免债免税待遇,援建农村学校、农业技术示范中心和疟疾防治中心,增加政府奖学金名额。访问期间签署的 50 多个合作协议中,大多数涉及落实峰会成果。在 2007 年底前,中国已经与受援国办理完免债协议,对与中国有外交关系的 33 个非洲重债穷国和最不发达国家,免除其截至 2005 年底 168 笔对华到期无息贷款债务。[②]

在继续提供援助的同时,中国与撒哈拉沙漠以南的许多非洲国家经济贸易关系获得了突飞猛进的发展。第一,中国政府采取多项优惠措施,推动中国与非洲国家的贸易,使中非贸易关系更加密切,成果更加显著,质量进一步提高。中国先后同非洲 50 多个国家和地区建立了贸易关系,同 40 多个国家签订了《双边贸易协定》,与 35 个国家建立了双边经贸混(联)委会机制,同 28 个非洲国家签署了《双边鼓励和保障投资协定》,与 8 个非洲国家签订了《避免双重征税协定》。正如胡锦涛主席在 2007 年 2 月访问非洲期间所表明的,中国政府不鼓励中国企业通过单纯的出口数量增长挤占别国市场,将积极扩大从非洲的进口,采取大幅度减免非洲输华部分商品关税等措施,以解决部分非洲国家对有关贸易问题的关切。自 2005 年起中国给予贝宁、布隆迪、佛得角、中非共和国、科摩罗、刚果民主共和国、吉布提、厄立特里亚、埃塞俄比亚、几内亚、几内亚比绍、莱索托、利比里亚、马达加斯加、马里、毛里塔尼亚、莫桑比克、尼日尔、卢旺达、塞拉利昂、苏丹、坦桑尼亚、多哥、乌干达和赞比亚等 29 个非洲最不发达

①　胡锦涛:《在中非合作论坛北京峰会开幕式上的讲话》,《人民日报》,2006 年 10 月 5 日。

②　《中国拟于 2007 年底前免除 33 个非洲国家债务》,2007 年 1 月 29 日,http://news. people. com. cn/GB/71648/71653/5341770. html。

国家 190 种输华商品免关税待遇,大部分为有关非洲国家的优势产品。这些互利互惠的协定、机制和政策,推动了中非贸易持续发展。

第二,中非贸易方式也发生了转变。中国采取和发展灵活多样的贸易方式,中非贸易 50 年来经历了记账贸易、易货贸易、现汇双轨制贸易,发展到以现汇贸易为主的阶段。除了现汇贸易外,转口贸易、租赁贸易、对销贸易和补偿贸易等已经发展成为中国与大多数非洲国家的贸易方式。此外,中国的一些省市政府和企业也陆续在非洲国家开办公司或设立代表处,设立商品保税仓库或分拨中心,开设新的贸易销售点,积极推动了中国与非洲国家贸易。

第三,中非贸易的商品结构也不断优化。20 世纪 50 年代,中国与非洲国家之间的贸易主要以棉花、农矿产品等初级产品为主;60 年代至 70 年代则以轻纺产品为主,工业制成品和半制成品出口逐步增长;90 年代中国对非洲出口的商品从以纺织品、轻工业品等劳动密集型产品为主,逐步转变为以技术含量和附加值较高的机电产品为主。2000 年以来,中国机电和高新技术产品出口已占中国对非洲出口商品总额的 50% 以上。尤其突出的是贸易区域更加宽阔。

第四,经济贸易手段更加多样化。中国与发展中国家广泛开展多种形式的经济技术合作,如承包工程、提供劳务、技术服务、独资或合资经营、合作管理以及提供零件等,合作领域涵盖工业、农业、林业、渔业、建筑、水电、服务和商业等多个领域。从 2000 年到 2006 年,中国企业在非洲承包建设公路 6000 多公里,铁路3000 多公里,大中型电站 8 座,为非洲国家降低了工程造价,提高了非洲各国经济建设的自主发展能力。中国参与建成了一批效益好、获得受援国欢迎的新项目,并采取多种形式巩固已建项目,使其进一步发挥经济和社会效益。

第五,在这种优惠政策的带动下,中非贸易获得了快速的增长。如中非贸易额从 1950 年的 1000 多万美元增长到 1 亿美元用了 10 年的时间,从 1 亿美元到 10 亿美元用了 20 年的时间,从 10 亿美元到 100 亿美元又用了 20 年时间。2000 年中非贸易额达到 108 亿美元,仅中国与撒哈拉以南非洲国家的进出口贸易总额就达 81 亿美元,到 2005 年中国对非洲出口超 1 亿美元的国家已达 26 个,中国从非洲进口超 1 亿美元的国家达 18 个。到 2006 年贸易额就上升到 555 亿美元。中国从非洲国家进口的增长大大高于中国对非洲国家出口的增长,原有的贸易不平衡状态不断得到改善。

在双边贸易高速增长的同时,投资方面也初见成效。截至 2005 年底,中国累计对非投资额达 62.7 亿美元,设立各种企业 800 多家,投资项目遍布 49 个非洲国家,涉及贸易、生产加工、资源开发、交通运输、通信、农业等多个领域,有力推动了当地经济的发展。[①] 中国与非洲的经济和贸易联系日益紧密,中国已成为非洲第三大贸易伙伴。中非日益紧密的经贸联系正在许多方面对非洲作出贡献。

3. 文化交流

中国与非洲国家之间在文化、教育等方面的交流与合作是中非关系的重要纽带之一。随着改革开放以后走出去战略的实施,中国对外开放也呈现全方位、多

---

① 《中非经贸合作去年步子稳成果大》,《人民日报》,2007 年 1 月 30 日。

层次合作局面。进入新世纪,文化全球化对中、非等民族和传统文化产生了巨大的冲击,国际文化在碰撞中交流也不断加强。在这样的背景下,中非文化交流更活跃。2002 年,中国在埃及举办了"中国文化周",2003 年 12 月文化部派遣杂技、歌舞和民乐小组到非洲东部地区巡回演出,受到埃塞俄比亚、肯尼亚、津巴布韦、赞比亚、坦桑尼亚等国民众热烈欢迎。特别是当温家宝总理出席在埃塞俄比亚首都亚的斯亚贝巴举行的中非合作论坛第二届部长级会议之际,中国艺术团体在当地的访问演出,为进一步加强中非政治关系和促进经贸合作增添了友好气氛。

2004 年 5 月在北京举办以非洲大陆为主宾洲的"相约北京国际艺术节";7 月至 8 月"中华文化非洲行"活动在南非、赞比亚、刚果(布)、尼日利亚、加纳、马里等 11 个国家进行数十场演出,中国艺术家的足迹覆盖南部、中部和西部非洲地区,历时一个月时间,这是新中国成立以来在非洲举行的规模最大的文化交流活动。"中华文化非洲行"深受非洲国家政府和人民的广泛欢迎和高度称赞,在中非文化交流史上书写了辉煌篇章。

近年来中非交流的一个突出特点是,中国加大了对非洲国家文化援助的力度,增加了对非洲艺术人才培训费用,一批政府间文化交流项目得以实施。与中国对其他地区文化援助相比较,中国对非洲地区经常性定期政府间文化援助比例最高。中国在贝宁、毛里求斯、埃及建立了文化中心(占目前中国在海外建立的 6 个文化中心总数的一半),长期开展丰富多彩的传播中国文化的活动。中国已在非洲的肯尼亚、南非和卢旺达分别建立 3 所孔子学院,从事对非洲汉语教学和传播中国文化的工作。文化交流与合作在巩固中非

传统友好合作关系和在建立 21 世纪中非新型战略伙伴关系中,与中非政治、经贸关系并重,为不断加深中国与广大非洲国家政府和人民之间的相互了解和增进彼此的团结与合作作出了巨大贡献。

在中非合作论坛框架下,中国政府为进一步加强中非文化关系,增加了对中非文化交流与合作的投入,非洲各国对进一步加强中非文化关系也给予了积极的推动和支持,这使双方的文化交往在数量、规模和形式上都有新的突破。而中非文化官员和文化艺术专业人士之间的交往更加频繁,通过官方或其他渠道开展的文化艺术交流活动数量比以往有较大增加。截至 2005 年,中国与非洲国家签订文化协定 65 个,文化协定执行计划 150 多个。中国先后派遣 50 多个政府文化代表团访问非洲,同时邀请和接待 160 多个非洲国家政府文化代表团访华。此外,中国还派出 170 多个表演艺术团组赴非洲国家演出,邀请接待 100 多个非洲艺术团组来华演出,并且在新闻、出版、广播、电影、电视、文物、博物馆以及人力资源开发等方面进行广泛交流与合作。

教育领域的交流与合作不仅是中非友好的象征,而且影响中非关系的未来。随着中非关系稳步发展,双方在教育方面的交流合作也在不断深入。中国已同几十个非洲国家建立了教育交流关系,双方的教育往来也从最初的互派留学生,发展到现在的多层次、多领域、多形式的教育交流与合作。至 2003 年底,中国教育部委托国内 14 所高等院校和科研院所举办了 18 期各种形式的专业研修班。非洲 42 个国家的 297 位高层人员来华参加学习和研讨。截至 2007 年,已有 1.8 万名非洲青年学生来到中国的大学攻读深造。根据 2003 年 12 月在埃塞俄比亚首都亚的斯亚

贝巴举行的论坛第二届部长级会议上,中国政府承诺,截至 2006 年 4 月,中国为非洲国家培训各类人才约 1.46 万人次。胡锦涛主席曾在 2006 年 11 月举办的中非合作论坛北京峰会上承诺,在未来 3 年内把向非洲留学生提供的奖学金名额由目前的每年 2000 人次增加到 4000 人次。

中国加强同非洲国家关系的深入发展,具有重要的时代意义。南南合作是发展中国家团结协作、联合自强、寻求共同发展的重要途径。中国与非洲国家发展关系是南南合作的重要组成部分。而中非政治关系,以往以反帝、反殖和反对种族主义为基础,随着主观需要和客观形势的发展变化,经历以反霸权主义、反强权政治、反对外来干涉作为基础的发展阶段,现在已经进入了发展全面政治、经济和文化关系,把中国与广大非洲国家的关系建立在平等互利的双边基础上。

中国与西亚北非国家的关系

1. 政治关系

中国与西亚北非国家关系始终保持着稳步发展的势头,不管是这个地区形势不断动荡,还是 2003 年发生在中国的"非典"等,都没有影响中国与这个地区国家的关系,中国与该地区国家一直保持着较密切的高层往来。

与中东阿拉伯国家的关系。

2000 年 9 月,以色列右翼利库德集团领导人沙龙强行进入耶路撒冷的一处伊斯兰圣地,导致巴以之间的严重暴力冲突,随后以色列动用了重型武器,造成大量巴勒斯坦平民的伤亡和财产损失,中东的和平进程严重受挫。中国国家主席江

泽民与巴、以两国领导人通电,对巴以冲突表示关切,呼吁有关方面立即采取措施停止暴力冲突。在联合国,中国积极参加了联合国对巴以冲突问题议案的审议和认真投票。中国代表王英凡在第 55 届联大发言中表示,中国支持中东和平进程,并始终认为联合国第 242 号、338 号关于中东问题的决议和"以土地换和平"的原则是和平谈判的基础,巴以双方应该通过谈判消除分歧,推动中东和平进程。对于中东问题中最难解决的耶路撒冷问题,中国认为应由有关各方在联合国有关决议的基础上通过谈判加以解决,应避免采取任何与此相悖的单方面的行动;否则,会使问题复杂化,这既不利于妥善解决问题,也不利于中东的和平进程。

中国与大多数阿拉伯国家建立了外交磋商机制。为了丰富在新形势下中阿关系的内涵,全面提升合作水平,2004 年 1 月成立了"中国—阿拉伯国家合作论坛"。中国外交部长李肇星在开罗举行的论坛首届部长级会议上阐述了论坛的作用:①加强中阿集体对话。②提高经贸合作水平。逐步开展投资、贸易、工程承包和劳务、能源、交通、通讯、农业、环保、信息等领域的对话与合作。③扩大文化交流。鼓励文化、新闻团体互访,支持多种形式的学术交流。④开展人力资源培训。论坛通过了《中阿合作论坛宣言》和《中阿合作论坛行动计划》,为加强中国与阿拉伯国家集体对话与合作的新机制,为中阿合作提供了新的平台。在这一机制下,双方均采取积极措施,大力推动中阿在经贸、投资、能源、教育、文化、新闻、人力资源、科技、医疗卫生、环境等领域的交流与合作,促进中国和阿拉伯国家共同发展。

中阿论坛成立以来,中阿双方在论坛框架内举行了形式多样的对话与合作,除

了首届部长级会议外，论坛还举行了高官会议、中阿文明对话研讨会、环境合作会议、商务合作研讨会、专题国际研讨会、阿拉伯—中国对话研讨会等等。2005年，中国先后举办了中阿论坛框架下的企业家大会、论坛第二届高层会和"中阿关系暨中阿文明对话研讨会"。2008年5月21日至22日，中华人民共和国与阿拉伯国家联盟成员国的外长们和阿盟秘书长，在巴林王国首都麦纳麦召开"中国—阿拉伯国家合作论坛"第三届部长级会议。双方高度评价近年来中阿双方建设平等、全面合作的新型伙伴关系取得的丰硕成果；回顾了第二届部长级会议召开以来论坛框架下举办的各项活动，对高官委员会、中阿企业家大会、中阿关系暨中阿文明对话研讨会、中阿环境合作、中阿友好大会、中阿能源合作大会、中阿新闻合作论坛等机制建设和重要活动取得的成果感到满意；决心进一步丰富合作内涵，推动论坛建设深入发展。

在伊拉克问题上主张伊拉克的前途应由伊拉克人民决定。进入新世纪后，美国小布什政府一上台就加大了对伊拉克的施加压力的力度，并绕过联合国于2003年3月20日发动了对伊拉克的大规模入侵。战争爆发后，中国外交部当日发表声明，对美国等国家绕开联合国安理会，对伊拉克发动军事行动表示严重关切。中国外交部在声明中指出，战争必将带来人道主义灾难，影响地区和世界的安全、稳定与发展。中国主张通过政治手段解决国际争端，反对在国际事务中使用武力或以武力相威胁。中国政府强烈呼吁有关国家停止军事行动，重新回到政治解决伊拉克问题的正确道路上来，尽快停止战争，减少伊拉克人民遭受的灾难，维护伊拉克主权和领土完整，重新回到在联合国框架内政治解决伊拉克问题的正确道路上来。中方再次呼吁尽快停止军事行动。

这场战争并没有解决伊拉克问题，而且给伊拉克无辜平民带来伤亡，造成了人道主义灾难。中国首先向伊拉克及其邻国提供了人道主义援助，此后随着伊拉克局势的进一步恶化，中国政府主张伊拉克的前途应由伊人民决定，伊独立、主权、统一和领土完整应得到维护，并为伊拉克恢复秩序和重建提供必要的援助，作出应有的贡献。如为了帮助伊拉克举行大选，中国政府向伊拉克提供了100万美元的物资援助。中国一如既往地支持并积极参与伊拉克重建进程，已向伊拉克提供了1.2亿元人民币的无偿援助，并大幅度减免伊欠中方债务。

在伊朗核问题上，坚持正义，积极促谈。伊朗核问题是进入新世纪后逐步成为一个国际热点问题。冷战后，伊朗出于自己的国家利益考虑一直寻求发展核项目，而美国和西方国家则以反对核扩散，以及伊朗支持恐怖主义为由，反对伊朗发展核设施。西方，特别是美国，与伊朗的关系一次次地紧张，双边关系多次发展成为危机事态。在伊朗核问题上，中方一贯支持维护国际核不扩散体系，主张通过外交谈判和平解决伊朗核问题，以维护中东地区的和平与稳定，中方认为这符合各方利益。中方也认为，伊朗作为不扩散核武器条约的缔约国，一方面享有和平利用核能的权利，同时也应该履行相应的国际义务。中方一方面致力于劝和促谈，另一方面为伊朗问题的解决作出了不懈努力。在美国与伊朗的关系僵持不下的情况下，中国支持欧、伊通过对话和谈判寻求长期解决方案，对一切有利于欧伊复谈、有利于伊核问题长期解决的积极方案、建议和努力表示欢迎，希望有关各方为尽早恢复欧伊谈判创造有利的气氛和条件,避免采取任何可能导致局势升级的举措。当前欧伊谈判面临一些困难时,中国方面一方面表示伊朗的合理关切应当得到尊重,另一方面,中国也加强了与美、俄及英、法、德(下称"欧三")等国的合作,积极参与伊朗核问题六国机制,达成一项关于伊核问题的长期解决方案,期待伊朗方面对该方案作出积极回应,并以此为契机,早日恢复谈判,以实现伊核问题的和平解决。

在苏丹达尔富尔问题上主持公道,发挥积极作用。苏丹南部的达尔富尔地区由于不同种族之间的矛盾和冲突,造成地区局势的动荡和大量人员的伤亡,成为国际社会关注的一个焦点,从而演变为冷战后凸显的一个热点问题。问题的根源非常复杂,涉及能源、环境、宗族和宗教等多个方面,但随着达尔富尔的局势的不断恶化,西方国家开始对苏丹政府施加压力,使苏丹达尔富尔问题更加复杂化,在国际政治中表现为一个典型的政治问题,反映的是如何对待当今国际社会的一些基本准则。中国在主张尊重苏丹主权和领土完整的原则下,坚持"不干涉内政"的方针,主张以政治手段和平方式;在国际多边场合及双边场合,中国采取灵活多变的方式,积极推动苏丹达尔富尔问题的政治进程。2007年2月国家主席胡锦涛访问苏丹期间明确地阐明了中国的立场:"一、尊重苏丹的主权和领土完整。解决达尔富尔问题,必将有利于苏丹全国民族和解进程,有利于维护苏丹国家统一,有利于地区和平稳定。二、坚持对话和平等协商,以和平方式解决问题。有关各方应着眼大局和长远,彼此尊重和照顾对方的合理关切,通过对话和谈判,找到共同的利益基础,推动问题的公正持久解决。三、非盟、联合国等应该在达尔富尔维和问题上发挥建设性作用。有关各方应运用智慧和创造力,提供各种协助,增强在达尔富尔地区维和的效能,为实现和平创造条件。中方支持政治解决达尔富尔问题进程。四、促进地区局势稳定,改善当地人民生活条件。当务之急是实现达尔富尔地区全面停火,加速政治谈判进程,吸收未签署《达尔富尔和平协议》的派别尽快加入和平进程。"[①]中国不仅与国际社会一起在多边外交场合为推动苏丹达尔富尔问题的政治进程作出了努力,而且积极响应包括联合国决议在内的有关苏丹达尔富尔问题文件,并用实际行动实践着中国的正义立场,在联合国机制地参与磋商及各种机会做有关各方工作,向达尔富尔地区派出了维和部队,并向苏丹达尔富尔地区提供了大量援助。中国的一些企业和公司也向苏丹达尔富尔地区提供了援助,如中国石油天然气集团公司为当地援建医院,修建桥梁、机场以及道路等基础设施,仅从1997年到2007年的10年内就累计投资苏丹公益事业3228万美元。生产抗疟疾药品青蒿素的华立科泰公司在肯尼亚当地设立医学奖学金,奖励优秀的医学生。海信南非发展有限公司联合大型连锁店赞助当地的孤儿院、儿童医院、敬老院,每卖一台彩电,海信就捐出一块钱。并积极配合开展当地的维和行动,发挥了建设性的积极作用,受到国际社会的

---

① 新华网 国际频道 国际扫描 2007年2月2日 http://news.xinhuanet.com/world/2007-02/02/content_5688877.htm。

一致赞赏。①

2. 经贸关系

中国与西亚北非国家之间经贸的关系保持了稳定的增长，2005 年中国与这个地区国家的贸易总额达到 512.7 亿美元，其中中国从阿拉伯国家进口总额约为 276.4 亿美元，对阿拉伯国家出口总额约为 236.2 亿美元。中国出口商品主要是机电产品、服装、纺织品、轮胎等，进口的主要商品是原油、化工原料、化肥、成品油等。2005 年中国共进口石油 1.27 亿吨，其中从沙特阿拉伯、阿曼、也门、苏丹、阿联酋等 12 个阿拉伯国家进口石油为 5549.5 万吨，占中国石油进口总额的 43.7%。双方在投资领域的合作也具有很大的潜力。西亚北非地区拥有丰富的资金，中国与此地区国家开展多种形式的双向投资合作存在着巨大的发展空间。近年来，中国公司陆续获得了一些金额较大、较有影响的大项目，承建工程所涉及的领域、项目的技术含量及附加值不断提高，对促进发展中国家的经济发展发挥了重大作用。

双方鼓励相互投资，阿方在中国的投资、中国在阿拉伯国家资源开发和生产加工等领域的投资都在不断扩大。2005 年 4 月，在北京举办的首届"中阿合作论坛企业家大会"上，近 1000 名中阿企业家参加大会并进行了洽谈，签署合同总金额 4.7 亿多美元。2007 年 6 月 18 日至 19 日，由中国贸促会和阿拉伯企业家联合会在约旦首都安曼召开共同主办了第二届"中阿合作论坛"企业家大会。中国和 16 个阿拉伯国家的约千名企业家与会，全国政协副主席罗豪才在开幕式上发表了题为《推进互利合作，实现共同发展》的讲话。中国

贸促会会长万季飞、中国商务部部长助理陈健以及约旦副首相兼财政大臣法里兹、阿拉伯企业家联合会主席塔巴、阿拉伯国家联盟经社理事会主席、突尼斯贸易和手工业部长泽纳伊迪等出席了开幕式并致辞。大会期间还举行了一系列专题研讨会、项目洽谈会，会议的成果文件《安曼宣言》提出了进一步深化中国与阿拉伯国家经济贸易关系的途径。

3. 文化交流

新世纪以来，"中文热"在阿拉伯国家持续升温，各大院校竞相开办或计划开办中文系、中文专业或开办中文教学中心。中方为此提供了大力支持，以满足日益密切的中阿交往对中文人才的需求。2004 年在开罗设立了阿拉伯国家的首个中国文化中心，2007 年 2 月，阿拉伯国家首家孔子学院——黎巴嫩圣约瑟夫大学孔子学院揭牌成立。中国驻黎巴嫩大使刘志明、黎文化部长塔里克、圣约瑟夫大学和中国沈阳师范大学校长以及社会各界人士共 100 余名代表出席了揭牌仪式。使馆和孔子学院准备的大量宣传图书和纪念品被来宾们"一扫而空"。圣约瑟夫大学孔子学院将面向黎巴嫩及周边阿拉伯国家广大民众提供汉语、中医、中国政治经济、武术、饮食、书法和艺术等多方面培训以及汉语教师培训，组织各种汉语和中国文化讲座及汉语水平考试等。近几年来，中国文化部先后在阿拉伯国家举办了"海上丝绸之路泉州文化节"（2003 年）、"中华文化北非行"（2004 年）、"海湾中国文化周"（2005 年 11 月－12 月）等大型文化活动，足迹遍及埃及、叙利亚、科威特、沙特、阿联酋、阿曼、卡塔尔、巴林、摩洛哥、突尼

---

① 2007 年 4 月 18 日《阿盟副秘书长高度赞赏中国在解决苏丹达尔富尔问题上发挥的建设性作用》，中国驻埃及使馆供稿。http://www.fmprc.gov.cn/chn/wjb/zwjg/zwbd/t312344.htm。

斯、毛里塔尼亚等国。双边文化高层互访不断,为中阿官方文化交流起到了推动作用,双方在旅游业方面不断开拓,埃及、约旦、突尼斯已正式成为中国公民旅游目的地国。

中国政府在重视实施中华文化"走出去"战略的同时,非常重视将阿拉伯国家的传统文化和悠久文明介绍给中国的观众,增进中阿人民间的交流和了解。2004年在华成功举办了"埃及文化周"和"叙利亚文化周",为中国人民了解阿拉伯艺术和文明起到了媒介作用。通过举办这些文化活动,中阿双边的友好合作关系以及中阿人民的友谊将得到进一步的巩固和加强。为在文化领域贯彻中国—阿拉伯国家合作论坛精神,推动建立中阿新型伙伴关系,中国文化部、外交部与阿拉伯国家有关部门和机构,于2006年6月23日至7月15日在华成功举办了"阿拉伯艺术节",其中北京为主会场,南京为分会场。艺术节包括阿拉伯政府文化代表团访华、中阿文化高层圆桌会议、阿拉伯艺术团联合演出、阿拉伯艺术大展、阿拉伯服装展示及美食品尝等内容。2008年4月6日下午,一场旨在推广阿拉伯文化风情、促进中国阿拉伯友好交流的"阿拉伯文化推广日"活动在中国人民对外友好协会友谊馆举行。此次推广活动旨在传递中阿双边的文化,促进中阿文化的民间交流,让更多的中国人了解阿拉伯文化,也让更多的阿拉伯人了解中国文化,从而扩大中国和阿拉伯的文化在双边的影响力。

中阿文化交流与中国与西亚北非国家之间不断增强的政治关系,以及日益密切的经济和贸易关系一样,成为联系中国与阿拉伯国家之间的友谊,密切中国与西亚北非国家之间合作的重要渠道。

四

中国与拉丁美洲国家关系

1. 政治关系

中国同拉美国家高层往来不断,有力地增进了相互了解与信任,密切了中国与拉美国家的政治关系。在这些高层互访中,中国领导人与有关国家的领导不仅就双边关系和共同关心的国际和地区热点问题交换了意见,而且通过互访确立了在新世纪中国发展与这些国家之间关系的原则,最高领导人之间的访问促进中国同拉丁美洲国家之间关系的发展,中拉政治磋商进一步制度化,对话机制不断完善。

胡锦涛主席于2004年11月访问拉美4国,并提出发展中拉关系的三大远目标:第一,政治上相互支持,成为可信赖的全天候朋友;第二,经济上优势互补,成为在新的起点上互利共赢的合作伙伴;第三,文化上密切交流,成为不同文明积极对话的典范。胡锦涛主席同巴西总统卢拉宣布将充实和深化中巴战略伙伴关系;同阿根廷总统基什内尔确定建设和发展中阿战略伙伴关系;同智利总统拉戈斯决定提升中智全面合作伙伴关系;同古巴国务委员会主席卡斯特罗确认不断巩固和发展中古传统友好合作,为中国与四国发展长期稳定的全面友好合作奠定了坚实基础。

2. 经贸关系

进入新世纪后,在新的国际、国内形势下,中国与拉美国家经贸合作不断扩大。2002年,双边贸易在世界经济不景气的情况下,仍保持较强增长势头,全年贸易额达178亿美元,同比增长19.3%。2003年,中拉贸易克服了"非典"等不利因素的影响,迅猛增长,双边贸易额达268.1

亿美元,同比增长 50.4%。2005 年突破了 500 亿美元的大关,到 2006 年的 702 亿美元。中国已经成为在拉美的第三大进口国和第四大出口国。从中国发展对外贸易的战略看,中国对拉美市场开发不仅局限于对当地商品贸易市场的开发,而且越来越多把商品出口与技术、服务、投资等市场全面的综合性开发相结合,在贸易和投资合作中遵循投资促商品出口、商品出口带动投资的综合性市场开发战略。可以说广大拉丁美洲国家在中国对外关系格局中的地位正在上升,中国与拉丁美洲广大发展中国家的关系也不断在得到加强。

在胡锦涛主席访问拉美四国期间,同四国领导人深入讨论了如何扩大互利经贸合作并介绍了中国市场经济体制建设情况,同四国工商界人士进行了广泛接触。中国同四国签署了 39 项合作文件,涉及贸易、投资、航空、航天、旅游、教育等多个领域。巴西、阿根廷、智利和秘鲁承认中国市场经济地位,我国同智利率先启动两国自由贸易谈判。这些有力推动中国同上述国家在贸易和投资领域的平等互利合作,为双方拓展新的合作领域开辟广阔前景。目前,中国已同古巴、墨西哥、巴西、智利、阿根廷、乌拉圭、哥伦比亚、秘鲁、厄瓜多尔、玻利维亚、特立尼达和多巴哥等 11 个国家签订了政府间科技合作协定,双方合作领域涉及农、林、牧、渔、医疗卫生、地震、机械、能源、轻纺、冶金、地质矿产、遥感、信息、生物工程和航天等各个方面。在实用技术领域,智利、墨西哥、巴西和古巴等国曾多次聘请中方技术人员传授蘑菇和蔬菜种植、水利灌溉以及大牡蛎养殖方面的经验。通过科技合作,中国已从拉美国家及当地的国际农业研究中心引进了高产和抗病的玉米、小麦、高粱、

大豆、甘蔗、土豆、柑橘、甜叶菊、香草兰、塔拉树等品种资源,取得了良好的经济效益。

就双边层面而言,中国与巴西经济贸易合作最卓有成效。双方在农牧业、水产养殖、林业、水电、电子信息、医药卫生、新材料、生物工程及和平利用核能领域均签署了合作协议。两国还于 1999 年、2003 年和 2007 年联合研制并成功发射了三颗地球资源卫星。胡锦涛主席在访问拉美期间,还与巴西达成了共识,加快对巴西深海海底油田的共同开发;加快对巴西国内天然气和管线的共同建设。胡主席还表示,中国将以巴西为中心,实施重视拉美的战略。此外,中国除决定向阿根廷进行总额约为 200 亿美元的投资之外,还计划与智利共同开发铜矿山。中国 2005 年 11 月和智利签订了自由贸易协定。

在投资领域,中国与古巴、牙买加、玻利维亚、智利、阿根廷、乌拉圭、厄瓜多尔、秘鲁和巴巴多斯签订了投资保护协定,中国还与巴巴多斯、巴西、牙买加、墨西哥、特立尼达和多巴哥、委内瑞拉签订了避免双重征税协定。尤其值得一提的是,截至 2005 年底,中国共有 17956 个对外投资项目中包含了对拉丁美洲国家的投资,投资总额达 596 亿美元。通过设立独资或合资公司的形式,中国对拉美地区的投资在中国全部对外直接投资(FDI)中已占有一个相当可观的比重(2005 年时达 16%)。那些主要来自巴西与墨西哥的拉美跨国公司也正在对中国 13 亿人口这个消费市场实施开发。

3. 文化交流

中国与拉丁美洲国家之间的文化交流正成为加强中国人民与拉美人民友好合作的重要纽带,这个领域的交流与合作加深了彼此的理解,推动双方的合作不断

深化,正日益彰显出越来越重要的地位,发挥着越来越大的作用。

在 2003 年的第 8 次中墨文化教育合作委员会上,双方签署了 2003—2006 年的文化教育合作执行计划。2002 年,中国在墨西哥 10 个州举办了《帝王时期的中国:西安王朝》的文化展览。次年,墨西哥在中国的广州、西安、北京和上海举行了《玛雅文化展》。这两个展览在中墨两国都引起了轰动。

2004 年 10 月,中国与巴西建交 30 周年之际,中国驻巴使馆在巴最大的私立大学举办了"中国文化月",通过讲座、研讨会、展览等多种形式全面介绍中国文化,这一活动受到了巴西大学生的热烈欢迎。同年,在国家主席胡锦涛访问拉美之际,中国国务院新闻办公室主办的"感知中国"大型文化交流活动在巴西、阿根廷举行。中国艺术家在活动中为当地观众献上少林功夫、原生态民族歌舞《云南映象——走进香格里拉》、杂技《天幻》、大型民族音乐晚会和现代舞《古乐-春之祭》等多场高水平的文艺演出。同时举行的中国的世界遗产图片展展示了中国多姿多彩的自然和人文景观,中国工艺珍宝展则代表了中国工艺美术的最高水平。与此同时,来自墨西哥、哥伦比亚的民间文化团体参加了北京国际文化节。

中拉在教育领域中也加强了相互之间的合作,为中拉关系的发展培养人才。中国向哥伦比亚、委内瑞拉、智利、古巴等国派出留学生和访问学者。2004 年,中国还首次接受了 5 名来自多米尼克国的留学生。2006 年 2 月 14 日,中国和墨西哥签订了关于在墨西哥国立自治大学、瓜达拉哈拉大学和尤卡坦自治大学建立孔子学院的谅解备忘录,同年 2 月 15 日国务委员陈至立在墨西哥城为拉美第一家孔子学院——墨西哥城孔子学院授牌。8 月和 11 月,中国国家汉语国际推广领导小组办公室分别与蒙特雷理工大学、尤卡坦州自治大学、墨西哥华夏中国学院、墨西哥国立自治大学和奇瓦瓦州自治大学签订了关于成立孔子学院的协议。迄今为止,在墨西哥有 27 所院校开设中文课程,学汉语的学生达 3000 人,是 3 年前的 8 倍。中拉文化交流,不仅要把中国特色的文化介绍给拉美的国家和人民,而且要吸收、借鉴拉美文化,促使双方更好地了解对方的价值观、历史、传统和文化背景,从而可以使政治和经济的交流与合作建立在更加稳固的基础上。

五

中国与南太平洋岛国的关系

南太平洋除澳大利亚和新西兰外,还有 22 个国家和地区,大多是微型岛国,也都属于发展中国家。中国与南太平洋地区的关系历史悠久,岛上的老一代华人就是这种历史关系的见证。中国与南太平洋岛国中的 8 个国家保持有外交关系。中国与南太平洋地区的结构互补关系日益明显,双方合作的需求也不断提高。

2003 年 8 月,中国外交部副部长周文重率团出席在新西兰奥克兰举行的第 15 届论坛会后对话会,与论坛方就双边关系、贸易投资、可持续发展、海洋资源管理、地区安全等问题交换了意见,并达成广泛共识。中方提出了加强与论坛关系的五项倡议,即:中国加入南太旅游组织、举办南太岛国外交官培训班、资助论坛石油问题咨询服务项目、欢迎南太岛国继续派团参加在厦门举行的"中国投资贸易洽谈会"和在昆明举行的"中国国际旅游交易会"以及欢迎论坛岛国新闻代表团访华。2004年,中国政府经与各太平洋岛国协商决定共同举办"中国－太平洋岛国经济发展合作论坛",目的是促进中国与太平洋岛国在环保、旅游、立法、教育、农渔业和卫生领域的多方面合作,论坛的主题是:"促进合作,共同发展。"

2006年温家宝总理出席在斐济举行的"中国－太平洋岛国经济发展合作论坛"首届部长级会议开幕式,并访问了南太平洋地区,是第一位中国总理出访南太平洋岛国,在访问斐济期间两国宣布建立和发展"中斐重要合作伙伴关系"。温总理在论坛开幕式的主旨讲话中阐述了中国对太平洋岛国的政策,指出:中国和太平洋岛国同属亚太地区,都是发展中国家,有着共同的利益,也面临着相同的挑战,可以在相互尊重、平等互利的基础上加强合作,共同发展。

这个地区仍然有6个国家与台湾当局保持外交关系,其中一些国家是在原来与中国具有外交关系的情况下,违背与中国建交的原则,承认并与台湾当局建立"外交"关系后导致中国与其断绝外交关系。中国尊重其他国家的主权和领土完整,也希望有关国家能够恪守"一个中国"的原则,在他们改变了错误立场,放弃与台湾当局的"外交"关系前,中国与他们不可能发展外交关系,只能发展文化、经贸等非官方关系。

新世纪的中欧关系

自1975年中国与欧洲共同体建立正式外交关系以来,双方关系大致经历了三个不同的发展阶段,但总体上呈现出关系相对平稳、合作不断深入、战略地位逐渐提升的态势。当然,中欧关系的复杂性也日益凸显。

三十年来,中欧关系从依附性关系逐渐发展为一对独立的双边关系。第二次世界大战结束后,国际体系的发展受到冷战力量两极化的束缚,中国和欧洲国家之间的关系并不具备独立性,而是受两极对抗局面的制约呈现出依附性。冷战结束后,特别是中国实行改革开放政策以后,中国奉行独立自主与国际社会广泛合作的外交政策,欧洲一体化深入发展壮大了欧洲力量,欧洲的独立性大大增强,中欧关系的独立地位开始突出。特别是冷战结束以后,摆脱了两极体系约束的中欧关系获得了更加广泛的独立发展空间。

与此同时,中欧关系也极具复杂性和多元特征。中欧关系实际上是一个三层复合互动关系。欧盟是一个由27个成员国组成的独特行为体,拥有共同的外交与安全政策(CFSP)和欧洲安全与防务政策(ESDP)。作为一个自称为世界行为体的欧盟①,显然它已经不再是各个部分的组合或简单相加,因为其内部各单元互动所形成的结构使欧盟本身就是一个次国际体系,具有体系的自在性。其内部体系结构的独特性,造就了它外部行为的独特性。此外,由于各成员国在对外关系领域享有较之其他领域更大的主权,各个部分仍然还是相对独立的对外关系行为体。尤其是欧盟内部的大国如英国、法国、德国等,都是具有全球影响力的国家,它们牢牢地控制着自己国家在对外关系领域的主权。因此,当外部世界与欧盟打交道的时候,其实它面对的是一个"双面对手":欧洲体系与各个相对独立的部分。与此同时,在欧洲次体系之外还有一个全球层面的国际体系。当一个外部行为体面对欧洲的时候,它实际上需要面对的是一个三层体系:全球国际体系、欧洲次国际体系和各个成员国。中国发展与欧洲的关系,实际上面对的是三个层次上的欧洲。正是从这个意义上说,中欧关系是复杂的,具有多面性。

一

中欧关系的三个发展阶段

自 1975 年中欧建交以来,中欧关系经历了三个历史阶段:1975—1989 年的建交和初步发展阶段;1989—1994 年期间的相对停滞阶段;1995 年至今的飞速发展阶段。

1.建交和初步发展阶段(1975—1989年)

20 世纪 70 年代初中国与欧洲经历了

一个建交高潮,先后与 13 个欧洲国家建立了大使级外交关系,与 1 个国家建立了领事级关系,并于 1975 年 5 月与欧共体建交。自此,中欧关系出现了历史性转折,开始了初步发展。主要表现为政治关系发展良好,经济往来发展迅速。

政治上,双方高层领导人互访不断,政治合作加强,相互了解加深。1979 年 1 月,欧洲议会议长科隆博正式访华,成为首位访华的欧洲议会议长。2 月,欧共体委员会主席詹金斯访华,实现了欧委会主席的第一次访华。② 1983 年 11 月,欧共体主席托恩访华,双方宣布中国与欧洲煤钢共同体和欧洲原子能共同体建立正式关系。1984 年中国人大代表团与欧洲议会在法国举行首次中欧议会间会议并形成隔年互访的定期交流机制,同年双方还启动了中国—欧共体政治合作框架下的部长级会议。

经济技术合作方面,双方签订了一系列的经济技术合作协定,双边贸易不断增长。1978 年 4 月,中国与欧共体签订了第一个贸易协定,并在此框架内于 1979 年建立了中欧经济贸易混合委员会机制。1985 年 5 月随着中国改革开放过程的深入以及中欧经贸关系的发展,双方签订了涉及面更广的长期经贸合作协定《贸易与经济技术合作协定》并成立了贸易经济合作委员会。这些协定的签署为规范和推动中欧经贸关系的发展,及时探讨和解决合作中出现的问题发挥了不可替代的积极而重要的作用。这一时期,中欧经贸关系取得迅速的发展。1975 年,双方进出口贸易额为 23 亿美元,1981 年达到 53 亿美

---

① 关于世界行为体的称谓见欧盟出版物 *A World Player*: *the European Union's External Relations*,Brussels,2004。

② 载薛君度、周荣耀主编:《面向 21 世纪的中欧关系》,中国社会科学出版社,2000 年版,第 95 页。

元,1986 年增加到 116.5 亿美元,1989 年进一步增加到 235.1 亿美元,是建交时的 10 倍多。[1]

这一阶段的中欧关系总体情况良好,但侧重定位于冷战时期所特有的外部需要上,共同的战略安全利益成为推动双边关系发展的动力。对中国来说,随着中苏关系的恶化和对立,苏联成为中国安全的主要威胁,反霸斗争是一个重要的战略要素。欧洲属于"第二世界"或者说"中间地带",是中国可以团结和应该争取的力量。对于欧共体来说,中国是在政治上正式承认它的第一个社会主义国家,是牵制苏联军事威胁的一支重要力量,还是欧洲联合的一个最积极的支持者。这样,共同的外部政治目标——抗衡苏联霸权主义的威胁构成了这一时期中欧关系的基础,中欧关系中的一些固有矛盾,尤其是意识形态与价值观念等深层次的差异,被掩盖了。因此,在这一基础上双方的经济关系发展不甚到位,实际发展水平与双方的实力或潜力存在较大的差距。在双方贸易中,中国对欧贸易只占中国对外贸易总额的 15%,欧共体对华贸易则只占欧共体对外贸易总额的 1%。并且,西欧各国在中国的直接投资十分少。1987 年,法国、意大利、英国和联邦德国在中国的投资只有 3900 万美元,仅占中国的外国直接投资额的 1.7%,这与中欧双方的实力是极不对称的。[2]

2. 相对停滞发展阶段(1989—1994 年)

1989 年 6 月后,欧共体在马德里召开了首脑会议,发表了一份措辞强硬的谴责中国政府的声明,宣布对中国包括经济、政治等一系列的制裁,从而中断了中欧关系发展的势头,中欧关系进入停顿与低迷时期。

到 1990 年夏天,欧洲各国开始放松对中国的制裁。1992 年 10 月后,西欧改变对华"施加制裁"的政策,转而奉行"全面接触、施压并举"的新战略,注重经济和战略合作。于是,各国调整对华政策,恢复与中国的部长级往来和政府性贷款,中欧高层互访和各领域合作逐步恢复,中欧关系开始回升,并逐步发展。

政治关系得到改善,高层互访恢复。欧共体于 1990 年 10 月取消了停止高级官员访华的限制,又于 1991 年 7 月 2 日取消了对政府首脑一级访华的限制。到 1994 年双方国家元首互访和军事友好往来得到全面恢复。1994 年秋天,江泽民主席访问法国,期间提出中国发展同西欧关系的四项原则:面向 21 世纪,努力发展稳定的友好合作关系;相互尊重,求同存异;互补互利,促进共同发展;加强在国际事务中的磋商与合作。[3]

经贸关系也得以恢复,并向更深层次发展。表现为:双方贸易增长迅速,欧共体对华贷款和直接投资迅速增加。1990 年欧共体取消了不准向中国提供发展援助、出口信贷和商业贷款的禁令,中欧经贸关系得以恢复,经济混合委员会也恢复活动。1991 年到 1994 年,中国与欧共体的贸易额从 240 亿美元增加到 315 亿美元,平均每年增长 9.5%,超过了欧共体与日本和美国的贸易增长速度。到 1994 年,

① 载薛君度、周荣耀主编:《面向 21 世纪的中欧关系》,第 105 页。
② [美]戴维·香博:《中国与欧洲:从派生性关系向独立关系的发展》,载宋新宁、张小劲主编:《走向二十一世纪的中国与欧洲》,香港社会科学出版社,1997 年版,第 49 页。
③ 钟之成:《为了世界更美好——江泽民出访纪实》,世界知识出版社,2006 年版,第 76 页。

欧盟成为中国的第三大贸易伙伴,中国成为欧盟的第四大贸易伙伴。① 欧共体对华贷款和直接投资也迅速增加。1994 年,西欧对华贷款约 60 多亿美元,其中德国约 21.8 亿美元,法国约 21.3 亿美元,英国约 14 亿美元,主要用于推动对华商品出口、环境保护和中国大型工程建设。② 而直接投资在各国工业联合会的推动下也迅速增加。

3.飞速发展时期(1995 年至今)

这一时期的中欧关系摆脱了冷战的国际背景,在双方共同利益的推动下快速向深度和广度延伸和扩展,在互依、互强中走向成熟。

冷战结束,过去中欧关系中那种共同抗衡苏联霸权主义威胁的战略需要被双方之间更广泛的战略利益所取代。

首先,后冷战体系下,中欧两者拥有共同的战略目标,面临共同的挑战,在解决全球问题和治理的理念上相近。当前国际体系结构下,美国强大的实力正使它扮演着国际宪兵的角色。因此,反对单边主义,倡导多边主义,通过外交和政治手段解决国际冲突以及加强联合国的权威和作用,成为中欧双方共同的战略目标。同时,后冷战体系下国际形势仍存在极大的不稳定性,面临诸多问题,因此,解决反恐、防止核扩散、打击跨国犯罪以及消除贫困、保护环境、实现可持续发展等,是双方共同面临的挑战。于是在多边场合中,中国与欧盟及法、德、英等国在国际和地区事务中的合作增强,甚至出现了一些重大国际问题上相互配合和支持的局面,如在伊拉克问题、伊朗核问题、朝鲜核问题上,中欧交换意见,相互支持。在治理理念上,双方都强调规范治理,否定强权治理,反对一味推行暴力,并且两者都积极探索平衡于经济增长和社会公正之间的实践政策,推动经济社会可持续发展。

其次,中欧关系间存在巨大的经济利益互补性,经济因素是重要推动力。中国是亚太地区增长最快和最具发展潜力的国家,是当前世界上一个重要的、开发中的市场。入世以来,中国经济进入了新一轮的快速增长区间。欧盟国家很难想象无视这一机遇而将其拱手让与美国、日本等竞争对手。同时,欧盟是一个地理范围覆盖欧洲大部分地区,人口近 5 亿,GDP 占全球 30% 以上的强大实体,拥有较强经济和科技实力,在经济社会发展、环境保护、能源开发等很多方面有较好的经验和做法,并且与美、日等国相比,欧盟的技术输出政策更为宽松,其技术以及资金也比较能够满足我国经济发展、企业创新的需要。因此,中国与欧盟可以通过进一步深化与扩大合作使双方获得巨大的收益。

最后,中欧都处于重要发展阶段,双方利益汇合点不断扩大。中国正全面推进改革开放和现代化建设,提出构建和谐社会,贯彻落实科学发展观,实现经济又快又好的发展。在这一进程中,中国需要借鉴欧洲国家的成功经验,而欧洲处于一体化建设的关键阶段,在许多方面也需要加强同中国的合作。③

① 王金标、冯仲平:《欧盟推行更积极的对华政策——试析欧盟新的对华战略文件》,载宋新宁、张小劲主编:《走向二十一世纪的中国与欧洲》,香港社会科学出版社,第 136 页。

② 杨义萍:《着眼于二十一世纪的欧中关系及其影响》,载宋新宁、张小劲主编:《走向二十一世纪的中国与欧洲》,第 107 页。

③ 《中欧携手 共创未来——杨洁篪外长在英国皇家国际问题研究所的演讲》,载《北京周报》第 6 期,2008 年 2 月 7 日,第 4 页。

正是在认识到双方之间的重要战略利益后,中欧各自调整了政策。

首先,欧盟逐渐认识到中国在全球的重要作用和中国市场的巨大潜力,开始改变它在此之前一直相对轻视亚洲与中国的政策,从 20 世纪 90 年代中期起开始将中国纳入其全球战略布局,日益重视对华发展关系。自 1995 年来欧盟不断调整对华政策,先后颁布了六份对华关系政策文件。1995 年,欧盟首次发表了对华政策文件:《中国—欧盟关系长期政策》,指出中国的崛起为中国和世界带来了新的挑战和机遇,主张全面加强与中国在政治、经济等各个领域的关系,建立一种长期的双边关系。1996 年,欧盟制定《欧盟对华新战略》,强调对华政策的全面性、长期性和独立性,指出欧盟的首要目标是维持欧中外交和安全关系的稳定性。1998 年,欧盟理事会通过《与中国建立全面伙伴关系》政策文件,决定把对华关系提升到与欧美、欧俄、欧日关系的同等重要水平,并为欧中建立新的、全面伙伴关系确定了优先领域。2001 年,发表《欧盟对华战略:1998 年文件执行情况及进一步加强欧盟政策的措施》,对欧盟对华政策指导下的现行对话与合作机制作出了全面性、前瞻性的审议,就如何发展欧中关系制定出更具体、实用的短、中期行动要点,并提出了七十多条加强对华合作的具体措施建议。2003 年,欧盟发表《日趋成熟的伙伴关系——中欧关系的共同利益与挑战》,指出欧盟和中国的关系已步入新型成熟期,提出要与中国在"战略伙伴"框架内开展合作、促进和平、稳定和可持续发展,并据

此决定同中国发展"全面战略伙伴关系"。① 2006 年,欧盟出台第六份对华政策文件《欧盟与中国:更紧密的伙伴、承担更多责任》,提出了欧盟未来发展对华关系的一系列具体而务实的政策措施,强调欧盟的对华政策必须保持当前所实施的"接触"与"发展伙伴关系"战略。② 欧盟颁布的这一系列政策,为中欧关系发展提供了政策依据,推动着中欧关系的稳步发展。

其次,中国也十分重视与欧盟的合作,一再重申,中国与欧盟都是当今世界舞台上维护和平、促进发展的重要力量,全面发展同欧盟及其成员国长期稳定的互利合作关系,是中国外交政策的重要组成部分。2003 年 10 月第六次中欧领导人会晤前夕,中国发表了第一份中国对欧盟政策文件,昭示了中国对欧盟的政策目标,规划了今后五年的合作领域和相关措施,强调要加强同欧盟的全面合作,推动中欧关系长期稳定发展。③

这一阶段,政治上中欧关系连续跨越了三个台阶:建设性伙伴关系、全面伙伴关系和全面战略伙伴关系。双方合作扩展到四十多个领域,其广度和深度前所未有。

政治上双方高层互访频繁,政治互信不断加强。20 世纪 90 年代以来,中欧之间通过双边和多边场合的会晤等多种方式保持双方高层的密切接触与及时沟通,双方领导人还通过元首热线电话及时对重大国际问题进行交流。2001 年 9 月双方在布鲁塞尔中欧领导人第四次会晤上

---

① 《欧盟对中国政策文件简介》,载《中国欧盟建交 30 周年(1975—2005)》,世界知识出版社,2005 年版,第 122 页。

② 杨丽明:《欧盟新对华政策文件"抬高"中国地位》,载《中国青年报》,2006 年 10 月 25 日。

③ 《中国对欧盟政策文件(2003 年 10 月)》,载《中国欧盟建交 30 周年(1975—2005)》,第 102 页。

决定建立全面伙伴关系。2003 年 10 月，中欧领导人于北京第六次会晤，确定中欧建立全面战略伙伴关系，为中欧关系发展指明方向。2004 年，许多西方观察家甚至用"蜜月"这一词来形容这一年中欧关系的密切与融洽。2005 年中欧建交 30 周年，3 月李肇星外长访问欧盟总部；5 月，欧盟"三驾马车"外长首次正式访华；7 月，欧盟委员会主席巴罗佐访华；12 月，首轮中欧战略对话举行，进一步推动中欧全面战略伙伴关系的发展。2007 年，中欧领导人在北京举行第十次会晤。2008 年 4 月 24 日—26 日欧盟委员会主席巴罗佐将再次对中国进行正式访问。

良好的政治关系有力地促进了双方经贸合作的迅速发展。近几年来，中欧贸易额增长迅速，每年以 30%—40% 的速度发展。2000 年中欧第三次领导人会晤中，当时的欧委会主席普罗迪提出希望欧盟成为中国第一大贸易伙伴，四年后，这一期望成真。2004 年，中欧贸易额达 1772.8 亿美元，同比增长 33.6%，创历史新高，欧盟成为中国第一大贸易伙伴。① 2005 年，双边贸易达到 2173 亿美元，欧盟连续第二年成为中国的第一大贸易伙伴，中国是欧盟第二大贸易伙伴。2007 年，中欧双边贸易额已达 3561.51 亿美元，占全部贸易额的 16.4%，②同比增长 27%。同时欧盟也是中国最大的技术和设备供应方。2005 年 1 月至 8 月，中国从欧盟引进技术 1615 项，合同金额 48.9 亿美元。③ 截至 2006 年 6 月底，欧盟在华设立企业超过 2.4 万家，实际投资突破 500 亿美元。④

科技上，合作的层次和质量不断地提高，成效显著。目前，合作领域已经从能源领域扩展到包括基础科研、农业、环境和航空航天等诸多领域。1998 年 12 月，中欧正式签署《中华人民共和国政府和欧洲共同体科技合作协定》，该《协定》现已适用于欧盟所有 25 个成员国。2004 年，中国同欧盟国家签署了 17 个政府间科技合作协议，并确定了重点合作领域。到目前，中欧之间签署了许多联合项目，其中"伽利略计划"是中欧之间最大的科技合作项目，该计划于 2003 年 10 月在第六次中欧领导人峰会期间签署，中国成为第一个参与该计划的非欧盟国家。2006 年"中欧科技年"在布鲁塞尔成功举行，这场活动加强了双方人员和知识的流动，进一步拓宽参与政府研究项目合作的可能性，促进了公平的技术交流。

在教育和文化交流、环保、劳动与社会保障、农业和农村发展、海关及交通合作等诸多领域的合作力度也不断加大，教育合作成为近年来中欧发展最快的领域之一。2007 年中国在欧洲的留学生不下 20 万人，去欧洲的旅游者突破 200 万人次，中欧之间互办文化年，一个接一个，成果斐然。⑤

---

① 张业遂：《继往开来，推动中欧全面战略伙伴关系进一步发展——纪念中国与欧盟建交三十周年》，载《中国欧盟建交 30 周年（1975—2005）》，第 34 页。

② 中国商务部网站，《2007 年 1—12 月进出口商品国家（地区）总值表》，http://zhs.mofcom.gov.cn/aarticle/Nocategory/200802/20080205374215.html。

③ 《近年来的中欧关系》，http://news.xinhuanet.com/world/2006—09/09/content_5070333.htm。

④ 温家宝：《坚持互利共赢加强合作创新——在 2006 年中欧工商峰会上的演讲》（2006 年 9 月 12 日赫尔辛基）http://news.xinhuanet.com/world/2006—09/12/content_5082536.htm。

⑤ 吴建民：《如何看待中欧关系》，《观察》，2008 年 1 月，第 39 页。

二

中国与英、法、德
三个主要大国的关系

中国与欧盟各成员国之间的关系迄今一直是中欧关系的基础,也是最活跃的部分。其中,中国与欧盟三个主要大国——英国、德国、法国之间的双边关系是中欧关系的缩影,对中欧关系的发展有着重要意义。

1. 中英关系

(1)建交与初步发展

在冷战背景和美国对华政策的影响下,中英关系建交经历了一个漫长的"三部曲":1950年1月,英国宣布承认新中国,这在西方国家中是最早的;1954年,在日内瓦会议期间,中国总理周恩来与英国首相艾登决定互派代办,两国由此建立所谓的"半建交"关系;进入20世纪70年代,在中美关系改善的背景下,中英关系开始好转,1972年3月,双方签署了《中英关于互换大使的联合公报》,两国正式建交。①

两国建交以后,各个领域的合作开始开展起来,并取得进展。其中最突出的是两国就香港问题的最终解决达成了一致意见。1984年,双方签署《关于香港问题的联合声明》,定于1997年7月1日中国政府恢复在香港的主权,香港实行一国两制政策。就解决香港问题达成协议后,两国关系更加顺利发展。1985年,英国女王伊丽莎白二世访华,两国关系发展出现了一个高潮。

(2)严重倒退

1989年,英国同其他欧洲国家一道对中国实行制裁,中英关系出现倒退。到20世纪90年代中期欧洲其他各国纷纷改善了同中国的关系,但中英关系由于彭定康港英政府提出的"政改方案"而出现严重对抗,两国关系甚至一度降至建交以来的最低点。双方基本无高层往来,经贸关系受到较大影响。

(3)全面、稳定发展

1997年,布莱尔领导的工党上台执政,对中英关系采取一种务实的政策,从而实现了1997年香港政权的顺利交接和平稳过渡。香港回归,中英政治关系发展的一大障碍消除,中英关系翻开了新的一页,开始了全面、稳定的发展。1998年,两国政府首脑成功互访,两国签署联合声明,建立全面伙伴关系。2004年,双方建立全面战略伙伴关系,两国关系进入新的发展阶段。双方建立高级别政治对话机制和可持续发展磋商机制,经贸合作取得新成果,并且在国际和地区事务中双方保持了良好的协调和配合。如中国驻英大使查培新所说,中英关系处于历史上相当好的时期。②

首先,双方领导人频繁互访。2005年9月胡锦涛主席在北京会见布莱尔,11月对英国进行了国事访问。2006年10月,英国副首相兼英对华关系小组组长普雷斯科特对中国进行了工作访问,就中英双边互动小组推动中英双边关系发展作出新贡献达成了协议。2006年10月,贾庆林对英国进行友好访问。

其次,两国的贸易关系也不断深化。英国是我国在西欧的重要贸易伙伴之一。

---

① 《中英关系的回顾与展望》,载薛君度、周荣耀主编:《面向21世纪的中欧关系》,第186页。
② 施晓慧:《中英战略伙伴关系不断发展》,《人民日报》,2005年11月7日。

2001 年中英双边贸易额突破百亿大关,达 103 亿美元。温家宝总理 2004 年 5 月访英时提出了"3 年内双方贸易额达到 200 亿美元"的目标。2004 年双边贸易额达到 197 亿美元,比上年增长 37%;2005 年上半年已达到 110 亿美元,2007 年中英进出口贸易总额达到已经高达 394 亿美元,同比增长 28.6%。① 在对华投资方面,多年来英国保持欧盟中最大对华投资国和第三大对华贸易伙伴地位。至 2005 年 6 月底,英国在中国的直接投资达到 127 亿美元。② 英国对华援助的四个重点领域是:国企改革、环境保护、医疗卫生、普及教育。③

再次,两国间的教育交流与合作呈现出良好的发展势头,各种实质性教育合作项目也在不断扩大。2001 年 2 月,两国教育行政部门就相互承认学历文凭事宜达成共识,这有助于扩大两国间的教育交流与合作,特别是双方人员的交流。2001 年 5 月,英国高等教育拨款委员会、英国大学校长联合会与我国教育部在北京共同就高校学科建设与评估等问题开会进行研讨,并就两国高校间开通的教育信息通道进行了评估。同时,英国政府还拨出专款支持英国高校从事中国问题研究并鼓励大、中学校开设中文课。目前在英的中国留学人员 7 万人左右,英在华留学生约 600 人。

总的来说,中英关系进入了一个全面发展的阶段,但双方在人权、西藏等问题上的分歧没有完全消失,还将对中英关系产生影响,而且美英关系的亲密、香港问题对中英关系的发展也有影响。中英双方在人权问题上,应该说,没有大的分歧,并于 1997 年开始了人权对话。尽管英国政府表达了对中国对待"法轮功"成员这一问题的特别关注,但 2004 年 5 月布莱尔会见温家宝总理时,人权并没有成为双方议程中的一个大议题。在双方的政治对话中,英国努力推进双方在非洲发展、气候变化和核不扩散等问题的合作。显然,在这一问题上,坚持对话,不搞对抗成为了两国处理分歧的主要原则。在西藏问题上,中英存在着较为严重的分歧。英国政府多次邀请达赖访问英国,但主要是表示"关注",而不再是采取过去那种对抗方式了。香港问题过去曾使中英双方产生冲突,但香港政权的顺利交接和繁荣发展使其成为了中英关系的一个利益交汇点,目前英国在香港存在的一些分歧如不满意香港的民主状况偶尔会影响到中英关系,但很少成为双方双边议程的主题了。而英国与美国的亲密关系使中英关系复杂化,近年来,在结束对中国武器禁运的争论就体现了这一点。英国不愿意支持法国和德国推进结束武器禁运的行动,并且也是在美国压力下第一个呼吁推迟该行动的国家。④

但我们可以看到中英关系有着广泛的战略基础,并有着独有的特征:双方的历史联系和英语在与中国教育、文化交流上的优势。"9·11"文件后,美国加强了其签证颁发的制度,英国成为了中国留学生留学的首选目的地。2003—2004 年,有

① 中国商务部网站,《2007 年 1—12 月进出口商品国家(地区)总值表》,http://zhs.mofcom.gov.cn/aarticle/Nocategory/200802/20080205374215.html。
② 施晓慧:《中英战略伙伴关系不断发展》,《人民日报》,2005 年 11 月 7 日。
③ 李五一:《大国关系与未来中国》,中国社会科学出版社,2002 年版,第 280 页。
④ Katinka Barysch Charles Grant and Mark Leonard,eds.:*Embracing the Dragon The EU's partnership with China*,May 2005,ISBN 1.

4 万—4.5 万学生在英国留学。①

2.中德关系

中国与德国两国有着坚实的政治基础，没有直接的利益冲突，中国支持德国统一，德国支持一个中国政策，双方都高度重视发展双边关系，而密切的经济联系是中德双边关系的一个核心支柱。

(1)建交与初步发展

中国与德意志联邦共和国于 1972 年 10 月 11 日建交，建交后关系发展较顺利。

1975 年施密特总理作为第一位德国政府首脑访问中国。4 年后中国总理首次访德。1978－1989 年间两国建立了外长互访和在联大会晤及外交部官员定期磋商等不同层次、各种形式的政治磋商制度，高层互访频繁。经济上，这一阶段，在欧洲国家对华贸易中，联邦德国所占的比重最大，约占 40%。②

(2)短暂停顿与恢复发展

1989 年北京政治风波后，联邦德国参加对华制裁，两国关系降到仅维持一般事务性接触状态。但经过双方的共同努力，两国关系逐步恢复和改善。1990 年 9 月两国外长在联大恢复会晤。1992 年 10 月金克尔外长访华，中德关系得到改善，走上了正常发展轨道。1992 年底，德国联邦议院取消对华经济制裁，双方经贸恢复。1993 年 1 月，联邦安全委员会拒绝向台湾出售潜艇，德国重申坚持"一个中国"的政策，致力于发展同中国的良好政治关系，为进一步推动中德关系再次奠定基础。3 月，钱其琛副总理兼外长出访德国。10 月，在欧洲各国和欧盟开始重新考虑与亚洲及中国的关系背景下，德国率先推出了以中国为中心的《亚洲政策纲要》。11 月德国总理科尔第三次访华。1994 年 7 月李鹏总理回访德国，双方确立了"着眼未来，长期友好；互相尊重，增加信任；平等互利，全面发展；加强磋商，扩大合作"四项原则，为中德关系持续稳定发展奠定基础。

(3)全面发展

1995 年 7 月江泽民主席对德进行国事访问，这是中国国家元首首次访德，被看做是"推动 21 世纪中德全面友好关系的历史性访问"，中德关系开始全面发展。11 月德国总理科尔第四次访华。然而 1996 年 6 月德国议会通过"改善西藏人权状况"的反华决议，这是对中国内政的干涉，导致两国关系受到严重干扰。但这种状况没有持续很久，9 月中德两国外长在联大会晤，德国在会晤中强调德政府奉行"一个中国"的政策，认为西藏是中国的一部分；两国在人权问题上的分歧应通过对话解决。该事件得到解决，中德关系继续健康发展。

高层交往不断，政治对话和磋商加强，促进了双方间的政治互信。1999 年 3 月唐家璇外长访问德国。5 月施罗德总理对中国进行了工作访问，并于 11 月正式访华。1999 年 9 月，两国外交部长又在纽约的联合国大会上达成协议，在高级官员级别上定期就联合国政策进行磋商。两国的议会及政府各部门也建立了卓有成效的合作交流关系。2001 年 2 月德国国防部长沙尔平首次访华。2002 年 3 月，中国国防部长迟浩田上将回访德国，这是中国国防部长首次访德。4 月，江泽民主席对德国进行了第二次国事访问。5 月，德国

---

①　Katinka Barysch Charles Grant and Mark Leonard,eds.：*Embracing the Dragon The EU's partnership with China*，May 2005，ISBN 1.

②　[美]戴维·香博：《中国与欧洲：从派生性关系向独立关系的发展》，载宋新宁、张小劲主编：《走向二十一世纪的中国与欧洲》，第 49 页。

政府修订亚洲战略,把中国的国际地位和发展对华关系放在了一个更突出的位置。2004年5月,温家宝总理正式访问德国,期间两国发表联合声明,宣布双方在中国与欧盟全面战略伙伴关系框架内建立具有全球责任的伙伴关系,这是双方共同作出的战略决策。2005年11月,胡锦涛主席对德进行首次国事访问,取得了实质性成果和圆满成功,推动了中德关系进一步发展。2006年1月,全国人大副委员长李铁映率团访德。2月德国外长施泰因迈尔应李肇星外长邀请,对中国进行正式访问。2006年5月,默克尔总理访问中国,与胡锦涛主席、温家宝总理进行了会晤。

两国密切的政治关系有力地推动了其他领域的双边关系尤其是经贸关系的发展。目前,中德经贸关系呈现出全方位的发展。德国多年来一直是中国在欧洲最大的经贸、技术合作伙伴。我国主要从德国进口机电设备、汽车及船舶等运输设备、化学品、医疗仪器等,向德国出口电器、机械设备、纺织原料及制成品、玩具等。2002年,中国首次超过日本,成为德国在亚洲的最大贸易伙伴。2003年,中德双边贸易额首次突破400亿美元大关,2007年中德进出口贸易总额更是蹿升到941亿美元,两国互为对方在欧洲和亚洲最大贸易伙伴的地位得到巩固。① 德国又是中国从外国引进技术的第二大国,从欧洲引进技术项目最多的国家。据统计,至2001年底,中国与德国签署的技术引进合同就达5000余项,仅次于美国。中德合作建设的上海磁悬浮列车示范段就是这一技术项目的第一次商业性使用。2006年1月,中德在青岛举办了第二届中德环境论坛。两国已举行了17次科技合作联委会会议。在直接投资上,德在华投资领域主要为汽车、化工、交通、钢铁等,大部分为生产性项目,技术含量高。目前,德国在中国投资居世界各国在中国投资的第九位,居欧盟各国之首。

近年来两国文化交流活跃,艺术展览和商演频繁。2002年4月,中德签署了《关于中德互设文化中心的会谈纪要》。2005年11月,胡锦涛主席访德期间,双方签署了新的文化合作协定,柏林中国文化中心正式奠基。德国是我国最大的职教合作伙伴。目前我国在德国各类留学人员约3万人,德国共向中国派遣留学人员2500余名。

3.中法关系

中法关系虽然缺乏中英关系的那种历史联系以及中德关系的那种强劲的经济联系,但它与中国的政治关系在很多方面都是欧盟国家中最强的。两国坚持自主的外交政策,对国际社会的发展有着类似的评价,对重大国际问题有很多共识;两国领导人从长远的战略利益着眼重视加强和发展双边关系;两国人民间的友好关系为进一步加强两国合作奠定了坚实的基础。

(1)建交与初步发展

1964年1月27日,中法同时发布联合公报,正式建立外交关系。法国是第一个与中国建立全面外交关系的西方大国,这一行动犹如一颗"外交核爆炸"一样在国际上引起了连锁反应。许多西方国家纷纷仿效法国,改变了对中国的政策,与中国建立了外交关系。这一时期,两国政治往来不断,经济联系开始发展。

政治往来不断。1973年9月,乔治·

<hr />

① 戎昌海:《综述:中德关系前景广阔》,新华网,2004年5月2日。中国商务部网站:《2007年1—12月进出口商品国家(地区)总值表》,http://zhs.mofcom.gov.cn/aarticle/Nocategory/200802/20080205374215.html。

蓬皮杜总统访问中国,他是第一位访问中国的法国国家元首,也是西方国家元首访华第一人。1975 年 5 月,邓小平副总理访问法国。这是中国领导人首次正式访问西方国家。1978 年 1 月,雷蒙·巴尔总理访问中国,中法签订了科技合作协定。这是中国同西方国家签订的第一个科技合作协定。1979 年 10 月,中国国务院总理华国锋访问法国。这是中国总理首次访问法国,其间两国签署了"关于 1980 年至 1981 年文化交流计划"等文件。以后,双方领导人多次出访,进行政治协商。

经济上,开始了工业、经贸、技术的交流与合作。1980 年双方谈论了在广东建造大亚湾核电站项目问题,1984 年,就该项目达成了原则协议。目前,大亚湾核电站是中法经济合作的标志。1987 年,中法签订了经济技术合作财政议定书。根据议定书,法国政府在 1987 年向中国提供总额为 6.4 亿法郎的混合贷款。

(2)曲折与低潮

1989 年 6 月,法国宣布冻结同中国各级关系包括"军事方面的一切合作"和"整个政治关系",开始对中国进行制裁。中法关系出现倒退,并且由于 20 世纪 90 年代初期法国向台湾出售武器等问题,中法关系一度跌入低谷。

1989 年后,法国政府给许多卷入该事件的中国人提供政治庇护和政治避难,导致了中法关系的紧张。1991 年 9 月,法国政府宣布批准向台湾出售 16 艘潜艇,其中 6 艘为护卫舰,另 10 艘由法国出售技术,让台湾建造,中法关系进入困难时期。1992 年 11 月,法国达索等公司签订向台湾出售价值为 38 亿美元的 60 架"幻影 2000－5"战斗机的合同。面对法国政府再一次的大规模的军售行动,中国政府从言辞和行动上作出强硬的反映,宣布采取下列措施:撤销两国正在谈判的大型项目,如广州地铁、大亚湾核电站第二期工程等;不再同法国商谈新的大型经贸合作项目;严格控制两国副部长级以上人员往来;要求法国在一个月内关闭法国驻广州总领馆等。① 至此,中法关系跌入了建交以来的低谷。

(3)恢复和全面发展

1993 年,新上台的巴拉迪政府积极谋求改善对华关系,制止中法关系的继续滑坡。外长朱佩公开承诺今后不再向台湾出售武器,并派特使来华商谈恢复中法关系正常化问题。1994 年 1 月 12 日,中法发布联合公报。双方认为,中法两国应在建交原则的基础上,恢复传统的友好合作关系。法国确认,承认中华人民共和国政府是中国的唯一合法政府,台湾是中国领土不可分割的一部分,承诺今后不批准法国企业参与武装台湾。公报的发表标志着法中关系走出困境,开始正常化。

1994 年 4 月巴拉迪总理访华,9 月江泽民主席对法国进行国事访问。双方一致同意面向 21 世纪,在平等互利的基础上,持续稳定地发展双边关系。1997 年 5 月希拉克总统访问中国。中法元首签署联合声明,决定中法建立面向 21 世纪的"全面伙伴关系"。这一声明确定了两国发展的基本框架,推动双方关系向更全面和更深层次的发展。目前,两国全面战略伙伴关系的发展充满了机遇。

政治上,战略合作紧密。法国拥有戴高乐将军的独立自主外交政策传统,致力于构建多极世界,在重大国际事务中发挥着重要作用。中国主张和谐世界,主张和

---

① 蔡方伯:《1989—1997 年的中法关系回顾》,源自中国网。

而不同,求同存异。因而,在国际上,中法共同点相对较多,都赞成多极世界,反对单边主义,主张建立一个和平合作的世界,积极推进国际关系民主化、多极化、全球化,在一些国际热点问题上两国互相支持,形成了战略合作。领导人互访频繁。2004 年中法庆祝建交 40 周年,两国元首一年内实现互访,并确立了全面战略伙伴关系,2005 年双方实现两国总理一年内互访。2006 年高层交往增加,法国总统和总理分别访华,法国议会和中国人大的主席互访。

经济上,两国经贸关系稳步发展,经贸合作取得积极成果。2003 年中法双边贸易额首次突破 100 亿美元大关,达到 133.9 亿美元,比上年增长 60.9%。2007 年双方进出口贸易总额上升到 336 亿美元,同比增长 33.7%。① 此外,大亚湾核电站等诸多大型中法合作项目已取得可喜成果。中法正在实施的科技合作项目有近七百个,涉及空间、航天、核能、交通、航空、农业、洁净煤和风能发电等许多领域。② 目前,法国是中国在欧盟的第 5 大贸易伙伴和欧盟第 3 大对华投资国,也是中国技术引进的主要来源国之一。③

文化交流上,中法合作十分活跃。2002 年 11 月,巴黎中国文化中心正式挂牌成立。2003 年 10 月 6 日,中法互办文化年在巴黎拉开帷幕。这是中国首次在西方国家举办文化年活动,体现中国古老文化、民间艺术和民族艺术的包括三百多项立意新、质量高的文化、教育、科技、民族等方面的项目在法国展示。2004 年 11 月,中国在法创建了孔子学院,同年,法国文化中心在北京建立。2006 年春季双方举办了中法交流艺术节。

当然,机遇总是伴随着挑战。目前,萨科齐于 2008 年 3 月 25 日"公开表示可能抵制北京奥运会开幕式"的言语以及巴黎发生的干扰奥运火炬传递事件对中法关系造成一定的冲击,但双方都在积极控制该事件,中国与法国之间有很紧密的经济、政治联系,在一定程度上相互依存,中法关系仍处于上升期。

中欧关系的特征

中欧关系经受了时间和国际风云变幻的考验,显示出强大的生命力,并步入了成熟、稳定的发展轨道。所谓成熟是指中欧双方对所有问题都能够开诚布公地、深入地交谈;所谓稳定,是指双边关系不会因一时的干扰而变,禁得住时间和国际风浪的考验。④ 从目前看,中欧关系形成了全方位、宽领域、多层次的合作局面,体现出制度化合作、自主性和务实性增强以及动态摸索和软性约束三大特征。

1. 中欧关系体现出制度化的特点,是一种制度框架下的合作关系

中欧之间拥有 13 套定期对话机制,涉及双方的政治、经济、科技和文化等方面。

中欧政治关系的发展具备了一定的

① 中国商务部网站,《2007 年 1—12 月进出口商品国家(地区)总值表》,http://zhs.mofcom.gov.cn/aarticle/Nocategory/200802/20080205374215.html。

② 王敬诚:《综述:中法关系进入发展新阶段》,www.sina.com.cn,2004 年 1 月 26 日。

③ 《中国—欧盟经贸关系情况:第五届亚欧经济部长会议背景资料》,http://app.ccpit.org/servlet/org.serv-let.fronthomepage.dep.cn.OrgDepLinkSubViewCnG?link_sub_id=674。

④ 吴黎明:《建交 30 年,中欧筹建新基石——专访关呈远大使》,载《参考消息特刊》,2005 年 5 月 13 日。

制度性框架,多层次的政治对话机制已经基本建立。1984 年中欧政治合作框架下的部长级会议以及中欧议会间会议,体现了一定的制度性。1994 年,中欧签署政治对话协议。2002 年 6 月,双方达成了新的政治对话协议,决定每年定期举行外长级、副外长级和地区及专业司长级等 7 个不同层次和类别的战略对话和政治磋商,及时就重大国际和地区问题进行交流和沟通。1998 年,中欧建立领导人年度会晤机制,迄今已举行十次会晤(1998/伦敦、1999/北京、2000/北京、2001/布鲁塞尔、2002/哥本哈根、2003 年/北京、2004/海牙、2005/北京、2006/赫尔辛基、2007/北京)。作为双方最高层次的会晤,中欧峰会每次都对双边关系进行回顾、总结,对未来的发展作出规划。为顺应中欧关系的快速发展,加强各方协调,2003 年,中国还成立了高级别的对欧盟工作跨部门协调机制,唐家璇任组长。欧方积极响应中方倡议,筹建欧盟相对应的协调机制,于 2005 年 5 月确认由欧盟"三驾马车"外长作为对华关系协调机制的负责人。欧盟"三驾马车"也建立了与中国的定期对话机制。2006 年,中欧领导人第九次会晤,会晤后发表的联合声明表示中欧将就一个新的合作框架协议进行谈判,该新协定将涵盖双边关系的全部领域,包括加强政治事务合作,以取代 1985 年双方签署的《欧共体与中国贸易经济合作协议》,这样从制度上对中欧关系进一步加以保障并不断深化。

经济上,1979 年开始的中欧经贸混合委员会会议,至今已经召开了 19 次。中欧还相继设立了经贸、环保、能源和信息社会 4 个工作组及科技指导委员会,已经并将启动贸易政策、竞争政策、知识产权和纺织品等 10 多个对话机制。2005 年,中欧签署了《中华人民共和国农业部与欧洲委员会农业与农村发展总司关于建立农业对话机制的联合声明》,协调解决合作中存在的问题,促进农业合作的健康发展。其他方面,自 1996 年以来,双方已经举行 19 次人权对话、12 次司法研讨会和多次妇女权利研讨会。[①]

在这些固定的机制中,中欧双方以一种平等的关系在多个方面进行对话和交流。中国从中学习、理解和改进了在宏观治理、法治建设、人权保障和知识产权等方面的理念与经验,欧方也认知到中国实际面临问题的复杂性以及与中国打交道的有效途径。

2.中欧关系中的自主性和务实性不断加强

中欧关系的发展离不开其所处的国际大环境。在早期发展阶段,中欧关系处于美苏对立、冷战状态的国际背景下,受中美关系、中苏关系和美欧关系的制约和影响比较大,可以说体现出一种被动状态。从而在西方,有学者把 20 世纪 90 年代以前的中欧关系称之为"一种派生关系"。[②] 但随着冷战结束,国际体系力量重组,随着中国的经济发展和全面建设小康社会所取得的进步,以及欧洲一体化进程的深入发展,中欧关系日益体现一种新的特征:外来的威胁和压力不再起主导作用,内部的共同利益和战略需要成为中欧

---

① 张业遂:《继往开来,推动中欧全面战略伙伴关系进一步发展——纪念中国与欧盟建交三十周年》,载《中国欧盟建交 30 周年(1975－2005)》,第 34 页。

② [美]戴维·香博:《中国与欧洲:从派生性关系向独立关系的发展》,载宋新宁、张小劲主编:《走向二十一世纪的中国与欧洲》,第 34 页。

关系的发展动力,中欧关系的独立性、自主性增强。欧盟一体化的不断加深和扩展以及在国际上的影响力不断壮大,使欧盟在国际舞台上的信心增大,独立意识增强。欧盟意识到历史问题解决后中国与欧盟不存在任何根本的利益冲突,中国已经成为了世界经济中最重要的投资和贸易伙伴。不论是主张抓住"中国机遇"者,还是对中国发展所带来的影响心存疑虑的人,都不能不承认中国对于欧洲的重要意义。欧盟意识到,如果没有自己独立的对华政策,而只是跟在别人后面,是要吃亏的。于是,欧盟重新确定与中国的关系,强调要发展起能够反映中国在世界以及地区范围内的经济和政治影响力的长期关系,使欧中关系成为欧盟对外关系的一块基石,强调要逐步通过欧中关系的发展将中国纳入国际社会。从而欧洲近年来的对华政策与美国拉开了很大的距离,这首先表现在日内瓦人权会议上。1997年,欧盟许多成员国不再参加反华提案。2001年联合国人权会上,欧盟没有连署美国提出的反华提案,打破了西方长期形成的反华"联合阵线"。1995年,欧盟通过了第一个"中欧关系长期政策"的战略性文件时,当时中美关系正因美同意李登辉访美而降至低谷。2001年欧盟发表《欧盟对华战略:1998年文件执行情况及进一步加强欧盟政策的措施》新报告时,也正是中美关系因撞机事件而处于相当困难时期。这都反映出欧盟在发展对华关系上的确和美国保持了一定距离,表现出相当的独立性。1995年以来,欧盟先后发表5份对华政策文件,也体现了其发展对华关系的积极性和主动性不断提高。虽然说,中欧关系是建立在中、美、欧战略大三角关系中,其中欧美关系、美国战略对中欧关系产生很大的影响,但从上面的分析中我们可以看到中欧关系的自主性大大增强了。并且,欧洲坚持全球化的世界,主张安全和繁荣有赖于卓有成效的多边体制,而美国仍然强调军事统治,采取单边主义"先发制人"的战略,这成为双方最大的一个战略分歧点。欧盟实行自己的战略,而与中国一道进行"全球治理"、"多边合作",也为中欧关系的自主性加入了实质性内容。而中国的发展也使中国的外交更加成熟,中国对欧盟的期望与现实更加相符。中欧领导人第六次会晤时确定建立完全自主性的中欧全面战略伙伴关系。

同时,中欧关系越来越务实。与其他大国关系相比,中欧之间地理上相距遥远,没有地缘利益的直接冲突;自香港、澳门回归之后,遗留的历史问题也基本解决;随着冷战结束,双方对多极化世界格局的支持与推进,使中欧在经济、政治等领域都形成了广泛的共同利益。意识到双方间存在的共同利益后,中欧双方政策的务实性不断增强。欧盟在1995年的《欧盟对华长期政策》报告中,就充分体现了这点。欧盟强调要保持与中国的"建设性接触",扩大政治对话以和平解决地区性争端。在人权问题方面,欧盟强调要改变过去那种"经常而强硬的谴责"的做法,执行一条公众舆论压力、与中国进行正式的磋商和有实际意义的合作三者相结合的政策,采取一种比较现实和低调处理的原则。1998年,欧盟外长理事会宣布,鉴于欧盟与中国在人权对话中取得的成果,欧盟及其成员国不再提出批评中国人权的议案,主张在人权问题上既要"对话",也要"合作"。在中国加入世贸组织问题上,欧盟表现了更加理解、灵活和积极的姿态,于2000年5月,与中国正式达成关于中国加入世贸组织的双边协议,推动了中国于2001年12月正式加入世贸组织。可以说,当前中欧关系努力适应新形势,以构建战略伙伴关系为目标,通过对话、交流解决问题,进一步明确了双方深化关系的手段和途径,使双边关系更加落到了实处。

3.中欧关系的互动进程呈现动态摸索特征,进程规范表现出软性约束特征

中欧之间在不断寻求合适的关系框架,"中国方式"和"欧洲方式"在不断地碰撞和协调,①因而使中欧的互动进程具有一种动态摸索特征。中欧互动密度自20世纪末开始加强,互动频率不断上升,双方发展关系的持续动力来自于迅速变化形势下的双方各自的变革。② 高频率的互动和各自身份的不断演变,再加上双方历史关系并不久远,制度化建设较差,所有这些因素导致了互动进程的可变性和不确定性,需要不断摸索尝试。在这一互动进程中,中欧的身份和利益都在发生着不断的再造和重新定义,这种状况导致中欧关系在迅速发展中需要不断定义合作框架和规范原则。同时,中欧之间的确因发展阶段不同和历史文化传统不同等因素的作用而存在不对称性③,这导致双方以不同的方式处理与对方的关系。"中国方式"更多表现为未来取向、表达善意和寻求理解等内容。"欧洲方式"则表现为结果取向、试图主导和寻求改造对方等内容。二者方式上的差异,导致中欧关系进程充满矛盾。同时,差异碰撞产生的调整需求和空间,也使得具有互主意义的中欧双向互动实践有可能出现集体身份的转变。

中欧互动的动态特征可能与软性规范约束有关。这里的软性约束是指互动关系不以法律条约为基础,而是以政策文件和政策宣誓为指导;不以刚性规范相约束,而是以目标追求来管理;不以对抗性施压相威胁,而是以对话谈判作为首要政策工具。当然,在互动规范原则上,中国和欧洲方式也有矛盾。在刚性规范到软性约束的光谱上,欧洲更加倾向前者,而中国则倾向后者。但到目前为止,中欧互动关系仍然以软性约束为主。

冷战结束后,中国对发展与其他大国包括欧盟和欧洲大国的关系给予高度重视,并提出了发展大国关系的重要原则,即"不结盟、不对抗、不针对第三方、超越意识形态差异"。具体到中欧关系,中国总理温家宝曾这样界定中欧全面战略伙伴关系。所谓"全面",是指中欧双方的合作全方位、宽领域、多层次,既包括经济、科技,也包括政治、文化。既有双边,也有多边;既有官方,也有民间。所谓"战略",是指双方的合作具有全局性、长期性和稳定性,超越意识形态和社会制度的差异,不受一时一事的干扰,也不针对第三方。所谓"伙伴",是指双方的合作是平等、互利和共赢的,在相互尊重、相互信任的基础上,求大同存小异,努力扩大双方的共同利益。④ 温总理的讲话,既是对中欧关

---

① 周弘在《论中欧伙伴关系的不对称性和对称性》一文中第一次提出了中欧关系中的"中国方式"和"欧洲方式"的概念,但并未对这两个重要概念展开论述。这里借用这两个概念用以描述中欧关系进程性特点的一个方面。这两个概念见周弘:《论中欧伙伴关系的不对称性和对称性》,载《欧洲研究》,2004年第2期,第12页。

② 吴白乙:《观念转变与内生动力——后冷战时期中欧关系本源初探》,载《欧洲研究》,2006年第1期,第17—18页。

③ 周弘:《论中欧伙伴关系的不对称性和对称性》,载《欧洲研究》,2004年第2期,第1—15页。

④ 温家宝:《积极发展中国同欧盟的全面战略伙伴关系》,载《人民日报》,2004年5月7日。

系发展的目标定位,也是中国发展与欧洲关系的基本原则与规范。

欧洲发展对华政策同样也有规范要求,体现在欧盟对华的 6 个政策文件中。从总体上看,"发展伙伴关系"是欧盟对华政策的目标。在此目标下,保持"接触"进而"帮助"、"援助"、"支持"和"影响"中国的改革开放是欧盟发展对华关系的重要原则。最新一份对华政策文件中,"平等或对等"又成为欧盟对华关系的新的原则规范,这一原则要求"已经崛起的中国承担更多的责任"。①

相较而言,在规范原则上,中国强调的是平等、互利、共赢;欧盟强调的是接触、影响、对等。两者之间有许多相通的地方,但也有不同的侧重。相通的地方在于中国和欧盟都非常重视对话和沟通的作用,中国强调和平谈判解决争端,欧盟也偏好多边主义、对话和调停等手段。不同的地方是,中国侧重双方平等对待,相互尊重,特别是尊重价值观和信仰体系之间的差异,要求更多的是精神上的平等;欧盟侧重的是影响和规范中国,规范更多强调的是责任、义务的平等和利益的对等,在精神实质上要求中国向欧盟看齐。

从总体上看,由于冷战后国际体系演变速度加快,现阶段中欧关系还表现出一定的不稳定性。当前国际体系结构变化的基础,是近二十多年来的经济全球化和区域化发展给国际政治注入的新的因素。主权国家虽然还是今天国际社会的最高权力载体,全球化和区域化发展也还没有完全消除国际社会的无政府状态,但是,由于全球化和区域化的快速发展,导致新兴力量相伴崛起,国家和区域之间的联系

和互动不断加强,相互依存日益加深,国际政治的社会化程度进一步提高,权力互动背后的身份与文化特征日益突出出来。中欧关系在这样一种新的背景下展开,在双边关系迅速发展的同时,彼此的碰撞和矛盾也就在所难免。

朝核六方会谈

2002 年 10 月,第二次朝核危机爆发,朝鲜半岛局势骤然紧张,为了避免危机进一步恶化甚至滑向不可控的边缘,东北亚有关各方积极互动,构建了六方会谈框架这种多边的合作模式,确立了通过多边谈判和平解决朝核问题的原则。自 2003 年第一轮六方会谈启动以来已举行多轮会谈,然而目前朝核问题依然悬而未决。

一

朝核六方会谈启动的背景

1. 朝核问题的由来

朝核问题始于 20 世纪 90 年代初。当时,美国根据卫星资料怀疑朝鲜开发核武器,扬言要对朝鲜的核设施实行检查。朝鲜则宣布无意也无力开发核武器,同时指责美国在韩国部署核武器威胁其安全。1993 年 3 月 12 日,朝鲜宣布退出《不扩散核武器条约》,第一次朝鲜半岛核危机由

---

① 《欧盟—中国:更紧密的伙伴,扩大的责任》(2006 年 10 月)["EU-China: Closer Partners and Growing Responsibilities", COM (2006) 631]。

此爆发。

朝美经过一年半的艰苦谈判,于1994年10月21日在日内瓦签署了《美朝核框架协议》。根据《核框架协议》,朝鲜冻结现有的核计划,美国将组织国际财团在2003年前负责向朝鲜提供两座轻水反应堆,并在建造期间每年向朝鲜提供50万吨重油作为能源补偿。朝鲜保证全面履行核不扩散条约规定的各项义务,接受国际原子能机构的例行检查和特别检查。美国将保证不对朝鲜进行核威胁或使用核武器。轻水反应堆设备运抵朝鲜后,朝鲜将允许对其所有核设施进行连续核查,并将此前取出的核燃料棒最终转移到第三国。该协议还规定,美朝取消相互之间的贸易投资限制,然后双方将在各自首都设立联络处,并最终将两国关系升格为大使级。

小布什政府上台后,新保守主义对其外交战略产生重大影响,其特点是对军事力量的笃信,实施先发制人战略,奉行单边主义。"9·11"事件后,美国将打击恐怖主义和防止大规模杀伤性武器扩散作为国家安全战略的重点。而作为全球战略的一部分,美国对朝政策也由克林顿政府的"接触"政策转向强硬的遏制政策。2002年1月8日,美国国防部长拉姆斯菲尔德在向国会提交的《核态势报告》中,把包括朝鲜在内的7个国家列为核打击的目标。1月29日,小布什在就任后的首次国情咨文中,以朝鲜出口导弹技术和发展核武器为由,把朝鲜与伊拉克、伊朗一起称为"邪恶轴心",是对世界和平的威胁。① 美国国务院在随后发表的《全球恐怖主义

形势报告》中继续将朝鲜列为资助恐怖主义的国家之列。② 之后小布什在西点军校讲话中提出"先发制人"战略。这引起朝美关系再度紧张。朝鲜对小布什政府的对朝政策予以反驳,并猛烈抨击"邪恶轴心"的提法。

尽管美朝双方态度针锋相对,但并没有停止接触。2002年10月美国总统特使、负责东亚和太平洋事务的助理国务卿凯利访问朝鲜。2002年10月16日,美国宣布,在凯利访朝期间,朝鲜承认有一个秘密的浓缩铀计划。10月25日,朝鲜声明面对美国的核威胁,朝鲜"有权开发核武器和比核武器更厉害的武器"。11月14日,美国正式宣布,由于朝鲜没有履行框架协议,决定停止对朝鲜提供重油。12月22日,朝鲜中央通讯社发表新闻公报宣称,由于美国终止提供燃料油,朝鲜已开始启封已被冻结的核设施,并拆除监测核冻结的检测摄像机,以启动电力生产的核设施。

2003年国际原子能机构通过了关于朝鲜核问题的决议。1月10日,朝鲜政府发表声明,指责国际原子能机构受美国的指使和操纵,对严重违反《不扩散核武器条约》的美国只字不提,强迫朝鲜接受美国蛮横的要求,放弃武装。朝鲜民主主义人民共和国政府认为国际原子能机构通过的所谓"决议",严重侵害了朝鲜的自主权和民族尊严。并宣布正式退出《不扩散核武器条约》。声明同时表示朝鲜无意开发核武器,只要美国放弃对朝敌对政策和解除核威胁,朝鲜可与美国查证朝没有制

---

①　George W Bush,"The Presidents State of Union Address,"29 Jan. 2002, Http ://www. whitehouse. gov/news/releases/2002/01/20020129－11. html.

②　美国务院自1998年起就将朝鲜列入资助恐怖主义国家名单,这使得朝鲜难以从世界银行和国际货币基金组织等多边机构获得援助、贷款和投资。

造核武器的事实。① 朝鲜半岛第二次核危机爆发。

2. 从三方会谈到六方会谈

朝核问题自 2002 年 10 月再次凸显之后,美国主张朝鲜必须先"弃核",再讨论安全保障,并"吸取"上次核问题的经验,提出多边对话,使朝鲜问题国际化,让相关国家参与朝核问题的解决,企图让朝鲜更孤立,借此减轻自身的负担。与此同时,美国积极调整军事部署,加紧在亚太地区构筑"安全同盟",推出《反扩散安全措施》,准备对朝鲜的贸易和运输进行检查和封锁,切断朝鲜获得外汇的"非法渠道",从经济上打压朝鲜。朝鲜方面则一再强调,任何对朝鲜的制裁和封锁,都会被看做"对朝宣战",将引起严重后果。朝鲜一直要求与美国进行直接对话,并提议朝美先签署互不侵犯条约,朝鲜在获得安全保障后再放弃核计划。朝美间的这种针锋相对的斗争,很有可能导致事态失控,甚至引发大规模武装冲突,波及整个东北亚地区,因此引起了周边国家的普遍忧虑。②

2003 年 3 月 31 日,朝美代表在纽约举行第二次朝核危机爆发以来的首次接触,朝鲜也未像从前那样坚决拒绝美国多方会谈主张,而是为接受多国磋商留下了余地。4 月 12 日,朝鲜外务省发言人正式宣布,如果美国愿意为解决朝核问题而改变对朝政策,朝鲜不会非要拘泥于对话形式。中国政府抓住机会在朝美间进行了积极斡旋。4 月 23 日,朝美双方应邀在北京举行朝、美、中三方会谈。会谈中,朝美双方充分交换了意见,阐明了立场,虽然未能消除分歧,但这是自 2002 年 10 月以来,中国首次将朝美双方拉到谈判桌前,

为以对话方式和平解决朝核问题创造了机会。在三方会谈后,中国趁热打铁派出高级官员,在朝美日韩进行穿梭外交,推动六方会谈的举行,在朝鲜核问题上发挥了积极的作用。

六方会谈举行之前,韩国、日本、俄罗斯等国家均表示要以和平手段解决朝核问题。2003 年 5 月和 6 月,韩国总统卢武铉先后出访美国和日本,协调韩美日三方立场。俄日和俄韩也就核问题进行磋商,希望使该问题得到合理解决。在包括中国在内的各方的积极推动下,朝鲜于 7 月 31 日同意在中、朝、美、日、韩、俄参加的六方会谈框架内与美国举行双边会谈。北京六方会谈的召开,是 4 月北京三方会谈的延续,标志着和平解决朝核问题又向前迈出了重要一步。

3. 朝核六方会谈有关各方的利益考虑和立场

朝核问题与六方各自的利益息息相关,在中国的多方斡旋以及各有关方的努力下,各方同意召开首轮六方会谈。会谈召开前夕,有关方表达了针对六方会谈的立场,各方的立场和利益既有交集亦有一些较大的分歧,总体来看,各方都希望通过六方会谈和平解决朝核问题。

(1)朝鲜的立场

朝鲜由于其特殊的地缘战略地位,长期以来在各大国的夹缝中生存,面对生存空间被挤压的现实,试图通过发展核武器来维护其国家安全。朝鲜发展核武器的战略意图主要在于:①凭借核武器的巨大威慑力维护国家的安全,巩固政权,减少国防开支。②以弃核为诱饵,同美国讨价还价,获得经济援助,实现同美国关系的

---

① 新华网:http://news.xinhuanet.com/ziliao/2003—11/11/content_1172362.htm.
② http://news.sina.com.cn/c/2003—09—10/14081716006.html.

正常化,解除美国及联合国的制裁,融入国际社会。③突破残存的冷战结构,建构朝鲜半岛的安全机制,改善朝鲜的安全环境。④通过发展核武器,提升自身的国际地位,获得同大国讨价还价的筹码。

朝鲜外务省发言人在会谈前夕发表长篇谈话,针对六方会谈阐明了朝方三项原则:一、必须确认美国方面有意改变对朝政策;二、朝方反对"书面安全保障"或"多国集团安全保障"的形式,要求缔结具备法律约束力的朝美互不侵犯条约;三、在美国抛弃敌视朝鲜政策之前,朝鲜不能同意进行"早期核查"。发言人强调,只要美国不放弃敌视朝鲜政策,朝鲜就不可能放弃核遏制力。他还就确认美国改变对朝政策提出了三项标准:美与朝缔结互不侵犯条约、朝美建立外交关系、美不再阻挠朝与他国进行经济合作。

(2)美国的立场

布什政府在对东北亚安全战略总体考虑的基础上,采取了六方会谈这种多边谈判的方式应对朝核危机,其意图在于:①借重中俄日韩四方力量对朝施加压力迫其就范。在美看来,应对像朝鲜这样的"无赖国家"必须将其约束在多边框架内,避免其出尔反尔。②通过多边谈判一方面可以分担美国的政治风险与经济负担,另一方面可借多边会谈将日韩牢牢控制并把中俄纳入其在东北亚安全战略的轨道,可谓一箭双雕。③美国长期以来指责朝鲜是"暴政前沿"、"邪恶轴心",且人权问题严重,却标榜为最民主、最有人权的国家,是不愿与朝鲜这样的国家直接接触的,但朝核问题的急剧升级又迫使美国必须与朝鲜打交道,多边会谈的方式无疑提供了一个好的解决方案。④以六方会谈框架为基础,建立美国主导的东北亚安全机制。

据《纽约时报》报道,布什政府在考虑,如果朝鲜答应完全放弃核武器计划,或者允许国际核查人员进驻朝鲜,美国将考虑向朝鲜做一些较大的让步:由国会向朝鲜提供某种形式的书面保证,说明美国无意进攻朝鲜;放弃某些国际制裁措施,帮助朝鲜解决经济问题;美国甚至考虑给朝鲜提供一些资金。而美国作出让步的前提是"全面、可核查、不可逆转地废除朝鲜的核武计划"。六方会谈前夕,美日韩在华盛顿进行了为期两天的磋商,出台了所谓"对朝鲜共同战略",其主要内容为:如果朝鲜首先冻结核设施,允许多国核查团访问朝鲜,分阶段采取针对废除核计划的措施,三国将采取措施,履行"保障现存体制的承诺"。

(3)中国的立场

中国与朝鲜半岛山水相连,国土毗邻,通过和平外交手段来解决朝核问题对中国有着特殊重要的意义。具体来说,中国之所以积极倡导通过六方会谈这种多边合作机制来解决朝核问题主要出于以下几点考虑:①从地缘战略上看,朝鲜半岛是中国与海权大国的缓冲地带。②朝鲜拥核有可能引发东北亚地区的核扩散,这将对核不扩散体制构成严峻挑战。③如果美国对朝核设施发动先发制人的打击,一方面必然会带来严重的环境污染;另一方面,由战争引发的难民潮定会大批涌入我国东北地区,影响到我国局势的稳定。④中朝两国有着悠久的历史渊源,朝鲜战争时期中朝两国人民建立了血浓于水的感情,无论对朝鲜实施经济制裁还是发动战争都是中国极力避免的。

中国的主张是确保朝鲜半岛无核化,同时也应解决朝鲜所关切的安全问题,并通过对话与和谈这一唯一有效途径维护朝鲜半岛的和平与稳定。为启动新一轮北京会谈,把朝核问题纳入和平解决轨道,中国与相关国家高层进行了深入接触,逐步形成了重要共识。中国作为东道主,愿为会谈做好各项准备,并与其他各方合作,努力推动对话进程向前发展。在朝核问题上,中国的一贯立场是维护朝鲜半岛的和平与稳定,实现半岛的无核化,通过和平方式解决朝核问题。

(4)韩国的立场

朝核问题发生后,半岛的安全环境恶化,韩国面临着来自朝鲜的安全威胁。韩国方面之所以支持多边会谈是出于以下几点考虑:①多边安全合作有助于实现半岛的无核化,缓和朝韩紧张关系,维护半岛的和平与稳定。②通过这个平台构建朝鲜半岛的安全机制,推动朝鲜半岛北南统一。③面对美国的单边主义和"先发制人"政策以及日益明显的日本军事大国化倾向,韩国在维系美韩同盟关系和美、日、韩一致行动原则的同时,采取与中、俄加强合作的方针,努力增加美韩联盟的平等色彩,将和平对话视为解决朝核问题的唯一方案,并力图在解决朝鲜核问题中发挥主导作用。① ④一旦美国对朝鲜发动战争或对朝核设施进行外科手术式轰炸,朝鲜必然会进行疯狂的报复,三八线上血流成河的场面必定会重现,这显然不符合韩国的国家利益。

韩国认为,采用外交手段和平解决朝鲜核问题是实现朝鲜半岛无核化的正确途径,六方会谈是一个良好的开端。韩国的基本目标是,通过首次六方会谈,奠定继续对话的基础,增强通过对话解决核问题的势头,使与会各方都感到会谈是有益的和有必要继续进行的,从而确定下一次会谈的日程。韩国强调,六方会谈是解决

核问题的场合,在解决核问题之后,再通过继续会谈探讨建立半岛和平机制问题。韩国希望在会谈中能够举行韩朝双边会谈,以便推动朝鲜半岛问题的全面解决,发挥其特有的优势。

(5)日本的立场

冷战结束以来,国际格局发生了巨大变化,日本开始对其亚太战略作出大幅度调整,其核心就是要确立日本在亚太地区的主导地位,并为其走向世界政治大国奠定基础。日本积极支持六方会谈主要出于以下几方面的考虑:①通过多边谈判的形式,介入半岛事务的解决,以获得在建构朝鲜半岛乃至东北亚安全秩序上的发言权,维护自身的利益。②在六方会谈框架内平衡中国的影响力,防止中国在解决地区事务中获得主导地位。③借助多边力量向朝鲜施加压力,一举解决朝鲜的核问题、导弹问题,以及绑架日本人质问题,减少来自朝鲜方面的安全威胁。④抬高日本的国际地位和地区影响力,为实现政治大国的目标奠定基础。

在朝核问题上,日本的方针是,综合解决朝核问题、导弹问题和日本人被绑架问题,上述问题的全部解决,是日本对朝经济援助的前提。日本与美国、韩国协商,争取以文件的形式在会上向朝方提出"完全、彻底"废除核开发计划。日本人被绑架问题是最能激起民族情绪的敏感问题。为施加压力,由受害者家属组成的"家属会"、"救援会"以及议员联盟提出了同时解决绑架问题的希望书。外务省人士表示,此次会谈只是"漫长行程的第一步"。日本首先争取确定下一次的会谈,今后争取通过双边协商使绑架问题有具体进展。

(6)俄罗斯的立场

---

① 石源华:《"六方会谈"机制化:东北亚安全合作的努力方向》,《国际观察》,2005年第2期第17页。

自 1994 年起,随着俄罗斯全球外交战略由向西方"一边倒"转向东西兼顾的"双头鹰"战略,其半岛政策也发生了一系列的变化。核心是在维持和发展俄韩关系的同时,努力修复和改善与朝鲜的传统友好关系。朝核危机再度升级后,俄罗斯派出斡旋特使,积极介入调解行列,成为六方会谈的积极推动者,其战略考虑主要有以下几点:①俄罗斯期望借助六方会谈扩大其在东北亚地区的影响力,在东北亚地区秩序的建构中取得一席之地,为其重建大国地位的战略目标服务。与此同时,俄罗斯还可以在六方会谈中对美国形成一定的牵制。②从安全方面看,俄罗斯与朝鲜半岛相邻,半岛形势的任何紧张局面都直接影响着俄远东地区的安全与稳定。③从经济方面看,俄罗斯目前正集中力量发展远东地区经济,迫切希望朝鲜半岛及东北亚地区保持稳定。

六方会谈之前,俄罗斯展开了一系列积极的外交活动,先后同中国、朝鲜、韩国和日本就此进行了外交磋商。在发表的相关公报中,俄方对朝鲜决定参加缓和朝鲜半岛局势的六方会谈表示欢迎,希望在确保朝鲜半岛无核地位和该地区各国安全的基础上找到建设性的朝核问题解决办法,以缓解朝鲜半岛紧张局势和巩固该地区和平与安全。俄方强调,朝鲜半岛应该保持无核地位。向朝鲜半岛地区提供国际安全保障、确保该地区国家经济和社会的正常发展,是保证朝鲜半岛保持无核地位的先决条件。①

朝核六方会谈的进展情况

至 2009 年,六方会谈已召开多轮,根据各轮会谈取得的成果可以大致划分为四个阶段:

1.争取通过六方会谈和平解决危机时期(2003 年 8 月至 2005 年 11 月)

2003 年 8 月至 2004 年 6 月期间,朝核问题六方会谈共进行了三轮。第一轮六方会谈于 2003 年 8 月 27 日至 29 日在北京举行,各方认真、全面地阐述了各自的原则立场和方案设想,美国强调和平解决朝核问题是应该也是可能的,美国无意威胁朝鲜,无意入侵和攻击朝鲜,无意更迭朝鲜政权,希望通过谈判解决双方关心的问题,逐步走向美朝建交。朝鲜表示渴望和平,愿与所有国家建立友谊,无核化是朝鲜总的目标,拥核不是目的。只要美方改变对朝政策,不再对朝鲜进行威胁,朝鲜可以放弃核计划,朝鲜愿与美国和平共存。各方共同点包括:都愿意致力于通过对话以和平方式解决朝鲜半岛核问题,维护半岛和平与稳定,开创半岛持久和平;主张半岛应无核化,同时也认识到需要考虑和解决朝鲜在安全等方面提出的意见;主张保持对话、建立信任、减少分歧、扩大共识;同意继续六方会谈的进程。

第二轮六方会谈于 2004 年 2 月 25 日至 28 日召开。朝鲜强调只有美国放弃对朝敌对政策,朝鲜才能放弃核计划。在此基础上,朝鲜提出"口头对口头"原则作为第一

---

① 关于各国立场的分析参见《人民日报》,2003 年 8 月 27 日。

阶段行动措施,即朝鲜冻结核武器计划,美国相应放弃对朝敌对政策。美国重申,在关切的问题解决后,美国最终愿与朝鲜实现关系正常化。在弃核目标上,美方再次重申"全面、可核查、不可逆转地放弃核计划"概念。与会六方最终以《主席声明》的形式阐明了各方共识,这是六方会谈首次以书面文件形式确定会谈的成果。

第三轮六方会谈于 2004 年 6 月 23 日至 26 日在北京再度召开。朝鲜进一步明确弃核意愿,首次表示可以透明地放弃一切核武器及相关计划。美国则提出了一项包括朝鲜弃核,同时也涵盖了朝方关切的安全问题、能源需求以及取消封锁要求等内容的"转变性方案"。但双方在弃核的范围和方式以及关于核冻结的范围和相应措施等方面存在分歧。最终,与会各方同意"以循序渐进的方式,按照口头对口头、行动对行动"的原则寻求和平解决朝核问题的途径。

从前三次会谈来看,取得的成果主要有:①明确以"承诺对承诺、行动对行动"的原则,寻求朝核问题的和平解决,确立朝鲜半岛无核化的目标。②朝鲜提出了较为具体的"冻结换补偿"方案,美国也提出了"一揽子解决"方案,使会谈进入了实质问题的讨论阶段,虽然朝美双方的方案还有较大的分歧,集中表现为谁先采取行动,这是双方互不信任所致,但双方立场有一定的交集,即都赞成循序渐进最终实现朝鲜弃核。

自第三轮"六方会谈"休会后,朝核问题就逡巡不前,朝鲜拒绝参加第四轮六方会谈。美国大选后,布什的连任加强了白宫对朝核问题上的保守主义理念,"鹰派"的地位得到了巩固。2005 年 1 月中旬,美国国务卿赖斯在国会听证会上把朝鲜等 6 个国家称为所谓的"暴政据点"。朝鲜亦

给予有力回击。2005 年 2 月 10 日,朝鲜外务省突然发表声明宣布将无限期中止参加朝核问题"六方会谈",并表示朝鲜"已经制造了用于自卫的核武器,以应对美国的敌对政策"。朝鲜的这一举动真实的目的在于给美国施加压力,迫使其对朝鲜作出让步。而美国则作出强硬回应,拒绝了朝鲜提出的"朝鲜与美国之间展开直接对话"的建议。

朝核问题再起波澜引起国际社会的密切关注。在中国及其他各国的多方斡旋下,六方会谈再次得以启动。第四轮六方会谈分为两个阶段(2005 年 7 月 26 日至 8 月 7 日第一阶段会议;9 月 13 日至 19 日第二阶段会议)。各方经过艰苦谈判,于 2005 年 9 月 19 日通过了六方会谈进程启动以来的首份《共同声明》。在《共同声明》中,六方一致重申,以和平方式可核查地实现朝鲜半岛无核化是六方会谈的目标。朝方承诺,放弃一切核武器及现有核计划,早日重返《不扩散核武器条约》,并回到国际原子能机构保障监督;美方确认,美国在朝鲜半岛没有核武器,无意以核武器或常规武器攻击或入侵朝鲜。韩方重申其依据 1992 年《朝鲜半岛无核化共同宣言》不运入、不部署核武器的承诺,并确认在韩国领土上没有核武器。1992 年《朝鲜半岛无核化共同宣言》应予遵守和落实。朝方声明拥有和平利用核能的权利,其他各方对此表示尊重,并同意在适当时候讨论向朝提供轻水堆问题。六方承诺,根据《联合国宪章》宗旨和原则以及公认的国际关系准则处理相互关系。六方承诺,通过双边和多边方式促进能源、贸易及投资领域的经济合作。中、日、韩、俄、美表示,愿向朝提供能源援助。六方承诺,共同致力于东北亚地区持久和平与稳定。直接有关方将另行谈判建立朝鲜

半岛永久和平机制。六方同意探讨加强东北亚安全合作的途径。六方同意，根据"承诺对承诺、行动对行动"原则，采取协调一致步骤，分阶段落实上述共识。①

这份《共同声明》具有重要的现实意义：它使六方会谈有了更坚实的基础和更高的起点。六方首次用文字确认了以和平方式可核查地实现朝鲜半岛无核化的总体目标，它意味着今后六方的谈判重点，将由朝鲜半岛是否要无核化转向朝鲜半岛如何无核化。各方在《共同声明》中均作出了承诺，这也将对各方产生约束力，为"一揽子"解决朝鲜半岛核问题确立了框架，今后六方会谈将很难脱离此轨道。② 然而，六方会谈的进程中总会伴随不确定的因素，甚至会使取得的成果付之东流。2005 年 9 月，美国财政部认定朝鲜利用澳门汇业银行账户从事洗钱和制造假美钞活动，下令美国金融机构中断与这家银行的商业往来。汇业银行随后中止与朝鲜的业务，包括冻结朝鲜政府存在该行的 2500 万美元资金。10 月，美国财政部再次宣布，朝鲜的 8 家公司由于涉嫌"制造假币"、"洗钱"、"走私毒品"和参与大规模杀伤性武器扩散活动，其在美国的账户和金融资产将被全面冻结，该措施的适用范围还包括与这些公司有往来的所有美国企业和外国企业的资产。此后，朝美间围绕"金融制裁"问题展开了多轮较量。

2. 六方会谈陷于停滞状态（2005 年 11 月至 2007 年 2 月）

朝美间经过一年多的较量，第五轮六方会谈终于在各方的努力下得以重启。第五轮六方会谈分为三个阶段。第一阶段会议于 2005 年 11 月在北京举行。第一阶段

会议通过的《主席声明》中重申，将根据"承诺对承诺、行动对行动"原则全面履行共同声明，早日可核查地实现朝鲜半岛无核化目标，维护朝鲜半岛及东北亚地区的持久和平与稳定。此后，朝美双方围绕"伪造美元"和"金融制裁"问题争执不下，六方会谈陷入僵局。美国声称"金融制裁"针对的是非法行为，与六方会谈"无关"。朝鲜认为，美国没有证据就对朝鲜实行"金融制裁"，表明美国依然对朝鲜实行敌视政策。朝鲜强调，美国必须解除"金融制裁"，否则朝鲜不会重返六方会谈。朝鲜随即宣布第二阶段会议无限期推迟。

2006 年 7 月 5 日，朝鲜不顾国际社会的强烈呼吁，进行了弹道导弹试射，引起了国际社会的强烈关注，再次激化了朝鲜核危机。7 月 15 日，联合国安理会以 15 个成员国一致赞成的方式通过了关于朝鲜试射导弹问题的第 1695 号决议，对朝鲜导弹试射表示严重关切和谴责，要求朝方重新作出暂停导弹试验的承诺。朝鲜外务省 16 日发表声明，强烈反对 1695 号决议，表示朝鲜将不受这一决议的任何约束。10 月 9 日，朝鲜宣布成功进行了地下核试验，震动了国际社会，遭到各国的一致谴责。10 月 14 日，联合国安理会一致通过第 1718 号决议，对朝鲜核试验表示谴责，要求朝方放弃核武器和核计划，立即无条件重返六方会谈，并决定针对朝方核、导等大规模杀伤性武器相关领域采取制裁措施。朝鲜的核试验将朝核危机推向了新的高潮，六方会谈框架面临巨大考验。中国积极展开多边斡旋，终于促成了中美朝三方会谈和美朝的双边会晤，为重

---

① 《第四轮六方会谈共同声明》全文，新华网，北京 9 月 19 日电，http://news. xinhuanet. com/world/2005 - 09/19/content_3511768. htm.

② 《分析：六方会谈共同声明划定后朝核问题框架》，http://www. sina. com. cn.

启六方会谈奠定了基础。

在停顿13个月后，经过各方努力，第二阶段会议于2006年12月在北京举行。朝鲜代表团团长明确表示拒绝谈朝核问题，朝鲜作为核国家将同有关大国讨论"核裁军"问题、美国解除对朝鲜金融制裁问题、废除联合国两个对朝制裁决议问题等。朝鲜方面的提议明显与六方会谈确立的朝鲜半岛无核化的目标相悖，会谈未取得进展而休会。尽管如此，这次会谈在核局势出现逆转的情况下，即时控制了局势的恶化，将各方重新拉回了通过六方会谈框架解决核问题的轨道。

3.六方会谈出现转机（2007年2月至2008年12月）

经过一年多的反复磋商，六方会谈终于峰回路转。2007年2月13日，朝核问题第五轮六方会谈第三阶段会议通过了《落实共同声明起步行动》的共同文件，六方同意根据"行动对行动"原则，采取协调一致步骤，分阶段落实共同声明。六方同意在起步阶段平行采取一系列行动，其中包括以最终废弃为目标，朝方关闭并封存宁边核设施，包括后处理设施；朝方邀请国际原子能机构人员重返朝鲜并进行国际原子能机构和朝方同意的一切必要的监督和验证；各方同意在起步阶段向朝方提供紧急能源援助等。为此，六方同意设立并启动朝鲜半岛无核化、朝美关系正常化、朝日关系正常化、经济与能源合作、东北亚和平与安全机制五个工作组，讨论制定各自领域落实共同声明的具体方案。①

2007年3月19日至22日，第六轮六方会谈第一阶段会议在北京举行。朝鲜方面提出要首先解决汇业银行冻结问题，并坚持资金不转账就不参加会议。由于

这一突发的问题，此次会谈未取得实质进展。6月，在影响会谈进程的朝美金融问题最终解决后，朝鲜立即邀请国际原子能机构工作代表团访朝。7月14日，在韩国运送的第一批6200吨重油抵达朝鲜后，朝方关闭了宁边核设施。同日，国际原子能机构的核查人员时隔5年后重返朝鲜，前往宁边地区监督和验证关闭核设施。

2007年10月3日，第六轮"六方会谈"第二阶段会议通过了《落实共同声明第二阶段行动》共同文件（又称"10.3共同文件"）。其主要内容：一是朝鲜同意在年底前实现核反应堆、后处理厂（放射化学实验室）及核燃料元件制造厂去功能化，并全面、准确地申报全部核计划；二是美国同意启动将朝鲜从"支恐国家"中除名的程序及推动终止对朝适用《敌国贸易法》进程，并为朝核设施去功能化提供起步资金；三是各方同意向朝提供相当于100万吨重油的经济、能源与人道主义援助（包括已向朝鲜提供的10万吨重油）。

然而"10.3共同文件"的执行并不顺利，经过六方反复的磋商、谈判，朝鲜终于在2008年6月26日提交了核计划申报清单，并在27日炸毁了宁边地区核设施的冷却塔。美国政府对此表示出审慎欢迎，并宣布考虑在45天内把朝鲜从"支持恐怖主义国家"的名单中删除，以及将中止对朝适用《敌国贸易法》等关键性制裁。

2008年7月，六方会谈举行新一轮团长会议，朝鲜同意于10月底完成宁边核设施去功能化，同时五国应履行承诺完成对朝的经济和能源援助。六方同意由来自六国的专家组成验证团，前往朝鲜对核设施和核申报文件进行验证。随后朝核问题进程再度出现倒退。2008年8月26

---

① 新华网，北京2007年2月13日电。

日,美国白宫发言人弗拉托重申,在朝核问题六方会谈有关各方对朝鲜核计划实行核查达成一致之前,美国不会将朝鲜从"支持恐怖主义国家"的名单中删除。同日,朝鲜外务省发言人发表声明说:"由于美国率先违背协议,朝鲜根据'行动对行动'原则,不得不采取相应措施。"朝鲜已在 8 月 14 日停止宁边地区核设施的去功能化作业,并已将这一措施通报了有关国家。同时,朝鲜将"考虑采取按原状重新恢复宁边核设施的措施"。为此,美国助理国务卿希尔于 10 月 1 日持妥协方案急赴平壤协商,终于达成协议。10 月 11 日,美国宣布将朝从"支恐名单"中除名生效,朝鲜随即宣布恢复核设施去功能化作业,并接受核申报清单的核查验证。

4.六方会谈再次陷入停滞状态

为了在解决朝核问题上取得阶段性成果以保住其"外交遗产",布什总统利用 2008 年 11 月下旬的亚太经合组织峰会之机,积极展开首脑外交,与中、日、韩、俄领导人讨论了如何促使与朝方达成验证协议,召开六方团长会议,启动朝核第二阶段去功能化问题。在六方团长会议召开前,美朝之间在核验证问题上存在严重分歧;朝韩之间关系十分紧张,2008 年 12 月 1 日朝鲜实施"中断开城旅游、中止朝韩货运列车运行"等 5 项措施,两国政府多渠道对话完全中断,朝韩关系急剧恶化,韩国甚至已处于戒备状态,朝日关系也十分紧张。在紧张的气氛中,12 月 8 日新一轮六方会谈团长会议召开。六方充分肯定在实施 9·19 共同声明第二阶段行动方面取得的积极进展,各方重申 9·19 共同声明中可核查地实现朝鲜半岛无核化的目标。各方同意根据 10·3 共同文件,同步执行朝鲜宁边核设施去功能化和向朝提供相当于 100 万吨重油的经济能源援助。但是,美国要求朝鲜能

够签署一项有关验证朝鲜核开发的协议,遭到朝鲜反对,最终未能达成任何协议。会后美国宣称,朝鲜在有关核验证的协议上签字之前,将停止供应重油,美国国务院发言人肖恩·麦科马克甚至表示"如果朝鲜不遵守对核验证机制的承诺,随时都有可能将朝鲜再次列入'支持恐怖主义国家'名单"。朝鲜弃核进程再次陷入停滞状态。每一次的停滞,朝鲜都要以更加强硬的手段来应对,这似乎已经成为一种规律,这次亦不例外,朝鲜接下来的举动再次吸引了全世界的目光。

2009 年 4 月 5 日,朝鲜宣布将"光明星 2 号"试验通信卫星发射入轨后,国际反应莫衷一是。尽管朝鲜声称其发射取得成功,"光明星 2 号"卫星顺利进入轨道,但美、日、韩三国都公开表示并没有发现朝鲜在轨卫星,也没有接收到卫星所发射的信号,朝鲜发射的二、三级助推火箭一起坠入了太平洋,证明发射失败。分析人士指出,尽管朝鲜的发射活动在技术上并没有达到预想的效果,但火箭的飞行轨迹证明朝鲜的火箭技术的确取得了进步,而且从政治角度来讲,朝鲜的此次发射活动达到了目的。美、日、韩等国认为朝鲜不过是借发射卫星之名,行试射远程弹道导弹之实。朝鲜虽非突出强调但并不讳言其运载火箭具有军民两用性,且表示只要敌对国家以武力相威胁,就会立即把运载火箭技术运用于军事目的。朝鲜此举无疑促动了仍然与其处于战争状态的美、日、韩三国的敏感神经。因此,针对朝鲜的发射,目前美、日、韩在无法采取军事手段的情况下,一方面试图以朝鲜违背 2006 年联合国安理会 1718 号决议为由,通过安理会对朝鲜进行更加严厉的经济制裁,以阻止和拖延朝鲜的导弹研发进程。另一方面,美、日、韩都在考虑如何进一步提高导弹

防御能力。同时,美、日、韩也把未来遏制朝鲜的重点放在朝核问题六方会谈上,试图把导弹问题纳入六方会谈议题之中。①

联合国安理会4月13日就朝鲜发射问题一致通过了一份主席声明。声明说:朝鲜于4月5日进行的发射活动违背安理会2006年通过的第1718号决议,安理会对此表示"谴责",并要求朝鲜不再进行进一步的发射活动。声明还说,安理会支持并呼吁尽早恢复六方会谈,敦促六方努力全面执行2005年9月19日达成的共同声明及其后达成的共同文件,维护朝鲜半岛和东北亚地区的和平与稳定。安理会呼吁通过和平与外交渠道解决目前的问题,欢迎安理会理事国和其他联合国会员国提供便利,以推动通过对话达成和平和全面的解决方案。② 4月14日,也就是在联合国安理会通过上述主席声明几小时之后,朝鲜外务省在平壤发表声明,宣布退出朝核问题六方会谈,并将按原状恢复已去功能化的核设施。国际原子能机构同日证实,朝鲜决定"中止与国际原子能机构的所有合作",并要求国际原子能机构在朝鲜的核查人员离开朝鲜。朝鲜中央通讯社当天报道的这一声明说,对联合国安理会的主席声明表示"谴责和反对",并表示将"继续根据国际法行使自主的宇宙利用权利"。声明说,尊重自主权和主权平等是六方会谈通过的9·19共同声明的基础和生命。在这一精神被"全面否定"的情况下,朝鲜"绝对不再参加六方会谈",并且"不再受六方会谈达成的协议的

约束"。声明表示:朝鲜将"千方百计地加强自卫性的核遏制力量"。为此,朝鲜将按原状恢复已经去功能化的核设施,并使之正常运转。朝鲜还将"积极研究建设自己的轻水反应堆问题"。③ 中、美、俄、韩、日等有关国家呼吁朝鲜重返六方会谈。

随着朝鲜宣布退出六方会谈及无核化进程协议无效,负责朝鲜宁边核设施去功能化工作的美国工作小组按照朝方的驱逐通告,于16日下午离开宁边前往平壤。他们于17日离开朝鲜,返回美国。共同社的消息说,国际原子能机构(IAEA)核查人员也于16日离开朝鲜,在宁边核设施活动的第三国相关人员已全部撤离。预计今后朝鲜将正式着手复原、重新运转核设施。从2003年开始的六方会谈已走到了存亡的十字路口。

法新社报道说,朝鲜25日称其已经开始对废核燃料棒进行再处理,以抗议国际社会对其发射火箭的谴责。朝鲜中央通讯社25日引用朝鲜外交部发言人的话说:"废核燃料棒的再处理工作在外交部4月14日发表声明时就已经开始进行了。""这将提高用于自卫的核遏制能力,以对抗日益增加的敌对势力的威胁。"朝鲜29日称要实施核试验及其他"自卫"措施,其中包括进行核试验和发射洲际弹道导弹。除非联合国能够对此前谴责朝鲜发射火箭一事作出道歉。④ 朝鲜《劳动新闻》29日发表评论说,朝鲜希望朝鲜半岛和平稳定,也愿意与周边国家及世界其他各国建立和发展平等关系,但决不允许敌对势力

---

① 朴健一:《朝鲜发射光明星2号影响深远》,《参考消息》2009年4月9日,第10版。

② 《联合国安理会通过主席声明谴责朝鲜发射活动》,新华网,联合国4月13日电,http://news.qq.com/a/20090414/000198.htm。

③ 《朝鲜宣布退出六方会谈 将按原状恢复核设施》,新华网,平壤4月14日电,http://news.qq.com/a/20090414/000953.htm。

④ 中新网,2009年4月29日电。

侵犯朝鲜的自主权。评论说,朝鲜发射卫星及其后宣布退出六方会谈,不是美国和日本等国所宣称的推行"悬崖战术"和"制造危机",而是面对敌对势力侵犯朝鲜自主权时采取的"捍卫国家尊严和利益的对应措施"。① 朝鲜外务省发言人5月8日说,美国总统贝拉克·奥巴马上任以来,新政府"丝毫没有改变"敌视朝鲜的政策,朝鲜将继续加强国防实力和核威慑力。同一天,美国朝鲜政策特别代表斯蒂芬·博斯沃思抵达韩国访问。他说,奥巴马政府没有对朝鲜采取敌视政策,美国愿在朝鲜半岛核问题六方会谈框架下与朝鲜展开双边会谈。② 美国国务院发言人罗伯特·伍德5月8日也表示,只要有利于重启朝鲜半岛核问题六方会谈,美国愿意与朝鲜举行双边会谈,这一立场没有改变。

毫无疑问,朝鲜此举再次将朝核问题六方会谈推向危险的边缘,六方会谈迄今取得的成果面临着付诸东流的可能性,六方会谈的命运如何将取决于有关国家特别是美朝双方的态度。

朝核六方会谈的症结

朝核危机自20世纪90年代爆发以来,至今已有25年,朝核问题之所以久拖不决,根本的原因是朝核问题背后有着更深层次的原因,只有突破了朝鲜问题,朝核问题才能得到满意的解决。朝核问题是核扩散问题,这个问题相对简单,解决办法就是"弃核换安全"。朝鲜问题则要复杂得多,它是由历史和现实的多种原因交织在一起所形成的有关朝鲜国内和国际问题的总和。③ 今天东亚地区安全中的"朝鲜问题",说到底是平壤无法及时追随东亚地区安全在冷战后的变化趋势问题,是朝鲜迄今还无法适应地区已经改变的新的安全结构的问题,更是朝鲜在新的地区安全环境下未能及时改革与开放的问题。④ 朝核问题的主要症结在于以下几方面:

(1)朝美的战略冲突

1953年7月27日朝鲜战争结束时交战双方签署的《停战协定》⑤及其催生的半岛安全机制作为半岛冷战体系中的一块基石,半个世纪以来在维持南北分治,保持半岛的"冷和平"方面可谓功不可没。⑥20世纪90年代初,苏联的解体标志着持续近半个世纪的东西方冷战的终结。国际格局进入了一个根本转型期。韩国先后与中国、苏联建立了外交关系,昔日东西方围绕朝鲜半岛的对立局面有所缓和。

① 《朝鲜说不允许敌对势力侵犯其自主权》,新华网,平壤4月29日电,http://news.xinhuanet.com/world/2009-04/29/content_11279567.htm。
② 胡若愚:《朝鲜誓言壮大核威慑力 美国称未敌视朝鲜》,新华网,2009年5月9日,http://news.xinhuanet.com/world/2009-05/09/content_11339434.htm。
③ 张琏瑰:《朝核问题——2·13共同文件面临考验》,《世界知识》,2007年第11期,第29页。
④ 朱锋:《六方会谈:"朝核问题"还是"朝鲜问题"》,《国际政治研究》,2005年第3期,第31页。
⑤ 《停战协定》签署于1953年7月27日,是停止朝鲜战争的国际性协议。签署方分别是美国为首的联合国军和中朝联军。其中,美国将军克拉克代表联合国军签署协定,韩国军队归属于联合国军,韩方无代表参加协定签署。朝鲜人民军最高司令金日成和中国人民志愿军司令彭德怀代表中朝联军共同签署协定。协定主要内容是:在朝韩边界设4公里宽的非军事区,禁止双方军民进入;非军事区内设置军事停战委员会和中立国监督委员会,监督执行停战条款。《停战协定》维持的是军事对峙关系,目的是防止发生热战。
⑥ 李华:《停战机制困境及出路》,《国际论坛》,2004年1月,第6卷第1期,第1页。

然而,在昔日的苏、中、朝三角同盟消失的同时,美、日、韩同盟继续存在并被强化。朝鲜半岛是当今世界唯一残留冷战结构的地区,集中表现为朝鲜北南军事对峙和美朝深刻的敌对关系。面对来自美、日、韩军事同盟的压力,朝鲜在冷战后一直试图突破残存的冷战结构,通过与美国缔结"和平协定"代替《停战协定》,结束朝鲜半岛停战机制,改善朝美关系,融入国际社会,以根本改善朝鲜的安全环境。① 而美国的对朝政策取决于其东亚战略的整体设计,旨在继续维持冷战中构筑的安全结构。② 核危机是双方战略冲突的集中体现。

(2)美国对朝鲜的敌视政策

"9·11"事件后,美国把打击恐怖主义和防止大规模杀伤性武器扩散作为对外战略的重点。朝鲜由于受到美国所谓"恐怖主义国家"、"无赖国家"、"邪恶轴心国家"的指责,以及美国发动的"倒萨战争"更加重了自身不安全感,承受着巨大的安全压力。③ 美国不仅对朝鲜进行军事威胁,而且还实行经济封锁。美国1950年开始对朝鲜适用《敌国贸易法》,美国财政部据此采取措施,全面禁止与朝鲜的贸易、金融往来,使朝鲜经济长期处于落后状态。朝鲜多次重申朝鲜半岛核问题是美国对朝鲜敌视政策的产物,而从根本上和平解决这一问题的方法只能是朝鲜与美国签署互不侵犯条约。美国以法律形式承诺不侵犯朝鲜,朝鲜也可以消除美国在安全方面的忧虑。"2·13"起步文件第二条第三款明确说明:"朝方与美方将开

始双边谈判,旨在解决悬而未决的双边问题并向全面外交关系迈进。美将启动不再将朝列为'支恐国家'的程序,并将推动终止对朝鲜适用《敌国贸易法》的进程。"目前,美国将朝鲜从"支恐国家"名单上删除的问题仍存在一定变数,问题的关键还在于朝鲜能否全面进行核申报、彻底去核化。

(3)朝鲜的安全顾虑

有关各方到底能为朝鲜现政权提供一个什么样的安全保障机制来换取朝鲜放弃核武器,这取决于各方的诚意和朝鲜的战略取舍。④ 可以说,长期以来朝鲜都在敌对国家的夹缝中生存,朝鲜的安全困境并未解除,驻韩美军、美韩同盟、美国对韩提供核保护三大问题的存在,以及有可能推进的美韩导弹防御体系的建立,使朝鲜与美韩的安全关系处于严重不对称状态。⑤ 美国大选,民主党奥巴马新政府建立。根据其上台前后的言行来看,在外交政策上,奥巴马新政府将改变其前任布什政府初期的单边主义武力政策,更多地采取多边或双边的协调与合作政策。但是,朝鲜半岛无核化及防止核扩散仍然是美国的根本利益,要求朝鲜放弃核开发的要求不会有丝毫改变,而且也不能排除美国为维护自身利益对朝鲜采取武力的可能性。韩国自李明博政府上台以来,朝韩关系不断恶化。2009年1月17日,朝鲜人民军总参谋部发言人曾宣布"将进入对韩全面对决状态"。据朝鲜中央通讯社报道,朝鲜祖国和平统一委员会1月30日宣布,南北双方有关"消除政治、军事对立的

① 邵峰:《朝核问题的症结和走向》,《理论视野》,2007年第5期,第12页。
② 杨红梅:《朝核危机的症结及走向》,《现代国际关系》,2003年第5期,第23—24页。
③ 邵峰:《朝核问题的症结和走向》,《理论视野》,2007年第5期,第12页。
④ 同上。
⑤ 石源华:《后朝核阶段东北亚安全合作的走向》,《国际问题研究》,2008年第6期,第53页。

协议事项"全部无效,并将废除《南北基本协议书》和附带协议书中的"黄海北方界线(NLL)相关条例"。日本对朝鲜的政策是长期冷战形成的,对朝鲜的成见很深,难以在短期内根本改变。日本从走政治大国和军事大国的战略需要出发,总是把朝鲜作为靶子,把朝鲜的"威胁"作为其维护自身"安全"的借口。此外,日韩间围绕人质问题龃龉不断。朝鲜在自身安全未能获取可靠保证之前,拥核是其自认为最可靠的自我保护手段,因此,彻底放弃核武器对朝鲜来说绝非易事。

(4)美朝间缺乏解决问题的诚意

朝核问题已经成为有关各方尤其是朝美利益的角逐场,他们都希望从中获取更多的利益,因而产生了许多不可调和的矛盾和冲突。作为谈判策略的一部分,无论是朝鲜还是美国都曾经在作出承诺、履行承诺问题上出现过多次反复,导致朝核问题解决进程也多次反复,始终走不出一波未平、一波又起的怪圈。美朝两国作为朝核问题的主要当事方,都想按照自己的意图行事,迫使对方就范,不愿作出根本性的妥协让步,是朝核问题久拖不决的根本症结所在。朝鲜参加六方会谈的真实用意毫无疑问是为了换取政治、经济、外交上的好处,是为了换取其他国家的经济援助,是为了与美国实现关系正常化,是为了能够重返国际社会。另一方面,朝鲜并非真的想放弃有核国家的地位,这种地位可以给它带来诸多实惠,既可以保证国防安全,又可以抬高身价。当然,朝鲜拥核也可能使自己陷入绝境,甚至可能遭受别国的武装打击。从美国来看,它对于解决朝核问题的诚意也是值得怀疑的。从某种程度上说,朝鲜拥核对美国也是极为有利的,借此它可以扩大在东北亚的影响力,插手东北亚事务,巩固同日、韩的军事

同盟。但是,另一方面,朝鲜拥核也的确对美国造成了威胁。朝鲜发展核武器可能打破现有的核不扩散机制,打破美国主导的国际政治秩序。此外,最令美国担心的就是朝鲜把核武器扩散到其他国家甚至恐怖组织,危及美国的安全。因此,在朝核问题上美国始终没有下定决心去解决,仍然处在推延的状态。

台湾地区概况

一

陈水扁连任和第二次政党轮替

1. 陈水扁实现连任的梦想

2002 年 12 月,台北、高雄两市将举行市长及市议员选举。这是民进党上台以来的第三次重大选举,也是 2004 年"总统"选举前的一次关键性选举。12 月 7 日,选举结果揭晓。台北市方面,国民党籍现任市长马英九大获全胜,获 87.3 万票,得票率为 64.1%;民进党候选人李应元获 48.8 万票,得票率为 35.9%。高雄市方面,民进党籍现任高雄市长谢长廷惊险取胜,获 38.6 万票,得票率为 50%;国民党候选人黄俊英获 36.1 万票,得票率为 46.8%,仅以 2.48 万票惜败。在台北市议员方面,国民党获 20 席,民进党 17 席,亲民党 8 席,新党 5 席,台联全军覆灭,无党籍 2 席,"泛蓝军"在市议会中的实力有所增强;在高雄市议员方面,民进党获 14 席,国民党

12 席,亲民党 7 席,台联党 2 席,新党未取得席次,无党籍 9 席,"泛绿军"在市议会中实力有所增强,但"泛蓝军"仍略占上风。这一选举结果显示,到 2002 年 12 月,"蓝营"已开始止住下滑趋势,而"绿营"上升的趋势也已被遏止,"蓝"、"绿"两大阵营的实力格局继续维持,处于相持阶段。

为了能获得连任,陈水扁利用执政的优势,大量进行政策性买票。从 2003 年初到年终,"行政院"先后抛出 699 亿元新台币为"扩大公共服务建设方案"追加预算、3 年 3000 亿元新台币公共建设预算、5 年 5000 亿元新台币"新十大建设"方案,以争取各地方政府支持。与此同时,台湾当局还大打"福利牌",在短短几天内,就送出多项利多政策,如编列近 50 亿元新台币的预算来处理教师退休金问题;将老农津贴从每月 3000 元增至 4000 元新台币;增列近 30 亿元新台币将退抚基金提拨率提高 1%,等等。

由于大量增加财政开支,台湾当局的财政赤字继续增加,债务负担不断加重。根据台湾当局的总预算数,在财赋收入方面,全年赋税收入额同比衰退了 2.6%,而同期总预算项下开支继续增长,其支出总额占 GNP 比重为 16.8%,超过上年 16% 的水平。在财政收入不增反减的情况下,巨额财政赤字只得依靠发行公债来解决。据统计,2003 年赤字总额占 GNP 和财政支出的比重分别为 3.2% 和 19.1%,也超过上年的 2.5% 和 15.7% 的水平,从而使台湾当局未偿还的债务总额迅速上升至 3.2 万亿元新台币,占 GNP 的比重达到 33% 的高位,经济风险进一步加大。

2003 年 2 月 14 日,国民党和亲民党联手推出连战、宋楚瑜参加 2004 年 3 月举行的台湾地区领导人选举。"连宋配"成局,标志着 2004 年台湾地区领导人竞选的大幕正式拉开。

"连宋配"成局后,民进党组成"扁莲配"。"扁莲配"虽在民调上是最不具加分作用的老组合,但既不会破坏党内权力生态的平衡,也不会对选情产生任何冲击,实属变数最小的组合,民进党内部的裂痕也得到一定程度的修补。但由于陈水扁执政四年,政绩不彰、经济衰退、民生凋敝,其民调仍处于落后的状态。于是,为攻击对手,吸引中间选民,陈水扁再次采取"抹红"、"抹黄"、"抹黑"等卑劣手法,一方面阻止"泛蓝阵营"的民生议题继续发酵;另一方面,通过不断制造议题,使对手陷于疲劳应战的尴尬局面。

陈水扁的具体做法:一是采取接二连三地抛出"急独"主张、发动"台独"大游行的传统手法,抢占各大媒体的主要版面,并使之成为政治节目热烈讨论的焦点,让"泛蓝"主打的经济民生议题难以聚焦。二是借宋楚瑜等"泛蓝"精英的外省籍背景大做文章,处心积虑地利用、制造一切机会将"泛蓝"污为"卖台集团"、"中共同路人",并直接将"九二共识、一中各表"与"一个中国"原则、"吞并台湾"挂钩。三是为将"泛蓝"抹黑为"反民主、反改革"的政党,通过大刀阔斧地追查"新瑞都开发弊案"、"拉法叶舰军购弊案"、"国安局密账"等大案,宣称"不惜动摇国本也要追查到底"、"证据到哪儿办到哪儿,没有上限、下限",意图在岛内造成"扫黑除弊"的声势,将部分本土选民的选票吸引过来。四是加快"公投立法"步伐,将"公投"与"大选"绑在一块,巩固"深绿"票源,开发中间票源。

同时,陈水扁还打出"拼经济、大改革"旗号,并充分利用执政资源四处开拓中间票源。为争取中间选民的认同,陈水扁推出了一系列声势大、见效快的"拼经济"措施,以营造景气回升的假象,扭转经济施政不力的形象。此外,陈水扁还充分利用执政资源在全台 319 个乡镇"走透透",尤其是密集深入到台北及桃竹苗等"泛蓝""票仓区",企图通过"政策买票"四处抢桩、拔桩,但效果有限,如设施尚未调试好就匆忙开通的台中机场就被人们讥笑为"有去无回"的机场。

2 月 28 日,民进党为重新挑起"台湾人的历史悲情",与台联党联手发起"2·28手护台湾"大型造势活动,将支持率向上拉升了一点,但随即又被"蓝军"发起的"3·15大呛声"的声势压了回去。与此同时,"泛蓝"紧抓陈水扁夫人吴淑珍内线炒股、逃税等丑闻不放,特别是选前关键时刻,被台湾当局攻击为"黑金"代表并遭通缉的前东帝士总裁陈由豪在美国公开多项证据,指控陈水扁与民进党多次收受他的政治献金。民进党"大佬"沈富雄也顶住巨大压力,在 3 月 18 日举行的记者会上,以间接的方式证实了自己曾见证陈由豪与陈水扁往来的过程。政治献金案曝光,台湾股市重挫,陈水扁形象大损。可以说,直至选前 24 小时,陈水扁想尽一切办法,也未能摆脱亦步亦趋地在连、宋后面艰难追赶的态势,台湾社会普遍不看好陈水扁。

3 月 19 日,即选举投票日的前一天下午 13 时 45 分,陈水扁与吕秀莲在有民进党"票仓"之称的台南地区拜票时,突遭来历不明的子弹击伤,民进党乘机大肆渲染"悲情",争取同情票。由于时至《选举法》规定停止造势活动仅几个小时,"蓝营"措手不及,无任何有效措施予以应对,选情一夕翻盘。3 月 20 日投票结果,扁、莲以 50.11%、领先连、宋仅 0.22% 获得连任,民进党政权得以延续。

再次获得"总统"宝座后,陈水扁将目光放在年底举行的台湾地区第 6 届"立委"的选举上。他希望借助"总统"选举胜利、岛内经济有所好转的有利时机,一举拿下"立法院"过半数席位,真正实现主导政局。因此,选前,民进党定下攻占 100 席目标,如能实现,加上台联党的席次,就有可能实现"泛绿阵营"在"立法院"席次过半。但 12 月 11 日选举结果显示,民进党只获得了 89 席,虽比 2001 年时增加了 2 席,并保持"立法院"第一大党的地位,但未实现原定的 100 席目标,加上台联党的 12 席,"泛绿阵营"也只有 101 席,没有在"立法院"中过半。而国民党虽仍是"立法院"第二大党,但以国民党为首的"泛蓝阵营"获得 114 席,实现了其在"立法院"中"立委"席次过半数的诉求。若加上立场倾向"泛蓝"的无党籍人士 6 席,已达到稳定过半的 120 席,民进党依然面临"朝小野大"的尴尬局面。

2. 国、亲两党的合作与冲突

在国民党元老们的斡旋下,2002 年 12 月 14 日,连战与宋楚瑜举行选后会谈,达成在 2004 年共同推出一组候选人及组成一个执政团队的共识,但对于关键的"谁配谁"、"执政团队"的筹组方式以及整合的时间表都没有作出明确的说明。对于"谁配谁",两党都有自己的考量。国民党方面认为,不论从基层实力、财力还是组织动员能力来看,国民党都优于亲民党,尤其是北、高市长选举再次证明国民党才是"泛蓝军"的龙头老大,因而力主"国正亲副",并明确表示,"国民党绝对不会在 2004 年'总统'选举中缺席",目前以"连宋配"为主要考量,并筹划"2004 年人民幸福工程",让连战勤走基层、深入民间,拉动人气。亲民党自成立以来,则一直以"宋进'总统府'"为主要工作重心,虽然宋楚瑜表示"对于谁配谁不排除任何选项",也不会有"非我莫属的思维",但认为应视民意认同度的高低来决定"谁正谁副"。宋楚瑜提出"救台湾大联盟"的口号,意图通过深入基层取得民众的认同。

就在外界质疑"国亲合"可能会因"谁配谁"问题难以摆平而破局之际,2003年2月14日,"连宋配"却出乎外界预料地提前成局。"连宋配"顺利成局主要原因一是重新夺回执政权的巨大政治利益是促使国、亲两党合作的最大动力;二是"泛蓝"基层支持者强烈要求国、亲两党整合,给连、宋以巨大压力,谁都背负不起再次分裂"泛蓝"的罪名;三是2002年底台北、高雄市长选举后,亲民党及宋楚瑜个人在"泛蓝阵营"的生存空间遭受严重挤压。为争取其个人及亲民党更大的生存空间,宋楚瑜最终决定接受"连宋配"。2月12日,宋楚瑜发表了题为"建构台湾未来的愿景"的"万言书",揭开了"国亲合、连宋配"的序曲。14日,连、宋共同召开记者会,发布"共同书面声明"及"国亲两党政党联盟备忘录"。连、宋两人还分别代表两党签署"国亲政党联盟备忘录",筹组政党联盟决策委员会,推动党际合作。两个重要文件的发表,标志着"连宋配"正式成局。3月30日,在国民党十六全二次会议与亲民党全国委员会上,两党分别通过提名连战、宋楚瑜参选第11届正、副"总统"的决议。

虽然连、宋等"泛蓝"高层具有高度的合作诚意,但两党基层干部却为维护各自政党利益,在有关权力分配方面展开了激烈的争夺。一是为抢占胜选后资源分配的有利位置,两党围绕"政党联盟"的人事分配展开了激烈争斗,最后因位子摆不平而取消设置最高决策机关——决策委员会,将原定的工作组扩大为类似"行政院会"的"政党联盟委员会",以化解"僧多粥少"的窘境。二是基于历史恩怨等诸多复杂因素,国民党部分本土派人士一直存有"拒宋"情结,不仅对"连宋配"有所不满,更对宋的强势作风有所疑虑,尤其是民进党不断在南台湾散布"宋强连弱"的耳语,更使他们担忧"连战当选后将被宋楚瑜主导",并公开释出"副手只是备位,要谨守伦理,不应有声音"的讯息。为化解他们的疑虑、营造两党团结合作的气氛,宋楚瑜以处处"尊连"的具体行动调整身段,努力学习扮演副手角色,获得国民党上下的认同,有利于化解"反宋"情绪。国民党本土派人马指标性人物、"立法院长"王金平即指出,"宋作为副手表现得恰如其分,身段调整得很柔软"。总之,在之后的一年多时间里,国、亲两党相互礼让,大致保持着良好的合作关系。

2004年3月20日,连、宋参选失利,宋楚瑜的愿景破灭。国、亲两党因选后抗争方式、政党选举补助金问题再次出现不合,并使矛盾进一步表面化、公开化。

由于再次参选失败,宋楚瑜深知自己及其政党发展已到强弩之末,也深知自己和政党再次站到与国民党还是民进党合作的十字路口上,他决定赌上自己和政党的政治生命。年底,在新一届的"立委"选举中,亲民党的席次虽大幅下降到34席,但其仍为"立法院"第三大党,拥有"关键少数"的地位仍未改变。选举结束后,面对又一波的国、亲两党合并建言,宋楚瑜表示未来将在"维护中华民国、坚持两岸和平、坚持族群和谐、坚持不搞急独与急统"的基本原则下与国民党携手合作,但主要是"走自己的路",等于将与国民党合并的大门关上。不仅如此,宋楚瑜还表示,"未来亲民党会在'台独并非选项、坚持中华民国主权、对台湾人民有益'的基本立场下,与任何政党就民生议题进行合作"，等于为民、亲两党的合作开了一小扇门。

为了拉拢亲民党，裂解"泛蓝阵营"，陈水扁不仅透过各种管道向宋楚瑜释出可与亲民党合组"联合内阁"，甚至可将"立法院"正、副院长之位悉数让与亲民党的信息，更是在媒体上大炒"民亲合作"议题。

宋楚瑜接过陈水扁伸过来的橄榄枝，双方开始就多项议题秘密接触，洽谈"橘绿和解"。2005年2月24日，经过长时间准备，宋楚瑜与陈水扁在台北宾馆进行"扁宋会"，双方发表"十点共识"声明，主要内容包括："依照中华民国宪法处理国家定位"、重申"四不一没有"、保证"新政改革不涉及国家主权、领土改变"、建立两岸"和平稳定的互动架构"、推动全面"三通"、"台海现状的改变必须获得台湾人民同意，并不排除未来两岸之间发展任何关系模式的可能"等等。

宋楚瑜的做法使其在"泛蓝"群众的代表性和支持度急剧消退，也使党内意见纷纷。一方面，党内骨干周锡玮、邱毅、李庆华、秦慧珠、孙大千、林郁方、李庆安等纷纷宣布恢复国民党党籍；另一方面，部分仍留在亲民党的"立委"在选民和良知、理念的压力下，未能在"军售案"、"监委同意权"上"放水"，使"扁宋会"的共识形同搁浅，宋楚瑜失去与陈水扁讨价还价的资本，陷入众叛亲离、有名无实的困境。

为挽救危局，宋楚瑜孤注一掷，率全党骨干于5月5日启动"搭桥之旅"，赴大陆访问，以凸显该党的政治理念和存在价值。然而，"搭桥之旅"因民进党对共识"跳票"而大打折扣，热闹的"胡宋会"并没有给宋楚瑜和亲民党带来复兴的机会。14日，台湾任务型"国大代表"选举，未作充分准备的亲民党惨败，只获得总数300

席中的18席，得票率仅有6.11%，远低于获得127席的民进党和获得117席的国民党，甚至不如获得21席的台联党。

亲民党惨败后何去何从，成为党内关注的重要问题。党内出现"合并派"和"反合并派"，且双方矛盾日益激烈。由于宋楚瑜多次明确表示不排除与民进党合作，却闭口不谈与国民党合作事宜，党内再次爆发出走潮，不少基层公职和党职人员退党。

2005年7月，亲民党举行第二次党员直选党主席，候选人仍然只有宋楚瑜一人。7月22日，选举结果揭晓，宋楚瑜以99.19%的得票率再次当选为党主席。尽管如此，宋楚瑜仍未摆脱党内支持率下降的窘境。首先，亲民党的党员只有68000多人，尚不到建党之初党员总数的1/4，流失相当严重。其次，投票率较低。此次选举，只收回36569张选票，投票率仅53.35%。再次，在宋楚瑜未表态是否参选时，党内反映冷淡。若不是亲民党秘书长在最后一刻为宋楚瑜代领代填表格，亲民党将陷入无人参选党主席的窘境。

12月，台湾县市长、县市议员和乡镇市长"三合一"选举结束，亲民党仅获得1个席位，县市议员席位也大大减少，乡镇市长只获得3席，基层实力日见微弱，第三大党徒有虚名，如不与国民党加强合作，其政治空间将损失殆尽，宋楚瑜再次陷入困境中。

选举结束后，亲民党高层开始讨论与国民党进一步合作乃至合并的问题。考虑到亲民党作为一个独立政党存在，还可以保住6席"不分区立委"席位，使"泛蓝阵营"在"立法院"继续保持过半席位，对"泛蓝阵营"意义重大，宋楚瑜等人希望先建立"国亲联盟"而不是实质性合并，并针对2006年台北、高雄两市市长选举和2008

年1月"立法委员"的选举,确立"一起起落,一起提名"的选举机制。

已处于颓势的亲民党和宋楚瑜仍希望借助2006年台北、高雄两市市长选举扳回一局。2005年年底,宋楚瑜就曾放言要参选台北市市长。2006年年初,刚从新党返回国民党的郝龙斌决定参加党内初选,宋楚瑜再次明确表示有意角逐台北市市长宝座,使国民党出现选票分散的危机。尽管双方多次协商,但宋楚瑜始终不肯松口。随着"倒扁运动"的兴起,宋楚瑜和亲民党因态度坚决,在"泛蓝"民众的支持率又有所上升,给宋楚瑜带来了新生的希望。2006年10月14日晚,国民党主席马英九与亲民党主席宋楚瑜见面,双方就"倒阁"及近日岛内相关政治情势交换意见,并达成五项原则性共识①,但会谈中并没有谈到台北市市长选举相关事宜,或者说双方触及但无共识。

由于宋楚瑜坚持不肯退出台北市市长的竞选,郝龙斌的选战打得异常艰辛,且充满变数。为保证胜选,12月1日晚间,马英九与宋楚瑜再次会面。马、宋秘密密会后,台湾社会传出此次"马宋会",双方已达成"宋进市政府、马进'总统府'"交换条件的说法。对此,马英九表示,此次会谈主要涉及国、亲两党选后合作建立政党联盟问题,绝对没有谈台北市选举,更没有谈弃保,也没有谈到退选或者交换条件。

在2006年台北市市长选举中,由于宋楚瑜不愿与国民党合作,共同推出候选人,坚持以无党籍身份参选,结果因"弃保效应",宋楚瑜只获得5万选票。选后,心灰意冷的宋楚瑜宣布退出政坛。

宋楚瑜竞选惨败退出政坛后,亲民党泡沫化加重,甚至面临解散的危机,国、亲合作的有利空间和不可预知性也随之同时加大。在2006年12月13日召开的国民党中常会上,根据马英九和宋楚瑜在北、高市长选举前就"泛蓝"整合达成的"原则性共识"起草的"国亲政党联盟协议"草案遭大多数与会者的反对或持保留意见未能通过。其主要原因,是在未来"立法院"选举名额如何分配问题上,国民党担心自身利益受损,也担心马英九因"特支费"被起诉辞去党主席后,宋楚瑜将独揽国民党大权。

19日,宋楚瑜拜会连战,双方就国亲合作进行了一个多小时的协商。会后,宋楚瑜表示,2008年"大选"之前亲民党不能解散,以避免"泛蓝"在"立法院"不过半;"希望在2008年'总统'及'立委'选举提名上,国亲间可以相互协调"。马英九和宋楚瑜在19、20日的两次通电话,达成3项共识:第一,国、亲整合要化繁为简;第二,要整合出一个共同确认可以胜选的团队;第三,对两岸重大问题要整合出一致的方向。

国、亲两党恩怨近七年,合作一路,争吵一路。尽管两党高层都认识到整合、结盟的重要性,也都积极推动,但由于双方领袖个人间、政党间的矛盾,也由于政治

---

① 五项原则性共识包括:一、国民党与亲民党决定在既往密切合作的基础上,缔结更为稳定的"政党联盟"关系。二、国亲政党联盟将在政策、"立法院"及选举方面,进一步加强合作。三、国亲政党联盟设置"决策委员会",由两党主席共同召集,两党各推派3人参加,讨论重大政策法案基本原则,及选举合作事宜,如有争议性议题应采取一致决定。四、国亲两党同意2007年底"单一选区立法院选举"联合竞选,共推最有希望的候选人,在若干特定选区,国亲两党同意相互礼让,以便在"立法院"取得稳定多数席次。两党将共同为2008年"总统"选举而努力,并就重大议题,提出两党共同政策主张。五、国亲政党联盟的具体组织和运作方式,由两党分别循党内程序讨论定案。

利益难摆平,双方不能拿出足够的智慧和诚心,相互间没有谦让和包容,在利益攸关时仍会再次反复。

2007 年 1 月 22 日,国民党主席马英九与亲民党主席宋楚瑜透过视讯会议的方式,跨海签署了"国亲联盟协议"。该协议包括四点内容,大部分实现了原有共识的基本内容。但由于删除了设置"决策委员会"的条文,未来两党如何解决争议性议题仍存在不确定因素。

3. 国民党进入马英九时代

(1)马英九出任国民党主席

2004 年"大选"失败后,年已 68 岁的连战本欲辞去国民党主席以示负责并顺势推动世代交替,但党内智库研判,国、亲两党刚提出选举诉讼进入司法调查阶段,如连战辞职,则失去"总统"候选人身份,"当选无效之诉"和"选举无效之诉"也因此失去调查动力,故力劝连战继续担任党主席。经过慎重考虑,连战表示将于 2005 年 8 月"交棒",喧嚣一时的世代交替工作暂告平息。2005 年 5 月,持续一年之久的"3·19"枪击案在没有找到凶手的情况下匆匆结案,选举诉讼也以连战、宋楚瑜败诉而告结束,连战辞职、完成世代交替工作再次浮上台面。

在可能的接班人中,呼声最高的是国民党本土派指标性人物、"立法院长"王金平和外省籍精英代表、台北市市长马英九两人。

从双方的经历看,他们各有各的优势和支持群众,难分伯仲。王金平从政经验丰富,且系高雄县地方实力派白派的掌门人,在南部地区实力雄厚,做事圆滑,与台湾各政治势力均有来往,关系和睦,正所谓"王金平没有敌人"。但其学历低,个人魅力不如马英九,且在北部地区影响力较弱,同时,因与李登辉关系密切,"泛蓝"内部一直怀疑其"蓝皮绿骨"。马英九学历较高,个人操守好,形象俊朗,待人温和,较能获得青年和妇女选民的支持,是国民党内唯一与陈水扁对阵并能取得胜利的人,因此,在"泛蓝"群众中有相当多的支持者。但马英九的弱势也极为明显,一是外省人身份,导致其在南部地区尤其是南部基层选民中影响力不大;二是办事过于拘谨、刻板,开拓力不够、魄力不够,办事效率较低,导致其在部分理性选民中的票源流失;三是洁身自好,与各方政治人物均保持一定的距离,即或是党内高层也如此,正所谓"马英九没有朋友",这必将影响其党内高层政治资源的开发与运用。

连战的辞职不仅再次引发国民党内"卡位战"的爆发,也为"泛蓝"的合作投下阴影。尽管 2004 年选举失败,但 62 岁的宋楚瑜仍有希望在 2008 年再次重返竞争场,国、亲两党仍需合作,如马英九上台,国、亲两党能否顺利合作仍是一大问题。因此,党内一些元老从国民党的稳定、"泛蓝"的整合、两岸关系的稳定发展出发,力劝连战凭借赴大陆"破冰之旅"所带来的人气,继续连任。除做连战的工作外,一些国民党人士还希望宋楚瑜能重返国民党,甚至能担任国民党主席。

不论是连战继续担任主席还是宋楚瑜重返国民党担任主席,都等于封杀了马英九进一步发展的空间。在这一关键时刻,拥有基层群众支持与期待的马英九作出了果断决定。2005 年 6 月 6 日,马英九向党中央递交了 8.2 万党员连署书,完成登记手续。7 日,王金平也递交有 10 万党员的连署书,表态参选党主席。与此同时,连战也明确表示不再参选,选举遂在马、王两人之间进行。7 月 16 日选举结束,马英九以得票 37.5 万张,得票率 71.51％ 的优势击败得票 14.3 万张,得票率27.32％的王金平，当选国民党主席。

此次党主席直选，是国民党成立以来首次有两个候选人通过公开登记、发表参选政见报告、党员投票的方式进行平等竞争的选举。尽管选举中"王马之争"异常激烈，选后党内的分歧和创伤仍在，但从党内民主选举的各个环节和结果来看，总体仍算理性顺利。选举的成功，不仅标志着国民党党内民主改革取得了重大进步，也为国民党民主化改革的深入奠定了基础。

2005年8月19日至20日，国民党召开第17次"全国代表大会"，马英九正式就任国民党有史以来最年轻的党主席。会议通过了大会宣言、党章修正案、政策纲领案、党务工作新愿景及连战担任国民党荣誉主席等人事案，并将"胡连会"达成的"两岸和平发展共同愿景"列入国民党政策纲领。

国民党"十七全"以"民主传承、和平双赢"为主轴，以"改革、团结、壮大、执政"为目标，明确提出七项具体改革内容：在政党理念上，国民党在坚持三民主义中心思想的同时，建立以"台湾新希望运动"为核心的"本土论论述"，以证明国民党不是"外来"政党；在党内改革上，应进一步深化党内民主、活化党的组织、扩大党的基础，深耕本土基层，尽速处理党产、改善政党形象，以争取"泛蓝"支持者回归和更多的中间选民支持；在"泛蓝阵营"整合方面，应根据"尊重民意、培养互信、建立制度"三原则，逐步实现"泛蓝"的整合最终实现合并。这些改革内容的提出，表明国民党为应对未来的选举，不仅在体制上、组织上加快向"选举型"政党转变，而且在政党理念、政策的规划和制定上也开始根据台湾社会和政治的现实变化进行调整。

会上还改组了国民党的权力中心，选举产生了吴伯雄、江丙坤、林澄枝、关中4位副主席、210名中央委员、107名中央候补委员和31名中常委。从选举的结果看，31名中常委变动不大，但与过去中常委的构成相比，呈现出以下特点：一是当选的"立法委员"从上届的14名增加到18人，接近60％的优势，反映出国民党日益重视"立法院"系统工作；二是县市长首次进入中常会（台中市长胡志强），反映出国民党开始注意"封疆大吏"的重要性，将地方官员纳入决策核心予以重视；三是中常委中，王金平阵营虽占11席，马英九阵营只有8席，但马系人马中，多人出任重要职位，如关中出任副主席，詹春柏出任秘书长以及张哲琛、伍锦霖出任副秘书长，党内派系力量大体得到均衡，有利于内部的团结。

国民党"十七全"的召开，标志着国民党中央机构的世代交替速度加快，政党转型进入一个新的阶段。

马英九接任国民党主席仅三个月，就率领国民党在年底举行的县市长选举中获得胜利。此次选举，国民党不仅拿到了14个县市长位置，连同其他党派和亲"蓝"的无党籍人士，"泛蓝"夺得17个县市，一举扭转了2000年以来的颓势，不仅极大地提高了国民党的气势，也进一步强化了国民党在"泛蓝阵营"内部龙头老大的地位。

这次选举胜利，一大批国民党"中生代"代表脱颖而出，如台北县的周锡玮、桃园县的朱立伦、台中市的胡立强。这次选举胜利也表明马英九基本控制住了国民党，并提出了国民党进一步改革的方向，标志着国民党已正式由"连战时代"进入"马英九时代"。

（2）积极整合国、亲之间以及国民党内部的矛盾

马英九成为国民党主席后，首要的任

务就是党内团结和"泛蓝"内部的合作问题。马英九采取低调的方式，主动弥合国民党内部以及"泛蓝"内部的矛盾。

首先是积极做好王金平的工作。王金平在国民党中的重要性不言而喻，他是国民党内本土派的代表，且是"立法院"的龙头老大。马英九上台后，若没有王金平在国民党唯一能与民进党抗衡的权力机构——"立法院"的支持，党中央的决策就难以落实；若王金平处处掣肘，更是不利于马英九在2008年的大选中成功。马英九上台后，多次向王金平伸出橄榄枝，不仅邀请包括王金平在内的4个副主席留任，而且力邀王金平出任第一副主席，甚至连党内一级主管也尽量不予调整。然而，王、马在选举中积怨甚深，选后王金平表示将追随连战担当国民党"终生义工"，不仅对马避而不见，对让其连任国民党副主席也不表态，就是对马提出"共治党中央"的善意也推脱不受，其幕僚更是喊出"与王院长共进退"的口号。

选后的王金平何去何从也引起了"泛绿阵营"的关注。民进党内有人煽动王金平带领国民党本土派党员出走或另组"台湾国民党"，并呼吁民进党制定"带枪投靠"保障条款；台联党也在频频向王金平招手。但王金平最终还是选择留在国民党，主要原因一是其在基层的影响力确实有限，独立成党难有很大的号召力，也无法使他的政治生涯更进一步；二是党主席连战以及大多数中常委、党籍"立委"投票挺王，情深义重，从道义上也使王金平难以背党而去；三是王金平及支持者在选后并未被淘汰出局，仍委以重用，如王金平仍可作为国民党不分区"立委"，在"泛蓝"的支持下，继续掌握"立法院"；四是由于马英九高票当选，选后国民党内"西瓜效应"也逐渐显现，一些拥王、挺王的人士纷

纷与马重修旧好，如卓伯源、林益世等人。

其次是加强与亲民党、宋楚瑜的合作，努力创造条件实现国、亲两党的合并。宋、马心结很深，早年因"兴票案"、"总协调说"就产生过矛盾，2004年连、宋"大选"失败后，连、宋及其支持者采取街头抗争行动，时任台北市市长的马英九，并未与党中央保持一致，而是按其市长的职责，解散集会，驱逐示威者，引起连、宋等人强烈不满。由于马、宋两人省籍相同、理念趋同，选票重叠性高，马英九当选党主席后，宋楚瑜与亲民党在"泛蓝阵营"中有进一步边缘化的趋势，亲民党人士表示，"马英九当党主席，宋楚瑜回国民党的可能性几乎没有了"。如无法安抚好宋楚瑜及亲民党，"泛蓝"就有可能分裂，马英九在政治上也难有所作为。因此，国民党在"十七全"修改了党章第43条第3款，将原来的"排宋条款"改为"迎宋条款"。会后，国民党新任秘书长詹春柏立即率"组发会"主委廖风德、"文传会"主委郑丽文拜访亲民党中央党部，商谈国、亲合作参选年底举行的县市长选举问题。最后，双方秘书长同意以"建立制度、尊重民意、信守协商承诺"三原则作为县市长选举中两党合作的基础。但在年底县市长选举中，马英九提出"兄弟登山、各自努力"，积极赴基隆辅选国民党候选人，导致亲民党得力战将刘文雄最终败选，加之此次县市长选举中，亲民党仅获得1席，党内对国民党、马英九颇多怨言。在多方持续不断的努力下，2005年12月12日和22日，马英九、宋楚瑜两度会面，商谈两党的合作问题。最终，双方达成五点共识：①对于"国亲合并"：为维持"泛蓝"在"国会"实质多数，目前仍以加强两党合作为优先。②对于"国会合作"：国亲党团将尊重民意，坚决反对不合理军购，继续追查"3·19枪击案"真

相,并将加强"监督政府、主动立法、理性问政"。③对于"政策整合":"为避免台湾经济被边缘化,应加速推动两岸三通;支持退休军公教人员,但须提出相关配套措施;要求司法检调机关,将现有弊案不分'蓝''绿'追查到底"。④对于"选举提名":在未来台北高雄市长、市议员及"立委"选举提名方面,双方目前尚无实际结论,有待两党秘书长协商后再讨论。⑤对于"两岸政策":为避免台湾经济被边缘化,将共同促进两岸经贸合作正常化,加强推动"三通"。

"马宋会"尽管没有实现两党合并,也没有在最容易导致两党交恶的选举问题上进一步细化,但明确了国亲合并的方向与目标,更为重要的是将濒临分裂的国、亲合作维系了下来,使"泛蓝阵营"的士气高涨。

2006年年中,随着台湾"倒扁运动"的高涨,"泛蓝阵营"内部在先"倒阁"还是先"罢免"问题上存在分歧。宋楚瑜明知"罢免案"不能通过还要引领推动,坚持不弃,其目的就是为了迎合"泛蓝"民众的"反扁"情绪,维系自己的政治资源。马英九则主张先"倒阁"。因为以"泛蓝""立委"在"立法院"过半席位的优势,"倒阁案"过关的可能性要远远大于"罢免案"。但在亲民党的坚持下,在党籍"立委"的运作下,"罢免陈水扁"成为"泛蓝"的共识。为了统一"泛蓝"行动,也为了向亲民党示好,马英九对自己的主张并未予以坚持,而是一而再、再而三地与亲民党联动,先后三次发起罢免陈水扁风潮。当罢免不成,转向"倒阁"时,马英九又积极与亲民党联络,以取得进一步共识。10月14日晚,国民党主席马英九与亲民党主席宋楚瑜就"倒阁"及岛内相关政治情势交换意见,并达成五项共识。马英九表示,国、亲

两党在会谈后已建立协商机制,将在"立法院"就"军购案"、台"监察院"人事案等方面继续合作。

但随着年底台北、高雄两市市长选举日期的临近,国、亲两党之间的矛盾再次浮出水面。国民党力推郝龙斌参选台北市市长,而此时,宋楚瑜为争取在2008年"大选"中处于有利位置,也把目光放在最为重要的地方长官——台北市市长上,双方再次产生矛盾。

12月3日,马英九在高雄市参加国民党举办的"1203救台湾大游行"活动后接受媒体访问时表示,他在12月1日晚间曾与亲民党主席宋楚瑜会面,主要目的是讨论选后国、亲两党建立政党联盟,进一步合作等相关原则性问题,绝对没有谈台北市选举,更没有谈弃保,也没有谈到退选或者交换条件。他说,之所以在选前举行会谈,是因为宋楚瑜参选台北市市长,且国民党也有台北市市长候选人,选举一定会有恩怨是非,选后不一定能把问题谈好。他还表示,自己不喜欢密室政治,也不会在这种场合交换任何条件,更没有所谓的"宋进市政府、马进'总统府'"的交换,当天有国民党秘书长詹春柏与亲民党政策中心主任张显耀在场。马英九此举表明,他对自己掌握未来国、亲合作的主动权充满信心,在关键职位上绝不会向亲民党退让。

(3)马英九辞去国民党主席

民进党深知,马英九是以清廉形象赢得选民支持的,若要"打马",必须以此为着力点。2006年8月15日,民进党籍"立委"谢欣霓、黄伟哲忽然提出质疑,马英九在台北市市长任内"违规"使用"市长特支费",将"市长特支费"直接汇入私人账户,当作生活费甚至还用于支付女儿在美国的生活费。9月2日,谢欣霓、黄伟哲等人

赴台"高检署"查黑中心告发马英九。根据台"行政院"有关规定,"特支费"适用人包括各级行政长官、公营事业单位主管及民意代表机关议长等 6500 多人,制度规定"特支费"应用于公务,其中一半报销需要发票、收据、领条等原始凭证,另一半无需单据核销,"特支费"的支领可经由支票、现金提领或直接通过划账转入当事人个人账户。因此,国民党尤其是马英九团队对此并未予以高度重视。11 月 14 日,台湾"高检署"就"市长特支费"约谈马英九,马英九才发现事情并未像其想象的那么简单,在"市长特支费"使用上,确实存在"违规"现象。15 日,马英九召开记者会公开道歉,承认其办公室秘书余文贪图省事,私自收集大额发票代替小额发票报销"特支费",但未涉及贪渎和中饱私囊,事前他也并不知情。此外,他还宣布捐出市长任内不需要单据核销的约 1547 万元新台币"特支费",支持慈善、文化等团体,并主动接受国民党廉能委员会的调查。由于错失解决危机的最佳时间,在民进党蓄意"打马"的行动中马英九处于极为被动的状态。马英九的清廉形象受损,甚至面临被起诉判刑的可能,给马英九本人和国民党的政治发展都带来巨大的冲击。

由于民进党要为陈水扁解套,也想借此置马英九于死地,以清除 2008 年"总统大选"中最大的威胁,对马英九的"市长特支费"案绝不善罢甘休。11 月 24 日,马英九明确表示,一旦因"市长特支费"案遭起诉,他会辞去国民党党主席职务。同时,马英九团队也积极收集民进党各级行政长官在职期间违规使用"市长特支费"的证据,为马英九解套。

2007 年 2 月 13 日下午,台检方正式公告了"特支费案"起诉书的内容,称将前台北市市长马英九和台北市府秘书余文分别依《贪污治罪条例》起诉,其他五个台北市府的官员则是依"伪造文书罪"被缓起诉。马英九被台检察官依"贪污罪嫌"起诉的理由是:马英九在台北市市长任内,将每个月"特支费"中不需要单据的报销的 17 万元新台币直接汇入薪资账户,而且有部分是没有拿来作公务用途。检察官更在给媒体的新闻资料中写道:马英九"诈领"得"特支费"总计 11176227 元新台币。检察官也发现,两次约谈马英九的过程当中,他的说法前后不一:第一次马英九接受侯宽仁问讯时说,这些"特支费"都是公务用途,绝对没有拿来作私用,但第二次马英九又改口说,其实这都是他的私款,因为"特支费"并没有明确相关法条规范,检察官因此认定马英九可能涉及贪污。

马英九遭起诉后表示,将遵照自己的承诺,宣布辞去国民党主席职务,同时也宣布将继续参加 2008 年台湾"总统大选"。

马英九辞去国民党主席职务后,由位列第一的副主席吴伯雄代理(后为参选国民党主席,于 3 月 14 日请辞代主席,主席职务由第二顺位的副主席江丙坤代理)。根据国民党党章第 22 条规定,于三个月内完成国民党主席的补选工作。此时,有意竞选国民党主席职位的有国民党副主席吴伯雄和中常委、"立法委员"洪秀柱。

作为客家子弟的吴伯雄在客家地区有着相当大的势力,其为人谦和、大度,人缘关系较好,党政资历完整,资格老;不足之处是年龄偏大,且除了早年在省议会短暂的 2 年经历外,很少涉足过民意机构,更没有在"立法院"待过,这对国民党成为在野党后仅剩"立法院"这一关键阵地的特殊时期极为不利。

洪秀柱则是"立法院"的六届元老,长期在"立法院"任职,问政风格辛辣犀利,有政坛"小辣椒"美誉,是"立法院"中国民党的台柱之一,有很大的影响力。但其在党内资历相对较浅,党内任职也大多是与其性别、年龄和所在领域有关的分支部门,缺乏对整个党机构管理、运作的经验,也不利于动员国民党的地方派系。

吴伯雄和洪秀柱不论是年龄、籍贯还是工作阅历、个人性情各有千秋。吴伯雄所长,正是洪秀柱之短;而洪秀柱所长,未必不是吴伯雄之短。选谁不选谁,关键还是看国民党需要什么样的党主席来接马英九的班,完成国民党最迫切的任务,即新任党主席将接续前主席马英九请辞后剩下任期,至 2009 年 8 月的国民党"十八全"。任期只有 2 年 4 个月,而必须肩挑起国民党打赢年底"立委"选战及 2008 年"总统大选"的大任和重任。

2007 年 4 月 7 日,国民党举行主席补选,各县市共有 18.1 万名党员投票(投票率 53.75%),吴伯雄以获得 156499 票(得票率 86.97%)大比数压倒另一候选人洪秀柱的 23447 票,高票当选国民党新主席。

(4)"马萧配"参选"总统"

与国民党主席补选工作同时进行的还有国民党 2008 年"总统"候选人党内初选工作。依照国民党地区领导人初选日程,2007 年 4 月 3 日至 22 日是连署时间,参选人必须获得 16750 名具有党权的党员连署,才能跨过门槛,5 月底办理民意调查及党员投票,5 月 30 日将初选结果报请中常会核备,在 6 月 24 日召开的"十七全"二次会议上通过提名名单。

对于由谁代表国民党参选 2008 年"总统大选",党内意见不一,马英九陷入"特支费"案,并辞去国民党主席后,争议更大,到底是"马王配"还是"王马配"。

从王金平与"挺王派"来看,王金平只能在国民党主席、"总统"和"立法院长"中挑选其一,当务之急是获得"总统"候选人资格。国民党名誉主席连战希望"王马配",但连战深知在党内民主投票的情况下,王金平难以敌过马英九,因此建议王金平竞选党主席。王金平则认为马英九陷入"特支费"案,自己有出任国民党"总统"候选人的希望,故拒绝连战的协调,决定弃选党主席。但为了避免"亲王派"在国民党中央内失去制衡乃至主导地位,不利于王金平争取代表国民党参选"总统"的正当性和代表性,也不利于"亲王派"在"立委"初选中抢夺地盘,"挺王派"挑选出态度亲近王金平的洪秀柱充当王金平的"代理人",去与被视为马英九"代理人"的吴伯雄进行一场"代理人战争"。

4 月 1 日,洪秀柱在电视政见会上强调,党主席选举不是"代理人战争",她支持最有可能打败民进党的"总统"候选人,"现在马英九是最有可能一战的",她会支持,也会透过重建党魂、党权、订出政纲方式,赢得 2008 年"总统大选"。洪秀柱的言论清楚表明,其一,她否定党主席补选是"代理人战争",等于是否认自己是王金平的代理人,亦即要与王金平划清界限,这将会对党内本土派造成很大的影响,尤其是那些极为欣赏她"打扁"、"批绿"泼辣作风,却又本色彩浓烈的中、南部党员。其二,洪秀柱强调马英九是最有可能打败民进党"总统"候选人的人,并公开宣布支持马英九竞选"总统",等于明示将在"总统"党内初选及未来正式选举中与王金平决裂,并暗示王金平不可能打败民进党的"总统"候选人。再引申下去就是:将会输给民进党"总统"候选人的王金平却执意要参选"总统",又不愿参加党内初选,这种做法并非顾全大局,也非光明正大,有裂解国民党的危险。

洪秀柱此举,既有为自己拉选票的考

虑,也有其党性因素的影响。但对王金平而言,洪秀柱的言论不亚于一记重拳,难以抵挡。也就是说无论谁当选,王金平都无法借助党部的力量获得参选的有利态势。另外,马英九也强调《刑事诉讼法》确立了"无罪推定"原则,除非三审定有罪,否则并不影响参选资格。据此他公开表示,若他在"特支费"案中一审被判有罪,还将会继续参选"总统"。王金平权衡再三,最终决定放弃参加党内初选,继续等待时机。4月2日,王金平在"立法院"以宣读声明稿方式举行记者会。他说,马英九这两天可望领表登记党内初选,但"特支费"案开庭在即,选举充满不确定变量,后续如何面对法律,要有更完整、长远思考,国民党应建立危机处理机制,确保"泛蓝"不因司法或外力打压而缺席。对于马英九多次邀请其出任竞选副手一事,王金平表示,他将持续倾听民意,暂不考虑权位,谢谢马英九的好意。

4月7日,王金平向获得选举胜利即将出任国民党主席的吴伯雄发出了表达恭贺之意的声明稿。同时,王金平也提醒,前国民党主席马英九被起诉后,国民党立即修改"排黑条款"①,使马英九可参加党内初选,社会上已有很多不以为然的声音;若党中央有意再修"排黑条款",使一审被判有罪者仍可获党内的提名,以致党内同志不忍国民党向下沉沦,造成党的分裂,谁能负起破坏团结的责任?盼党中央主事者三思。显然,王金平是想借此时机告诫主张"马王配"的吴伯雄不要置党的形象于不顾,修改党内"排黑条款",为马英九解套。

王金平也把希望寄托在连战的协调

上。4月12日,王金平表示,他与前国民党主席马英九都希望当"总统"候选人,因此才会有协调的问题。他强调,希望彼此留出空间,由国民党荣誉主席连战继续协调,相信党一定会真心、诚意团结合作,现在争议都只是过程,一切纷争都过去了,应该"向前看"。

对王金平的表态,马英九表示赞成,认为国民党必须团结、合作、和谐,尽快办好初选,产生出党内候选人,才能早日进入选战的战斗位置。4月13日,马英九前往两岸和平发展基金会拜会即将赴大陆访问的国民党荣誉主席连战,两人晤谈一个多小时。在台湾地区领导人选举候选人的协调问题上,连战已失去耐心,只是笼统表示,希望国民党团结合作,共同推出一组最有希望胜选的候选人,也希望马英九和王金平朝这个方向努力。

4月21日下午,马英九在缴交700万元作业费,以及215168位党员的连署后,完成参选台湾地区领导人党内初选登记,正式投入选战。他提出以开明、开朗、开放、开阔、开拓所谓"五开"的原则重建价值基础,再创台湾奇迹。另一国民党初选领表者高雄师范大学教授雷乔云因连署人数不够,无法登记,被迫退出选战。由于没有其他竞争者,国民党宣布不再举行初选民调与党员投票,经由6月底全体代表大会通过党的候选人。5月2日,国民党中常会通过正式提名马英九代表该党竞逐2008年台湾"大选"。

马英九登记参选后,副手的选择成为各界关注的重点。马英九对副手的选择标准是:本省籍、性别不拘、中南部政治菁

---

① 国民党党章第43条第2项明定,"党员违反洗钱防制法或贪污治罪条例等,经法院判决有罪者,无论判决是否确定,一律丧失参与党内初选资格,并不得由本党提名;亦不得参加本党各级委员会委员、代表大会代表选举为候选人。但于办理初选或选举登记前业已判决无罪确定者,不在此限"。

英、能创造一加一大于二的效果、有互补性、并且具备独当一面的"备位元首"能力。最初,马英九将希望放在王金平身上,多次沟通均遭王婉拒。4月11日,在国民党新任主席吴伯雄就职典礼上,马英九再一次当着王金平的面,公开表态他会按照连战、吴伯雄协调的基调,如果他成为"总统"候选人,会优先争取王金平和他搭档,打赢这场最艰困的选战,并再次重申一审有罪仍然参选到底。王金平鞠躬致意但没有回应。国民党荣誉主席连战和党主席吴伯雄也多次斡旋其中,却无任何效果。

然而,随着"特支费"案峰回路转,逐渐朝着有利于马英九的方向转化,且"排黑条款"铁定会修改或变相修改,为马英九解套,王金平的希望变得越来越小。如果无法获得"总统"候选人资格,亦即马英九未丧失候选人资格,王金平则希望退而求其次,继续镇守"立法院"。毕竟"立法院"是王金平的老根据地,他已担任两届"立院"副院长、三届"立院"院长,"宁为鸡头,不为牛后",握有实权的"立法院"院长总比"副总统"这么个虚职要实惠得多。再加上近两年,台湾社会"内阁制"的呼声很大,若果真推行"内阁制","蓝营"在下届"立法院"中仍占优势,王金平就有可能作为多数党领袖出面负责"组阁",担任"阁揆"。此时的"内阁"("议会总统制")"阁揆"要比现行"内阁"("总统议会制")"阁揆"权力大得多,甚至超过"总统",且由于"总统"无权解除"阁揆"职务,"总统"只不过是一个有名无实的象征而已。因此,王金平考虑,他如果拒绝出任"副总统"候选人,必将担当下届第一名国民党不分区"立委",就可以绕过选战正面战场直接进入"立法院",并出任"立法院长",这是一个只赚不赔的最佳选择。

5月31日,马英九在和王金平举行"马王会"后,正式宣告"马王配"破局。6月23日,马英九正式对外宣布将与时任"中华经济研究院"董事长萧万长共同搭档参选2008年地区领导人。

萧万长政治资历相当完整,不仅担任过众多党务工作,是党内的元老,而且长期担任行政"部""会"首长,先后出任"经济部国贸局长"、"经济部长"和"行政院长"等职,财经专业背景相当深厚,对马英九拼经济的论述会有很大的帮助。另外,萧万长为人正直清廉、人脉广布,从政过程也留下非常良好的口碑,被社会称为"微笑老萧",确是台湾政坛上能被各界接受的难得人才。

4. 陈水扁政府贪腐引发政治风潮迭起

(1)"高雄捷运弊案"等一系列弊案引发民进党危机

从2005年8月起,岛内连续引爆了"高雄捷运弊案"、"股市秃鹰案"、"中国钢铁董事长林文渊分红案"、"高速铁路延宕案"、"中华电信释股案"、"ETC弊案"等多起弊案,矛头直指民进党当局、陈水扁及其亲信。风暴之密、力量之大、影响之深,前所未有。

"高雄捷运弊案"是高雄捷运修建过程中引发的重大贪腐弊案。高雄捷运(Kaohsiung MRT,正式全称为高雄都会区大众捷运系统)是台湾第二个都会区捷运系统,连接高雄市各地及高雄县部分地区。整个捷运系统有高架、地下、平面等模式;高架段约占整个捷运路线的24%,地下段则占75%,平面段约占1%。路线的兴建与未来通车后的营运,皆由以BOT模式组成的高雄捷运公司负责(兴建、营运特许期限共36年);附属于高雄市政府之下的捷运工程局则负责路线规划与兴建监督。

8月21日晚,高雄捷运冈山北机场泰国劳工因喝酒遭管理员制止后与管理员发生争执,随后近1700名情绪激动的泰国劳工在高雄捷运工地宿舍区纵火烧屋并攻击消防人员及警察,阻止消防人员救火,情况近乎失控。事后,泰国劳工生活条件恶劣、收入遭层层盘剥的真相被媒体公之于众,引起舆论大哗。高雄地铁建设明明可以直接聘用劳工,为何有近半数的泰劳由中介公司——华磐公司引进?工程承包商每月支付给泰劳的薪资与泰劳实际所得之间将近1700万元新台币的差额流向何处?主管劳工事务的"劳委会"在其调查报告中将此案定为高铁公司"涉嫌伪造文书",却只字未提对华磐公司的处罚,更引起人们的进一步怀疑。9月5日,"劳委会"主委陈菊举行记者会,发表辞职声明。高雄代理市长陈其迈在陈菊辞职记者会举办后不久,也匆匆递上辞呈。由于"双陈请辞"事件来得突然、事前全无迹象,又因"总统府"罕见地主动发布新闻稿,引发外界诸多猜测,认为此举可能显示"总统府"终于愿就"高捷案"出面,进行最后的危机控管。但也有在野党"立委"质疑,认为"双陈"从不认账到请辞的大逆转,很可能是"总统府"一手主导,以尽早划清界限,断尾求生。

"高雄捷运弊案"也引起了多名"立委"的关注。国民党"立委"罗世雄质询"检察总长"吴英昭:"高雄捷运弊案"的侦办进度为何如此缓慢,检调单位已经在华磐公司搜出"有力人士"往返台、泰头等机票存根及相关账册,却并未约谈当事人。吴英昭的答复是:确实搜到机票存根,但是这项侦查不公开,拒绝透露"有力人士"的身份。9月29日,无党籍"立委"邱毅在"立法院""司法委员会"爆料,称谢长廷、

"中国国际商银"林忠勇、"中钢"董事长林文渊、"国策顾问"陈哲男与前公共工程委员会主委蔡兆扬五人疑在"高捷弊案"中分工合作,在他们背后还有更大的黑手。10月6日,陈水扁在社会的压力下不得不责成接任高雄市代理市长的叶菊兰尽快成立调查小组,查明事件真相。经高雄检调机关调查发现,高雄捷运公司前副董事长陈敏贤名下的基金会有8000多万元新台币的资金往来异常。

其实大家早已猜测"有力人士"应是前任高雄代理市长陈其迈的父亲——曾任"总统府"副秘书长的陈哲男。但"有力人士"应不止一个,谢长廷也因去过泰国六次牵扯进去。雪球愈滚愈大,邱毅在"立法院""司法委员会"出示"密件",指出陈水扁也是"高捷案"中的"有力人士"。

10月26日,台湾TVBS(联意制作股份有限公司)电视台"2100全民开讲"节目公布了一张照片,显示前"总统府"副秘书长陈哲男与前高捷公司副董事长陈敏贤,于2002年11月2日凌晨一起出现在韩国济州岛赌场,在贵宾包厢内赌"百家乐"。随着媒体的介入并穷追猛打、不断爆料,"高捷弊案"牵扯面越来越广、涉案层级越来越高、影响越来越深。民进党内不少人认为,如此深究,民进党最终将被搞垮。

为避免新闻媒体和在野党的穷追猛打对岛内政坛强烈冲击,民进党不惜断尾求生,宣布开除涉案的陈哲男、周礼良(前高雄捷运局长,时任"交通部"政务次长)、方来进(前高雄劳工局长)等人党籍。11月21日,高雄"地检署"就高雄捷运泰国劳工中介一案,分别按照图利、背信等罪名起诉陈哲男、周礼良、陈敏贤等18名官商。

"股市秃鹰案"是指8月爆发的股市违法放空弊案。该案事由台湾证券交易所董事长吴乃仁的亲信涉嫌盗取证交所内

部电脑中有关上市公司情况查核的机密资料,自己放空股票获利不算,还将信息和资料外泄不法集团,造成了股市投资者约达 500 亿元新台币的巨额损失。吴乃仁是民进党内派系"新潮流""大佬"级人物,在民进党内"战功彪炳",是陈水扁两度登上"总统"大位的辅选大将,在 2001 年民进党秘书长任内更一举使民进党成为了"国会"第一大党。10 月 26 日,"股市秃鹰案"完成第一波侦结,前"金检局"局长李进诚辞职下台并被判刑 8 年,多名高官及"立委"涉案。

"中国钢铁董事长林文渊分红案"是继"高雄捷运弊案"、"股市秃鹰案"后,民进党涉嫌的又一宗重大弊案。有"陈水扁家臣"之称的台湾"中钢"董事长林文渊,被民进党"新潮流""立委"林树山指收取4400 万元新台币的公司员工配股分红,纳入私囊,没有上缴"财政部",要求其限期退还,并要求台湾当局发函追缴。但也有民进党人士称,林文渊所领分红,已经"后送"(即捐出供选举之用),根本无法"吐"出来。民进党不断辩解林文渊领取员工分红于法有据,捐出作为政治献金也合法,处理该案的做法是建立制度。但无论怎么解释,作为不得从事政治献金的公营企业负责人,林文渊将个人薪资捐作政治献金,让民进党有"国库通党库"之嫌。更何况 2000 年"总统"选举时,林文渊曾担任陈水扁竞选阵营的副总干事,专司总务及预算控制;2004 年"总统"选举与"立委"选举,他又与时任高雄市市长谢长廷、"总统府"副秘书长陈哲男、高雄捷运副董事长陈敏贤等人,负责陈水扁寻求连任时在南部的募款重任,一直被外界视为陈水扁的嫡系,也因此遭到党内对陈水扁不满的"立委"嫉恨,被"修理"在所难免。10 月 17日,林文渊被迫辞职,黯然下台。

"高速铁路延宕案"则涉及另一个与陈水扁关系密切的人——台湾高铁公司董事长殷琪。修建南北(高雄—台北)高速铁路是民进党执政时期一项重要的交通工程,原定 2006 年 10 月 31 日通车,但由于资金缺口巨大,2005 年 9 月 8 日高铁公司宣布需延后一年通车,造成的损失高达 667.5 亿元新台币。8 年前,台湾高铁公司五大原始股东大陆工程公司等以由民间主要投资而"政府零出资"的 BOT 经营模式,取得了台湾高速铁路的营运权,修建贯通台湾南北的高速铁路。8 年后,台湾高铁公司不仅建设资金未到位,而且在公司的财务结构中,民间的实际投资仅占 6%,由"政府"投资及负连带保证金及其他相关贷款总额竟占了 84%,完全背离BOT 原则。面对高铁公司高达近 80 亿元新台币的巨额财务窟窿,"行政院长"谢长廷要求由"政府"控制的两大公司出资填补。由于台湾高铁公司董事长殷琪长期支持民进党,且是 2000 年台湾"总统"选举时陈水扁"国政顾问团"的重要成员,外界强烈质疑陈水扁与民进党为殷琪输送利益,让高铁公司占尽了便宜。

"中华电信释股案"是指台湾"交通部"将原持有的 100%"中华电信公司"的股权,以提升公司竞争力名义,进行民营化释股所引发的事件。经 5 次释股后,"中华电信"的公股部分降至 50%以下,"中华电信公司"正式成为民营公司,而市值近6000 亿元新台币的"国营企业"竟被贱价转给了财团,引发社会的猜疑和不满。

ETC 弊案是指台湾高速公路电子收费系统(ETC)兴建过程中工程投标引发官商勾结的案件。台湾早在 1996 年着手研制电子收费系统,1998 年"中华电信"曾在树林、龙潭等收费站试办。2002 年"立法院"因 ETC 牵涉到许多政商运作和利益导致弊案传闻不断,决定删除电子收费16亿元新台币预算,"中华电信"停止试办。2003年11月电子收费案公开招标,结果由远东企业、东元公司、精业公司、神通集团组成的"远通电收"在2004年4月得标,并与高速公路局签约。2006年1月,"远通电收"在"国道"三号线试用电子收费系统10天,在系统测试问题频出的情况下,2月10日ETC正式上路启用。但是被评定次优的"台湾宇通公司"(由三商集团、亚太宽频、东森、裕隆、"中钢"等大公司合组而成)不服招标结果,递状申告,台北高等行政法院于2005年10月受理。检调单位从调阅ETC相关招标及评审的相关文件资料检视,在整个招标及评审过程中,怀疑当时承办的"交通部"官员涉嫌将ETC案的招标规范、底价及"交通部"机密公文,提供或转交给特定厂商,使得厂商得以事先掌握发包情况及进度,为特定厂商量身定作,涉嫌绑标、图利。经台北高等行政法院判决,因甄选过程违反公益及平等原则,撤销"远通电收"公司的资格,全案再由远通、宇通、宏基三家厂商等待评选。2006年3月15日,ETC弊案的整体侦查动作正式展开。17日,ETC弊案侦破工作出现重大进展,台北"地检署"随即展开第一波起诉行动,前"交通部长"机要秘书宋乃午被求刑12年,另一位被告前精业科技协理蔡锦鸿则是求刑4年,并科罚金200万元新台币,前"交通部长"林陵三则是被检方列为全案的重要关系人。

这些案件的暴露,摧毁了民进党建党以来一直标榜的"反黑金、清廉"的政党核心价值,使民进党的形象一落千丈。两度在"总统"选举中力挺陈水扁的"中央研究院"院长李远哲,也在"立法院"公开指责民进党上台后,"决策很粗糙,有人操守差",并坦承"为当初挺扁感到遗憾"。民

进党"新潮流""大佬"林浊水也指出"有人操守差、施政无顺序、领导有问题等三大害正腐蚀民进党"。民进党的"清廉牌"破产,是其在年末举行的县、市、长、乡、镇(县辖)市长及县市议员"三合一"选举中惨败的一个重要原因。

(2)陈水扁家族深陷弊案难以自拔

一波未平,一波又起,2006年5月,"SOGO案"、"台开股票内线交易弊案"、"国务机要费弊案"等一系列涉及陈水扁家人、亲信及其本人的弊案再次被连续揭发出来。

①"太平洋崇光百货(SOGO)案"

"太平洋崇光百货弊案"是由台北市"地检署"侦办陈哲男涉入SOGO股权争夺案引爆的。SOGO原归太平洋建设集团总裁章民强、总经理章启明父子所有,后被远东集团董事长徐旭东并吞。章氏父子不服,指控称他们曾通过太平洋流通公司董事长李恒隆和SOGO高级顾问林华德与陈哲男见面,并共赴"财政部"拜见时任"财政部长"的颜庆章,商谈SOGO纾困问题,事后章家交付2000万元新台币的"工作费"以及价值880万元新台币的礼券给李恒隆。章家原以为如此可以解决太平洋百货公司的经营权争议,但他们万万没想到,付了2000多万元新台币的代价,并未保住公司。

由于多位证人证明"总统府"介入此案,国民党籍"立委"李全教数度召开记者会,指控陈水扁妻子吴淑珍在太平洋百货公司消费所用礼券来自于太平洋建设集团总裁章民强行贿的880万元礼券。由于赠送的礼券编号与一般对外贩售的礼券编号不同,李全教要求"总统府"公布吴淑珍消费的礼券编号。另外,李全教也质疑梁柏薰曾透过陈哲男交给陈水扁100万元新台币的政治献金。针对这一指控,"总

统府"秘书长陈唐山进行反驳。他强调，吴淑珍根本没有拿到礼券，怎么会有外传的礼券编号？4月11日，陈水扁和吴淑珍委托律师顾立雄向李全教提起刑事诽谤自诉，成为岛内第一件"总统"夫妇共同控告他人的刑事案件，由此引发全社会对"SOGO案"的关注。

4月12日，媒体接获SOGO员工爆料，指吴淑珍2003年上半年总计在SOGO出现过4次，其中有两次用礼券消费，金额高达24万元新台币。"总统府"随即发表声明称，"第一家庭"成员到SOGO购物的礼券是吴淑珍与友人集资共同购买，若"第一家庭"任何人接受李恒隆、章民强、徐旭东、陈哲男送的SOGO礼券，陈水扁愿意辞职下台。21日，李全教再度向媒体出示一份SOGO林姓前出纳发给他的电子邮件，表示她曾经手460万元礼券，分三次交给陈哲男，再交给吴淑珍，并且手上有陈哲男签收的影印本。

就在陈水扁夫妇忙于洗脱之际，陈水扁的又一亲信，也是"总统府"副秘书长的马永成被搅入弊案。4月11日，国民党籍"立委"邱毅指控马永成为国泰金控收购台中第七银行牵线，让国泰以高于每股净值的价格并购后者，其中溢价收益高达507亿元新台币，且去向不明。18日，邱毅和媒体人士胡忠信一起举行记者会，指控马永成结婚时收受华南金控董事长林明成200万元礼金，用于交换华南金控董事长的职务。另外，邱毅还指控马永成涉入SOGO经营权案。马永成回应称，他虽不认识李恒隆，不过曾请时任"总统府"副秘书长的陈哲男、李恒隆和另一个有意收购SOGO的寒舍集团董事长蔡辰洋见过一面。

9月5日，陈水扁首度承认"第一家庭"的SOGO礼券，不是"直接"来自李恒

隆，而是新光医院副院长黄芳彦。黄芳彦接受了李恒隆姊姊以患者身份送上的答谢礼券，再转送"第一家庭"，但"第一家庭"是后来才知道的。这些礼券用途包括转送给"第一家庭"外孙的满月礼，以及孙子的过年红包。

其实，自台湾最赚钱的百货公司SOGO爆发财务危机以来，各方觊觎不已。李恒隆、林华德与陈哲男想方设法从SOGO纾困中获益，而远东集团、寒舍集团也为竞争SOGO经营权斗争日益白热化。由于扁官邸"一妻二秘"的介入，争斗变得更加复杂。最终在吴淑珍、马永成的干预和斡旋下，远东集团拔得头筹，寒舍集团在将手中控制的SOGO股票卖给远东集团时也获得高利，只剩下花了2000多万元新台币冤枉钱的章家一无所获。愤怒的章家忍无可忍，终于引爆SOGO礼券案。

10月2日，台北"地检署"对SOGO礼券及经营权案进行结案起诉。具有讽刺意味的是，在此案中，收受礼券的人全身而退，送礼的人却被提起诉讼。陈水扁夫人吴淑珍虽被检方证实"间接"收受了太平洋流通公司董事长李恒隆的SOGO礼券，但未被检方起诉。与扁家关系密切的新光医院副院长黄芳彦、原"总统府"副秘书长陈哲男等人因证据不足而未被提起诉讼。前国票金控董事长林华德、远东集团董事长徐旭东及该公司法务长黄茂德、财务长李冠军等四人被检察机关依刑法背信及伪造文书罪起诉。太平洋流通公司董事长李恒隆、正风会计师事务所赖永吉因涉嫌伪造文书并案送台北高等法院审理。

②"台开股票内线交易弊案"

"台开股票内线交易弊案"简称"台开弊案"或"台开案"，是一件涉嫌台湾土地开发股份有限公司股票内线交易的案件。

台湾土地开发公司成立于1964年,原是经营土地开发与信托投资业务的金融机构。其主要股东是"财政部"所属的公有银行,股份占了77.6%;另外,民间大股东也占了18.16%。民股的主要投资人是媒体大亨同时也是台开公司副董事长的邱复生。董事会的结构中,公股占有5席董事,而民股则占了4席。对于台开公司的经营权,虽然"财政部"占有绝大多数的股权,但是民股则是来自于主宰台湾舆论的媒体业者。因此,公股代表的董事长苏德建每每受制于邱复生,才会洽彰化银行购买0.1%的台开股票以壮大自己在董事会的声势。

2005年,因长年亏损,台开股票遭"证交所"下市。台开公司股东彰化银行于6、7月间以每股2元新台币的低价,出售台开股票2.4万张,而这些股票被陈水扁女婿赵建铭以其母亲简水绵等人的名义认购。2006年初,股价飙涨至18元左右,短短不到1年的时间,赵建铭获利高达3亿多元新台币。

赵建铭在台开股票已被打入全额交割股之际,敢花4000万元新台币的巨资买入,社会各界普遍怀疑其是否有"高人指点"或存在内线交易问题。2006年5月10日,国民党籍"立委"邱毅爆料,指称赵建铭涉嫌台开股票内线交易,短期内牟取巨额非法利益,并称全案与彰化银行高层刻意讨好赵建铭,以获得"第一家庭"支持有关。对此,赵建铭矢口否认,称台开股票与他无关。

事实上,2005年7月中旬,台开董事长苏德建与赵建铭有过两次秘密餐叙,苏向赵透露支持台开的165亿元新台币的贷款案即将通过。在"有力人士"的指点下,赵建铭立即通过民进党中评委蔡天启的关系,物色到宽频房讯总经理游世一、国

票证券董事蔡清文,加上简水绵三人合力于7月25日以"洽特定人方式"向彰化银行认购台开股票12451张。果然,8月间,台开获得以台湾银行为首的29家银行共165亿元新台币的贷款,顺利将信托部门出售给日盛银行,正式转型为专业土地开发公司,并于11月3日恢复股票上市。此后,台开股价一路飙升,赵建铭遂获重利。

检调单位立即传唤蔡清文、游世一并羁押禁见,随后,又于5月24日约谈赵建铭父母赵玉柱、简水绵及弟弟、弟媳赵建勋、程雅玲,并拘提赵建铭到案。5月25日,赵建铭遭台北"地检署"声请收押禁见获准,移送台北看守所,成为台"第一家庭"卷入重大弊案遭收押的第一人。

经检调单位调查发现主要涉案人赵建铭还涉嫌"收贿关说台开董事长人事"、"收取药商回扣"和"收贿关说银行联贷"三案,此外,尚有涉嫌收取耐斯集团新台币2700万元,干涉"国票金控"经营权之争、脐带血代言等案。而其父赵玉柱也被怀疑涉嫌关说台南地区教育人事。

7月10日,台北"地检署"侦结"台开内线交易案",检方依违反《证交法》、背信、侵占等罪嫌起诉并将包括"总统"女婿赵建铭与其家人在内的13人列为被告,赵建铭涉嫌内线交易情节重大,不法获利逾1亿元新台币,判处8年有期徒刑;"总统"亲家赵玉柱涉嫌内线交易与侵占,判处10年有期徒刑,并科罚金3000万元新台币;游世一、苏德建分别被判10年、8年有期徒刑。当晚,台北地方法院裁定赵建铭1000万元新台币交保候传。另外,赵建铭涉嫌"收贿关说台开董事长人事"、收取药商回扣、介入"国票金控"经营权之争、脐带血代言等4案,检方认为都未涉犯罪,全不签结,不再追究。赵建铭交保及台湾检方切割起诉的做法,让岛内各界一片

哗然。

③"国务机要费弊案"

"国务机要费"是台湾当局用于推动所谓"国务"活动的一项特别支出。1962年前"总统府"只有机密费、特别费,1963年后才有"国务机要费"这项预算科目,但实际用途仍分为机密费、特别费两部分,这是"总统"依"宪法"行使职权必要的支付。从两蒋时代及陈水扁就任"总统"之初,机密费如果不够,还可拨用特别费。机密费只要领据,不需要单据;特别费则需要单据才能报销。

6月23日,"台湾红"董事长李惠芬在接受台湾TVBS电视台的专访时称,自己在台湾君悦饭店消费的发票被堂姐李碧君拿走,转送给"老板娘"(即陈水扁夫人吴淑珍)报账用,而报账要核销的就是"国务机要费"。国民党"立院"党团质疑扁府可能拿发票作不实报销,去函"审计部"要求提供2000年—2005年"国务机要费"明细。29日,台湾"高检署"查黑中心开始就"国务机要费"一案展开调查。媒体指出,检调部门已查出"总统府"的发票中,包括君悦饭店、国宾饭店、SOGO百货等公司在内所开具的2000多万元新台币有做"假账"的嫌疑。

面对外界的质疑,"总统府"一开始从两个方面来解释不实发票报销的"国务机要费"用途,一是供做"秘密外交",二是不需要单据报销的机要费额度有限,才动用到须要单据的特别费部分。随着案情进一步上升,"总统府"公共事务室7月31日表示,为杜绝外界疑义,陈水扁乐于向检调机关说明,尽速厘清事实真相。同日,陈水扁在与部分民进党"立委"会面时首次承认"总统府"确实拿了"一些单据"来核销"公务机要费",但用于"秘密外交",完全没有任何"国务机要费"流入私人口袋。

8月14日,"台湾红"董事长李惠芬返台为"国务机要费弊案"作证,指其表姐李碧君确实向她索取发票给吴淑珍。

9月5日,陈水扁表示,政务推动需要机密费、特别费,但"总统府"包括"副总统"以下都有特支费,而作为"国家元首"的"总统"却没有特支费。国民党主政时期,"国家元首"推动"外交"、安全工作甚至大陆工作,有所谓的"奉天专案"等秘密专项资金维持。2000年他接任时,这些款项是政权和平转移的一部分,不必经过"立法院",也不必经过"监察院审计部",本来就等同于"总统"可以使用的私房钱。陈水扁也承认,他在2002年把"国安"密账、"总统"私房钱全部缴库后,还有一些"外交"机密工作因无法经过"外交部",故无法通过正常途径留用与拨充机密费。在推动这些机密"外交"时,机密费不够使用,必须动用其他政务特别费,有很多不得不采取的便宜措施。他说,这一部分用其他单据发票领出来,全部用在公的方面,绝对没有纳入私人口袋。但另一方面,陈水扁又以事关"外交机密"为由,拒绝检调部门核查费用开支明细,难以消除在野党和民众的怀疑。

陈水扁家人及台湾当局贪污腐化次数之多、数额之大、狡辩之劣,引起岛内民众极大的愤慨,一场规模巨大的"倒扁"风潮在台湾蔓延。民进党内不满声音也越来越大,党内部分"立委"公开在"立法院"向陈水扁"逼宫",纷纷要求陈水扁交权。甚至连陈水扁的嫡系人马、"立委"郭正亮也大骂陈水扁"治国无能,治家无方",发表"政治停损,结束一人独大,迈向合议制"声明。要求陈水扁将权力改交由其与"四大天王"、派系领袖组成的九人小组合议。

（3）三次"罢免案"的提出和"红衫军""倒扁"风潮的兴起

就在赵建铭被获准收押后的第二天，亲民党主席宋楚瑜立即发出罢免陈水扁倡议，并呼吁发起"全民连署、阿扁下台"活动。此举遭台联党的攻击，认为这无非是亲民党为了拉抬宋楚瑜参选台北市长选举而筹划的投机活动。在国民党方面，虽基层罢免声浪甚高，但党主席马英九认为罢免时机尚未成熟，过早推行不仅不能获得多数民众的支持，反而导致民进党非理性的"勤王"，不利于弊案的深入调查，因此主张采取谨慎态度。然而，国民党"立委"并未按党中央意图行事，继续展开罢免连署工作。29日，包括吴育升在内的30位国民党"立委"，率先发起"阿扁下台，清廉保台"全民连署运动。30日，国民党"立委"丁守中在"立法院"正式提出"总统罢免案"，"罢免案"获得在野党111名"立委"连署，已经跨过"罢免案"连署门槛。

31日，陈水扁紧急召开党政高层会议，会中提出"三个决定"（自清、革新、权力下放）和"一个决心"（说到做到，坚持到底），宣布即日起除"宪法"赋予"总统"之职权以外，其余权力下放。6月1日，陈水扁的核心幕僚"总统府"副秘书长马永成和被视为陈水扁"文胆"的"国安会"咨询委员林锦昌相继辞职获准。

对陈水扁放权的举动，在野党不以为然，认为此举违背"宪政"体制，是私相授受的行为。他们表示，陈水扁除"宪法"所赋予职权外，并无其他权力可以下放，其宣示若非承认过去滥权，只是徒具形式而已。6月3日，亲民党在台北市举行"全民呛扁"活动，要求陈水扁下台。上万民众响应号召参加游行，甚至还有陈水扁过去的支持者。随着岛内局势的发展及在民众强烈呼吁下，国民党认为罢免的时机已

经成熟，初步研定"倒扁三部曲"——"罢免"、"倒阁"、"群众运动"。5日，国民党表态支持推动"罢免陈水扁案"。12日，国、亲两党提出的"罢免案"闯关成功，列入临时会议议程，并于次日以113票对96票将该案成案，交付"立法院院会"审查。

面对汹涌而来的罢免浪潮，陈水扁大打"悲情牌"、"政争牌"，模糊和歪曲"泛蓝"推动的"倒扁"运动所具有的合理性和合法性。在陈水扁的操弄下，"泛绿阵营"的危机感加深，纷纷发起所谓"捍卫本土政权"的"挺扁"游行，进行不择手段、不问是非的反击，一场揭弊肃贪的运动被民进党丑化为政党恶性政争。27日，"罢免陈水扁案"在台湾"立法院"投票表决，由于民进党"立委"以集体抵制、拒不进场投票，该案仅119人赞成，未达到罢免陈水扁需要台"立法院"2/3席次投下赞成票，也就是148席赞成"罢免案"才能交付"全民公投"的票数，"罢免案"无法在"立法院"过关成案。

随着"第一家庭"弊案继续燃烧，"绿营"内部的支持者也掀起了"倒扁"活动。7月15日，包括台湾"中央研究院"社会学研究所研究员吴乃德、台湾清华大学社会学研究所教授李丁赞、台湾大学社会学系助理教授范云、"中央研究院"台湾史研究所助理研究员吴睿人在内的80名"亲绿"的学运、社运、文化界人士在台湾大学校友会馆召开记者会，公开发表题为"民主政治和台湾认同的道德危机"的声明（即"7·15"声明），并发动连署签名，呼吁陈水扁下台。

与主张继续推动"罢免案"的人士不同，部分"绿营"人士及"亲绿"学者主张采取"弹劾案"方式。他们认为，"绿营"内对陈水扁不满声音越来越大，但也有一股强烈的异声逐渐形成，且逐渐变成非理性的

"愚忠",就是固然不希望"总统"涉案,但不能为一个人毁了一个党。辜宽敏、李鸿禧和姚嘉文等"独派""大佬"更是强力宣示"扁无论如何不能下台",即使夫人吴淑珍涉案,陈水扁也不能下台。而此时,陈水扁修筑的"第二道防线"也已逐渐形成,党内杂音减弱,党籍"立委"跑票的可能性不大。因此,二次"罢免案"难以在"立法院"通过,就算二次"罢免案"在"立法院"通过,交由公民投票时,全台湾10000多个投、开票所,只要有几个失控,就是一场灾难,社会将付出沉重代价。而若改成发动"弹劾案",则可降低风险。因为弹劾是由"立法院"提出,表决过关后声请"宪法法庭"审理,"总统"去留由大法官决定。然而,"弹劾案"获得成功的难度不亚于"罢免案"。根据2005年6月10日修正的"宪法"增修条文第2条和第4条规定,"总统弹劾案"须经全体"立委"1/2以上提案,2/3以上决议,才能声请"司法院大法官会议"审理,经"宪法法庭"判决成立时,被弹劾的"总统"应即解职。先不说"弹劾案"在"立法院"得到2/3"立委"赞同并形成决议的困难,就算过了这一关,"司法院大法官会议"关也不易过。由"总统"提名、"立法院"同意任命的大法官有13人,依"立法院"正在审议中的《大法官审理案件法》草案("司法院"将其更名为《宪法诉讼法》),"宪法法庭"审理"总统"弹劾案,须有全体大法官3/4(即至少10人)以上出席,并经3/4(即至少8人)以上同意才能进行;且同意解除"总统"职权的票数必须达全体大法官人数的2/3(即至少9人),才能判决"总统"解职。逾越这几道门槛难度相当大。另外,若要弹劾"总统","立法院"还须先行修改《大法官审理案件法》及《立法院职权行使法》,因为1999年1月12日制定的《立法院职权行使法》规定"弹劾案"

是针对"总统"犯"内乱"、"外患"罪而进行的,这两项前提在1999年9月通过的"宪法"增修条文第4条第5项中专门列出,但在2000年3月24日"司法院大法官释字499号解释"宣布失去法律效力,在2000年4月25日之后的"宪法"增修条文中均已删除两项前提。正在执行的《大法官审理案件法》尚未配套制定"总统"弹劾案的审理程序,大法官也没法审理。若不修改相关法律条文,"立法院"行为将于法无据,"司法院"审理将无法可依,而修改法律又怎么可能短期完成?

发起连署的是台湾"中央研究院"、台湾大学、"清华大学"等学术研究机构、高校的一批知名学者,其中一些人长期参与20世纪80—90年代的台湾党外运动和学生运动,政治立场上一贯支持民进党和陈水扁。7月26日,这批"亲绿"学界与社会人士在台北青年公园再开记者会,包括曾担任陈水扁"3·19"枪击案辩护律师的罗秉成与会。他们发表题为《壮大公民社会,提升台湾民主——我们共同的回应文》的共同声明,对陈水扁没有辞职深表遗憾。此时,参与这批学者"7·15"声明的连署人数已达20000人,其中包括政治大学台湾文学研究所所长陈芳明、台湾大学教授王鸿楷、历史学者杨碧川。

8月11日,前民进党主席施明德发起"百万人倒扁行动",成立"反贪腐倒扁"总部,计划号召100万个愿意缴纳100元新台币"承诺金"的民众参加静坐"倒扁"活动,并于14日开始接受汇款,一达到募款目标就将组织民众到陈水扁办公场所前轮流静坐,直至迫使陈水扁辞职下台。在不到10天的时间里,迅速得到了超过百万民众高达1亿元新台币的捐款响应和连署支持。台湾的艺文界、律师界甚至多名民进党创党元老也加入倒扁阵营,如前民进党主席许信良,担任台北市议员时和陈水扁、谢长廷号称"党外三剑客"的前"立委"林正杰、资深市议员康水木、前民进党中央党部党主席特助刘坤鳢、前妇女部副主任黄秀琴、前太保市党部主委叶进松、前"立委"王聪松、创党党员许能通等人。

施明德,1941年出生于高雄,是国民党培养的职业军官,却一生进出国民党监狱三次。从1962年开始到1990年的28年间,施明德因政治问题坐牢的时间就有26年。年轻时期的施明德就是党外运动的积极参与者,也是"党外"著名事件——"美丽岛事件"的主要责任人,是"党外"著名的人物。1994—1996年,施明德出任民进党主席,为陈水扁当选台北市长出力甚多。施、扁矛盾结于20世纪90年代末,1996年陈水扁曾信誓旦旦表示支持施竞选"立法院"院长职位,但最后竟出尔反尔、不守信用,导致施以一票之差败北,双方彻底决裂。2000年11月,施明德公开宣布退出已成为执政党的民进党。可以说,施明德离开民进党,很重要的原因就是施扁矛盾,这里既有两人政治主张和路线认知的不同,也有政治道德上的差异。

9月9日,"倒扁"活动第一阶段——"百万人倒扁静坐活动"正式拉开帷幕。有超过9万民众在总指挥施明德的带领下正式展开绕行"倒扁图腾"——"纳斯卡线"的游行。亲民党主席宋楚瑜、国民党主席马英九也抵达现场参与活动。

9月15日,"倒扁"活动进入第二阶段——"荧光围城"大游行,再次拉高"倒扁"声势。多达36万名参加游行的民众身着红色衣服,高举红色荧光棒,绕行陈水扁办公场所及其住所外围的一些街道,并沿路高呼"阿扁下台"等口号。亲民党主席宋楚瑜、台中市长胡志强、台北县长周锡玮以及艺人张小燕等岛内知名人士也加入了游行的行列。游行和平落幕后,"倒扁总部"原本拟在6个县市规划"倒扁"分场,并举办百万车队绕行全岛、南下高雄举办"围城大游行"等活动。但由于"9•16挺扁游行"中"泛绿"群众恶意攻击中天、东森等电视台新闻主持人,总部临时决定暂时取消到各县市举办"倒扁"活动,维持静坐形式,到10月再展开"天下围攻"计划。

10月10日,"倒扁"活动的第三阶段——"天下围攻"行动开始。成千上万名"红衫军"成员开始向"倒扁总部"设置的四个集结点集结。施明德从北集结点台北车站出发,大批群众随即簇拥往馆前路前进,依逆时针方向,绕行"天下围攻"路线。

"天下围攻"活动后,陈水扁仍拒不下台,以秉持"爱,和平,非暴力"为原则的"倒扁"活动组织者和民众深感无可奈何;又因活动持续时间过长,影响社会正常生活,确实难以为继,"倒扁"大军不得不调整战略。之后,除11月3日因陈水扁妻子吴淑珍涉嫌"国务机要费"案被起诉,施明德等五人以"反贪腐、罢免'总统'"为由,在台北火车站抗议集会以及11月29日林正杰、姚立明等人同样以"倒扁"的名义在火车站抗议集会外,大规模的"倒扁"活动告一段落。12月5日,总指挥施明德为实现其"陈水扁不下台,倒扁不结束"的承诺,宣布"自囚"。

与施明德领导的"倒扁"运动相配合,国、亲两党在"立法院"发动了第二次和第三次罢免陈水扁的活动。

就在施明德酝酿发起"天下围攻"行动时,9月19日,亲民党主席宋楚瑜表示,"橘营"将提第二次"罢免案",并在"立法院"力推二次"罢免"。亲民党表示,"准备很严肃地再推'罢免案',如果'罢免案'不能顺利通过，我们很强烈地表达要提出'倒阁案'，也会考量提出'弹劾案'"。对亲民党的提议，国民党表示支持。9月29日，"立法院"院会处理二次"罢免案""付委"，提案的亲民党"立法院"党团甲级动员因应，国民党"立法院"党团也甲级动员支持。经过投票，以106票赞成、82票反对，"罢免案"成功交付"立法院程序委员会"审查，并将于10月11日、12日审查，13日记名投票进行表决。13日，二次"罢免陈水扁案"在台"立法院"投票表决。投票的结果显示，有116席"立委"投下赞成票，废票13票，反对票1票。由于未达到"罢免陈水扁"所需"立法院"赞成票数，二次"罢免案"仍无法在"立法院"过关成案。

对于二次"罢免案"表决，国、亲两党"立法院"党团都发出甲级动员令，甚至祭出党纪来确保"立委"出席。民进党则采取"不进场、不动员、不投票"的三不政策；台联党投弃权票。关键的8席无党籍联盟"立委"经过投票前的紧急会商，仍开放"立委"自由进场。

国民党在投票前即表示，二次"罢免案"失利是预料中的事，国民党"立法院"党团已经尽力，接下来将会视"国务机要费"案起诉情况，再考虑是否发动三次"罢免"。亲民党"立法院"党团则表示，两次"罢免案"都无法通过，亲民党接下来将伺机发动"倒阁"。

11月3日，因陈水扁妻子吴淑珍涉嫌"国务机要费"案被检方起诉，陈水扁也被列为共犯。国、亲两党于第一时间决定推动第三次"罢免陈水扁案"，"立法院程序委员会"也在7日将国、亲两党"立院"党团提出的三次"罢免案"排入"院会"议程。10日，三次"罢免案"在台"立法院"投票表决。民进党团继续采行拒绝出席投票的策略。表决结果很快出炉，出席会议的

104人中，赞成102席，反对2席；重复表决后，出席107人，赞成105席，反对2席，三次"罢免案"正式通过"付委"，并将在22日和23日两天召开"全院委员会"审查三次"罢免案"，在24日"院会"上进行全院记名投票表决。

11月24日，第三次"罢免陈水扁案"在台"立法院"投票表决。尽管国、亲两党"立法院"党团仍发出甲级动员令，确保"立委"出席，但由于民进党仍强调"不进场、不动员、不投票"，绿营"立委"缺席以对，投票结果，同意票118票，不同意票1票，废票12票，仍未达到"罢免案"所需票数，第三次"罢免案"也无法在"立法院"过关成案（民进党籍"立委"林浊水、李文忠辞职后，民进党籍"立委"许德祥还未递补，此时在台"立法院"共有218席"立委"，国民党90席、亲民党22席、民进党83席、台联党12席、无党联盟8席、无党籍3席）。

从第三次"罢免案"表决情况看，虽然国、亲两党"立法院"党团都发出甲级动员令，确保"立委"出席，但毕竟两党"立委"席次之和难以达到2/3席次，就算国、亲两党及无党籍联盟、无党籍甚至台联党籍"立委"都投赞成票，依旧无法跨越"罢免案"的高门槛。也就是说，只要民进党采取"不进场、不动员、不投票"政策奏效，民进党籍"立委"不"叛逃"，或"叛逃"达不到所缺票数，"罢免案"就不可能在台"立法院"通过。然而，随着政治局势的紧张，民进党内"勤王"呼声也逐渐高涨，就算一部分对陈水扁不满的"立委"，在拱倒陈水扁维护政党形象但丢失政权和支持陈水扁保住政权但损失政党形象之间的选择上，还是选择了后者。

其实，除了"罢免案"外，还有其他的方法制裁陈水扁。正如岛内学者专家建议的那样，如果第三次"罢免陈水扁案"不

过，在野党应该立刻推动"弹劾"、"倒阁"，甚至"修宪"，同时结合群众运动，多管齐下。但现实情况是"罢免"不成，"弹劾"和"修宪"又谈何容易，群众运动也已兵疲力衰，只有"倒阁"尚且能为之。

根据台湾的法规，"倒阁案"只要 1/3 "立委"提案，半数"立委"同意就可以通过，对掌握"立法院"过半数的"泛蓝"来说并不是难事，但"倒阁"对"倒扁"又有多大的价值和作用？由于"倒阁"后陈水扁可以重新任命合于己意的"行政院长"，也可以接受"内阁"呈请依法解散"立法院"，"立委"必须重选，已掌握一定政治资源的"立委"未必愿拿自己的政治生命去"倒阁"。就算"立委"愿意不惜一切代价"倒阁"，台湾政坛无疑再次发生震动，不可知因素骤增，加上岛内"泛绿"支持者已被动员起来，国民党失去了突破席次的大好时机，未必能占到便宜。退一步说，就算国、亲两党获得"立法院"优势席位，也未必能通过"公民复决"罢免陈水扁。也就是说，"倒阁"除了给陈水扁带来一些面子上的伤害外，对其政治生命没有太多的影响。相反，"泛蓝"因陈水扁贪腐问题而将攻击矛头指向"内阁"，迫使"行政院长"下台，是否具有正当性？是否能得到中间民众的支持和理解？答案是否定的。可以说，强力"倒阁"必然会造成社会进一步撕裂，对立加剧，也不利于"泛蓝"争取中间选民，还不如留下陈水扁来拖累民进党更为有利，更何况此时的马英九也陷入了"市长特支案"的泥淖中。

5. 第二次政党轮替

（1）民进党在重大选举中连遭挫折

①县市长、乡镇（县辖）市长及县市议员"三合一"选举

2005 年 12 月 3 日，台湾举行第 15 届县市长、乡镇（县辖）市长及县市议员"三合一"选举。选举结果，县市长方面："泛蓝"夺得了 17 席，其中，除亲民党 1 席、新党 1 席和倾向于"蓝营"的无党籍 1 席外，国民党独得 14 席，比上一届多了 5 席，政党得票率一举超过 50%，达到 50.96%，较上届的 35.15% 增长了 15.81%。民进党惨败，其县市长席位从上届的 8 席跌至 6 席，总得票率由上届的 45.27% 下滑至 41.95%，少了 3.2%，席次与得票率均为该党 12 年来在县市长选举上的最低点。民进党不仅失去了其全岛第一大票仓台北县及其长期执政的宜兰县和嘉义市，连原本稳固的台南市、台南县、屏东县也差点被攻陷，仅艰难地维系着浊水溪以南的嘉南平原和高屏地区，剩下的"深绿版图"的面积仅占全台的 30%，人口数也仅及台湾地区的 25%。县市议员方面，国民党获得 408 席，得票率 40.21%，分别比上届的 382 席、36% 多出 26 席、4.21%；民进党只获得 192 席，得票率 22.25%，分别比上届的 147 席、18.19% 多出 45 席、4.06%。乡镇市长方面，国民党获得 173 席，得票率 46.46%，比上届的席次减少 22 席，但得票率却上升了 1.02%；民进党获得 35 席，得票率 23.69%，比上届增加 7 席、得票率也多出 3.68%。应该说，在县市议员和乡镇市长选举中，民进党不论是在席次还是得票率上均比上届增多，但增长幅度极为有限，与国民党占据县市议员和乡镇市长的优势相比不能同日而语。

②台北、高雄两市的市长和市议员选举

2006 年 12 月 9 日，台北、高雄市长及市议员选举结果揭晓。市长选举方面，参加台北市长选举的人总数约 200.83 万，投票率 64.52%，其中国民党籍郝龙斌得 692085 票，得票率为 53.81%；民进党籍参选人谢长廷得 525869 票，得票率为

40.89%；以无党籍身份参选的亲民党主席宋楚瑜仅得 53281 票，得票率为 4.14%；其他候选人李敖 7795 票，柯赐海 3687 票，周玉蔻 3372 票。与 2002 年相比，国民党的得票率下降约 10 个百分点，民进党的得票率则上升 5 个百分点。参加高雄市长选举的人总数约 114.013 万人，投票率为 67.93%，其中民进党籍陈菊获得 379417 票，得票率为 49.41%；国民党参选人黄俊英获得 378303 票，仅落后陈菊 1114 票，得票率为 49.27%，比上届上升 2.4%；台联党参选人罗志明得 6599 票，得票率为 0.86%；其他参选人林景元 1803 票，林志升 1746 票。

市议员选举方面，在台北市的 52 席中，国民党获得 24 席，比上届增长 4 席，仍为市议会中最大党；民进党得 18 席，比上届多 1 席；新党 4 席，比上届少 1 席；亲民党 2 席，比上届少了 6 席；台联党和无党籍各 2 席。在高雄市的 44 席中，国民党获得 17 席，取代民进党成为市议会最大党，民进党得 15 席，亲民党 4 席，台联党 1 席，无党籍 7 席。25 日，台北、高雄两市议会选举正副议长，台北市方面，国民党籍议员吴碧珠和陈锦祥分别当选为正、副议长；高雄市方面，国民党籍议员庄起旺当选为议长，无党籍议员黄石龙当选为副议长。

此次选举，从总的情况看，双方战成平局。但深入分析可见，民进党略逊一筹。民进党在台湾南部实力强大且经营多年的高雄市，不仅市议会最大党的地位没有保住，还差点丢了市长宝座。选举结果表明，民进党在理性选民居多的城市中的实力和影响力在下降。

③第 7 届"立委"选举

2008 年 1 月 12 日晚间，台湾"立法院"第 7 届"立法委员"选举结果出炉，选举结果：国民党在 113 个席次中共获得 81

席，民进党获 27 席，无党团结联盟 3 席，亲民党 1 席，无党籍 1 席。国民党在"立委"席次达到总席次的 71.7%，是自 1992 年开始的第 2 届"立委"选举以来的 6 次选举中获得席位比例最高的一次。此次选举，是在选区重划、名额减少等所谓"立法院"新制度的背景下进行，也是在所谓"总统"选举前两个月进行，其选举结果对台湾未来的政治格局和两岸关系影响甚大。

2 月 1 日，台湾第 7 届"立法院"进行"正、副院长"选举。民进党推出蔡同荣与翁金珠搭档，与国民党寻求连任的王金平与"副院长"人选曾永权竞逐。由于国民党在"立法院"党团具有压倒性优势，选举结果没有意外，王金平、曾永权分别以 85 票、84 票，击败民进党推出的蔡同荣和翁金珠，顺利当选。

3 月 3 日，台"立法院"第 7 届第一会期各"委员会"选举召集委员。"立法院"下设的 8 个"委员会"共需选出 16 席"召委"。选举结果，国民党"立法院"党团囊括 15 席，亲民党籍 1 席。包括："内政委员会"吴育升（台北县）、李嘉进（不分区）；"外交国防委员会"林郁方（台北市）、刘盛良（不分区）；"经济委员会"翁重钧（嘉义县）、邱镜淳（新竹县）；"财政委员会"卢秀燕（台中市）、罗明才（台北县）；"教育文化委员会"江义雄（嘉义市）、林正二（山地原住民、亲民党）；"交通委员会"黄昭顺（高雄市）、陈根德（桃园县）；"司法法制委员会"谢国梁（基隆市）、吴清池（不分区）；"卫环劳工委员会"锺绍和（高雄县）、徐少萍（不分区）。

可以说，第 7 届"立法院"完全是"泛蓝"的天下，他们拥有绝对主导权和压倒性优势。

（2）民进党失去"总统"选举

谢长廷赢得了代表台湾民进党参选

2008年台湾地区领导人的资格后,于2007年8月15日正式对外宣布将与苏贞昌共同搭档参选2008年"台湾总统",并按民进党中常会通过的"2008年总统暨立委辅选组织架构",成立了由"行政院长"张俊雄担任主任委员、党主席游锡堃出任总干事的竞选委员会。

但同时,在竞选委员会外又另设了两个平行单位,一个由陈水扁、吕秀莲组成,另一个是民进党"总统"参选人谢长廷的竞选总部。对陈水扁强力干预竞选主轴和进程,谢长廷不以为然。他表示,反对将"总统"、"副总统"纳入选举架构,希望"正、副总统"能维持一定的高度。谢长廷此举却在党内引发批评,有人指他刻意与陈水扁切割。其实,从决定出来充当民进党"总统"候选人那天起,谢长廷想要摆脱陈水扁"指导"的意蕴就十分明显。

谢长廷有自己的竞选思路和竞选策略。在竞选主轴上,谢长廷主打"台湾维新,幸福经济"作为政见(所谓幸福经济,按谢长廷的解释,就是通过经济增长,把环保与公义整合起来);在争取中间选民的策略上,提出"和解共生"。其实,谢长廷所提出的"台湾维新,幸福经济"没有什么新意,是没有效果且无法落实的口号。民进党执政八年,百姓在经济上并不幸福,百姓怎敢相信谢长廷获胜之后,民进党能带给台湾幸福?更何况谢长廷跟他的副手苏贞昌都担任过台当局"行政院长",实难推掉给台湾带来"不幸福"的责任。倒是谢长廷提出的"和解共生"的提法给世人印象深刻。在民进党阵营中,敢提"和解共生"可谓大胆。当然,不是说"和解共生"这样的主张如何特别或如何可以帮助台湾迅速发展,而是"和解共生"对民进党长期以来执行的极端政策采取了一种温和的批判。在当时民进党内几

乎一面倒地附和极端的"台独"思维和族群对峙路线的时候,谢长廷敢于提出完全不同的意见,在民进党中的确是异数,也容易引起中间选民的关注。

经过斡旋和准备,2007年6月23日,马英九正式对外宣布将与萧万长共同搭档作为国民党参选者参加第12届台湾地区正、副领导人选举,国民党也很快完成了两人的党内提名工作,并将"六要"政策作为选战主轴,即"经济要发展"、"民生要机会"、"国家要安全"、"政治要稳定"、"社会要关怀"、"生活要质量"。具体目标包括创造10万个就业机会,民众所得达到2万美元;成立1000亿元新台币的"地方政府财政重建基金";实现"一纲一本"及"12年国民教育";贯彻"双首长制",坚持"国会多数组阁";两岸交往采取"原则开放,例外管制"等措施。

在候选人确定前后,国、民两党的较量便逐次展开。由于民进党执政失败和陈水扁的贪渎无能,人心思变的大形势让国民党和马英九一起步就处于有利的位置。马英九把主要选举诉求落实在经济上,在幕僚和众多专家协助下,马英九确立了一系列有关发展台湾经济,改善两岸关系的主张,希望以国民党曾经表现过的执政能力和对未来的希望唤起民众认同。

马英九深深懂得,他作为一个出身优越的所谓"外省人",最易于被人攻击的是"对台湾这片土地的认同"。马英九认为,要破除这种"外省人"的魔咒,像连战和宋楚瑜在2004年那样亲吻土地还是不够的。于是,他很早便开始实施到台湾各地民众家中,尤其是中南部的"长住"活动。在"长住"中,马英九不仅同民众同吃同住,还参与了田间地头的劳作,获得了相当程度的认同。

由于早有准备,民进党打击马英九

"外省人"的招数难以奏效,只好另寻其他突破口。由于马英九以形象立足,民进党遂将攻击点选取在"诚信"上,通过制造一系列话题对马英九进行猛攻。先是抓住"绿卡"事件,攻击马英九拥有美国"绿卡",不是真爱台湾;继而又挑出马英九姐姐马以南当年在台大就读时曾当枪手代考大学联考的"枪手事件"和马以南介入的"药品采购案";再而又指称马英九妻子周美青当年在哈佛大学燕京图书馆做过"偷报纸"的丑事。民进党一系列抹黑的行为虽给马英九带来一定的负面影响,陷入被动局面,但此举最终不但无助于提升谢长廷的选情,反而因谢长廷阵营选举的低俗格调使马英九的支持率略有上升。

在2008年2月24日和3月7日举行的"总统大选"电视辩论会上,马、谢两人分别就"绿卡"、股票、特权以及两岸谈判、"去中国化"、台湾"主权"等议题唇枪舌剑,你来我往,交叉攻防。谢长廷发挥律师雄辩的特点,采取攻势,猛攻"绿卡"、两岸等问题,强力塑造选战优势,马英九则以法学教授沉稳的个性、缜密的思维应对。虽然社会各界对双方辩论的表现和能力评价各有不同,但谢长廷利用辩论提升支持率的目的没有实现是不争的事实。

擅长打选战的民进党虽然总体局面被动,但走偏锋的思维惯性和成功经验使其在选战关键时刻总是抓住两岸议题制造矛盾,挑动族群意识。尝到2004年"公投绑大选"甜头的陈水扁再次发动"公投"议题,而且是更具挑衅性的"入联公投"。为避免被动,国民党采用"返联公投"予以回应。由于形势变化,此次"公投"虽引起两岸关系的紧张和国际社会的一度关切,但最终被国民党和大部分理性台湾选众化解,效果极为有限。

其实,民进党候选人谢长廷一直就对"公投"议题兴趣不大。在民进党"立委"选举大败后,陈水扁辞去党主席,退居幕后,接任了党主席的谢长廷获得了真正的主导权。谢长廷向选民推出了一整套"台湾维新,幸福经济"的政见,但由于民进党的执政成绩,台湾民众已经没有兴趣了解这些政见的具体内容。于是,谢长廷只有将炮火对准国民党提出的建立"两岸共同市场"的愿景,目的在于争取对开放大陆劳工、食品、资金、人员自由流动感到疑虑、忧心的妇女、劳工、农民渔民等弱势群体选民。

谢长廷表示,马阵营提出的共同市场,就是台湾的农产品过去自由、对方农产品来台也自由,大陆有两亿的剩余劳工,以后台湾这边也会成为"阿陆仔"(大陆民众)在找工作,将会冲击台湾劳工生活。谢长廷还别有用心地引用了台湾民间的一首顺口溜,讽刺国民党提出的"两岸共同市场"会导致"台湾男人找不到工作,女人找不到丈夫,年轻人要到黑龙江"。

更为险恶的是,谢长廷有意将国民党提出的"两岸共同市场"冠以"一中市场",认为马英九的"两岸一中共同市场"的政策,就是将台湾变成大陆市场的一部分,如此将导致台湾经济自主性丧失,如果实现将是台湾的大灾难。对此,国民党表示从未说过"一中共同市场"这个名词,所主张的只是"两岸共同市场",其定义为"两岸对等、共同协商、市场扩大",在构建"两岸共同市场"时的原则是三要三不要,即"要尊重、要协商、要市场","不要让大陆劳工来台、不开放大陆农产品进来,也不能让走私偷渡进来"。

1月12日,国民党在"立委"选举中大胜,本来为接下来的台湾地区领导人选举创造了有利局面,但也给民进党创造了一个制造议题的口实。民进党宣称,国民党在"立法院"占据了绝对的多数,如果"总统"再给国民党人做,将形成"一党独大"的局面,会对台湾的民主带来伤害。这个似是而非的说法本来影响有限,但在临近选举一周左右的3月12日,发生了4个国民党"立委"(费鸿泰、罗明才、陈杰、罗淑蕾)闯到对方竞选总部的"踢馆"事件,让民进党抓住机会大力宣扬国民党的"霸道",严重影响了中间选民的政治选择。事后,马英九六度鞠躬道歉,才勉强化解了这场危机。

然而,民进党阵营的欢呼声未落,就被"教育部"主任秘书庄国荣口出秽言、大肆侮辱攻击马英九已逝的父亲马鹤凌"脱轨"的恶劣演出而大损形象。面对庄国荣"一个坏蛋,坏了大局"的问题,17日,谢长廷不得不发出新闻稿强调,庄国荣以粗鄙的语言表达对私人事务的意见,竞选总部不予苟同,深感遗憾与歉意。

3月22日,台湾"总统"选举如期举行。投票结果显现,此次台湾大选投票率为76.33%。马英九、萧万长的总得票数为7658724票,得票率为58.45%;而谢长廷、苏贞昌的得票数为5445239票,得票率为41.55%。马萧配赢了长昌配将近17个百分点、221万票。民进党终于玩儿丢了掌握的政权,台湾实现了第二次政党轮替。

二

起色不大的台湾经济

1. 台湾经济低迷

2003年上半年,因受伊拉克战争和SARS疫情影响,岛内经济情势再度转向低迷。第一季度台湾经济增长率为3.5%;第二季度受SARS疫情冲击,民间消费与投资出现严重衰退,导致该季经济增长率下降至-0.08%,合计上半年的经济增长率只有1.73%。SARS疫情过后,国际经济形势逐渐复苏,同时两岸经贸关系快速发展,使台湾经济逐渐回暖。第三季度和第四季度经济增长率分别达到4.18%和5.17%。但受上半年基数的拖累,全年经济增长率仅为3.24%,仍继续维持低增长率态势。

2004年,在全球经济扩张及两岸经贸关系快速发展的带动下,台湾经济出现了难得的复苏迹象。在工业和服务业发展的带动下,是年台湾经济增长率达到了5.71%。总体经济复苏带来了就业的增加,全年平均就业人数增加21.3万人,增长率为2.2%,创下12年来的新高。其中工业和服务业就业人数增长最快。但是,由于导致台湾经济下滑的关键因素并未有根本的改观,岛内消费仍处于低迷状态,财政金融状况并未好转。因此,从该年第四季开始经济增长再次呈现下滑态势,并持续到2005年上半年。2005年下半年,随着固定投资在光电、半导体等厂商的积极扩展,高速铁路、"六轻"四期等重大投资案的启动,台湾经济又逐渐回暖,第三季度经济增长率为4.38%,第四季度升高至6.4%,但因前半年的影响,最终全年的经济增长率为4.09%,较上年的速度低了近两个百分点。

2006年,台湾经济发展态势继续呈现出"外热内冷"的格局。一方面,世界经济景气上升,带动了台湾出口的增长。2006年,台湾的对外贸易创了4267亿美元的

---

① 台湾"中选会"最终审定公布数据为:马英九和萧万长得票数为7659013票。

历史新高,全年的出、进口总额分别为2240亿美元和2027亿美元,较2005年分别增长了13%和11%,顺差213亿美元,同比大幅增长34.6%。但另一方面,由于民间消费持续低迷、民间投资停滞、公共支出萎缩,全年的经济增长率只有4.6%,在亚洲"四小龙"中排名最低。

2007年,在外部需求回升与内部需求好转的情况下,台湾经济逐渐由原来的"外热内冷"走向"内外皆温"格局,经济呈现出温和增长态势。依台湾"主计处"统计,第一季度经济增长4.19%,第二季度增长5.24%,第三季度大幅增长6.92%,第四季度预计增长5.43%,全年经济增长率由原来预测的4.47%上调至5.46%。

台湾的经济回暖的主要动力仍来自外贸。在外部需求增加的情况下,2007年台湾对外贸易呈现平稳增长。全年对外贸易总额4660.6亿美元,较上年增长9.2%。其中,出口2467.2亿美元,增长10.1%;进口2193.4亿美元,增长8.2%;外贸顺差273.8亿美元,增长率为28.4%。与此同时,随着岛内"双卡"风波逐渐平息,内需也有不同程度的增长。据台湾"行政院主计处"统计,第一季度民间消费温和增长2.27%,第三季度增长3.51%,全年有望增长率3%左右,较上年增长一倍左右;民间投资也在多项重大投资项目带动下出现较大增加,到10月底,新增重大投资金额为9394亿元新台币,已达计划投资目标总额的93.3%,其中第三季度民间投资大幅增长6.54%,预计全年增长为5%以上。外商对台投资与兼并活动持续增加。1月—10月,外商对台直接投资金额达129.3亿美元,较上年同期增长15.2%,连续第二年境外投资超过100亿美元。反应内需指标的零售业营业额年增长2.9%,百货业营业收入年增长4.4%(1月—9月),综合商品零售业收入年增长3.5%(1月—10月)。据统计,该年内需合计对经济成长贡献2.54个百分点,贡献度达到46.52%。可以说,正是内需的增长才使台湾经济成长稍有亮色。

但不可否认的是,由于受到岛内外经济大环境变化的影响,尤其是在原油价格持续上涨与产业竞争日趋激烈的情况下,台湾经济发展依旧面临着诸多问题与障碍。首先,新增企业增加有限,而倒闭企业却大幅上升。据台湾"经济部"统计,2007年1月—10月,新设公司为28336家,较上年同期减少11.9%,与2002年的44552家相比减少了近15万家;而歇业、撤销与废止的公司上升到36788家,超过上年全年总量,较上年同期增加近四成,其中歇业工厂达到2419家,较上年同期增加六成,显示台湾中小企业经营环境恶化,发展面临更大困境。其次,台湾经济的边缘化趋势仍在加深,航空货物运输持续衰退,高雄港集装箱运输的国际地位继续下降。2007年1月—10月,台湾地区航空货运量为141万吨,较上年同期衰退5.8%,已是连续第三年衰退,其中反映区域优势地位的转口航空货运量衰退15.5%。高雄港集装箱运输量虽然达到1000万个标准箱,但增长速度放慢,世界排名从第6位降到第8位。

2. 经济措施作用有限

(1)扶持传统产业

尽管传统产业在台湾的地位和作用逐年降低,但因其技术含量较低,进入容易,因而成为台湾地区吸纳社会基本劳动力的重要领域和社会资本积累的重要场所。从这个角度出发,传统产业不仅成为台湾稳定社会、复苏经济、减少失业的一支重要力量,而且成为台湾当局增加政绩、拉拢选民所不得不关注的对象。民进党上台后,一再出台措施、法规以扶持传统产业的生存与发展,具体做法:一是支持传统产业提升水准。为引导传统产业加强新产品、新技术、新材料及新设计的研发,2002年11月-12月间,台"经济部"先后出台了《文化创意产业发展计划》、《产业高值化计划》等方案,引导传统产业部门加大科技投入。二是按照业务性质进行具体帮助。2002年6月,台"经济部"成立了"振兴传统产业专案小组",制订《传统工业新产品研发辅导办法》,推动实施《提升传统产业竞争力方案》、《中小企业人力协助办法》,设立"辅导中小企业升级贷款"、"中小企业扎根贷款"与"振兴传统产业优惠贷款",其中在2003年8月24日宣布设立的高达3500亿元新台币的贷款,协助传统产业的转型、升级与发展。三是指导传统产业转型。由于传统产业的惰性和各项基础的薄弱,转型困难重重,为此,台"经济部"专门成立了"经济部传统产业辅导中心",具体指导传统产业转向高附加值领域和知识服务业。

(2)提高农业竞争力

农业曾为台湾的经济发展作出过重要的贡献。但自20世纪60年代以来,台湾农业开始出现萎缩现象,以至于台湾农民并没有完全享受到经济发展带来的好处。尽管在台湾的三大产业中,农业所占的比重逐年减少,但该产业仍集聚着相当多的劳动力,且大部分集中在台湾中南部地区。民进党的铁杆支持者中有很大一部分来自于此。民进党上台后,为帮助农业提升和转型,于2003年3月28日至29日召开农业会议,并邀请了380多位"产官学界"代表与会。会上,经过讨论,决定"台湾农业今后应朝鼓励研发创新、灵活行销策略;强化产业体制、发展多元经营;健全农渔会组织、确保农渔民权益三个方

向发展"。具体而言,一是发展示范性农业。台"经建会"决定自2003年至2008年规划设置1个由"中央"主导型园区——屏东农业生物技术园区,2个地方主导型园区——彰化县花卉园区和台南县台湾兰花生物技术园区,以及另2个正在选点的地方型农业园区。二是注意维护农民利益。为应对台湾加入世界贸易组织后对农民生计带来的冲击与农村人口高龄化衍生的问题,设立农村聚落居民生活照顾支援体系,进行农村青年农业技术辅导。为保护农民利益,有关农产品机构将联合起来保护农产品市场和价格。三是支持农业进行转型。台"农委会"通过《农业发展条例》修正案,鉴于"入世"后台湾农业不需继续保留过多的耕地,有关方面计划在总数保留97万公顷耕地中,每年变更18000至19000公顷、总数约为21万公顷土地提供公共建设或工商、住宅等使用。

2006年6月,台湾"行政院"农委会主任委员苏嘉全发表"新农业运动——台湾农业亮起来"施政方略,旨在通过"创力农业"、"活力农民"和"魅力农村"建设,缓解"农村"矛盾,促进生产、生活、生态"三生农业"永续发展。

所谓"创力农业",就是通过研发创新,推动科技产业化、农业经营企业化、农业产销E化和渔业国际化,发展高附加值农产品加工,促进农业产业转型升级,进一步改善农业生产结构;加速推动国际行销计划,建立外销产品供应链,加强岛内物流行销,强化计划产销预警处理机制,强化农产品全球行销布局;通过推动农产品产销履历制度,推动优良农产品标章验证,加强动植物防疫检疫,构建安全农业体系;通过推动稻米直接给付制度,利用休耕农地发展生质能源,规划休耕农地环境给付和农业保险等,推动农业政策变

革。通过以上努力，加速农业结构变革，发展农业知识经济，从而创造一个充满生机的"创力农业"。

所谓"活力农民"，就是通过培育农业精英，推动"漂鸟计划"、"园丁计划"及"深耕计划"，①实施农民终生学习计划，培育有一定规模的优质人力资源；通过普遍改善老年农民生活，提高老年农民福利津贴，强化农家妇女辅导，健全农业天然灾害及受进口损害救助机制，构建农民生活支援体系；通过强化农渔民团体组织管理，完善农业金融体系，推动农渔民转型。通过上述努力，加速农民观念革新，提高农民生产积极性和技能，成为一个充满活力的新农民。

所谓"魅力农村"，主要着力点一是发展生态休闲农业，包括休闲农渔业、森林生态旅游、农村长宿休闲业；二是推动生态环境永续发展，包括建构绿色走廊，加强森林永续经营，维护生物多样性；三是营造乡村新风貌，包括完善农地空间规划，加强农田水利建设等；四是加强生态保育复育，包括强化乡土保持及治山防洪，健全土石流防灾体系，推动"国土"保育复育等。通过上述努力，构建一个充满魅力的新农村。

为实现"新农村运动"发展目标，台湾当局先后制定、颁布、修订和实施了一大批有关农业政策的法规、条例、具体方案和实施细则，加快对农业结构的调整、提

高农产品运销效率，从人力、物力、财力上支援农业，如制定了《国内稻米安全存良标准》、《20吨以上未满100吨延绳钓渔船及100吨以上拖网渔船装设渔船监控系统应遵守及注意事项》、《农产品产销履历验证管理作业要点》、《农业委员会产销履历委托实施要点》、《辅导设立家禽场申请补助作业要点》、《农村妇女开创副业奖助辅导要点》、《自然地景点指定及废止办法》、《申请进入自然保留地许可办法》，颁布了《行政院农业委员会促进农业企业研发辅导办法》、《2006年度渔船收购通读处理作业程序》、《2006年度渔筏收购及处理作业程序》、《远洋渔业管理及产业重整方案》、《优良农产品证明标章使用须知》、《CAS优良食品标志作业须知》，修订了《粮食法》、《渔港法》、《非都市土地申请变更作为农民团体兴建农产品加工场所及设施使用事业计划审查作业要点》、《种畜禽及种原输入同意文件审核要点》、《农会渔会信用部各项风险控制比例办法》、《农会渔会信用部净值占风险性资产比率管理办法》、《农会渔会信用部对赞助会员及非会员授信及限额标准》、《台湾地区渔民海上作业保险办法》、《收购天然灾害稻谷作业要点》、《休闲农业辅导管理办法》，实施了《远洋渔业管理及产业重整方案》、《动物用疫苗之输入检疫条件》、《农会考核办法》、《营造农村健康生活及生产支援体系计划》，推出了《农村风貌纲要计划》。

① "漂鸟计划"就是以18—35岁青年为对象，通过人才引进、有计划培养和实践体验，引导和鼓励他们成为农业领域的"留鸟"，安心农村工作，重点解决农产品行销和企业管理人才不足的问题。漂鸟计划分"漂鸟营队"、"漂鸟筑巢"和"漂鸟圆梦"三阶段实施，拟在3年内引进和培养农村生力军1000人。"园丁计划"则主要针对35岁以上有兴趣从事农业但无经验者，或者35岁以下正从事农业生产却需进一步加强农业其他技能者，对他们进行农业筑巢、农业知识和农业技术的培训，同时讲授农业领域的发展机会与规律，提升他们从事农业的兴趣和技能。"深耕计划"则是针对现有农民以往着重生产技术培训，缺乏系统性经营管理教育的问题，进一步强化他们现代化经营管理技能的学习，以期达成"经营深耕，农业扎根"的目标。培训重点包括农业技术推广、网络技能、农渔民第二专长、渔船人员安全、农渔业资源保护等方面。该计划对象不受年龄限制。

如此短的时间内,出台和实施如此多的法规、条例和措施,显见台湾当局倍感农业发展所面临的压力。这些措施的实行,收到了一定的效果,如在 2005 年 8 月到 2006 年底不到一年半的时间里,台湾地区获得 CSA 优良农产品标章验证的产品就从 5852 项迅速增至 6143 项,农产品外销也取得了一定的成绩。但不可否认的是,作为传统行业,农业发展所受到的外在因素影响甚大,短期的行为和措施难以奏效,还必须持之以恒加以落实。

(3)扶持迅速发展的服务业

台湾的服务业不仅以其产值支撑着台湾的经济增长率,而且在吸收劳动力方面为台湾社会作出了重大贡献。进入 21 世纪后,台湾因大批企业外移以及岛内企业倒闭数量的增加,失业人数逐年上升。在吸纳就业方面,服务业因其业别多、进入相对容易一直承担解决台湾失业问题的主力。2003 年,服务业吸纳就业人数为554.3 万人,占全体就业人数 957.3 万人的 57.9%。之后几年,服务业新增就业人数也是三大产业中增幅最快的,所占比例最高,分别达到 58.23%(2004 年)、58.27%(2005 年)、58.49%(2006 年前 10 月平均数),为减轻台湾就业压力贡献颇多。

在台湾的服务业生产中,批发、零售及餐饮业是最重要的子业,其产值在 GDP 中所占的比重最大,约占 17% 左右,且一直呈稳步上升之势,成为拉动台湾服务业增长的重要力量。其中,批发业又是该子业中最重要的部分,其增幅排在服务业各子业之首,高于服务业总体增长水平,也高于台湾经济整体增长水平。批发业的发展得益于台湾对外贸易的扩大。批发业中,受国际市场的影响,首饰及贵金属、机械器具业、商品经纪业发展较快。零售

和餐饮业受岛内内需不足影响,上升幅度不大,其中不少细分行业如汽机车及零配件用品业、衣着服饰品业甚至出现负增长。

政府服务生产者业、金融及保险业是台湾服务业中第二大和第三大子业,20 世纪 90 年代以来产值分别在 GDP 中所占比例为 11% 和 10% 左右。相比较而言,政府服务生产者业在政府消费拉动下,有缓慢增长,在 GDP 中所占的比例从 1998 年的 10.67% 上升到 2004 年 11.42%。金融及保险业是服务业中附加值较高的行业、新型服务业的代表,也是服务业中备受关注的子业,但由于台湾金融、保险业改革中形成的金控公司家数过多,单个金控规模过小,同时金控公司和大量的非金控机构并存,使得岛内出现过度竞争,金融业整体获利能力偏低,其在 GDP 中所占的比例从 2000 年的 10.04% 上升到 2004 年的 10.81%。

不动产与租赁业增长最快。2006 年,台湾房地产市场开始回暖。是年,台湾住宅成交量不断上升,成交金额也不断上扬,并带动办公室租赁市场的繁荣。以台北为例,2006 年台北办公室租金普遍上调 1.34%,其中,需求量大的 C 级办公大楼和信义新区租金上调均超过 3%。

运输、仓储及通讯业。运输业是台湾服务业中较重要的子业。2000 年以后,台湾各运输部门的发展状况不一。相较而言,货运方面:铁路、公路运输有不同程度的增长;航空、海运则处于下降趋势,特别是高雄港的货物运输量下降明显。客运方面,铁路运输量有所增加,公路和航空客运量则有不同程度的下降。随着台湾高铁的开通和运行,铁路将吸走航空和公路运输的相当大客源。

尽管近年来台湾服务业迅速发展,但

由于台湾服务业仍以内需为导向,在内需扩张疲软影响下,服务业虽稳中有升,但增长速度仍大大低于工业生产。

制约台湾服务业发展的最重要因素是岛内生产型服务需求和生活性服务需求不足。从生活性服务需求方面看,一是人口增长放缓,约束了生活性服务市场的自然规模。服务行业特别是生活性服务与社会人口有着极为密切的关系。由于台湾的人口增长率自 1979 年以来一直低于 2%,生活性服务市场的自然规模受到抑制。二是居民收入水平增长缓慢以及股市缩水、经济萧条、失业增加等因素也制约着服务性市场的购买能力。三是大批台商投资海外,高端消费群的流失,制约着服务性市场的水平提高。

从生产性服务需求来看,一是大规模生产性企业外移改变了岛内对生产性服务的需求状况。随着生产性企业外移,原与之提供服务的服务性企业必须采取有效手段,克服因生产性企业外移造成的空间分离对服务提供的不利影响,以维持其继续作为生产型服务供应者的竞争力。部分服务业者通过"跟随性外移"继续与原生产型客户保持服务关系,但也有部分服务业者因无法克服空间距离的障碍,丧失了原有的客户。二是岛内新增投资的减少也使岛内生产性服务的需求不足。1961—2000 年间,台湾的投资毛额占 GDP 的比重基本维持在 20%—30% 的高水平,但自从进入 21 世纪后,岛内投资开始大幅度下降。

由此可见,缓解台湾服务业发展压力的关键点就在于采取有效的方法扩大岛内对生产性服务和生活性服务的需求。2004 年 11 月 10 日,台湾"行政院"第 2914 次会议通过"服务业发展纲领与行动方案"。该方案对未来台湾服务业的发展进行了总体规划,选定 12 项服务业进行重点推动,并拟订了 24 项旗舰计划和主轴措施。

对台湾来说,推动台湾服务业发展,除想方设法从内部改革和拓展外,还应将实现两岸"三通"和开放大陆居民赴台观光作为解决问题的突破口。

旅游观光业。旅游观光业虽然不是台湾服务业分类标准中单列的子业,但对服务业及其他业别收入的提高和水平的提升有着重大的作用。长期以来,台湾旅游业发展缓慢,在世界尚属旅游开发度较低的地区,旅游观光业呈现出严重逆差,出境游人数是入境游人数的两倍半(据台湾"行政院主计处"统计,2002 年台湾出境人数是入境人数的 2.46 倍,2003 年为 2.63 倍,2004 年为 2.64 倍,2005 年为 2.43 倍,2006 年 1 月—11 月为 2.52 倍),台湾居民在外国观光的花费是外国人在台湾观光花费的两倍。由于来台旅游观光人数不多,使台湾与旅游观光业相连的服务业发展受到极大的限制。由于祖国大陆经济的发展,已逐渐成为全球增长最快的旅游输出地,加之两岸虽然同文同种但隔绝多年,不论是台湾的自然风光和人文遗存在大陆都极有市场。因此,台湾岛内各界要求开放大陆居民赴台旅游的呼声不断。2005 年 2 月,台湾"陆委会"通过了《大陆地区人民来台从事观光活动许可办法》修正案,表面降低了大陆居民赴台旅游的门槛,但实际上仍是障碍重重,导致大陆居民赴台旅游迟迟不能实现。

(4)财政赤字居高不下

自 1989 年度(台湾的财政年度从当年的 7 月到翌年的 6 月)以来,台湾财政收支情况就已开始恶化,赤字连年,政府债务迅速上升。据统计,台湾当局公债累计未偿还余额,已从 1990 年的 2 千亿元增达

2000 年的 2.4 万亿元新台币,加上地方政府债务,政府欠债总额达 3.6 万亿元。2000 年度财政预算赤字达 5000 多亿元新台币,创历史最高纪录。台湾已走上了财政恶化的险路。

导致财政恶化的原因是:①公共建设上马太猛,财政支出恶性膨胀;②特别预算重大违法情况严重;③财政收入不足拉大了收支差距;④为拉选票台湾当局大打"福利牌",使原本膨胀的支出更加变本加厉;⑤"政府机关"冗员充斥,政务支出增长超过预算增长;⑥各级"政府机关"高估冒报预算,人为地加大了财政预算总额。

民进党上台后,由于经济和政治的双重需要,试图通过传统的扩张性财政政策达到提升施政的业绩。然而,8 年时间过去,由于陈水扁当局坚持政治利益优先经济发展的原则,同时,操作手段粗糙,急功近利,使其财政政策收效甚微,非但没有达到推动台湾经济走出困境的目的,反而使台湾财政收支出现严重失衡,快速累积的债务已严重危及台湾的财政体制,加重了财政风险。

造成陈水扁当局财政问题加剧的原因是多方面的,既有历史原因,也有现实困难;既有制度因素,也有操作失误;既有经济背景,也有政治影响。

从制度上看,首先是税收制度不健全,税率结构不合理,非营业性基金的管理缺乏合理制度以致运作效率不高。从60 年代开始,台湾就通过减免税收的方式促进产业升级和经济发展。尽管这一方法在推动台湾经济发展中起到过重要作用,但也留下极为严重的后遗症。长期、大量的政策性减免税,不仅造成税制不公平,还将导致各种租税应税税基明显缩减,税收难以与经济同步增长。如 2000 年,因推动两税合一、取消金融营业税、所得税减免等各类减税措施,该年实际税收收入 1.93 兆元,预算达成率仅 96.2%,创下 1987 年以来的新低,全年度赋税短征 753 亿元。民众租税负担率 13.2%,创下历年新低。其次是财政结构僵化,在财政支出中占相当大比重的开支部分长期以来居高不下,且不断增长,加快财政支出增长幅度。受到相关法律契约的限制,在台湾财政预算中具有强制性或义务性必须编列的重大开支,如人事费、债务付息、社会保险补助、社会福利津贴及补助、对各级公私立学校教育补助、对地方政府补助等,约占总支出的七成,当局仅剩三成可自由规划运用。受如此僵硬支出结构的限制,整体支出安排困难重重。

从经济上看,台湾经济持续不景气,对台湾财政状况的好转影响巨大。一是经济低迷不振造成了财政收入的减少。主要体现在:经济景气低迷,工资增幅放缓,失业率持续上升,消费意愿不足,不仅影响个人所得税的增长,也影响包括营业税、证券交易税等一系列与景气相关的税收增长;经济景气低迷,不仅使当局通过公营企业民营化过程中"释股"获利难以实现,也削弱了在财政中仅次于税收的第二大收入来源——公营事业收入。二是不当的财政政策加剧了财政恶化的程度。民进党执政后,试图通过扩大公共支出和减轻赋税的方式来刺激经济景气,但在台湾财政基础不稳、赤字巨大的情况下,这一政策难以奏效,反而使财政更加恶化。

在政治上,台湾当局为了"拼选举",开出了一系列政策"牛肉干",或是减免某些利益集团、利益群体的税收,或是给某些人数众多、影响巨大的群体补助、津贴、福利。另外,为了凸显其执政业绩,不惜花重金出台许多公共投资计划和方案。在进行这些"政策性买票"的支出规划和实施时，民进党不顾财政纪律，肆意增加预算或大规模举债。所有这些行为，都加剧了财政恶化的程度。2000 年陈水扁上台后开始设法兑现其在竞选时开出的社会福利支票，如"333 安家福利专案"，其中第一项是年满 65 岁以上，只要没有退休金或其他津贴，每人每月可领取 3000 元新台币的津贴。随着 2004 年大选的临近，2003 年 6 月台"立法院"通过"敬老福利生活津贴暂行条例"修法，放宽敬老津贴的适用对象，即已领取劳保退休给付的 65 岁以上老人，也能每月领取 3000 元新台币，为此通过了编列 37.9 亿元新台币的"追加预算案"。同时，为了打赢被视为"2004 年 3 月选举热身赛"的花莲县长补选战，巩固中南部农民选票，民进党当局除了开出 1440 亿元新台币的总建设经费支票，还进一步提出老农津贴由每月新台币 3000 元上升到新台币 4000 元。增加社会福利支出，照顾老年生活，既反映出社会的进步，又符合台湾社会日益老年化的现实，无可非议，但陈水扁在特定的时间、特定的地点，对特定的人群进行特殊的关照，有失社会公平性，确有为一党一己之私利用掌握的公共权力和资源进行"政策性买票"之嫌。不仅如此，这种随意追加预算的做法，更加剧了财政恶化的程度。

由此可见，台湾财政结构存在两种困境，一方面财政赤字不断恶化，威胁到当局财政的稳健与安定；另一方面财政规模的增长速度不断下降，台湾当局经济支配力明显降低。

民进党执政前的 1999 年，台湾除县市政府的财政为赤字外，"中央政府"和"省市政府"均有盈余。但自 2000 年后，台湾各级"政府"财政状况每况愈下，财政收支面临重大压力，各级"政府"总财政赤字在 2000 年达到 3561 亿元新台币，其中，"县

市政府"2812 亿元新台币，"中央政府"和"省市政府"各新台币 306 亿元和 443 亿元。之后，台湾各级"政府"总财政赤字一直高居不下，2001 年为 3750 亿元新台币，2002 年为 3184 亿元新台币，2003 年为 3364 亿元新台币，2004 年为 2998 亿元新台币。

由于巨大的财政赤字，台湾当局只有通过举债来维持。从 1990 年度至 1999 年度，台湾"中央政府"各类债务余额由新台币 2012 亿元新台币增至 13367 亿元新台币，平均债务余额年增 1135.5 亿元。2000 年民进党上台后，债务余额增速加快，1 年以上债务余额，不包括保留预算数，从 2002 年底的新台币 28317 亿余元，持续累增至 2007 年底的 36144 亿多元，而且从 2002 年到 2007 年各年度债务利息支出，都介于新台币 1174 亿元至 1443 亿余元间，每年利息支出都破千亿元新台币，财政负荷沉重由此可见。

(5)金融改革成效有限

台湾大幅度实行金融自由化、国际化之后，其间接融资主体和融资体制的主体仍是"公营"银行。因此，台湾当局对金融事务的管理是比较容易的。但是，自从容许设立民营银行后，民营银行发展的速度很快。尽管台湾当局努力进行金融机关的监督、加强维护金融秩序，但金融部门环境的迅速变化，使台湾当局对金融业的管理工作面临着越来越多的困难。

金融机构过多，不良竞争加剧。一般来说，台湾的"公营"银行的经营态度是比较保守的，但民营银行的迅速增加，必然会导致激烈的竞争。新设立的银行积极进行融资。然而，新设立的银行多数是台湾主要企业集团的系列公司，对该企业集团内公司的融资审查比较宽松，使金融业出现不良债权的可能性加大，特别是经济

增长减速，股市下跌，更是增大了银行的不良债权。1999年3月，不良债权在台湾的银行总融资额中所占的比例已高达5.1%，金融业不稳定的危机也随之增多。

台湾对基层的金融混乱失控状况极其堪忧。地方派系利用手中掌握的金融机构，拿大众的钱炒股、炒地皮的事件比比皆是。这种风险极大的过度借债使基层农会信用部的逾期放贷比例高达4.87%，总额达新台币6000万元，最高者如台北市的松山农会等15家农会信用部逾期放贷的比例达50%以上。一旦泡沫经济破灭，股价回落，房地产降温，贷款被套，极易发生震荡性金融危机。

台湾的地下金融活动猖獗，当局却束手无策。台湾有200多家的地下投资公司，吸收了数以千亿计的贷款。他们的利率高达月利4%—10%，其投机活动造成股票市场和房地产市场价格的异常上涨。更为严重的是，这些地下金融活动在当局的监控之外，无法进行有效控制，必将成为金融安全的一个危险的隐患。

由于岛内金融环境危机四伏，银行业存在的巨大的金融风险。陈水扁上台后，将2001年定为"金融改革年"，提出第一次"金改"计划，分别就银行、保险、资本市场、基层金融、查缉金融犯罪等方面进行规划，希望改善银行体制，降低逾放比率。2002年1月1日，台湾成为WTO成员，由于台湾银行无法达到国际上巴塞尔协议有关银行资本充足率8%的要求，银行业存在的金融风险很大，台湾当局明显加快了金融改革进程，提出两年内所有银行逾放比必须降到5%以下，资本充足率达到8%以上的"二五八"金融改革政策目标。

为实现"金改"目标，民进党当局采取了各种措施，一方面通过开放"金控公司"设立方式，使金融业可以跨行业经营；另一方面设置金融重建基金（RTC），试图整并银行，以打消台湾的金融呆账，重建金融业的活力。具体而言，一是采取鼓励整合、推动合并措施。台湾当局通过制定《金融控股公司法》，将证券、保险、银行、三合一纳入金控公司，并为金控公司提供优惠租税利基。自2001年12月开始，台湾陆续核准富邦金控等14家金控公司挂牌上市（华南、富邦、国泰、开发、玉山、复发、交银、日盛、台新、新光、国票、建华、中信、第一）。挂牌后的各家金控积极在市场上物色合适的合并或联盟对象，如2002年12月富邦金控纳入台北银行，国泰金控纳入世华银行等，先后将46个银行、证券、保险公司纳为子公司；同时，台湾当局也大力推动各种模式金融机构合并，以改变台湾金融家数过多，竞争过度的弊病。二是加快金融重建。打消坏账，降低逾放比，是台湾金改的核心，台湾当局从两个方面着手：首先是从银行方面，即成立资产管理公司（AMC），处理仍有待收回的逾期呆账；其次是从官方方面，即成立金融重建基金（RTC），注资有问题的金融机构。由于金融体系的问题远较估计的严重，RTC规模也由原有的新台币1400亿元增加至10500亿元。三是重新定义逾放比标准。为使台湾银行的逾期放款标准与国际接轨，台"财政部"于2003年4月将予以观察的放款列入逾期放款的定义范围内，并依据逾放比高低实施不同的管理措施，对在2002年底前就将逾放比降到5%甚至2.5%以下的银行给予奖励，同时提出了惩处措施：对一些高逾放比的银行，2002年底若不能降到7%以下，将被禁止新设海内外分支机构及禁止一般分行抵换简易分行，同时这些银行也将禁止分配董监事酬劳金、限制或禁止分配盈余，

2003 年 6 月底前若还不能降到 6％以下，其新办业务也将受到限制。四是订出公营银行释股时间表。具体为：三商银、交银、农银、台企银等六家行库，官司股所占比率在 2005 年底前降至二成以下，之后逐渐释出全部股份；台银、土银、中信局等三家行局在 2006 年底前完成民营化；合作金库在 2003 年底前完成民营化。五是加大基层金融改革的力度。台湾基层金融较台湾银行的平均逾放比高出甚多，2002 年台"财政部"决定对"农渔会信用部"进行逾放比分层管理，对于好的"农渔会信用部"，"财政部"鼓励他们合并为商业银行，对于经营不善的"农渔会信用部"，"财政部"将朝"业务邮储化"目标迈进。

台湾第一次金融改革在一定程度上达到了降低银行逾期放款比率的目标，金融机构的呆账问题也得到了缓解。逾期放款比率由 2001 年 3 月的 8.04％下降到 2003 年底的 4.33％，2004 年 3 月降低至 3.31％，2005 年 12 月底又降至 2.24％，减少呆坏账达 12643 亿元新台币；资本充足率在 2003 年时达到 10.07％，高于国际上 8％的标准，解除了"本土性金融危机"。第一次"金改"虽取得了一定的成绩，但台湾当局花费了大约 6000 亿元新台币，成本巨大，且同时给台湾带来更大的金控问题。第一次"金改"使得民间财团能够以较低的成本进行银行并购，资本快速增长，《金融控股公司法》出台短短的两年时间里，台湾共成立了 14 家金融控股公司，民间的"辜辜、蔡蔡、吴吴"等六家"金控"，总资产占到台湾金融总资产的四分之一，金控公司的监管问题成为台湾金融业的新问题。另外，第一次"金改"使台湾银行业的获利能力得到恢复，但台湾各银行（不包括外商银行及基层金融机构）的税前盈余与净值并未明显上升。更引人注意的是，台湾各银行的分行总数目不减反增，台湾银行业存在过度竞争的劣质经营现象，银行家数过多，获利能力较差，经营能力与经营环境已面临着严重考验。

2004 年 10 月 20 日，陈水扁主持完"经济顾问小组会议"后宣布，岛内将实施以扩大金融控股公司规模及公股银行减半为主要内容、以扩大规模的方式来提升岛内金融业国际竞争力为目的的第二次金融改革方案。具体做法是：要在年底前促成三家金融机构市场占有率在 10％以上；年底前公营金融机构的公股金融机构数量至少减为六家；2006 年底前岛内 14 家金融控股公司减半；2006 年底前至少促成一家金融机构由外资经营或到海外上市等四大目标。陈水扁表示将坚决贯彻执行"二次金改"，如若没有按计划实施，相关部门负责人的"乌纱帽"不保。

台湾当局之所以强力推动"二次金融改革"的原因是多方面的。首先是国际潮流带来的外部挑战。进入 21 世纪后，以欧美国家为代表的国际金融业务的发展、金融产品的创新、科技手段的应用，使得银行、证券、保险业间的业务区隔逐渐模糊；另一方面，传统业务的利润逐渐摊薄，成立大规模的金融控股公司成为一种大势所趋的潮流。其次是台湾的金融体系自身面临诸多问题。具体而言，一是台湾金融机构规模太小，影响竞争力的提高。台湾金融机构规模过小，最大的银行资产在世界银行排名第 125 位，远低于韩国、新加坡、中国香港与日本；在亚洲的前三百大银行中，中国香港与韩国的规模分别为台湾的 2.12 倍与 2.76 倍，新加坡高达台湾的 4.67 倍。二是不良债权持续攀高。至 2002 年 3 月底，台湾 52 家银行逾放总额约为 11400 亿元新台币，基层金融机构约 1900 亿元新台币，逾放比超过 8％，金融机构贷款意愿转趋保守,企业资金融通不易。三是结构性问题调整不力。截至2005年8月底,台湾仍有一般银行44家,中小企业银行4家,信用合作社30家,农会信用部253家,渔会信用家25家,票据金融公司15家,证券金融公司4家,信托投资公司2家,人寿保险公司29家,产物保险公司27家,国际金融业务分行68家。对台湾来说,数量之多已大大超过了市场规模的需要。四是基层金融机构关系复杂,隐患明显。农、渔会信用部以及信用合作社等伴随着台湾从农业社会步入工业化社会,且在台湾独特的选举文化逐渐与地方派系纠缠在一起,盘根错节,功能已超载了纯经济的概念,而且也存在许多问题,如金融逾放比偏高,金融规模太小,基层金融如农、渔会信用部作为选举桩脚及金库的功能,早已超过支应农渔民放款业务的功能,金融品质极差。五是从政治上的考虑。自从陈水扁上台后,经济成绩乏善可陈,如果不在经济或金融方面拿出一些具体措施为其"拼经济"的口号解套,难以获得选民的继续支持。另一方面,基层金融机构多年以来一直是国民党的传统桩脚,民进党欲借金融改革之名予以铲除。六是应对加入WTO后形成的新压力。大陆经济的崛起给台商带来新的投资机会,也给台湾的金融业带来商机。到2004年底,已有7家台湾银行在大陆设立代表处,其中彰化银行代表处设在江苏昆山,世华银行、土地银行、第一商业银行代表处设在上海,尚有一些优质金融机构强烈要求到大陆设分行或办事处未得到台"金管会"批准。尽管台湾当局强调大陆并不是唯一市场,要求台湾的企业不能"钱进大陆,债留台湾",但也不得不为包括监管、审批以及修改或增订新的法律、法规等提早作出因应对策和措施。

第二次金融改革的主要措施包括:一是打造岛内大型金融机构。台湾第二次金融改革的重点放在推动银行合并等方面,即推动银行合并使岛内三家公、民营金融机构的市场占有率各达10%以上。措施方面:公股银行主要以政策协助促成,民营银行则主要以政策鼓励方式进行。具体而言,首先,促使公股的金融机构家数,由原有的十余家,至少锐减为六家。对于银行合并的做法,将分成公股与民营金融机构两大方向进行处理。在公股银行方面,因为政府手中持有的股权,可配合政策或措施协助解决;在民营银行方面,台湾当局则期待以鼓励的方式促成业者合并。其次,在2006年年底前,台湾当局将促成外资经营岛内一家金融机构,或是该银行在岛外上市。外资并不一定要取得这家银行过半的股权,只要能成为这家银行的大股东,并主导其经营权即可。二是促进岛内金融机构并购。台湾岛内金融业的并购主要有五大方向:第一,岛内银行存在的问题是同质型过高,不是做企业金融,就是做消费金融,从而造成无谓的价格竞争;第二,岛内的直接金融只占三成,而岛外则占有五成,岛内没有发展投资银行的主体,应扶植接近国际投资标准的金融业者发展成投资银行,因此如何协助券商转型投资银行也是重要的议题;第三,资产管理业在金融产业中占据相当重要一环,健全投信、投顾业的发展,对产业管理公司的发展可以说相当有帮助;第四,台湾创投业发展仅次于美国,未来非公开股权的投资,收购不良债权等方式,都是左右全球资本流向的重要势力;第五,在台湾,保险业的资本最傲人,且是最重要的资源分配与提供者,因此保费收入的运用,是台湾金融改革必须注意的部分。三是力促金控公司整并。

台湾当局提出在 2006 年底将岛内 14 家金控公司整并为 7 家的目标，为金控公司整并订出蓝图。台"金管会"拟订的金控并购可能出现三大模式，即民营化官股金融机构互相合并、民营化官股与民营金融机构合并，或与民营化官股金控、纯民营金控、加上外资共同合并。在这三大模式中，民营化官股金控活动力强，已有市场价格，也有一定的影响力，比较容易说服他们做金控并购的触媒，以提高金控公司经营效益。但"金管会"还是倾向引导民营化金控先与纯民营金控合并，增加经营综合效益。因为虽然民营化的官股金控互相合并，旗下银行的市场占有率会马上超过 10％，但这种组合需要一段整顿期。此外，台"金管会"还定出有关竞争力指标，分别为：资产市场占有率逾 10％；资本收益率（ROE）在 15％—20％、资本利润率（ROA）大于 1％、资本充足率大于 10％、广义逾放比率低于 2.5％、备抵呆账覆盖率在 60％以上、成本率低于 40％。

金融控股公司减半或合并是第二次金融改革的重要内容之一。事实上，金融企业合并是经济发展的一种自然现象，是实现企业资源与人力整合、扩大资产与经营规模、提高经营效率的重要途径。进入 21 世纪以来，岛内金融市场竞争日趋激烈，金融企业合并在政策与市场双重杠杆下得到迅速发展，成为企业合并的主流。据统计，到 2005 年 9 月底，台湾金融业合并金额达 41.8 亿美元，占了各产业合并金额总量的 55％，而－ViIL 与科技产业合并分别只有 16.3 亿美元与 11.8 亿美元，分别只占 21.6％与 15.6％。

在金融企业合并过程中，官方的主要功能是完善法律制度，创造更公平、合理的金融环境，鼓励金融企业的国际化，而不是限期出售公股或人为进行合并，不是

扮演市场分配者的角色。但依靠非市场力量，从"银行数目过多"飞快地跳跃到"'二次金改'的四大目标"，不仅会严重影响正常的金融秩序，也会给寻租者创造掠夺公共财产的机会。因此，"二次金改"的动机和可行性遭到台湾各界民众的普遍质疑。特别是陈水扁坚持在如此短促的时间内将大量公有银行出手，更使人怀疑"金改"实施后，官商会勾结，吞噬公共财产。随着舆论质疑财团垄断金融的声音不断加强，特别是专家学者及广大民意的压力逐渐加大，在 2005 年 10 月台湾"立法院"会期中，"立法委员"连署提案针对"二次金改"进行全面性的检讨，并于 10 月 3 日通过三项决议（包括：无异议通过停止"二次金改"；停止释股、换股等各种公股股权转移方式，即停止出售公营金融机构股票；要求政府积极筹组公营金控公司），暂停第二次金融改革，此种结局是台湾当局推动"二次金改"时始料未及的。

其实，提高金融企业的竞争力，方式与措施应是多元的。台湾金融业所面对问题的关键是岛内市场太小，金融业竞争过于激烈。金融业的主要功能不外是提供企业融资与民间消费融资，作为服务业要紧跟自己服务的对象。随着台湾企业的大量外移，金融企业也应伴随企业的活动转移而转移，将金融业务从岛内延伸到岛外，服务台商，服务企业。据研究，世界上跨国银行主要依靠企业金融服务而生存，特别是靠服务本国银行在海外的营运而获利。然而，台湾当局依然意识形态挂帅，限制金融企业到大陆发展，限制两岸金融业的合作，制约着台湾金融企业的发展与竞争力的提高。特别是在两岸政治对立下，两岸没有金融监理与货币清算协议，无法真正让台湾金融企业走出去或扩大经营业务。尽管台湾财经部门提出一

些开放两岸金融合作的设想与建议,但始终得不到"国安系统"与"陆委会"的支持,使得台湾金融企业发展受到很大限制。对此,台湾《经济日报》的社论一针见血地指出:"二次金改"不能不正视两岸政策问题,金融业若不能随台商"走出去",如何做大自己的"饼"? 改革内涵要跳出金融产业的单一框架及数目、规模的迷思,否则,改变不了台湾金融业竞争弱化的趋势。

(6)股市楼市不断下滑

台湾股市发展异常诡异。1984年2月,台湾股市从650点开始启动,在1987年10月即达到4600点以上。但在是年10月19日"黑色星期一"的冲击下,短短3个月的时间,台湾股指跌到2300点,等于将股市震掉一半,下降幅度之大远超美国的22%。而后,台湾股指一路狂奔向上,在1988年9月接近8800点后,再经3个月回调跌到5100点。

1989年,台湾股市迎来了第三波冲浪,其势头更为壮观和惊骇。股指一路高歌猛进,在1990年2月达到12682点! 此时的台湾股市震惊世界——台湾牛市在5年时间内竟走过了日本股市20年走过的路。具体而言,从1986年到1990年的5年间,台湾股市上涨了12倍,由1000点上涨到12000点,市盈率由1986年的10倍上升到1990年的80倍,交易量全球排名第三,台湾民众中每8人中就有1个股民。但由于透支了十几年的预期,台湾股市在此后不到8个月内迅速由12682点暴跌至2485点,跌幅高达80.4%,再次震撼世界。

进入90年代后,台湾股市经常出现大规模下滑,严重影响台湾经济和社会稳定。为此,台湾当局成立了"稳定股市专案小组"和"协助企业经营资金专案小组"并采取一系列措施稳定股市。但由于台湾股市波动受政治、经济、两岸关系影响巨大,也与台湾社会环境日益浮躁和民众追求一夜暴富的投机心理有关,行政和经济层面的些微政策利好依然无法解决股市波动剧烈的深层问题。

2000年初,台湾股价指数达到10096点,股价市值也一度高达14兆8425亿元新台币。民进党执政后,重大政治事件不断,再次对股市形成巨大冲击,如2000年10月3日晚唐飞突然对外宣布陈水扁已批准他的辞呈后的第二天,台北股市出现大崩跌,加权指数下挫了145.52点,跌破6000点大关,由此引发台湾经济持续不断的剧烈震荡。

经济衰退、产业及资金加速外移等多重利空因素又反过来影响台湾股市。在双重因素的夹击下,2000年台湾股市遭受重创,进入了长期"熊市"状况。该年度,加权股价指数最低曾达到4614点,跌幅54.8%,年底收盘时加权股价指数虽略回至4739.09点,但跌幅仍有43.9%,股票市值缩水3.59兆元新台币,平均每户损失88万元新台币。面对股市危局,台湾当局动用四大"政府基金"、"国家安定基金"以及银行团、寿险集团所组成的护盘团队赖以稳定股市,不但没能奏效,还赔掉数千亿元新台币。

2001年,台湾股市动荡加剧,股价指数在2月中旬短暂反弹到6000点后,便持续下滑,9月下旬突破3500点大关,只有3411点。之后,逐渐有所反弹,年底收盘指数为5551.24点,与上年同期相比,有17.14%的涨幅。2002年,台湾股市在动荡中继续下跌,年底以4452.45收盘,比上年同期下降了19.79%,股票市值蒸发1.2兆元新台币。

2003年,由于国际经济复苏及外资的大量流入,下半年台湾的股价指数逐渐回升,年底以5890.69点收盘,比上年同期增幅32.3%。2004年是台湾"大选"年,政局动荡,股市也因此上下滑动。"大选"前股指从4000多点被人为拉到7000点以上,大选后又再次跌到6000点以下。2005年,台湾股市继续在6000点左右波动。这中间受二次"金改"停摆的影响,股市一度下降到全年最低点5694.16点。但仅过两个月,股市就因"泛蓝"在"三合一选举"大获全胜,以及受两岸"三通"、开放大陆游客入岛旅游,特别是台商投资大陆"40%上限"将被解禁等一系列利多因素的鼓舞,股票指数一路冲破6500点,并多次单日大涨百点,加上外资也纷纷涌入再度大举买进,许多股票出现2005年首次涨停板。到12月23日,台湾股指达到6530点。

2006年上半年,台湾股市受两岸经贸论坛召开以及台当局"行政院"拟定开放大陆观光客赴台时间表等因素激励继续上扬,达到6900点。尽管6月—8月受美联储不断加息使得台美利差扩大和岛内"倒扁运动",台股股指一度下降,但年底受外资对岛内电子信息企业和金融企业进行股权投资的影响,股指在电子股的带动下逐渐升高,年底以7823点收盘。全年股市上升19.5点,创下6年来的新高。

2007年前、中期,在选举政策利多、国际股市走势强劲及外部经济形势趋于景气等背景下,台湾股市交易相当活跃,股价大幅上涨,与2000年"大选"前的形势十分类似。台股指数接连突破8000点、9000点,到8月时,股指维持在9500点左右。总市值由2000年的12万亿元新台币增加到了22.76万亿元,增加近一倍。然而,好景不长,11月8日,受美国股市暴跌和亚洲股市集体大幅下跌影响,台湾股市也出现大规模下跌,终场跌破9000点大关,下跌362.64点,以8937.58点作收,跌幅达

到3.9%,创历史第11大跌点。台股的重挫,市值顿失8700亿元新台币,平均每位股民失血约11万元新台币。短短两周,台股市值蒸发2.3兆元新台币,等于台湾股民每人两周赔掉新台币29万元。12月27日,由于预计28日马英九案宣判,干扰台股已久的不确定利空警报可望解除,加上外传将开放"公投"二阶段领票,市场气氛好转,加权指数上扬157点,最终以8313点收市。

2008年1月21日,受美国次贷引发的经济衰退预期进而导致了全球资本市场的大幅调整,台湾股市下跌0.91%。22日,台湾股市出现剧烈跌幅,当日暴跌528.24点,收跌6.51%。之后,随着选举局面逐渐明朗,台湾股市略有回升,到3月20日,台湾股市收报8337.6点。3月22日,马英九确定胜出后的第一个交易日(24日)台湾指数以涨停的势态开盘大涨7%,当天的投资回报高达70%,这是民众对马英九执政后的期待金融市场所表现出来的结果。

纵观台湾的股票市场在2003年见底后由4000上涨到2007年底的9800点最高,涨幅145%。但与大陆股票市场相比,不仅持续时间长,而且涨幅落后。大陆的A股在2005年见底后由1000点上涨到2007年的最高6100点,涨幅达到600%;香港的股市在2003年见底后由8000点上涨到2007年的32000点最高涨幅达400%。

股市泡沫的破裂首先影响的是经济。台湾股市泡沫的破灭,对总体经济的冲击剧烈。大量厂商资金被套牢,出现资金周转困难与财务危机;银行为避免受股市冲击,也加强对贷款的控制,加之投资人对未来前景不看好,企业投资活动畏缩;股市的大幅衰退也造成了民众资产价值的

明显下降,直接影响民间消费能力和消费水平。投资与消费的下降,直接影响台湾的经济增长率。

与台湾股市泡沫相匹配的是台湾楼市也出现泡沫化。台湾房地产市场不景气已有十年多的时间,尽管近年台湾当局先后采取一系列刺激房地产市场的措施,尤其是新政权上台后推出 3200 亿元的低利房屋贷款,但均未奏效,房地产价格在政治经济环境整体恶化下仍持续下降。由于许多企业贷款以不动产作抵押,房地产市场不景气与价格下跌,导致银行因房地产抵押品缩水而坏账增加,被迫紧缩银根,要求企业补足抵押品,进一步增大了企业财务压力。

为挽救楼市,2005 年 7 月 14 日,"财政部国有财产局"北区办事处公开标售 20 宗"国有"房地产,开标结果共有 17 宗标脱,标脱率高达 85%,标脱总金额 70273 万元新台币,超出底价 33.66%,标脱率创下历年新高;中区办事处公开标售的 18 宗"国有"房地产,开标结果共标脱 12 宗,标脱率 68%,标脱总金额 28796 万元新台币。在台湾当局政策刺激和"胡连会"愿景下,从该年年底开始,房地产市场交易逐渐活跃,价格迅速上扬。2006 年,房屋不动产交易量达 45 万件,是 2003 年"非典"后连续三年增加,也是过去 8 年来最活跃的时期。2007 年第一季度,台北市房价上涨 6%,台北县更上涨 7.7%,整个台北地区平均房价三年上涨约五成,且仍在持续上涨,豪宅价格也屡创新高。

必须看到的是,台湾楼市一方面呈逐渐火爆之势,另一方面,又存在着大量的隐性危机。台湾房贷余额占 GDP 的比重为 45%,世界排名第三,仅次于韩国的 65% 以及英国的 46%,比例过高,已成潜在性风险,台湾恐成下一个房贷风暴袭击地。美国次贷的延滞率约为 10% 至 16% 间,与台湾高风险房贷的违约率约 12% 至 13% 类似,因此,台湾虽无美国次级房贷之名,但各银行在承作房贷时,因利率未含不同的信用价差,确实具有高风险房贷的事实。其中,又以 2004 年至 2006 年时,各银行大幅开放授信政策,以扩充房贷量最为明显,已累积不少高成数房贷,确实存在着不小的潜在风险。另外,台湾房贷与美国次贷风暴又有不少类似的地方,像不少银行设计前低后高支付方式的放款产品,以前几期的极低利率,作为广告号召,吸引房贷族进行转贷;部分银行放松授信政策,开放资历较弱、还款能力较差及极不完整财务证明的借款人条件,甚至推出百分百房贷。

由于 2006 年和 2007 年两岸关系因国民党与大陆愿景的达成以及国民党在选举中不断获胜,一大批台商和海外华人看好台湾的房地产市场,纷纷携带大量资金进入,引发房产投资不断升温。但一方面,台湾经济不景气也使大量购房者裹足不前;另一方面,过度膨胀的房地产市场又使不少人转为观望,造成台湾预售市场房价涨幅翻天,而购房人不买账,出现全台各县市销售率全面下滑情况。根据台湾"行政院主计处"对 2006 年度家庭收支状况的调查统计,2006 年台湾平均每户家庭可支配所得为 91.3 万元新台币,年增率为 2.1%,唯房价涨幅远高于可支配所得增幅,以台北市为例,必须不吃不喝 9 年,才有机会在台北市购平均 33 坪(1 坪约 3 平方米)的住宅。根据"经建会"的调查,台北民众的购房信心指数创下 5 年来新低,民众的购房意愿逐渐下滑,购房需求缺乏足够的支撑力,楼市退烧警讯似乎逐渐浮出台面。根据台湾房地产指数显示,台湾房地产市场呈现出"价涨量缩"结构,销售率衰退,但全台房价已连续多季高幅上扬,观望人数越来越多。台湾政治大学教授张金鹗其至提出警告:"房地产由多转空的反转讯号越来越明显了!"

3. 两岸经贸成为台湾经济发展的亮点

2003年,两岸经贸环境有所变化。其一,越来越多的台商在祖国大陆实行本地化经营。过去台湾地区产业向祖国大陆转移时,转移的主要是生产加工能力与设备,产品与技术的研发、所需原材料、中间产品和关键零部件的生产仍在台湾地区。而如今在祖国大陆设立研发基地从事产品与技术研发的投资增多,所需原材料、中间产品和关键零部件在祖国大陆的生产也逐渐增多,成为一个新的本土化经营趋势。下游厂商赴大陆投资,通常会向台湾采购原料及机器设备,但由于两岸不能直航,为了降低运输成本及备料的需要,已逐渐带动中上游工厂一起在当地投资,这将会促使厂商采购当地化,减少对贸易的需求。为适应市场竞争需要,降低企业营运成本,越来越多的台商采取"就地取材"的策略,从而带动了大陆台资企业本地化趋势,包括行政管理人员本地化、生产原料供应本地化和企业资金筹措本地化等现象。据有关部门调查显示,2003年台商产品在大陆当地市场销售比例已达54.63%;机器设备及原材料的当地采购比例为49.93%,首次超过从台湾采购的39.37%;资金来源方面,台商向大陆当地金融机构的融资比例已逐渐赶上母公司提供的比例。其二,两岸贸易纠纷与争端逐渐公开化。反倾销问题成为两岸贸易中的一个新现象。2002年3月23日,大陆原外经贸部公告,对俄罗斯、韩国与台湾的冷轧钢品和扁轧品进行反倾销调查;3月30日,又对台湾聚氯乙烯(PVC)产品

提出反倾销调查;5月24日,宣布对钢产品实施暂时性保护措施。这是入世后大陆第一次对台湾产品向大陆倾销展开调查和实施保护性措施。而据台湾工业总会进行的一项调查显示,台湾工业界对加入WTO后"防止大陆产品对台湾倾销"的呼声也很高。其三,一些层次低、规模小的传统台资项目逐渐减少。由于大陆经济的迅速崛起和开放度的不断提高,一些技术含量低、规模小的台资项目已在大陆失去优势,而不得不退出大陆市场。即或是能生存下来的,也难以追加投资。从该年的统计数据可见,一是单件投资额由2002年的139万美元上升到190万美元;二是协议金额85.58亿美元,仍属增长,但实际到位金额只有33.77亿美元,资金到位率只有39.46%,比2002年下降了近20个百分点。其四,台商对大陆服务业领域投资增多。过去,台湾向大陆转移的产业主要集中在制造业领域,非制造业投资比重较低。随着中国大陆逐渐实现入世承诺,其服务业及内销市场逐渐对外商开放,台湾服务业已开始加快赴大陆投资。有关调查显示,2003年与2002年相比,台商增加的投资金额中有一半以上为工商服务业。

2004年,随着大陆经济的快速成长以及台湾当局对大陆经贸政策的调整,两岸经贸关系继续发展,具体表现在:一是在大陆经济保持着近9%的年增长率,进出口贸易总额已经突破1万亿美元,成为世界第四大贸易国的有利环境下,两岸间接贸易往来更加密切,贸易总额首次突破700亿美元,达到783.2亿美元,同比增长34.2%。二是按世贸规则,台湾当局不得不继续开放大陆产品进口(到2004年底,台湾累计开放进口大陆产品比例为78.2%,其中工业产品开放比例为

82.5％)，对大陆产品出口台湾的增幅影响较大。是年，大陆对台湾出口达到135.5亿美元，同比增长50.4％，出现了十多年来罕见的高增长。三是台湾从大陆获得的顺差首次突破500亿美元，达512.3亿美元，台湾经济对大陆依存度加深。大陆从台湾进口647.8亿美元，同比增长31.28％。四是台商在大陆投资合同资金93.06亿美元，同比增长8.74％。

2005年3月4日，中共中央总书记、国家主席胡锦涛发表重要讲话，提出了新形势下发展两岸关系的四点意见。春节期间，两岸航空公司实现双向、多点、间接往返两岸的包机飞行。"两会"期间，温家宝总理宣布大陆将推动台商春节包机节日化、常态化，帮助台湾水果在大陆的销售，尽快恢复两岸渔工劳务合作三项措施。3月，中共中央台办与中国国民党副主席江丙坤率领的大陆访问团举行工作会谈，就推动两岸经济关系发展达成12项成果。4月—5月间和7月，胡锦涛总书记分别与连战主席、宋楚瑜主席、郁慕明主席就促进两岸关系改善和发展的重大问题广泛而深入交换了意见，达成广泛共识，其中涉及多项推动两岸经济交流与合作的内容。9月15日，全国政协主席贾庆林在第一届两岸民间菁英论坛上的讲话，提出了进一步推进两岸经贸交流与合作的"四点建议"。大陆各有关方面对于落实各项共识高度重视，采取了多项推动措施：成功推动实现了2005年台商春节包机，并推动促成2006年春节包机磋商安排，务实推动两岸"三通"向前发展。大陆宣布自8月1日起，台湾水果准入品种从12种扩大到18种，并对其中15种水果实行进口零关税措施，受到广大台湾农民的欢迎。国务院批准福州、漳州"海峡两岸农业合作实验区"功能，扩大到福建全省

范围；福建、山东、黑龙江等地设立或正在设立台湾农民创业园，为两岸农业合作营造新的平台。海峡两岸举行"信息产业技术标准论坛"，就加强两岸信息技术标准等领域的交流与合作交换了意见，达成了合作共识。国务院台办与国家开发银行签署《关于支持台湾同胞投资企业发展开发性金融合作协议》，制定并公布了《台资企业国家开发银行贷款暂行办法》，为大陆台资企业安排了为期5年、额度为300亿元人民币的开发性专项贷款，在解决台资企业融资问题上探索了一条新路。据商务部统计，2005年，祖国大陆批准台资项目3907项，合同台资103.6亿美元，实际利用台资21.5亿美元；两岸间接贸易额达912.3亿美元，其中大陆对台出口165.5亿美元，大陆自台进口746.8亿美元，大陆逆差581.3亿美元。

2006年元旦，台湾当局把两岸经贸政策调整为"积极管理，有效开放"的所谓"大陆经贸政策新思维新作为"，当局有关部门据此研拟管理措施，为两岸经贸发展设置新的障碍，但两岸经贸仍继续向前发展。2006年，两岸农业、信息产业等领域的交流与合作持续保持热络，农业交流与合作取得重大进展。国共两党有关方面成功举办了"两岸经贸论坛"和"两岸农业合作论坛"系列活动，分别出台了惠及台湾同胞的15项政策措施和深化两岸农业合作的20项政策措施；成功举办第二、三届"海峡两岸信息产业技术标准论坛"，进一步搭建了两岸信息产业技术交流平台；两岸"三通"取得新进展，顺利促成了两岸客运包机节日化和货运专案包机；台资企业在大陆融资环境进一步优化，两岸金融交流合作逐渐升温。是年，两岸间接贸易额首次突破1000亿美元，达1078.4亿美元，同比增长18.2％。其中，大陆对台湾

出口 207.4 亿美元,同比增长 25.3%,大陆自台湾进口 871.1 亿美元,同比增长 16.6%。大陆逆差 663.7 亿美元。据商务部统计,2006 年,大陆方面共批准台资项目 3752 项,合同资金 113.4 亿美元,实际利用台资 21.4 亿美元。

2007 年,两岸间接贸易保持大幅增长势头。大陆方面的统计显示,2007 年 1 月至 11 月,两岸间接贸易额为 1127.9 亿美元,同比增长 14.9%。截至 2007 年 11 月底,两岸间接贸易总额累计已达 7164 亿美元。大陆继续为台湾第一大出口市场和最大的贸易顺差来源地。在台商投资大陆方面,2007 年,大陆共批准台商投资项目 3299 个,实际使用台资金额 17.7 亿美元。虽然全年大陆批准的台商投资项目和实际使用台资金额都出现下降,但台商西进大陆的热情实质上并没有减退。

2006 年以来,基于控制高耗能、高污染、资源性产品出口和推进出口加工贸易转型升级等因素的考虑,大陆有关部门采取了一系列政策措施。大陆外贸新政策与经济环境的变化,推动台商改变传统的投资经营模式和投资区域布局,促进台商优化产品结构,完成新一轮的转型与升级。同时,大陆经济的持续发展与政策调整也给台商提供了新的商机,高新技术产业、新材料制造业、服务业、环保产业等受政策鼓励的产业正成为台商开拓的新领域。大陆方面陆续出台了一系列惠台新政,从开放台湾航运和道路运输企业在大陆设立独资船务公司,到允许两岸航空业界合资组建航空公司、合资修建机场;从向台湾居民开放会计、卫生、计算机技术与软件等 15 类(项)专业技术人员资格考试,到宣布两岸合拍电视剧享受大陆产电视剧同等待遇;从着手开展恢复对台天然砂出口的工作,到采购 2000 吨台湾水果;

从大陆有关仲裁机构拟增聘台湾仲裁员,到允许台湾农民在大陆的海峡两岸农业合作试验区和台湾农民创业园直接申办个体工商户……这些都为两岸经贸交流合作注入了更多的"助燃剂"。台商投资大陆的产业领域也在进行调整,虽然仍以制造业为主,但 2007 年前三季度明显加大了对大陆第一、第三产业投资的力度:对农林牧渔业投资增长 35.2%,建筑业增长 97%,房地产业增长 32.4%,水利、环境和公共设施管理业更增长了 53 倍。

争议不断的教育改革

1. 教育改革缺乏整体规划

20 世纪 90 年代中期,台湾的教育改革拉开了帷幕。1994 年,台湾当局特定该年为"教育改革年",出台了一系列改革措施。民进党执政后,继续推行"教育改革"。由于民进党在改革中把"本土教育"、"去中国化"摆在第一位,"教育部"高官官僚短视,以及教育改革缺乏整体规划等诸多原因,台湾的教育改革产生了许多问题。

(1)"九年一贯制"

所谓"九年一贯制",是把 1968 年以来"国小"的 11 个科目与"国中"的 23 门学科,统筹在九年"国民"教育体系下,形成语文、健康与体育、社会、艺术与人文、自然与生活科技、数学、综合活动等七大学习领域,目的在于培养学生的 10 大能力:①了解自我及其发展潜能;②欣赏、表现与创新能力;③生涯规划与终身学习的能力;④表达、沟通与分享的能力;⑤尊重、关怀与团队合作的能力;⑥文化学习与国际了解的能力;⑦规划、组织与实践的能力；⑧运用科技与资讯的能力；⑨主动探索与研究的能力；⑩独立思考与解决问题的能力。除此之外，"九年一贯制"还给各科留下20％的空白教学时数，减少上课时数，增加学生参加户外活动和体育锻炼的机会。

从立意的角度看，"九年一贯制"以七大学习领域取代分科设立的方法，打破了原来以学科为本位的传统教育模式，强调各科协同学习，重在培养学生的基本能力，顺应了国际教育领域发展的方向，符合人的全面教育和发展的要求和目标，也较好地解决了中、小学不同教育阶段学科对接的问题，值得肯定。但在执行过程中，"九年一贯制"也暴露出不少问题。一是原有师资难以适应新要求。长期以来，从事教学的教师不论是所受教育背景还是教学实践过程，都是以分科为主，在本学科体系下组织教学，有一定的学科独立性。改革后，他们面对领域协同教学，普遍感觉教学难度加大且无法适应，焦虑感、挫折感加大。尽管这些教师可以通过进修学习、与其他教师合作上课或聘请校外人士协助教学的方式来解决问题，但实际操作过程中，又牵扯到时间、经费、人员重组等一系列问题，难度很大。二是推行步伐太快造成衔接错位。台湾当局在尚未做好充分准备，也未进行有效试点的情况下，贸然在多个年级全面展开，特别是在小一、小四、初一同时推进，致使中小学教学或是出现重复或是出现纰漏，原有的教育体系和现行的教育体系需要磨合，使这几个年级的学生深受其害。三是部分教师，特别是有丰富教学经验的中老年教师因不适应教学不得不提前退休，极大地浪费了宝贵的人才资源。

（2）"一纲多本"

教科书是学生最主要的学习资料，也是教师教学的重要依据，在教学过程中的地位尤为重要。从1963年起，台湾岛内各校所使用的教科书都是经由"国立编译馆"根据台"教育部"颁布的课程纲要编写所谓的"部编本"，其他部门和机构不得编写教科书，故称"一纲一本"。国民党执政时期，民进党和激进"台独"教改团体对此予以强烈反对，认为"部编本"缺乏本土意识，体现的是执政党的"大中国思想"，是政府钳制思想的工具，要求废除"部编本"，实施"一纲多本"。虽然国民党当局曾在1996年的《教育改革总咨议报告书》中建议改"部编制"为"审定制"，准备逐步开放民间书商参与编写、发行中小学教科书，但民进党和激进"台独"教改团体要求"立即、全面"废除"部编本"，并以冻结"国立编译馆"预算的极端手法，强制该馆彻底放弃编写教材的功能，导致民间教科书编写者在没有做好准备的情况下匆匆担负起编制教材的任务。实施"一纲多本"后，岛内每门学科都有五六种教材，每种教材又有三本以上的教科书。

从"一纲一本"到"一纲多本"，由一家垄断到多家竞争，确实有助于将不同风格、不同质量的教科书引进课堂，增强学校和学生的自主性和选择性，但由于行动过于匆忙，缺乏必要的规划和准备，教科书出现了很多问题。一是各种版本的教科书良莠不齐，整体质量呈下降趋势。二是多种版本造成课程衔接不良，尤其是学生转学时，因学校采用新旧不同版本的教科书而造成学生重复学习或学习不完整。三是各类教材全面放开后，价格迅速上涨，增加了学生家长的经济负担。四是部分书商唯利是图，部分教科书供应不畅，影响学生的学习。

（3）"多元入学"

台湾各大学的录取工作是依据考生在

大学联考中所取得的成绩展开的,为此,台湾建立了完整的大学联考制度。2002 年,台湾废除了实施近半个世纪的大学联考制度,全面实施多元入学方案。所谓"多元入学",就是把联考"一试定终身"的单一筛选模式改为推荐甄选、申请入学和考试分发的多渠道入学模式。推荐甄选是由各高中向大学推荐,申请入学是学生向大学直接提出申请。这两类主要适合有特长的学生,其录取人数大约占大学学额的 30%。考试分发类似于以前的大学联考,但又分为甲、乙、丙三案,每案的考试科目各不相同。初中升高中也采用多元入学方案,但分为考试、甄选、登记、直升、保送、申请分发等,入学的渠道更多、更复杂。

从制度设置的初衷来看,多元入学有助于减少学生的学习压力和精神负担,但在优质教学资源仍属稀缺的事实面前,执行起来实属不易。首先是"公平性"问题。由于申请入学和推荐甄选由各学校承担,在给了学校推荐、招生自主权的同时,随之出现的权钱交易和各类关系损害了部分无权、无钱、无关系考生的利益。其次是加重了学生的学业负担和学习成本。学生为增加升学的把握,不但要学好功课,还要参加各类才艺班,培养特长,以期在甄选中胜出。再次是程序过于复杂,家长和考生晕头转向。由于甲、乙、丙三案有的考 5 科,有的考 3 科,而各高校又根据其对各科目不同的偏好,给英语、数学等科以不同的加权系数,不仅增加了考生估分、填报志愿的难度,而且也导致学生报读选择面收窄的现象出现。由于变数太多,学生难以正确填报志愿,每年均有不少高分生落榜的现象发生。

(4)广设大学

经过 50 多年的发展,台湾高等教育发展很快。到 20 世纪 90 年代后期,台湾已有各类高校 84 所,这对仅有 2200 多万人口的台湾来说,数量不少,但台湾当局仍不满足。在 1996 年的《教育改革总咨议报告书》中,台湾当局提出"广设大学"方案,即采取把大量公立、私立的职业学校、专科学校升格为技术学院,然后再改制、改名为"大学"的方法,在短期内实施高校数量的迅速扩张,甚至提出要在每一个县都设有大学。

在这种"灌水"办高校的做法下,台湾高校数量迅速增加。从 1998 年到 2003 年短短 5 年时间里,台湾大学数量就由 84 所增加到 142 所,在校大学生人数也由近 41 万人增加到 83 万人。与之相比,研究生人数增长更快。1998 年,岛内所有大学共有 841 个研究所,5 万多名研究生。到 2003 年,研究所已达 2215 个,研究生人数达到 14 万人,增长将近 3 倍。

高等教育发展,有助于实现高等教育大众化,为台湾培养更多的人才,出发点不可谓不好,但不顾现实的"揠苗助长",给台湾高等教育带来了巨大的损害。一是生源质量严重下降。由于许多大学唯恐招不到学生,纷纷降低录取分数线,2007 年就已出现总分一百多分,单科十多分就能上大学的现象。这一问题不解决,免试入学将提前到来。生源质量的参差不齐,不利于教学的组织,也不利于教学效果的提升。二是毕业生素质降低。由于许多院校是从专科层级上匆忙提升的,各方面的软件、硬件诸如师资、设备、经费,无法与之配套,必然导致教学质量的下降,进而导致毕业生能力和水平的下降。三是人均教育经费下降导致学费上涨,给家长带来沉重的经济负担。由于高校和学生人数的增多,而"政府"投入的经费从 2000 年的 1591 亿元新台币下降至 2004 年的 1352 亿元,不仅没有增加反而降低,导致有限的资源被严重"稀释"。"政府"对学校的生均教育补贴的相对减少,必然导致各校被迫提高学费以"自救",最终将负担转嫁到民众头上。

除此之外,师范教育体制改革,没有从台湾社会现实需求出发,也不顾师范教育独有的行业特点匆忙进行,不仅产生了数以万计的"流浪教师"问题,严重影响了师范教育的正常进行,也使未来教师的职业素质面临崩盘的窘境。

2."去中国化"下的教育乱局

在教育改革的同时,民进党不顾台湾的历史与现实,也不顾学科的规律与特点,更不顾社会的习俗与习惯,顽固地将"去中国化"的目标糅杂其中,使台湾教育改革更加混乱不堪,民众难以适从,怨声载道。

(1)取消"国语"共通语言地位。"国家语言"是一个国家由官方规定的通用语言,它是一个国家交流与沟通的工具,也是一个国家的象征。台湾的"官方语言"俗称"国语",是以民初北京话为标准的普通话。国民党执政时期,为强调"中华意识"并规范语言的使用,成立"台湾国语推行委员会",并于1973年颁布实施"国语推行办法",掀起了一场深入社会各阶层的"国语推行运动"。一时间,"国语"在台湾迅速得到普及和使用。但国民党在独尊"国语"的同时,并未重视包括闽南话、客家话和原住民话等地方方言的运用和发展,甚至用行政手段迫使民众在公开场合讲"国语",引起闽南人、客家人和原住民的不满。民进党执政后,于2003年2月12日正式废止了这一实施达数十年的"办法"而通过所谓《"国家语言"平等法》草案(9月22日改称《"国家语言"发展法》草案),将"华语"、Ho-lo话(即闽南语)、客家话以及"原住民语"共14种语言列为"国家语言",岛内使用的所有语言文字"在法律上一律平等,不得以公权力禁止或限制任何语文的使用"。此法将"国语"称为"华语",将闽南话称为 Ho-lo 话,刻意避开"河洛"、"福佬"这一有中原意味的名称,其目的就在于打着"语言平等"的旗号,取消"国语"的共通语言地位。

更为离谱的是,台湾当局在"国家公务员考试"中多次用闽南语作为试题的规范语文,在2002年全年的28次公务员考试中,就有7次中文阅读测验选择本土作家的作品作为闽南语考题。以2002年"公务人员升等考"为例,阅读测验引用了赖和的《忘不了的过年》一文,试题要求考生回答文中的"春钱"(闽南语:剩下的钱)的具体含义。此后,除继续出闽南语考题外,还考日文翻译。2003年"公务人员高考一、二级的阅读测验"几乎全是考闽南语的翻译,而2003年"交通事业港务人员升资考试"更出现日文选项。试题引用作家王石鹏的《台湾三字经》,询问考生文中的"高砂国"指什么? 答案选项第三项为"日本人称安平为たかさ的翻译"。执政当局的荒诞走板,引发岛内其他族群的强烈反对。

(2)考试科目中取消与中国相关的内容。台湾的各级各类考试中,均有涉及中国历史、文化、地理方面的内容。民进党执政后,逐步将这些内容排斥在考试范围之外,如规定在"外交领事、行政人员暨国际新闻人员考试"的科目,废考"中国近代史"并改以"台湾近代史"取代。规定各级"国家考试"命题将"不考艰涩之古文或无关题旨之国学常识"。2003年12月4日,台"考试院"通过决议,未来公务人员高考三级、普考分试考试类科及应试科目,科目名称中凡有"中国"二字者,一律修正为"本国"。至于科目名称中有"中外"、"中西"字样者也将修正为"世界"二字。台湾当局试图通过考试内容和科目名称的调整,让台湾民众逐渐疏离这些基本知识和基本观念。

(3)修改教科书,进行所谓的"本土教育"。台湾中小学生原来使用的教材,内含大量中国内容。民进党执政后,为实现"去中国化",采取了多项措施,试图冲淡学生的"中国意识"。一是在使用的教材中,大量删除或压缩与中国有关的历史、地理、文化方面的内容,并将中国历史、文化等内容从过去的"中国"部分划到"世界"部分。2003年,台湾"教育部"就开始筹划在新编中学教材中将明代以后的中国历史划入"世界史"部分,并在2005学年度公布的"高中历史科课程纲要草案",将明朝中叶以后的历史全部归类到世界史。在这一思路的框架下,中华民国的国父孙中山竟成了"外国人",中华民国不能回避的"武昌起义"变成了"武昌起事"。这些荒诞不经的阉割与篡改,造成了台湾学生历史观的断裂和思维的混乱。二是推行所谓的"本土化教育"。本来,适量的"乡土教育"有助于学生了解家乡、热爱家乡是非常必要的,也是值得提倡的。台湾当局2001年初公布"本土化教育"政策,规定从2001年8月新学年开始,推行"乡土教学",以《认识台湾》为教材范本,对台湾中小学生进行台湾历史、地理和社会教育,但台湾的"乡土教学"活动,是以替代整个国家与民族教育为目的,强调台湾的"主体性",有着浓厚的"台独"色彩。为推行所谓"乡土教育",台湾当局通过方言教学、统一闽南语用字、加强师资培训、出版相关"本土"书籍等措施予以配合。不仅如此,2003年,台湾当局公开支持一些高校新设与中国文学系、研究所对立的"台湾文学系、所",废止中文系为"母语"系。其所作所为,目的只有一个,就是"去中国化"。

2004年5月,"台独"意识色彩浓厚的杜正胜出任台"教育部长",加紧在教育领域推动"去中国化",民进党的意识形态开始大规模进入并控制教育领域。

5月24日,刚上台不久的杜正胜宣称,"台湾历史应以台湾为中心,而非只是中国政治及地理的边陲","可将传统地图按逆时钟方向旋转90度,换个角度看台湾"。8月29日,杜正胜又宣布,台湾"教育部"将在2004年至2008年实施四大教育纲领,即"培养现代化国家的国民,台湾主体性,全球视野,社会关怀"。

杜正胜的教育纲领,核心在于培养具有"台湾主体性"的"国民",使台湾民众接触"台湾主体性就像呼吸空气一样自然"。其实,杜正胜所说的"台湾主体性",就是要台湾民众建立起一种由近及远、由古及今,从台湾出发的"同心圆"观念。[①] 由此可见,杜正胜所讲的"台湾主体性",就是以台湾为中心,构建台湾自己的"国家观念"和"民族意识"。因此,其推行培养具有"台湾主体性"意识"国民"的教育纲领,实质就是要在教育领域推动"文化台独",目的是要培养以"台独"为核心的民族认同与国家认同。

为实现这一新的纲领,杜正胜宣布,将从2006学年起调整高中历史课本中台湾史与中国史的分量,将原来3∶7的比例改变为5∶5,增加台湾史内容,减少中国史,加强年轻学生对台湾土地的认同。

---

① 　依据杜正胜"同心圆"观念构建的历史课程框架是:第一圈是乡土史(县市或北、中、西、南、东地区),第二圈是台湾史(或含闽粤东南沿海),第三圈是中国史,第四圈是亚洲史,第五圈是世界史。这种同心圆历史课程在教学分配上,小学中低年级历史教育的重心放在第一圈,高小一、二圈,初中二、三圈,高中二、三、四圈、大学三、四、五圈。这种按地理空间组织历史教学,完全打破了传统历史学将时间远近作为历史教学的范式,其最大的"创新"就在于将台湾史和中国史完全分割开来。

2004年9月,台湾"教育部"公布了2005学年度的《高中历史科课程纲要草案》,预定从2006学年起全面实施。根据草案,高中历史新课程第1册内容为台湾史,第2册为中国史,第3册、第4册为世界史。台湾史部分分为4个单元,其中史前至19世纪的"早期历史"与20世纪前半期的"日据时期"各占1单元;20世纪后半期部分——"战后台湾",则分为政治与经济2个单元,值得注意的是,这一所谓的"台湾史"教材在如何处理"中华民国史"问题上,台湾当局置历史事实于不顾,将"中华民国史"人为割裂为"中国史"(1945年之前)和"台湾史"(1945年之后)两部分。

在涉及关于台湾主权归属的国际文件——《开罗宣言》的表述上,强调该宣言实际上只是"STATMENT"(陈述)而非法律文件,没有法律效力。同时,将没有明确指明台湾主权的《旧金山公约》和《中日和约》与《开罗宣言》一起列入,以强调"台湾主权未定"。

2006年,各种版本的高中历史教科书开始进入台湾市场。这套教材将过去惯用的"我国"、"本国"、"大陆"等用词,全部改为"中国"。在台湾史分册中,一改以前"日治"和"日据"两词并陈的情形,强迫一律改为"日治";同时,还将以往视为禁忌的"统独"和两岸分合议题写进新版教科书中。在中国史部分,采用"略古详今"的原则,旧石器时代的北京人从中国史中完全消失;夏、商、周三代及魏晋南北朝只有一课时的内容;汉朝"征发"或"征讨"匈奴,改为"攻击"匈奴;清末具有革命正当性意蕴的"起义",如武昌起义等,一律改为中性用语的"起事";还将"秦始皇并灭六国,统一天下"中的"统一天下"、孙中山之前的"国父"一词、"黄花岗七十二烈士"等皆从新版教科书中删除。

继高中历史课程纲要之后,2004年11月24日,台湾教育部门又公布了新修订的《高中国文课程暂行纲要》。纲要规定:降低文言文的比重,高一由原来占55%降为40%,高二由65%减为45%,高三则由75%减至50%;高中语言科授课也由每周的5节减为4节;原为必修的中国文化基本教材改为选修;语体文选读文章应以"新台湾文学"的名家、名篇为主,而且要包含"原住民"作家作品及其他近现代华文作家和优秀翻译作品。

民进党当局在教育领域的"去中国化",使教育的乱局加剧。首先,由于排斥中华文化,台湾青少年生活在充满"台湾意识"的环境中,忘记了自己文化的根,成为了"断根的一代"。其次,没有根据历史和现实,也没有根据学科的基本体系和特点修改的教科书,使学生概念模糊、知识混杂,深受其害。再次,由于拼音方案的不统一,学生不得不学习多种注音系统,应接不暇,徒增学业负担。最后,由于教学体系、内容和教学语言的变化,岛内具备条件的师资有限,不得不抽调许多不合格的教师充数,导致"老师教得不清不楚,学生学得稀里糊涂",老师和学生都苦不堪言。

四

多元化的文学作品陆续呈现

1. 光复文学的发掘和整理

进入21世纪后,台湾文学异彩纷呈,新老作家们不同形式的新作品频繁问世。不仅传统意义上的乡土文学、历史文学、纪实文学、女性文学、城市文学作品如潮涌现,而且一些与社会紧密联系的新型文学流派如光复文学、政治文学、眷村文学、旅行文学也宛若静夜繁星,熠熠生辉。

所谓光复文学,是指 1945 年 8 月 15 日至 1946 年 1 月间台湾知识精英、文化人、作家在时代巨变下,在欢喜、激动中所吟诵的古典诗词、歌谣、文学创作,甚至各团体的口号、标语等,如吴新荣的《祖国军来了》、王白渊的《光复》、陈保宗的《庆云歌》、陈波的《台湾光复纪念歌》、郭秋生的《台湾光复歌》、蔡培火的《台湾光复曲》、廖文奎的《台湾光复词》、王溪森的《欢迎我军歌》等新诗、歌谣,以及吴瀛涛的《起点》、龙瑛宗的《青天白日旗》等小说。这些带有浓厚时代气息的作品,随着时代的推移,逐渐淹没在浩瀚的历史烟云中。陈水扁执政后,刻意抹杀和歪曲这段历史,"光复"两字几近消失,取而代之的是所谓的"终战",为此,有良心的台湾统派学者曾健民,在 2005 年中国抗战胜利和台湾光复 60 周年之际,收集整理出版了《1945 年光复新声——台湾光复诗文集》,以此方式纪念光复 60 周年。

2. 政治文学的再起

民进党上台后,台湾的政治生态、社会环境日益恶化,特别是每到选举时期,省籍、认同议题争议激烈,族群矛盾对立,造成社会的动荡和不安,民众烦躁忧虑心情加重,一些作家从社会关怀角度出发,把目光逐渐转到"政治"上,为政治文学的复兴提供了社会土壤。政治文学的典型作品有詹朝立(即诗人詹澈)撰写的《天黑黑,唛落雨——十二万农渔民大游行传真》、东年的《与陈列谈台湾农村的地上岁

月》、陈克华的《哈佛·雷特》等。詹朝立是农渔民大游行的总指挥,他以纪实的手法将 2002 年 11 月 23 日举行的空前规模的农渔民大游行的来龙去脉进行了深刻的分析和描述。他在《编后语》中写道:"是什么力量,使这些长期分散、默守在台湾数十万甲土地上的农民,愤然一同走上台湾政治中枢的街头? 就像当天农民高举的'要改革,反消灭'的标语一样,是面对铺天盖地而来的大危机的自救行动。"

3. 眷村文学和老兵文学再度涌现

眷村文学和老兵文学也随着眷村的逐渐消失和老兵的逐渐故去引起作家们的深情关切。"眷村"并不是真正的村子,而是台湾当局在败退台湾这一特定的历史条件下给军人家属安排的居住地,类似现在的社区。作为一种绝对特殊的居住区域、生活形态与群聚文化,眷村保留了台湾的历史沧桑和印记。①

眷村长大的孩子,是在父母思乡的情绪和各省文化的交流中长大的。他们耳濡目染,不仅比村外的孩子多了沧桑意识,也积聚了许多的创作的感悟和素材。自 20 世纪 70 年代初期开始,有才华的眷村第二代开始撰写有眷村风情的文学作品,如孙玮芒、朱天文、朱天心、萧飒、苦苓、苏伟贞、袁琼琼、张大春等,至今他们大多已成为文坛的主力。在他们的作品中,描绘的起点虽是上一代的悲欢离合,但其实多是自己成长的故事。眷村艰苦的生活,给他们太多的亲情、友情,也构建了他们的追求与梦想。

---

① 台湾眷村的形成有着特殊的历史背景。1949 年,约 120 万大陆民众随蒋介石政权背井离乡来到台湾,其中 60 万是军人。这些军人进驻台湾各大军事要地后,如何安置随军而来数量庞大的家属却成了大问题。如无法安置好这批军队中高级军官家属,势必影响军心。为免除军人后顾之忧,台湾当局动用从大陆带来的黄金对随军家属们进行了有计划的安置,无法安置在营房或随军移动的眷属,就暂住在学校、寺庙、农舍或牛棚里,有的还自行搭建了简陋的临时住所,逐渐形成特殊的村落,人称眷村。眷村是台湾最早的社区,据统计,当时全台湾共有眷村 763 个,眷户 96082 家。

近些年,随着眷村被大面积拆除和眷村里的老"荣民"不断故去,越来越多的台湾人意识到眷村的历史价值和文化意义,在他们的呼吁下,各地陆续兴建了眷村博物馆,眷村再次为人们所关注,一批与眷村、与老兵有关的文学作品涌现出来。这些作品主要有苏伟贞选编的《台湾眷村小说选》和齐邦媛、王德威合编的《最后的黄埔:老兵与离散的故事》。两书收录了包括桑品载、王幼华、履强、张晓风、张大春、孙玮芒、李渝、白先勇、远人、戴文华、萧飒、李黎、张启疆、朱天心、袁琼琼、苦苓、马叔礼等人的作品。苏伟贞在书中指出,此地是老兵们最后且唯一之地,眷村第二代生长的"国土",不应该只因为一道眷村的竹篱笆或蒋中正题字的村名基石,就使得眷村成为"外国"。王德威认为,最沉重的声音来自老兵的下一代:父兄们为了台湾存亡所付出的离家弃子、流血流汗等代价,在台湾兴起新的血统论之后,竟然成了原罪的起源。齐邦媛关心眷村以及"没有家庭,没有进入社会公平竞争的技能,也没有后代为他们立传祭奠的孤独老兵"已有十多年,她在《最后的黄埔:老兵与离散的故事》一书中,写下了题为《老芋仔,我为你写下》的序文。文中,齐邦媛对这些即将被彻底遗忘的怀有家国离散"大悲哀"的特殊人群,表达了自己深沉的哀悯和同情。齐邦媛写道:相较而言,专写无眷无村的老兵故事,至今不多。最早的是白先勇《台北人》中的《国葬》。一位出家的老兵在葬礼中晋见长官,说完"我实在无颜再见江东父老"放声大恸的百战猛将大约是来台初期最悲痛的离散者,只能以一袭玄色袈裟,在寒风里隐去。《踟躇之谷》中在开山筑路时受伤的军官,选择留

在深山,荣辱两忘,在艺术中寻得了生命的意义。《最后的黄埔》中的黄埔老兵遗留在大陆的军人,行医济世,救人救己,把军歌中"金戈铁马,百战沙场"的荣誉感化成了至高的人生智慧。《老杨和他的女人》的作者履强,原名苏进强,是战后本省子弟最资深的职业军人之一,也是一位优秀的小说家。履强以他对军中生活的了解和本土的观点写老杨这个老兵,在去大陆探亲之后,选择重回台湾终老的责任感与深情。小说的英译本在"中华民国"笔会季刊出版后,耶鲁大学的《评论中国》曾来函要求转载。《异乡人》中居留在美国的儿子将"卑微黝黑"的老兵父亲的骨灰一半撒在台湾,一半撒在大陆,深感"处处无家处处家",浮生若寄,说不尽两代的异乡怅惘。王幼华《慈母滩碑记》则记述了由大陆败退台湾之际,"国防部"文书作业疏漏了南沙岛上一百多名驻军。他们在寸草不生的枯石滩上,每天升旗,等候送补给的船来,终至饿死的131位守军,夜以继日地凝视海天之际,苦盼,失望,终至委身黄沙是怎样境况?[1]

面对台湾政治的日益恶质化,一些作家更强调在作品中体现人文关怀的理念。他们希望通过提升社会整体的人文环境和价值取向,挽救台湾的向下沉沦。在这类文学作品中,作者通过对人情、人道的叙述和描绘,给读者以温情和平和的心境,追寻人文社会的关怀与情谊,体悟生命的真谛。其中,最具代表的是陈映真的散文集《父亲》。该散文集收入了作者近30年来创作的散文作品,大多是怀人忆事,感情细腻深厚,言辞恳切动人,充满着人道情怀和理想色彩。陈映真对理想和信念的执著追求,赢得了文坛和读者的广

---

① 齐邦媛:《老芋仔,我为你写下》,转引自凤凰网。

泛尊敬。读者在阅读作品的同时，获得了心灵的洗涤和对历史的回忆。

4."旅行文学"引人注目

"旅行文学"也逐渐成为文坛瞩目的题材类型。旅行文学与传统的游山玩水的游记作品不同，它强调的是"文化的流动"与旅人的心情交错作用后产生的思索、态度和体会，即作者通过在世界各地的旅行，观察各地的风土、人情，从比较文化的角度，对各种文化现象和文明历程加以了解和思索，从中透视人类对待生命价值的各种不同的态度，并以悲悯的心去体会与感受，其旅行是一种典型的"文化之旅"。此类作品典型的有胡锦媛编的《台湾当代旅行文选》、黄光明的《文明象限的旅人：一位文化人的观察记事》、《异国文化行脚：从左岸巴黎到烽火国境》、郭正佩的《丝慕巴黎》、吴音宁的《蒙面丛林》，以及古蒙仁的摄影集《凝视北欧》等等。

作为"旅行文学"的"次文类"——"饮食文学"也逐渐在台湾文坛上出现。所谓"饮食文学"，是文学与饮食文化的联姻，它以文学形式将各种香气美味的饮食结合起来，如同将生活与艺术、快乐与文化有机地结合起来，给读者以新的诱惑力和全新的感受，代表作是韩良露的《双唇的旅行》和林德明的《台中市饮食地图》。

社会运动风起云涌

1. 新野百合运动

野百合运动是20世纪90年代台湾爆发的反对国民党当局的学生运动的俗称。1990年3月16日傍晚，9名头绑黄布条的台湾大学学生齐聚台北中正纪念堂前，拉起写着"同胞们，我们怎能再容忍700个皇帝压榨"的布条，开始静坐绝食，由此揭开了为期七昼夜的绝食静坐示威活动的序幕。由于野百合运动顺应时代潮流，也反映了台湾的主流民意，因此运动得到社会的广泛支持。在随后的几天里，来自台湾三十多所院校的学生、教授，甚至中学生纷纷加入静坐行列，广场上陆续汇集了六千多人。学生的抗争风潮，逐渐演变成国民党在台湾执政时期最大的一场学生运动。这场运动，拉开了台湾90年代初"政治革新"的序幕，"野百合"也成为台湾学生追求"正义"与"公理"的精神象征。

2004年4月2日，正当"泛蓝"群众群情激昂、抗议"总统"选举不公、要求调查"3·19枪击案"时，8名来自台湾大学、政治大学、辅仁大学的大学生、研究生组成"大学生联合自治会"，他们戴着口罩，沉默地举起"要真理、反歧视、争未来"、"重现野百合"以及"台湾族群早日融合"的大幅标语，以排班方式到台北中正纪念堂前静坐绝食，要求陈水扁、连战、宋楚瑜三人公开道歉。此次运动以追求真理、公正、和谐为目标，并以"重现野百合精神"自勉，故被称之为"新野百合运动"。

随着绝食时间的延长，因体力不支晕倒在地、送往医院的学生不断增加。抗议的学生强烈呼吁陈水扁应在4月9日午夜前到静坐现场与学生见面，回应他们提出的"政治人物为当前的政治乱象向社会道歉、成立枪击案真相调查委员会"等5项诉求。

面对学生的抗议，民进党中央一方面指责是"在野党躲在后面操纵绝食抗议的学生"，一些曾参与1990年野百合运动的"绿营新贵"也跳出来百般嘲弄、训斥、指责发动广场静坐的学生是"假学运"；另一方面，安排陈水扁于4月12日在"总统府"以外的台北市西门汀红楼剧场与各界青年对谈。由于陈水扁与学生见面的"时间不对、地点不对、内容也不对",静坐的学生宣布与陈水扁"协商破灭",并表示"台湾民主已死",今后改变静坐姿态,背对"总统府",表示"背弃政客",同时宣誓要与"野百合运动"划清界限,不再对"野百合学运"的攻击、抹黑或赞同有任何回应。4月12日,陈水扁在红楼剧场与台各大专院校44个学生团体一百多名代表召开"青年论坛"。与会的学生代表提出"终结政客害台"等4项目标,要求陈水扁不要"废话连篇、空话连连、言不及义"。未参与面谈的静坐学生也批评陈水扁"模糊焦点、用族群分裂学生"的做法,只是"操弄、利用学生,对解决台湾政治、社会问题没有任何帮助"。

由于参加此次学运的学生人数不多,规模不大,在台湾社会未造成较大的反响。在陈水扁与台湾大专院校学生代表会面后,运动很快草草收场。

此次学运之所以效果有限的主要原因:一是社会政治环境发生了很大的变化,学生们提出的诉求难以获得社会的共鸣。运动开始后,学生们提出了包括"要求扁、连、宋向人民道歉"、"成立真相调查委员会"等诉求,基本围绕"总统"选举展开,且一味要求道歉,诉求缺乏政治深度和广度,又将着力点放在"不偏不倚"的中间立场。民进党执政4年,社会已撕裂为蓝、绿两大阵营。在族群严重对立的气氛中,学生运动得到一方支持,必然会引发另一方反对,而中间选民甚少、力量甚微。因此,学生运动难以获得广泛的社会支持。运动中,除连、宋等政治人物以及为数甚少的大学教授到现场与学生见面表示声援外,其他有影响的社会团体、组织和个人没有参与其中,无组织的支持群众也不过数百人而已。二是缺乏严密的

组织和有效的宣传,学生参与的人数较少。此次学运没有学生团体作为中介组织宣传、动员,仅靠8名以同学或同学的朋友这样简单人际关系维系的小团体运作,难以组成有效的决策机构,建立有效的协调和运行机制。后续加入的学生,或是通过口头媒介或是通过大众传媒获得消息,不少人是抱着不同的目的和态度加入其中的。目标多元分散而热烈,使整个运动缺乏一个主流思想的主导,缺乏强有力的核心,也缺乏凝聚力。运动期间,参与的学生最多时不过50人,最少时仅有几人。到4月11日,由于各大学期中考试开始,在广场上静坐的学生只有六七人,难以形成气候。三是时机选择失当。学运爆发的4月2日,正是台湾选举结束后的13天。由于此次选举的重要性,"蓝"、"绿"双方早在一年前就开始了较量,民众神经高度紧张、兴奋,他们迫切希望选后能从纷扰的政治冲突中解放出来,开始正常的生活,特别是选举不公导致的"蓝营"抗争,使台北市正常的社会生活和秩序继续受到不同程度的影响,民众不满情绪逐渐上升。在这一特殊时期,再采取绝食这种过激的行为带动大规模人员静坐从而产生巨大政治效应的方式,难以为民众所接受。

2."卡奴"抗议运动

前已述及,台湾双卡(信用卡及现金卡)滥发导致"卡债"和"卡奴"大增,已成严重的经济问题和社会问题。

"卡奴"欠债的原因及所占的比例是:因个人过度透支信用消费而欠债的占39%,因创业失败而欠债的占29%,因遭遇家庭重大变故或因失业而负债的占29%。由此可见,"卡债"和"卡奴"问题既有客观原因也有主观原因。

台湾的信用卡信用政策相对较宽,信

用卡的最低还款比例仅有 2％—5％，即消费者每月只需交纳 200—500 元新台币就可享受 1 万元新台币的透支消费。如此优惠的贷款政策自然受到消费者的青睐，也容易使他们在尽情消费时放松警惕。其实，高额的信用额度背后往往隐藏的是同样高额的贷款利率。台湾信用卡贷款利率高达 18％到 20％之间，且每月计算循环利息。但问题的严重性还在于如果没有按时还清，持卡人将被扣违约金，并加计惩罚的利息，且都以复利计算。依这种利上滚利的方法计算，其利率在一两年内就上升到一倍以上，即利率可能要高达本金的 50％到 100％，甚至还要更高。同时，银行为追缴欠债，可以强制拍卖"卡奴"们赖以为生的房屋，或仅存的生财工具，无疑将"卡奴"们逼进死路。

为偿还银行欠款，避免承担银行的高利率，有的"卡奴"超时工作，突然病倒；有的为躲避银行和讨债公司凶恶的讨债人员逼债带来的骚扰、威胁、恐吓，东躲西藏，形同"盲流"；有的因债务危机不得不宣布破产；有的无力偿还利滚利的"卡债"，只能选择个人或全家集体自杀。据台湾"消费者文教基金会"所做的调查显示，由于台湾经济不景气，台湾有 350 万人面临缴不出"卡债"的窘境，平均每个月有 4 万"卡奴"因无力偿还利滚利的"卡债"，最终破产。有的"卡奴"为了还债铤而走险，违法乱纪；有的"卡奴"承受不了经济和精神压力，烧炭自杀。2006 年以来，台湾平均每天就有一个人因为无法偿还"卡债"而自杀。"卡债"和"卡奴"问题不仅冲击台湾金融业的正常发展，制约经济增长，而且已演化为严重的社会问题，甚至影响岛内民众的价值观念和道德观念。

为尽快解决"卡债"、"卡奴"问题，台湾当局拟订了《消费者债务清理条例》。该条例为债务人提供了一些优惠条件，如债务人在 10 年内不需要还本金，只需要缴利息，且这个利息是一个优惠的利息，而不是原来信用卡长期所实行的将近 20％的高利息。然而，2007 年 6 月 5 日台湾立法机构对条例进行表决时，因为民进党政府对银行经营的情况相当不放心，担心一旦这个法案通过，银行没有足够时间缓冲，将引爆许多金融未爆弹，无法收拾局面，故坚决阻挡该法案通过。由于民进党"立法院"党团总召柯建铭坚决不肯签字，导致该条例没有通过。当天，三百多名得到消息的"卡奴"们走上街头举行游威活动。部分"卡奴"来到民进党党部，抗议民进党"立委"柯建铭等人在立法机构内阻止条例通过。他们指责要钱的财团和"立委"们丧尽天良，呼吁台湾当局尽快通过条例，让他们能够活下去。

台湾的"卡债"和"卡奴"问题是在普通民众不知不觉中变得越来越严重的。2000 年前后，台湾的利率普遍较低，但银行传统贷款业务因各种限制仍无法大幅成长，新型贷款业务也因限制太多而问津甚少。当时，信用卡在台湾普及率不高，且需要有年收入在 8 万至 10 万元新台币以上及拥有不动产者才有可能申请。然而，当所有银行尝到发行信用卡的甜头后，各种不择手段的促销活动就开始了，如免年费、送礼品、举行各种消费积分活动，对申请者的信用不评估、不审查（只要有工作即可，甚至有的银行打出"只要会呼吸就能办卡"的广告），竞相提高信用上限（如将受信额度上限翻倍，由 30 万元新台币提高到 60 万元新台币）；一些银行不仅不限制申请人所持卡数，甚至诱导已陷入"卡债"的"卡奴"以卡养卡，用拆东墙补西墙的方式偿还"卡债"；银行做信用卡销售的工作人员只要能发出卡即可得到奖金,等等。发卡机构"无门槛"的滥发行为,导致台湾近 2300 人口,平均每人手中至少持有 2 张以上信用卡。不仅如此,自 1999 年、2000 年起,有些银行甚至推出现金卡,只要有身份证,便可在每家银行申请 1 张,额度在新台币 10 万元以上。许多年轻人正是通过这种途径,借钱购买豪华奢侈品或进行娱乐、旅游消费。虽然此类卡借款利息高达 20%,但由于现金卡可借钱不多,最初许多人还没什么负债的直观感觉,但随着其在多家银行开办的现金卡数额的累积,不知不觉已陷入巨额债务中,且因滚息让人难以偿还或失去还本付息的信心,不少人只能选择赖账或以死逃避。

台湾的"卡债"和"卡奴"问题,台湾当局要负相当大的责任。本来,银行用其信用卡和现金卡进行高利贷发放的行为极具风险,必须审慎待之。但在台湾信用卡和现金卡泛滥问题上,台湾当局严重缺位和不负责任。当民众逐渐接受并使用信用卡和现金卡时,台湾当局没有对此进行科学评估,给民众以正确的引导;在银行为了高额利润大肆滥发信用卡和现金卡引诱百姓透支消费的不道德行为出现时,台湾当局不制止、不规范、不作为,而是任其泛滥;在民众遇到失业或者遇到经济上的压力时,没有及时发觉,主动关心和帮助他们,而是让他们用卡去借钱生活;在银行将债权卖给讨债公司,讨债公司拿刀拿枪来恐吓"卡奴"时,台湾当局再次采取放任自流的态度,让"卡奴"们失去安全的保障和生活的信心。在"卡债"高压,民众迫切需要政府动用公权力制定规章解决问题时,台湾当局又从一党私利出发,阻碍法案通过。

3."流浪教师"争取权益运动

台湾的"流浪教师"是指虽具有合格教师证书,受过正式师资培育教育(不少人还拥有岛内外大学的硕士学位),但因台教育界"粥少僧多",无法成为正式、固定员工的教师群体。这些教师或是非正式编制的代课教师,或是因某一学校有教师请假,在短时间内接到通知,匆匆上阵,代上几堂课,赚点钟点费糊口的临时教师。由于他们的工作全无保障,频繁游走于各学校间,且没有一般教师的福利,更别提升迁晋级,故称之为"流浪教师"。

早年台湾的师资培育实行一元化制度,教师来源只有师范院校一个途径,致使教师供不应求。一些偏远山区和农村地区学校难以聘任到正规师范院校的毕业生,不得不寻找一般大学毕业生,甚至是职高生顶替。为了解决教师供需失调问题,台湾在 1994 年通过《师资培训法》,实施师资培训多元化政策,广开大门让师范以外的大学开设教学课程,规定小学师培只要修满 40 个教育专业科目学分,中学师培修满 26 个教育学分和各学科的专业学分,即可获得实习教师资格,实习完毕参加教师资格考试取得合格教师证书后即可担任教职。由于教育学分取得相对容易,且教师是一个收入稳定、待遇不薄、受人尊敬的职业,各大学报考教育课程的学生趋之若鹜,加之原有师范院校升格、扩招,台湾每年能拿到教师资格证的毕业生达到两万多人,是 1994 年前的 10 倍。而每年中小学师资需求量约为 2000 人,广开师培大门的做法使师资过剩的问题逐渐显露出来。据有关部门的统计,自正式实施《师资培训法》的 1997 年至 2005 年期间,台湾取得合格教师资格的人数达到 108093 人,已在学校任教的只有 57335 人,其他有 50758 人处于所谓的"储备状态",即失业或半失业的状态。每年 7 月举行教师甄选时,已出现有限的几个职位却有数以百计、千计考生争取,录取机会仅有 2.87%,其中小学低至 0.66% 的惨烈场面。这种现象的出现,不仅浪费了宝贵的人力资源,也制造出难以平息的民怨,引发社会动荡不安。

"流浪教师"的出现有其无法避免的客观原因。自 20 世纪 90 年代后,台湾的生育率持续下降,学龄人口大量减少。因此带来的学校班级减班、教师缺额减少、教师新陈代谢缓慢甚至处于停滞状态。据台湾"教育部"统计,2004 年全台小学一年级新生人数只有 28 万多人,若以每年减少 2 至 3 万人计,到 2008 年小学一年级新生将减至 22 万人。更为严重的是出生率减少将逐步影响到初中、高中和大学的班级数及教师的需求量,"流浪教师"数量仍将持续增多。据台湾 2006 年师培统计年报显示,目前在"流浪教师"中,具有小学专长的最多,达 20288 人,其次是中等普通专长的 14590 人,中等技职专长及幼教专长的各有 5483 人和 4484 人。

"流浪教师"的出现,民进党当局难辞其咎,至少要负"失诺"之责。早在 2000 年,台湾教师供过于求的现象已经出现,但为了竞选,陈水扁开出了"教师编制由每班 1.5 人提高到每班 2 人"以增加教师名额的选举"支票"。但他当选后,不仅将承诺抛到九霄云外,而且任命大批只讲"意识形态"却不懂业务的官员主掌教育系统。这些无能的官员执掌的"教育部"竟然连教师数量的控制也未曾列入自己的业务范围,而是放任各大专院校无规划、无目的培育中小学师资,等积重难返时才出来承认培育出来的教师数量已远远超出了社会的实际需求。

为争取自己的权益,2005 年 6 月 12 日,由民间团体"拯救国教大联盟"发动的数千名准教师走上街头,向台湾当局教育

部门发出"我要当老师"的呐喊。他们高举"五年师院生,换流浪一生"、"少购一颗导弹,多聘几个教师"等标语,要求台"教育部"降低班级人数、提高师生比例、改变师资培育政策。在没有得到当局善意回应的情况下,一个名为"流浪教师协会"的团体宣布发起"7·20 绝食抗议"活动,决定于 7 月 20 日举行"流浪教师"大游行,并扬言号召 200 位"流浪教师"组成"敢死队",到台"教育部"门口绝食静坐,直到台湾当局给"流浪教师"一个交代为止。

在一浪高过一浪的抗议声中,台"行政院长"谢长廷不得不就解决"流浪教师"问题作出说明:计划在 3 年内编列 300 亿元新台币的预算作为退休抚恤,鼓励老教师提前退休,以求能空出 2.5 万个教师空额,缓解"流浪教师"队伍急速膨胀的压力;各高等院校的教师学分班要大量减班,3 年内师资培训人数要减少 50%;各校应勇于淘汰不适任教师,加速教师队伍新陈代谢步伐,让新人能够得到机会。此外,谢长廷还希望正在参加教育学分班的学生能够认清形势,及早转行,以免影响将来的就业。

这种解决方法若能有效实施,当可解决部分"流浪教师"的燃眉之急,但难以从根本上解决问题,毕竟台湾自有的空间极为有限,或许承认大陆学历,开放大陆学生赴台就读不失为一明智之举。

民进党的"外交"行动与手法

1. 所谓"台湾正名运动"

在国际社会推动"台湾正名运动"是陈水扁当局"实质外交"的重要内容之一。

所谓"台湾正名"就是要"去中国化",

在国际上突显"台湾是台湾,中国是中国,两者互不隶属",落实台湾是"主权独立国家"的分裂主张。2002年11月后,为突显两岸"一边一国",民进党在公开场合不再称大陆为"中共",而是改称"中华人民共和国"。2003年,台湾又在其官方公布的"旅游预警分级表"中,首度将大陆列入"外国"名单。

其实,民进党当局甚至连台湾属于"中华民国"都不想承认,因为这个"国名"有"中华"两字。他们的目标只有一个,就是抹掉"中华民国"的"痕迹",换上"台湾"。2000年年底,陈水扁在上台立足未稳之时,就指示"外交部"以密令方式通知各"外交馆处"自2001年元旦起,在官方请柬、菜单、名牌、信纸上要求使用梅花取代"国徽"为"官方标识",理由是现行使用的"国徽"与国民党党徽雷同,会引起不必要的误会。

2002年1月13日,台湾当局宣称将在其所颁发的"中华民国护照"上加注"TAIWAN"字样;2004年,又酝酿直接发行"台湾护照"。陈水扁、吕秀莲以及"行政院长"也在"出访"中美洲、"过境"美国以及接受海外媒体采访等公开场合,使用所谓"台湾中华民国"、"Taiwan,ROC"以及"台湾总统"等称呼。在其新版的台湾参与国际组织名称使用原则中,也明确将"Taiwan,China"(中国,台湾)、"Taipei,China"(中国,台北)等视为"绝不接受名称",而使用名称的优先顺序是"ROC"、"Taiwan"、"Taiwan,ROC"、"R.O.C(Taiwan)"和"台澎金马"五个。一些涉外的半官方和民间团体也相应更名,从原来的"中国"、"中华"甚至"中华民国"改以"台湾"冠名,如以"China"冠名的"中华民国对外贸易发展协会"的英文名称被改以"Taiwan"。不仅如此,台湾当局还意图将驻外机构的名字直接更改为"台湾"。一些设立在没有外交关系国家的机构内部名称和职衔也发生变化,如台"驻美代表处"的旅行组、秘书组、业务组更名为"领务组"、"政治组"和"国会组",12个驻美"台北经济文化办事处"也同步改名,各办事处秘书改称"领事"或"副领事"。

然而,台湾当局的"正名"活动,除了在可自我操控的部分,如变更相关单位名称、改变对外宣传品名称"有所作为"外,其他需国家认可的几乎一无所获。2003年9月1日,加注"TAIWAN"的新版"护照"发行后,马上遭到不少国家的质疑和拒绝;台湾当局更改驻外机构的名称如将蒙古、斯洛伐克"驻台代表处"前冠名"台湾"的行为,遭到拒绝,难以实现。

2. 谋求加入联合国、世界卫生组织等主权国家参与的国际组织

陈水扁上台后,一直将挤入国际组织尤其是政府间国际组织,作为拓展"国际生存空间"、突显台湾"主权独力地位"的重要步骤,而世界卫生组织也被其视为主要的"突破口"。

世界卫生组织(WHO)正式成立于1948年6月24日,是联合国下属的一个专门机构,所有接受世界卫生组织宪章的联合国成员国可以成为该组织的成员,即该组织只有主权国家才能参与。中国是世卫组织的创始国之一。1972年5月10日,第25届世界卫生组织大会(WHA)通过决议,恢复中国世界卫生组织的合法席位。

根据世卫组织有关规定,世卫组织对所有国家开放,因此与其他国际组织相比,世卫组织更容易加入。"但这里一个非常重要的关键词是'国家',也就是说世卫组织的成员地位只对国家开放。"因此,作为中国一部分的台湾,不能以"会员"或

"准会员"的身份加入世卫组织,也不能以"观察员"名义参与世卫组织。

早在1997年,台湾当局为谋求挤入世界卫生组织,就在世界卫生组织大会上要求对台湾"参与世界卫生组织"案进行表决,结果只有19票应和,在其他128个会员国投下反对票的情况下遭惨败。之后,台湾当局虽不再追求投票表决的方式,但为能参加世界卫生组织和大会,还是不间断地变换手法,进行许多暗地活动,都以失败而告终。2003年春夏,"非典"肆虐,台湾也深受影响。当疫情爆发后,台湾当局视之为加入世界卫生组织大会和世界卫生组织的机会。从4月开始,陈水扁亲自上阵,投书美国媒体,要求世界卫生组织邀请台湾以"观察员"身份参加世界卫生大会。他们曾一度有意再次推动投票表决挤入世界卫生组织,但因美国的反对而不得不放弃,只能采取组织一大批人和团体赴世界卫生组织进行游说、收买、拉拢一些小国提案的方式建议世界卫生组织接纳台湾。5月6日,马绍尔群岛向世界卫生大会提交所谓"邀请台湾卫生当局以观察员身份出席世界卫生大会"的提案。19日,第56届世界卫生组织大会以主席裁决方式作出决定,否决支持台湾参加会议的提案。

2004年,美国在支持台湾以观察员身份加入世界卫生组织方面的态度发生变化。4月,美国国务院亚太事务助理国务卿凯利在国会听证会上表示,如果"台湾加入世界卫生组织的问题提交到世卫大会议程进行表决,美国将投票赞成台湾成为世卫组织的观察员"。美国态度的变化,使陈水扁当局欣欣鼓舞,决定第8次推动"参与世界卫生组织"的行动,并决定采取诉诸投票表决的"冒进"做法。结果,第57届世界卫生组织大会再次以132票对

25票,拒绝将所谓"邀请台湾以观察员身份参与世界卫生组织大会"的提案列入大会议程。

进入联合国是台湾当局梦寐以求的目标。从1993年开始,台湾就开始推动所谓"参与联合国"行动,一直持续到2007年已有15年之久,均以失败告终。在世界上绝大多数国家都奉行"一个中国"的现实面前,台湾当局深知"参与联合国"根本没有实现的可能,但仍在每年花大量的金钱和力气推动所谓"参与联合国"行动,其目的在于通过推动"加入联合国"过程中的各种造势活动,制造"一中一台"、"台湾主权独立"的国际视听。也就是说,台湾当局并不奢望"加入联合国",而是希望这些活动能产生"台湾是一主权独立国家"的象征意义和宣传效果。

为达到这一目的,民进党当局一方面继续鼓动少数与其有"邦交"关系的国家在联合国大会上搞"台参与联合国"提案;另一方面不惜花巨资在国际舞台上进行造势活动,如在西方主流媒体刊登平面和电子广告、在联合国大厦附近公用设施设立户外广告和大型看版进行文宣活动,动员岛外"台独"分子和团体在联合国大会期间举行集会和游行,等等。2004年,陈水扁还别出心裁,企图在联合国大会召开的当天,在联合国大楼内同步搞一个陈水扁与各国驻联合国媒体的跨洋视讯会,制造"台湾的声音进入联合国"的效果。然而,台湾的行动一次又一次失败,民进党当局的所作所为只是徒然浪费台湾民众纳税血汗而无任何实质效果。

3. 借助国际舞台冲击"一个中国"的框架

WTO是台湾参加的最为重要的国际经济组织,自加入那天起,台湾当局就一直想借助这一国际舞台拓展其国际生存

空间。台湾 WTO 常驻代表团挂牌成立后,台湾当局为了使其能扮演"政治外交角色",展现"外交"加值效果,不仅在代表团名称问题上将"台澎金马单独关税区"英文名称置于"台湾"(TAIWAN)之下,其内部组织架构以"大使级设置",而且在 WTO 内部文件使用时也频频出现"中华民国"等具有主权含义的字眼,极力突显"两岸互不隶属"、"一边一国"。陈水扁当局在 WTO 内的分裂伎俩遭到了祖国大陆的反对。祖国大陆的原则立场得到了国际社会的支持,2003 年 2 月,WTO 秘书处即要求台湾当局将其代表团名称由"常任代表团(permanent mission)"改为"中国台北办事处(office)";代表团成员职衔不得使用"大使"、"公使"、"参赞"等外交头衔;台湾送交 WTO 的文书不能出现"中央政府"、"中华民国"等具有主权国家含义的用词。同时,秘书处正式发函致瑞士政府,要求瑞士将 1992 年主席声明文件纳入共识,即台湾以单独关税领域入会,位阶与港澳相同。对此,台湾当局未予理会和接受。5 月,WTO 秘书长素帕猜以台湾不遵守协议为名,通知台湾当局将自行采取上述决定。

不仅在 WTO 组织如此,就是在 APEC 组织中也是如此。1990 年前,APEC 只有主权国家才有资格参加,但在 1990 年 APEC 决定同时接纳中国和中国的香港地区、台湾地区作为 APEC 成员时,明显违反了一个中国的原则。经过 APEC 成员各方的多次协商并经中国政府同意,最终达成"谅解备忘录"。①

根据 APEC 达成的"谅解备忘录"原则,中国台湾成为该组织的成员之一,可以派遣相关经济部门负责人作为代表与会,但层级有严格限制。由于 APEC 是自台湾"退出"联合国以来参加的最重要的国际活动之一,且形成了中国和中国台北参加同一个国际性会议的特殊模式,自然给台湾当局以无限的遐想。李登辉主政时期就千方百计制造"国家元首"出席首脑会议的效果。他多次活动想以"总统"身份参加在印尼、日本、菲律宾等地举行的领导人峰会,均遭拒绝;又想让"行政院副院长"徐立德与会,也没有成功。可以说,李登辉主政时期,台湾在突破 APEC 领导人与会层级的企图上除将参加会议的辜振甫的职位从"经建会"委员调整为"总统府资政"以象征性提高出席峰会人员层级外,一无所获。陈水扁上台后,也一直试图借助这一国际组织提供的平台将"台湾问题国际化","拓展国际生存空间"。为此,他不顾 APEC 组织原则,千方百计提高与会代表层级,以突显与祖国大陆对等的地位。2000 年 6 月 20 日,陈水扁在记者会上公开表示,希望亲自参加 11 月中旬在文莱举行的 APEC 高峰会。因没有获得各方回应,陈水扁又决定派曾担任过"行政院长"的萧万长与会。由于岛内"核四"事件爆发,台湾政坛朝野斗争激化,国民党明确拒绝由其副主席萧万长作为"特使"赴会,陈水扁的计划泡汤,不得不派"中央银行总裁"彭淮南赴会。2001

---

① "谅解备忘录"的内容是:一、参加身份:中国作为主权国家加入,在一个中国原则和严格区分主权国家与地区经济体的前提下,中国政府同意台湾和香港作为地区经济体加入,其中台湾地区英文会籍名称为 Chinese Taipei,即"中国台北"。二、代表层级:中国出席会议代表是经济部长和经贸部长,台湾和香港地区出席会议的代表只能是负责经济事务的官员。三、有关权力:台湾作为中国的一个地区,可以委派与"谅解备忘录"中代表层级相应的分管官员出席会议,但不能举办 APEC 年会。四、成员性质:自 1991 年中国及中国台北、香港地区加入后,APEC 的成员一律称为"经济体"。

年 APEC 峰会在上海举行,陈水扁多次表示与会,无法遂愿,又指派前"副总统"李元簇与会,再遭拒绝,台湾曾以代表缺席方式抗议并要其"外交部"向与会各会员领导人递交"抗议信",仍遭挫败。无奈之下,在 2002—2007 年的 5 年间,台湾不得不按 APEC 原则,派遣李远哲("中研院"院长)、林信义("总统府"资政)、张忠谋、施振荣等人以经济领袖代表身份与会。

4."外交"政策和策略的特点

(1)注重"多元性"和"民间性"

采取包括政治、经贸、文化、事务、私人访问等多种名目和形式,使出各种手段,增进与重要和关键性国家以及国际组织的实质关系,既凸显台湾的"国际存在",又因不涉及政治定位问题,可减少对象国的疑虑,进而避免由于祖国大陆的强烈反应而引发的风险。

所谓"多元外交",就是竭力调动各方面资源,采取各种可能的手段,通过多个渠道寻求"外交"突破。除了过去惯用的"元首外交"、"经援外交"、"国会外交"、"政党外交"、"过境外交"、"收买外交"、"度假外交"外,还有"夫人外交"、"宗教外交"、"文化外交"、"闯关外交"、"点火外交"、"烽火外交",以及借助外劳、能源、粮食、卫生、环保、防疫等问题,进行所谓的"跨洲之旅"、"合作共荣之旅"、"民主友谊之旅"、"关怀之旅"、"破冰之旅"、"睦谊之旅"、"锡安之旅",涉及面之广、名称之多样,可谓无所不用。尤其是"夫人外交"在 2002 年实施后,又在 2003 年 7 月再次重演;"美元外交"则成为长盛不衰的基本手段,只是使用起来效果一般,但是代价过大;"闯关外交"成功率过低。

所谓"民间外交",就是利用民间力量,与关系敏感的国家和组织建立联系,

增进了解,形成默契。借助的力量,有政党、社团、退休官员和海外侨团和侨民。如借助已退职的前"总统"李登辉多次赴日本、欧洲和美国的机会,与这些国家和地区的官方、民间频繁互动,为民进党当局在国际间推行"一中一台"的主张。此外,为扩大影响,民进党当局还动员和利用海外"台独"分子、"台独"组织,在国际上从事台湾当局不便公开进行的"台独外交"活动。

(2)注重"主动性"和"攻击性"

为实现"外交突破",民进党当局开始主动把触角伸向东南亚、东北亚、中亚、中东欧、俄罗斯、澳大利亚、新西兰等过去较少或尚未涉足的地区,全面开花,实施"全方位外交出击",如对俄罗斯以及从苏联独立出来的其他国家、蒙古、印度等,多次派遣高层人物赴这些地区活动。在对俄关系上,成立"台俄协会",推动在俄增设办事处,开通台俄航线等。在多方活动下,台湾与埃及、蒙古、捷克等国互设了办事处,算是有所收获。

随着祖国大陆的国际地位不断上升,特别是"9·11事件"后,"反恐"成为国际最为关注的问题之一,不仅美国为获得中国在"反恐"问题上的支持积极改善中美关系,就是其他国家也不愿为台湾问题疏离与大陆的关系,而且此时的国际社会也将关注的目光转向"反恐",对台湾及台湾问题的注意力相对降低。国际形势的变化,增加民进党当局被国际冷落的"恐慌感"和"寂寞感",担心美国为了自己的利益牺牲"台独"的利益和减少对"实质台独"的支持,更担心台湾被国际社会边缘化。因此,由守势变攻势、化被动为主动,提高台湾的"曝光度",借机挑拨中美矛盾和为中美关系制造障碍,成为民进党当局的"外交新思路"。与之相应的"外交新战

术"是：坚持"游击战"，主动出击，拉长战线，制造事端，激化两岸在国际上的分裂与反分裂斗争。民进党当局认为，为了突破"外交"困境，扩大国际活动空间，凸显台湾"主权独立国家"地位，要抓住每年3月人权会议、5月世界卫生组织大会、9月联合国大会、10月 APEC 会议等固定国际活动的机会，打好"有准备之仗"，力争每年有一点回报。同时，还要利用国际上其他的大型活动，如一些国家举行的各种典礼、节庆活动以及各国经济建设、救治自然或人为灾害，利用私人关系等各种机会和各种理由，打好"外交突击战"，吕秀莲突闯印尼雅加达就是典型案例。民进党当局认为，"主动点火"贵在主动、创新，要有"新思路新突破"，要采取"攻击性"外交策略。他们异想天开地声称，"若是在APEC 会议前，在各地搞得烽火连天，北京就没时间和精力在 APEC 场合与台湾纠缠"。为达到"烽火连天"的效果，从陈水扁、吕秀莲、李登辉，到众多"部会"高层官员，寻找一切可能外出制造"一中一台"的机会。

（3）注重"务实性"和"灵活性"

所谓"柔性外交"是民进党当局提出的一个模糊概念，具体而言就是将"外交"手法、"外交"形象进一步软化，"外交"政策也进行相应的"柔化"处理。台湾当局深知，以台湾的国际地位和影响，在涉及国家主权等政治议题上采取强硬而机械的态度和行动，"外交"将难有斩获，必须以"柔性"、"低调"等手法，减轻拓展对外关系的阻力，以图"由简入繁"、"由浅入深"。因此，民进党当局在开展"务实外交"的过程中，不断变换手法，在处理对外关系上，不是以硬碰硬的方式，谋求国际社会或其他国家在台湾主权问题上让步，在万不得已的情况下少采取李登辉时期

的强势、直接手法，而是更多地采取低调、迂回的姿态，大谈台湾的"悲情"和"无奈"，大肆指责大陆的"强权"和"霸道"，以博取国际社会更多的同情和支持，同时积极推行以宗教、文化、科技、"民主"、"人权"、环保、爱心、和平等"柔性力量"为内容的"柔性外交"，有意通过这些"软性力量"，减少"外交"阻力，企图"平静地走向分裂，和平地走向'台独'"。

（4）注重"民主外交"和"人权外交"

与李登辉一样，民进党当局在推行"务实外交"时也常常把"台湾经验"作为招牌，到处推销，引起世人关注。只不过在民进党主政期间，由于经济衰退，在推销所谓"台湾经验"时，其经济成就已无法时常挂在嘴边，而是更多地把"台湾经验"归结到所谓的"民主政治"，在"民主"方面的"概念与成就"。为使台湾的"民主外交"、"人权外交"成为"外交"重点，民进党当局"外交部"提出了具体措施：在"外交部"预算之下专列推动"人权外交"的经费科目，除协助改善岛内人权教育基础设施外，并协助及奖励举办有关人权的国际活动；设立"国家人权委员会"，除整合岛内既有"政府"和民间人权组织的资源，也邀请著名的国际人权组织访台，就人权相关议题进行交流与合作。他们的目的，就是企望以台湾"近年来在民主方面的成就和经验，以及国际社会给我们的肯定作为基础，进一步开展国际活动"，一方面要提醒国际社会，台湾"已成为一个讲人道、重人权、开放的民主国家，必须受到尊重"，以凸显台湾的"国际尊严"；另一方面，又可以打着"民主"和"人权"的旗号，偷换概念，有意将国家主权问题与意识形态问题相混淆，为"台独"寻找理论根据。台湾当局打出"民主外交"、"人权外交"的旗号，目的在于迎合西方的"主流价值"，以博得

西方国家的同情与支持。

台湾当局为了抗拒统一,甚至不惜配合国际反华势力,对祖国大陆的"民主"、"人权"问题横加指责,把自己装扮成"人权卫士",但同时却与"人权"记录极差的利比里亚前领导人"眉来眼去"、"把酒言欢",并以援助的方式支持其破坏人权的活动。可见,"人权"只不过是台湾当局用作"外交"的工具而已。

(5)将"外交"与"台独"行动结合起来

对外交往是民进党当局谋求台湾问题"国际化"、推动台湾"独立"活动的重要舞台,绝不可轻易放弃。因此,与全方位挑战"一个中国"原则的"攻击性外交"相呼应,民进党当局借助任何外事机会,宣传"台独"理念、进行"台独"活动。他们把外事场合的官方标志"国徽"换成梅花、正名"中华民国"为"台湾"、推出新版加注英文"台湾"字样的"护照"、将"驻外馆处"更名为"台湾代表处"等,目的在于通过潜移默化的管束,让国际社会逐渐接受"台湾独立"的意识,为其"渐进式台独"寻找国际上的认可。

按照民进党当局的思维,就"台独"实现方式来说,"外交"要比"内政"便利,且影响巨大:如果能够参加联合国,无疑是等于已经实现了"一中一台";如果能够得到一个大国或重要国家的承认,如果能够加入一个只有"政府成员组成的国际组织",如果与其他国家签订自由贸易协定(FAT),无疑将是渐进式"台独"活动的"重大成就";如果能到国际间进行一次公开"台独"活动,无疑可以增加"台独"分子的"成就"感、自信心。由于国际外交的特殊性和复杂性,"台独"势力在"外交"领域和国际舞台的活动,可以随时得到国际反华势力的直接支持和喝彩,可以买到一批又一批的武器,有些国家为了经济利益也

可能为台湾帮腔说话。因此,民进党当局加大在国际场合活动的力度,不惜花费大量的金钱,定期在每年3月举行的人权会议、5月举行的世界卫生组织年会、9月举行的联合国会议、10月举行的亚太经互会上"点火闹事"、制造风波,无非就是想借助国际外交的特殊性和复杂性,宣扬"台独"立场和观点,挑战"一个中国"的原则,挑战中国的外交格局,配合岛内推进的"渐进式台独"的实现。台湾这种不自量力的做法,虽为两岸关系和国际外交制造了麻烦,但最终不得不以失败而告结束。

七

制造日益紧张的两岸关系

1."台湾正名"与"制宪"

2003年年初,为支持陈水扁连任,李登辉和台联党不时抛出各种激进的"台独"主张,如"非台澎金马出生者不得参选'总统'"、"将闽南语定为第二'国语'",还在"立法院"大力推动"公投立法",反对松绑"戒急用忍"、开放两岸直接"三通",并不断叫嚣强化台湾认同、争取"台湾正名"。3月15日,在海外"台独"团体组成的"世界台湾人大会"在台湾举行以"认同台湾国、制定新宪法"为主题的年会上,李登辉狂妄叫嚣要推动"台湾正名、国家制宪"。对李登辉的意图,陈水扁心领神会,积极配合和响应,但又十分注意控制主题和行动节奏,既防台联党抢走"深绿"支持者,又怕吓走中间选民,影响选情。于是,他一方面公开宣称要进行"拼正名、拼宪政"等所谓"五拼",另一方面又把注意力放在在台湾社会有较大认同"公约数"且有助选情升温的"公投"上。

李登辉的"台湾正名"运动的最终目

标是"制宪",从法理上彻底解决"国号变更"问题。在 2002 年 3 月 17 日展开的"世界台湾人大会"上,李登辉就公开鼓吹"台湾正名、国家制宪",把"正名"与"制宪"联结起来,但这一演进进程的关键点仍是"公投"。2003 年 7 月 8 日,正当《公投法》版本闹得沸沸扬扬时,"台湾正名运动联盟"深知"公投"与"正名"、"制宪"的密切关联,自然不肯放弃这一机会,立即组织人马在"立法院"大门口举办所谓的"国号公投"3 天的静坐活动,以示声援。见"台独"分子将关注点放在"公投"上,陈水扁异常高兴。26 日,他以视讯方式对在英国举行的第 30 届"世界台湾同乡会联合会年会"发表演说,鼓吹"2004 年台湾将以公投改写历史",并表示"2004 年 3 月 20 日之前举行公投是无可避免的"、"有 100% 的信心推动公投成功"。

9 月 6 日,由"台湾正名运动联盟"发起,"台独"分子举行了以"会师总统府,前进联合国"为号召的"台湾正名"大游行。由台湾全岛各地前来台北的"台独"分子,分成 7 队高喊口号游行,并在通往"总统府"前广场的一条大街上会合。李登辉率领一家三代总共 7 口人参加了游行并以"台湾正名"运动总召集人身份发表演讲,进一步阐述他的"中华民国不存在"论。他指出,"中华民国"只是"国号"而非国家,台湾只是暂时把"国号"借给"中华民国"。过去,台湾的"国家体制"都由外来政权决定,现在本土政权已执政了 3 年,应该由台湾这块土地的人民来选择"国家"的名字。他还说,他最了解台湾困境就来自"中华民国"这个名字,他因此要"大家"把"中华民国"只是"国号"而非国家这一点记在"头壳"里。"台湾正名运动联盟"还表示,希望陈水扁当局能在 2004 年前"把'中华民国'送入历史",并且"制定台

湾新宪法"。该组织甚至计划于是年年底举办"百万人点灯、制定新宪法、正名台湾国"活动,企图借民间力量制造"制宪正名"声势。由于种种原因,该活动无法如期举行,只得推迟到 2004 年 2 月 28 日进行。由此可见,"制宪正名"是"台独"分子们决意要做的事。鉴于实施难度颇大,"台独大老"辜宽敏、李鸿禧等人提出了所谓"两阶段制宪论",即第一阶段争取 2004 年年底"绿营""立委"过半,修改《公投法》,以"公投"方式先处理"政府体制"、"国会改造"等问题;第二阶段则就"国号"等问题进行"公投"。

通过"公投"实现"制宪"既照顾"深绿"选民的情感又易为中间选民接受,陈水扁自然不会放过这个绝佳的机会。2003 年 10 月 25 日,在陈水扁主导、民进党组织协调下,有台联党、台湾基督长老教会等激进"台独"组织共同参与的"10·25 全民公投、催生新宪大游行"在高雄进行。为与极端"台独"分子的"制宪正名"有所区隔,陈水扁有意模糊"国号"问题,在游行晚会上鼓吹的是"公投制宪",正式抛出的是"公投新宪"说。他表示,"公投制宪"要"毕其功于一役",要使台湾成为"正常、完整、伟大的国家"。11 月 29 日,即《公投法》通过的第三天,陈水扁公然宣布,将在 2006 年 12 月 10 日启用"公投"的方法和程序完成"新宪",在 2008 年实施。

2. 出台"公投法",实施第一次"防御性公投"

就在 2002 年 8 月 3 日抛出台湾和大陆"一边一国"谬论的同时,陈水扁首次表态,"应认真思考公民投票立法的重要性与急迫性",以此试探大陆和其他各方的反应。此言一出,立即遭到大陆的严词谴责,美国也对此表示不满。陈水扁被迫将

"公投"的触角收了回去,但其坚持"公投制宪、建国"的野心并未消除,一旦时机成熟仍将卷土重来。2003年3月,民进党内主张"台独"的"立委"在陈水扁的支持下,借助"非典"事件和加入世界卫生组织被拒,台湾社会舆情强烈反弹之机,与台联党合作,积极推动"立法院"审议《公投法》草案。

长期以来,民进党等"台独"势力不断叫嚣"要以公民投票方式决定台湾前途",以"公投"的方式制订"台湾新宪法",进而实现"台独建国"。早在20世纪90年代,台湾基层地方政府就先后举行过17次"公投"活动,但这些"公投"除一项外,大多涉及的是环境保护、地方建设及政策问题,且为基层地方政府一级,由于没有相关法律支撑,"公投"结果不具法律约束力。为使"公投"法制化、制度化,早在执政之前,民进党人就在"立法院"多次抛出《公投法》草案,意图通过《公投法》的制定,为其"公投制宪"寻找法律根据和契机,却因势单力薄无法实现。执政后的民进党更是频频活动,推动"公投立法"。而坚持将"公民投票"作为政治手段的陈水扁,在其上台之初,基于稳固"少数政权"的需要,并不急于处理牵涉统独争议的"公投立法"问题,"公投立法"的步伐一度放缓。2002年8月3日陈水扁在发出"要认真思考公民投票立法的重要性和迫切性"的叫嚣后,岛内"台独"势力便不断在"立法院"鼓噪"公投立法",均在占"立法院"多数的"泛蓝阵营"的反对下无功而返。为拉抬低迷选情,也为了能给后期"台独"活动增加"合法性",2000年3月,陈水扁运作再次抛出"公投"议题,推动"公投立法",更于2003年6月30日推出党版《公投法》草案,并将"公投"与"天赋人权"、"台湾民主改革的进一步深化"直接挂钩,迫使"泛蓝

阵营"接招。

最初,民进党版的《公投法》草案在创制复决权的行使上明确制订出三个层次:一是"法律层次公投",二是"宪法层次公投",三是有关"主权"方面的"防御性公投"。明确改变台湾现状须由"公投"决定。在"法律层次公投"上,主张有关重大政策、民生议题的"公投",只要有2%以上的选举人连署,可由行政机关办理"公投",其中在复决部分,也可由"行政院"提出,经"立法院"同意而成案,但经复议程序失败的方案,不能提出。在属"宪法层次的公投"上,主张包括变更"国号、国旗、国歌"及"国会"席次减半等涉及"修宪"等重大问题,需要有4%—5%的选举人数连署,才可付之"公投"。在有关"主权"方面的"防御性公投",即在"国家安全"受到威胁所进行的"公投"上,主张不需要公民连署,只要由"总统"提出,经"行政院"同意,得就"国家安全"事项提出"公投"。

民进党"立委"蔡同荣则提出了自己设计的《公投法》。蔡同荣版《公投法》的内容共16条,其中第2条内容是,"公投"以"有效领土统治为范围","公投"适用事项包括"国旗、国歌、国号、领土变更、国家主权"等"国家"定位问题及其他"全台性"重大政治议题。蔡同荣特别强调《公投法》不应设限,不管是"制宪"、"修宪"、"统独"等,都应纳入"公投"。主张"台独"的台联党也推出了自己包含有16条内容的《公投法》草案,其中核心部分采用了"蔡同荣版"第2条内容。

"泛蓝阵营"对"公投立法"的态度前后发生过很大的变化,由原来的坚决反对转向与民进党的主张"有交集"。不仅如此,为洗刷陈水扁当局借"公投立法"之机扣给自己"反改革、反民主、卖台"的恶名,减缓压力,也为了防堵民进党当局利用不

具法律效率的咨询性"公投"操弄民粹，2003 年 6 月，"泛蓝阵营"突然改变原有态度，决定全面放开议题限制，赞成"公共议题公投"，并支持在 7 月初的"立法院临时会"中优先处理民进党"立委"蔡同荣所提的包含"统独"议题的《公投法》草案，逼近甚至越过民进党所能承受的政治"底线"，迫使其知难而退。

果然，陈水扁当局不敢把极具"台独"特色的蔡同荣版《公投法》拿出来讨论通过。面对"泛蓝阵营"所采取的"不阻挡、不反对、不负责"的态度，民进党当局大力"刹车"，改口称"公投"不急着"立法"。最后，朝野协商决定《公投法》留待 11 月继续审理。

其实，民进党版《公投法》出台后，到底是采用"党版"还是"蔡版"，内部一度有疑义，并曾上演一出"内讧戏"（在此之前，蔡同荣派所属多位"独派立委"力挺的蔡同荣版本，在党团会议中难获过半数支持，但属于陈水扁"正义联线"的"立委"林重谟却跑到蔡同荣一边的开会现场支持蔡同荣版《公投法》，引发派系间龃龉）。9 月 8 日下午开会后，民进党内部总算再度统一口径，重新提出"蔡同荣加强版"《公投法》草案。

在民进党整合出来的蔡同荣加强版《公投法》草案中，"修宪"议题可适用《公投法》，包括所谓"国会改革、国旗、国号、领土变更"等，将"蔡同荣版""统独公投"条文删除，改列于说明栏；将"防御性公投"概念纳入其中，并保留"党团版""防御性公投"原则。

由此可见，民进党版《公投法》和蔡同荣版本的争议点并不在是否举行"统独公投"，而在于"统独公投"的发动权。民进党版本中，民进党团生怕会"失控"，因此只有陈水扁有"统独公投"的发动权；蔡同荣版本则主张由民众发动。因此，修改后的"加强版"在保证"民进党版"最关切的问题后，也给足蔡同荣面子，把该版的名称定名为"蔡公投加强版"。

9 月 30 日，台"行政院"称，将和民进党团联手推动《公投法》草案取代先前"行政院"提出的《创制复决法》草案，因此包括"领土变更"、"更改国号"等议题，都可以列入"公投"。"行政院"推动的"公投"版本将包括下列三项：①"法律立法原则之创制或法律之复决"。②重大政策或其他重大政治议题。③"修宪"议题。相较于"蔡同荣版"直接明文规定，所谓"国旗"、"国歌"、"领土变更"、"国家主权"等"国家定位"议题可适用"公投"，"行政院"推动的版本虽未载明但却强调称，"民众得提出宪法修正意见作为修宪机关修宪之依据，举凡宪法之规定，均得作为'公民投票'之议题，如'国会改革'、'国旗'、'国号'、'领土变更'等"。

国、亲两党是反对将"统独议题"列入《公投法》适用范围的。在成功阻击民进党后，国、亲两党也开始积极研拟自己的《公投法》版本。10 月 23 日，国亲党版《公投法》草案出炉，并于 11 月 16 日最终定调。草案突出两点，一是在坚持"反对改变'中华民国'现状"的底线下，采取对"公投"议题基本持开放立场，即反对就"制宪"和"国号"、"国旗"、"领土变更"问题举行"公投"。但在后面调整中具体界限规定是，"宪法条文中'固有疆域'可弹性解释，国亲不必主动触及领土范围问题"；也不再坚持反对涉及"国旗、国号、领土变更"的"公投"。二是在"公投"发动权上规定，发动"公投"的主体为民众，排除台湾当局提案权；全台性"公投"提案和连署门槛需达最近一次"大选"人口的 1% 和 5%，地方性"公投"提案和连署门槛则为县市长选战人口的 2％和 10％。所有这些，等于排除了台湾当局发动"公投"权力，也抬高了"公投"的门槛。

比较各个版本的《公投法》，在"公投"事项上的区别主要有：

第一，各版本长短不一，意图各异。其中"国亲版"共 9 章 68 条，最为详尽；"行政院/民进党版"共 6 章 38 条；"蔡同荣版"和"台联党版"不分章节，都是 16 条。究其原因，这是由于蔡同荣和台联党"公投"目标就是"台独"，其他议题不过是幌子。"行政院/民进党版"除预留"台独公投"空间外，主要是为了选举造势。这三者都没有进行认真的"立法"准备。

第二，"国亲版"反对"制宪"。"国亲版"原先提出"宪法修正原则之创制"（即宪法修正原则之创制连署后送"立法院"审议，不经"公民投票"），后将其修改为"修宪案"的复决，排除民众以连署方式提出"修宪"。"行政院版"仅以"修宪及制宪议题"涵盖，使发动者拥有了"制宪"或就统"独"等任何议题进行"公投"的可能性。其他两个版本以负列表方式，形同同意所有与"台独"有关的"公投"。在禁止事项上，"国亲版"明列"制宪及变更国号、国旗、领土及外交、军事、安全、战争与和平"不得"公投"，即"有限公投"，其他版均无此规定。此外，"国亲版"和"民进党版"还细分了"全国性公投"和"地方性公投"，其他版本则没有。

第三，提案发动人不同。"国亲版"允许民众连署发动"公投"，但排除行政机关提案权；"行政院/民进党版"则允许民众、"行政院"和"总统"（只在"防御性公投"条款有效）发动；"蔡版"与"台联党版"的发动者包括民众、"立委"和"总统"（提案经"行政院会"决议同意）。

第四，对于主管与审议"公投"的机关，虽然各版都承认"中央选举委员会"为主管机关，但"国亲版"认定投票议题由新设立的"行政院公投审议委员会"负责，而不是"中选会"；"中选会"只负责"全台性事项"，地方性公投由地方政府主管。在审议"公投"机关的人选上，"行政院版"主张委员由"行政院长"提请"总统"派充，具一党籍者不得超过委员总额的 2/5；"国亲版"则主张委员会的 21 名委员，除"中选会"主委为"召委"外，依立院各党团席次比例推荐，提请"总统"认命。

第五，对于投票日程。"行政院版"和"台联版"均认同"公投"得与全台性"选举"同日举行。而"国亲版"则规定应与该年"立委"选举同日举办，若该年内无"立委"选举时，得单独举办，但不得与"总统"选举同日办理。

11 月 27 日，国、亲两党凭借人数优势，最终主导"立法院"三读通过以国亲版本为主的《公投法》完成"立法"。该法的主要内容有：①关于"公投"的适用范围：规定"全国性公民投票"范围包括法律之复决、立法原则之创制、重大政策之创制或复决、"宪法修正案"之复决。其中一方面明确排除了"公投制宪"，另一方面也排除了带有明确"更改国旗、国歌、国号、领土"等涉及"国家主权"议题的条款，将之纳入高门槛的"修宪"程序。②关于发动权：规定只有人民、"立法院"和"总统"（只在"防御性公投"条款有效）发动。明确定除依《公投法》规定外，行政机关不得借任何形式，对各项议题办理或委托办理"公投"。行政机关也不得动用任何经费及调用各级政府职员，完全封杀了行政部门办理"谘询性公投"的空间。③关于"防御性公投"：《公投法》第 17 条规定，"当国家遭受外力威胁，致国家主权有改变之虞，总统得经行政院院会之议决，就攸关国家安全事项,交付公民投票",此一条文赋予"总统在国家主权受侵犯时直接提出并交付公投的权力"。④关于审核权及办理程序:明定依"立法院"各政党比例组成的"公投审议委员会",掌有"公投"提案、"公投"事项认定的审核权;"行政院"是"公投"事务主管机关,"中选会"仅综理选务,应于"公投"案公告成立后一个月起至半年内举行"公投",并得与"总统大选"等"全国"性选举同日合办。

从《公投法》的条文看,国、亲两党除发动权中允许"总统"发动"防御性公投"和投票日程安排得与"总统大选"等"全国"性选举同日合办外,其余均如愿以偿。

《公投法》过关后,陈水扁立即开始积极筹划以"公投"的名义实现其"公投制宪"的目标。12月1日,陈水扁利用过境美国纽约的机会,在参加亲台侨社举办的宴会上,明确提出"制定台湾新宪法"的主张。11日,陈水扁再次声称要以"公投"决定"台湾新宪法"的版本及内容,是"制宪"而非"修宪"。

陈水扁的危险举动遭到了美国的反对。12月1日,美国国务院发言人鲍彻表示,美国反对任何会改变台湾地位或走向"台湾独立"的"公民投票",美方很严肃地看待陈水扁的"四不一没有"承诺。在美国的压力下,陈水扁不得不放弃原来的计划,采用相对模糊的方法来处理。5日,在接受《纽约时报》专访时,陈水扁正式将"防御性公投"改称为"防卫性公投",并将"防卫性公投"题目定为"2300万人民要求中华人民共和国撤除瞄准对台湾的496枚导弹,并公开宣示不再对台湾使用武力"。

2004年1月12日,美国国务院副发

言人爱瑞立重申,美国反对类似"公投"等片面(改变现状)行动,只要涉及台湾地位的"公投"是片面的,美国就反对。2004年1月16日,陈水扁通过发表电视讲话宣布所谓"320和平公投"题目:①"台湾人民坚持台海问题应该和平解决。如果中共不撤除瞄准台湾的飞弹、不放弃对台湾使用武力,你是否赞成'政府'增加购置反飞弹装备,以强化台湾自我防卫能力?"②"你是否同意'政府'与中共展开协商,推动建立两岸和平稳定的互动架构,以谋求两岸的共识与人民的福祉?"2月10日,台湾"中央选举委员会"正式公告,将于3月20日"总统"大选举行期间,同步进行所谓"强化国防"及"对等谈判"两项公民投票。

根据《公投法》第30条规定,公民投票人数达全国投票权人总数二分之一以上,且有效票数超过1/2同意者,即为通过。①3月20日,台湾第一次"全民公投"如期举行,领、投票结果:两项"公投"议题的领票率分别为45.17%和45.12%。其中,第一案"强化国防"共745.23万人领、投票,同意票651.12万票,占91.8%;不同意票58.14万票,占8.2%;无效票35.97万张。第二案"对等谈判"共744.11万人领、投票,同意票631.97万票,占92.05%;不同意票54.59万票,占7.95%;无效票57.86万张。虽然两案的同意票皆超过不同意票,但因过半选民拒绝领票,投票结果为否决。

3. 几近疯狂的"台独"言行

(1)加速"去中国化"进程

2004年3月,陈水扁如愿连任,再次担任"中华民国"的"总统"。在各方的压力下,陈水扁虽在就职演说时玩花招,不

---

① 2004年3月16日,台湾"中选会"正式公布第11任台湾地区领导人选举人数:选举人数16507179人,有"公投"投票权的人数为16497746人。

再重提"四不一没有",但他不得不再次表示遵守《"中华民国"宪法》,重申不会改变他在 2000 年就职时所说的原则和承诺。这表明他不得不承认所任的是"中华民国"的"总统","中华民国"还是他需要借助的"壳"。因此,他不得不将"正名"的"台独"活动中心继续放在"去中国化",而不是"改国号"上。

在 2004 年年底的"立委"选举的激烈较量中,主张极端"台独"路线的台联党积极拉"深绿"选票。为保证"深绿"选民的支持,陈水扁开始走到台前,积极争取"正名"运动的话语权和主动权。他在 12 月 5 日举行的一个竞选集会上宣布,为厘清"中国与台湾"之间的区别,应以"台湾"名义参与国际社会;所有"外馆"驻处争取正名为"台湾代表处";在国际上容易与中国混淆的相关单位逐一"正名",率先由"国、公营事业"着手,以两年时间完成。但同时,陈水扁又一再强调,"'中华民国'就是台湾",台湾是一个"主权独立的国家","'中华民国'的'主权'属于两千三百万台湾人民"等等,并称这不是任何国家或任何人可以否定或质疑的,又说依据现行"宪法",国号为"中华民国",是目前台湾社会对"国家认同"最大的公约数。此举既是民进党为赢得即将举行的"立法院"大多数议席的选举策略,也是推动台湾步向"独立"的又一个大动作,增加了两岸冲突的机会。

陈水扁这些话是赶在台联党发动的"台湾正名制宪"大游行之前发表的,其中一个目的显然是冲着台联党而来。随着"立委"选举进入冲刺阶段,"蓝"、"绿"选情陷入胶着状态,台联党"精神领袖"、前"总统"李登辉刻意突出台联党"台湾正名"及"制宪"的立场,强调与陈水扁及民进党有所不同,并抨击陈水扁所领导的政府,都是一群没有头脑的人,试图巩固基本教义派的选票。李登辉的这一举动对同为"泛绿阵营"的民进党来说已构成重大威胁,陈水扁必须抢占"正名"话语权,避免被台联党瓜分选票。

对此,台联党不以为然,来了一招"借力打力",称"正名"是台联党长期的主张,陈水扁的讲话只是呼应台联党,从而证明台联党坚持"正名"的道路是"正确的"。陈水扁为台联党的政策背书,对台联党"立委"选情有很大帮助,也可证明陈水扁与李登辉的路线愈来愈接近,这对本土势力而言是一大鼓舞。

作为"中华民国"的"总统",还要去干摧毁"中华民国"的事,实在是十分矛盾和荒谬之事。因此,陈水扁在提到"正名"理由时采取了似是而非的解释:所谓"正名",对内是要彻底的"去中国国民党化";对外是积极厘清中国与台湾之间的区别,避免不必要的混淆。其实,这些有"中国"、"中华"名称的企业,都以诸如"中国石油"、"中国钢铁"、"中国造船"的名称运作了好几十年,长期以来与国外厂商进行技术合作或交易,并已在国际上建立了一定商誉。外国公司都对这些企业很熟稔,并不会因此不知道这是在台湾的"中油"、"中钢"或"中船",何来混淆?另外,这些企业虽然多数在国民党执政时创立,但在民进党执政后,也由民进党当局承接,并不在国民党的掌控之中,何来"去国民党化"?陈水扁刻意以"避免混淆"、"去国民党化"作为"正名"的理由,实质就是既达到"去中国化"的目的,又回避了所谓"去中国化"的争议,使其"台独"行动堂而皇之。换句话说,陈水扁的"正名"活动,目的就在于虚化、弱化"中华民国",最终目标就是为了消灭"中华民国",建立"台独"分子的"台湾国"。因此,其所谓的"正名"

就是借助"去蒋化"、"去国民党化"、"去中华民国化"的路径,实现"去中国化",所作所为无疑是向"台独"踏出了关键的一大步。正如国民党发言人张荣恭所言,陈水扁的"正名"做法,明显地正式抛弃过去标榜的新中间路线,使得民进党当局朝向"台独"目标前进。

为配合陈水扁的言论,台当局行政机构于2005年1月12日听取由"政务委员"许志雄及台"行政院法规会"共同研拟的所谓"务实推动正名,彰显台湾主体性"报告。该报告提出的整体改革原则是以"台湾"称呼台湾当局,以"中国"称呼中华人民共和国。而需使用正式"国名"时则以"中华民国"称呼,并视情形以括号加注"台湾"。至于英文名称,应优先以"Taiwan"、"Taiwan(ROC)"或"ROC(Taiwan)"等方式称呼台湾当局。该报告还列举了12项需"正名"的领域,包括:一、法规部分。目前岛内"法令"内容含有"中国"二字的超过30种,含有"中华"二字的超过80种,其内容应改为"我国"或配合修正。二、条约协议。例如使用"中国"者有34例,应予修正;而正式"国名"如使用"中华民国",宜以括号注明"台湾",如无法使用正式"国名",台当局对外部门可就"Taiwan"、"Taiwan(ROC)"或"ROC(Taiwan)"等名称评估;并称避用"Taiwan,China"、"China(Taiwan)"、"Chinese Taipei"、"Taipei,China"等方式。三、台当局"中央政府"机关。包括"侨委会"、"中央银行"英译名称出现的"中国"字样应修正。四、驻外馆处。除无"邦交"国尽量正名为"台湾"外,"邦交国"部分,可以瓦努阿图模式"ROC(Taiwan)"为一般原则。五、政府间国际组织应"尽量凸显台湾主体性"并区隔两岸,具体个案应避免使用"Chinese Taipei"。六、"国营"事业单位,

如"中船"、"中油"、"中国输出入银行"、"中华电信"、"中华邮政"及"中信局"等中英文名称皆须斟酌,更名并不变更其法人资格,如涉及商标、商誉、企业识别等问题,亦一并加以处理。七、"中国农民银行"、"华侨商银"、"中钢"、"华视"、"中华票券"等"中央政府"投资而持股未超过50%的公司。八、包括"航发会"及投资成立的"华航"等"中央政府"捐助成立的财团法人。九、台军方所辖军事院校如陆军官校的英译名称。十、出现"中华"或"中国"字样的"教育部"所辖专科以上学校。十一、出现"中华"字样的海外侨校。十二、其他例如"中华文化复兴总会"、各机关出版之刊物等事项。

(2)抛出所谓"国家主权及台湾前途三段论"和"中华民国历史演变四阶段论"

2005年2月24日,陈水扁在"扁宋会"后,提出所谓"'中华民国'是主权独立的国家,'主权'属于2300万台湾人民,其前途取决于2300万人民"的"'国家主权'及台湾前途三段论"。这一"三段论"不但逐渐成为民进党当局标准的政治话语,而且成了所谓"朝野间最大公约数",成为在野党和民间不能质疑的政治天条。

陈水扁为何此时抛出所谓"三段论",一个重要的原因就是此时正值朝野合作的敏感时期,激进的"台独"言行无疑将导致朝野对立加剧。另一个重要的原因是祖国大陆日益明确清晰的反"台独"立场和卓有成效的反"独"措施也使陈水扁认识到"台独"困难重重。因此,台湾当局的"行政院院会"不仅临时取消了由"政务委员"许志雄及台"行政院法规会"共同研拟的所谓"务实推动正名"活动,而且3月间,陈水扁还在一些公开场合上表示在任职期间,无法实现"制宪"。

从表面上看,陈水扁的"三段论"还是

将"中华民国"的招牌高高挂起,但实质上,却把《"中华民国"宪法》踩踏在地。在《"中华民国"宪法》里,台湾只不过是中国的一个省,"中华民国"领土包括中国大陆乃至外蒙古在内的广大疆域,"中华民国"的"主权"属于包括中国大陆在内的全体中国人民。陈水扁在没有任何"说法"的情况下,将所谓"中华民国主权"仅仅限于2300万台湾人民,其本身就在"违宪"甚至"毁宪"。

当然,陈水扁的目的绝不会仅仅停留于此,他的最终目的是要等待合适的时机将"中华民国"的招牌彻底抛弃,以"台湾共和国"的名义实现"台独"。8月2日,陈水扁在会见美国"福尔摩莎基金会"青年亲善大使时,提出所谓"中华民国是台湾"的概念,并对所谓"'中华民国'与台湾历史演变的四阶段论"进行了系统化和理论化的梳理。

陈水扁的"'中华民国'四段论"就是将"中华民国"四个不同演进阶段进行划分,即"中华民国在大陆——1912年中华民国在中国大陆成立"、"'中华民国'到台湾——1949年'中华民国'败退台湾"、"'中华民国'在台湾——李登辉时代"、"'中华民国'是台湾——2000年政党轮替后"。随后,陈水扁又对所谓"'中华民国'是台湾"进行包装,即"中华人民共和国是中国,'中华民国'是台湾,不是中国"。

其实,不论是陈水扁的"三段论"还是"四段论",都是所谓"一边一国"论的翻版和狡辩,是比过去"中华民国(台湾)"更为危险的表述。毕竟"中华民国(台湾)"还不敢公然违背所谓《"中华民国"宪法》关于领土、主权的基本条文,而"'中华民国'是台湾",则连《"中华民国"宪法》也丢弃

一边。如任其发展,不排除陈水扁进一步发展成包括"台湾共和国"在内的"五阶段论"。

陈水扁在不到一年的时间里,时而"三段论",时而"四段论",反映出陈水扁和民进党已陷入左支右绌的窘境。一方面,面对来自大陆、美国和岛内反对阵营的压力,陈水扁不能也不敢完全抛弃"中华民国"的招牌;另一方面,又不愿抱住"中华民国"招牌遭到"深绿阵营"的疑虑和反对,导致丢失支持群众。

(3)日益嚣张的"台独"活动

2005年3月,祖国大陆通过《反分裂国家法》,台湾当局和"台独"分子气急败坏,于26日组织了近三十万人参加的所谓"民主和平护台湾"游行。

虽然民进党当局标榜此次游行是"民众自发参与",但实质上这是一场有组织、有预谋的活动,不仅民进党的主要领导人均参与了游行,而且为游行花费巨资,仅动员费就高达近2亿元新台币。

台湾当局和"台独"分子组织"3·26游行"的目的:一是借机冲淡《反分裂国家法》对"台独"的冲击,凝聚"台独"士气。二是安抚"独"派,与台联党抢食票源。三是骗取国际社会的同情,扩大"台独"国际生存空间。四是一些民进党"接班人"借机为自己捞取、累积政治资本。[①]

当国民党副主席江丙坤率团赴大陆访问并与大陆达成12项成果的消息传到台湾,陈水扁酸溜溜地表示:"江丙坤率团与大陆达成共识,与政府无共识,与朝野无共识,又有什么意义?""陆委会"发言人表示,完全不同意国民党与大陆签订的协议,并威胁说其中有"违法"部分,日后将处分江丙坤。与此同时,台湾当局提出所

① 张华:《扭曲的游行,骗人的闹剧——"3·26游行"的透视》,载《台湾周刊》,2005年第12期。

谓"七点结论",对两岸经贸和文教交流大加限制,中止了一些本应实施的合作交流项目。4月10日,台湾当局寻找借口,无理指责《人民日报》和新华社驻台记者"对台湾采取偏颇的报道方式,有失新闻记者客观中立的专业立场",宣布暂缓两媒体来台驻点。

但对台联党主席苏进强在日本的丑恶表现,民进党当局却不予理睬。2005年4月4日,台联党主席苏进强一行约十人在台联党日本支部新任支部长林建良和日本友人的陪同下,前往日本"靖国神社"参拜。在参拜中,苏进强称,他是"以台湾人和台湾本土政党立场,对二战期间被日本军征召阵亡并被奉祀在神社内的约2.8万多名台湾英灵及为国牺牲的日本人表示敬意"。他还说,是"以非常尊严、非常尊敬的心情前来参拜","中国(反对参拜神社)的观点不能代表全世界,也不能代表台湾","中国是以仇恨为出发点,这令人无法苟同"。

苏进强数典忘祖,认贼作父,主动向不愿道歉并正在重新走上军国主义道路的日本献媚,受到岛内外各界一致谴责。当天下午,无党籍原住民"立委"高金素梅手持日本殖民统治时期日本军人屠杀台湾原住民的大幅照片,以及一本记录日本殖民暴行的《血泪抗日五十年》史书,率众到台联党中央抗议。次日,高金素梅又与原住民支持者来到机场,"蛋洗"返台的苏进强等人。

(4)废除"国统纲领"和"国统会"

一直以来,陈水扁妄图完成两个"历史任务":一个是确保民进党在台湾的执政地位,另一个就是实现"台独",并将这两个任务放在第二任期以推动"法理台独"的形式予以完成。2004年3月,陈水扁获得了连任进入其执政的第二阶段,如

何完成这两个历史任务又摆在陈水扁面前。但由于2004年底美国调整了对台政策,岛内形势也对陈水扁不利,民进党未能获得"立法院"过半席位,使陈水扁认识到台湾社会并不如年初他获胜时以为的那样,可以得到过半数选民的支持,如果孤注一掷坚持"台独"路线,中间选民就不会支持他。在执政与"台独"的矛盾中,陈水扁不得不暂缓"台独"的步伐。

2005年后岛内外形势开始发生重大变化。一方面是大陆为警告"台独"分裂活动,出台了极具威慑力的《反分裂国家法》,沉重打击了"台独"势力的嚣张气焰,也使台湾民众深刻认识到"台独"意味着战争、"台独"就没有和平可言。另一方面,经过多方努力,"泛蓝阵营"领导人纷纷访问大陆,达成多项共识,两岸关系有所改善,"泛蓝"成为岛内追求稳定力量的代表。在2005年年底县市长、县市议员和乡镇市长"三合一"选举中,"泛蓝阵营"获得了17个县市执政权,将"绿营"的势力赶回到浊水溪以南,民进党遭到了自1992年历届县市长选举中最惨痛的打击。面对变局,民进党内部一些人认为,在岛内"泛蓝"势力不断发展的情况下,即使不搞"台独"也有下台的危险。如果民进党走向温和,靠近"泛蓝"政策,那就失去了自己,仍然赢不了下次选举,不如孤注一掷,采取强硬的"台独"立场,加快"法理台独"的步伐,以求绝处逢生。

2006年1月1日,陈水扁发表题为"民主台湾,声声不息"的元旦讲话,发表新年"五大愿景",即:凝聚台湾认同、捍卫"国家"安全、坚持"民主"改革、永续经济发展、维护社会公平。在讲话中,陈水扁还特别提出了台湾实现"法理台独"的时间表,即2006年制定台湾"新宪法"草案,2007年进行"新宪公投",2008年催生并

实施一部所谓"合时、合身、合用的台湾新宪法"。

29日,陈水扁利用返乡拜年并在台南老家宴请地方人士的机会,公开表示他已开始认真思考废除"国统会"和"国统纲领"的适当时机,以及以"台湾"为名称加入联合国问题。这表明,此时的陈水扁准备加大"台独"力度,企图通过废除"国统会"、"国统纲领"以及以"台湾"为名称加入联合国的方式来扫除实现"法理台独"的障碍。

为什么陈水扁将实施"法理台独"的突破口放在"四不一没有",放在"四不一没有"中的"一没有"。其实,实现"法理台独"的最大障碍在陈水扁上台之初承诺的"四不一没有"。"四不一没有"所涉及的都是些很具体、很清晰、很敏感的问题,大陆方面早已把陈水扁是否坚持"四不一没有"作为一个衡量指标来对待,美国也多次强调这个问题。在所涉及的五个问题中,相对而言,"一没有"所涉及的"国统会"、"国统纲领",其"台独"特征最不明显,且可以以维持"现状"为理由得到美国的暗中支持。

"国统会"全名为"国家统一委员会",成立于1990年10月7日,是李登辉为主导两岸政策、建立两岸政策决策机制而设立的非法定机关,隶属"总统府"的任务编组单位。该会与随后成立的"行政院大陆委员会"、海峡两岸交流基金会,分别承担台湾当局对大陆政策的决策、执行和事务协商层次的功能和任务。1991年2月23日,"国统会"通过了全名为《国家统一纲领》的"国统纲领"。"国统纲领"阐明:依循大陆与台湾均是中国的领土,促成国家的统一,应是中国人共同的责任;其时机与方式,首先应尊重台湾地区人民的权益并维护其安全与福祉,在理性、和平、对等、互惠等四大原则,分阶段建立民主、自由、均富的中国。国统纲领明确规定:分近程、中程、远程三阶段目标,实现中国统一。近程——交流互惠;中程——互信合作;远程——协商统一。由此可见,"国统会"和"国统纲领"都是把"一个中国"作为基本原则,把"统一"作为其追求的最终目标。也正因为如此,"国统会"和"国统纲领"具有相当强烈的象征意义。

"国统会"成立后共举行过14次会议,最后一次集会是在1999年4月8日。政党轮替后,陈水扁并没有立即抛弃"国统会"和"国统纲领",他在就职典礼中宣示的"四不一没有","一没有"即指"没有废除国统纲领与国统会的问题"。但陈水扁私下一直认为"国统会"和"国统纲领"是在国民党中常会上通过后,送到"行政院"查照,从头到尾都没有经过"立法院"同意,在政党轮替之后,由民进党当局来执行国民党的决议,是有争议的。他还说,其实国民党也没有认真去执行"国统纲领",如果真的有"终极统一",那也是国民党的主张,非"政府"政策。因此,他拒不就任应由他担任的"国统会"主委,拒不召集"国统会"会议,也拒不承认"国统纲领",使"国统会"和"国统纲领"早已名存实亡。

此时陈水扁公然废除早已名存实亡的"国统会"和国统纲领,目的就在于通过触及带有指标性意义的"承诺"来进一步试探大陆和美国的反应。如果祖国大陆和美国对台湾"废统"没有反应或过激反应,那么陈水扁将进一步废除"四不一没有"的"四不",推动"法理台独"的进程,实现"制宪建国"。如果大陆和美国对此作出强烈反应,陈水扁可以玩弄"进二步,退一步"的手法,继续寻找时机。但如果只有大陆强烈反对,而美国态度暧昧的话,陈水扁则可借此向台湾民众证明两岸关系正走向危险,必须举行包括"修宪"在内的"防卫性公投"。陈水扁的如意算盘是,"废统"只是表明台湾不承认"一个中国",不追求两岸统一的远景,并没有采取直接性的、具有攻击性的"台独"行动。只要不涉及"现状"的改变,不明确宣布"台独",美国不会作出激烈的反对。

陈水扁"废统"言论一出,就遭到各方反对。次日,美国政府主动、迅速地就此事发表正式的书面声明,指出陈水扁的谈话已涉及"单方面改变现状"。岛内在野党也一致炮轰陈水扁违背承诺,甚至准备发动包括"弹劾"在内的激烈行动予以反对。

在美国的压力下,陈水扁不得不再次表示"废统"并不涉及"现状"改变,并玩弄词汇,以"终止"取代"废除"。按其解释,"终止"只是暂时停止,而不是彻底废止。经过与美国的沟通和解释,美国态度不再强硬。2月27日下午,陈水扁在出席台湾"国安"高层会议后,宣布终止"国家统一委员会"运作,终止"国家统一纲领"适用。

到底是"终统"还是"废统"?在4月3日举行的"扁马会"上陈水扁表示,"国统会"是"废除"还是"终止",用字并不重要,用"终止"这个字眼,答案已经非常清楚,不希望过度解读和无谓臆测,非台美本意。他还透露,他其实是想"废除""国统会"和"国统纲领",但美方认为应该用"冻结"或"中止"较适当,但最后"政府"决定用"终止"这样的字眼,较为适当。由此可见陈水扁的真实用意所在。

(5)"公投制宪"从口号到行动

从2006年下半年开始,为了拼选举,也为了能从弊案中解套,陈水扁继续加快向"深绿"迈进的步伐。种种迹象表明,台湾当局企图通过所谓"宪改"谋求"台湾法理独立"的活动已开始进入具有实质性的突击阶段。9月18日,民进党中央正式启动2006年"宪政改选工程",准备提出党版"宪改"方案。但由于党内分歧较大被迫延宕。于是,陈水扁借"台独"分子辜宽敏举办寿宴之机抛出"冻结目前宪法,制定符合台湾现状的中华民国第二共和宪法"的主张,并于11月3日在接受英国《金融时报》记者专访时再一次声称"第二共和就是要冻结现行宪法,制定台湾宪法"。

尽管此时的陈水扁尚不敢明目张胆为"台湾共和国""制宪",但此举也不是传统意义上的"修宪",而是借为"中华民国"制定"第二共和宪法",与1946年通过的《"中华民国"宪法》相区隔,实现其迈向法理"台独"目标最为关键的第一步。这种具有特殊含义的"制宪"如能得到台湾朝野的认同并得以实现,无疑是"法理台独"阶段性的胜利。当然,这种"偷梁换柱"式的"制宪"既要照顾岛内方方面面的意见,也要顾及大陆和美国的反应,难度之大,可想而知。为使自己的企图得以实现,陈水扁采取"切香肠"的方式,发动了一次又一次的攻势。

"四要一没有"是陈水扁发动的第一波攻势。2007年3月4日,陈水扁在"独派"团体"台湾人公共事务会"(FAPA)成立25周年的聚会上,公然抛出"四要一没有"主张。该主张的主要内容包括:"第一,台湾要独立,台湾是主权独立在中华人民共和国以外的国家;第二,台湾要正名,台湾是参加联合国进入国际组织最好的名字;第三,台湾要新宪,台湾要走向正常完整的国家,需要一部合时、合身、合用的台湾新宪法;第四,台湾要发展;第五,台湾只有国家认同分歧问题,只有统独问题,只有前进或者后退的问题,绝对没有左右路线的问题"。

陈水扁的"四要一没有",等于公然违背其任职时所做的"四不一没有"承诺。言论一出,立即遭到岛内各界人士和主要媒体的抨击。对于陈水扁新抛出的"四要一没有"说法,国民党第一时间予以严正反对。国民党代理主席吴伯雄表示:陈水扁说话经常反复,这种说法不仅挑战台美关系,对脆弱的两岸关系更是雪上加霜。亲民党"立法院"党团组织也严词痛斥陈水扁刻意激化台湾内部对立,不惜引发两岸冲突。部分亲民党"立委"甚至到"高检署"告发陈水扁涉嫌触犯"内乱外患罪"。亲民党"立委"的告发状指出,陈水扁以强暴胁迫为手段,使"中华邮政"董事被迫更改公司名称,胁迫"立委"修法配合,已有触犯刑法"通谋丧失领域罪"之嫌,要求"高检署"应依法传唤陈水扁到庭讯问,并将他起诉,以维护"主权"和人民安全。

对陈水扁公然违背"四不一没有"的蛮干做法,美国从其国家利益出发,也不予以支持。次日,美国国务院发表措辞强硬的讲话,表示美国将严肃地看待陈水扁两次就职演说的承诺,如果任何言论有偏离,就有必要澄清。美国的表态表明,美国不允许台湾当局公然违背"四不一没有",挑衅大陆,加剧台海紧张局势。

陈水扁的言论还严重冲击了台北股市投资者的信心。言论发表后的第二天,台股暴跌285点,一日之间,台湾民众的资产蒸发掉了新台币8000亿元左右,等于每位股民损失了近9万元新台币。此次下跌也是历年来陈水扁讲话导致股市暴跌最厉害的一次,突破其在2002年提出"一边一国论"时台股下跌284点的纪录。因此,有投资者将"四要一没有"改成股市顺口溜:"要长红、要大涨、要涨停、要万点,希望没有陈水扁。"

为缓解紧张气氛,3月5日上午,陈水扁派出两位副秘书长出面为其言论澄清,并紧急通过各种管道向美方解释。他们表示,陈水扁的谈话只是作出必要的立场宣示,与以前作出的"四不一没有"承诺无关。他们辩解,追求"独立"并不是宣布"台独","新宪"也不是推动"两国论"和"入宪"。

由于大陆正值两会期间,对陈水扁的挑衅言行,除正常的批驳以外,未有进一步升级行动。见大陆采取冷处理方式,也见美国没有进一步的斥责,不甘寂寞的陈水扁在3月18日透过前"陆委会"副主委时任台大教授的陈明通抛出了所谓《"中华民国"第二共和宪法》(简称《台湾宪法》)草案,发动了第二波攻势。

《"中华民国"第二共和宪法》草案共117条,分前言和十三章正文。在前言中,草案分三段重新界定两岸关系。一是将"中华民国"的疆域限制在台澎金马地区。草案称"中华民国创立于一九一一年;但是,一九二一年七月蒙古人民共和国独立,一九四九年十月中华人民共和国成立,其后并为国际社会所普遍承认。'中央政府'因此搬迁来台,'国家'管辖领域仅及于台澎金马与其附属岛屿,以及符合国际法规定之领空、领海与邻接水域。"二是鼓吹两岸是"国与国"的关系,并将涉及统"独"的"公民投票"纳入"宪法"。草案第二段称"'中华民国'与中华人民共和国建立任何形式政治关系,须经对等、和平协商后,交付'公民投票'"。三是以所谓"第二共和"草案作为台湾和"中华民国"的"宪法联结",为未来成立"台湾共和国"埋下伏笔。草案第三段表示"台湾海峡两岸终局政治安排未协商完成前,特制订《'中华民国'第二共和宪法》,适用于国家现行管辖领域范围,原'宪法'相关章节条文及增修条文,停止使用"。由此可见,该草案虽保留台湾现行"宪法"的总纲,但仅以"前言"的方式对两岸现状及未来走向作了重新界定,同时还规定草案仅适用于台湾现行管辖领域范围,原"宪法"相关章节中的条文及增修条文都要停止使用,实质上等于废除了现行"宪法"。

尽管草案还包括仿制日本的模式对台湾当局管理体制进行调整等其他方面的内容,但其真实的意图路人皆知。草案一出笼,立即遭到"泛蓝阵营"的坚决反对。3月20日,国民党中央发表声明,强调国民党坚决反对这项草案内容。国民党文传会主委杨渡认为,这是明显的"变相台独",也是民进党为2008年选举所设的圈套。国民党中央的立场非常清楚:第一,"行宪重于修宪",现在的"立委"刚刚修改过"宪法",第7次修改的"宪法"都未实施,就开始推出另一套"修宪"方案,甚至推出"第二共和宪法",不符合"宪政"精神。第二,如要推动"修宪",也要等新的"立委"、新的台湾地区领导人选举完成,台当局整个体制具有新民意基础后,才有资格推动"修宪"。第三,国民党认为,陈水扁目前执政的民意支持度只有20%左右,没有民意基础推动任何"修宪"的举动。第四,"第二共和宪法"的基本原则,其实是冻结《"中华民国"宪法》,用新"宪法"来"包装""台独",将危害台湾安全,不要说美国不可能同意,台湾也会因此陷入战争的危险。此外,国民党认为,"第二共和宪法"将台湾地区领导人直选改为由"立委"推举投票,这与以前"监察委员"的间接选举相同,投票权集中于少数人,买票更易发生,这是制造弊案,让台湾走向"贪污"的开始,因此国民党坚决反对这套"宪法"草案。

面对陈水扁当局不断升级的挑衅,中国政府鲜明地表明了自己的立场和态度。

在3月28日举行的例行新闻发布会上,国务院台湾事务办公室发言人指出,"第二共和宪法"草案是以"冻宪"为名行"制宪"之实,企图以此欺骗台湾民众和国际社会。它迎合了陈水扁谋求"台湾法理独立"的图谋,公然纳入两岸"一边一国"的分裂主张,否定大陆和台湾同属一个中国的事实,企图制造国家和民族分裂。"我们坚决反对陈水扁和'台独'分裂势力通过所谓'宪改'实现'台湾法理独立'的图谋。我们将严重关注事态的发展,决不允许'台独'分裂势力以任何名义、任何方式把台湾从中国分割出去。"

对大陆的警告,台湾当局置若罔闻。为配合"公投制宪",实现"法理台独",民进党当局和陈水扁又发起了第三波攻势——加快推动"公投法"修改步伐,为其"新宪"过关作法律上的准备。毕竟,台湾第七次"修宪"对未来"修宪"程序设置了颇高的"门槛",而且在交付全民"公投"复决之前还须有一个为期半年的"公告"期,此时无论是从主导"公投新宪"的实力上,还是走完"修宪"程序所需的时间上,都已注定了在2008年5月20日陈水扁卸任之前,无法完成其"公投新宪"的计划。为此,他将目光盯在可由其操纵的"防御性公投"上,企图以"非制宪"的方式推动变相"法理台独"公投。

2007年4月11日,民进党中常会提案要求行政部门与"立法院"党团,全力支持修改2003年版《公投法》。陈水扁也顺势于当日抛出修改《公投法》的五个方向:第一,扩大"公投"议题使用范围,除人事外的公共事项都可以进行"公投";第二,废除由政党比例制组成的"公民投票法审议委员会";第三,允许行政机关和"立法院"少数享有"公投"提案权;第四,降低"公投"提案与连署门槛,提案人数由选举人总数 0.5%降为 100 人,连署人数由选举人总数的 5%降为 1.5%;第五,降低"公投"通过的门槛,将"投票权人总数二分之一以上投票且同意票超过二分之一为通过",改为"以得票最多者且票数超过投票权人总数四分之一者即为通过"。

为达成此目标,陈水扁鼓动"核四公投促进会"等组织强化对"立法院"的游说工作,希望能在年底通过修法降低"公投"门槛。4 月 14 日,前民进党主席林义雄也开始推动"补正公投法,还我直接民权"活动。民进党"立法院"党团也在 4 月 16 日举行的例行政策协调会报上讨论决定,将由党团在 4 月 23 日之前提案修改《公投法》。

其实,民进党早在其称之为"鸟笼公投法"的 2003 年版《公投法》通过后,就一直在酝酿对该法进行修改,并提出了多个修改版本。最初,民进党版的《公投法》修正案提出应在原法"公投"的项目中增加"公投创制权",即未来可透过人民连署方式,进行"国旗、国号"变更等的"创制公投"。台湾"行政院"拟于 2004 年 12 月"立委"选举前将该《公投法》修正案送进"立法院",但由于上述内容引发美方疑虑,美国国务院发言人包润石公开要求陈水扁解释"公投新宪"是否违反"四不一没有"承诺,台"行政院"只得急踩刹车,撤回提案。2005 年 1 月 5 日,台"行政院院会"通过了《公投法》修正草案。①

该草案虽删除民进党长期坚持列入

的"修宪公民创制权",但大幅降低了"公投"提案及成案连署人数的门槛,为"台独"势力日后发动"国旗、国号"公投创造了条件。由于涉及内容敏感,加之此时"立法院"即将休会,且届期不连续,修正案被迫无限期延后,并没有发生效应。2005 年 7 月,"行政院"再次将其通过的《公投法》修正草案送"立法院"待审,但也一直都无动静。

此时,陈水扁再次提出与过去修正案相同的修正内容,明知不易实现却为之,可见其对自 2005 年以来民进党不断下滑的支持率早已忧心忡忡,不惜制造台海冲突,实现突围。陈水扁政治赌徒的冒险性和"台独"主张的顽固性昭然若揭。

民进党在政治敏感期重提"公投修法","蓝营"不得不采取两手接招的方式予以正视。一方面,他们强烈质疑陈水扁所提"公投修法"的动机不纯。国民党"立法院"党团指责民进党为胜选不择手段,降低"公投"门槛更是"荒谬",徒增政治动荡,并直指其动机与"第二共和制宪"有关。国民党发言人苏俊宾也表示,国民党不反对"公投",但如果"公投"是为操作选举,激化族群对立,国民党不会随之起舞。另一方面,由于 2008 年 1 月"立委"选举和 3 月"总统"选举都必将会实施"公投绑大选",为了防备民进党和陈水扁在选举中滥用"公投"的行为,尤其是陈水扁有可能会利用《公投法》第 17 条"防御性公投"所

---

① 该修正草案重点包括:"将'公投'事项明确化,增列领土变更案、宪法修正案由人民复决相关程序规定;公投事务统一由选举委员会主管,全国性公投由中央选举委员会主管,地方性公投由直辖市及县市选委会主管;删除现行有关公投审议委员会组织及职权的规定",草案大幅降低全台公民投票提案人数门槛,由现行"总统"选举人总数千分之五(约 8 万人)以上,降为万分之五(约 8000 人)以上;成案连署门槛也由现行"总统"选举人总数 5%(约 80 万人)以上,降为 2%(约 30 余万人)以上;删除投票人数须达有投票权人 50%以上的"投票率门槛"规定,并将通过门槛修正为"仅需同意票数多于不同意票数,且同意数达投票权人总数 25%以上者,即为通过","但领土变更案与宪法修正案,同意票需达投票权人总数 50%以上"。另删除 3 年内不得就同一事项重行提出公投的限制。

提供的便利,提出"台独公投"的惊骇之举,国、亲两党"立委"也都有意透过修改《公民投票法》,予以遏阻。因此,国、亲两党针锋相对,以国、亲两党"立委"名义正式提交《公投法》部分条文修正草案。与民进党当局以"行政院"的名义向"立法院"提交的"绿版"《公投法》修正草案相比,"蓝营""立委"们意图只在修改《公投法》的部分条文,民进党当局却要对《公投法》进行整体大修。

到2007年8月8日为止,台"立法院"共收到了7个《公投法》修正草案:一是民进党党团所提《公投法》部分条文修正草案;二是国民党"立委"蔡正元等57人所提《公投法》第17条条文修正草案;三是国民党党团所提《公投法》部分条文修正草案;四是国、亲两党"立委"李庆华等44人所提《公投法》第2条及第17条条文修正草案;五是台联党党团所提《公投法》部分条文修正草案;六是民进党"立委"陈金德等35人所提《公投法》修正草案;七是"行政院"函请审议《公投法》修正草案。

是否废除"公民投票审议委员会"是双方攻防的一个重点。3个由"绿营""立委"提交的修正草案,尽管内容各有不同,但却都有一个诉求,就是废止"公民投票审议委员会"。作为"公投"的审议机构,"公民投票审议委员会"拥有"公投"提案、"公投"事项认定的审核权等重要权力,成为"公投"能否举办的第一道门槛,而该机构成员又以"蓝军"占有优势,不利于"绿营""公投"议题的通过,"绿营""立委"们自然"恨得要死,怕得要命",非将之置于死地而后快。

对于是否扩展"公投"适用议题和减少"公投"提案、通过的限制是双方攻防的另一个重点。在"行政院"提出的修正草案中,提出了在"公投"适用事项上增加一项"领土变

更案之复决"的建议,以为未来可能进行的"台独公投"提供法源依据;建议将"公民投票案"的连署门槛大幅降低,由现法的5%调降至1.5%。台联党党团的修正草案也有同样的建议。而陈金德等"绿营""立委"所提的修正草案,更是要将连署门槛调降至1%。另外,"行政院版"还建议将现法中废弃连署者,原提案人于3年内不得就同一事项重行提出"公投案"的规定,予以删去。"绿营"此举不仅是希望将"统独"议题列入"公投",为未来可能进行的"台独公投"提供法源依据,而且希望通过降低限制"门槛",予以实现。

对于废止或限制第17条的手段,是双方攻防最为关键的一点。由"蓝营""立委"所提的3个提案,都主张删除或限制《公投法》的第17条条文,甚至有两个提案就是专攻删改第17条的。当然,3个"蓝版"侧重各有不同(其中国民党党团提案和李庆华等"立委"提案是主张"删除";蔡正元等"立委"提案则主张"限制",即在原文"总统"经"行政院会"决议,提出"防御性公投案"后,加上必须在10日内提交"立法院"追认后才能交付"公投"。如果"立法院"不同意,该事项就不能交付"公投"的限制条件),但立意却高度一致:"蔡正元版"的理由是:"防御性公投"条文的规定过于笼统,易产生为一党一己之私而举行公民投票,进而获得政治利益的流弊,必须有所限制。而国民党党团的理由则是,有鉴于《公投法》立法仓促,致于2004年"总统"选举期间,民进党当局曲解法例,以"公投绑大选"为影响选举之方法,造成台湾民主法治史上黑暗的一页,而胜选者之统治正当性亦备受质疑。为防止主政者食髓知味,故技重施,剥夺"立法院""修宪"职权,玩弄"新宪公投"或以"公投"绑"立委"、"总统"选举,破坏选举之公

正,戕害民主法治"宪政"秩序,必须予以删除。而"行政院版"、台联党党团版本以及陈金德等民进党"立委"所提草案,则极力主张保留"防御性公投"条文。

由此可见,"泛蓝"与"泛绿"的较量实际上就是对《公投法》实施的限制与反限制上。"泛蓝"侧重攻击"总统"在"防御性公投"上的权力,此举使民进党处于被动状态。由于国、亲两党在"立法院"占议席过半的优势,再加上得到"无盟"的支持,定能实现废止第17条之目的,使到陈水扁在2008年"立委"、"总统"选举时,无法发动"防御性公投"。在与"泛蓝阵营"协商未果的情况下,民进党只有"出尔反尔",在"立法院"内想方设法阻止"蓝版"草案在"立委"及"总统"选举前通过,使陈水扁仍能在其任内最后一次发动"防御性公投"。2007年11月16日,国亲两党在"立法院程序委员会"联手封杀民进党以及民进党籍、台联党籍"立委"所提的《公投法》修正草案,未将其排入"院会"议程。

6. "公投入联"的闹剧

台湾当局要把台湾从祖国分离出去,首先要在法理上宣布"台湾独立",完成"台独"的法理程序;然后,再通过各种方式打入只有主权国家才能加入的国际组织,以获得"台独"的法理效力;最后,在完成"台独"的法理程序基础之上,彻底从祖国分离出去。这是"台独"势力的"如意逻辑"。但台湾当局深知,在国际社会普遍认同"一个中国"原则的前提下,"台独"势力企图将台湾从祖国分离出去的第一个步骤,也就是通过法理程序宣布"台湾独立"的路子是根本走不通的。为突显台湾的"国家主体性",台湾当局积极筹划"以台湾名义加入联合国"议题,并将之进行"公投",即所谓的"入联公投"。积极推动"入联公投",有民进党不可告人的目的。

第一,台湾当局通过直接操作"台湾加入联合国"的方式,带有很大的投机性。台湾当局深知,在台湾现行的政治制度和政治框架下,按正常程序是根本无法实现"台独"的,于是,采取所谓"跨越"的做法,直接从法理上跨越宣布"台湾独立"这个步骤直接进到"公投"加入只有主权国家才能加入的联合国上,可以回避"台湾正式宣布独立"这个法理难题。另外,台湾当局也希望通过"入联"这个看似非"统独"议题的"公投"阻止大陆《反分裂国家法》的启动程序,争取在"法理台独"上占有主动和先机。

第二,台湾当局将"入联"与"公投"捆绑在一起,带有很大的冒险性。由于以台湾名义"入联"这个涉及主权的议题与体现公民民主权利的"公投"结合在一起,使得"公投"变得不仅敏感而且复杂。一旦得逞,"台独"势力就可以利用这种所谓"自下而上"发动的"公投"结果大做文章,企图以"台湾民意"要挟和胁迫包括联合国在内的国际性政府组织接受其加入申请,乘机拓展"台独"势力的国际活动空间,公开与"一个中国"原则相对抗。

第三,即使"入联公投"没有获得成功,但只要"入联公投"程序启动,就意味着"法理台独"已经完成。因为按正常逻辑,"统独公投"应是"入联公投"的前置程序,但如果"入联公投"付诸行动,即使不成功,今后也不必再举行敏感的"统独公投",只需再进行"入联公投"即可。台湾当局拼命打"入联公投"这张牌,用心险恶也在于此。

6月18日,陈水扁抛出"以台湾名义加入联合国"议题,企图透过连署提案,与2008年台湾"大选"一并举行所谓"以台湾名义申请加入联合国的公民投票"。陈水扁声称,"以台湾的名义,不涉及'国号'变更，也没有违背所谓'四不'承诺"。对此，民进党政策会首席副执行长张益赡称，民进党将"全力冲刺"拼连署，以尽速让"加入联合国"的"公投"成案。为实现这一目的，台湾当局动员"泛绿"势力，全面利用各种资源，规划在9月上旬为此举行大游行以达到"以台湾名义加入联合国公投"所需连署人数。

与此同时，陈水扁还于4月11日致函世界卫生组织（WHO）总干事陈冯富珍，提出"以台湾名义申请成为WHO会员国"。由于世界卫生组织是只有主权国家才能加入的联合国专门机构，台湾当局以"台湾"名义申请加入，完全不符合《世界卫生组织组织法》，陈冯富珍表示，将按世界卫生组织所确定的政策来处理与台湾有关的问题，坚持"一个中国"的原则。民进党当局的图谋破产。7月18日，民进党当局通过瑙鲁代交美国纽约联合国秘书处由陈水扁签署的《消除对妇女一切形式歧视公约》，被联合国秘书长潘基文具名退回，理由是"台湾是中华人民共和国的一部分"，不具有会员身份故不接受此公约。不死心的陈水扁再次向联合国秘书长潘基文和安理会当值主席、中国常驻联合国代表王光亚去函以"台湾"名义要求加入联合国，8月6日，再次被拒绝处理。不撞南墙不回头的民进党当局于2007年8月17日，唆使所罗门群岛、马拉维等15个"邦交国"第三次致函"联大"主席哈亚·拉希德·阿勒哈利法，要求将"台湾加入联合国"问题列入62届"联大"议程。这是台湾当局首次提出"以台湾名义加入联合国"的申请。9月11日信件被退回。哈亚·拉希德·阿勒哈利法回复称，"2758号决议"表明，中华人民共和国是中国的唯

一合法代表，故无法接受陈水扁函件的表述，且第61届"联大"无法采取任何行动。9月19日，负责"联大"议程等程序性事宜的联合国大会总务委员会举行首次正式会议，拒绝将所罗门群岛等极少数国家提交的所谓"台湾申请加入联合国"问题列入"联大"议程。这是自1993年以来，"联大"总务委员会连续第15次明确拒绝所谓"涉台提案"。不仅如此，台湾长期参与的联合国有害废弃物跨国运输规范"巴塞尔公约"会议，也首度以"台湾非联合国会员"为由拒绝了台湾代表团入场。理由是台湾的与会者在会场门口出示的是"台湾护照"，而台湾非联合国会员，会议拒绝承认包括"护照"在内的台湾授权文件。

明知申请加入联合国不可为之而为之的目的主要是试探国际社会各方对陈水扁当局以台湾名义加入只有主权国家才能加入的国际组织的反应，更重要的是以此集合岛内"台独"势力，近可谋取政治上的私利，远可实现"台独"的野心。9月15日下午，民进党发起的"入联公投"游行在高雄市登场，除李登辉外，民进党"天王"与台联党主席黄昆辉等"绿营"主要角色全员到齐。陈水扁、吕秀莲、谢长廷、苏贞昌、游锡堃走在游行队伍最前端。为吸引年轻人参加，绿营打出"神明牌"，请出济公、财神爷，并自创17米长的"入联符咒"。

为反对民进党的"入联公投"案，国民党提出"返联公投"案。8月28日，"公民投票审议委员会"表决通过国民党2008年"大选"副手参选人萧万长提出的"以务实、有弹性的策略重返联合国及加入其他国际组织"公投案。[①] 9月15日下午，国

---

① 该"公投案"第一阶段连署资料将送户政机关查对确认后，将展开第二阶段连署。按照台湾有关规定，若第二阶段连署在6个月内达到825359人以上，经户政机关查对无误，"公投案"成立。"中选会"于公投案公告成立后1—6个月内举行"公投"，并得与全台性选举同日举行。

民党在台中市也组织了包括国民党主席吴伯雄、国民党 2008 年正副参选人马英九、萧万长、台"立法院长"王金平在内的有 10 万人参加的"返联公投"游行。

对民进党操弄议题,危害台海和平的行为,大陆政府严词警告指出:民进党强推"入联公投",已经严重违背当今国际政治与法律所确立的"一个中国"原则,其狂妄行径的后果只会给广大台湾同胞与整个中华民族带来立即而严重的危险。两岸同胞应该团结起来,为了两岸的和平发展,为了两岸人民的福祉安危,为了中华民族的未来,坚决制止陈水扁当局的"台独"冒险。美国政府也一再表示,美国不支持危害两岸现状的"入联公投"。国际社会也从不同角度、采取不同方式表达对陈水扁搞的"入联公投"不支持或反对的态度。

3 月 22 日,陈水扁当局不顾海内外强烈反对而执意推动的所谓"入联公投"与"总统选举"同时举行。因投票人数未达总投票权人数的一半,投票率仅 35.8%,"入联公投"未获通过(台湾选举人数 17313854 人,领票 6201677 人,有效票 5881589 张,同意票 5529230 张);同时举办的由国民党所提出的"返联公投"也因投票率仅 35.7%,投票人数不足未获通过(领票 6187118 人,有效票 5686369 张,同意票 4962309 张)。

八

国民党再次"执政"

1. 刘兆玄"组阁",全面拼经济

马英九获得"大选"胜利后,为了尽快兑现岛内民众最为关心的"拼经济"政见,开始酝酿组织新"内阁"。他力排众议,大量选任行政经验丰富、财经背景强、形象清新的前国民党技术官僚和学者"入阁"。如出任"行政院长"的刘兆玄、"副院长"邱正雄、"经济部长"尹启铭、"财政部长"李述德等,通过由"资深老手与潜力新手"组成的"拼经济战斗内阁",缩短新执政团队的磨合期,尽快稳定岛内政治经济局势。

刘兆玄"内阁"一上任,就面临与生产、民众生活息息相关的成品油调价问题。近年来,国际原油价格上涨幅度加快,尤以 2007 年末为最,每桶原油由 80 美元迅速上升到 120 美元,导致成品油价格迅速攀升,台湾成品油售价也在 2008 年的上半年面临着巨大的上涨压力。但民进党当局从政治上考虑,要求台"中油"在 5 月 20 日政权移交前"冻结"油价,石油公司的损失由纳税人承担。国民党上台后,面对巨大的财政压力,不得不宣布 6 月 2 日实施油价调涨计划,后因担心民众囤积油品,威胁公共安全,临时宣布自 5 月 28 日零时起调涨汽柴油价格,涨幅分别在每公升 3.9 元至 4.4 元新台币之间。此后,台湾当局又实行油价浮动机制,多次提升油价。油价上涨对台湾的运输、物流等行业冲击巨大,对民众生活也带来负面影响,岛内民众将成品油上调的怨气撒向新"内阁"。

6 月底,美国次贷危机引发的国际金融危机逐渐显现,台湾"中央银行"大幅调高存款准备金率,紧缩市场资金,多重因素导致岛内股市资金不足,股市受到严重冲击,一个多月的时间里暴跌 1800 多点,跌幅达 18.8%,市场价值损失 4.48 万亿元新台币。物价上涨、股市暴跌,"马上好"变成了"马上涨"、"马上亏",台湾当局不得不陆续出台系列抢救股市的措施。9 月 8 日,台"经管局"出台 5 大"救市"措施,多方动员资金积极投入台湾股市。9 月 11

日，"金管局"再次推出证券交易税减半措施，为期半年。9月25日，台"中央银行"宣布降息半码，将再贴现率由原来的3.625%调降至3.5%，担保放款融通利率及短期融通利率降至3.875%及5.75%。10月1日，"金管会"宣布即日起至10月14日，暂时全面禁止上市股票借券卖出，以及放空交易。10月12日，"金管局"又宣布3项稳定股市措施：一是从10月13日至17日止，台北股市跌幅限制由现行的7%缩小为3.5%，涨幅限制维持在7%；二是全面禁止借券及融券放空措施，由2008年10月14日延至同年12月31日；三是协调股市稳定基金进场运作，护盘期限为1个月；同时"财政部"将协调4大基金、各公股银行进行必要投资，以拉抬股市。10月15日，台"国家金融安定基金管理委员会"作出决议：自10月18日起至11月17日止，视需要继续运用该基金进场，以稳定股市。尽管如此，2008年台湾股市由年初的8491点跌至年终的4591点，跌幅近半，股民损失惨重。

经济的不景气，也带来了消费的萎靡。消费的萎靡，又进一步增加了经济复苏的困难。为刺激民间消费，11月15日，台湾当局决定首次采取发放消费券刺激消费计划。具体做法是：举债600亿元新台币，于2009年春节前发给民众有特定目的、时间限制的消费券，凡家庭年均所得在120万元新台币以下者均可享受此消费券，消费券使用范围锁定在民生必需品上，不可兑现现金，只能以购物方式消费。此举，使台湾600余万户家庭受惠，对经济有一定的刺激作用。

发放消费券的好处是暂时的，效果也是有限的。2008年台湾各项经济指标普遍恶化，马英九当局出台了多项刺激经济的措施也未能遏止经济衰退的势头。失业率高居不下，民众收入减少，生活品质下降，社会矛盾急剧增加，必须制定出一个长远的发展规划才能较为彻底地解决问题。

台湾当局决定将解决台湾经济困难的重心放在扩大内需、振兴经济之上。2009年2月1日，面对春节后即将出现的新一波失业潮的巨大压力，刘兆玄召开财经部门负责人紧急会议商讨对策，制订"振兴经济新方案"。12日，台"行政院"通过"振兴经济扩大公共建设投资计划"和预算案。该计划时间跨度为2009—2012年，预算5000亿元新台币，主要包括完善便捷交通网、建构安全及防灾环境、提升文化及生活环境品质、强化台湾竞争力的基础设施、改善离岛交通设施、培养优质研发能力与协助安定就学与就业。其中在完善便捷交通网方面的预算占27.7%，提升文化及生活环境品质占25.4%，在培养优质研发能力与协助安定就学与就业上，可以减少因经济困难而休学的学生2560人，提供就业岗位6.9万个，训练进修4.22万人。

然而，由于陈水扁执政时期留下的烂摊子以及岛内经济结构性问题并非一朝一夕可以解决，特别是下半年国际金融风暴的影响，经济和民生问题层出不穷，在新的内外复杂的形势和压力下，以学者为主且多是"老臣回朝"的刘兆玄"内阁"，上台伊始就出现政策制定粗糙、危机处理缓慢、与基层民意脱节等一系列问题备受争议。如提早宣布油价解冻引发囤油恐慌、"内阁"成员"绿卡"风波、扩大内需方案粗糙引发争议、勘灾工作迟缓等，对急欲追求政绩的马英九造成重大冲击，民众对马英九执政满意度和信任度双双下滑。据台湾《远见》杂志在2009年3月9日所作的民调显示，民众对马英九的执政满意度只有28.6%,不满意度高达58.3%;信任度为45%,不信任度为40%。

2.恢复两会会谈,缓和两岸关系

国民党重新执政后,将两岸关系作为施政的重要支撑点,"法理台独"被有效遏制,两岸关系走出"高危期"。由于大陆坚持推动对台政策的新思维,马英九当局推行理性开放的大陆政策,两岸和平发展不断取得新的进展。

马英九坚持"九二共识",推动务实灵活的大陆政策,是台湾当局走出两岸关系"死胡同"的关键。民进党上台8年,以"台独"为施政指针,大搞"正名"、"去中国化"等"渐进式台独"活动,极力推动"制宪"、"公投"等"法理台独",两岸关系进入空前紧张的"高危期"。马英九上台后,强调坚持"九二共识",并提出"两岸同属一个中国"、"两岸人民同属中华民族",两岸是"一国两区",而"非国与国的关系",等于抛弃了李登辉的"两国论"和陈水扁的"一边一国论"的"台独"分裂路线。

不仅如此,马英九当局还对陈水扁时期的"去中国化"的施政进行了修正,制定出灵活务实的两岸政策,主要表现在:一是提高教科书的文言文比例,改"通用拼音"为"汉语拼音",恢复"中华邮政"名称,亲自出席祭孔和遥拜黄帝陵典礼,强调"弘扬中华文化"。二是在对大陆的称呼上面,要求"驻外机构"在"公文"中以"中国大陆"或"大陆"称之,取代过去的"中华人民共和国"。在外宾访台的用语上,则使用"访问中华民国"或"访华"。三是主张采取灵活、弹性的"活路外交",力争通过两岸协商实现"外交休兵"。四是采取"守势"军事战略,降低军事演习的频率和强度,延缓发展远程攻击性武器等。

在两岸执政高层和人民的共同努力下,两岸关系在不同领域均取得了重大进展。

一是两岸党际交流和高层互动出现新的高潮。国民党取得"大选"胜利后,大陆抓住了两岸关系难得的机遇,积极为两岸恢复协商创造有利的氛围。2008年4月—5月间,胡锦涛总书记先后会见了以台湾"两岸共同市场基金会"董事长身份来大陆出席博鳌论坛的台"副总统"当选人萧万长、国民党荣誉主席连战、国民党主席吴伯雄。8月,胡锦涛又邀请连战、吴伯雄和亲民党主席宋楚瑜等"泛蓝"高层参加在北京举行的奥运会开幕式。在11月举行的APEC峰会期间,卸任的台湾"副总统"连战顺利出席峰会并与胡锦涛在国际场合举行"胡连会"。中国共产党与台湾"泛蓝"高层互动的密度、交流的领域和接触的方式均出现了历史性的突破,有利于营造两岸良性互动的氛围。

二是两会的协商得以恢复,并呈现出向制度化、常态化方向发展的态势。由于马英九坚持由两会承担两岸公共事务商谈的重任,两会的复谈在马英九执政之时就摆到了重要的议事日程上来。6月11日至13日,新任海基会董事长江丙坤率代表团到北京,与新任海协会会长陈云林举行第一次"陈江会谈",两岸授权民间团体海协会和海基会共同签署了包括《海峡两岸包机会谈纪要》和《海峡两岸关于大陆居民赴台旅游协议》。第一次"陈江会谈"的举行,标志着两会中断近十年的协商谈判得以重启。11月3日至7日,海协会会长赴台与海基会董事长江丙坤举行第二次"陈江会谈",共同签署了空运、海运、邮政、食品安全等4项协议。这是1949年以来大陆授权最高层级的谈判代表赴台,标志着两岸制度性协商管道正式建立,两岸关系进入协商谈判、和解共生、良性互动的新时期。2009年4月25日至29日,海基会董事长江丙坤率代表团到南京,与海协会会长陈云林举行第三次"陈江会谈",双方就两岸空中定期航班、两岸金融合作、两岸共同打击犯罪及司法互助等议题进行了商谈,就大陆资本赴台投资事宜交换意见。会上,双方签署了 3 项重要协议及达成 1 项历史性的原则共识。

三是两岸全面双向直接"三通"迈出了历史性步伐。首次"陈江会谈"达成两岸周末包机直航协议,为以直航为核心的"三通"进程奠定了基础,两岸包机从原来的节日包机演变成周末包机。第二次"陈江会谈"签署的空运、海运、邮政等 4 项重要协议,不仅实现了两岸平日包机直航、航线"截弯取直",还实现了两岸海运直航和直接通邮,标志着两岸民众期盼了近三十年之久的直接三通基本实现。第三次"陈江会谈"上,双方签署了 3 项重要协议及达成 1 项历史性的原则共识,随着这些协议和共识的签署、达成及落实,海峡两岸在隔绝 60 年及 2008 年 12 月 15 日基本实现直接"三通"后,将全面实现直接"三通"——直接通邮、直接通航、直接通商。

四是两岸经贸、文化、人员交流日益深化。尽管从 2008 年下半年开始,国际金融危机横扫全球,但在大陆惠台政策及马英九开放大陆政策等因素的刺激下,两岸经贸交流和人员往来仍取得重大进展。在经贸领域,2008 年 1 月至 11 月,两岸贸易总额仍达到 1223.1 亿美元,同比增长 8.4%。大陆批准台商投资项目 2092 个,实际利用台资金额 17.1 亿美元,同比增长 3.5%。这些增幅尽管与历史最好水平相比有较大的回落,但在金融危机全球化之时仍取得如此成绩实属不易。在文化领域,双方的交流与合作日益密切。如 2008 年 8 月 5 日,台"新闻局"宣布开放大陆广告赴台;10 月 21 日,台"教育部"公布放宽

大陆学生赴台研修方案,大陆学生赴台学习期限由原来的 4 个月延长为 1 年;12 月 24 日,台"新闻局"宣布开放大陆歌手、剧组演员赴台表演,拍摄。据文化部不完全统计,2008 年上半年,两岸文化交流项目共 249 项、2164 人次。两岸人员的往来也随着"三通"的实现有了巨大的增长,特别是 2008 年 7 月 3 日,大陆居民可以赴台旅游,两岸人员交往不对等的局面开始打破,大陆赴台旅游人员的数量从 2009 年开始逐渐攀升,突破马英九当局设置的每天赴台旅游人数限制,并呈现出持续升温的态势。两岸人员的正常交往,有助于增进两岸人民相互之间的了解,加深他们之间的感情。

3. 调整、理顺党政关系,强化党政合作

为区别于陈水扁当局的党政一体,马英九上台后,曾一再强调"党政分离","未来不会兼任党主席。党政协调方面将授权萧万长处理",并刻意排斥党务系统参与政务决策,努力将自己打造成"全民总统"。

然而,马英九这种做法在台湾根本行不通。马英九当选台湾地区领导人,并非马英九一人或马英九团队的功劳,也与整个国民党鼎力支持有关。马英九上台后,党务系统不仅不能从中分到资源,而且还得为其施政背书,已引得党内不快,再加上马英九在进行决策之前,并未广泛征求意见,不与党中央联系,之后也不与"立法院"党团沟通。早在任命有"深绿"背景、与李登辉关系密切的赖幸媛出任"陆委会"主委时,就因此引发过党务系统的强烈不满。党内高层表示,赖幸媛游走于"蓝""绿"两边,其政治地位摇摆不定,根本无法建立两岸互信。党籍"立委"对此更是强烈反弹,只是因"内阁"成员安排权

归"总统","立院"无法置喙而作罢。6月19日至20日，台"总统府"公布第11届"考试院"及第4届"监察院"提名名单，出生"绿营"的张俊彦、沈富雄分别被提名为"考试院"院长和"监察院"副院长，再次引发部分"蓝营""立委"的不满，不少"立委"提出开放投票，甚至声称要"封杀几个"，党中央采取听之任之的态度。另外，由于亲民党推荐的3席"监委"全部落空，引发了亲民党较大的反对。结果，马当局部分施政如"扩大内需案"遭党籍"立委"掣肘，"监察院"、"考试院"个别提名人选被封杀（包括自动退出的张俊彦、沈富雄以及有争议事件的许炳进、陈耀昌、尤美女等人）。

国民党在"立法院"占绝对优势的情况下，马英九提名的人选中竟有5人"中箭下马"，表明"府"、"院"、"党"关系极不协调，矛盾日益激烈，也表明马英九的领导权威遭到空前的挑战。民进党通过分化、瓦解国民党的策略，有可能发挥较大的制衡作用。因此，党政关系的不顺使马英九当局在各种预算、独立机关人事同意权、两岸协议审查等议题上，不仅遭到民进党的强力反对，也会遇到国民党内实力派政治要价的压力，一旦无法摆平各方利益，必将遭到来自"蓝"、"绿"双方的夹击。

为缓解党内压力，马英九不得不逐步强化与党中央和"立委"的沟通联系。他表示，"未来只要有重大决策，愿第一时间通知党籍'立委'"，并有意在"总统府办公室"增聘专职人员负责与国民党高层的联系。在马英九态度软化下，7月11日，马英九提名的"考试院"副院长伍锦霖和19名"考试委员"在"立法院"同意权投票中顺利过关，一度被动摇的威信得以巩固。

7月26日，国民党举行第17届第4任中常委选举，"立院"系统积极参与，19名党籍"立委"登记参选并全部当选，占总席次的58%，而"部会"和地方行政首长竟无人参加选举。由此可见，新组成的国民党中常会根本无法体现国民党执政后的权力结构。7月29日，"行政院"秘书长薛香川出席国民党中央的"中山会报"，意在弥补党务运作独缺"行政院"代表的不足。马英九在与吴伯雄协商后，主动提出"部会"首长就重大政策赴中常会报告应常态化，并拟在10月份召开的临时"全代会"上提出"政务官列席中常会"的党章修正案，以增加党务系统在政策制定中的分量。这表明，马英九非常期望未来的中常会能成为党政协调平台，真正实现"以党辅政"。

8月初，国民党内传出"党章研修小组"计划在党章中增订"国民党籍总统当选人不经选举得兼任党主席"的条款，保证马英九不必通过选举而出任党主席。马英九团队的人认为马若兼任党主席，将有助于行政、立法的充分合作，政策执行顺利。由于考虑到党内各方实力派以及基层反对声浪较大，且党政协调逐步走上正轨，吴伯雄也表示对马英九施政的支持，马英九转而采取低调的方式处理兼任党主席的事宜，未让其充分"发酵"。

在11月22日召开重新执政后的首次"临全会"上，国民党大幅调整中央权力机构，增设由"立委"与县市长组成的5位副主席（即："立委"蒋孝严、国民党秘书长吴敦义、"立法院"副院长曾永权、桃园县长朱立伦、嘉义市长黄敏惠），增设5名政务官为指定中常委（即："行政院"秘书长薛香川、"内政部长"廖了以、"经济部长"尹启铭、"财政部长"李述德、"交通部长"毛治国）。表面看来，此举有助于进一步强化和改进党政协调机制，使党政合作逐渐从困境中摆脱出来。但不可否认的是，这次党内高层大幅度人事调整，"马团队"并没有拿到太多的权力，增补的 5 位副主席中，没有一位来自于"中央行政机构"。

随着 2009 年县市长选举的临近，马英九兼任国民党主席的必要性再次凸显出来。对这场关系到地方的人脉和政治布局的选举，着手 2012 年竞选连任的马英九自然不愿放弃主导权。而如果能成为国民党主席，不仅能掌握国民党县市长候选人提名权，而且能控制国民党区域"立委"的命门，有效地协调"府"、"院"、"党"之间以及"中央"和地方的关系。另外，按国民党党章的规定，2009 年 8 月国民党主席吴伯雄任期届满，5 月将开始选举新任党主席。对马英九来说，这是正常接任党主席的一个难得的时机。否则，一旦吴伯雄不再续选党主席，掌握党内实力的王金平或亲王人士就有可能出任党主席，党政协调的难度无疑将加大。

2009 年 4 月上旬，马英九就是否出任国民党主席进行试探，再次引起党内分歧和矛盾，反对声浪不减。这些反对者中，既有"立院"党籍"立委"，也有党务系统中不属于"马团队"的人员，还有一些被马英九指责有"案底"的县市长提名人，他们担心马英九若回任党主席，不仅使党内人事再次出现大洗牌、大换血，还将使党的资源进一步归于"马团队"。因此，当马英九在接受中天电视台专访时，首次就自己一旦兼任党主席，应有助于施政顺利推动的正式表态一出，立即引发国民党"党政运作不顺畅"、"立法院不受控制"，马英九要兼任党主席导致权力冲突的种种传闻。而媒体同时报道江丙坤让出海基会董事长一职，由吴伯雄接任的讯息也令吴伯雄和江丙坤相互非常不快。

为避免党内两大势力提前摊牌，将政治盟友变成政治对手，给民进党钻空子，4

月 10 日，马英九、国民党主席吴伯雄、"行政院长"刘兆玄、"立法院长"王金平以打破惯例的方式齐聚国民党中央召开记者会，展现"府"、"院"、"党"三方力量团结的形象，期望化解马英九兼任党主席的风波。在会上，马英九表示，"近期党政方面的合作可以说非常的良好"，"唯有这样，才能完全执政、完全负责、真正落实，早点恢复景气"。吴伯雄则强调，党中央将依照马英九的指示，强化党政平台，全力支持马英九兑现政见，也支持行政团队能够有所作为，同时也会协调"立法院"党团全力配合。这段时间运作平顺，彼此协调也很顺利，若还有进步的空间还会做更大的努力。

然而，党政合作是否如两大"魁首"所言平顺，马英九是否放弃兼任党主席？4月 14 日，马英九与吴伯雄一起举行记者会，强调二人在 2008 年中秋节时就党主席选举一事已达成共识，在 2009 年 6 月前不谈这个问题，具体情况到 6 月再说明。在会上，马英九再次肯定党政合作有进步，并否认有马系"立委"存在。

由此可见，在如何处理党政关系问题上，短短的 100 天里，马英九就从原来的"党政分离"到"党政协调"到最后接受"以党辅政"，并极有可能食言再次兼任党主席，回到民进党时期陈水扁不得不兼任党主席的老路上去。这表明，在台湾政坛"蓝"、"绿"严重对立的情况下，任何所谓"超然总统"总是枉然。

4. 进退失据的民进党

民进党接二连三的失败，党内弥漫着失败和怨天尤人的情绪，处于四分五裂的状态。4 月 7 日，民进党召开中执会，决定将党主席选举提前到 5 月 8 日举行。5 月14 日，民进党开始办理党主席选举登记，民进党中常委蔡同荣、前"总统府资政"辜宽敏及前"行政院"副院长蔡英文分别登记参选。5月18日,在民进党举行的党主席选举中,蔡英文以73828票、57.14%的得票率当选党主席。5月21日,蔡英文正式接任民进党主席。

蔡英文是在民进党深陷危机时以"救火队长"的角色当选党主席的,党内诸多人士对其抱有很大的希望,希望她能凭借"冷静、中立、厚道"的行事风格,协调党内矛盾,凝聚党内共识,改善党的形象,真正落实"贴近民意、重塑清廉、强化组织、理性问政"的政策,带领民进党尽快走出低谷。

蔡英文就任党主席之初,抓住马英九执政不佳的有利时机,高举"理性、中道"大旗,主张暂时搁置"法理台独",在强调"台湾主权独立"的前提下不反对两岸交往,仅从技术层面上质疑马英九团队的两岸政策"开放太快"、"仓促成行",以显现其朝"稳健台独"路线调整的意图。但由于此时的民进党已被党内"台独"基本教义派绑架,加之害怕因此失去"深绿"群众的支持,担心民进党解体的蔡英文不敢全面检讨民进党的政策路线,反而主动迎合党内"反中呛马"的气氛,向"台独"基本教义派靠拢。她多次宣示"台湾前途决议文是民进党的政策底线",反对取消"台独"党纲,拒绝承认"九二共识",大肆抨击马英九的两岸政策伤害"台湾主权",极力反对"三通"、"包机直航"、"陆客赴台",并主导民进党重回街头路线,扬言"会在街头时时见面"、"重回抗争年代"。为此,蔡英文和民进党将2009年定位为"社会运动年",表示将从2009年3月起与民间社团合作重回街头,展开一连串的社会运动,掀起抗争高潮。

党的团结因蔡英文政治权威不高而流于形式。蔡英文虽以73828票、57.14%

的得票率打败党内"老前辈"蔡同荣和辜宽敏当选为民进党主席,但因自身的缺陷以及民进党的特质使其难以融入民进党,党内的地位并不巩固。一方面,蔡英文学者出身,缺乏民进党的"草莽气息"及进行"在野"抗争的经验和魄力;另一方面,民进党内派系林立、根深蒂固,蔡英文在党内党龄较短、辈分较低、资历较浅,且未过多涉及党务,在党内缺乏强有力派系的支持,加之陈水扁和"四大天王"们并不甘心退出政坛,时刻在通过代理人干预党内事务。在2008年7月20日民进党"全代会"进行的中执委、中常委和中评委选举中,扁、游、苏、谢等人虽未参选,但都推出了代理人进行权力"卡位",选举结果使各派系掌控中常委,民进党重回"派系共治、集体决策"的传统模式。

在这种模式的牵制下,势力单薄的蔡英文无论通过何种方式树立自己的权威、塑造民进党新共主形象的努力都以失败而告终。扁家弊案爆发后,党内已出现与陈水扁切割的呼声,蔡英文在是否与扁切割的问题上优柔寡断、左右摇摆,使外界产生民进党被陈水扁绑架,与贪腐划不清界限之感;陈云林访台期间,蔡英文在缺乏经验和掌控全局的情况下,支持民进党及支持者采取街头暴力抗争的手段,导致局面失控、民怨沸腾,自己落得个"暴力小英"的恶名,民意支持率迅速下降;在县市长选举布局上,蔡英文支持党中央推出"谢(长廷)系""立委"李俊毅作为民进党在台南县的候选人,引发与陈水扁关系密切的陈唐山强烈不满。陈唐山表示"派系不可以这么嚣张",自己"绝对参选到底",使党内派系斗争正式台面化。

2009年年底的县市长"三合一"选举是关系到民进党生死存亡及蔡英文政治生命的关键一战,为能获胜,民进党不惜任何代价,蔡英文也孤注一掷。2009 年 4 月 13 日,有鲜明派系背景且可能涉及弊案的前"新潮流系""大老"吴乃仁正式出任民进党秘书长。

吴乃仁是前民进党内最重要的派系之一"新潮流系"的新任总召,有丰富的选战经验和强大的募款能力,曾在 2000 年和 2004 年"总统"选举、2001 年"立委"选举时成为民进党核心操盘手之一。他的出马,有利于整合民进党内"蔡(英文)、苏(贞昌)、新(潮流)、谢(长廷)"几大派系的力量,抗拒陈水扁及"独派"力量的要挟。但吴乃仁为人阴险、诡计多端、手段毒辣,民进党内其他派系对其心存恐惧,担心"新潮流系"因此控制党中央。特别是吴乃仁是陈水扁 8 年贪腐共犯结构的核心成员之一,本身涉及"股市秃鹰案"、军购"鑲震案"等多项贪腐弊案,岛内民众对其普遍感觉不佳。因此,吴乃仁就任民进党秘书长,无疑使民进党面临更多的政治风险。

5. 收押陈水扁

2006 年就被揭露的"公务机要费"因陈水扁担任台湾地区领导人的"特权"而被暂时搁置,直至 2008 年 5 月台湾政权交接的当天,台"特侦组"才将陈水扁列为"公务机要费案"被告,进行侦办,并将其列入"出境通知"中。但由于陈水扁将其所涉案件的有关文件和材料核定为机密,案件侦破工作进展不大,直到 2008 年 8 月 6 日,以"揭弊"为己任的马英九当局宣布注销陈水扁所涉案件有关文件的"机密"核定,才使案件得以继续侦办。

此时的陈水扁早已利用充裕的时间做好了各种应对准备。然而,"多行不义"的陈水扁家族所面临的一场巨大的风暴不可避免地到来了。8 月 13 日,《壹周刊》杂志爆料称:陈水扁、吴淑珍夫妇利用儿媳黄睿靓及黄家人账户,将新台币 3 亿元汇至美国,涉嫌洗钱罪。14 日,国民党籍"立委"洪秀柱召开记者会,公布黄睿靓在瑞士美林银行开设的两个账户,流动金额约 9 亿元新台币,质疑陈水扁家族通过黄睿靓海外账户及岛外成立的公司进行洗钱,并出示瑞士联邦检察署下令冻结其账户、请求台湾提供刑事案件司法协助的公文。消息一出,舆论大哗。

其实,国际反洗钱组织艾格盟早在 2006 年 12 月 5 日和 2007 年 12 月 11 日就曾致函台湾有关部门调查陈水扁、陈致中、黄睿靓和黄父黄百禄等 4 人,但迟至 2008 年 1 月,台湾有关部门才回函该组织,轻描淡写地表示,"这四人中,只有陈水扁因国务机要费案,有案在身,其他人没有",并希望艾格蒙再提供有关账户的进一步资讯。艾格蒙组织的洗钱防制机制随即启动,除立即在 1 月 18 日回复台"调查局",黄在瑞士日内瓦美林银行开立银户金额高达 2100 万美金,涉嫌洗钱,并同步将黄的账户冻结,扁家海外密账案自此引爆。

就在案件被揭露的当天,陈水扁公开承认未如实申报 4 次选举(从台北市长到"总统"选举)中竞选经费,并将"选举结余款"汇往海外。8 月 15 日,陈水扁、吴淑珍因海外洗钱案宣布退出民进党。

陈水扁夫妇的做法,无疑是想实现"断尾求生"的功效。一方面他只承认是将"选举结余款"汇往海外,但是自己"事先并不知情",将责任推到身患残障的吴淑珍身上,避免司法的审判。另一方面,借助女儿陈幸妤之口,将选举款的使用与党内其他参加各种竞选的同仁联系在一起,形成陈水扁的事"大家应该一起承担,不能由陈水扁一个家族负责"的局面。

陈水扁低估了问题的严重性。随着

陈水扁海外密账事件越闹越大,民众强烈要求追查资金来源及流向。从8月16日开始,台"最高检察署"特侦组开始搜查相关证据,发现陈水扁海外存款与其所说的"选举结余款"有相当大的落差,遂一路深挖,一批弊案和涉案人员逐渐浮出水面,贪腐数量之大,涉案人员之多,案情之复杂,震撼台湾社会。从9月开始,台"最高检察署"特侦组对陈水扁、吴淑珍所涉的"公务机要费案"、"海外洗钱案"、"南港展览馆工程受贿案"、"竹科龙潭土地案"等弊案加大搜证力度,先后收押陈水扁及前"调查局长"叶盛茂、前"总统府"副秘书长马永成、前"国安会"秘书长邱义仁、前"内政部长"余政宪等人,并通过国际司法互助、重要企业界污点证人自白逐步掌握了陈水扁涉案的关键证据。12月13日,特侦组以贪污、洗钱、伪造文书及收受贿赂等罪名正式起诉陈水扁、吴淑珍、陈致中、黄睿靓等14名涉案人员,案件进入司法审理程序。

2009年1月19日,台北"地院"就陈水扁所涉龙潭购地弊案和南港展览馆弊案召开准备程序庭,传讯陈水扁、前"竹科管理局"局长李界木、居中牵线的蔡铭哲、前"力麒建设"负责人郭铨庆等人。20日,台北"地院"审理"国务机要费案",传讯前"总统府"副秘书长马永成、扁办前主任林德训等人。21日,吴淑珍好友蔡美利、吴胞兄吴景茂及陈致中夫妇出庭应讯。

在庭上,案件的相关被告纷纷认罪,并力图与陈水扁切割。李界木、蔡铭哲两人当庭认罪,坦承受贿并行贿吴淑珍。马永成、前"内政部长"余政宪、郭铨庆等人也相继承认涉案。马永成将"国务机要费"违规使用的责任推给陈水扁和扁家出纳陈镇慧,认为自己纯属"奉命行事",报账由陈镇慧负责,个人"未贪污分文";林

德训则表示自己"听扁命行事"。陈水扁的儿子陈致中、儿媳黄睿靓在法庭上也表示认罪,并主动供出母亲吴淑珍藏放友人处价值6亿元新台币的现金和珠宝,以表达认罪协商的意愿。

2月10日,陈水扁家族所涉弊案再度开庭,陈水扁妻子吴淑珍在请假17次、时隔787天后再度出庭。在庭上,吴淑珍表示"部分认罪",并提出3点陈述:"公务机要费"部分,承认拿他人发票核销,伪造文书,但不承认贪污,钱也都交给了陈水扁"因公使用",她的角色很简单,就是"收集发票";龙潭购地案部分,承认收取"台泥"董事长辜成允新台币2亿元款项,但非佣金或汇款,而是政治献金,金额也与起诉书上是3亿元新台币有出入,希望法官查明;南港展览馆案部分,承认收取220万美金,但并非起诉书上的270万美金;洗钱案部分,承认将龙潭购地案和南港展览馆案所收的钱款汇到岛外,但不包括"公务机要费"。

面对犯罪事证日趋明确,陈水扁困兽犹斗,极力将法律问题政治化、扩大化、脱罪化、拖延化。一是将案件扭曲为国民党的"政治迫害",将自己塑造成"为台独牺牲的理想者",激化"蓝""绿"对抗,煽动"仇中"情绪,鼓动"深绿"群众和"急独"团体,形成强大的社会舆论来对抗司法。二是利用其执政8年构筑起的庞大贪腐共犯结构继续挟持民进党,并通过他在党内控制要职的嫡系,千方百计地阻止党内要求与其切割的势力增长,以实现其利用民进党对付国民党的政治目的。三是将企业家们一起拉下水,以此威慑有可能曝光其家族贪腐的其他企业界重要人员。2月18日,吴淑珍向"特侦组"递交的陈报状中供出20个超级金主,涵盖金融、科技、地产、百货及媒体等多个领域,总金额超过新台

币12亿元。一时间，台湾企业界人人自危、风声鹤唳，企业家们纷纷慎言以对。四是将责任推给吴淑珍，吴淑珍又采取选择性认罪，并将责任推给部属，让陈水扁尤其是陈致中、黄睿靓脱身。五是东拉西扯，时时报料，答非所问，胡搅蛮缠，就是为了拖延时间，让案件长期停留在程序审理阶段，无法进入实质审理，以寻找脱困的时机。

陈水扁家族贪腐案件的被曝光，大批官员被起诉，使民进党的形象大损，也使民进党改革的步伐迟滞。一直以陈水扁为"精神支柱"和"精神领袖"的民进党陷入了"挺扁"和"切割"的两难困境。相较而言，陈水扁家族弊案的曝光，也给国民党喘息的机会，有助于减少施政不彰所带来的政治压力。由于陈水扁家族弊案对台湾政局乃至两岸关系有重要的影响，且事态还在进一步扩大，未来如何发展值得关注。

附　录

党、政、军、民主党派、人民团体、
各级组织沿革和领导成员名录

一

中　央
（十六大以后）

中国共产党

中国共产党第十六届中央委员会

（2002 年 11 月—2007 年 10 月）

中国共产党第十六次全国代表大会

（2002 年 11 月 14 日在北京召开）

中央委员（共 198 名，按姓氏笔画为序）

习近平　马　凯　马启智（回族）　　马晓天

王　刚　王　晨　王云龙　王云坤　王太华

王乐泉　王兆国　王众孚　王旭东　王岐山

王沪宁　王金山　王建民　王胜俊　王鸿举

乌云其木格（女，蒙古族）　邓昌友　石云生

石秀诗　石宗源（回族）　卢展工　田成平

田聪明　白立忱（回族）　　白志健　白克明

白恩培　司马义·艾买提（维吾尔族）

列　确（藏族）

吕福源（2004 年 5 月 18 日因病逝世）

回良玉（回族）　朱　启　乔清晨　华建敏

多吉才让（藏族）　刘　京　刘　淇　刘云山

刘书田　刘冬冬　刘永治　刘延东（女）

刘华秋　刘志军　刘振华　刘镇武　许永跃

许其亮　孙志强　孙家正　牟新生　苏　荣

杜青林　李长江　李长春

李至伦(2007年4月28日因病逝世)

李兆焯(壮族)　李安东　李克强　李金华

李建国　李荣融　李栋恒　李贵鲜　李铁林

李继耐　李乾元　李盛霖　李肇星

李德洙(朝鲜族)　李毅中　杨元元

杨正午(土家族)　杨怀庆　杨德清　肖　扬

吴　仪(女)　吴双战　吴邦国　吴官正

何　勇　汪光焘　汪恕诚　汪啸风　沈滨义

宋法棠　宋照肃

宋德福(2007年9月13日病逝)

迟万春　张云川　张中伟　张文台　张文康

张玉台　张左己　张立昌　张庆伟　张庆黎

张学忠　张春贤　张俊九　张高丽　张维庆

张福森　张德江　张德邻　陆　浩

阿不来提·阿不都热西提(维吾尔族)

陈云林　陈至立(女)　陈传阔　陈建国

陈奎元　陈炳德　陈福今　罗　干　罗清泉

季允石　金人庆　周　强　周小川　周永康

周声涛　周遇奇　郑万通　郑斯林　孟学农

孟建柱　项怀诚　赵可铭　赵乐际　赵启正

胡锦涛　钮茂生(满族)　俞正声　闻世震

姜福堂　洪　虎　贺国强　袁伟民

热　地(藏族)　贾庆林　贾治邦　贾春旺

柴松岳　钱运录　钱国梁　钱树根　徐才厚

徐匡迪　徐有芳　徐光春　徐荣凯　徐冠华

高祀仁　郭伯雄　郭金龙　唐天标　唐家璇

黄　菊(2007年6月2日因病逝世)

黄华华　黄晴宜(女)　黄智权　黄镇东

曹刚川　曹伯纯　常万全　符廷贵　阎海旺

梁光烈　隋明太　葛振峰　韩　正　储　波

曾庆红　曾培炎　温宗仁　温家宝　蒲海清

蒙进喜　雷鸣球　虞云耀　路甬祥　解振华

靖志远　廖　晖　廖锡龙　滕文生　薄熙来

戴秉国(土家族)　戴相龙　魏礼群

候补中央委员(158名,按得票多少为序排列,得票相同的,按姓氏笔画为序排列)

郑立中　王　君　朱之鑫　全哲洙(朝鲜族)

杨利民　张华祝　黄　瑶(布依族)

彭祖意(瑶族)　翟虎渠　王　侠(女)

支树平　刘泽民　刘德旺　杨　晶(蒙古族)

宋秀岩(女)　张宝顺　胡永柱　姜大明

高中兴　郭庚茂　黄选平(回族)

符桂花(女,黎族)　管国忠(傣族)

石玉珍(女,苗族)　白春礼(满族)

向巴平措(藏族)　刘奇葆　孙淑义　杜宇新

李景田(满族)　杨永茂　吴玉谦　张孝忠

陈希明(女)　林明月(女)　林树森

罗正富(彝族)　岳福洪　胡　彪　袁纯清

梁保华　温熙森　白景富　乔传秀(女)

刘石泉　李　克(壮族)　李春城　杨永良

张　平　张行湘　陈训秋　罗保铭　周生贤

袁守芳　聂卫国　栗战书　徐守盛　马之庚

王明方　仁青加(藏族)　龙新民

司马义·铁力瓦尔地(维吾尔族)　朱发忠

刘　鹏　孙　淦　李长印　吴启迪(女)

吴新雄　宋爱荣(女)　范长龙

岳喜翠(女)　黄兴国　曹建明

谢企华(女)　裴怀亮　刘云耕　孙忠同

李成玉(回族)　沈跃跃(女)　张文岳

欧广源　欧泽高(藏族)　夏宝龙　息中朝

蒋文兰(女)　谢旭人　薛延忠　王　谦

叶小文　朱成友　李纪恒　吴爱英(女)

吴铨叙　闫维方　姜异康　王三运　刘　玠

吴定富　张　黎　竺延风　奚国华　郭声琨

丁一平　刘明康　陈绍基　周同战　卫留成

李源潮　尚福林　姜建清　潘云鹤　马富才

王正福(苗族)　朱文泉　孙春兰(女)

林左鸣　王家瑞　吕祖善　刘玉浦　刘粤军

李鸿忠　杨洁篪　秦光荣　陶建幸　王明权

石大华　史莲喜(女)　黄洁夫　舒晓琴(女)

苏新添　张　轩(女)　杜德印　殷一璀(女)

汪　洋　铁　凝(女)　邱学强　张瑞敏

李志坚　吉炳轩

张定发(2006年12月14日逝世)

强　卫　熊光楷　令计划　散襄军　许志功

陈　元　邓朴方　苏树林　黄丽满(女)

王洛林　由喜贵

十六届一中全会

(2002年11月15日在北京举行)

中央政治局委员(按姓氏笔画为序)

王乐泉　王兆国　回良玉(回族)　刘　淇

刘云山　李长春　吴　仪(女)　　吴邦国

吴官正　张立昌　张德江　陈良宇　罗　干

周永康　胡锦涛　俞正声　贺国强　贾庆林

郭伯雄　黄　菊　曹刚川　曾庆红　曾培炎

温家宝

中央政治局候补委员

王　刚

中央政治局常务委员会委员

胡锦涛　吴邦国　温家宝　贾庆林　曾庆红

黄　菊　吴官正　李长春　罗　干

中央委员会总书记

胡锦涛

中央书记处书记

曾庆红　刘云山　周永康　贺国强　王　刚

徐才厚　何　勇

中央军事委员会

主　席　江泽民

副主席　胡锦涛　郭伯雄　曹刚川

委　员　徐才厚　梁光烈　廖锡龙　李继耐

中央纪律检查委员会

书　记　吴官正

副书记

何　勇　夏赞忠　李至伦　张树田　刘锡荣

张惠新　刘峰岩

常务委员会委员(按姓氏笔画为序)

干以胜　马　馼(女)　　马志鹏

王振川　刘峰岩　刘家义　刘锡荣　李至伦

吴官正　吴毓萍(女)　　何　勇　沈德咏

张树田　张惠新　赵洪祝　夏赞忠　黄树贤

解厚铨

十六届四中全会

(2004 年 9 月 19 日在北京召开)

任命:

中共中央军事委员会主席　胡锦涛

中共中央军事委员会副主席　徐才厚

增补:

中共中央军事委员会委员

陈炳德　乔清晨　张定发　靖志远

递补:

中央委员会委员

艾斯海提·克里木拜(哈萨克族)　王正伟

撤销:

中央委员会委员　田凤山

十六届七中全会

(2007 年 10 月 12 日在北京召开)

递补:

中央委员会委员

朱祖良　杜学芳　杨传堂　邱衍汉

中国共产党第十七届中央委员会

(2007 年 10 月—　　)

中国共产党第十七次全国代表大会

(2007 年 10 月 21 日在北京召开)

中央委员(204 名,按姓氏笔画为序)

于幼军(2008 年 10 月中共十七届三中全会
撤职)

卫留成　习近平　马　馼(女)　　马　凯

马晓天　王　刚　王　君　王　珉　王　晨

王　毅　王万宾　王太华　王正伟(回族)

王东明　王乐泉　王兆国　王旭东　王岐山

王沪宁　王国生　王金山　王胜俊　王家瑞

王鸿举　王喜斌

乌云其木格(女,蒙古族)　　尹蔚民

邓　楠(女)　　邓昌友

艾斯海提·克里木拜(哈萨克族)

石宗源(回族)　　卢展工　田成平　田修思

白立忱(回族)　　白志健　白恩培　白景富

令计划　司马义·铁力瓦尔地(维吾尔族)

吉炳轩　列　确(藏族)　　吕祖善

回良玉(回族)　　朱之鑫　朱维群　华建敏

向巴平措(藏族)　　刘　京　刘　淇

刘　鹏　刘　源　刘云山　刘冬冬　刘永治

刘成军　刘延东(女)　　刘志军　刘奇葆

刘明康　刘晓江　刘家义　许其亮　孙大发

孙忠同　孙春兰(女)　　孙政才　孙晓群

苏　荣　杜青林　李　斌(女)　　李长才

李长江　李长春　李从军　李世明

李希　李买富　杨刚　杨松

李成玉(回族)　李兆焯(壮族)　李克强

余远辉(瑶族)　余欣荣　张成寅　张国清

李学举　李学勇　李建国　李荣融

张裔炯　陈存根　陈敏尔

李海峰(女)　李继耐　李盛霖

努尔•白克力(维吾尔族)　林军　骆惠宁

李景田(满族)　李源潮　李毅中

黄康生(布依族)　魏凤和　于革胜　王伟光

杨晶(蒙古族)　杨元元　杨传堂

艾虎生　朱发忠　刘学普(土家族)

杨衍银(女)　杨洁篪　杨崇汇

刘振来(回族)　孙金龙　苏士亮　李长印

肖捷　吴双战　吴邦国　吴胜利

岳福洪　金振吉(朝鲜族)　秦银河　徐一天

吴爱英(女)　吴新雄　何勇　汪洋

薛延忠　王宪魁　巴音朝鲁(蒙古族)

沈跃跃(女)　宋秀岩(女)　迟万春

叶冬松　史莲喜(女)　刘晓凯(苗族)

张平　张阳　张又侠　张云川　张文岳

吴定富　张耕　张基尧　陈宝生　苗圩

张玉台　张左己　张庆伟　张庆黎　张宝顺

林明月(女)　赵爱明(女)　胡泽君(女)

张春贤　张高丽　张海阳　张德江

胡振民　咸辉(女,回族)　袁家军　息中朝

陆兵(壮族)　陆浩

徐乐江　徐粉林　黄兴国

阿不来提•阿不都热西提(维吾尔族)

谌贻琴(女,白族)　王玉普　王国生(江苏)

陈雷　陈至立(女)　陈国令　陈建国

尤权　李金城　肖钢　肖亚庆　何立峰

陈奎元　陈炳德　范长龙　林树森　尚福林

张仕波　张晓刚　金壮龙　胡晓炼(女)

罗保铭　罗清泉　周济　周强　周小川

白春礼(满族)　多吉(藏族)　刘伟

周生贤　周永康　周伯华　房峰辉　孟学农

刘伟平　刘粤军　江泽林　李克(壮族)

孟建柱　赵乐际　赵克石　赵洪祝　胡春华

李安东　冷溶　陈润儿　鹿心社　谢和平

胡锦涛　柳斌杰　俞正声　姜大明　姜伟新

王儒林　石大华　叶小文　吉林　苏树林

姜异康　贺国强　秦光荣　袁纯清　耿惠昌

李康(女,壮族)　李崇禧　杨利伟　杨焕宁

聂卫国　贾庆林　贾治邦　钱运录　徐才厚

张轩(女)　陈政高　武吉海(苗族)

徐光春　徐守盛　徐绍史　高强　郭伯雄

项俊波　舒晓琴(女)　詹文龙　潘云鹤

郭金龙　郭庚茂　黄小晶　黄华华

刀林荫(女,傣族)　王荣　汤涛　李纪恒

黄晴宜(女)　黄献中　曹建明　盛光祖

宋爱荣(女)　张杰　陈左宁(女)　竺延风

常万全　符廷贵　康日新　章沁生　梁光烈

骆琳　铁凝(女)　褚益民　蔡英挺

梁保华　彭小枫　彭清华　葛振峰　董贵山

邢元敏　李鸿忠　陈川平　梅克保　曹清

蒋巨峰　韩正　韩长赋　喻林祥　储波

焦焕成　雷春美(女,畲族)　翟虎渠

童世平　温家宝　谢旭人　强卫　路甬祥

丁一平　闫维方　郭树清　王侠(女)

靖志远　蔡武　廖晖　廖锡龙　薄熙来

陈元　陈德铭　姜建清　郭声琨　董万才

戴秉国(土家族)　戴相龙　魏礼群

蔡振华　王明方　沈素(女)　张岱梨(女)

候补中央委员(167名,按得票多少为序排列)

陈全国　乌兰(女,蒙古族)　付志方

王新宪(2008年10月中共十七届三中全会
递补为中央委员)

夏宝龙　王安顺　吴显国　张瑞敏　赵勇

焉荣竹　王学军　王建平　刘石泉　杜宇新

栗战书　车俊　蒋洁敏　王晓初　刘玉浦

符跃兰(女,黎族)　马飚(壮族)

王三运　殷一璀(女)　楼继伟　刘振亚

王光亚　旦科(藏族)　朱小丹

贾廷安

全哲洙(朝鲜族)　李玉妹(女)　张连珍(女)

林左鸣　罗正富(彝族)　罗志军　郑立中

赵宪庚　袁荣祥　黄建国　申维辰　任亚平

刘慧(女,回族)　刘振起　孙建国

十七届一中全会

（2007 年 10 月 22 日在北京举行）

中央政治局委员（按姓氏笔画为序）

习近平　王　刚　王乐泉　王兆国　王岐山
回良玉（回族）　刘　淇　刘云山
刘延东（女）　李长春　李克强　李源潮
吴邦国　汪　洋　张高丽　张德江　周永康
胡锦涛　俞正声　贺国强　贾庆林　徐才厚
郭伯雄　温家宝　薄熙来

中央政治局常务委员会委员

胡锦涛　吴邦国　温家宝　贾庆林　李长春
习近平　李克强　贺国强　周永康

中央委员会总书记　胡锦涛

中央书记处书记

习近平　刘云山　李源潮　何　勇　令计划
王沪宁

中央军事委员

主　席　胡锦涛

副主席　郭伯雄　徐才厚

委　员

梁光烈　陈炳德　李继耐　廖锡龙　常万全
靖志远　吴胜利　许其亮

中央纪律检查委员会

书　记　贺国强

副书记

何　勇　张惠新　马　馼（女）　孙忠同
干以胜　张　毅　黄树贤　李玉赋

常务委员会委员（按姓氏笔画为序）

干以胜　马　馼（女）　王　伟　令狐安
孙忠同　杜学芳（女）　李玉赋　吴玉良
吴毓萍（女）　邱学强　何　勇　张　军
张　毅　张纪南　张惠新　屈万祥　贺国强
黄树贤　蔡继华

十七届三中全会

（2008 年 10 月 9 日在北京举行）

递补中央委员会委员　王新宪

撤销中央委员会委员　于幼军

中共中央直属机关

中央办公厅

主　任　令计划（兼）（2007 年 9 月任）

中央组织部

部　长　李源潮（兼）（2007 年 10 月任）

中央宣传部

部　长　刘云山（兼）

中央统战部

部　长　杜青林（2007 年 12 月任）

中央对外联络部

部　长　王家瑞

中央政法委员会

书　记　周永康（兼）

中央政策研究室

主　任　王沪宁（兼）

＊中央台湾工作办公室
（国务院台湾事务办公室）

主　任　王　毅（2008 年任）

＊中央对外宣传办公室
（国务院新闻办公室）

主　任　王　晨(2008年4月任)

中央外事办公室

主　任　戴秉国

中央机构编制委员会办公室

主　任　王东明

中央社会治安综合治理委员会

主　任　周永康(兼)

中央精神文明建设指导委员会

主　任　李长春(兼)

中央文明委办公室

主　任　雒树刚(兼)

中央党校

校　长　习近平(兼)(2007年12月任)

《人民日报》社

社　长　张研农

《求是》杂志社

社　长　李宝善

中央文献研究室

主　任　冷　溶(2007年12月任)

中央党史研究室

主　任　李景田

中央编译局

局　长　韦建桦

中央直属机关工作委员会

书　记　王　刚(兼)

中央国家机关工作委员会

书　记　华建敏

＊中央档案馆(国家档案局)

馆　长(局长)　杨冬权

＊中央保密委员会办公室(国家保密局)

主　任(局长)　夏　勇

＊中央密码工作领导小组办公室(国家密码管理局)

主　任(局长)　张彦珍

中央警卫局

局　长　由喜贵

(＊中共中央台湾工作办公室与国务院台湾事务办公室、中共中央对外宣传办公室与国务院新闻办公室,一个机构两块牌子,列入中共中央直属机构序列。中央档案馆与国家档案局;中央保密委员会办公室与国家保密局;中央密码工作领导小组办公室与国家密码管理局;均为一个机构两块牌子,列入中共中央直属机关的下属机构。)

全国人民代表大会

第十届全国人民代表大会常务委员会
（2003 年 3 月—2008 年 3 月）

第十届全国人大第一次会议
（2003 年 3 月 15 日）

委员长 吴邦国

副委员长
王兆国 李铁映
司马义·艾买提（维吾尔族）
何鲁丽 丁石孙 成思危 许嘉璐 蒋正华
顾秀莲 热 地 盛华仁 路甬祥
乌云其木格（女,蒙古族） 韩启德 傅铁山

秘书长 盛华仁（兼）

委 员（160 人,按姓名笔画排列）
刀美兰（女,傣族）万学文 王云龙 王太岚
王以铭（回族） 王东江 王立平（满族）
王宁生 王永炎 王佐书 王怀远 王宋大
王茂林 王茂润 王英凡 王学萍（黎族）
王祖训 王 涛（女） 王梦奎 王梅祥
王维城 韦家能（壮族）
扎汗·俄马尔（哈萨克族）
尤 仁（蒙古族）毛如柏 乌日图（蒙古族）
方 新（女） 厉无畏 石广生
卢邦正（彝族） 卢瑞华 叶如棠
田玉科（女,土家族）
丛 斌 冯之浚（回族） 邢世忠
邢 军（女） 吉佩定 朱丽兰（女）
朱相远 乔晓阳 伍增荣（女） 任克礼
任茂东 华福周（女） 多吉才让（藏族）
庄公惠 刘大响 刘应明 刘明祖 刘 珩
刘振伟 刘积斌 刘鹤章 汤洪高
许志琴（女） 许智宏 孙 英
孙金龙 孙晓群
买买提明·阿不都热依木（维吾尔族）
严义埙 杜宜瑾 杜铁环 李元正 李从军
李连宁 李明豫（女） 李春亭 李树文
李重庵 李新良 李慎明 杨长槐（侗族）
杨兴富 杨国庆 杨国梁 杨柏龄 杨景宇

吴基传 吴德馨（女） 何晔晖（女） 何椿霖
谷建芬（女） 冷 溶 沈辛荪 沈春耀
张龙俊（朝鲜族）张志坚 张 肖（女）
张佑才 张学东 张美兰（女,哈尼族）
张耕（2003 年 10 月辞去全国人大常委会委员职务）
张继禹 张毓茂 陈士能 陈佳贵 陈宜瑜
陈建生 陈难先 陈章良 奉恒高（瑶族）
武连元（回族） 林文漪（女） 林兆枢
林 强 图道多吉（藏族） 金炳华 金 烈
周玉清 周正庆 周坤仁 庞丽娟（女）
郑功成 郑 荃 赵 地（女） 胡光宝
胡贤生（苗族） 胡康生 胡德平 南振中
柳 斌 信春鹰（女） 侯义斌 姜恩柱
姜 颖（女） 祝铭山 姚湘成 贺一诚
贺 铿 袁汉民 袁行霈 袁 驷 贾志杰
夏赞忠 倪岳峰 徐永清 徐志纯
高 洪（白族） 郭凤莲（女） 郭树言
陶伯钧 陶驷驹 桑国卫
黄康生（布依族,2007 年 6 月辞去第十届全国人大常委会委员职务）
隗福临（满族） 蒋树声 蒋祝平 程贻举
傅志寰 舒惠国 童 傅 曾宪梓
谢佑卿 路 明
嘉木样·洛桑久美·图丹却吉尼玛（藏族）
戴证良 魏复盛

第十届全国人大第四次会议
（2005 年 3 月 13 日）

全国人大常委会委员
宋照肃 陈秀榕 闻世震

第十届全国人大各专门委员会

民族委员会

主任委员 多吉才让
副主任委员
武连元（回族） 陈士能 隗福临（满族）
尤 仁（蒙古族） 韦家能（壮族）

买买提明·阿不都热依木(维吾尔族)

王立平(满族)

委　员(按姓氏笔画排列)

刀美兰(女,傣族)　马昌裔(回族)

王学萍(黎族)　扎汗·俄马尔(哈萨克族)

卢邦正(彝族)　田玉科(女,土家族)

司马义·哈提甫(维吾尔族)　孙　英

牟绪珩(土家族)　李庆云　杨长槐(侗族)

张美兰(女,哈尼族)　奉恒高(瑶族)

金　华(女,朝鲜族)　胡贤生(苗族)

高　洪(白族)

黄康生(布依族,2007 年 6 月辞职)

赫冀成(满族)

法律委员会

主任委员　杨景宇

副主任委员

王茂林　胡光宝　周坤仁　胡康生　乔晓阳

蒋黔贵(女)　王以铭(回族)　李重庵

洪　虎(2005 年 2 月任命)

委　员(按姓氏笔画排列)

王天玺(彝族)　王伟光　王　坚　王利明

李连宁　李国光　冷　溶

沈春耀(2004 年 10 月任命)　　张春生

周玉清　郑成思　信春鹰(女)

姜　颖(女)　　徐显明　黄信生　曹惠臣

内务司法委员会

主任委员　何椿霖

副主任委员

陶驷驹　张志坚　张丁华　祝铭山　李新良

刘　珩

嘉木样·洛桑久美·图丹却吉尼玛(藏族)

刘振华(2005 年 2 月任命)

黄镇东(2005 年 12 月任命)

张学忠(2006 年 12 月任命)

任茂东(2008 年 2 月任命)

委　员(按姓氏笔画排列)

刘　飏(女)　刘鹤章　孙金龙　孙晓群

任茂东(2004 年 10 月任命)　李明豫(女)

李慎明　杨兴富　何晔晖(女)　应松年

张　耕(2003 年 10 月辞,调高检任副检察长)

郑功成　赵　地(女)　　赵锡君　胡德平

袁行霈　夏赞忠　陶伯钧　窦树华

财政经济委员会

主任委员　傅志寰

副主任委员

石广生　周正庆　王梦奎　刘积斌　贾志杰

郭树言　史玉孝(2005 年 2 月 12 日逝世)

张佑才　杜宜瑾　严义埙

闻世震(2005 年 2 月任命)

杨正午(2005 年 12 月任命)

石秀诗(2006 年 6 月任命)

韩寓群(2007 年 6 月任命)

委　员(按姓氏笔画排列)

于友民　王文泽　王佐书　乌日图(蒙古族)

刘纪原　刘　政　刘　洪　李主其　杨晓堂

沈春耀(2004 年 10 月免)　张　肖(女)

张学东　陆百甫　陈佳贵　林兆木　段柄仁

侯义斌　贺　铿　程法光　谢伯阳　谭乃达

谭冬生　翟熙贵

教育科学文化卫生委员会

主任委员　朱丽兰

副主任委员

吴基传　蒋祝平　邢世忠　陈难先　刘应明

桑国卫　宋法棠(2005 年 12 月任命)

徐荣凯(2006 年 10 月任命)

白克明(2007 年 8 月任命)

委　员(按姓氏笔画排列)

于　宁　王永炎　方　新(女)　冯长根

朱相远　许　江　许智宏

任茂东(2004 年 10 月免)

李从军　李宏规　李树文　杨牧之

吴德馨(女)　张继禹　陆善镇

陈达植　陈建生

陈章良　陈秀榕(女,2005 年 2 月任命)
林文漪(女)　金炳华　周成奎　周鸿兴
庞丽娟(女)　郑　荃　赵化勇　柳　斌
高运甲　黄学禄

外事委员会

主任委员　姜恩柱
副主任委员
南振中　杨国梁　吕聪敏　王英凡　吉佩定
马文普　童　傅
委　员(按姓氏笔画排列)
王东江　王良旺　王祖训　刘大响　李元正
李国华(女)　杨柏龄　杨慧珠(女)
沈辛荪　高之国

华侨委员会

主任委员　陈光毅
副主任委员
卢瑞华　林兆枢　张帼英(女)　杜铁环
杨国庆　王建双　王宋大
委　员(按姓氏笔画排列)
王珋章　田书根　冯玉兰(女)　朱士明
刘山在　邱苏伦(女)　谷建芬(女)　冷　宽
罗益锋　周　松　黄次胜　赖爱光

环境与资源保护委员会

主任委员　毛如柏
副主任委员
叶如棠　朱育理　徐永清　冯之浚(回族)
钱　易(女)　宋照肃
张文台(2005 年 12 月任命)
曹伯纯(2006 年 6 月任命)
黄智权(2006 年 10 月任命)
倪岳峰(2008 年 2 月任命)
委　员(按姓氏笔画排列)
王茂润　王　涛(女)　王梅祥　王维城
吕　志　刘海荣(女)　刘　镇　许志琴(女)
许健民　李定凡　杨庚宇　何少苓(女)

陈宜瑜　周友良　胡世祥　姜云宝　姜悦楷
袁　驷　倪岳峰　阎三忠　蒋承菘　魏复盛

农业与农村委员会

主任委员　刘明祖
副主任委员
舒惠国　李春亭　万宝瑞　路　明
王云龙(2005 年 12 月任命)
唐天标(2005 年 12 月任命)
张中伟(2007 年 2 月任命)
马启智(2007 年 4 月任命)
委　员(按姓氏笔画排列)
王太岚　王如珍(女)　任正隆
华福周(女,2003 年 8 月辞职)
刘振伟　李　华　李梅芳(女)　李登海
杨新人　张百良　张进宝　陈吉元
图道多吉(藏族)　单荣范　桑逢文
彭振坤(土家族,2007 年 12 月 29 日委员职
务终止)
韩新民　景学勤　程贻举

第十一届全国人民代表大会常务委员会
(2008 年 3 月—　)

第十一届全国人大第一次会议
(2008 年 3 月 15 日)

委员长　吴邦国
副委员长
王兆国　路甬祥　乌云其木格(女,蒙古族)
韩启德　华建敏　陈至立(女)　周铁农
李建国　司马义·铁力瓦尔地(维吾尔族)
蒋树声　陈昌智　严隽琪(女)　桑国卫
秘书长　李建国(兼)
副秘书长
王万宾　乔晓阳　张少琴　曹卫洲　王庆喜
李连宁　何晔晖(女)　孙　伟
韩晓武(2008 年 12 月任命)
委　员(161 人,按姓氏笔画排列)
丁仲礼　马启智(回族)　马福海(回族)

王万宾　王云龙　王云坤　王宁生　王佐书
王陇德　王建民　乌日图(蒙古族)
方　新(女)　　尹成杰　邓秀新　石秀诗
石泰峰　龙　刚(苗族)　田玉科(女,土家族)
白克明　白景富　丛　斌　冯长根
达列力汗·马米汗(哈萨克族)　列　确(藏族)
吕　薇(女)　　朱文泉　朱永新　朱启
乔传秀(女)　　乔晓阳　任茂东　庄　先
刘振伟　刘锡荣　刘新成　刘德培
齐续春(满族)　汤小泉(女)　　许永跃
许志琴(女)　　许振超　许智宏　孙文盛
孙安民　牟新生　严以新　李东生　李传卿
李连宁　李建华　李适时　李重庵　李祖沛
李乾元　李慎明　李肇星　杨正午(土家族)
杨永良　杨邦杰　杨　岳　杨贵新(女,侗族)
杨德清　吴启迪(女)　　吴晓灵(女)
何晔晖(女)　　余振贵(回族)
邹　萍(女,彝族)　　汪光焘
汪纪戎(女)　　汪恕诚　汪毅夫　沈春耀
宋法棠　张少琴　张中伟　张兴凯　张学忠
张柏林　张美兰(女,哈尼族)　　张继禹
陆　兵(壮族)
阿不都热依木·阿米提(维吾尔族)
陈玉杰(女)　　陈伟兰(女)
陈秀榕(女)　　陈希明(女)　　陈述涛(满族)
陈佳贵　陈宜瑜　陈骏　陈斯喜　姒健敏
范徐丽泰(女)　　林　强　卓新平(土家族)
金炳华　金硕仁(朝鲜族)　　周玉清　周本顺
周声涛　庞丽娟(女)　　郑功成　郑申侠
郑　荃　郎　胜　赵可铭　赵胜轩　郝如玉
郝益东　胡彦林　胡振鹏　胡康生　南振中
查培新　哈斯巴根(蒙古族)　　信春鹰(女)
侯义斌　侯建国　姜兴长　姜福堂　姚建年
贺一诚　贺　旻(女)　　贺　铿　袁　驷
索丽生　倪岳峰　徐荣凯　徐显明　高祀仁
高　洪(白族)　郭凤莲(女)　　郭　雷
唐天标　唐世礼(女,布依族)　　黄丽满(女)
黄跃金　黄智权　黄镇东　黄燕明　曹伯纯
龚学平　符桂花(女,黎族)　　梁国扬
隋明太　彭祖意(瑶族)　　蒋庄德　韩寓群
辜胜阻　程贻举　程津培　温孚江　谢克昌
蒲海清　雷鸣球　虞云耀

嘉木样·洛桑久美·图丹却吉尼玛(藏族)
蔡　昉　裴怀亮　管国芳(女,傣族)
朱志刚(2008年10月辞去全国人大常委会委员职务,其在全国人大常委会的职务相应终止)

第十一届全国人大各专门委员会

民族委员会

主任委员　马启智(回族)
副主任委员
列　确(藏族)　周声涛　陆　兵(壮族)
阿不都热依木·阿米提(维吾尔族)
雷鸣球　牟本理
嘉木样·洛桑久美·图丹却吉尼玛(藏族)
哈斯巴根(蒙古族)
委　员(按姓氏笔画排列)
龙　刚(苗族)　田玉科(女,土家族)
达列力汗·马米汗(哈萨克族)
杨贵新(女,侗族)　余振贵(回族)
邹　萍(女,彝族)　张美兰(女,哈尼族)
卓新平(土家族)　金硕仁(朝鲜族)
高　洪(白族)　唐世礼(女,布依族)
雪克来提·扎克尔(维吾尔族)
符桂花(女,黎族)　彭祖意(瑶族)
粟戎生(侗族)　赫冀成(满族)
管国芳(女,傣族)　谭永华

法律委员会

主任委员　胡康生
副主任委员
张柏林　刘锡荣　洪　虎　乔晓阳　李适时
李重庵　孙安民
委　员(按姓氏笔画排列)
王利明　石泰峰　李　飞　李连宁　吴晓华
沈春耀　范方平　周玉清　周光权　胡彦林
信春鹰(女)　莫文秀(女)　　徐显明
章百家　梁慧星

内务司法委员会

主任委员 黄镇东
副主任委员

张学忠 许永跃 刘振华 白景富 隋明太
姜兴长 汪毅夫 辜胜阻
陈斯喜(2008 年 12 月任命)

委 员(按姓氏笔画排列)

王澜明 朱 启 朱曙光 乔传秀(女)
李建华 李惠东(回族) 李慎明
何晔晖(女) 陈秀榕(女) 周本顺
郑功成
郎 胜 赵锡君 楚鸿彦 鲍绍坤 褚 平
戴玉忠

财政经济委员会

主任委员 石秀诗
副主任委员

闻世震 汪恕诚 牟新生 韩寓群 赵可铭
吴晓灵(女) 贺 铿 乌日图(蒙古族)
郝如玉 尹中卿(2008 年 12 月任命)
高 强(2009 年 2 月任命)
朱志刚(2008 年 10 月辞去全国人大财经委
员会副主任委员职务)

委 员(按姓氏笔画排列)

马之庚 王明权 冯淑萍(女) 吕 薇(女)
朱继民 刘自强 汤小泉(女) 芮清凯
李 卫 李本公 杨 岳 何晓卫 陈佳贵
陈 耕 周坚卫 胡 浩 侯义斌 崔俊慧
屠海令 谢经荣

教科文卫委员会

主任委员 白克明
副主任委员

宋法棠 徐荣凯 李志坚 金炳华 李树文
唐天标 王佐书 程津培 任茂东

委 员(按姓氏笔画排列)

丁仲礼 马 力(女) 马德秀(女)
王文荣 王陇德 方 新(女) 冯长根

朱文泉 朱永新 刘长瑜(女) 刘新成
刘德培 许 江 许智宏 严以新 李东生
李 牧 吴启迪(女) 吴忠泽 沈 岩
张诗明 庞丽娟(女) 郑 荃 姚建年
秦绍德 谢维和

外事委员会

主任委员 李肇星
副主任委员

郑斯林 南振中 卢钟鹤 姜福堂 马文普
查培新 齐续春(满族) 郭 雷

委 员(按姓名笔画排列)

江亦曼(女) 李义虎 杨慧珠(女)
张富生 金 矛 姜吉初 徐根初 高之国
曹卫洲 裴怀亮

华侨委员会

主任委员 高祀仁
副主任委员

虞云耀 陈玉杰(女) 黄丽满(女) 杨德清
李祖沛 梁国扬 杨邦杰
于均波(2008 年 4 月任命)

委 员(按姓氏笔画排列)

王守初(女) 王建民 王珣章 申 丹(女)
李 玉 李昭玲(女) 李欲晞 张 瑞
陈伟兰(女) 陈希滔 黄跃金 黄燕明

环境与资源保护委员会

主任委员 汪光焘
副主任委员

曹伯纯 蒲海清 李传卿 黄智权 张文台
陈希明(女) 汪纪戎(女) 倪岳峰 袁 驷

委 员(按姓氏笔画排列)

马福海(回族) 包瑞玲(女,蒙古族)
许志琴(女) 许健民 苏书岩 杨庚宇
何少苓(女) 汪超群 张兴凯 张洪飚
陈宜瑜 周 原 郑申侠 孟 伟 赵志祥
顾逸东 崔雷平 蒋庄德

农业与农村委员会

主任委员　王云龙

副主任委员

王云坤　孙文盛　张中伟　李乾元　尹成杰
索丽生　房凤友(2008 年 4 月任命)
刘振伟(2008 年 12 月任命)

委　员(按姓氏笔画排列)

马昌裔(回族)　王明义　乌兰巴特尔(蒙古族)
包克辛　任正隆　华福周(女)　　庄　先
刘振伟　孙其信　李登海　李殿仁　张晓山
苟天林　梁　衡　程贻举　蔡　昉

中华人民共和国政府

中华人民共和国
主席、副主席

2003 年 3 月—2008 年 3 月
(第十届全国人大期间)

主　席　胡锦涛

副主席　曾庆红
(2003 年 3 月 15 日第十届全国人大第一次
会议选出)

中华人民共和国最高人民法院

2003 年 3 月—2008 年 3 月
(第十届全国人大期间)

院　长
肖　扬(2003 年 3 月第十届全国人民代表大
会第一次会议选举)

副院长
李国光　曹建明　姜兴长　沈德咏　万鄂湘
张　军　黄松有　江必新　苏泽林　奚晓明
熊选国

中华人民共和国最高人民检察院

2003 年 3 月—2008 年 3 月
(第十届全国人大期间)

检察长
贾春旺(2003 年 3 月—2008 年 3 月)

中华人民共和国国务院

2003 年 3 月—2008 年 3 月
(第十届全国人大期间)

总　理
温家宝(2003 年 3 月第十届全国人民代表大会
第一次会议根据胡锦涛主席的提名通过任命)

副总理
黄　菊　吴　仪(女)　曾培炎　回良玉
(2003 年 3 月第十届全国人民代表大会第一
次会议决定任命)

国务委员
周永康　曹刚川　唐家璇　华建敏
陈至立(女)
(2003 年 3 月第十届全国人民代表大会第一
次会议决定任命)

秘书长
华建敏(兼)(2003 年 3 月第十届全国人民代
表大会第一次会议决定任命)

外交部

部　长
李肇星(2003 年 3 月—2007 年)
杨洁篪(2007 年—　　)

副部长
杨洁篪(2005 年—2007 年)
戴秉国(2003 年 3 月—2008 年 3 月)
张业遂(2003 年—2008 年 9 月)
武大伟(2004 年—　　)
周文重(2003 年—2005 年)

王　毅(2001 年—2004 年)

刘古昌(2002 年—2003 年)

吕新华(2003 年—2006 年)

国防部

部　长

曹刚川(2003 年—2008 年 3 月)

国家发展和改革委员会

主　任

马　凯(2003 年 3 月—2008 年 3 月)

副主任

张国宝(2003 年—　)

解振华(2006 年 12 月—　)

朱之鑫(2003 年 3 月—　)

王金祥(2005 年 8 月—2008 年 10 月)

张　茅(2006 年 6 月—2009 年 2 月)

张晓强(2003 年 11 月—　)

杜　鹰(2005 年 8 月—　)

毕井泉(2006 年 2 月—2008 年 4 月)

穆　虹(2007 年 12 月—　)

教育部

部　长

周　济(2003 年—　)

副部长

袁贵仁(2001 年—　)

陈小娅(女)(2004 年—　)

李卫红(女)(2005 年 11 月—　)

张保庆(1998 年—2005 年 11 月)

章新胜(2001 年 4 月—2009 年 4 月)

赵沁平(2001 年 4 月—2009 年 4 月)

吴启迪(2003 年 6 月—2008 年 4 月)

科学技术部

部　长

徐冠华(2001 年 2 月—2007 年 4 月)

万　钢(2007 年 4 月—　)

副部长

李学勇(1998 年 4 月—　)

刘燕华(2001 年 11 月—　)

曹建林(2006 年 9 月—　)

程津培(2000 年 4 月—2008 年 4 月)

尚　勇(2004 年 12 月—2008 年 8 月)

国防科学技术工业委员会

主　任

张云川(2003 年 3 月—2007 年 8 月)

副主任

张庆伟(2007 年 8 月—2008 年 3 月)

(2008 年 3 月撤销)

国家民族事务委员会

主　任

李德洙(朝鲜族)(1998 年 3 月—2008 年 3 月)

副主任

杨健强(白族)(2003 年 5 月—　)

吴仕民(2003 年 5 月—　)

杨传堂(2006 年 5 月—　)

丹珠昂奔(藏族)(2006 年 3 月—　)

周明甫　牟本理(1999 年—2008 年 3 月)

国家公安部

部　长

周永康(2002 年—2007 年 10 月)

孟建柱(2007 年 10 月—　)

副部长

刘　京(2001 年 1 月—　)

刘金国(2005 年 3 月—　)

孟宏伟(2004 年 4 月—　)

张新枫(2005 年 3 月—　)

刘　德(2005 年 3 月—　)

杨焕宁(2001 年 1 月—2005 年 1 月)

国家安全部

部 长

许永跃（1998 年 3 月—2007 年 8 月）

耿惠昌（2007 年 8 月—　）

监察部

部 长

李至伦（2003 年 3 月—2007 年 8 月）

马 馼（女）（2007 年 8 月—　）

副部长

黄树贤（2001 年 2 月—2007 年 12 月）

李玉赋（2003 年 1 月—2007 年 12 月）

陈昌智（1998 年—2007 年 12 月）

屈万祥（2003 年 12 月—　）

王 伟（2007 年 12 月—　）

姚增科（2007 年 9 月—　）

郝明金（2007 年 12 月—　）

民政部

部 长

李学举（2003 年 3 月—　）

副部长

李立国（2003 年 12 月—　）

罗平飞（2001 年 5 月—　）

姜 力（女）（2001 年 5 月—　）

窦玉沛（2006 年 1 月—　）

司法部

部 长

张福森（2000 年 12 月—2005 年 7 月）

吴爱英（女）（2005 年 7 月 1 日—　）

副部长

吴爱英（女）（2003 年 11 月—2005 年 5 月）

范方平（1999 年 2 月—2006 年 4 月）

段正坤（1998 年 9 月—2006 年 4 月）

陈训秋（2006 年 4 月—　）

张苏军（2005 年 9 月—　）

郝赤勇（2006 年 4 月—　）

赵大程（2006 年 4 月—　）

财政部

部 长

金人庆（2003 年 3 月—2007 年 8 月）

谢旭人（2007 年 8 月—　）

副部长

廖晓军（2002 年 7 月—　）

李 勇（2003 年 9 月—　）

王 军（2005 年 10 月—　）

张少春（2006 年 12 月—　）

人事部

部 长

张柏林（2003 年 3 月—2007 年 8 月）

尹蔚民（2007 年 8 月—2008 年 3 月）

副部长

尹蔚民（2000 年 11 月—2007 年 8 月）

季允石（2006 年 9 月—2008 年 3 月）

李智勇（2007 年 8 月—2008 年 3 月）

杨士秋（2007 年 5 月—2008 年 3 月）

王晓初（2003 年 3 月—2008 年 3 月）

何 宪（2005 年 3 月—2008 年 3 月）

（2008 年 3 月撤销）

劳动和社会保障部

部 长

郑斯林（2003 年 3 月—2005 年 7 月）

田成平（2005 年 7 月—2008 年 3 月）

副部长

孙宝树（2007 年 2 月—2008 年 3 月）

杨志明（2008 年 1 月—2008 年 3 月）

张小建（2001 年 6 月—2008 年 3 月）

胡晓义（2006 年 3 月—2008 年 3 月）

袁彦鹏（2007 年 2 月—2008 年 3 月）

（2008 年 3 月撤销）

国土资源部

部　长

孙文盛（2003 年 10 月—2007 年 4 月）

徐绍史（2007 年 4 月—　）

副部长

鹿心社（1999 年 5 月—　）

贠小苏（2004 年 8 月—　）

汪　民（2004 年 8 月—　）

王世元（2005 年 12 月—　）

建设部

部　长

汪光焘（2001 年 12 月—2008 年 3 月）

副部长

姜维新（2007 年 8 月—2008 年 3 月）

仇保兴（2001 年 11 月—2008 年 3 月）

齐　骥（2007 年 2 月—2008 年 3 月）

铁道部

部　长

刘志军（2003 年 3 月—　）

副部长

彭开宙（2001 年 12 月—　）

胡亚东（2003 年 7 月—　）

陆东福（2003 年 7 月—　）

卢春房（2005 年 3 月—　）

王志国（2006 年 8 月—　）

交通部

部　长

张春贤（2002 年 10 月—2005 年 12 月）

李盛霖（2005 年 12 月—2008 年 3 月）

副部长

冯正霖（2003 年 6 月—2008 年 3 月）

翁孟勇（2000 年 4 月—2008 年 3 月）

徐祖远（2004 年 5 月—2008 年 3 月）

（2008 年 3 月撤销）

信息产业部

部　长

王旭东（2003 年 3 月—2008 年 3 月）

副部长

苟仲文（2002 年 2 月—2008 年 3 月）

国　华（2003 年 4 月—2008 年 3 月）

（2008 年 3 月撤销）

水利部

部　长

汪恕诚（1998 年 11 月—2007 年 4 月）

陈　雷（2007 年 4 月—　）

副部长

敬正书（2000 年 1 月—2003 年 7 月）

翟浩辉（2000 年 1 月—　）

鄂竟平（2003 年 8 月—　）

矫　勇（2005 年 5 月—　）

周　英（2005 年 5 月—　）

胡四一（2005 年 12 月—　）

农业部

部　长

杜青林（2001 年 8 月—2006 年 12 月）

孙政才（2006 年 12 月—　）

副部长

危朝安（2006 年 1 月—　）

高鸿宾（2007 年 7 月—　）

张宝文（2000 年 6 月—　）

牛　盾（2004 年 7 月—　）

范小建（2000 年 12 月—2007 年 6 月）

尹成杰（2004 年 5 月—2008 年）

商务部

部　长

薄熙来（2004 年—2007 年 12 月）

陈德铭（2007 年 12 月—　）

副部长

马秀红(2003年3月—)

高虎城(2003年11月—)

姜增伟(2005年10月—)

易小准(2005年10月—)

张志刚(2003年3月—2005年10月)

安　民(2003年3月—2005年10月)

文化部

部　长

孙家正(1998年3月—2008年3月)

副部长

陈晓光(2001年3月—)

周和平(2001年3月—)

艾青春(1996年—)

孟晓驷(1997年—2003年2月)

赵维绥(2001年9月—)

郑欣淼(2002年9月—)

卫生部

部　长

张文康(1998年3月—2003年4月)

陈　竺(2007年6月—)

副部长

黄浩夫(2001年11月—)

王国强(2007年1月—)

马晓伟(2001年11月—)

陈啸宏(2005年1月—)

刘　谦(2007年9月—)

人口和计划生育委员会

主　任

张维庆(2003年3月—2008年3月)

副主任

李　斌(女)(2007年8月—2008年3月)

赵白鸽(女)(2003年9月—)

江　帆(2005年8月—)

潘贵玉(女)(2001年2月—2009年2月)

中国人民银行

行　长

周小川(2002年12月—)

副行长

苏　宁(2003年11月—)

胡晓炼(2005年8月—)

刘士余(2006年6月—)

马德伦(2007年12月—)

易　纲(2007年12月—)

审计署

审计长

李金华(1998年—)

副审计长

刘家义(1996年6月—2008年3月)

令狐安(2001年10月—)

董大胜(1999年12月—)

余效明(2004年7月—)

石爱中(2004年8月—)

国有资产监督管理委员会

主　任

李荣融(2003年3月—)

副主任

王祥瑞

李　伟(2005年10月—)

黄淑和(2003年4月—)

邵　宁(2003年5月—)

黄丹华(女)(2006年4月—)

海关总署

署　长

牟新生(2001年3月—2008年3月)

副署长

李克农(2000年—)

孙松璞(2003年—)

吕　滨（2007 年—　）

龚　正（2003 年 3 月—2008 年 12 月）

刘文杰（2001 年—2008 年 1 月）

吕　滨（2008 年 1 月—　）

税务总局

局　长

谢旭人（2003 年 3 月—2007 年 8 月）

肖　捷（2007 年 8 月—　）

副局长

钱冠林（2001 年 4 月—　）

解学智（2007 年 4 月—　）

王　力（2004 年 10 月—　）

宋　兰（女）（2006 年 12 月—　）

环境保护总局

局　长

解振华（1998 年 3 月—2005 年 12 月）

周生贤（2005 年 12 月—2008 年 3 月）

副局长

潘　岳（2003 年 3 月—2008 年 3 月）

张力军（2004 年 12 月—2008 年 3 月）

吴晓青（满族）（2005 年 10 月—2008 年 3 月）

周　建（2007 年 1 月—2008 年 3 月）

李干杰（2007 年 1 月—2008 年 3 月）

祝光耀（2002 年 2 月—2007 年 1 月）

王玉庆（1998 年 6 月—2007 年 1 月）

（2008 年 3 月撤销）

民航总局

局　长

杨元元（2002 年 5 月—2007 年 12 月）

李家祥（2007 年 12 月—2008 年 3 月，任代局长）

副局长

王昌顺（2004 年 8 月—2008 年 3 月）

李　健（2007 年 2 月—2008 年 3 月）

杨国庆（2001 年 5 月—2008 年 3 月）

李　军

刘绍勇（2002 年 10 月—2004 年 7 月）

国家广播电影电视总局

局　长

徐光春（2000 年 6 月—2004 年 12 月）

王太华（2004 年 12 月—　）

副局长

赵　实（女）（1998 年 4 月—　）

张海涛（1998 年 4 月—　）

胡占凡（2001 年 4 月—　）

田　进（2004 年 8 月—　）

体育总局

局　长

袁伟民（2000 年 4 月—2005 年 11 月）

刘　鹏（2005 年 11 月—　）

副局长

于再清（1999 年 4 月—　）

段世杰（满族）（1999 年 5 月—　）

王　钧（2003 年 12 月—　）

冯建中（2005 年 7 月—　）

胡家燕（女）（2005 年 11 月—2008 年 11 月）

李志坚（2000 年 4 月—2005 年 11 月）

肖　天（2005 年 7 月—　）

崔大林（2007 年 4 月—　）

蔡振华（2007 年 4 月—　）

国家统计局

局　长

李德水（2003 年 3 月—2006 年 3 月）

邱晓华（2006 年 3 月—2006 年 10 月）

谢伏瞻（2006 年 10 月—2008 年 9 月）

副局长

林贤郁（朝鲜族）（2001 年 1 月—　）

张为民（2004 年 7 月—　）

徐一帆（2004 年 8 月 4 日—　）

谢鸿光（2006 年 7 月—　）

许宪春(2006 年 7 月—　)

国家工商总局

局　长

　王众孚(2001 年 4 月—2006 年 10 月)

　周伯华(2006 年 10 月—　)

副局长

　刘玉亭(2003 年 5 月—　)

　付双建(2007 年 12 月—　)

　李东生(2002 年 1 月—2007 年 12 月)

　刘　凡(2003 年—　)

　王东峰(2004 年 8 月—　)

　钟攸平(2005 年 10 月—　)

　甘国屏(2001 年 4 月—2005 年 10 月)

国家新闻出版总署

署　长

　石宗源(2000 年 10 月—2005 年 12 月)

　龙新民(2005 年 12 月—2007 年 4 月)

　柳斌杰(2007 年 4 月—　)

副署长

　于永湛(1990 年 9 月—2006 年 12 月)

　石　峰(2003 年 2 月—2006 年 12 月)

　李东东(女)(2006 年 12 月—　)

　邬书林(2004 年 10 月—　)

　桂晓风(1991 年—2004 年 10 月)

　阎晓宏(2004 年 5 月任新闻出版总署党组成员、国家版权局副局长。2006 年 12 月至今任新闻出版总署副署长,党组成员,国家版权局副局长)

　孙寿山(2006 年 12 月—　)

副局长

　阎晓宏(兼)

　沈仁干(1993 年—2004 年 5 月)

国家林业局

局　长

　贾治邦(2005 年 12 月 1 日—　)

副局长

　李育才(1998 年 3 月—　)

　祝列克(2001 年 11 月—　)

　张建龙(2003 年 9 月—　)

　印　红(女)(2007 年 9 月—　)

质量监督检验检疫总局

局　长

　李长江(2001 年 4 月—2008 年 9 月)

副局长

　王秦平(　—2005 年 10 月)

　支树平(2005 年 10 月—　)

　蒲长城(2001 年 3 月—　)

　魏传忠(2007 年 4 月—　)

国家食品药品监督管理局

局　长

　郑筱萸(2003 年 5 月—2005 年 6 月)

　邵明立(2005 年 6 月—　)

副局长

　张敬礼(2003 年 10 月—　)

　吴　浈(2006 年 9 月—　)

　惠鲁生(女)(2003 年 3 月—2007 年 12 月)

　刘　怡(2006 年 4 月—2009 年 3 月)

国家安全生产监督管理总局

局　长

　李毅中(2005 年 2 月—2008 年 12 月)

副局长

　杨元元(2007 年 12 月—　)(正部长级)

　王德学(2005 年 2 月—　)

　孙华山(2005 年 2 月—　)

　梁嘉琨(2005 年 2 月—　)

国家知识产权局

局　长

　王景川(2001 年 1 月—2005 年 6 月)

田力普(2005 年 6 月—)

副局长

李玉光(2003 年 9 月 16 日—)

吴伯明(1998 年—2003 年 9 月)

贺 化(2004 年 8 月—)

杨铁军(2006 年 7 月—)

张 勤(2003 年 6 月—2009 年 6 月)

国家旅游局

局 长

何光晔(1995 年—2005 年 3 月)

邵琪伟(2005 年 3 月 23 日—)

副局长

王志发(2005 年 6 月—)

孙 钢(—2006 年 5 月)

杜一力(女)(2006 年 5 月—)

杜 江(2007 年 8 月—)

张希钦(1998 年 8 月—2009 年 1 月)

顾朝曦(2000 年 9 月—2007 年 5 月)

国家宗教事务局

局 长

叶小文(1998 年 3 月—)

王作安 齐晓飞

蒋永坚(2005 年 6 月—)

国务院参事室

主 任

崔占福(2003 年 2 月—2008 年 4 月)

副主任

蒋明麟(2001 年 1 月—)

陈鹤良(1995 年 6 月—)

张占弄(2004 年 10 月—)

国务院机关事务管理局

局 长

焦焕成(1997 年—)

副局长

高 翔(2000 年 12 月—)

鉴保卫(2004 年 12 月—)

李宝荣(2007 年 2 月—)

寻寰中(1998 年—2009 年 2 月)

国家预防腐败局

局 长

马 馼(兼)(2007 年 8 月 30 日任监察部部长。同年 9 月,兼任国家预防腐败局局长)

副局长

屈万祥(2007 年 9 月兼任国家预防腐败局副局长)

(＊国家预防腐败局列入国务院直属机构序列,在监察部加挂牌子。)

国务院侨务办公室

主 任

陈玉杰(2003 年 1 月—2007 年 5 月)

李海峰(女)(2007 年 5 月—)

副主任

李海峰(女)(1994 年 11 月—2007 年 5 月)

赵 阳(2001 年 3 月—)

许又声(2001 年 3 月—)

马儒沛(回族)(2007 年 5 月—)

任启亮(2007 年 6 月—)

国务院港澳事务办公室

主 任

廖 晖(1997—2003 年;2003—2008 年;2008——)

副主任

陈佐洱(1998 年 2 月—2008 年 4 月)

周 波(2003 年 5 月—)

张晓明(2004 年 7 月—)

国务院法制办公室

主任

曹康泰(2002 年 9 月—　　)

副主任

汪永清(　　—2008 年 3 月)

宋大涵(1998 年 4 月—　　)

张　穹(2003 年 7 月—　　)

郜风涛(2004 年 10 月—　　)

国务院研究室

主　任

魏礼群(2001 年 2 月—2008 年 6 月)

副主任

江小涓(女)(2004 年 8 月—　　)

李炳坤(2004 年 8 月—　　)

宁吉喆(2007 年 4 月—　　)

侯云春(2002 年 4 月—2008 年 10 月)

丘小雄(2003 年 6 月—2008 年 3 月)

国务院台湾事务办公室

主　任

陈云林(1997 年 1 月—2008 年 6 月)

副主任

王富卿(2000 年 4 月—2008 年 7 月)

郑立中(2005 年 5 月—　　)

孙亚夫(2004 年 2 月—　　)

叶克冬(2006 年 8 月—　　)

国务院新闻办公室

主　任

赵启正(1998 年 4 月—2005 年 8 月)

蔡　武(2005 年 8 月—2008 年 3 月)

副主任

李　冰(1994 年 1 月—2008 年 12 月)

蔡名照(2001 年 4 月—　　)

王国庆(2000 年 11 月—　　)

钱小芊(2004 年 2 月—　　)

新华通讯社

社　长

田聪明(2000 年 6 月—2008 年 3 月)

副社长

李从军(2007 年 8 月—2008 年 3 月)

何东君(2000 年 8 月—2004 年 5 月)

鲁　炜(2004 年 5 月—　　)

徐锡安(2001 年 11 月—2005 年 6 月)

崔济哲(2005 年 6 月—　　)

马胜荣(2000 年—2007 年 9 月)

周锡生(2007 年 9 月—　　)

周树春(2007 年 9 月—　　)

总编辑

何　平(2007 年 8 月—　　)

副总编辑

俱孟军(2000 年 10 月—　　)

夏　林(2001 年 9 月—　　)

刘　江(2002 年 1 月—　　)

彭树杰(2003 年 12 月—　　)

吴锦才(2006 年 5 月—　　)

中国科学院

院　长

路甬祥(1997—2003 年;2003—2008 年;
　　　2008—　　)

副院长

白春礼(满族)(1996 年 3 月—　　)

江绵恒(1999 年 11 月—　　)

杨柏龄(1999 年—2004 年 1 月)

施尔畏(2004 年 1 月—　　)

李家洋(2004 年 1 月—　　)

李静海(2004 年 2 月—　　)

詹文龙(2008 年 1 月—　　)

丁仲礼(2008 年 1 月—　　)

阴和俊(2008 年 1 月—　　)

中国社会科学院

院 长
陈奎元(2002—2003 年;2003—2008 年;2008
年—)
副院长
冷 溶(2004 年—2008 年)
王伟光(2007 年 12 月—)
李慎明(1998 年—)
陈佳贵(1998 年—)
朱佳木(2000 年—)
高全立(2000 年—)
江蓝生(女)(1998 年—2006 年 10 月)
武 寅(女)(2006 年 10 月—)

中国工程院

院 长
徐匡迪(2002 年 5 月—)
副院长
潘云鹤(2006 年 6 月—)
邬贺铨(2002 年 5 月—)
刘德培(2002 年 5 月—)
杜祥琬(2002 年 5 月—)
旭日干(蒙古族)(2006 年 9 月—)

国务院发展研究中心

主 任
王梦奎(1995 年 5 月—2007 年 7 月)
张玉台(2007 年 7 月—)
副主任
孙晓郁(1996 年 11 月—2007 年 12 月)
李剑阁(2003 年 3 月—2008 年 7 月)
刘世锦(2005 年 3 月—)
金人庆(2007 年 8 月—)
卢中原(2007 年 12 月—)

国家行政学院

院 长
华建敏(兼)(2003 年 3 月—2008 年 3 月)
副院长
袁宏曙(2003 年 8 月—2009 年 4 月)
姜异康(2006 年 6 月—2008 年 6 月)
陈伟兰(女)(2000 年 11 月—)
洪 毅(2005 年 7 月—)
韩 康(2004 年—)

中国地震局

局 长
宋瑞祥(2002 年 1 月—2004 年 12 月)
陈建民(2004 年 12 月—)
副局长
岳明生(1998 年—2008 年 1 月)
刘玉辰(1999 年 3 月—)
赵和平(2002 年 1 月—)
修济刚(2005 年 8 月—)

中国气象局

局 长
秦大河(2000 年—2007 年)
郑国光(2007 年 4 月—)
副局长
许小峰(2001 年 10 月—)
王守荣(2004 年 12 月—)
宇如聪(2004 年 12 月—)
沈晓农(2008 年 2 月—)
张文建(2006 年 4 月—2008 年 6 月)

中国银行业监督管理委员会

主 席
刘明康(2003 年 3 月—)
副主席
史纪良(2003 年初—2005 年)
蒋定之(2005 年 12 月—)

蔡鄂生（2005 年 12 月—　　）

郭利根（2005 年 12 月—　　）

王兆星（2007 年 12 月—　　）

中国证券监督管理委员会

主　席

尚福林（2002 年 12 月—　　）

副主席

屠光绍（2002 年 7 月—2008 年 1 月）

桂敏杰（2004 年 7 月—　　）

庄心一（2005 年 2 月—　　）

姚　刚（2008 年 2 月—　　）

范福春（1997 年—2009 年 4 月）

中国保险监督管理委员会

主　席

吴定富（2002 年 10 月—　　）

副主席

李克穆（2003 年 5 月—　　）

魏迎宁（2002 年 1 月—　　）

吴小平（2003 年 6 月—2006 年 1 月）

杨明生（2007 年 6 月—　　）

冯晓增（1998 年 11 月—2005 年 9 月）

周延礼（2005 年 9 月—　　）

国家电力监管委员会

主　席

尤　权（2007 年 1 月—2008 年 5 月）

王旭东（2008 年 4 月—　　）

副主席

史玉波（2002 年 10 月—　　）

王禹民（2004 年 11 月—　　）

邵秉仁（2002 年 10 月—2006 年 5 月）

王野平（2006 年 5 月—　　）

全国社会保障基金理事会

理事长

刘仲藜（2000 年 12 月—2003 年 5 月）

项怀诚（2003 年 5 月—2008 年 1 月）

戴相龙（2008 年 1 月—　　）

副理事长

孙小系（2007 年 12 月—　　）

王忠民（2004 年 11 月—　　）

李克平（2007 年 12 月—　　）

国家自然科学基金委员会

主　任

陈宜瑜（2003 年 12 月—　　）

副主任

朱道本（免）

朱作言（免）

王　杰（兼秘书长）（2003 年 12 月—　　）

沈文庆（2003 年 12 月—　　）

孙家广（2003 年 12 月—　　）

沈　岩（2008 年 1 月—　　）

姚建年（2008 年 1 月—　　）

何鸣鸿（2008 年 5 月—　　）

（＊国务院台湾事务办公室与中共中央台湾工作办公室，国务院新闻办公室与中共中央对外宣传办公室；均为一个机构两块牌子，列入中共中央直属机构序列。国家档案局与中央档案馆，一个机构两块牌子，列入中共中央直属机关的下属机构。）

国家信访局

局　长

王学军（2004 年 2 月—　　）

副局长

王石奇（2004 年 12 月—　　）

许　杰（2005 年 6 月—　　）

王耀东（2006 年 4 月—　　）

张彭发（2006 年 4 月—　　）

张恩玺（2007 年 5 月—　　）

徐令义(2008 年 8 月—)

尹希波(2000 年 7 月—2008 年 8 月)

国家粮食局

局　长

聂振邦(2000 年 3 月—)

副局长

郄建伟(2000 年 3 月—)

任正晓(2001 年 5 月—)

张桂凤(女)(2001 年 5 月—)

曾丽瑛(女)(2004 年 6 月—)

国家烟草专卖局

局　长

姜成康(2002 年 6 月—)

副局长

张保振(2001 年 3 月—)

何泽华(2003 年 7 月—)

李克明(2003 年 7 月—)

张　辉(2004 年 8 月—)

国家外国专家局

局　长

万学远(1997 年 5 月—2006 年 9 月)

季允石(2006 年 9 月—)

副局长

张建国　李　兵(女)　　孙照华

陆　明(2007 年 8 月—)　刘延国

国家海洋局

局　长

王曙光(2000 年 1 月—2005 年 11 月)

孙志辉(2005 年 11 月—)

副局长

陈连增(2000 年 4 月兼中国海监总队总队长)

张宏声(2000 年 9 月—)

王　飞(2004 年 7 月—)

王　宏(2006 年 4 月—)

国家测绘局

局　长

陈邦柱(2000 年—2005 年 11 月)

鹿心社(2005 年 11 月—2008 年 10 月)

徐德明(兼)(2008 年 10 月—)

副局长

王春峰(1998 年 2 月—)

李维森(2001 年 6 月—)

宋超智(2004 年 12 月—)

谢经荣(2004 年 12 月—2007 年 11 月)

常志海(—2006 年 12 月)

闵宜仁(2006 年 12 月—)

国家邮政局

局　长

马军胜(2006 年 11 月—)

副局长

徐建洲(2006 年 11 月—)

苏　和(蒙古族)(2006 年—)

王渝次(2006 年 11 月—)

国家文物局

局　长

单霁翔(兼)(2002 年 8 月—)

副局长

张　柏(1990 年—)

董保华(1997 年 3 月—)

童明康(2004 年 1 月—)

国家中医药管理局

局　长

余　靖(女,兼)(2000 年 4 月—2007 年 1 月)

王国强(兼)(2007 年 1 月—)

副局长

房书亭(2000 年 11 月—2008 年 10 月)

吴　刚(2004 年 4 月—)

于文明(2004 年 4 月—)

李大宁(2005 年 3 月—)

国家外汇管理局

局　长

郭树清(2001 年 4 月—2005 年 3 月)

胡晓炼(女,兼)(2005 年 3 月—2009 年 6 月)

副局长

李东荣(2002 年 3 月—2008 年 12 月)

魏本华(2003 年 8 月—2007 年 12 月)

邓先宏(2004 年 10 月—)

方上浦(2006 年 6 月—)

王小奕(2007 年 12 月—)

李　超(2008 年 12 月—)

＊ 国家档案局

局　长

毛福民(2000 年 1 月—2006 年 7 月)

杨东权(2006 年 7 月—)

副局长

杨东权(2000 年 6 月—2006 年 7 月)

段东升(2005 年 3 月—)

李明华(2005 年 3 月—)

李和平(女)(2005 年 11 月—)

杨继波(2006 年 7 月—)

国家保密局

局　长　夏　勇(2005 年 6 月—)

中华人民共和国
主席、副主席

2008 年 3 月—
(第十一届全国人大期间)

主　席　胡锦涛

副主席　习近平

中华人民共和国最高人民法院

2008 年 3 月—
(第十一届全国人大期间)

院　长　王胜俊

副院长

沈德咏　张　军　万鄂湘　江必新　苏泽林

奚晓明　熊选国　南　英　景汉朝

中华人民共和国最高人民检察院

2008 年 3 月—
(第十一届全国人大期间)

检察长　曹建明

副检察长

张　耕　邱学强　朱孝清　孙　谦　姜建初

张常韧　柯汉民

中华人民共和国国务院

2008 年 3 月—
(第十一届全国人大期间)

总　理　温家宝

(2008 年 3 月第十一届全国人大第一次会议根据胡锦涛主席的提名通过任命)

副总理

李克强　回良玉(回族)　张德江　王岐山

(2008 年 3 月第十一届全国人大第一次会议决定任命)

国务委员

刘延东(女)　梁光烈　马　凯　孟建柱

戴秉国(土家族)

(2008 年 3 月第十一届全国人大第一次会议决定任命)

秘书长　马　凯(兼)

（2008 年 3 月第十一届全国人大第一次会议决定任命）

外交部

部　长　杨洁篪（2007 年 4 月—　）
副部长
　王光亚（2008 年—　）
　张志军（2009 年—　）
　武大伟（2004 年—　）
　吕国增（2006 年—　）
　李金章（2006 年—　）
　何亚非（2008 年—　）
　张业遂（2003 年—2008 年 9 月）

国防部

部　长　梁光烈（兼）（2008 年 3 月—　）

国家发展和改革委员会

主　任　张　平（2008 年 3 月—　）
副主任
　张国宝（2003 年—　）
　解振华（2006 年 12 月—　）
　朱之鑫（2003 年 3 月—　）
　王金祥（2005 年 8 月—2008 年 10 月）
　张　茅（2006 年 6 月—2009 年 2 月）
　彭　森（2008 年 10 月—　）
　徐宪平（2009 年 5 月—　）
　张晓强（2003 年 11 月—　）
　杜　鹰（2005 年 8 月—　）
　毕井泉（2006 年 2 月—2008 年 4 月）
　穆　虹（2007 年 12 月—　）
　刘铁男（2008 年 3 月—　）

教育部

部　长　周　济（2003 年—　）
副部长
　袁贵仁（2001 年—　）
　陈　希（2009 年—　）
　鲁　昕（女）（2009 年 4 月—　）
　陈小娅（女）（2004 年—　）
　李卫红（女）（2005 年—　）
　郝　平（2009 年 4 月—　）
　章新胜（2001 年 4 月—2009 年 4 月）
　赵沁平（2001 年 4 月—2009 年 4 月）
　吴启迪（2003 年 6 月—2008 年 4 月）

科技部

部　长　万　钢（2007 年 4 月—　）
副部长
　李学勇（1998 年 4 月—　）
　刘燕华（2001 年 11 月—　）
　张来武（2008 年 8 月—　）
　曹建林（2006 年 9 月—　）
　杜占元（2008 年 8 月—　）
　程津培（2000 年 4 月—2008 年 4 月）
　尚　勇（2004 年 12 月—2008 年 8 月）

工业和信息化部

部　长
　李毅中（2008 年 3 月—　）
副部长
　奚国华（2008 年 3 月—　）
　苗　圩（2008 年 3 月—　）
　陈求发（苗族）（2008 年 3 月—　）
　娄勤俭（2008 年 3 月—　）
　欧新黔（女）（2008 年 3 月—　）
　杨学山（2008 年 3 月—　）
　郭炎炎（2008 年 3 月—　）

国家民族事务委员会

主　任
　杨　晶（蒙古族）（2008 年 3 月—　）
副主任
　杨传堂（2006 年 5 月—　）
　杨健强（白族）（2003 年 5 月—　）

吴仕民(2003 年 5 月—　)

丹珠昂奔(藏族)(2006 年 3 月—　)

公安部

部　长

孟建柱(兼)

(2007—2008 年任公安部部长、2008 年至今任国务委员、国务院党组成员,兼公安部部长)

副部长

刘　京(2001 年 1 月—　)

杨焕宁(2008 年 3 月—　)

刘金国(2005 年 3 月—　)

孟宏伟(2004 年 4 月—　)

张新枫(2005 年 3 月—　)

刘　德(2005 年 3 月—　)

黄　明(2009 年 8 月—　)

陈智敏(2009 年 8 月—　)

国家安全部

部　长

耿惠昌(2007 年 8 月 30 日—　)

监察部

部　长

马　馼(女)(2007 年 8 月—　)

副部长

屈万祥(2003 年 12 月—　)

王　伟(2007 年 12 月—　)

姚增科(2007 年 9 月—　)

郝明金(2007 年 12 月—　)

民政部

部　长

李学举(2003 年 3 月—　)

副部长

李立国(2003 年 12 月—　)

罗平飞(2001 年 5 月—　)

姜　力(女)(2001 年 5 月—　)

窦玉沛(2006 年 1 月—　)

孙绍骋(2009 年 4 月—　)

司法部

部　长

吴爱英(女)(2005 年 7 月 1 日—　)

副部长

陈训秋(2006 年 4 月—　)

张苏军(2005 年 9 月—　)

郝赤勇(2006 年 4 月—　)

赵大程(2006 年 4 月—　)

财政部

部　长

谢旭人(2007 年 8 月—　)

副部长

廖晓军(2002 年 7 月—　)

李　勇(2003 年 9 月—　)

王　军(2005 年 10 月—　)

张少春(2006 年 12 月—　)

丁学东(2008 年 3 月—　)

人力资源和社会保障部

部　长

尹蔚民(2008 年 3 月—　)

副部长

季允石(2008 年 3 月—　)

孙宝树(2008 年 3 月—　)

李智勇(2008 年 3 月—　)

杨志明(2008 年 3 月—　)

张小建(2008 年 3 月—　)

杨士秋(2008 年 3 月—　)

王晓初(2008 年 3 月—　)

何　宪(2008 年 3 月—　)

胡晓义(2008 年 3 月—　)

国土资源部

部 长

徐绍史(2007 年 4 月—)

副部长

鹿心社(1999 年 5 月—)

贠小苏(2004 年 8 月—)

徐德明(2008 年 10 月—)

汪 民(2004 年 8 月—)

王世元(2005 年 12 月—)

环境保护部

部 长

周生贤(2008 年 3 月—)

副部长

潘 岳(2008 年 3 月—)

张力军(2008 年 3 月—)

吴晓青(满族)(2008 年 3 月—)

周 建(2008 年 3 月—)

李干杰(2008 年 3 月—)

住房和城乡建设部

部 长

姜伟新(2008 年 3 月—)

副部长

仇保兴(2008 年 3 月—)

陈大卫(2008 年 3 月—)

齐 骥(2008 年 3 月—)

郭允冲(2009 年 5 月—)

交通运输部

部 长

李盛霖(2008 年 3 月—)

副部长

李家祥(2008 年 3 月—)

翁孟勇(2008 年 3 月—)

高宏峰(2008 年 3 月—)

冯正霖(2008 年 3 月—)

徐祖远(2008 年 3 月—)

铁道部

部 长

刘志军(2003 年 3 月—)

副部长

彭开宙(2001 年 12 月—)

胡亚东(2003 年 7 月—)

陆东福(2003 年 7 月—)

卢春房(2005 年 3 月—)

王志国(2006 年 8 月—)

水利部

部 长

陈 雷(2007 年 4 月—)

副部长

鄂竟平(2003 年 8 月—)

矫 勇(2005 年 5 月 30 日—)

周 英(女)(2005 年 5 月 30 日—)

胡四一(2005 年 12 月—)

刘 宁(2009 年 1 月—)

农业部

部 长

孙政才(2006 年 12 月—)

副部长

危朝安(2006 年 1 月—)

张桃林(2008 年 8 月—)

牛 盾(2004 年 5 月—)

高鸿宾(2007 年 7 月—)

陈晓华(2008 年 5 月—)

商务部

部 长

陈德铭(2007 年 12 月—)

副部长

马秀红(女)(2003 年 3 月—)

高虎城(2003年11月—　)

姜增伟(2005年10月—　)

钟　山(2008年12月—　)

蒋耀平(2008年4月—　)

易小准(2005年10月—　)

陈　健(2008年4月—　)

傅自应(2008年4月—　)

文化部

部　长

蔡　武(2008年3月—　)

副部长

欧阳坚(白族)(2008年11月—　)

陈晓光(2001年4月—　)

周和平(2001年3月—　)

赵少华(女,满族)(2008年9月—　)

孟晓驷(女)(1997年—2008年9月)

王文章(2008年11月—　)

卫生部

部　长

陈　竺(2007年6月—　)

副部长

黄洁夫(2001年11月—　)

王国强(2007年1月—　)

马晓伟(2001年11月—　)

陈啸宏(2005年1月—　)

邵明立(2008年3月—　)

刘　谦(2007年10月—　)

尹　力(2008年9月—　)

国家人口和计划生育委员会

主　任

李　斌(女)(2008年3月—　)

副主任

赵白鸽(女)(2003年9月—　)

江　帆(2005年8月—　)

王培安(2007年2月—　)

崔　丽(女)(2009年2月—　)

潘贵玉(女)(2001年2月—2009年2月)

中国人民银行

行　长

周小川(2002年12月—　)

副行长

苏　宁(2003年11月—　)

胡晓炼(女)(2005年8月—　)

刘士余(2006年6月—　)

马德伦(2007年12月—　)

易　纲(2007年12月—　)

国家审计署

审计长

刘家义(2008年3月—　)

副审计长

令狐安(2001年12月—　)

董大胜(1999年12月—　)

余效明(女)(2004年8月—　)

石爱中(2004年8月—　)

(＊监察部与中共中央纪律检查委员会机关合署办公,机构列入国务院序列,编制列入中共中央直属机构。)

国务院国有资产监督管理委员会

主　任

李荣融(2003年3月—　)

副主任

李　伟(2005年10月—　)

黄淑和(2003年4月—　)

邵　宁(2003年5月—　)

黄丹华(女)(2006年4月—　)

金　阳(2008年4月—　)

孟建民(2008年9月—　)

海关总署

署 长

盛光祖(2008 年—)

副署长

李克农(2000 年—)

孙松璞(2003 年—)

王松鹤(2008 年 12 月—)

鲁培军(2008 年 12 月—)

吕 滨(2008 年 1 月—)

国家税务总局

局 长

肖 捷(2007 年 8 月—)

副局长

钱冠林(2001 年 4 月—)

解学智(2007 年 4 月—)

王 力(2004 年 10 月—)

宋 兰(女)(2006 年 12 月—)

国家工商行政管理总局

局 长

周伯华(2006 年 10 月—)

副局长

刘玉亭(2003 年 5 月—)

付双建(2007 年 12 月—)

刘 凡(2003 年—)

王东峰(2004 年 8 月—)

钟攸平(2005 年 10 月—)

国家质量监督检验检疫总局

局 长

李长江(2001 年 4 月—2008 年 9 月)

王 勇(2008 年 9 月—)

副局长

支树平(2005 年 10 月—)

蒲长城(2001 年 3 月—)

魏传忠(2007 年 4 月—)

刘平均(2008 年 8 月—)

国家广播电影电视总局

局 长

王太华(2004 年 12 月—)

副局长

赵 实(女)(1998 年 4 月—)

张海涛(1998 年 4 月—)

胡占凡(2001 年 4 月—)

田 进(2004 年 8 月—)

张丕民(2009 年 7 月—)

国家新闻出版总署(国家版权局)

署 长(局长)

柳斌杰(2007 年 4 月—)

副署长

蒋建国(2008 年 10 月—)

李东东(女)(2006 年 12 月—)

邬书林(2004 年 10 月—)

阎晓宏(2004 年 5 月任新闻出版总署党组成员、国家版权局副局长。2006 年 12 月至今任新闻出版总署副署长、党组成员,国家版权局副局长)

孙寿山(2006 年 12 月—)

副局长

阎晓宏(兼)(2004 年 5 月—)

国家体育总局

局 长

刘 鹏(2005 年 11 月—)

副局长

于再清(1999 年 4 月—)

段世杰(满族)(1999 年 5 月—)

王 钧(2003 年 12 月—)

冯建中(2005 年 7 月—)

杨树安(2008 年 11 月—)

肖 天(2005 年 7 月—)

崔大林(2007 年 4 月—)

蔡振华(2007 年 4 月—　)

国家安全生产监督
管理总局、国家煤矿安全监察局

局　长

骆　琳(2008 年 12 月—　)

副局长

杨元元(2007 年 12 月—　)(正部长级)

赵铁锤(2008 年 8 月—　)

王德学(2005 年 2 月—　)

孙华山(2005 年 2 月—　)

梁嘉琨(2005 年 2 月—　)

国家煤矿安全监察局

局　长

赵铁锤(2005 年 2 月—　)

副局长

付建华(2005 年 2 月—　)

王树鹤(2005 年 2 月—　)

彭建勋(2005 年 12 月—　)

黄　毅(2008 年 7 月—　)

国家统计局

局　长

马建堂(2008 年 9 月—　)

副局长

林贤郁(朝鲜族)(2001 年 1 月—　)

张为民(2004 年 7 月—　)

徐一帆(2004 年 8 月 4 日—　)

谢鸿光(2006 年 7 月—　)

许宪春(2006 年 7 月—　)

国家林业局

局　长

周生贤(2000 年 11 月—2005 年 12 月)

贾治邦(2005 年 12 月 1 日—　)

副局长

李育才(1998 年 3 月—　)

祝列克(2001 年 11 月—　)

张建龙(2003 年 9 月—　)

印　红(女)(2007 年 9 月—　)

孙扎根(2008 年 10 月—　)

国家知识产权局

局　长

田力普(2005 年 6 月—　)

副局长

李玉光(2003 年 9 月 16 日—　)

贺　化(2004 年 8 月—　)

杨铁军(2006 年 7 月—　)

鲍　红(女)(2009 年 6 月—　)

甘绍宁(2009 年 6 月—　)

张　勤(2003 年 6 月—2009 年 6 月)

国家旅游局

局　长

邵琪伟(2005 年 3 月 23 日—　)

副局长

王志发(2005 年 6 月—　)

杜一力(女)(2006 年 5 月—　)

杜　江(2007 年 8 月—　)

张希钦(1998 年 8 月—2009 年 1 月)

祝善忠(2009 年 1 月—　)

国家宗教事务局

局　长

叶小文(1998 年 3 月—2009 年 9 月)

王作安(2009 年 9 月—　)

副局长

王作安(　—2009 年 9 月)　齐晓飞

蒋永坚(2005 年 6 月—　)

国务院参事室

主 任

陈进玉(2008 年 3 月—)

副主任

蒋明麟(2001 年 1 月—)

陈鹤良(1995 年 6 月—)

张占弄(2004 年 10 月—)

国务院机关事务管理局

局 长

焦焕成(1997 年—)

副局长

寻寰中(1998 年—2009 年 2 月)

高 翔(2000 年 12 月—)

鉴保卫(2004 年 12 月—)

李宝荣(2007 年 2 月—)

国家预防腐败局

局 长

马 馼(兼)(2007 年 8 月 30 日任监察部部
长。同年 9 月兼任国家预防腐败局局长)

副局长

屈万祥(2007 年 9 月兼任国家预防腐败局副
局长)

(＊国家预防腐败局列入国务院直属机构序
列,在监察部加挂牌子。)

国务院侨务办公室

主 任

李海峰(女)(2007 年 5 月—)

副主任

赵 阳(2001 年 3 月—)

许又声(2001 年 3 月—)

马儒沛(回族)(2007 年 5 月—)

任启亮(2007 年 6 月—)

国务院港澳事务办公室

主 任

廖 晖(1997—2003 年;2003—2008 年;2008
年—)

副主任

陈佐洱(1998 年 2 月—2008 年 4 月)

周 波(2003 年 5 月—)

张晓明(2004 年 7 月—)

华 建(女)(2008 年 4 月—)

国务院法制办公室

主 任

曹康泰(2002 年 9 月—)

副主任

宋大涵(1998 年 4 月—)

张 穹(2003 年 7 月—)

郜风涛(2004 年 10 月—)

国务院研究室

主 任

谢伏瞻(2008 年 6 月—)

副主任

江小涓(女)(2004 年 8 月—)

李炳坤(2004 年 8 月—)

宁吉喆(2007 年 4 月—)

田学斌(2008 年 12 月—)

新华通讯社

社 长

李从军(2008 年 3 月—)

副社长

鲁 炜(2004 年 5 月—)

崔济哲(2005 年 6 月—)

周锡生(2007 年 9 月—)

周树春(2007 年 9 月—)

总编辑

何 平(2007 年 8 月—)

副总编辑

俱孟军(2000 年 10 月—　)

夏　林(2001 年 9 月—　)

刘　江(2002 年 1 月—　)

彭树杰(2003 年 12 月—　)

吴锦才(2006 年 5 月—　)

中国科学院

院　长

路甬祥(1997—2003 年;2003—2008 年;2008
年—　)

副院长

白春礼(满族)(1996 年 3 月—　)

江绵恒(1999 年 11 月—　)

施尔畏(2004 年 1 月—　)

李家洋(2004 年 1 月—　)

李静海(2004 年 2 月—　)

詹文龙(2008 年 1 月—　)

丁仲礼(2008 年 1 月—　)

阴和俊(2008 年 1 月—　)

中国社会科学院

院　长

陈奎元(2002—2003 年;2003—2008 年;2008
年—　)

副院长

王伟光(2007 年 12 月—　)

李慎明(1998 年—　)

陈佳贵(1998 年—　)

朱佳木(2000 年—　)

高全立(2000 年—　)

武　寅(女)(2006 年 10 月—　)

中国工程院

院　长

徐匡迪(2002 年 5 月—　)

副院长

潘云鹤(2006 年 6 月—　)

邬贺铨(2002 年 5 月—　)

刘德培(2002 年 5 月—　)

杜祥琬(2002 年 5 月—　)

旭日干(2006 年 9 月—　)

国务院发展研究中心

主　任

张玉台(2007 年 7 月—　)

副主任

李剑阁(2003 年 3 月—2008 年 7 月)

刘世锦(2005 年 3 月—　)

金人庆(2007 年 8 月—　)

侯云春(2008 年 11 月—　)

卢中原(2007 年 12 月—　)

国家行政学院

院　长

马　凯(兼)(2008 年 3 月—　)

副院长

袁宏曙(2003 年 8 月—2009 年 4 月)

姜异康(2006 年 6 月—2008 年 6 月)

魏礼群(2008 年 6 月—　)

陈伟兰(女)(2000 年 11 月—　)

洪　毅(2005 年 7 月—　)

韩　康(2004 年—　)

周文彰(2009 年 3 月—　)

中国地震局

局　长

陈建民(2004 年 12 月—　)

副局长

刘玉辰(1999 年 3 月—　)

赵和平(2002 年 1 月—　)

修济刚(2005 年 8 月—　)

阴朝民(2008 年 4 月—　)

中国气象局

局 长

郑国光(2007 年 4 月—)

副局长

许小峰(2001 年 10 月—)

王守荣(2004 年 12 月—)

宇如聪(2004 年 12 月—)

沈晓农(2008 年 2 月—)

张文建(2006 年 4 月—2008 年 6 月)

矫梅燕(2008 年 6 月—)

中国银行业监督管理委员会

主 席

刘明康(2003 年 3 月—)

副主席

蒋定之(2005 年 12 月—)

蔡鄂生(2005 年 12 月—)

郭利根(2005 年 12 月—)

王兆星(2007 年 12 月—)

中国证券监督管理委员会

主 席

尚福林(2002 年 12 月—)

副主席

桂敏杰(2004 年 7 月—)

庄心一(2005 年 2 月—)

姚 刚(2008 年 2 月—)

范福春(1997 年—2009 年 4 月)

刘新华(2009 年 4 月—)

中国保险监督管理委员会

主 席

吴定富(2002 年 10 月—)

副主席

李克穆(2003 年 5 月—)

魏迎宁(2002 年 1 月—)

杨明生(2007 年 6 月—)

周延礼(2005 年 9 月—)

国家电力监管委员会

主 席

柴松岳(2002 年 11 月—2007 年 1 月)

尤 权(2007 年 1 月—2008 年 5 月)

王旭东(2008 年 5 月—)

副主席

史玉波(2002 年 10 月—)

王禹民(2004 年 11 月—)

王野平(2006 年 5 月—)

全国社会保障基金理事会

理事长

戴相龙(2008 年 1 月—)

副理事长

孙小系(2007 年 12 月—)

王忠民(2004 年 11 月—)

李克平(2007 年 12 月—)

国家自然科学基金委员会

主 任

陈宜瑜(2003 年 12 月—)

副主任

王 杰(兼秘书长)(2003 年 12 月—)

沈文庆(2003 年 12 月—)

孙家广(2003 年 12 月—)

沈 岩(2008 年 1 月—)

姚建年(2008 年 1 月—)

何鸣鸿(2008 年 5 月—)

＊国务院台湾事务办公室

主 任

王 毅(2008 年 6 月—)

副主任

王富卿(2000 年 4 月—2008 年 7 月)

郑立中(2005 年 5 月—)

孙亚夫(2004 年 2 月—　)

叶克冬(2006 年 8 月—　)

陈元丰(2009 年 3 月—　)

＊国务院新闻办公室

主 任

王　晨(2008 年 3 月—　)

副主任

蔡名照(2001 年 4 月—　)

王国庆(2000 年 11 月—　)

钱小芊(2004 年 2 月—　)

＊国家档案局

局 长

杨东权(2006 年 7 月—　)

副局长

段东升(2005 年 3 月—　)

李明华(2005 年 3 月—　)

李和平(女)(2005 年 11 月—　)

杨继波(2006 年 7 月—　)

(＊国务院台湾事务办公室与中共中央台湾工作办公室；国务院新闻办公室与中共中央对外宣传办公室，一个机构两块牌子，列入中共中央直属机构序列。国家档案局与中央档案馆，一个机构两块牌子，列入中共中央直属机关的下属机构。)

国家信访局

局 长

王学军(2004 年 2 月—　)

副局长

王石奇(2004 年 12 月—　)

许　杰(2005 年 6 月—　)

王耀东(2006 年 4 月—　)

张彭发(2006 年 4 月—　)

张恩玺(2007 年 5 月—　)

徐令义(2008 年 8 月—　)

尹希波(2000 年 7 月—2008 年 8 月)

国家粮食局

局 长

聂振邦(2000 年 3 月—　)

副局长

郄建伟(2000 年 3 月—　)

任正晓(2001 年 5 月—　)

张桂凤(女)(2001 年 5 月—　)

曾丽瑛(女)(2004 年 6 月—　)

国家能源局

局 长

张国宝(兼)(2008 年 3 月—　)

副局长

刘　琦(2009 年 1 月—　)

国家国防科技工业局

局 长

陈求发(兼)(2008 年 3 月—　)

副局长

孙来燕(2008 年 3 月—　)

虞列贵(2008 年 3 月—　)

黄　强(2008 年 6 月—　)

王毅韧(2008 年 6 月—　)

国家烟草专卖局

局 长

姜成康(2002 年 6 月—　)

副局长

张保振(2001 年 3 月—　)

何泽华(2003 年 7 月—　)

李克明(2003 年 7 月—　)

张　辉(2004 年 8 月—　)

国家外国专家局

局　长

季允石（2006 年 9 月—　）

副局长

张建国　李　兵（女）　孙照华

陆　明（2007 年 8 月—　）

刘延国

国家公务员局

局　长

尹蔚民（兼）（2008 年 3 月—　）

副局长

杨士秋（兼）（2008 年 3 月—　）

周泽民（2008 年 7 月至今任国家公务员局副
　　　局长、党组成员）

信长星（2008 年 7 月—　）

傅兴国（2008 年 7 月—　）

国家海洋局

局　长

孙志辉（2005 年 11 月—　）

副局长

陈连增（2000 年 4 月兼中国海监总队总队
　　　长）

张宏声（2000 年 9 月—　）

王　飞（2004 年 7 月—　）

王　宏（2006 年 4 月—　）

国家测绘局

局　长

鹿心社（2005 年 11 月—2008 年 10 月）

徐德明（兼）（2008 年 10 月—　）

副局长

王春峰（1998 年 2 月—　）

李维森（2001 年 6 月—　）

宋超智（2004 年 12 月—　）

闵宜仁（2006 年 12 月—　）

中国民用航空局

局　长

李家祥（兼）（2008 年 3 月—　）

副局长

王昌顺（2008 年 3 月—　）

李　健（2008 年 3 月—　）

夏兴华（2009 年 8 月—　）

宇仁录（2009 年 8 月—　）

国家邮政局

局　长

马军胜（2006 年 11 月—　）

副局长

徐建洲（2006 年 11 月—　）

苏　和（蒙古族）（2006 年—　）

王渝次（2006 年 11 月—　）

国家文物局

局　长

单霁翔（兼）（2002 年 8 月—　）

副局长

张　柏（1990 年—　）

董保华（1997 年 3 月—　）

童明康（2004 年 1 月—　）

国家食品药品监督管理局

局　长

邵明立（2005 年 6 月—　）

副局长

刘　怡（2006 年 4 月—2009 年 3 月）

张敬礼（2003 年 10 月—　）

吴　浈（2006 年 9 月—　）

李继平（2009 年 3 月—　）

边振甲（2009 年 3 月—　）

国家中医药管理局

局　长

　　王国强（兼）(2007 年 1 月—　　)

副局长

　　吴　刚(2004 年 4 月—　　)

　　于文明(2004 年 4 月—　　)

　　李大宁(2005 年 3 月—　　)

　　房书亭(2000 年 11 月—2008 年 10 月)

　　马建中(2008 年 10 月—　　)

国家外汇管理局

局　长

　　胡晓炼（女，兼）(2005 年 3 月—2009 年 6 月)

　　易　纲(2009 年 6 月—　　)

副局长

　　李东荣(2002 年 3 月—2008 年 12 月)

　　邓先宏(2004 年 10 月—　　)

　　方上浦(2006 年 6 月—　　)

　　王小奕(2007 年 12 月—　　)

　　李　超(2008 年 12 月—　　)

国家煤矿安全监察局

局　长

　　赵铁锤(2005 年 2 月—　　)

副局长

　　付建华(2005 年 2 月—　　)

　　王树鹤(2005 年 2 月—　　)

　　彭建勋(2005 年 2 月—　　)

　　黄　毅(2008 年 7 月—　　)

＊国家保密局

局　长　夏　勇

＊国家密码管理局

局　长　张彦珍

＊国家航天局

局　长

　　孙来燕(2004 年—　　)

副局长

　　罗　格(2004 年 11 月—　　)

＊国家原子能机构

主　任　陈求发

＊国家语言文字工作委员会

主　任　郝　平

副主任　王登峰　李宇明

＊国家核安全局

局　长

　　李干杰(2008 年 3 月—　　)

（＊国家保密局与中央保密委员会办公室；国家密码管理局与中央密码工作领导小组办公室，一个机构两块牌子，列入中共中央直属机关的下属机构。工业和信息化部对外保留国家航天局、国家原子能机构牌子。教育部对外保留国家语言文字工作委员会牌子。环境保护部对外保留国家核安全局牌子。）

中国人民政治协商会议

中国人民政治协商会议
第十届全国委员会

（2003 年 3 月—2008 年 3 月）

十届政协一次会议

（2003 年 3 月 13 日）

选举：

主 席 贾庆林

副主席

王忠禹 廖 晖 刘延东（女）

阿沛·阿旺晋美（藏族）

巴 金（2005 年 10 月 17 日逝世）

帕巴拉·格列朗杰（藏族） 李贵鲜 张思卿

丁光训 霍英东 马万祺 白立忱（回族）

罗豪才 张克辉 周铁农 郝建秀（女）

陈奎元

阿不来提·阿不都热西提（维吾尔族）

徐匡迪 李兆焯（壮族） 黄孟复

王 选（逝世） 张怀西 李 蒙

秘书长 郑万通

常务委员（2003 年 3 月 13 日通过，共 299 人，按姓氏笔画排序）

一 诚 丁人林（2005 年 10 月 11 日逝世）

刀述仁（傣族） 于 珍 万学远 万鄂湘

马永伟 马志伟（满族） 马忠臣 王 东

王 蒙 王力平 王大中 王巨禄 王少阶

王东明 王光谦 王先琼（女，侗族）

王良溥（2005 年逝世） 王忍之 王明明

王钦敏 王恒丰 王鹤龄 王耀华

瓦哈甫·苏来曼（哈萨克族） 毛增华

方兆本 方祖岐 孔小均 邓朴方 邓成城

邓伟志 甘子钊 甘宇平 左铁镛

左焕琛（女） 厉以宁 厉有为 石万鹏

石四箴（女） 卢 强 卢 光（女）

卢荣景 卢登华 叶 青 叶 朗 叶大年

叶小文 叶少兰 叶连松 田 岚（土家族）

田期玉 令狐安 包叙定 冯健亲 冯培恩

冯骥才 圣 辉 西 纳（藏族） 曲钦岳

朱 铭 朱永新 朱兆良 朱佩玲（女）

朱振中 朱培康 朱增泉 伍绍祖

伍淑清（女） 任文燕（女） 任玉岭

优铁保（2007 年 5 月 3 日因病去世）

刘 璞（女） 刘元仁（2005 年 4 月 20 日逝世）

刘汉铨 刘永好 刘民复 刘光复 刘廷焕

刘仲藜 刘亦铭 刘迎龙 刘忠德

刘绍先（彝族） 刘政奎 刘柏年 刘剑锋

刘炳森（2005 年 2 月 15 日逝世）

齐续春（满族） 江家福（壮族） 安启元

许克敏 许柏年 孙永福 孙优贤

克尤木·巴吾东（维吾尔族） 苏纪兰

李世济（女） 李良辉 李其炎 李奇生

李昌鉴 李宝祥 李泽钜

李承淑（女，朝鲜族） 李勇武 李敏宽

李雅芳（女）

李慈君（女，2006 年 1 月 24 日逝世）

李慧珍（女） 李赣骝 杨 岐 杨孙西

杨春兴（苗族） 杨保建（白族） 杨俊文

杨振杰 吴 福 吴正德 吴光正 吴光宇

吴国祯 吴明熹 吴贻弓 吴冠中 吴祖强

吴润忠 吴敬琏 吴新涛 吴蔚然 何柱国

何添发 何鸿燊 余国春 邹哲开 闵乃本

闵智亭（2004 年 1 月 3 日逝世）

汪纪戎（女） 宋金升 宋宝瑞 宋瑞祥

宋德福

启 功（满族，2005 年 6 月 30 日逝世）

张 工 张 平 张 帆 张 洽 张 涛

张大宁 张永珍（女） 张发强 张圣坤

张芝庭 张廷翰 张吾乐 张宏伟 张国祥

张宝文 张宝明 张承芬（女） 张俊九

张梅颖（女） 张绪武 张新时

张榕明（女） 陆锡蕾（女）

阿不都热依木·阿吉伊明（维吾尔族）

陈 军（哈尼族） 陈 虹 陈广元（回族）

陈广文 陈心昭 陈永棋 陈邦柱 陈抗甫

陈昊苏 陈昌智 陈明德 陈佳洱 陈宗兴

陈政立 陈勋儒 陈俊亮 陈凌孚 陈高华

陈益群 陈清华 陈清泰 陈辉光 陈德敏

陈耀邦 邵 鸿 邵华泽 邵奇惠

苟建丽（女） 范宝俊 欧阳明高 季剑虹

岳海岩（2005 年 3 月 6 日逝世）

征 鹏（傣族） 金 昇 金开诚

金日光（朝鲜族） 金基鹏（回族）

金鲁贤 周子玉 周宜兴 周绍熹 郑兰荪

郑必坚 郑军里（瑶族） 郑楚光 宗顺留

赵 龙 赵 勇 赵 燕（女）

赵展岳 赵喜明 胡彦林 胡富国

钮茂生（满族） 俞 正 俞云波 俞泽猷

俞海潮　姜笑琴(女)　　洪绂曾　姚守拙
姚志彬　贺　旻(女)
珠康·土登克珠(藏族)　袁隆平
莫时仁(布依族,2005 年 2 月决定接受其辞
去政协常委职务)
桂世镛(2003 年 11 月 28 日逝世)　索丽生
贾　军　夏　日(蒙古族)　夏家骏(土家族)
夏培度　钱景仁　倪国熙　倪润峰　徐至展
徐自强　徐更生　徐展堂　徐鸿道　徐麟祥
爱泼斯坦(2005 年 5 月 26 日去世)
栾恩杰(满族)　高占祥　高国才(黎族)
郭东坡　郭炳湘
桑顶·多吉帕姆·德庆曲珍(女,藏族)
黄　璜　黄光汉(2007 年 7 月 6 日病逝)
黄关从　黄格胜(壮族)　萧灼基
曹圣洁(女)　　龚世萍(女)　龚谷成
章祥荪　阎洪臣　梁金泉　梁荣欣　梁振英
梁裕宁(女,壮族)　彭　钊　韩大建(女)
韩生贵(回族)　韩汝琦　韩忠朝　韩喜凯
程安东　程津培　程誌青(女)　　傅　杰
傅家祥　傅惠民　舒圣佑　曾　华
谢生林(回族)　谢克昌　谢丽娟(女)
靳尚谊　雷　蕾(女,满族)　窦瑞华
蔡睿贤　翟泰丰　墨文川　黎乐民
德哇仓(藏族)
潘　霞(女,2004 年 3 月 22 日病逝)
潘贵玉(女)　　潘蓓蕾(女,高山族)
霍　达(女,回族)

十届政协三次会议

（2005 年 3 月 12 日）

增选：
副主席
董建华　张梅颖(女)　张榕明(女)
常　委
万　钢　杨邦杰　张德邻　阎海旺　梁国扬

政协第十届全国委员会
各专门委员会

（2003 年 3 月 15 日政协第

十届全国委员会常务委
员会第一次会议通过）

提案委员会

主　任　傅　杰
副主任(按姓氏笔画排序)
朱树豪(2005 年 2 月增补)　朱培康
杨振杰　宋宝瑞　张　工　张岳琦
张德邻(2005 年 2 月增补)
郑社奎　范宝俊　俞泽猷　贾　军　高　强
倪豪梅(女)　　傅志煌(2005 年 2 月增补)
王　占(2007 年 2 月增补)
委　员(按姓氏笔画排序)
王惠通　方智远　田瑞璋　冯　巩
冯　淬(女)　　朱　焘　朱树豪
朱锦林　朱新均　朱增泉　李子彬　杨孙西
邱国义　何丕洁　何慧娴(女)　　宋春华
张化本　张龙之　张华军　张鹤镛　陈兰通
陈贵州　陈益群　周天顺　周远清　周晋峰
赵士英　赵光华　郝文明(满族)　徐心华
徐永光　徐玉麟　殷大奎　高文远
唐克美(女)　　唐树杰　梁　华　阎纯德
蒋秋霞(女)　　傅志煌　鲍培德　熊大方
滕进贤
张德邻(2005 年 2 月政协第十届全国委员会
第二十次主席会议通过)

经济委员会

主　任　刘仲藜
副主任(按姓氏笔画排序)
王洛林(2005 年 2 月增补)　石万鹏
厉以宁　叶连松　刘立清　刘永好　刘廷焕
吴敬琏　陈清泰(2005 年 2 月增补)
陈耀先　陈耀邦　邵奇惠　郑家纯
林毅夫(2005 年 2 月增补)　段应碧　洪绂曾
阎海旺(2005 年 2 月增补)　程安东
颜延龄(2005 年 2 月增补)
委　员(按姓氏笔画排序)
马永伟　王玉锁　王志宝　王武龙　王秦平
王基铭　朱登山　任运良　刘海燕　孙安民
孙树义　纪明波　寿嘉华(女)

杜钰洲(满族)　李志民　李居昌　李晓林
杨邦杰　杨贤足　杨树德　杨崇春　肖万钧
肖贞堂　吴光宇　吴耀文　邱立成　何林祥
何界生(女)　佟常印　宋瑞祥　张光瑞
张卓元　陆 江　陈 峰　陈明德
陈晓颖(女)　陈清泰　武春河　范西成
林毅夫　周明臣　周德强　赵希正　赵春明
段永基　洪敬南　袁振宇　徐鸿道
徐德明(满族)　殷介炎　高安泽
唐大智(女)　康 义　梁季阳
梁燕君(女)　董文标　韩 伟　傅立民
谢松林　蔡庆华
潘蓓蕾(女,高山族)　　穆麒茹(女)
马明哲　王洛林　李德成　张 祥　张宏伟
黄方毅　阎海旺
颜延龄(2005 年 2 月政协第十届全国委员会
第二十次主席会议通过)

人口资源环境委员会

主 任 陈邦柱
副主任(按姓氏笔画排序)
马国良　王克英　叶 青　江泽慧(女)
郑斯林(2005 年 2 月增补)　刘成果
李伟雄　杨魁孚　张 洽　张人为　张宝明
张榕明(女)　何光暐(2005 年 2 月增补)
陈洲其　温克刚
王广宪(2007 年 2 月增补)
李金明(2007 年 2 月增补)
委 员(按姓氏笔画排序)
卜漱和(女)　　马 福　王 东　王心芳
王光谦　王禹民　王弭力(女)　　王家柱
王福中　王曙光　牛文元　叶文虎　朱光武
刘于鹤　刘衍泉　孙 钢　李士忠　李安民
李良辉　李昌鉴　李烈荣　李善同(女)
李慈君(女)　　杨 岐　肖燕军(女)
吴晓青(满族)　何升镉　邹玉川
汪纪戎(女)　　沈国舫　张红武　张宝文
张新时　张赛娥(女)　　张德楠　陆延昌
陈子华　林而达　罗冰生　金祥文
郄秀书(女)　　郑一军　赵汉钟
赵忠祥　赵宝江　赵新先　茹 克　秦大河
聂振邦　索丽生　倪晋仁　徐是雄　唐守正

黄 炎　黄大卫　黄荣辉　梁从诫
彭嘉柔(女)　　蔡国雄　漆 林　谭庆琏
黎安田　潘贵玉(女)　　薛荣哲　甘宇平
吕飞杰　李宝芳(女)　　何光暐　郑斯林
蒋丽芸(女)　　鲁志强
曾庆存(2005 年 2 月政协第十届全国委员会
第二十次主席会议通过)

教科文卫体委员会

主 任 刘忠德
副主任(按姓氏笔画排序)
于友先　王巨才(2005 年 2 月增补)
韦 钰(女,壮族)　方祖岐
方兆祥(2006 年 10 月 16 日增补)
孙隆椿　杨伟光　宋金升
张文康(2005 年 2 月增补)
张发强　赵喜明
袁伟民(2005 年 2 月增补)　徐善衍
栾恩杰(满族)　　覃志刚(壮族)
傅庚辰(满族)　翟泰丰　蔡睿贤
委 员(按姓氏笔画排序)
于文明　王大中　王成喜　王次炤　王明明
铁 成　王景川　王渝生　王德炳　文 喆
邓亚萍(女)　　甘子钊　甘英烈　左铁镛
龙致贤　叶少兰　田麦久　田爱习
尼玛泽仁(藏族)　　曲维枝(女)　　朱庆生
朱宗涵　邬贺铨　刘 钝　刘 敏(女)
刘长铭　刘迎龙　刘建中
孙丽英(女,满族)
李 未　李 羚(女)　　李双江　李立明
李国章　李济生　李炳华　李维康(女)
杨力舟　吴以岭　吴良好　吴明熹　吴祖强
吴雁泽　何惠宇　佘 靖(女)　　沈士团
沈仁干　沈德忠　宋祖英(女,苗族)
迟宝荣(女)　　张 健　张今强　张立贵
张会军　张杰庭　张国初　张忠辉　张登义
陈 铎　陈文博　陈佳洱　陈晓光
罗爱伦(女)　　金 曼(女,朝鲜族)
郑必坚　郑质英　郑筱英　单霁翔　赵志祥
胡启恒(女)　　洪祖杭　姚乃礼　袁贵仁
夏国洪　倪 萍(女)　　徐德骁　高润霖
郭传杰　黄大昉　董协良　董志伟　韩真发

傅世垣　焦文俊　谢　炳　谢维和
雷　蕾(女,满族)　褚　平　蔡国斌　蔡冠深
潘公凯　瞿振元　王巨才　张文康
陈　红(女)　　陈　醉　陈清泉　袁伟民
徐锡安
黄　宏(2005年2月政协第十届全国委员会
第二十次主席会议通过)

社会和法制委员会

主　任　李其炎
副主任(按姓氏笔画排序)
　王建伦(女)　江蓝生(女)　朱治宏　刘家琛
　祁培文　李奇生
　伍绍祖(2005年2月增补)
　肖建章　张福森(2005年2月增补)
　张绪武　周子玉　赵登举　曹克明　萧灼基
　谭耀宗
委　员(按姓氏笔画排序)
　于生龙　于泽荣　万鄂湘　王　征　王书平
　王立忠　王伟华　王宪章　王景荣　王瑞璞
　卜耀武　左连璧　石汉基　卢天骄(女)
　叶　亮　叶维祯(女)　田期玉　田鹤年
　付　彦(女)　　朱佳木　朱恩涛　刘是龙
　刘新成　齐景发　许荣茂　许智明　孙怀山
　李永安　李永海　李贤义　李宝库　杨海坤
　吴伯明　应文华　宋林飞　陆克平
　陈　洪(女)　　陈广文　陈金飞　罗　锋
　岳海岩　赵　勇　赵功民　赵展岳　胡　伟
　胡友林　胡克惠(女)　保育钧(蒙古族)
　贾　祥　桂晓风　徐自强　唐德华　黄英豪
　黄景钧　崔　波　梁慧星　彭　玉(女)
　董　力　敬一丹(女)　景天魁　程津培
　谢遐龄　戴　舟(2004年7月25日病逝)
　冯延龄　伍绍祖　刘雅芝(女)　　张福森
　莫文秀(女)
　高宗泽(2005年2月政协第十届全国委员会
第二十次主席会议通过)

民族和宗教委员会

主　任　钮茂生(满族)
副主任(按姓氏笔画排序)
　巴　桑(女,藏族)　邓福村　刘柏年

江家福(壮族)　圣　辉(2005年2月增补)
任法融(2005年2月增补)
刘　江(2005年2月增补)
克尤木·巴吾东(维吾尔族)　李晋有
杨同祥　肖作福(满族)
闵智亭(2004年1月3日逝世)
陈广元(回族)　金日光(朝鲜族)
香根·巴登多吉(藏族)　夏　日(蒙古族)
黄　璜
委　员(按姓氏笔画排序)
　一　诚　丁文方(回族)　万选蓉(女,彝族)
　才旺扎西(藏族)　马　洁(女,蒙古族)
　马占山(回族)　马国超(回族)　王　平(女)
　瓦哈甫·苏来曼(哈萨克族)　方建平
　巴德年(满族)　甘连舫(回族)
　卢湖山(壮族)　叶小文　邝广杰　圣　辉
　吉狄马加(彝族)　伍贻业(回族)　任法融
　伊丽苏娅(女,维吾尔族)　刘文甲(满族)
　刘怀元　刘秀晨(回族)　刘明哲(黎族)
　刘炳森(2005年2月15日逝世)
　齐续春(满族)　安家瑶(女)
　那仓向巴昂翁·丹曲成来(藏族)
　孙　福(满族)　孙锡培　戒　忍
　李玉玲(女)　李国安　杨　钊　何星亮
　库尔班·艾尔西丁(维吾尔族)
　张千一(朝鲜族)　陈　勉(满族)
　陈丽华(女,满族)　陈顺鹏
　拉巴平措(藏族)　尚绍华(女)
　季剑虹　金　蔚(女)　金仁燮(朝鲜族)
　金基鹏(回族)　金靖宇(满族)　学　诚
　净　慧　房兴耀　赵振国(回族)
　荣仕星(壮族)　珠康·土登克珠(藏族)
　莫时仁(布依族)　徐颂陶　唐诚青
　黄元河(壮族)　黄信阳　彭丽媛(女)
　韩兴旺(撒拉族)　曹圣洁(女)　雷世银
　嘉木扬·图布丹(蒙古族)
　熊胜祥(普米族)　德德玛(女,蒙古族)
　翦英海(维吾尔族)　薛光林(回族)
　霍达(女,回族)　穆　励(回族)
　刀述仁　马延军(女)　任玉岭　刘　江
　苏树辉　张　卓　根　通
　傅先伟(2005年2月政协第十届全国委员会

第二十次主席会议通过）

余振贵（回族）

夏家骏（土家族，由提案委员会委员调整为民族和宗教委员会委员，2005 年 2 月政协第十届全国委员会第二十次主席会议通过）

港澳台侨委员会

主 任 郭东坡

副主任（按姓氏笔画排序）

王永海　厉有为　刘亦铭　李赣骝　何少川

何添发　张伟超　张廷翰　张道诚　陈玉益

陈　杰（2005 年 2 月增补）　胡应湘

俞晓松　郭荣昌

唐闻生（2005 年 2 月增补）　廖泽云

委 员（按姓氏笔画排序）

王巨禄　王志新　王晓玉　卞晋平

方俐洛（女）　邓培德　石四皓

叶乔波（女）　白淑湘（女）　乐美真

冯理达（女）　许世铨　许坤元　孙宝启

李小和（女）　李炳才　杨思泽　吴国祯

吴承业　邱维廉　张　茵（女）　张文中

张克俭　陈联合　林明江　林盛中　林嘉騄

欧阳华　周远楣（女）　胡克勤　施子清

施祥鹏　贺定一（女）　徐展堂　郭国庆

郭麟恭　唐闻生（女）　黄光汉

黄军军（女）　黄植诚（壮族）

黄紫玉（女）　彭磷基　董利翔（女）

韩汝琦　曾文仲　谢朝华　蔡国雄　蔡继明

瞿弦和　李勇武　张闾蘅（女）　钟小健

侯伯文

戴德丰（2005 年 2 月政协第十届全国委员会第二十次主席会议通过）

陈　杰（女，高山族，由民族和宗教委员会委员调整为港澳台侨委员会委员，2005 年 2 月政协第十届全国委员会第二十次主席会议通过）

外事委员会

主 任 刘剑锋

副主任（按姓氏笔画排序）

万永祥　马振岗　王淑贤（女）

刘华秋（2005 年 2 月增补）　李北海

杨正泉　吴建民　陈昊苏　张国祥

武　韬（满族）　周可仁

赵启正（2005 年 2 月增补）

原　焘　俞云波

委 员（按姓氏笔画排序）

丁人林　王立安　王昌义　王林旭

尤兰田（女）　石　愚　车书剑

白　钢　伍淑清（女）　刘　明（壮族）

李　兰（女）　李小林（女）　李敏宽

李静杰　杨俊文　谷永江　张永珍（女）

张吾乐　张宏喜　张虎生　张蕴岭　陆忠伟

陈乃芳（女）　武东和　苗耕书

袁　明（女）　贾庆国　徐更生　徐锡澄

高金钿　高敬德　资华筠（女）　梅　平

龚谷成　梁湜　蒋晓松　喻权域　蔡武

蔡名照　蔡来兴　潘占林　王　名　叶小钢

朱英璜　刘华秋　李大壮　张青林　赵启正

袁熙坤

高拴平（2005 年 2 月政协第十届全国委员会第二十次主席会议通过）

羊子林（由港澳台侨委员会委员调整为外事委员会委员，2005 年 2 月政协第十届全国委员会第二十次主席会议通过）

文史和学习委员会

主 任 王　蒙（2005 年 2 月任命）

副主任（按姓氏笔画排序）

计佑铭（2005 年 2 月增补）　邓成城

刘　枫　刘济民　李仁臣　吴　福　金开诚

龚心瀚　崔占福

钟起煌（2007 年 2 月增补）

桑结加（2007 年 2 月增补）

委 员（按姓氏笔画排序）

丁振海　王晓秋　冯　友（女）　刘庆柱

刘国能　刘景录（蒙古族）　李　燕

李汉秋　李君如　李国强　李祖泽　李致忠

杨胜群　谷安林　张　皎　张志新　张征宇

张德二（女）　张燕瑾　陈漱渝　范如玉

周秉德（女）　弥松颐　聂震宁

夏燕月（女）　郭　理（女）　曹幸穗

曹鸿鸣　戚发轫　舒　乙（满族）　游洛屏

梁晓声　王　蒙　王茂祥　计佑铭　卢锡城

李崇富　杨　波　汪继祥　张文彬　张宏遵
周敬东　赵少华(女)　　姚珠珠(女)
贺美英(女)　　海　飞
董良翚(女)(2005 年 2 月政协第十届全国委
员会第二十次主席会议通过)
卫建林(由社会和法制委员会委员调整为文
史和学习委员会委员,2005 年 2 月政协第十
届全国委员会第二十次主席会议通过)

中国人民政治协商会议
第十一届全国委员会
(2008 年 3 月—　　)

十一届政协一次会议
(2008 年 3 月 15 日)

选举:

主　席　贾庆林
副主席
　王　刚　廖　晖　杜青林
　阿沛·阿旺晋美(藏族)
　帕巴拉·格列朗杰(藏族)　马万祺　白立忱
　陈奎元
　阿不来提·阿不都热西提(维吾尔族)
　李兆焯(壮族)　黄孟复　董建华
　张梅颖(女)　张榕明(女)　钱运录
　孙家正　李金华　郑万通　邓朴方　万　钢
　林文漪(女)　厉无畏　罗富和　陈宗兴
　王志珍(女)

秘书长　钱运录(兼)
副秘书长(共 18 人)
　杨崇汇　蒋作君　孙怀山　潘贵玉(女)
　陈抗甫　卢昌华　王胜洪　仝广成　陈喜庆
　修福金　张宝文　马培华　刘晓峰　王钦敏
　黄志贤　宋北杉　林智敏(女)
　﹡卞晋平(2008 年 10 月,因工作变动,卞晋
平不再担任政协第十一届全国委员会副秘
书长)

常务委员(共 298 人,按姓氏笔画排序)
　一　诚　刀述仁(傣族)　万季飞　万学远
　万鄂湘　马长庆(东乡族)　马志伟(满族)

马英林　马培华　王　晓　王少阶　王玉锁
王立平(满族)　　王永庆　王亚保(黎族)
王光谦　王先琼(女,侗族)　王众孚
王宇田　王林旭　王明明　王金祥　王显政
王钦敏　王健林　王梅祥　王新陆　王新奎
韦建桦　方兆本　孔小均
艾努瓦尔(哈萨克族)　　左焕琛(女)
厉以宁　石耀霖　卢志强　卢晓钟　叶小文
叶小钢　田　刚　田　岚(土家族)　田　静
田　震　田中群　田聪明　包俊臣(蒙古族)
冯　巩　冯明光　冯炯华　冯培恩　冯骥才
宁崇瑞　朱孝清　朱作言　朱祖良　朱维群
伍淑清(女)　　任法融　全哲洙(朝鲜族)
刘　凡　刘　江　刘长铭　刘古昌　刘汉元
刘汉铨　刘光复　刘亦铭　刘志峰　刘迎龙
刘应明　刘泽彭　刘柏年　刘晓庄　刘晓峰
刘峰岩　刘淑莹(女)　　刘新文(女)
刘慕仁　齐　让　江蓝生(女)　许仕仁
许仲林　许志功　许京军　孙　淦　孙永福
孙志强　孙怀山　孙晓郁
买买提·玉素甫(维吾尔族)
苏士澍(满族)　李　冰　李　宏　李　明
李　羚(女)　李　崴　李　谠(女)
李卫华　李世济(女)　李庆云　李君如
李卓彬　李国璋　李昌鉴　李泽钜
李承淑(女,朝鲜族)　　李栋恒　李铁林
李德洙(朝鲜族)　李德强　杨　岐　杨　健
杨孙西　杨春兴(苗族)　杨俊文
杨健强(白族)　杨崇汇　杨维刚
杨焱平(女,白族)　吴　江(无党派人士)
吴玉谦　吴正德　吴光正　吴国祯　吴祖强
吴嘉甫(布依族)　吴蔚然　邱衍汉　何　维
何小平　何丕洁　何光昕　何柱国　何鸿燊
余国春　闵乃本　汪啸风　沈文庆　沈滨义
张　平　张　帆　张　健　张　海　张　黎
张大方　张大宁　张文康　张左己　张龙之
张圣坤　张来斌　张国宝　张泽熙　张宝文
张承芬(女)　　张俊九　张桃林
张海迪(女)　　张维庆　张道宏　张福森
阿什老轨(彝族)　陈　军(哈尼族)
陈　杰(女,高山族)　　陈　旗
陈广元(回族)　陈云林　陈永棋　陈传阔

陈自力　陈进玉　陈抗甫　陈佐洱　陈昊苏
陈明义　陈明德　陈绍军　陈政立　陈勋儒
陈凌孚　陈章良　陈清华　陈福今　邵　鸿
武大伟　武四海(回族)　武维华　武献华
林而达　林兆枢　林明江　欧阳明高
欧阳淞　季允石　周文重　周汉民　周健民
周遇奇　郑小燕(女)　郑兰荪
郑军里(瑶族)　郑建邦　郑祖康　郑家纯
郑惠强　郑楚平　郑楚光　学　诚　赵　龙
赵　俊　赵少华(女,满族)　赵化勇
赵启正　赵雨森　赵晓勇　胡四一　胡永柱
胡家燕(女)　胡德平　钮小明(女)　段成桂
修福金　俞海潮　洪祖杭　姚志彬　秦大河
珠康·土登克珠(藏族)　袁汉民　袁祖亮
袁隆平　袁熙坤　贾庆国　夏　涛　夏培度
顾秉林　柴松岳　钱克明　徐　泽　徐　辉
徐冠华　徐振寰　徐展堂　栾恩杰(满族)
高　峰(宗教界)　高小玫(女)　高中兴
高体健　高俊良　郭炳湘　陶建幸
桑顶·多吉帕姆·德庆曲珍(女,藏族)
黄代放　黄志贤　黄格胜(壮族)
曹　亚(女)　曹　毅(土家族)
曹小红(女,回族)　曹其真(女)
龚世萍(女)　龚惠兴　康耀红　章祥荪
梁金泉　梁振英　葛东升　葛剑平　葛剑雄
董恒宇　董新光　蒋以任　蒋作君　蒋明麟
韩忠朝　韩美林　覃志刚(壮族)
程世峨(女)　程崇庆　傅先伟　傅惠民
曾　华　温思美　温熙森　靳尚谊　蒙进喜
赖　明　雷　蕾(女,满族)　蔡　威
蔡达峰　管国忠(傣族)　廖泽云　黎桂康
德哇仓(藏族)　滕文生　潘贵玉(女)
潘蓓蕾(女,高山族)
霍　达(女,回族)　磨长英(女)　戴德丰

政协第十一届全国委员会各专门委员会

（2008年3月15日政协第十一届全国委员会常务委员会第一次会议通过）

提案委员会

主　任　李铁林

副主任(按姓氏笔画排序)

王　占　王生铁　王显政　王瑞祥　毛林坤
朱树豪　刘志忠　刘峰岩　孙　淦　步正发
邵　鸿　王国卿(2008年10月任命)

委　员(56名,按姓氏笔画排序)

王小兰(女)　　王国强　王炳华　王富卿
王增祺　田淑兰(女)　　包明德(蒙古族)
冯　巩　冯远　宁　远　吕章申　任洪斌
刘元龙　刘环祥　刘逢君　江小涓(女)
许志功　孙晓华　纪　斌　苏立清　李　武
李成贵　李秀恒　杨文良　杨国庆
杨健强(白族)　　吴先宁　辛树森(女)
宋南平　张　宁　张　沇　张　政　张化本
张近东　陈明金　范伯元　林贤郁(朝鲜族)
林淑娘(女)　　国一民　金大鹏　周晋峰
赵光华　赵维绥　洪天慧(女)　　夏　敏
钱克明　郗杰英　凌　锋(女)　　黄　海
曹湘洪　崔大林　陶大为　蒋秋霞(女)
雷元亮　雷加富(满族)　　蔡　玲(女)

经济委员会

主　任　张左己

副主任(按姓氏笔画排序)

王众孚　王钦敏　厉以宁　刘　江　刘永好
孙永福　孙晓郁　李家杰　李德水　张志刚
陈锡文　范西成　欧新黔(女)　　郑新立
胡德平　柴松岳　郭廷标　董文标　颜延龄

委　员(67名,按姓氏笔画排序)

丁仲篪　马军胜　马明哲　马蔚华　王大成
王为强　王玉英(女)　　王玉锁　王建宙
王健林　王基铭　卢志强　宁高宁　朱孟依
刘公勤(女)　　刘克崮　刘迎霞(女)
刘金虎　刘树成　刘德树　刘遵义　闫冰竹
许善达　苏　宁　李　勇　李育才　李剑阁
李德成　杨先明　杨凯生　邱立成　应仲树
汪建熙　沈滨义　宋晓梧　张元龙　张华峰
张宏伟　张国初　张国宝　张春江
张赛娥(女)　　陈　峰　陈传阔
陈晓颖(女)　　范小建　范福春　林金城
郑　晖　胡四一　洪敬南　贺　强　耿　亮

贾　康　唐大智（女）　　唐双宁（满族）

黄方毅　梅兴保　梁季阳　梁燕君（女）

葛东升　蒋超良　谢　炳　谢渡扬　蔡继明

潘蓓蕾（女，高山族）　　魏迎宁

人口资源环境委员会

主　任　张维庆

副主任（按姓氏笔画排序）

王广宪　王少阶　王玉庆　王曙光　任启兴

刘志峰　刘泽民　江泽慧（女）　　李　元

李金明　汪啸风　张　黎　邵秉仁　林树哲

秦大河　郭　炎

委　员（61名，按姓氏笔画排序）

卜漱和（女）　　于天忱　马富才　王　曦

王训练　王光谦　牛文元　尹伟伦　田在玮

印　红（女）　　朱光武　刘纪远

刘秀晨（回族）　　刘衍泉　兰云升　许健康

孙文杰　严慧英（女）　　李　猛　李永安

李河君　李学明　李晋峰　李烈荣　李铁军

杨　岐　杨　淳　杨文采　肖燕军（女）

吴晓青（满族）　　邱衍汉　沈　瑾（满族）

沈德忠　张红武　陆启洲　陈必亭　林而达

林宗寿　欧阳明高　周大兵　周中枢

周名江　孟宪来　经天亮　赵学敏　赵炳礼

茹　克　聂振邦　贾承造　倪晋仁　黄大卫

黄少良　蒋丽芸（女）　　韩修国　舒兴田

谢正观　谢企华（女）　　谢俊奇　蔡国雄

翟若愚　翟浩辉

教科文卫体委员会

主　任　徐冠华

副主任（按姓氏笔画排序）

于永湛　方兆祥　刘长乐　江绍高　杨胜群

张大宁　张文康　陈晓光　赵沁平

胡家燕（女）　　栾恩杰　高敬德

覃志刚（壮族）

霍震霆　张秋俭（2008年10月任命）

蒋效愚（2009年2月增补）

委　员（95名，按姓氏笔画排序）

丁　洁（女）　　于文明　于魁智（回族）

马大龙　马国湘　王　宇　王成喜　王次炤

王国宾　王明明　邓亚萍（女）　　龙　瑞

卢锡城　叶少兰　叶乔波（女）　　田　静

田军利　申万胜　史康成　包为民　朱　星

邬贺铨　刘　晓　刘　敏（女）

刘　焱（女）　　刘大为　刘迎龙　刘振英

齐　让　许树强　孙丽英（女，满族）

孙志辉　孙铁英（女，满族）　　严望佳（女）

苏士澍（满族）　　李　未　李立明　李栋恒

李济生　李胜素（女）　　李维康（女）　　杨　桦

杨元庆　吴明江　吴祖强　吴雁泽　邱贵兴

佘　靖（女）　　宋祖英（女，苗族）

张　海　张会军　张景安　张新建

陈　红（女）　　陈大卫　陈立人　陈仲强

陈邦柱　陈建民　陈建国　陈泽盛

范　利（女）　　林金星　周遇奇　单霁翔

赵　卫（白族）　　赵　平　胡定旭　胡海岩

柯　杨（女）　　钟秉林　俞光岩　姚乃礼

顾秉林　徐　亮　徐　翔　徐延豪　徐沛东

徐晓兰（女）　　高润霖　郭　为　郭传杰

黄大昉　黄如楷　黄洁夫　曹洪欣

曹淑敏（女）　　常小兵　蒋效愚　韩美林

程天权　温熙森　蔡国斌　蔡冠深　瞿振元

社会和法制委员会

主　任　张福森

副主任（按姓氏笔画排序）

万鄂湘　王东进　朱孝清　江蓝生（女）

许仲林　孙明山　张　穹　张俊九　罗平飞

赵少华（女，满族）　　秦玉琴（女）

高金榜　谭耀宗

委　员（63名，按姓氏笔画排序）

于　宁　方　工（回族）　　方　方　王　征

王　晓　王乃坤（女）　　王书平

王秀红（女）　　王建沂　王俊峰　王宪鹏

石见元　华士飞　刘红宇（女）　　刘志强

刘京生　许荣茂　许智明　孙南申　李小豹

李玉光　李庆云　李君如　李贤义　李顺桃

李钺锋　李瑞英（女）　　李嘉音（女）

杨　超　杨海坤　吴　焰　何　悦（女）

何　维　宋林飞　张世平（女）

张秋俭（女）　　陈智伦　林圣雄　林国文

周和平　屈万祥　郝明金　胡永柱　胡汉清

段正坤　侯欣一　姜建初　郭长江

陶斯亮(女)　黄文仔　黄英豪　曹义孙
崔永元　葛剑平　董 力　景天魁　曾智明
谢 卫　谢伯阳　甄 贞(女)　黎振强
滕一龙　薄绍晔

德德玛(女,蒙古族)

民族和宗教委员会

主 任　田聪明
副主任(按姓氏笔画排序)
马庆生(回族)　仲兆隆　任法融　刘柏年
张秀明　陈 洪(女)　陈广元(回族)
拉巴平措(藏族)　周明甫　赵金铎(满族)
香根·巴登多吉(藏族)　蒋明麟　傅先伟
邓宗良(2008 年 10 月任命)
委 员(71 名,按姓氏笔画排序)
一 诚　丁文方(回族)　丁常云
刀述仁(傣族)　于新粒　才 让(藏族)
马子龙(回族)　马国超(回族)　马英林
王 平(女)　王 健(布依族)
王四代(彝族)　王金祥　邓宗良　叶小文
田 青　印 乐　尼玛泽仁(藏族)
朴 英(女,朝鲜族)
伊丽苏娅(女,维吾尔族)
旭日干(蒙古族)　关牧村(女,满族)
汤伟奇　安阿玥(回族)　安信义
安家瑶(女)
那仓·向巴昂翁丹曲成来(藏族)
买买提·艾山(维吾尔族)　李玉玲(女)
李光富　李成日(朝鲜族)　李国安
杨 钊　杨志波(回族)　吴培娟(女)
何玉棠　何星亮　张千一(朝鲜族)　陈顺鹏
妙 江　尚绍华(女)
金 莉(女,俄罗斯族)　金 蔚(女)
金晏山(满族)　学 诚　房兴耀
郝时远(蒙古族)　洪长有(回族)
觉 醒　贺捷生(女,土家族)　根 通
贾列肯·别克西(哈萨克族)
钱利民(蒙古族)　高 峰　郭占春
唐诚青　海 霞(女,回族)
黄元河(壮族)　黄至安(女)　黄信阳
曹玉书　鄂义太(蒙古族)　彭丽媛(女)
韩兴旺(撒拉族)　湛 如　蒙进喜　雷世银
雷菊芳(女)　蔡世杰(回族)　德哇仓(藏族)

港澳台侨委员会

主 任　陈云林
副主任(按姓氏笔画排序)
马有礼　王凤超　安 民　李炳才　吴国桢
陈丽华(女,满族)　　陈佐洱　陈明义
林兆枢　胡应湘　施祥鹏　楼志豪　蔡东士
＊陈绍基(2009 年 6 月被免去政协第十一届
全国委员会港澳台侨委员会副主任职务)
委 员(46 名,按姓氏笔画排序)
于 炼　万季飞　马介璋　王巨禄　王执礼
王晓玉　邓成城　史茂林　乐美真　庄绍绥
刘 凡　刘亦铭　刘泽彭　孙必达　孙宝启
李卓彬　李昌鉴　杨 瀚　杨思泽　吴承业
邱维廉　张 茵(女)　　张闾蘅(女)
陈 杰(女,高山族)　　陈寒枫　陈联合
林明江　林盛中　罗 援　郑建邦
胡葆琳(女)　　侯伯文　钟小健　俞敏洪
贺定一(女)　　贾宝兰(女)　　高 杰
黄植诚(壮族)　　黄紫玉(女)　　黄楚标
彭磷基　董中原　董利翔(女)
程 红(女)　　曾文仲　瞿弦和

外事委员会

主 任　赵启正
副主任(按姓氏笔画排序)
万学远　马秀红(女)　卢文端　陈昊苏
武大伟　赵进军　韩方明
委 员(47 名,按姓氏笔画排序)
马灿荣　马胜荣　王林旭　石 愚　冯 军
吕凤鼎　吕新华　刘文杰　刘古昌　刘梦熊
关呈远(满族)　孙 萍(女,回族)
孙振宇　苏树辉　李 冰　李大壮　李静杰
杨 澜(女)　　吴玉谦　吴思科　张 骏
张九桓　张小济　张志军　张蕴岭　陆忠伟
陈经纬　图登克珠(藏族)　金一南
周文重　郝 平　柯小刚　袁 明(女)
贾庆国　徐振寰　高中兴　郭 涛
黄 庆(女)　　黄友义(回族)　章新胜
蒋晓松　裴援平(女)　詹国枢　蔡名照
蔡建国　廖晓淇　魏建国

文史和学习委员会

主　任　陈福今

副主任（按姓氏笔画排序）

毛福民　计佑铭　冯骥才　范钦臣　郑欣淼
钟起煌　施子清　桑结加（藏族）　崔占福
梁　华　卞晋平（2008 年 10 月任命）

委　员（43 名，按姓氏笔画排序）

万　捷　王天增　王文章　王兴东　王连生
王晓秋　左东岭　石　峰　叶培建
朱莲芬（女）　刘兰芳（女，满族）
刘庆柱　李东东（女）　李兴山　李国强
李景瑞　杨　波　杨力舟　余　辉　沈　悌
张　柏　张　健　张　皎　张华祝　张廷皓
张胜友　陈　力　陈　醉　陈建功　林　野
聂震宁　夏燕月（女）　高俊良　黄小同
黄书元　曹幸穗　曹鸿鸣　戚发轫　梁晓声
葛晓音（女）　董良翚（女）　程世峨（女）
滕矢初

中国共产党中央军事委员会

2002 年 11 月—2007 年 10 月

主　席

江泽民（2002 年 11 月 15 日中共十六届一中
全会决定，2004 年 9 月辞）

胡锦涛（2004 年 9 月 19 日中共十六届四中
全会决定）

副主席

胡锦涛（　—2004 年 9 月）　郭伯雄　曹刚川
（2002 年 11 月 15 日中共十六届一中全会决定）

徐才厚（2004 年 9 月 19 日中共十六届四中
全会决定）

委　员

徐才厚（　—2004 年 9 月）

梁光烈　李继耐　廖锡龙
（2002 年 11 月 15 日中共十六届一中全会决
定）

陈炳德　乔清晨

张定发（2006 年 12 月 14 日逝世）　靖志远

（2004 年 9 月 19 日中共十六届四中全会增
补）

2007 年 10 月—

主　席

胡锦涛（2007 年 10 月中共十七届一中全会
决定）

副主席

郭伯雄

徐才厚（2007 年 10 月中共十七届一中全会
决定）

委　员

梁光烈　陈炳德　李继耐　廖锡龙　常万全
靖志远　吴胜利　许其亮
（2007 年 10 月中共十七届一中全会决定）

中华人民共和国中央军事委员会

2003 年 3 月—2008 年 3 月
（第十届全国人大期间）

主　席

江泽民（十届全国人大一次会议于 2003 年 3
月 15 日选举，2005 年 3 月辞）

胡锦涛（2005 年 3 月 13 日十届全国人大三
次会议选举）

副主席

胡锦涛（　—2005 年 3 月）　郭伯雄　曹刚川
（十届全国人大一次会议于 2003 年 3 月 16
日决定）

徐才厚（2005 年 3 月 14 日十届全国人大三
次会议任命）

委　员

徐才厚（　—2005 年 3 月）

梁光烈　廖锡龙　李继耐
（十届全国人大一次会议于 2003 年 3 月 16
日决定）

陈炳德　乔清晨　张定发

靖志远（2005 年 3 月 14 日十届全国人大三
次会议任命）

2008 年 3 月—2013 年 3 月
（第十一届全国人大期间）

主　席　胡锦涛
副主席　郭伯雄　徐才厚
委　员

梁光烈　陈炳德　李继耐　廖锡龙　常万全

靖志远　吴胜利　许其亮

中国人民解放军

中国人民解放军各总部、各军兵种

中华人民共和国国防部

部　长
曹刚川（兼）（2003 年 3 月—2008 年 3 月）
梁光烈（兼）（2008 年 3 月—　）

中国人民解放军总参谋部

总参谋长
梁光烈（2002 年 11 月—2007 年 9 月）
陈炳德（2007 年 9 月—　）

中国人民解放军总政治部

主　任
徐才厚（2002 年 11 月—2004 年 9 月）
李继耐（2004 年 9 月—　）

中国人民解放军总后勤部

部　长
廖锡龙（2002 年 11 月—　）
政治委员
张文台（2002 年 10 月—2005 年 6 月）
孙大发（2005 年 7 月—　）

中国人民解放军总装备部

部　长
李继耐（2002 年 11 月—2004 年 9 月）
陈炳德（2004 年 9 月—2007 年 9 月）
常万全（2007 年 9 月—　）
政治委员
迟万春（2002 年 10 月—　）

中国人民解放军海军

司令员
张定发（2003 年 6 月—2006 年 8 月）
吴胜利（2006 年 6 月—　）
政治委员
胡彦林（2003 年 6 月—　）

中国人民解放军空军

司令员
乔清晨（2002 年 5 月—2007 年 6 月）
许其亮（2007 年 6 月—　）
政治委员
邓昌友（2002 年 5 月—　）

中国人民解放军第二炮兵

司令员
靖志远（2004 年 9 月—　）
政治委员
彭小枫（2003 年 12 月—2004 年 6 月）

中国人民解放军各大军区

北京军区

司令员
朱　启（2002 年 1 月—2007 年 6 月）
房峰辉（2007 年 6 月—　）

政治委员

符廷贵(2003 年 12 月—　)

南京军区

司令员

朱文泉(2002 年 11 月—2007 年 9 月)

赵克石(2007 年 9 月—　)

政治委员

雷鸣球(2000 年 12 月—2007 年 7 月)

陈国令(2007 年 7 月—　)

沈阳军区

司令员

常万全(2004 年 12 月—2007 年 9 月)

张又侠(2007 年 9 月—　)

政治委员

黄献中(2005 年 12 月—　)

兰州军区

司令员

王国生(2007 年 6 月—　)

政治委员

刘永治(2002 年 11 月—2004 年 12 月)

喻林祥(2004 年 12 月—2007 年 9 月)

李长才(2007 年 9 月—　)

济南军区

司令员

范长龙(2004 年 9 月—　)

政治委员

刘冬冬(2002 年 11 月—　)

广州军区

司令员

刘镇武(2002 年 1 月—2007 年 6 月)

章沁生(2007 年 6 月—　)

政治委员

杨德清(2003 年 12 月—2007 年 9 月)

张　阳(2007 年 9 月—　)

成都军区

司令员

王建民(2002 年 11 月—2007 年 9 月)

李世明(2007 年 9 月—　)

政治委员

刘书田(2003 年 12 月—2005 年 12 月)

张海阳(2005 年 12 月—　)

中国各民主党派

中国国民党革命委员会

第十届中央委员会

（2002 年 12 月—2007 年 12 月）

名誉副主席

贾亦斌　彭清源　徐起超

主　席

何鲁丽(女)

副主席

周铁农　李赣骝　童　傅　程志青(女)

徐志纯　厉无畏　钮小明(女)朱培康

刘民复　万鄂湘　齐续春

秘书长

刘民复(兼)

（2004 年 11 月民革召开十届三中全会,增选
齐续春为中央副主席）

常务委员(44 名,按姓氏笔画为序)

万鄂湘　马文骏　马志伟　孔小均

方俐洛(女)　　毛增华　王良溥　冯健亲

卢邦正　厉无畏　刘　晓　刘民复

刘新文(女)　　朱培康　许　钊　齐续春

何小平　何丕洁　何鲁丽(女)　李惠东

李赣骝　陆　栋　陆锡蕾(女)　陈清华

周天鸿　周铁农　周鸿兴　奇英成　郑建邦
俞　正　修福金　战秋萍(女)　钮小明(女)
夏培度　徐志纯　梁　俭　符气浩
龚世萍(女)　　傅惠民　程誌青(女)
童　傅　谢克昌　韩汝琦　鲍隆清

(2006 年 11 月 26 日,民革十届五中全会增
选庄先为民革第十届中央委员会常务委员)

第十一届中央委员会

（2007 年 12 月—　　）

名誉主席　何鲁丽(女)

名誉副主席　贾亦斌　彭清源　徐起超

主　席　周铁农

副主席

　　厉无畏　钮小明(女)　万鄂湘　齐续春
　　谢克昌　修福金　刘　凡　程崇庆　傅惠民
　　何丕洁

秘书长　齐续春(兼)

常务委员（共 43 名,按姓氏笔画为序）

　　万鄂湘　马志伟　孔小均　王宇坤　冯　巩
　　冯明光　厉无畏　叶莉君(女)
　　田惠光(女)　　刘　凡　刘　晓
　　刘新文(女)　　庄　先　汤维建　齐续春
　　何小平　何丕洁　吴先宁　张守志　李英杰
　　李晓东　李惠东　李德强　杨保建　肖黎声
　　陈清华　周天鸿　周铁农　林道芸　郑心穗
　　郑建邦　修福金　钮小明(女)　　夏　涛
　　夏培度　郭层城　高小玫(女)
　　曹　亚(女)　　龚世萍(女)　　傅惠民
　　程崇庆　蒋平安　谢克昌

中国民主同盟

第九届中央委员会

（2002 年 12 月—2007 年 12 月）

九届一中全会

（2002 年 12 月 19 日）

名誉主席

　　费孝通(2005 年 4 月 24 日逝世)
　　钱伟长　谈家桢
　　苏步青(2003 年 3 月 17 日逝世)
　　丁石孙(2005 年 12 月推举)

名誉副主席

　　叶笃义(2004 年 2 月 19 日逝世)
　　陶大镛　马大猷　康振黄　罗涵先
　　孔令仁(女)　吴修平　厉以宁　江景波
　　冯克熙(2004 年 3 月 17 日逝世)

顾　问　冯素陶　邬沧萍

主　席

　　丁石孙
　　蒋树声(2005 年 12 月选举)

副主席

　　张梅颖(女,常务)　　冯之浚　袁行霈
　　卢　强　吴正德　张宝文　王维城　张圣坤
　　李重庵　郑兰荪　张　平
　　索丽生(2004 年 12 月增选)

秘书长　高拴平

常务委员（67 名,按姓氏笔画为序）

　　王维城　王耀华　冯之浚　卢　强　叶大年
　　龙庄伟　伉铁保　刘光复　刘德海　孙优贤
　　朱　铭　朱佩玲　朱振中　许柏年　吴　刚
　　吴大诚　吴正德　张　平　张圣坤　张宝文
　　张高勇　张梅颖　张道宏　李重庵　李嘉琥
　　陈万志　陈宝智　陈晓光　周宜兴　罗远芳
　　郑　荃　郑兰荪　郑泽根　郑惠强　俞海潮
　　赵振铣　倪国熙　唐克美　徐　辉　桂中岳
　　索丽生　聂向庭　袁行霈　贾庆国　郭生练
　　陶建华　顾　欣　高玉葆　高拴平　高晓宇
　　曹卫星　梁荣欣　梁晓声　梁超然　傅仙罗
　　温孚江　温思美　蒋树声　谢佑卿　谢遐龄
　　韩大建　雷　蕾　鲍义志　鲍敏中

九届二中全会

（2003 年 12 月 11 日）

选举副主席　蒋树声

九届三中全会

（2004 年 12 月 14 日）

增选副主席　索丽生

九届四中全会

（2005 年 12 月 7 日）

推举名誉主席　丁石孙
选举主席　蒋树声

第十届中央委员会

（2007 年 12 月—　　）

十届一中全会

（2007 年 12 月 3 日）

主　席　蒋树声
副主席
　　张梅颖（女）　　张宝文　吴正德　张圣坤
　　李重庵　郑兰荪　张　平　索丽生　丁仲礼
　　陈晓光　徐　辉　温思美　欧阳明高
秘书长　高拴平
常务委员（共 53 名，按姓氏笔画为序）
　　王光谦　王修林　邓秀新　田树军　龙庄伟
　　刘长铭　刘光复　刘明华　刘晓庄　刘慕仁
　　安纯人　吴　刚　张世珍　张来斌　张道宏
　　李　铀　李晓安　李竟先（女）　　杨维刚
　　陈　旗　陈万志　罗远芳（女）　　郑　荃
　　郑功成　郑惠强　侯先志　俞海潮　俞敏洪
　　贺　林　赵雨森　赵振铣　倪慧芳（女）
　　徐一帆　贾庆国　郭生练　顾　久　顾　欣
　　高玉葆　高拴平　康耀红　曹卫星　梁晓声
　　黄百渠　黄维礼　储亚平　温孚江　葛剑平
　　董恒宇　蒋庄德　谢遐龄　雷　蕾（女）
　　鲍义志　樊建人

中国民主建国会

第八届中央委员会

（2002 年 12 月—2007 年 12 月）

名誉主席　孙起孟
名誉副主席
　　万国权　陈邃衡　陈铭珊　冯梯云　黄大能
　　李崇淮　朱元成　冯克煦
主　席　成思危
副主席
　　路　明　刘　珩　黄关从　朱相远
　　张榕明（女）　　陈昌智　程贻举　王少阶
　　马培华　陈明德
常务委员（共 32 名，按姓氏笔画为序）
　　丁伟岳　方兆本　王　曦　王光远　王恒丰
　　冯士筰　伍龙章　刘汉元　孙大亮　孙宝启
　　朱易安（女）　　吴国华　吴晓青　宋　海
　　张汉英（女）　　李　峰　李　谠（女）
　　李雅芳（女）　　沈铁梅（女）　陈政立　周绍熹
　　林　强　　姜笑琴（女）　胡振鹏　赵　龙
　　赵　燕（女）　　郝益东　郭开华　高天乐
　　黄泽民　赖明勇　墨文川

第九届中央委员会

（2007 年 12 月—　　）

主　席　陈昌智
副主席
　　张榕明　马培华　程贻举　王少阶　陈政立
　　张少琴　辜胜阻　宋　海　李　谠　周汉民
常务委员（共 34 名，按姓氏笔画为序）
　　丁伟岳　方兆本　方光华　王　曦　王永庆
　　王光远　车秀兰（女）　　龙国键　刘汉元
　　孙宝启　吴国华　吴晓青　李　兰（女）
　　李　峰　李世杰　李冬玉（女）　　李晓林
　　沈铁梅（女）　　陈文华　陈伟东　欧成中
　　武四海　武献华　姜建初　胡振鹏　赵　龙
　　郝明金　郝益东　郭振家　高　峰（云南）
　　高天乐　黄泽民　龚立群　董明珠（女）

中国民主促进会

第十一届中央委员会

（2002 年 12 月—2007 年 12 月）

名誉主席　雷洁琼

名誉副主席

陈舜礼　叶至善　楚　庄　梅向明

主　席

许嘉璐

副主席

张怀西　陈难先　冯骥才　潘贵玉　蔡睿贤

王立平　严隽琪　王佐书　贺　旻

常务委员（共 43 名，按姓氏笔画为序）

王立平　王佐书　王慧敏（女）　　牛汝极

冯骥才　朱永新　朱维芳（女）　　刘运来

刘锦才　许嘉璐　严隽琪（女）

苟建丽（女）　李有成　李国璋　李前宽

吴葵光　何志敏　张　帆　张正明　张怀西

张承芬（女）　陈难先　陈凌孚　罗富和

罗黎辉　庞丽娟（女）　相小青　赵光华

段成桂　俞曙霞（女）　姚建铨

贺　旻（女）　袁祖亮　曹维新

盛昌黎（女）　常　城　盖山林　谢　勇

窦瑞华　蔡述明　蔡继明　蔡睿贤

潘贵玉（女）

第十二届中央委员会

（2007 年 12 月—　　）

主　席　严隽琪（女）

常务副主席　罗富和

副主席

罗富和　冯骥才　潘贵玉（女）　王佐书

贺　旻（女）　刘新成　蔡达峰　朱永新

张　帆

秘书长　赵光华

常务委员（共 45 名，按姓氏笔画为序）

卫小春　王　刚　王　毅　王佐书　牛汝极

邓宗全　左定超　石爱中　史贻云　冯小宁

冯骥才　朱永新　朱维芳（女）　刘新成

汤建人　严隽琪（女）　　李进权　李国璋

何志敏　张　帆　张　涛　张雨东

张俊芳（女）　陈自力　陈凌孚　陈景秋

罗富和　罗黎辉　周洪宇　庞丽娟（女）

郑福田　赵光华　胡　军　姚爱兴

贺　旻（女）　袁祖亮　栗　甲　黄震盛

昌　黎（女）　程幼东　谢　勇　蔡达峰

蔡继明　潘贵玉（女）　　薛　康

中国农工民主党

第十三届中央委员会

（2002 年 12 月—2007 年 12 月）

名誉副主席

方荣欣　姚　峻　章师明　田光涛　翦天聪

郭秀仪（女）

常务副主席　李　蒙

主　席　蒋正华

副主席

李　蒙　阎洪臣　宋金升　朱兆良　陈建生

陈宗兴　张大宁　左焕琛（女）　　桑国卫

王宁生

秘书长　游宏炳

常务委员（共 43 名，以姓氏笔画为序）

万学文　王宁生　王智琼（女）　　左焕琛（女）

叶建农　冯炯华　吕忠梅（女）　　朱兆良

刘晓峰　李　蒙　肖燕军（女）　　吴新涛

何　维　何豫生　宋金升　张　敏　张大宁

张广兴　张新建　陈志哲　陈宗兴　陈建生

陈述涛　陈勋儒　陈雅棠　陈瑞清　金国生

周　然　周宜开　赵克正　段惠军　俞祖彭

姚守拙　徐鸿道　唐建武　桑国卫　常近时

阎洪臣　韩宇东　彭　钊　蒋正华　傅家祥

管晓虹（女）

第十四届中央委员会

（2007 年 12 月—　　）

主　席　桑国卫

副主席

陈宗兴　张大宁　王宁生　陈勋儒　汪纪戎
刘晓峰　陈述涛　何　维　姚建年　杨　震

常务委员（共 45 名，按姓氏笔画为序）

于文明　王　路　王宁生　王正荣　王新陆
牛广明　牛立文　叶建农　冯炯华
吕忠梅（女）　朱静芝（女）　刘晓峰
杨　震　苏文金　肖燕军（女）　何　维
汪纪戎（女）　沈中阳　　张大宁　张新建
陈子江（女）　陈宗兴　　陈绍军　陈建国
陈述涛（满族）　陈勋儒　陈雅棠　欧阳华
金国生　周　然　周宜开　周健民
郑小燕（女）　赵吉光　段　军　姚　克
姚建年　栗震亚　高体健　唐建武　桑国卫
龚建明　彭　钊　谢庆生　蔡　威

中国致公党

第十二届中央委员会

（2002 年 12 月—2007 年 12 月）

名誉主席　董寅初
名誉副主席　伍觉天　杨纪珂
主　席　罗豪才
副主席

王宋大　吴明熹　杜宜瑾　俞云波　王珣章
程津培　王钦敏

常务委员（共 28 名，按姓氏笔画为序）

牛文元　王宋大　王志民　王钦敏　王珣章
古华民　叶文虎　甘　霖（女）　朱　坦
朱天慧（女）　许克敏　严以新　吴明熹
李　羚（女）　杜宜瑾　邱国义　陈　杰
林方略　罗豪才　俞云波　相建海　黄因慧
黄格胜　彭图治　程津培　蒋作君　蔡建国
滕卫平

第十三届中央委员会

（2007 年 12 月—　　）

主　席　万　钢
副主席

王钦敏　王珣章　程津培　杨邦杰　严以新

黄格胜　曹小红（女）　李卓彬

常务委员（共 31 名，按姓氏笔画为序）

万　钢　王孝询　王志民　王钦敏　王珣章
甘　霖（女）　朱天慧（女）　刘富兴
闫小培（女）　严以新　李　羚（女）
李卓彬　李昭玲（女）　杨邦杰
吴幼英（女）　陈　杰　林方略　郑继伟
赵进东　相建海　姚凯伦　黄因慧　黄格胜
曹小红（女）　曹鸿鸣　蒋作君　程津培
谢广祥　谢晓尧　蔡建国　滕卫平

九三学社

第十一届中央委员会

（2002 年 12 月—2007 年 12 月）

名誉主席　吴阶平
名誉副主席

王文元　徐采栋　杨　槱　陈明绍　陈学俊
赵伟之　黄其兴

主　席　韩启德
副主席

洪绂曾　金开诚　王　选　刘应明　闵乃本
谢丽娟（女）　陈抗甫　冯培恩

秘书长　徐国权
常务委员（共 46 名，按姓氏笔画为序）

王　选　王志珍　王林旭　王辉丰
卢　光（女）　田麦久　丛　斌　冯培恩
刘石民　刘应明　刘政奎　刘鸿麻（女）
刘淑莹（女）　李仁霖　李慧珍（女）
严　俊　吴博威　闵乃本　沈根荣　宋彭生
张　涛　张化本　张桃林　陈心昭　陈永川
陈抗甫　陈家骅　邵　鸿　罗锡恩　金开诚
郑祖康　郑楚光　赵　俊　洪绂曾　姚志彬
贺　铿　袁汉民　徐国权　韩启德　韩忠朝
曾　华　谢小军　谢丽娟（女）
蔡秋芳（女）　熊黑钢　潘蓓蕾（女）

十一届二中全会

（2003 年 12 月 22 日）

增补副主席　贺　铿

十一届四中全会

（2005 年 12 月 6 日）

增补：

　　副主席　王志珍　邵　鸿
　　顾　问　洪绂曾　金开诚　闵乃本

第十二届中央委员会

（2007 年 12 月—　）

常务副主席　陈抗甫
主　席　韩启德
副主席

　　陈抗甫　冯培恩　贺　铿　王志珍（女）
　　邵　鸿　谢小军　张桃林　赖　明　马大龙
秘书长　徐国权
常务委员（共 44 名,按姓氏笔画为序）

　　马大龙　王宇田　王志珍（女）　王林旭
　　王随莲（女）　支建华　卢　柯　丛　斌
　　冯培恩　刘政奎　刘鸿麻（女）　刘新乐
　　刘滇生　严　俊　杜德志　李　彬　李华栋
　　张大方　张化本　张亚忠　张桃林　陈永川
　　陈抗甫　姒健敏　邵　鸿　周卫健（女）
　　郑祖康　郑楚光　姚志彬　赵　俊
　　赵　雯（女）　赵　韩　洪捷序　贺　铿
　　袁汉民　贾殿赠　徐国权　谢小军　陶夏新
　　黄润秋　韩启德　韩忠朝　曾　华　赖　明

台湾民主自治同盟

第七届中央委员会

（2002 年 12 月—2007 年 12 月）

名誉主席
　　蔡子民（2003 年 4 月病逝）　张克辉
名誉副主席
　　李　辰　田富达（高山族）　陈仲颐
主　席

林文漪（女,2005 年 12 月—　）
副主席
　　刘亦铭　吴国祯　李敏宽
　　汪毅夫（2006 年 12 月增选）
秘书长
　　张华军
　　张克辉（2005 年 12 月辞去中央主席职务后,
　　被推举为名誉主席）
常务委员（共 19 名,按姓氏笔画排列）

　　王天戈　王琼瑛（女）　　石四箴（女）
　　刘亦铭　孙南雄　孙桂芬（女）　吴国祯
　　张华军　张克辉　张荣国　李敏宽　汪毅夫
　　陈正统　陈昭典　陈蔚文　林文漪（女）
　　林盛中　郑　凡　蔡世彦
（注:张克辉于 2005 年 12 月辞去中央主席、
常务委员职务。林文漪于 2005 年 12 月当选
新任主席。）

第八届中央委员会

（2007 年 12 月—　）

主　席　林文漪（女）
副主席
　　汪毅夫　吴国祯　陈蔚文　杨　健　黄志贤
秘书长　张　宁
常务委员（共 22 名,按姓氏笔画为序）

　　马克宁（女）　　王天戈　王　松
　　叶惠丽（女）　　孙南雄　吴秀凤（女）
　　吴国华（女）　　吴国祯　张　宁　张华军
　　张泽熙　李钺锋　杨思泽　杨　健　汪毅夫
　　连介德　陈蔚文　林文漪（女）　　郑　凡
　　胡有清　黄志贤　蔡国雄

中华全国工商业联合会

第九届执行委员会

（2002 年 11 月—2007 年 11 月）

主　席　黄孟复
第一副主席　梁金泉
副主席

胡德平　张龙之　谢伯阳　王以铭(回族)

孙晓华　程　路　刘鹤章　伍淑清(女)

柳传志　张宏伟　孙安民　任文燕(女)

辜胜阻　段永基　罗康瑞　马有礼　李海仓

唐万里　王玉锁　金会庆　郑跃文

常务委员(共 110 名,按姓氏笔画为序)

丁国民(回族)　马长发(回族)　马忠孝(回族)

尹明善　王　平(女)　王茂祥　王勇策

王崇义　王敏刚　王植时　王鹤龄　邓永武

冯　笠　卢志强　史桂茹(女)　叶保存

宁长庆　左宗申　边鸣涛　伍先华　刘志强

刘迎霞(女)　刘新才　孙广信

孙其林(土家族)　成　甦　毕飀玲(女)

许连捷　许荣茂　许智明　何志尧　何报翔

余渐富　别胜学　吴一坚　吴晓礼(女)

宋克耀　宋德福　张元龙　张文中　张玉麟

张生朝　张亚培　张延军　张芝庭　张近东

张征宇　张树义　李　仁　李万功　李中兴

李宇鸿　李安民　李品三(回族)　李树印

李祖可　李继学　杨　铿　杨兴昌

杨敏德(女)　汪远思　苏正国　邵　军

阿不都热依木·阿吉伊明(维吾尔族)

陈　丹　陈　峰　陈大明　陈其忍　陈奇伟

周晋峰　林金城　欧阳吟　苗淑菊(女)

郑胜涛　郑家纯　金　异　南存辉　胡成中

胡晓明　赵苏智　赵满堂

唐世礼(女,布依族)　夏益昌　徐冠巨

徐登全　柴宝成　郭广昌　郭占春　崔世昌

章崇任(回族)　黄三和　黄少雄　黄宏生

彭诗来　童石军　舒国华　谢圣明　谢根荣

韩　伟　韩真发　韩葆珍(女)

韩瑞改(女)　鲁冠球　雷菊芳(女)

熊贤林　蔡冠深　谭伯业

德吉卓嘎(女,藏族)　冀　生　霍震寰

第十届执行委员会

(2007 年 11 月—　　)

主　席　黄孟复

第一副主席　全哲洙(朝鲜族)

副主席

宋北杉　褚　平　孙安民　孙晓华

沈建国(女)　谢经荣　王文京　王文彪

王健林　王新奎　卢志强　刘志强　刘沧龙

许连捷　许荣茂　吴一坚　张元龙　张近东

林毅夫　崔世昌　傅　军　霍震寰

常务委员(共 143 名,按姓氏笔画为序)

丁立国　丁祥龙　马天荣　马文举

马忠礼(回族)　马忠孝(回族)　户丁一　方文雄

王　平(女)　王　伟　王　兵　王乃静

王云友　王天怡　王立斌　王再兴　王均金

王国强　王敏刚　王银良(回族)　王植时

丛连彪(回族)　冯成善(瑶族)　冯钧平(回族)

叶　青　叶志光　左宗申　田　震　任晋生

刘　亭(女)　刘　野　刘延云

刘迎霞(女)　刘建民　刘金虎　刘新才

匡　湧　后　力　孙广信　孙传宏

孙其林(土家族)　孙珩超　安治富

汤为平(女)　许健康　许智明

齐美朗加(藏族)　严望佳(女)　何报翔

何超琼(女)　余渐富　别胜学　吴　杰

吴少勋　张功祥(白族)　张红力　张志铭

张征宇　张果喜　张思民(回族)　张炳科

李　仁　李　猛　李卫华　李中兴　李书福

李兆会　李学春　李河君　李祖可　李家翔

杨　休　杨　铿　杨安民　杨继业(蒙古族)

杨焱平(白族,女)　汪力成　汪远思

肖菊华(女)　苏寿堂　苏志刚　邵　军

陈　丹　陈　峰　陈大光　陈大明　陈成秀

陈次昌　陈志列　陈经纬　单　攻(女)

周海江　季晓东　林庆筑(土家族)　林欧文

林金城　武志雄　罗玉林(回族)　郑楚平

南存辉　段祺华　洪袁舒(女)　祝义才

胡成中　胡克勤　胡晓明　荣　海　赵苏智

赵晓勇　赵满堂　郝　远　项明琴(女)

徐冠巨　柴宝成　索南平措(藏族)　袁志伦

郭广昌　郭占春　郭丽双(女)

郭树人(满族)　陶一山　陶振江　高元坤

梁　静(女)　黄　荣　黄少雄　黄代放

黄光权　黄誌贤　景　柱　舒国华　蒋政江

韩　伟　韩儒英　雷菊芳(女)　熊贤林

谭伯业　潘　建　冀　生　操建华

磨长英(女)　穆麒茹(回族,女)

戴　皓

人民团体

中华全国总工会

中华全国总工会第十四届执行委员会

（2003 年 9 月—2008 年 10 月）

主　席　王兆国
副主席
　　张俊九　孙宝树　周玉清　王东进　苏立清
　　张榕明　王瑞祥　徐振寰　陈秀榕　徐德明
　　黄彦蓉
书　记　张俊九

中华全国总工会第十五届执行委员会

（2008 年 10 月—　）

主　席　王兆国
副主席
　　孙春兰（女）　乔传秀（女）　徐振寰
　　马培华（兼）　孙宝树（兼）
　　陈秀榕（兼，女）　黄丹华（兼，女）
　　张鸣起　倪健民　王　炯　陈荣书
　　尔肯江·吐拉洪（兼，维吾尔族）
主席团委员（共 54 名，按姓氏笔画为序）
　　马兰翠（女）　王秀芳（女）　王保安
　　王俊莲（女）　王晓龙　王悦华　王瑞生
　　云秀梅（女，蒙古族）　邓维龙
　　央　金（女，藏族）　包　秦（蒙古族）
　　邢明军　刘　奇　刘玉功　刘玉明
　　刘莲玉（女）　刘海华（女）　刘新民　米　勇
　　生　江　巴吉才（藏族）　孙效东　李世明
　　李铁桥　李登菊（女）　邱小平　何晔晖（女）
　　张　艳（女）　张世平（女）　张成富
　　张昌尔　陈　豪　范　坚　林明达（回族）
　　国一民　郑道溪　赵　凡　赵　凯　赵铁锤
　　胡健康　郜风涛　姚亚平　贾艳敏（女）
　　徐文彦　郭海亮　陶　源　黄　玮（女）
　　黄燕明　盛明富　符　兴　梁　伟　董秀彬

喻红秋（女）　　颜　辉　穆东升（回族）

中国共产主义青年团

中国共产主义青年团第十五届中央委员会

（2003 年 7 月—2008 年 5 月）

第一书记
　　周　强（2003 年 7 月—2006 年 11 月）
　　胡春华（2006 年 11 月—2008 年 5 月）

中国共产主义青年团第十六届中央委员会

（2008 年 5 月—　）

共青团十六届一中全会第二次会议

（2008 年 5 月 13 日）

第一书记
　　陆　昊
书　记
　　杨　岳　王　晓　贺军科　卢雍政　罗　梅
　　汪鸿雁
常务委员
　　万超岐　王　晓　王志杰　王雪峰　卢雍政
　　吐逊江·艾力（维吾尔族）　刘　剑　刘可为
　　刘道刚　关海祥（蒙古族）　安桂武　李小豹
　　杨　岳　汪鸿雁（女）　　张学军　陆　昊
　　罗　梅（女，藏族）　　周长奎　贺军科
　　倪　健　倪邦文　唐显凯　陶　宏　韩晓东
　　鲁　俊（女）　　谭君铁　潘　敏

中华全国妇女联合会

中华全国妇女联合会第十四届中央执行委员会

（2003 年 9 月—2008 年 10 月）

名誉主席　陈慕华　彭珮云

主　席　顾秀莲

副主席

黄晴宜　巴　桑(兼,藏族)　沈淑济

谢丽娟(兼)　刘雅芝(兼)　汪纪戎(兼)

张梅颖(兼)　陈秀榕　黄彦蓉(兼)

吴启迪(兼)　莫文秀　赵少华(满族)

刘晓连(兼)

第一书记　黄晴宜

书　记

沈淑济　陈秀榕　莫文秀　赵少华(满族)

洪天慧　甄　砚　张世平

中华全国妇女联合会
第十五届中央执行委员会

（2008 年 10 月—　　）

名誉主席　陈慕华　彭珮云

主　席　陈至立

副主席

黄晴宜　陈秀榕　孟晓驷　潘贵玉(兼)

赵　实(兼)　乔传秀(兼)　汪纪戎(兼)

姜　力(兼)　徐莉莉(兼)　唐晓青(兼)

洪天慧　热孜万·艾拜(兼,维吾尔族)

甄　砚

第一书记　黄晴宜

书　记

陈秀榕　孟晓驷　洪天慧　甄　砚　王乃坤

赵东花　范继英

中华全国青年联合会

中华全国青年联合会
第九届全国委员会

（2000 年 7 月—2005 年 7 月）

九届一次全委会

（2000 年 7 月 10—15 日）

主　席　巴音朝鲁(蒙古族)

副主席

孙金龙　胡春华　黄丹华　陈章良　陈肇雄

蔡振华　吉狄马加　　李静海　秦文贵

竺延风　夏敬源　李　杨　冯　巩　张继禹

杨慧珠　黄英豪　霍震宇　黄树森　申　跃

秘书长　胡　伟

九届三次常委会

（2001 年 12 月 17 日）

改选：

主　席　孙金龙

增选：

副主席　崔　波　赵　勇　邱晓华

九届四次常委会

（2003 年 1 月 9 日）

任命：

秘书长　郭长江

九届五次常委会

（2004 年 1 月 4 日）

改选：

主　席　赵　勇

常务副主席　胡　伟

增选：

副主席

杨　岳　尔肯江·吐拉洪(维吾尔族)

张庆伟　黄松有　刘志强

中华全国青年联合会
第十届全国委员会

（2005 年 7 月—　　）

十届一次全委会

（2005 年 7 月 22 日—24 日）

主　席　赵　勇

副主席

胡 伟 杨 岳 尔肯江·吐拉洪(维吾尔族)

陈章良 陈肇雄 蔡振华 吉狄马加(彝族)

张庆伟 秦文贵 竺延风 张继禹 刘志强

郭 雷 彭丽媛 屈冬玉 申长雨 卢 柯

廖明宏 黄英豪 曾智雄 陈明金 刘 凯

秘书长 安桂武

十届二次常委会

（2006 年 1 月 22 日）

改选：

主 席 杨 岳

常务副主席 尔肯江·吐拉洪(维吾尔族)

副主席 王 晓 张 晓

中华全国学生联合会

中华全国学生联合会
第二十三届主席团

（2000 年 7 月—2005 年 7 月）

主 席 申 跃(女,满族)

副主席

秦春华 尹 飞 李胜兰(女) 王银龙

武卫强 杜 刚 刘 薇(女,蒙古族)

许 研 牟大鹏 冯杰鸿 李 祺 李作言

胥伟华 周 健 瞿 晖 叶斯挺 余科豪

刘 杰 潘 晗(女) 何其生 曹 磊

康 峰 吴彦慧(女) 何美玲(女)

李 静(女) 张卫华 姜凤鸣 喻文科

马 锐(回族) 马继梁 梁 嵩

周琳琳(女) 库凤玲(女)

李新灵(回族) 阿里木(维吾尔族)

秘书长 邓 勇

中华全国学生联合会
第二十四届主席团

（2005 年 7 月— ）

第二十四届委员会
第一次全体会议

（2005 年 7 月 24 日）

秘书长 卢雍政

副秘书长

周长奎 李小豹 陈光浩 王松山 魏树旺

路 琦 万学军 侯宝森 郭 舒 张健为

霍光峰 李 骥

主席团

申 跃(女,满族) 刘 凯 郝鹏程

高 杰(女) 朱小磊 潘 喆 刘 斌

李登春 巴依勒(女,蒙古族) 王 睿(女)

阎 博(满族) 王 佐 赵维巍 葛生亮

张 丹(女) 张 宁 肖 庆 荆 伟

华 桦(女) 梅 峰 奚鹏飞 于成龙

刘思杨 雷连鸣(畲族) 纪 旭 彭利国

薛建龙 陈 苏 来小青(女)

穆瑞欣(回族) 刘 俊 郭予填

何志强 蒋百平 陈国华 何 励 黄 进

周 鸽(女) 李侍效 侯方俊(回族)

张 楠 宋红叶(女) 靳瑞明

会王林(蒙古族) 袁俊乐

马雁梅(女) 苏 岳

拉拉·海力(女,维吾尔族) 曾 阳(女)

谢东菁(女) 朱沛胜 吴长新 李敬义

吉 霖(女) 杨 默(女) 王昊天(蒙古族)

徐粟影(女) 王 艳(女) 周千淇

何晓霞(女) 申凤梅(女) 郭晓轶(女)

杨 健(女)

中华全国台湾同胞联谊会

中华全国台湾同胞联谊会
第七届理事会

（2002 年 10 月—2007 年 12 月）

名誉会长 张克辉

会 长 杨国庆

副会长

王琼瑛 卢咸池 叶 昶 张希东 陈 杰

陈贵州　林明月　林盛中　郑东宁　蔡世彦

顾　问

石四皓　田富达　苏民生　陈　亨　范乐年

曾重郎

七届三次理事会

（2005 年 1 月 6 日）

增补：

名誉会长　杨国庆

会　长　梁国扬

副会长　史茂林

中华全国台湾同胞联谊会
第八届理事会

（2007 年 12 月—　　）

八届一次全会

（2007 年 12 月 3 日）

会　长　梁国扬

副会长

王　松　史茂林　纪　斌　何大欣

苏　辉（女）　陈　杰（女，高山族）

陈俊康　陈耀中　林明月（女）　林盛中

胡有清

名誉顾问　名誉理事

方李邦琴　　黄茂雄　陈焜旺　赵肖山

罗安琪　黄耀庭　毛邦杰　朱玉郎　许自励

张无咎　花俊雄　凌友诗

中华全国归国华侨联谊会

中华全国归国华侨联谊会
第七届委员会

（2004 年 7 月—2009 年 7 月）

主　席　林兆枢　林　军

副主席

王宋达　王荣宝　叶迪生　庄世平　何小平

李本钧　李昭玲　李祖沛　李欲晞　李雪莹

杨玉环　杨国庆

阿不都热依木·阿吉依明（维吾尔族）

林　军　林明江　林淑娘　俞云波

秘书长　李本钧

七届五次全委会议

（2008 年 1 月）

选举：

主　席　林　军

增补：

副主席　陈有庆　董中原

秘书长　董中原

顾　问　林兆枢　李本钧

中华全国归国华侨联谊会
第八届委员会

（2009 年 7 月—　　）

八届委员会第一次会议

（2009 年 7 月 17 日）

主　席　林　军

副主席

王永乐　王成云　王荣宝（女）　朱奕龙

乔　卫　李卓彬　李昭玲（女）　李祖沛

李欲晞　吴幼英（女）　何小平　张小建

张元龙　张玉卓　陈有庆

雪克来提·扎克尔（维吾尔族）　梁国扬

董中原

秘书长　乔　卫

二

各省、市、自治区
（十六大以后）

北京市

中国共产党北京市委员会

第九届市委
（2002 年 5 月—2007 年 5 月）

书 记
　贾庆林（2002 年 5 月中共北京市委九届一次
　全会选举产生，2002 年 10 月免）
　刘　淇（2002 年 10 月中共中央任命）

副书记
　刘　淇　于均波　龙新民　强　卫　杜德印
　阳安江（2002 年 5 月中共北京市委九届一次
　全会选举产生）
　孟学农（2002 年 12 月中共中央任命）

第十届市委
（2007 年 5 月—　　）

书 记
　刘　淇（2007 年 5 月中共北京市第十届委员
　会第一次全体会议选举）

副书记
　王岐山（2007 年 11 月辞）　王安顺
　（2007 年 5 月中共北京市第十届委员会第一
　次全体会议选举）
　郭金龙（2007 年 11 月中共中央任命）

北京市人民代表大会常务委员会

第十二届人民代表大会常务委员会
（2003 年 1 月—2008 年 1 月）

主 任
　于均波（2003 年 1 月北京市十二届人大一次
　会议当选连任）
　杜德印（2007 年 1 月北京市十二届人大五次
　会议当选）

副主任
　索连生（满族）　赵凤山　王维城
　林文漪（女）　金生官　赵久合　田麦九
　刘晓晨（2003 年 1 月北京市十二届人大一次
　会议当选）

第十三届人民代表大会常务委员会
（2008 年 1 月—　　）

主 任
　杜德印（2008 年 1 月北京市十三届人大一次
　会议当选连任）

副主任
　赵凤山　刘晓晨　吴世雄（满族）　柳纪刚
　刘新成　李昭玲（女）（2008 年 1 月北京市十
　三届人大一次会议当选）

北京市人民政府

2003 年 1 月—2008 年 1 月
（北京市十二届人大期间）

市 长
　孟学农（2003 年 1 月北京市十二届人大一次
　会议当选，4 月免）

代市长
　王岐山（2003 年 4 月中央任命，北京市十二
　届人大常委会第三次会议通过）

市 长
　王岐山（2004 年 2 月北京市十二届人大二次

会议选举产生,2007 年 11 月辞)

代市长

郭金龙(2007 年 12 月北京市十二届人大常委会第四十次会议任命)

副市长

刘敬民　张　茅(2006 年 7 月北京市十二届人大常委会第二十九次会议辞去)

翟鸿祥

刘志华(2006 年 6 月北京市十二届人大常务委员会第二十八次会议免)

孙安民　范伯元　牛有成

陆　昊(2003 年 1 月北京市人大十二届一次会议选举产生)

王岐山(2003 年 4 月中央任命,北京市十二届人大常委会第三次会议通过)

郭金龙(2007 年 12 月北京市十二届人大常委会第四十次会议任命)

十二届人大第四十次会议

2008 年 1 月—
（北京市十三届人大期间）

市　长

郭金龙(2008 年 1 月北京市人大十三届一次会议选举产生)

副市长

吉　林　蔡赴朝　刘敬民

牛有成(2008 年 4 月北京市十三届人大常委会三次会议免)

陆　昊　赵凤桐　丁向阳　陈　刚　程　红
（2008 年 1 月十三届人大一次会议当选）

副市长

苟仲文(2008 年 4 月北京市十三届人大常委会三次会议任命)

副市长

黄　卫(2008 年 11 月北京市十三届人大常委会七次会议当选,第一位院士副市长)

副市长

夏占义(2009 年 1 月北京市十三届人大二次会议当选)

中国人民政治协商会议北京市委员会

第十届委员会
（2003 年 1 月—2008 年 1 月）

主　席

程世峨(女)(2003 年 1 月—2006 年 1 月)

阳安江(2006 年 1 月北京市政协十届四次会议当选)

副主席

黄以云　黄承祥　韩汝琦　朱相远　傅铁山
满运来(回族)　王长连　张和平　陈难先
陈建生　叶文虎　唐晓青(女)
（2003 年 1 月北京市政协十届一次会议选举产生）

副主席

陈　平(2007 年 1 月北京市政协十届五次会议当选)

第十一届委员会
（2008 年 1 月—　　）

主　席　阳安江

副主席

沈宝昌　唐晓青(女)　陈　平
赵文芝(女)　熊大新　傅惠民　葛剑平
王永庆　马大龙　蔡国雄
（2008 年 1 月北京市政协十一届一次会议选举产生）

副主席

王　伟(2009 年 1 月北京市政协十一届二次会议当选)

北京卫戍区

司令员

刘逢君(1997 年 12 月—2006 年 12 月)

邱金凯(2006 年 12 月—2007 年 12 月)

李少军(2007 年 12 月—　　)

政治委员

孙本胜(2003 年 2 月—2006 年 5 月)

董吉顺(2006 年 5 月—2007 年 12 月)

刘福连(2007 年 12 月—　　)

天津市

中国共产党天津市委员会

第八届市委

（2002 年 4 月—2007 年 6 月）

书　记

张立昌(2002 年 4 月天津市人大八届一次会议当选)

书　记

张高丽(2007 年 3 月中共中央任命)

副书记

李盛霖　房凤友　刘峰岩　宋平顺　刘胜玉

副书记　黄兴国(2003 年 11 月)

第九届市委

（2007 年 6 月—　　）

书　记　张高丽(2007 年 6 月中共天津市委九届一次会议当选)

副书记

戴相龙

邢元敏(2007 年 6 月中共天津市委九届一次会议当选)

副书记

何立峰(2009 年 5 月中共中央任命)

副书记

黄兴国(2007 年 12 月起任)

天津市人民代表大会常务委员会

第十四届人民代表大会常务委员会

（2003 年 1 月—2008 年 1 月）

主　任

房凤友(2003 年 1 月天津市第十四届人民代表大会第一次会议当选)

主　任

刘胜玉(2006 年 1 月天津市人大十四届四次会议当选)

副主任

邢　军(女)　王德惠　俞海潮　王述祖

梁　肃　陈洪江　左　明　张元龙

(2003 年 1 月天津市人大十四届一次会议选举产生)

第十五届人民代表大会常务委员会

（2008 年 1 月—　　）

主　任　刘胜玉(2008 年 1 月天津市十五届人大一次会议当选)

副主任

孙海麟　左　明　张元龙　邢明军　李亚力

李润兰(女)

(2008 年 1 月天津市十五届人大一次会议当选)

秘书长

王世新(2008 年 1 月天津市十五届人大一次会议当选)

天津市人民政府

2003 年 1 月—2008 年 1 月

（天津市十四届人大期间）

市　长

戴相龙(2003 年 1 月天津市人大十四届一次会议选举产生)

市　长

黄兴国(2007 年 12 月—2008 年 1 月,代市长)

副市长

黄兴国(常务,2003 年 12 月—2007 年 12 月)

宋平顺　叶迪生　张好生　庄公惠　王德惠

朱连康

（2003 年 1 月天津市人大十四届一次会议选举产生）

2008 年 1 月—
（天津市十五届人大期间）

市　长　黄兴国（2008 年 1 月天津市十五届人大一次会议当选）

副市长

杨栋梁（2007 年起任常务副市长）

崔津渡（2007 年 12 月起任）　只升华

张俊芳（女）　熊建平（2007 年 12 月起任）

李文喜　王治平　任学锋

（2008 年 1 月天津市第十五届人大一次会议任命）

中国人民政治协商会议天津市委员会

第十一届委员会
（2003 年 1 月—2008 年 1 月）

主　席

邢元敏（2003 年 1 月政协天津市十一届一次会议选举产生）

副主席

王文华　卢金发　叶厚荣　周绍熹　姚兼铨

曹秀荣（女）　赵克正　蔡世彦　王家瑜

朱　坦　陆锡蕾（女）

（2003 年 1 月政协天津市十一届一次会议选举产生）

第十二届委员会
（2008 年 1 月—　）

主　席

邢元敏（2008 年 1 月政协天津市第十二届委员会第一次全体会议选举产生）

副主席

王文华　俞海潮　陈质枫　刘长喜　何荣林

曹小红（女）　张大宁　田惠光（女）

陈永川

天津警备区

司令员

段瑞武（2003 年 6 月—2006 年 3 月）

王小京（2006 年 5 月—　）

政治委员

任之通　谢建华（2007 年 11 月—　）

河北省

中国共产党河北省委员会

第六届省委
（2001 年 12 月—2006 年 11 月）

书　记

王旭东（2001 年 12 月河北省第六届委员会第一次全体会议选出）

白克明（2002 年 11 月中共中央任命）

副书记

钮茂生　赵世居　刘德旺　张　毅　冯文海

（2001 年 12 月河北省第六届委员会第一次全体会议选出）

季允石（2002 年 12 月任命）

第七届省委
（2006 年 11 月—　）

书　记

白克明（2006 年 11 月河北省第七届委员会第一次全体会议选出）

张云川（2007 年 8 月中共中央任命）

副书记

郭庚茂（2008 年 3 月免）　张　毅

（2006 年 11 月河北省第七届委员会第一次全体会议选出）

副书记

胡春华（2008 年 3 月中共中央任命）

副书记

车 俊(2008 年 5 月中共中央批准)

河北省人民代表大会常务委员会

第十届人民代表大会常务委员会

（2003 年 1 月—2008 年 1 月）

主 任

白克明(2003 年 1 月河北省十届人大一次会议选举产生,2007 年 8 月辞去。)

副主任

刘作田 张士儒 何少存 白录堂 韩葆珍 王加林 白润璋 杨新农

（2003 年 1 月河北省十届人大一次会议选举产生）

副主任

吴振华 柳宝全

高喜同(2007 年 1 月河北省人大十届五次会议选举产生)

第十一届人民代表大会常务委员会

（2008 年 1 月— ）

主 任 张云川(2008 年 1 月河北省人大十一届一次会议选举产生)

副主任

柳宝全(2007 年 1 月任) 宋长瑞 侯志奎 王增力 马兰翠(女) 黄 荣

（2008 年 1 月河北省人大十一届一次会议选举产生）

河北省人民政府

2003 年 1 月—2008 年 1 月

（河北省十届人大期间）

省 长

季允石(2003 年 1 月河北省十届人大一次会议选举产生,2006 年 10 月辞去)

代省长

郭庚茂(2006 年 10 月河北省第十届人民代表大会常务委员会第二十四次会议任命)

省 长

郭庚茂(2007 年 1 月河北省十届人大五次会议选举产生)

副省长

郭庚茂 才利民 宋恩华 付双建 柳宝全 孙士彬 龙庄伟

（2003 年 1 月河北省十届人大一次会议选举产生）

副省长

付志方 张 和

（2006 年 10 月河北省第十届人民代表大会常务委员会第二十四次会议任命）

2008 年 1 月—

（河北省第十一届人大期间）

省 长

郭庚茂(2008 年 1 月河北省十一届人大一次会议当选,2008 年 4 月河北省第十一届人民代表大会常务委员会第二次会议辞去)

代省长

胡春华(2008 年 4 月河北省十一届人大常委委员会二次会议当选)

省 长

胡春华(2009 年 1 月河北省第十一届人民代表大会第二次会议当选)

副省长

付志方 杨崇勇(满族) 宋恩华 张 和 孙士彬(女,满族) 龙庄伟(苗族) 孙瑞彬(2008 年 1 月河北省十一届人大一次会议当选)

中国人民政治协商会议河北省委员会

第九届委员会

（2003 年 1 月—2008 年 1 月）

主 席 赵金铎(满族)

副主席

赵　燕(女)(2006年2月河北省政协九届四次会议辞)

杨　迁(女)　刘健生　秦朝镇　王建忠

赵铁练　刘德忠　李有成　段惠军　丛　斌

(2003年1月河北省政协九届一次会议选举产生)

副主席

冯文海(2005年1月河北省政协九届三次会议当选)

副主席

陈秀芳(女)　孔小均　武四海(回族)

(2006年2月河北省政协九届四次会议增选)

副主席　刘德旺

(2007年1月政协河北省第九届委员会第五次会议当选)

第十届委员会
(2008年1月—　　)

主　席　刘德旺

副主席

高喜同　赵文鹤　王玉梅(女)　田向利(女)

段惠军　丛　斌　孔小均　武四海(回)

王　刚(2008年1月河北省政协十届一次会议选举产生)

河北省军区

司令员

钟志明(2004年11月任)

段瑞武(2006年3月任)

芾福成(2007年—　　)

政治委员　张连仁　张彦欣

山西省

中国共产党山西省委员会

第八届省委
(2001年10月—2006年10月)

书　记

田成平(1999年6月中共中央任命,2001年10月山西省八届一次全会上当选)

张宝顺(2005年7月任中共山西省委书记)

副书记

张宝顺(2001年9月中央任命,10月山西省八届一次全会上当选)

刘振华　刘泽民　侯伍杰　金银焕(女)

(2001年10月中共山西省八届一次全会上当选)

薛延忠(2004年任)

第九届省委
(2006年10月—　　)

书　记

张宝顺(2006年10月山西省九届一次会议当选)

副书记

于幼军(2007年8月免)

金银焕(2006年10月山西省九届一次会议当选)

孟学农(2007年8月中共中央任命)

薛延忠(2008年4月任)

王　君(2008年9月中共中央任命)

山西省人民代表大会常务委员会

第十届人民代表大会常务委员会
(2003年1月—2008年1月)

主　任

田成平(2003年1月山西省十届人大一次会议当选,2005年6月调任社会保障部。)

张宝顺(2006年1月山西省十届人大四次会议当选)

副主任

纪馨芳(常务)　薛　军　杜武安

曹馨仪(2007 年 2 月山西人大五次会议辞去)

姚新章　张　铭　谢克昌　赵劲夫

王　昕(女)(2006 年 1 月山西省十届人大四次会议当选)

范堆相　杨安和

李玉臻(2007 年 2 月山西省十届人大五次会议当选)

第十一届人民代表大会常务委员会

（2008 年 1 月—　　）

主　任

张宝顺(2008 年 1 月山西省十一届人大一次会议当选)

薛延忠

副主任

杨安和　靳善忠　谢克昌　安焕晓(女)

郭海亮　王雅安

(2008 年 1 月山西省十一届人大一次会议当选)

山西省人民政府

2003 年 1 月—2008 年 1 月

（山西省十届人大期间）

省　长　刘振华

(2000 年 1 月出任山西省长,2003 年 1 月山西省十届人大一次会议当选,2004 年 1 月辞)

代省长　张宝顺(2004 年 1 月山西省十届人大常委会第八次会议)

省　长　张宝顺(2004 年 2 月山西省十届人大二次会议当选,2005 年 7 月辞)

代省长　于幼军(2005 年 7 月山西省十届人大常委会第十八次会议任命)

省　长　于幼军(2006 年 1 月山西省十届人大四次会议当选,2007 年 9 月辞)

代省长　孟学农(2007 年 9 月山西省十届人大常

委会第三十二次会议决定任命)

副省长

范堆相　王　昕　靳善忠　牛仁亮　宋北杉

梁　滨　张少琴

张宝顺(2004 年 1 月山西省十届人大常委会第八次会议任命)

于幼军(2005 年 7 月山西省十届人大常委会第十八次会议任命)

薛延忠(常务,2006 年 11 月任)

孟学农(2007 年 9 月山西省十届人大常委会第三十二次会议决定任命)

2008 年 1 月—

（山西省十一届人大期间）

省　长

孟学农(2008 年 1 月山西省十一届人大一次会议当选,9 月辞。)

代省长

王　君(2008 年 9 月山西省第十一届人大常委会第五次会议上任命)

省　长

王　君(2009 年 1 月山西省十一届人大二次会议当选)

副省长

薛延忠　梁　滨　牛仁亮　胡苏平　陈川平

张　平　张建民

(2008 年 1 月山西省十一届人大一次会议当选)

王　君(2008 年 9 月山西省第十一届人大常委会第五次会议任命)

刘维佳　张建欣

(2009 年 1 月山西省十一届人大二次会议当选)

中国人民政治协商会议山西省委员会

第九届委员会

（2003 年 1 月—2008 年 1 月）

主　席

刘泽民(2003 年 1 月政协山西省第九届委员

会第一次会议当选）

副主席

薛荣哲　吴锦文　聂向庭　张正明　边鸣涛
吕日周　阎爱英　韩儒英　吴博威　周　然
（2003 年 1 月政协山西省第九届委员会第一
次会议当选）

第十届委员会

（2008 年 1 月—　　）

主　席

金银焕（女，2008 年 1 月山西省政协十届一
次会议选举产生，同年 10 月遭遇车祸身亡）
薛延忠（2009 年 1 月山西省政协十届二次会
议当选）

副主席

郭良孝　韩儒英　周　然　李雁红　李潭生
令政策　卫小春　刘滇生
（2008 年 1 月山西省政协十届一次会议选举
产生）

山西省军区

司令员　方文平
政治委员　李国辉　张少华

内蒙古自治区

中国共产党内蒙古
自治区委员会

第七届区委

（2001 年 12 月—2006 年 11 月）

书　记

储　波（2001 年 8 月中央任命，同年 12 月在
中共内蒙古自治区七届一次全会上当选）

副书记

乌云其木格（女，蒙古族）　岳福洪　陈光林
杨利民　巴特尔（蒙古族）

（2001 年 12 月在中共内蒙古自治区七届一
次全会上当选）
杨　晶（2003 年 4 月任）

第八届区委

（2006 年 11 月—　　）

书　记

储　波（2006 年 11 月中共内蒙古自治区第
八届委员会第一次全体会议）

副书记

杨　晶（蒙古族）　岳福洪　巴特尔（蒙古族）
（2006 年 11 月中共内蒙古自治区第八届委
员会第一次全体会议）
任亚平（2008 年 12 月任）

内蒙古自治区人民
代表大会常务委员会

第十届人民代表大会常务委员会

（2003 年 1 月—2008 年 1 月）

主　任

储　波（2003 年 1 月内蒙古自治区十届人大
一次会议当选）

副主任

尤　仁　万继生
胡　忠（2004 年 1 月内蒙古自治区十届人大
二次会议上当选）
周德海（2004 年 1 月辞）
周维德　王凤岐（蒙古族）
宝音德力格尔（蒙古族）　陈瑞清
张国民（2005 年 1 月任）
云秀梅（女，蒙古族）
哈斯巴根（蒙古族，2004 年 1 月内蒙古自治
区十届人大二次会议当选）
柳　秀（2007 年 1 月任）

第十一届人民代表大会常务委员会

（2008 年 1 月—　　）

主 任

储 波(2008 年 1 月内蒙古自治区十一届人大一次会议当选)

副主任

雷·额尔德尼(蒙古族) 罗啸天

郝益东 云秀梅(女,蒙古族) 柳 秀

赵 忠

(2008 年 1 月内蒙古自治区十一届人大一次会议当选)

内蒙古自治区人民政府

2003 年 1 月—2008 年 1 月

（内蒙古自治区十届人大期间）

主 席

乌云其木格(蒙古族,女,2001 年 2 月内蒙古自治区九届人大四次会议当选,2003 年 1 月内蒙古自治区十届人大一次会议再次当选。)

代主席 杨 晶(2003 年 4 月任)

主 席

杨 晶(2004 年 1 月内蒙古自治区十届人大二次会议当选)

副主席

岳福洪 郝益东 牛玉儒 赵双连

雷·额尔德尼(蒙古族) 连 辑(蒙古族)

郭子明

(2003 年 1 月内蒙古自治区十届人大一次会议。)

2008 年 1 月—

（内蒙古自治区十一届人大期间）

主 席

杨 晶(蒙古族,2008 年 3 月 17 日在第十一届全国人大一次会议上被任命为国家民族事务委员会主任)

(2008 年 1 月内蒙古自治区人大十一届一次会议选举产生)

代主席

巴特尔(蒙古族 2008 年 3 月—2009 年 1 月)

主 席

巴特尔(2009 年 1 月内蒙古十一届人大二次会议当选)

副主席

任亚平 赵双连(蒙古族) 连 辑(蒙古族)

郭启俊 刘卓志 布小林(女,蒙古族)

刘新乐(蒙古族)

(2008 年 1 月内蒙古自治区人大十一届一次会议选举产生)

中国人民政治协商会议
内蒙古自治区委员会

第九届委员会

（2003 年 1 月—2008 年 1 月）

主 席

王 占(2003 年 1 月—2007 年 1 月,政协内蒙古自治区九届一次会议当选)

陈光林(2007 年 1 月—2008 年 1 月,政协内蒙古自治区九届五次会议当选)

副主席

傅守正 包俊臣(蒙古族)

乌兰(蒙古族,2003 年 1 月—2004 年 3 月病逝。)

许柏年 罗锡恩 奇英成 盖山林(满族)

刘芝兰(女) 韩振祥 邬宝恒

(2003 年 1 月政协内蒙古自治区九届一次会议当选)

陈光林(2006 年 1 月—2007 年 1 月,政协内蒙古自治区九届四次会议当选)

王长聚(2007 年 1 月—2008 年 1 月,政协内蒙古自治区九届五次会议当选)

第十届委员会

（2008 年 1 月— ）

主 席

陈光林(2008 年 1 月政协内蒙古自治区十届一次会议当选)

副主席

郭子明　云　峰(蒙古族)　韩振祥　王长聚
娜　仁(女,蒙古族)　董恒宇　郑福田
牛广明　肖黎声
(2008年1月政协内蒙古自治区十届一次会
议当选)
陈朋山(女,2009年1月政协内蒙古自治区
十届二次会议当选)

内蒙古军区

司令员　郑传福
政治委员　吴合春

辽宁省

中国共产党辽宁省委员会

第九届省委
(2001年10月—2006年10月)

书　记
闻世震(2001年10月中国共产党辽宁省第
九届委员会第一次全体会议当选。2004年
12月,中共中央决定闻世震不再担任辽宁省
委书记职务)
李克强(2004年12月中共中央任命)
副书记
薄熙来(2004年调任商务部部长)
张文岳　张行湘　孙春兰(女)　王唯众
(2001年10月辽宁省第九届委员会第一次
全体会议当选)

第十届省委
(2006年10月—　　)

书　记
李克强(2006年10月—2007年10月,辽宁
省十届一次会议当选)
张文岳(2007年10月中央任命)
副书记

张文岳　骆　琳(2008年12月调任国家安
全生产监督管理总局局长、党组书记)
(2006年10月中国共产党辽宁省十届一次
会议当选)
岳福洪(2008年12月任)
张成寅(2009年5月任)

辽宁省人民代表大会常务委员会

第十届人民代表大会常务委员会
(2003年1月—2008年1月)

主　任
闻世震(2003年1月辽宁省十届人大一次会
议当选,2005年2月辞,调任全国人大财经
委员会副主任委员)
李克强(2005年2月辽宁省十届人大三次会
议当选,2007年11月辞)
张锡林(2007年11月辽宁省十届人大常务
委员会第三十四次会议任命)
副主任
王向民　杨新华　张焕文　张锡林　高国珠
郭廷标(回族,2004年2月辽宁省十届人大
常委会第九次会议辞)
龚世萍(女)　董九洲
(以上人员2003年1月辽宁省十届人大一次
会议当选)
徐　德(2004年1月任)　王　专(2006年1
月辽宁省十届人大四次会议当选)
仲跻权(2007年1月任)
王　琼(2007年1月任)
朱绍毅(2007年1月任)

第十一届人民代表大会常务委员会
(2008年1月—　　)

主　任
张文岳(2008年1月辽宁省第十一届人大当
选)
副主任
闫　丰　龚世萍(女)　王　专　仲跻权

王 琼 朱绍毅 宋 勇
（2008 年 1 月辽宁省第十一届人大当选）

辽宁省人民政府

2003 年 1 月—2008 年 1 月
（辽宁省十届人大期间）

省 长
薄熙来（2003 年 1 月辽宁省十届人大一次会
议当选，2004 年 2 月调任商务部部长）
代省长 张文岳（2004 年 2 月任）
省 长
张文岳（2004 年 2 月辽宁省第十届人大二次
会议当选，2007 年 12 月辽宁省十届人大常
委会第三十五次会议辞）
代省长
陈政高（2007 年 12 月辽宁省十届人大常委
会第三十五次会议任命）
副省长
刘克田（2003 年 12 月因严重违纪被双开）
刘国强（2005 年 2 月因辽宁阜新矿业集团孙
家湾煤矿发生特别重大瓦斯爆炸事故停职
检查）
闫 峰 许卫国 李万才 胡晓华
鲁 昕（女） 滕卫平
（2003 年 1 月辽宁省十届人大一次会议
当选）
张文岳（2004 年 2 月任）
陈政高（2007 年 12 月辽宁省十届人大常委
会第三十五次会议任命）

2008 年 1 月—
（辽宁省十一届人大期间）

省 长
陈政高（2008 年 1 月辽宁省十一届人大一次
会议当选）
副省长
许卫国 刘国强 李万才
鲁 昕（女，2009 年 5 月调任教育部副部长）

滕卫平 李 佳 陈海波
（2008 年 1 月辽宁省十一届人大一次会议上
当选）
陈超英（2009 年 5 月辽宁省十一届人大常委
会八次会议任命）

中国人民政治协商会议辽宁省委员会

第九届委员会
（2003 年 1 月—2008 年 1 月）

主 席
张文岳（2003 年 1 月政协辽宁省九届一次会
议当选，2004 年 2 月辞）
郭廷标（回族，2004 年 2 月政协辽宁省九届
二次会议当选）
副主席
董万德 张成伦 赵新良（满族） 张毓茂
姜笑琴（女） 王植时 张传庆
贺旻（女）孙桂芬（女） 金国生
（以上人员 2003 年 1 月政协辽宁省九届一次
会议当选）
徐文才（2004 年 2 月政协辽宁省九届二次会
议当选）
张行湘（2006 年 1 月政协辽宁省九届四次会
议增选）

第十届委员会
（2008 年 1 月— ）

主 席
骆 琳（2008 年 1 月政协辽宁省十届一次会
议选举，同年 12 月调任国家安全生产监督管
理总局局长、党组书记）
岳福洪（2009 年 1 月政协辽宁省十届二次会
议选举）
副主席
胡晓华 高 鹏（女，满族） 王植时
贺 旻（女） 金国生 程亚军
李文喜（满族） 刘政奎 李晓安
（以上人员 2008 年 1 月 24 日省政协十届一

次会议选举产生）

辽宁省军区

司令员　钱南忠（2002 年 11 月—　　）

政治委员

庄红军（2006 年 12 月—2009 年 5 月）

张　林（2009 年 5 月—　　）

吉林省

中国共产党吉林省委员会

第八届省委

（2002 年 5 月—2007 年 5 月）

书　记

王云坤（2002 年 5 月中共吉林省八届委员会
一次全会当选）

王　珉（2006 年 12 月中共中央决定）

副书记

洪　虎　王国发　林炎志

吴广才（2004 年 12 月调任中央巡视组）

全哲洙（朝鲜族）

（以上人员 2002 年 5 月中共吉林省八届委员
会一次全会当选）

唐宪强（2003 年 5 月—2007 年 5 月）

王　珉（2004 年 10 月任中共吉林省委副
书记）

杜学芳（女,2004 年 12 月—2006 年 12 月）

韩长赋（2006 年 12 月中共中央任命）

第九届省委

（2007 年 5 月—　　）

书　记

王　珉（2007 年 5 月中共吉林省九届委员会
一次全会当选）

副书记　韩长赋　王儒林

（2007 年 5 月中共吉林省九届委员会一次全

会当选）

吉林省人民代表大会常务委员会

第十届人民代表大会常务委员会

（2003 年 1 月—2008 年 1 月）

主　任

王云坤（2003 年 1 月吉林省十届人大一次会
议当选）

副主任

米凤君（回族）　刘淑莹（女）

李政文（朝鲜族,2006 年 2 月吉林省十届人
大四次会议辞）

李世学　李介车　张恩祥　汪洋湖

马季春（2003 年 1 月吉林省十届人大一次会
议当选）

副主任

唐宪强　聂文权

杨庆才（2007 年 1 月吉林省十届人大五次会
议当选）

南相福（2005 年 1 月吉林省十届人大三次会
议补选）

朱忠民（2006 年 2 月吉林省第十届人大四次
会议补选）

第十一届人民代表大会常务委员会

（2008 年 1 月—　　）

主　任

王　珉（2008 年 1 月吉林省十一届人大一次
会议当选）

副主任

唐宪强　聂文权　刘润璞　包　秦　杨绍明
车秀兰　安　莉

吉林省人民政府

2003 年 1 月—2008 年 1 月

（吉林省十届人大期间）

省　长
　　洪　虎（2003 年 1 月吉林省十届人大一次会
议当选，2004 年 10 月辞）

代省长
　　王　珉（2004 年 10 月吉林省十届人大常委
会第十四次会议任命）

省　长
　　王　珉（2005 年 1 月吉林省十届人大三次会
议选举，2006 年 12 月吉林省十届人大常委
会第三十一次会议辞）

代省长
　　韩长赋（2006 年 12 月吉林省十届人大常委
会第三十一次会议任命）

省　长
　　韩长赋（2007 年 1 月吉林省十届人大五次会
议当选）

副省长
　　王儒林（常务）　杨庆才
　　李斌（女，2001 年 9 月—2007 年 8 月调任国
家人口和计划生育委员会副主任、党组书记）
　　李锦斌　陈晓光　牛海军　矫正中
　　王　珉（2004 年 10 月吉林省十届人大常务
委员会第十四次会议任命）
　　田学仁（常务，2004 年 12 月—2008 年 1 月）
　　韩长赋（2006 年 12 月吉林省十届人大常委
会第三十一次会议任命）
　　金振吉（2007 年 3 月吉林省十届人大常委会
第三十三次会议任命）
　　竺延风（2007 年 12 月吉林省十届人大常委
会第三十九次会议任命）

2008 年 1 月—
（吉林省十一届人大期间）

省　长
　　韩长赋（2008 年 1 月吉林省十一届人大一次
全会当选）

副省长
　　竺延风（常委）　陈晓光　金振吉（朝鲜族）
　　陈伟根　王祖继

　　房　俐（2008 年 8 月吉林省十一届人大常委
会第五次会议辞）
　　王守臣（2008 年 1 月吉林省十一届人大一次
全会当选）
　　马俊清（2008 年 8 月吉林省十一届人大常委
会第五次会议通过）

中国人民政治协商会议吉林省委员会

第九届委员会
（2003 年 1 月—2008 年 1 月）

主　席
　　王国发（2003 年 1 月政协吉林省九届一次会
议当选）

副主席
　　魏敏学　赵家治　阎洪臣　常万海　伍龙章
　　李慧珍　孙耀廷　修福金　别胜学　段成桂
　　（以上人员 2003 年 1 月政协吉林省九届一次
会议当选）
　　林炎志（2007 年 1 月政协吉林省九届五次会
议补选）

第十届委员会
（2008 年 1 月—　　）

主　席
　　王国发（2008 年 1 月政协吉林省十届一次会
议当选）

副主席
　　林炎志　别胜学　徐学海　常显玉
　　任凤霞（女）　薛　康　赵吉光　支建华

吉林省军区

司令员　岳惠来
政治委员　阎海鹏　常　跃

黑龙江省

中国共产党黑龙江省委员会

第九届省委

（2002 年 4 月—2007 年 4 月）

书　记

徐有芳（1997 年 7 月中共中央任命,1998 年
4 月在中共黑龙江省第八届委员会一次会议
当选,2002 年 4 月在中共黑龙江省委九届一
次会议再次当选,2003 年 3 月辞）

宋法棠（2003 年 3 月—2005 年 12 月）

钱运录（2005 年 12 月中央任命）

副书记

宋法棠　韩桂芝（1997 年—2002 年）

杨光洪（1998 年—2007 年任）

周同战（2002 年 3 月—2007 年 4 月）

刘东辉（2002 年 5 月—2007 年 4 月）

第十届省委

（2007 年 4 月—　　）

书　记

钱运录（2007 年 4 月中共黑龙江省第十届委
员会第一次全体会议当选,2008 年 4 月辞）

吉炳轩（2008 年 4 月中共中央决定）

副书记

张左己

栗战书（2007 年 4 月中共黑龙江省第十届委
员会第一次全体会议当选）

杜宇新（2009 年 8 月中央任命）

黑龙江省人民代表
大会常务委员会

第十届人民代表大会常务委员会

（2003 年 1 月—2008 年 1 月）

主　任

徐有芳（1999 年 2 月首次当选,2003 年 1 月
黑龙江省十届人大一次会议再次当选,同年
4 月调任中央农村工作领导小组副组长）

宋法棠（2003 年 4 月—2006 年 1 月）

钱运录（2006 年 1 月黑龙江省十届人大五次
会议当选）

副主任

王宗璋　马淑洁　李希明　赵林茂　沈根荣
滕昭祥

范广举（2004 年 10 月黑龙江省十届人大常
委会第十一次会议辞）　董　浩

（以上人员 2003 年 1 月黑龙江省十届人大一
次会议当选）

第十一届人民代表大会常务委员会

（2008 年 1 月—　　）

主　任

钱运录（2008 年 1 月—5 月）

吉炳轩（2008 年 5 月黑龙江省十一届人大二
次会议第二次全体会议当选）

副主任

刘东辉　王东华　申立国　刘海生
陈述涛（满族）　符凤春（女）

（2008 年 1 月黑龙江省十一届人大一次会议
当选）

黑龙江省人民政府

2003 年 1 月—2008 年 1 月
（黑龙江省十届人大期间）

省　长

宋法棠（2000 年 2 月任,2003 年 1 月黑龙江
省十届人大一次会议再次当选,同年 4 月黑
龙江省十届人大二次会议辞）

张左己（2003 年 4 月黑龙江省十届人大第二
次会议当选,2007 年 12 月辞）

代省长

栗战书（2007 年 12 月黑龙江省十届人大常

委会第三十一次会议任命）

副省长

张成义　王东华　申立国　王利民

付晓光（2004 年 10 月黑龙江省十届人大常委会第十一次会议辞）

刘海生　程幼东（2003 年 1 月黑龙江省十届人大一次会议再次当选）

刘学良（2004 年 10 月黑龙江省十届人大常委会第十一次会议任命）

栗战书（2007 年 12 月黑龙江省十届人大常委会第三十一次会议任命）

2008 年 1 月—

（黑龙江省九届人大期间）

省　长

栗战书（2008 年 1 月黑龙江省十一届人大一次会议当选）

副省长

杜家毫　盖如垠　程幼东　孙　尧　黄建盛吕维峰　于莎燕（女）

（以上人员 2008 年 1 月黑龙江省十一届人大一次会议当选）

中国人民政治协商会议黑龙江省委员会

第九届委员会

（2003 年 1 月—2008 年 1 月）

主　席

韩桂芝（2002 年 2 月—2004 年 6 月）

主　席

王巨禄（2005 年 1 月政协黑龙江省第九届委员会第三次会议当选）

副主席

曹广亮　曹亚范　欧阳吟　刘文泮　迟建福张树平　王涛志　陈述涛　梁荣欣　何小平

（以上人员 2003 年 1 月政协黑龙江省九届一次会议上当选）

第十届委员会

（2008 年 1 月—　　）

主　席

王巨禄（2008 年 1 月政协黑龙江省第十届委员会第一次全体会议当选）

副主席

刘海生　王利民　王涛志　何小平　曾玉康洪袁舒　赵雨森　陶夏新　孙东生

（以上人员 2008 年 1 月政协黑龙江省第十届委员会第一次全体会议当选）

黑龙江省军区

司令员　寇　铁

政治委员　宋凤鸣（2008 年 9 月任）

上海市

中国共产党上海市委员会

第八届市委

（2002 年 5 月—2007 年 5 月）

书　记

黄　菊（2002 年 5 月中共上海市八届一次全体会议上当选）

陈良宇（2002 年 10 月—2006 年 9 月）

代理书记

韩　正（2006 年 9 月—2007 年 3 月）

书　记　习近平（2007 年 3 月任）

副书记

陈良宇　刘云耕　罗世谦　韩　正殷一璀（女）

（2002 年 5 月中共上海市八届一次全体会议上当选）

龚学平（1997 年 9 月—2003 年 2 月）

王安顺（2003 年 4 月—2007 年 3 月）

第九届市委
（2007 年 5 月—　　　）

书 记

习近平（2007 年 5 月上海市委六届一次会议选举产生，2007 年 10 月辞）

俞正声（2007 年 10 月任）

副书记

韩　正　殷一璀（女）

（2007 年 5 月中共上海市委六届一次会议选举产生）

上海市人民代表大会常务委员会

第十二届人民代表大会常务委员会
（2003 年 2 月—2008 年 2 月）

主 任

龚学平（2003 年 2 月上海市十二届人大一次会议当选）

副主任

周禹鹏（回族）　刘云耕　史秋琴（女）

（2003 年 2 月上海市第十一届人大第一次会议选出）

李跃旗　张伟江　程裕东

（后三人在 2007 年 1 月上海市人大第十二届五次会议补选产生）

第十三届人民代表大会常务委员会
（2008 年 2 月—　　　）

主 任　刘云耕（2008 年 1 月中共中央任命）

副主任

陈 豪　周禹鹏（回族）　胡 炜　王培生

杨定华（女）　蔡达峰　郑惠强

（2008 年 2 月上海市十一届人大一次会议选出）

上海市人民政府

2003 年 2 月—2008 年 2 月
（上海市十二届人大期间）

市 长

韩　正（2003 年 2 月上海市十二届人大一次会议选出）

副市长

冯国勤　周禹鹏　杨晓渡　严隽琪　姜斯宪

杨 雄　周太彤　唐登杰

（2003 年 2 月上海市十二届人大第一次会议选出）

2008 年 2 月—
（上海市十三届人大期间）

市 长　韩　正

副市长

杨 雄　屠光绍　唐登杰　胡延照　艾宝俊

沈 俊　沈晓明　赵 霞（女）

（2008 年 1 月上海市十三届人大一次会议选出）

中国人民政治协商会议上海市委员会

第十届委员会
（2003 年 2 月—2008 年 2 月）

主 席　蒋以任

副主席

宋仪侨　黄跃金　王生洪　谢丽娟（女）

左焕琛　俞云波　黄关从　石四箴　王荣华

王新奎

（2003 年 2 月政协上海市九届一次会议选出）

第十一届委员会

（2008 年 2 月—　　）

主　席　冯国勤
副主席

朱晓明　周太彤　王新奎　李良园　钱景林
吴幼英（女）　周汉民　蔡　威　高小玫（女）
（2008 年 1 月政协上海市第九届一次会议选出）

上海市警备区

司令员　江勤宏（2005 年 6 月—2007 年 5 月）
政治委员　戴长友　吴齐

江苏省

中国共产党江苏省委员会

第十届省委

（2001 年 11 月—2006 年 11 月）

书　记　回良玉（回族）　李源潮
副书记

季允石　王寿亭　梁保华　任彦申　许仲林
冯敏刚　张连珍（女）
（2001 年 11 月中共江苏省委十届一次会议选举产生）

第十一届省委

（2006 年 11 月—　　）

书　记　李源潮
副书记

梁保华　张连珍
（2006 年 11 月中共江苏省委十一届一次会议选举产生）

江苏省人民代表大会常务委员会

第十届人民代表大会常务委员会

（2003 年 2 月—2008 年 2 月）

主　任　李源潮
副主任

王武龙　方之焯　叶　坚　李佩佑
张　艳（女）　赵　龙　柏苏宁（女）
洪锦炘
（2003 年 2 月江苏省第十届人大第一次会议选出）

第十一届人民代表大会常务委员会

（2008 年 1 月—　　）

主　任　梁保华
副主任

丁解民　朱龙生　李全林　张　艳　赵　龙
柏苏宁
（2008 年 1 月江苏省第十一届人大第一次会议选举）

江苏省人民政府

2003 年 2 月—2008 年 1 月

（江苏省十届人大期间）

省　长　梁保华（2002 年 2 月中共中央任命代省长，2003 年 2 月江苏省十届人大一次会议当选为省长）
副省长

蒋定之（2003 年 2 月—2006 年 1 月）
黄　卫（2003 年 2 月—2003 年 9 月）
王　湛（2004 年 2 月—2006 年 3 月）
吴瑞林（2001 年 10 月—2006 年 3 月）
张卫国　黄莉新（女）　李全林　何　权
张九汉　仇　和　赵克志　张桃林
（2006 年江苏省十届人大常委会第二十次会议选出）

2008 年 1 月一

（江苏省十一届人大期间）

省　长　罗志军
副省长
　　赵克志（2006 年人大常委会第二十一次会议
　　选出）
　　张桃林（2007 年 1 月常委会第二十五次会议
　　选出）
　　张卫国（2003 年 2 月江苏省十届人大一次会
　　议选出）
　　黄莉新（2003 年 2 月江苏省十届人大一次会
　　议选出）
　　何　权（2003 年 2 月江苏省十届人大一次会
　　议选出）
　　徐　鸣（2008 年 1 月江苏省十届人大三十三
　　次会议选出）
　　史和平（2008 年 1 月江苏省十届人大三十三
　　次会议选出）
　　张小敏（2008 年 1 月江苏省十届人大三十三
　　次会议选出）

中国人民政治协商会议江苏省委员会

第九届委员会

（2003 年 2 月—2008 年 1 月）

主　席　许仲林
副主席
　　王荣炳　林玉英　闵乃本　朱兆良　冯健亲
　　陈凌孚　李　仁　吴冬华　林祥国　陆　军
　　曹卫星　黄因慧
　　（2003 年 2 月政协江苏省九届委员会一次会
　　议选出）
　　任彦申　吴瑞林　周　珉
　　（2006 年 1 月政协江苏省九届委员会第四次
　　会议补选）

第十届委员会

（2008 年 1 月—　）

主　席　张连珍
副主席
　　周　珉　张九汉　陈凌孚　曹卫星　黄因慧
　　陈宝田　包国新　程崇庆　周健民
　　（2008 年 1 月政协江苏省十届委员会第一次
　　会议选出）

江苏省军区

司令员
　　郑炳清（1992 年 3 月—　）
　　蒋文郁　陈一远　许援朝
政治委员
　　魏长安（1990 年 6 月—　）
　　任潮海　吴　齐　李笃信

浙江省

中国共产党浙江省委员会

第十一届省委

（2002 年 6 月—2007 年 3 月）

书　记
　　张德江
　　习近平（2002 年 11 月中共中央任命）
副书记
　　柴松岳　李金明　梁平波　周国富
　　乔传秀（女）
　　（2002 年 6 月中共浙江省委十一届一次会议
　　当选）

第十二届省委

（2007 年 6 月—　）

书　记　赵洪祝
副书记　吕祖善　夏宝龙
　　（2007 年 6 月中共浙江省委十二届一次会议
　　当选）

浙江省人民代表大会常务委员会

第十届人民代表大会常务委员会
（2003 年 1 月—2008 年 1 月）

主　任　习近平
副主任
　　俞国行　鲁松庭　徐志纯　叶荣宝（女）
　　葛圣平　李志雄　孙优贤
（2003 年 1 月浙江省人大十届会议当选）

第十一届人民代表大会常务委员会
（2008 年 1 月—　　）

主　任　赵洪祝
副主任
　　王永明　徐宏俊　吴国华　刘　奇　程渭山
　　张家盟　冯　明（女）
（2008 年 1 月浙江省人大十一届会议当选）

浙江省人民政府

2003 年 1 月—2008 年 1 月
（浙江省十届人大期间）

省　长　吕祖善
副省长
　　章猛进　王永明　巴音朝鲁（蒙古族）
　　盛昌黎（女）　陈加元　钟　山
（2003 年 1 月浙江省十届人大一次会议当选）

2008 年 1 月—
（浙江省十一届人大期间）

省　长　吕祖善
副省长
　　陈敏尔　钟　山　茅临生　金德水
　　葛慧君（女）　王建满　郑继伟
（2008 年 1 月浙江省十一届人大第一次会议
当选）

中国人民政治协商会议浙江省委员会

第九届委员会
（2003 年 1 月—2008 年 1 月）

主　席
　　李金明（2007 年 2 月政协第九届第五次会议
　　自动辞去）
　　周国富（2007 年 2 月政协第九届第五次会议
　　当选）
副主席
　　龙安定　李　青　陈昭典　张蔚文
　　王玉娣（女）　吴国华　徐鸿道
　　彭图治（土家族）　冯培恩　徐冠巨

第十届委员会
（2008 年 1 月—　　）

主　席　周国富
副主席
　　楼阳生　盛昌黎（女）　徐冠巨　王永昌
　　陈艳华（女）　黄旭明　徐　辉　姚　克
　　冯明光
（2008 年 1 月政协第十届委员会第五次会议
当选）

浙江省军区

司令员
　　杨士杰（1990 年 6 月—1995 年 11 月）
　　袁兴华（1995 年 11 月—2002 年 7 月）
　　王贺文（2005 年 6 月—　　）
政治委员
　　徐永清（1988 年 8 月—1995 年 3 月）
　　贺家弼（1995 年 3 月—2002 年）
　　马以芝（2002 年 7 月—2007 年）
　　林恺俊（2007 年—　　）

安徽省

中国共产党安徽省委员会

第七届省委
（2001 年 10 月—2006 年 10 月）

书 记
　　王太华（2001 年 10 月—2004 年 12 月）
　　郭金龙（中共安徽省第八届委员会第一次全体会议选出）
副书记
　　张　平（2003 年 6 月中共中央任命）
　　王昭耀（2005 年 9 月被免职）

第八届省委
（2006 年 10 月—　　）

书 记
　　郭金龙（2004 年 12 月—2007 年 12 月）
　　王金山（2007 年 12 月中共中央任命）
副书记
　　王金山（2006 年 1 月—2007 年 12 月）
　　王明方

安徽省人民代表大会常务委员会

第十届人民代表
大会常务委员会
（2003 年 1 月—2008 年 1 月）

主 任
　　王太华（2003 年 1 月—2005 年 10 月）
　　郭金龙（2005 年 10 月—2008 年 1 月）
　　王金山（2008 年 1 月—　　）
副主任
　　黄岳忠　苏平凡　季昆森　朱维芳　张春生
　　周本立　陈维席　高福明
　　（2003 年 1 月安徽省十届人大一次会议当选）

第十一届人民代表大会常务委员会
（2008 年 1 月—　　）

主 任　王金山
副主任
　　任海深　朱维芳（女）　胡连松　朱先发
　　郭万清　张　俊
　　（2008 年 1 月安徽省十一届一次会议选出）

安徽省人民政府

2003 年 1 月—2008 年 1 月
（安徽省十届人大期间）

省 长
　　王金山（2003 年 1 月—2007 年 12 月辞去）
　　王三运（2007 年 12 月代理省长）
副省长
　　徐立全　黄海嵩　赵树丛
　　任海深（2005 年 6 月—2006 年 8 月）
　　孙志刚（2006 年 10 月当选）

2008 年 1 月—
（安徽省十一届人大期间）

省 长　王三运
副省长
　　孙志刚　赵树丛　文海英（女）　黄海嵩
　　唐承沛　倪发科　谢广祥
　　（2008 年 1 月安徽省十一届人大一次会议当选）

中国人民政治协商会议安徽省委员会

第九届委员会
（2003 年 1 月—2008 年 1 月）

主 席　方兆祥
副主席

秦德文　卢家丰　陈心昭　方兆本　俞祖彭
王鹤龄　战秋萍(女)　郑牧民　赵培根
刘光复
(2003 年 1 月政协安徽省九届一次会议当选)

第十届委员会

（2008 年 1 月—　）

主　席　杨多良
副主席
　　田维谦　郑牧民　方兆本　王鹤龄　刘光复
　　沈素琍　李宏塔　赵　韩
（2008 年 1 月安徽省政协十届一次会议选出）

安徽省军区

司令员　沈善文　王贺文　孟昭斌
政治委员
　　石　磊(1987 年 4 月—　)
　　陈培森　胡道仁　张金荣
　　文可芝(2008 年 4 月—　)

福建省

中国共产党福建省委员会

第七届省委

（2001 年 11 月—2006 年 11 月）

书　记
　　宋德福　卢展工(2004 年 12 月当选)
副书记
　　习近平　卢展工　梁绮萍　黄瑞霖
（2001 年 11 月中共福建省委七届一次全会选举产生）

第八届省委

（2006 年 11 月—　）

书　记　卢展工
副书记
　　黄小晶　王三运
（2006 年 11 月中共福建省委八届一次全会选举产生）

福建省人民代表大会常务委员会

第十届人民代表大会常务委员会

（2003 年 1 月—2008 年 1 月）

主　任　宋德福
副主任
　　张家坤　贾锡太　曹德淦　谢先文　曾喜祥
（2003 年 1 月福建省十届人大一次会议选出）

第十一届人民代表大会常务委员会

（2008 年 1 月—　）

主　任　卢展工
副主任
　　刘德章　王美香　袁锦贵　郑道溪　徐　谦
　　庄　先
（2008 年 1 月福建省十一届人大一次会议选出）

福建省人民政府

2003 年 1 月—2008 年 1 月

（福建省十届人大期间）

省　长
　　卢展工
　　黄小晶(2004 年 12 月·福建省十届人大第十三次会议任命·2005 年 1 月福建省第十届人

民代表大会第三次会议选出）

副省长

刘德章（2002 年 3 月—2007 年 1 月）

黄小晶　汪毅夫

陈　芸（2002 年 3 月福建省九届人大常委会第三十一次会议通过任命）

王美香　叶双瑜　李　川

（2003 年 1 月福建省十届人大常委会一次会议选出）

2008 年 1 月—

（福建省十一届人大期间）

省　长　黄小晶

副省长

张昌平　陈　桦(女)　叶双瑜　李　川

苏增添　张志南　洪捷序

（2008 年 1 月福建省第十一届人大第一次会议选出）

中国人民政治协商会议福建省委员会

第九届委员会

（2003 年 1 月—2008 年 1 月）

主　席　梁绮萍

副主席

黄瑞霖　潘心城　金能筹　张燮飞　邹哲开

王耀华　李祖可　陈家骅　苍震华　叶家松

吴新涛　王钦敏

（2008 年 1 月福建省政协九届一次会议选举产生）

第十届委员会

（2008 年 1 月—　　）

主　席　梁绮萍(女)

副主席

张燮飞　陈　芸　李祖可　叶家松　叶继革

张　帆　郑兰荪　郭振家　邓力平

秘书长　叶家松(兼)

福建省军区

司令员

任永贵（1992 年 12 月—1996 年 3 月）

陈明瑞　张鹤田　刘沈阳　汪庆广

政治委员

郑仕超（1990 年 6 月—　　）

隋绳武　张玉江　陆风彬　吴青田　李光金

朱生岭

江西省

中国共产党江西省委员会

第十一届省委

（2001 年 12 月—2006 年 12 月）

书　记　孟建柱

副书记

黄智权　王　军

傅克诚（2001 年 12 月中共江西省十一届委员会一次会议选出）

吴新雄

彭定松（2002 年 9 月任江西省委副书记）

步正发（1999 年 8 月—2002 年 3 月任江西省委副书记）

第十二届省委

（2006 年 12 月—　　）

书　记　孟建柱

副书记　吴新雄　王宪魁

（2006 年 12 月中共江西省委十二届一次会议选举产生）

江西省人民代表大会常务委员会

第十届人民代表大会常务委员会
（2003 年 1 月—2008 年 1 月）

主 任 孟建柱
副主任
钟家明 彭崑生 孙用和 朱英培 蒋仲平
全文甫 张海如 万学文
（2003 年 1 月江西省人大十届一次会议选出）

第十一届人民代表大会常务委员会
（2008 年 1 月— ）

主 任 苏 荣
副主任
蒋如铭 胡振鹏 姚亚平 魏小琴（女）
朱秉发 漆 权
（2008 年 1 月江西省十一届人大一次会议选举产生）

江西省人民政府

2003 年 1 月—2008 年 1 月
（江西省十届人大期间）

省 长 黄智权
副省长
吴新雄 胡振鹏 凌成兴 赵智勇 危朝安
孙 刚 蔡安季
（2003 年 1 月江西省十届人大一次会议选举产生）

2008 年 1 月—
（江西省十一届人大期间）

省 长 吴新雄
副省长
凌成兴 孙 刚 赵智勇 熊盛文 洪礼和

史文清（蒙古族） 谢 茹（女）
（2008 年 1 月江西省十一届人大一次会议选举产生）

中国人民政治协商会议江西省委员会

第九届委员会
（2003 年 1 月—2008 年 1 月）

主 席
钟起煌
傅克诚（2007 年 1 月江西省政协九届五次会议选举产生）
副主席
韩京承（2007 年 1 月辞去职务）
黄懋衡（女）（2007 年 1 月辞去职务）
黄定元（2007 年 1 月辞去职务）
张华康（2007 年 1 月辞去职务）
王林森 刘运来 金 异 殷国光 雍忠诚
倪国熙 一 诚
（2003 年 1 月江西省政协九届一次会议选举产生）
朱张才 曾页九 陈清华 李华栋
（2007 年 1 月江西省政协九届五次会议补选产生）

第十届委员会
（2008 年 1 月— ）

主 席 傅克诚
副主席
王林森 朱张才 李华栋 陈清华 宋晨光
陈安众 汤建人 郑小燕（女）
（2008 年 1 月政协江西省十届委员会一次会议选举产生）

江西省军区

司令员
张传诗（1989 年 4 月— ）

冯金茂　王　宁

彭水根(2008 年 2 月— 　)

政治委员

张玉江(1990 年 6 月— 　)

郑仕超　陈礼久　王清葆　陈　尹　张力雄

山东省

中国共产党山东省委员会

第八届省委

(2002 年 6 月—2007 年 6 月)

书　记

吴官正(2002 年 6 月中共山东省八届一次会议选举)

张高丽(2002 年 11 月由中共中央任命)

副书记

张高丽　吴爱英

孙淑义(2000 年 12 月任命)

王修智　姜大明　赵春兰

(2002 年 6 月中共山东省八届一次会议选举)

韩寓群(2003 年 1 月— 　)

高新亭(2004 年 4 月— 　)

第九届省委

(2007 年 6 月— 　)

书　记　李建国(2007 年—2008 年)

姜异康

副书记　姜大明　刘　伟

(2007 年 6 月中共山东省九届委员会第一次会议选举产生)

山东省人民代表大会常务委员会

第十届人民代表大会常务委员会

(2003 年 4 月—2008 年 4 月)

主　任

张高丽(2003 年 4 月—2007 年 3 月)

李建国(2007 年 3 月由中共中央任命)

副主任

张宗亮　邵桂芳　王道玉　墨文川　黄可华

莫振奎　时立军　曹学成　李明先

(2003 年 4 月中共山东省十届人大一次会议选出)

第十一届人民代表大会常务委员会

(2008 年 4 月— 　)

主　任

李建国

姜异康(2009 年 2 月山东省十一届人大二次会议当选)

副主任

高新亭　时立军(女)　鲍志强　崔曰臣

温孚江　刘玉功

(2008 年 4 月山东省第十一届人大选举产生)

山东省人民政府

2003 年 4 月—2008 年 4 月

(山东省十届人大期间)

省　长　韩寓群

副省长

林廷生　陈延明　谢玉堂　赵克志　蔡秋芳

王仁元　王军民　张昭福　孙守璞

(2003 年 4 月山东省十届人大一次会议选举产生)

2008 年 1 月—

(山东省十一届人大期间)

省　长　姜大明

副省长

王仁元　王军民　才利民　贾万志　黄　胜

郭兆信　李兆前　王随莲(女)

(2008 年 1 月山东省十一届人大一次会议选举产生)

中国人民政治协商会议山东省委员会

第九届委员会

(2003 年 4 月—2008 年 4 月)

主　席
　　吴爱英(女,2002 年—2004 年)　孙淑义
副主席
　　王久祜　林书香　周鸿兴　朱　铭　张　敏
　　乔延春　王宗廉　齐乃贵　苗淑菊(女)
　　王志民
(2003 年 4 月政协第九届山东省委员会一次会议选举产生)

第十届委员会

(2008 年 4 月—　　)

主　席　孙淑义
副主席
　　乔延春　齐乃贵　王志民　赵玉兰(女)
　　张传林　李德强　栗　甲　王新陆　王乃静
(2008 年 4 月政协第十届山东省委员会第一次会议选举产生)

山东省军区

司令员　易元秋　张齐红　谈文虎
政治委员
　　刘国福　何法祥　张秉德　南兵军

河南省

中国共产党河南省委员会

第七届省委

(2001 年 10 月—2006 年 10 月)

书　记
　　陈奎元(2000 年 10 月—2002 年 12 月)
　　李克强(2002 年 12 月—2004 年 12 月)
　　徐光春(2004 年 12 月)
副书记
　　李克强　李成玉(回族)　支树平　王全书
　　李清林
(2001 年 10 月中共河南省第七届委员会一次会议选举产生)

第八届省委

(2006 年 10 月—　　)

书　记　徐光春
副书记　李成玉(回族)　陈全国
(2006 年 10 月中共河南省委第八届委员会第一次会议选举产生)

河南省人民代表大会常务委员会

第十届人民代表大会常务委员会

(2003 年 10 月—2008 年 10 月)

主　任　李克强
副主任
　　王有杰　李中央　李长铎　李志斌　吴全智
　　张以祥　袁祖亮　夏清成
(2003 年 10 月河南省十届人大一次会议选举产生)

第十一届人民代表大会常务委员会

（2008 年 10 月—　　）

主　任　徐光春

副主任

李柏拴　王菊梅　刘新民　张程锋　铁代生
储亚平

（2008 年 10 月河南省十一届人大一次会议
选举产生）

河南省人民政府

2003 年 1 月—2008 年 1 月

（河南省十届人大期间）

省　长　李成玉（回族）

副省长

王明义　贾连朝　李新民　王菊梅（女）
史济春　刘新民　吕德彬

（2003 年河南省十届人大一次会议选举产
生）

2008 年 1 月—

（河南省十一届人大期间）

省　长

郭庚茂（2008 年 1 月任河南省代省长，2009
年 1 月河南省十一届人大二次会议选举产
生）

副省长

郭庚茂　史济春　宋璇涛　刘满仓　秦玉海
张大卫

（2008 年 1 月选举产生）

中国人民政治协商会议河南省委员会

第九届委员会

（2003 年 1 月—2008 年 1 月）

主　席

范钦臣（2003 年 1 月—2006 年 1 月）
王全书（2006 年 1 月）

副主席

张洪华　郭国三　张　涛　张汉英（女）
张广兴　张玉麟　曹维新　陈义初　毛增华
曹策问（2008 年 1 月政协河南省九届一次会
议选举产生）

第十届委员会

（2008 年 1 月—　　）

主　席　王全书

副主席

王训智　靳绥东　邓永俭　袁祖亮　龚立群
王　平　李英杰　梁　静（女）　张亚忠

（2008 年 1 月河南省政协十届一次会议选举
产生）

河南省军区

司令员　朱　超　王英洲　杨迪铣　刘孟合

政治委员

王英洲　岳宣义　张建中　颜纪雄　祁正祥

湖北省

中国共产党湖北省委员会

第八届省委

（2002 年 6 月—2007 年 6 月）

书　记

俞正声（2001 年 12 月被中共中央任命为湖
北省委书记，2002 年 6 月中共湖北省第八届
委员会选举产生）

副书记

张国光　杨永良　黄远志　邓道坤

（2002 年 6 月中共湖北省第八届委员会选举
产生）

第九届委员会
（2007 年 6 月— ）

书 记 俞正声
副书记 罗清泉 杨 松
（中共湖北省第九届委员会第一次会议选举
产生）

湖北省人民代表大会常务委员会

第十届人民代表大会常务委员会
（2003 年 1 月—2008 年 1 月）

主 任 杨永良
副主任
赵文源 张洪祥 王守海 高瑞科 朱纯宣
贾天增 鲍隆清 纪玲芝（女）
（2003 年 1 月湖北省十届人大一次会议选举
产生）

第十一届人民代表大会常务委员会
（2008 年 1 月— ）

主 任 罗清泉
副主任
周坚卫 刘友凡 任世茂 蒋大国 罗 辉
周洪宇
（2008 年 1 月湖北省十一届人大常委会选举
产生）

湖北省人民政府

2003 年 1 月—2008 年 1 月
（湖北省十届人大期间）

省 长
罗清泉（2007 年 12 月 6 日第三十次会议辞
去）
李鸿忠（2007 年 12 月 6 日被任命为湖北省

代省长、副省长）
副省长
周坚卫 韩忠学 刘友凡 蒋超良 任世茂
蒋大国（女） 辜胜阻 李鸿忠
（2003 年 1 月湖北省十届人大一次会议选举
产生）

2008 年 1 月—
（湖北省十一届人大期间）

省 长 李鸿忠
副省长
李宪生 郭生练 李春明 汤 涛 田承忠
赵 斌 张岱梨（女）
（2008 年 1 月湖北省十一届人大一次会议选
举产生）

中国人民政治协商会议湖北省委员会

第九届委员会
（2003 年 1 月—2008 年 1 月）

主 席 王生铁
副主席
丁凤英 蒙美路 王少阶 蔡述明 郑楚光
张荣国 翁行德 胡永继 郭生练 周宜开
（2003 年 1 月政协湖北省九届一次会议选举
产生）

第十届委员会
（2008 年 1 月— ）

主 席 宋玉英
副主席
李佑才 郑楚光 周宜开 陈春林 段轮一
李忠柏 仇小乐 吴秀凤 郑心穗
（2008 年 1 月政协湖北省十届一次会议选举
产生）

湖北省军区

司令员　贾富坤　苑世军
政治委员　吴凤龙　刘勋发　石宝华

湖南省

中国共产党湖南省委员会

第八届省委

（2001年10月—2006年10月）

书　记
杨正午（土家族，2005年12月免）
张春贤（2005年12月任命）
副书记
张云川　胡　彪　文选德　周伯华　孙载夫
（2001年10月中共湖南省委八届一次会议选举产生）
戚和平　周伯华

第九届省委

（2006年10月—　　）

书　记　张春贤
副书记　周　强　梅克保
（2006年11月中共湖南省委九届一次会议选举产生）

湖南省人民代表大会常务委员会

第十届人民代表大会常务委员会

（2003年1月—2008年1月）

主　任
杨正午
张春贤（2006年10月湖南省十届人大四次会议选举产生）

副主任
王四连　吴向东　周时昌　庞道沐　郭俊秀
唐之享　谢佑卿　颜永盛
（2003年1月湖南省人大一次会议选举产生）

第十一届人民代表大会常务委员会

（2008年1月—　　）

主　任　张春贤
副主任
戚和平　谢　勇　陈叔红　蔡力峰　肖雅瑜
刘莲玉（女）
（2008年1月湖南省十一届人大一次会议选举产生）

湖南省人民政府

2003年1月—2008年1月
（湖南省十届人大期间）

省　长
张云川（2003年3月免去）
周伯华（2003年3月—2004年1月湖南省十届人大常委会第一次会议第八次全体会议任命，2004年1月—2006年9月湖南省十届人大二次会议补选）
周　强（2006年9月被任命为副省长、代理省长，2007年2月湖南省十届人大五次会议当选为省长）
副省长
周伯华（2003年3月任代理省长）
于幼军（2003年6月—2005年7月）
肖　捷（2005年7月任）
贺同新（2007年6月免）
郑茂清（2006年9月免）
杨泰波　许云昭（2007年1月免）
徐宪平　甘　霖（女）
郭开朗（2006年11月任）
（2003年十届人大一次会议选举产生）

2008 年 1 月—

（湖南省十一届人大期间）

省 长 周 强

副省长

于来山 徐宪平 甘 霖(女)

郭开朗 陈肇雄 刘力伟 徐明华

（2008 年 1 月湖南省十一届人大一次会议选举产生）

副省长 韩永文

（2009 年 5 月湖南省十一届人大常委会第八次会议任命）

中国人民政治协商会议湖南省委员会

第九届委员会

（2003 年 1 月—2008 年 1 月）

主 席 胡 彪

副主席

李贻衡 袁隆平 姚守拙 卢 光 章锐夫

阳宝华 王汀明 刘 晓 龙国键 谢 勇

（湖南省政协九届一次会议选举产生）

孙载夫 石玉珍(女，苗族)

（湖南省政协九届五次会议选举产生）

第十届委员会

（2008 年 1 月— ）

主 席 胡 彪

副主席

石玉珍(女，苗族) 袁隆平 龙国键

谭仲池 何报翔 龚建明 欧阳斌

（2008 年 1 月政协湖南省第十届委员会第一次会议选举产生）

阳宝华 刘 晓

湖南省军区

司令员 郑治栋 张永大(2009 年 3 月—)

政治委员 乔新柱 李今伟 杨忠民

广东省

中国共产党广东省委员会

第九届省委

（2002 年 5 月—2007 年 5 月）

书 记

张德江(2002 年 11 月中共中央决定)

李长春(2002 年 11 月进京)

副书记

卢瑞华 黄华华 黄丽满(女) 陈绍基

王华元 欧广源

（2002 年 5 月广东省第九届委员会第一次全体会议选举产生）

第十届省委

（2007 年 5 月— ）

书 记

汪 洋(2007 年 12 月中共中央任命)

张德江(2007 年 5 月在中共广东省第十届委员会第一次全体会议当选)

副书记

黄华华 刘玉浦

（2007 年 5 月广东省第十届委员会第一次全体会议当选)

广东省人民代表大会常务委员会

第十届人民代表大会常务委员会

（2003 年 1 月—2008 年 1 月）

主 任

卢钟鹤(2003 年 1 月—2005 年 1 月)

黄丽满(女)(2005 年 1 月补选)

副主任

钟启权 侣志广(2006 年 3 月退休)

李兰芳(女,满族)

张　凯(2005年1月依法罢免其代表职务)

李近维　汤维英　王宁生　黄伟鸿

(2003年2月广东省十届人大一次会议选举产生)

副主任

欧广源(2007年2月补选)

游宁丰(2006年2月补选)

陈　坚(2005年1月补选)

第十一届人民代表大会常务委员会
（2008年1月—　　）

主　任　欧广源

(2008年1月广东省人大十一届一次会议选举产生)

副主任

钟阳胜　谢强华　王宁生　邓维龙　陈用志

陈小川(女)

(2008年1月广东省人大十一届一次会议选举产生)

广东省人民政府

2003年1月—2008年1月
（广东省十届人大期间）

省　长　黄华华

(2003年1月广东省十届人大一次会议选举产生)

副省长

李鸿忠　汤炳权　许德立　游宁丰　李容根

谢强华　雷于蓝　宋　海(满族)

副省长

钟阳胜(2003年6月—2007年5月)

2008年1月—
（广东省十一届人大期间）

省　长　黄华华

(2008年1月广东省人大十一届一次会议选举产生)

副省长

黄龙云　李容根　雷于蓝(女)

宋　海(满族)　佟　星　林木声　万庆良

(2008年1月广东省人大十一届一次会议选举产生)

中国人民政治协商会议广东省委员会

第九届委员会
（2003年1月—2008年1月）

主　席

陈绍基(2004年广东省十届人大二次会议补选)

刘凤仪(2003年1月—2003年5月因病去世)

副主席

石安海　彭禹贤　韩大建(女)　王　章

王兆林　朱小丹　周天鸿　罗　富　姚志彬

陈蔚文

(2003年1月政协九届一次会议选举产生)

第十届委员会
（2008年1月—　　）

主　席

陈绍基(2008年1月政协九届一次会议选举产生,2009年4月涉嫌违纪被撤职)

副主席

蔡东士　梁国聚　汤炳权　王珣章　周天鸿

姚志彬　陈蔚文　温兰子　温思美

(2008年1月政协九届一次会议选举产生)

广东省军区

司令员

温玉柱(1992年—　　)　刘国裕　张德仁

吕德松

政治委员

张洪运(1989年—1994年)

刘远节(1994年—1998年)

乔新柱 蔡多文

广西壮族自治区

中国共产党广西壮族自治区委员会

第八届区委

（2001年10月—2006年11月）

书 记

曹伯纯

（2001年10月中国共产党广西壮族自治区八届一次全会选举产生）

刘奇葆

（2006年6月中共中央决定）

副书记

马铁山 李兆焯(壮族) 马庆生(回族)

陆 兵(壮族) 刘奇葆 王万宾

（2001年10月中国共产党广西壮族自治区八届一次全会选举产生）

第九届区委

（2006年11月— ）

书 记

郭声琨(2007年11月中共中央任命)

刘奇葆

（2006年11月中国共产党广西壮族自治区九届一次全会选举产生）

副书记

陆 兵(壮族) 郭声琨

（2006年11月中国共产党广西壮族自治区九届一次全会选举产生）

副书记

陈际瓦(女)（2008年5月担任区委副书记）

副书记

马 飚(壮族)

（2007年12月— ）

广西壮族自治区
人民代表大会常务委员会

第十届人民代表大会常务委员会

（2003年1月—2008年1月）

主 任

曹伯纯

（2003年1月广西第十届人民代表大会第一次会议选举产生）

刘奇葆

（2007年1月广西壮族自治区十届人大五次会议补选产生）

副主任

韦家能(壮族) 甘 幼 王 平(壮族)

邱石元

张正铀 陈光明 林 灿(壮族)

袁凤兰(女) 徐爱俐(女)

（2003年1月广西壮族自治区第十届人民代表大会第一次会议选举产生）

第十一届人民代表大会常务委员会

（2008年1月— ）

主 任

郭声琨

（2008年1月广西壮族自治区第十一届人民代表大会第一次会议选举产生）

副主任

吴 恒 刘新文(女) 邵博文 莫永清

覃瑞祥 罗黎明(壮族)

（2008年1月广西壮族自治区第十一届人民代表大会第一次会议选举产生）

广西壮族自治区人民政府

2003年1月—2008年1月

（广西壮族自治区十届人大期间）

主 席

李兆焯

（2003年1月广西第十届人民代表大会第一次会议选举产生）

副主席

王万宾 刘新文（女）

孙 瑜（壮族，2007年涉嫌违纪被撤职）

杨道喜 吴 恒 张文学 周明甫 高虎城

（2003年1月广西壮族自治区第十届人民代表大会第一次会议选举产生）

副主席

陈章良 林念修

（2007年广西壮族自治区第十届人民代表大会常务委员会第三十次会议任命）

2008年1月一

（广西壮族自治区十一届人大期间）

主 席

马 飚（壮族）

（2008年1月广西壮族自治区第十一届人民代表大会第一次会议选举产生）

副主席

李金早 陈章良 杨道喜 陈 武（壮族）

林念修 高 雄 李 康（女，壮族）

（2008年1月广西壮族自治区第十一届人民代表大会第一次会议选举产生）

副主席

梁胜利

（2009年1月8日广西壮族自治区第十一届人民代表大会常务委员会第六次会议任命）

中国人民政治协商会议
广西壮族自治区委员会

第九届委员会

（2003年1月—2008年1月）

主 席

马庆生

（2003年1月广西壮族自治区政协第九届委员会第一次会议选举产生）

副主席

王汉民 姜兴和 俞曙霞（女） 梁超然

卢湖山（壮族） 邓浦东 梁裕宁（女,壮族）

徐文彦 潘鸿权（壮族） 章崇任（回族）

（2003年1月广西壮族自治区政协第九届委员会第一次会议选举产生）

副主席

张文学

（2006年1月广西壮族自治区政协第九届四次会议增选产生）

第十届委员会

（2008年1月— ）

主 席

马铁山

（2008年1月广西壮族自治区政协十届一次会议第三次全体会议选举产生）

副主席

林国强 蒋济雄 李达球 蒋培兰（女）

梁春禄 黄格胜（壮族） 黄日波（壮族）

彭 钊 李 彬

（2008年1月广西壮族自治区政协十届一次会议第三次全体会议选举产生）

广西军区

司令员

张云逸 李天佑 卢绍武 欧致富 赵欣然

张序登 李新良 肖旭初 文国庆 刘国裕

刘晓琨（2005年1月— ）

政治委员

张云逸 谭甫仁 覃士冕 方国安 李土才

魏佑铸 郭质甫 毕可用 肖旭初 王静波

熊自仁 龚平秋 周遇奇 周传统 岳世鑫

刘良凯（2005年—2007年6月）

李文潮（2007年— ）

海南省

中国共产党海南省委员会

第四届省委

（2002 年 4 月—2007 年 4 月）

书 记

卫留成（2006 年 12 月中共中央决定）

汪啸风（2003 年 4 月—2006 年 12 月，免）

王岐山（2002 年 11 月—2003 年 4 月）

白克明（2002 年 4 月中共海南省第四届委员
会第一次全体会议选举产生）

副书记

汪啸风　蔡长松　罗保铭　王富玉

第五届省委

（2007 年 4 月—　）

书 记

卫留成

（2007 年 4 月中共海南省第五届委员会第一
次全体会议选举产生）

副书记

罗保铭　于 迅

（2007 年 4 月中国共产党海南省第五届委员
会第一次全体会议选举产生）

海南省人民代表大会常务委员会

第三届人民代表大会常务委员会

（2003 年 1 月—2008 年 1 月）

主 任

卫留成（2007 年 2 月海南省人大三届五次会
议选举产生）

汪啸风（2004 年 2 月海南省人大三届二次会
议选举产生）

王岐山（2003 年 1 月海南省人大三届一次会
议选举产生）

副主任

王厚宏　张德春　韩致中　王琼瑛　秦醒民

王法仁　陈孙文　王亚保

第四届人民代表大会常务委员会

（2008 年 1 月—　）

主 任

卫留成（2008 年 1 月海南省人大四届一次
会议）

副主任

吴昌元　符桂花（女，黎族）　王法仁

符 兴　毕志强　康耀红

（2008 年 1 月海南省人大四届一次会议）

海南省人民政府

2003 年 1 月—2008 年 1 月

（海南省三届人大期间）

省 长

罗保铭（2007 年 2 月海南省人大三届五次会
议选举产生）

卫留成（2004 年 2 月海南省人大三届二次会
议选举产生）

汪啸风（2003 年 1 月海南省人大三届一次会
议选举产生）

副省长

吴昌元　江泽林　符桂花（女，黎族）

李礼辉　刘 琦

林方略（2003 年 1 月海南省人大三届一次会
议选举产生）

2008 年 1 月—

（海南省四届人大期间）

省 长

罗保铭

（2008 年 1 月海南省人大四届一次会议选举

产生）

副省长

方晓宇 姜斯宪 林方略 陈 成

符跃兰（女，黎族） 李国梁

（2008 年 1 月海南省人大四届一次会议选举
产生）

中国人民政治协商会议海南省委员会

第四届委员会

（2003 年 1 月—2008 年 4 月）

主 席

钟 文（2007 年 2 月— ） 王广宪

（2003 年 1 月海南省政协第四届委员会第一
次全体会议选举产生）

副主席

洪寿祥 李明天（苗族） 吴葵光 王辉丰

林安彬（回族） 伉铁保（2007 年 5 月逝世）

符气浩 林栖凤（女）

肖若海（2005 年辞职）

（2003 年 1 月海南省政协第四届委员会第一
次全体会议选举产生）

第五届委员会

（2008 年 1 月— ）

主 席 钟 文

（2008 年 1 月海南省政协第五届委员会第一
次全体会议选举产生）

副主席

张海国 邱德群 张力夫 赵莉莎（女）

王 路 史贻云

（2008 年 1 月海南省政协第五届委员会第一
次全体会议选举产生）

海南军区

司令员

梁计秋

王晓军（2004 年 3 月—2008 年 6 月）

黎仕林（2008 年— ）

政治委员 周传统 贺贤书 刘鼎新

重庆市

中国共产党重庆市委员会

第二届市委

（2002 年 5 月—2007 年 5 月）

书 记

汪 洋（2005 年 12 月— ）

黄镇东（2002 年 10 月—2005 年 12 月）

贺国强

（2002 年 5 月中共重庆市第二届委员会第一
次全体会议选举产生）

副书记

包叙定 王云龙 王鸿举 滕久明（苗族）

聂卫国 邢元敏（女）

（2002 年 5 月中共重庆市第二届委员会第一
次全体会议选举产生）

第三届市委

（2007 年 5 月— ）

书 记

薄熙来（2007 年 12 月中共中央任命）

汪 洋（2007 年 5 月中共重庆市委三届一次
全委会选举产生）

副书记

王鸿举 张 轩（女）

（2007 年 5 月中共重庆市委三届一次全委会
选举产生）

重庆市人民代表大会常务委员会

第二届人民代表大会常务委员会

（2003 年 1 月—2008 年 1 月）

主 任

汪 洋(2006年1月重庆市二届人大四次会议选举产生)

黄镇东(2003年1月重庆市二届人大一次会议选举产生)

副主任

金 烈 刘 文 税正宽 程贻举 唐情林 周建中 康纲有 陈雅棠

(2003年1月重庆市二届人大一次会议选举产生)

副主任

陈光国 胡健康 刘隆铸

(2007年1月重庆市二届人大五次会议第三次全体会议选举)

第三届人民代表大会常务委员会

(2008年1月—)

主 任

陈光国(2008年1月重庆市三届人大一次会议第三次全体会议选举产生)

副主任

余远牧 陈雅棠 胡健康 王洪华 郑 洪 卢晓钟

(2008年1月重庆市三届人大一次会议第三次全体会议选举产生)

重庆市人民政府

2003年1月—2008年1月

(重庆市二届人大期间)

市 长

王鸿举

(2003年1月重庆市人大二届一次会议选举产生)

副市长

黄奇帆 陈光国 吴家农 陈际瓦(女) 赵公卿 余远牧 童小平(女) 谢小军

(2003年1月重庆市人大二届一次会议选举产生)

2008年1月—

(重庆市三届人大期间)

市 长

王鸿举

(2008年1月重庆市三届人大一次会议第三次全体会议选举产生)

副市长

黄奇帆 马正其 童小平(女) 谢小军 周慕冰 谭栖伟 刘学普 凌月明

(2008年1月重庆市三届人大一次会议第三次全体会议选举产生)

中国人民政治协商会议重庆市委员会

第二届委员会

(2003年2月—2008年1月)

主 席

刘志忠(2003年2月重庆市政协第二届委员会第一次会议选举产生)

副主席

陈邦国 李兵 许忠民 窦瑞华 黄立沛 辜文兴 李明 夏培度 王孝询 尹明善

(2003年2月重庆市政协第二届委员会第一次会议选举产生)

第三届委员会

(2008年1月—)

主 席

邢元敏(女)

(2008年1月重庆市政协第三届委员会第一次会议选举产生)

副主席

吴家农 刘隆铸 夏培度 王孝询 陈万志 于学信 彭永辉 陈景秋 孙甚林

重庆警备区

司令员　林尊龙　张　烨
政　委　王志学　梁冬春

四川省

中国共产党四川省委员会

第八届省委

（2002 年 5 月—2007 年 5 月）

书　记

杜青林（2006 年 12 月中共中央任命）
张学忠（2002 年 12 月中共中央任命）
周永康（2002 年 5 月中共四川省委八届一次
全会选举任命）

副书记

张中伟　刘　鹏　王三运　陶武先　蒋巨峰
李崇禧
（2002 年 5 月中共四川省委八届一次全会选
举产生）

第九届省委

（2007 年 5 月—　　）

书　记

刘奇葆（2007 年 12 月中共中央任命）
杜青林（2007 年 5 月中共四川省委九届一次
全体会议选举产生）

副书记

蒋巨峰　李崇禧
（2007 年 5 月中共四川省委九届一次全体会
议选举产生）

四川省人民代表大会常务委员会

第十届人民代表大会常务委员会

（2003 年 1 月—2008 年 1 月）

主　任

席义方（代理，2008 年 1 月 15 日—2008 年 1
月 27 日）
杜青林（2007 年 1 月四川省人大十届五次会
议选举产生）
张学忠（2003 年 1 月四川省人大十届一次会
议第三次大会选举产生）

副主任

黄寅逵　席义方　牟绪珩（土家族）　徐世群
刘子寿（藏族）　张宗源　刘永顺　钮小明
马开明（彝族，2007 年 10 月逝世）　敬中春
陶晞晦　陈德玉
（2003 年 1 月四川省人大十届一次会议第三
次大会选举产生）

第十一届人民代表大会常务委员会

（2008 年 1 月—　　）

主　任

刘奇葆（2008 年 1 月四川省人大十一届一次
会议选举产生）

副主任

甘道明　韩忠信　郭永祥　杨志文
张东升（藏族）　王宇坤
（2008 年 1 月四川省人大十一届一次会议选
举产生）

四川省人民政府

2003 年 1 月—2008 年 1 月

（四川省十届人大期间）

省　长

蒋巨峰（2007 年 1 月 31 日四川省人大十届
五次会议选举产生）
张中伟（2003 年 1 月四川省人大十届一次会
议第三次大会选举产生）

副省长

蒋巨峰　陈文光　柯尊平　黄小祥　王怀臣
杨志文　张作哈（彝族）　刘晓峰
（2003 年 1 月四川省人大十届一次会议第三
次大会选举产生）

2008 年 1 月—
（四川省十一届人大期间）

省 长

蒋巨峰（2008 年 1 月四川省人大十一届一次
会议选举产生）

副省长

魏 宏 钟 勉 黄小祥 黄彦蓉（女）
张作哈（彝族） 王 宁 李成云 陈文华
（2008 年 1 月四川省人大十一届一次会议选
举产生）

中国人民政治协商会议四川省委员会

第九届委员会
（2003 年 1 月—2008 年 1 月）

主 席

秦玉琴（女）（2003 年 1 月四川省政协第九届
委员会第一次会议选举产生）

副主席

孙同川 冯崇泰 刘绍先 李 进 王恒丰
陈官权 吴正德 阿 称 苟建丽 何志尧
陈 杰 肖光成 刘应明 陈次昌
（2003 年 1 月四川省政协第九届委员会第一
次会议选举产生）

第十届委员会
（2008 年 1 月— ）

主 席

陶武先（2008 年 1 月四川省政协第十届委员
会第一次全体会议选举产生）

副主席

晏永和 陈光志 吴正德 陈 杰 陈次昌
解 洪 曾清华（女） 张雨东 黄润秋
（2008 年 1 月四川省政协第十届委员会第一
次全体会议选举产生）

副主席

刘道平（2009 年 1 月四川省政协第十届委员
会第二次会议选举产生）

四川省军区

司令员 丁兆乾 罗列文 夏国富
政治委员 耿全礼 周光荣 叶万勇

贵 州 省

中国共产党贵州省委员会

第九届省委
（2002 年 4 月—2007 年 4 月）

书 记

石宗源（2005 年中共中央决定）
钱运录（2002 年 4 月中共贵州省第九届委员
会第一次全体会议选举产生）

副书记

石秀诗 孙 淦 黄 瑶 曹洪兴
（2002 年 4 月中共贵州省第九届委员会第一
次全体会议选举产生）

第十届省委
（2007 年 4 月— ）

书 记

石宗源（2007 年 4 月中共贵州省第十届委员
会第一次全体会议选举产生）

副书记

林树森 王富玉（回族）
（2007 年 4 月中共贵州省第十届委员会第一
次全体会议选举产生）

贵州省人民代表大会常务委员会

第十届人民代表大会常务委员会
（2003 年 1 月—2008 年 1 月）

主 任

石宗源(2006 年 1 月贵州省人大十届四次会议选举产生)

钱运录(2003 年 1 月贵州省人大十届一次会议选举产生)

副主任

龚贤永 步智信 杨序顺(侗族) 刘思培 司徒桂美(女) 徐敬原 杨光林(苗族) 黄康生(布依族)

(2003 年 1 月贵州省人大十届一次会议选举产生)

第十一届人民代表大会常务委员会

(2008 年 1 月—)

主 任

石宗源(2008 年 1 月贵州省人大十一届一次会议举行第三次全体会议选举产生)

副主任

肖永安 唐世礼(女,布依族) 林明达(回族) 许正维 傅传耀 顾 久

(2008 年 1 月贵州省人大十一届一次会议举行第三次全体会议选举产生)

贵州省人民政府

2003 年 1 月—2008 年 1 月

(贵州省十届人大期间)

省 长

林树森(2006 年 7 月代省长,2007 年 1 月任省长)

石秀诗(2003 年 1 月贵州省人大十届一次会议选举产生)

副省长

王正福(苗族) 顾庆金 陈大卫 包克辛 吴嘉甫(布依族) 禄智明(彝族) 肖永安 刘鸿麻(女)

(2003 年 1 月贵州省人大十届一次会议选举产生)

2008 年 1 月—

(贵州省十一届人大期间)

省 长

林树森(2008 年 1 月贵州省人大十一届一次会议举行第三次全体会议选举产生)

副省长

王晓东 黄康生(布依族) 禄智明(彝族) 蒙启良(苗族) 孙国强 辛维光 刘晓凯(苗族) 谢庆生

(2008 年 1 月贵州省人大十一届一次会议举行第三次全体会议选举产生)

中国人民政治协商会议贵州省委员会

第九届委员会

(2003 年 1 月—2008 年 1 月)

主 席

黄 瑶(布依族)(2007 年 1 月贵州省政协第九届委员会第五次会议选举产生)

孙 淦(2006 年 1 月贵州省政协第九届委员会第四次会议选举产生)

王思齐(2003 年 1 月贵州省政协第九届委员会第一次全体会议选举产生)

副主席

莫时仁 马文骏 许乐仁 伍席源 李金顺 何永康 李 平 李嘉琥 王录生 相小青

(2003 年 1 月贵州省政协第九届委员会第一次全体会议选举产生)

第十届委员会

(2008 年 1 月—)

主 席

黄 瑶(布依族)(2008 年 1 月贵州省政协第十届委员会第一次全体会议选举产生)

副主席

吴嘉甫(布依族) 刘鸿麻(女) 陈海峰 杨玉学 孔令中 左定超 武鸿麟 谢晓尧

（2008 年 1 月贵州省政协第十届委员会第一次全体会议选举产生）

贵州省军区

司令员

朱　启（1990 年 6 月—　）

邱型柏　陈庆云

政治委员

喻忠桂（1990 年 6 月—　）

谌宏昌（2000 年—　）

蒋崇安（2004—2005 年）

石　晓（2009 年 1 月）

云南省

中国共产党云南省委员会

第七届省委

（2001 年 12 月—2006 年 11 月）

书　记

白恩培（2001 年 12 月中共云南省七届一次会议选举产生）

副书记

徐荣凯

杨崇汇（2001 年 12 月—2002 年 1 月）

王学仁　陈培忠

（2001 年 12 月中共云南省七届一次会议选举产生）

副书记

丹　增（藏族,2002 年 3 月—2006 年 11 月）

副书记

秦光荣（2003 年 4 月—　）

第八届省委

（2006 年 12 月—　）

书　记

白恩培（2006 年 11 月中国共产党云南省第

八届委员会第一次全体会议选举产生）

副书记

秦光荣　李纪恒

（2006 年 11 月中国共产党云南省第八届委员会第一次全体会议选举产生）

云南省人民代表大会常务委员会

第十届人民代表大会常务委员会

（2003 年 5 月—2008 年 1 月）

主　任

白恩培（2003 年 1 月云南省人大十届一次会议全体会议选举产生）

副主任

牛绍尧　梁公卿　卢邦正（彝族）　黄炳生

戴光禄（壮族）　王义明（女）

江巴吉才（藏族）　黄维彬

高晓宇（民主党派）

（2003 年 1 月云南省人大十届一次会议全体会议选举产生）

第十一届人民代表大会常务委员会

（2008 年 1 月—　）

主　任

白恩培（2008 年 1 月云南省人大十一届一次会议选举产生）

副主任

晏友琼　江巴吉才　程映萱　李春林

杨建甲　杨保建

（2008 年 1 月云南省人大十一届一次会议选举产生）

云南省人民政府

2003 年 5 月—2008 年 1 月

（云南省十届人大期间）

省　长

秦光荣（2007 年 1 月云南省人大十届大会第

五次会议选举产生)

徐荣凯(2003年1月云南省人大十届第一次会议全体会议选举产生)

副省长

秦光荣　李汉柏(白族)　程映萱(女)

邵琪伟　李新华　孔垂柱

吴晓青(满族,民主党派)

(2003年1月云南省人大十届第一次会议全体会议选举产生)

2008年1月—

（云南省十一届人大期间）

省　长

秦光荣(2008年1月云南省人大十一届一次会议选出)

副省长

罗正富　李　江　孔垂柱　刘　平　高　峰

曹建方　顾朝曦　和段琪(纳西族)

(2008年1月云南省人大十一届一次会议选出)

中国人民政治协商会议云南省委员会

第九届委员会

（2003年1月—2008年1月）

主　席

王学仁(2007年1月云南省政协第九届委员会第五次会议选举产生)

杨崇汇(2003年1月云南省政协第九届第一次会议选举产生)

副主席

孟继尧　和占钧(纳西族)　马开贤(回族)

许克敏　陈勋儒　苏正国　管国忠(傣族)

曾　华　罗黎辉　李先猷(哈尼族)

(2003年1月云南省政协第九届第一次会议选举产生)

第十届委员会

（2008年1月—　　）

主　席

王学仁(2008年1月云南省政协第十届第一次会议选举产生)

副主席

管国忠　马开贤　陈勋儒　曾　华　罗黎辉

王学智　白成亮　顾伯平　倪慧芳

(2008年1月云南省政协第十届第一次会议选举产生)

云南省军区

司令员

王继堂　邱型柏(2008年9月—　　)

政治委员

陈培忠　陶昌廉

王增钵(2004年9月—2007年)

郎友良(2007年8月—　　)

西藏自治区

中国共产党西藏自治区委员会

第六届区委

（2001年9月—2006年10月）

书　记

张庆黎(2005年11月中共中央任命为代理书记,2006年5月中央任命为党委书记)

杨传堂(2004年12月中共中央任命)

郭金龙(2001年9月中共西藏自治区第六届委员会第一次全体会议选举产生)

副书记

热　地(藏族)　列　确(藏族)　杨传堂

巴　桑(女,藏族)　李立国　布　穷(藏族)

徐明阳

(2001年9月中共西藏自治区第六届委员会第一次全体会议选举产生)

第七届区委

（2006 年 10 月— ）

书 记

张庆黎（2006 年 10 月中共西藏自治区第七届委员会第一次全体会议选举产生）

副书记

列 确（藏族） 向巴平措（藏族）

胡春华 郝 鹏

（2006 年 10 月中共西藏自治区第七届委员会第一次全体会议选举产生）

西藏自治区人民代表大会常务委员会

第八届人民代表大会常务委员会

（2003 年 1 月—2008 年 1 月）

主 任

列 确（藏族）（2003 年 5 月西藏自治区人大八届二次会议选举产生）

热 地（藏族）（2003 年 1 月西藏自治区人大八届一次会议选举产生）

副主任

李光文（藏族） 洛桑顿珠（藏族）

桑顶·多吉帕姆·德庆曲珍（女，藏族）

泽仁桑珠（藏族） 永仲嘎瓦（藏族）

白 钊（藏族） 孙岐文 曲 加（藏族）

多 吉（藏族） 群 培（藏族）

向巴嘎登（藏族） 阿 扣（藏族） 金喜生

马泽碧（女，回族） 次登平措（藏族）

（2003 年 1 月西藏自治区人大八届一次会议选举产生）

第九届人民代表大会常务委员会

（2008 年 1 月— ）

主 任

列 确（藏族）（2008 年 1 月西藏自治区人大九届一次会议选举产生）

副主任

土登才旺（藏族） 尼玛次仁（藏族） 张跃平

桑顶·多吉帕姆·德庆曲珍（女，藏族）

嘎玛（女，藏族） 周春来 宋善礼

格桑次仁（藏族） 赵正修 董明俊（汉族）

阿 登 新杂·单增曲扎（藏族）

马如龙（回族）

（2008 年 1 月西藏自治区人大九届一次会议选举产生）

西藏自治区人民政府

2003 年 1 月—2008 年 1 月

（西藏自治区八届人大期间）

主 席

向巴平措（藏族）（2003 年 5 月西藏自治区人大八届二次会议选举产生）

列 确（藏族）（2003 年 1 月西藏自治区人大八届一次会议选举产生）

副主席

徐明阳（常务）

土登才旺（藏族，常务，2003 年 1 月—2004 年 9 月）

尼玛次仁（藏族）

继 烈（2007 年 1 月调任） 杨海滨

崔玉英（女，藏族 2003 年 1 月—2006 年 10 月）

解学智（2004 年 10 月调任） 吴英杰

洛桑江村（藏族，2003 年 1 月—2007 年 1 月）

白玛赤林（藏族） 次 仁（藏族）

甲热·洛桑丹增（藏族）

（2003 年 1 月西藏自治区人大八届一次会议选举产生）

副主席

胡春华（2003 年 11 月—2005 年 11 月）

郝 鹏（2003 年 11 月— ）

白玛才旺（2005 年 7 月— ）

多吉泽仁（2005 年 7 月— ）

秦宜智（2006 年 7 月— ）

邓小刚（2006 年 7 月— ）

宫蒲光(2006 年 11 月—　)

孟德利(2006 年 11 月—　)

德　吉(女,藏族,2006 年 11 月—　)

2008 年 1 月—

（西藏自治区九届人大期间）

主　席

向巴平措(藏族)(2008 年 1 月西藏自治区人大九届一次会议选举产生)

副主席

郝　鹏　吴英杰　白玛赤林(藏族)

杨海滨　次　仁(藏族)

甲热·洛桑丹增(藏族)　白玛才旺(藏族)

多吉泽仁(藏族)　秦宜智　邓小刚　宫蒲光

孟德利　德　吉(女,藏族)　多　托(藏族)

(2008 年 1 月西藏自治区人大九届一次会议选举产生)

中国人民政治协商会议西藏自治区委员会

第八届委员会

（2003 年 1 月—2008 年 1 月）

主　席

帕巴拉·格列朗杰(藏族)(2003 年 1 月西藏自治区政协第八届委员会第一次会议选举产生)

副主席

李立国　巴桑顿珠(藏族)

拉敏·索朗伦珠(藏族)

尧西·旺堆(藏族)　顿珠(藏族)

次仁卓嘎(女,藏族)

曲加(藏族)加保(藏族)

珠康·土登克珠(藏族)　平措(藏族)

曾忠义　益希单增(藏族)

金毅明　乔元忠　才旺班典(藏族)

策墨林·单增赤列(藏族)

扎门·赤列旺杰(藏族)

(2003 年 1 月西藏自治区政协第八届委员会

第一次会议选举产生)

第九届委员会

（2008 年 1 月—　 ）

主　席

帕巴拉·格列朗杰(藏族)(2008 年 1 月西藏自治区政协第九届一次会议选举产生)

副主席

巴桑顿珠(藏族)　洛桑江村(藏族)

德吉措姆(藏族)　珠康·土登克珠(藏族)

金毅明　乔元忠　策墨林·单增赤列(藏族)

刘庆慧　洛松多吉(藏族)　白玛朗杰(藏族)

索朗卓玛(藏族)　央　金(藏族)

洛桑久美(藏族)　宗洛·向巴克珠(藏族)

萨龙·平拉(藏族)

(2008 年 1 月西藏自治区政协第九届一次会议选举产生)

西藏军区

司令员

蒙进喜

董贵山(2004 年 8 月—2008 年 7 月)

舒玉泰(2008 年 7 月—　)

政治委员

胡永柱　段禄定　王增钵(2007 年 7 月—　)

陕 西 省

中国共产党陕西省委员会

第十届省委

（2002 年 5 月—2007 年 5 月）

书　记

赵乐际(2007 年 3 月中共中央任命)

李建国(2002 年 5 月中共陕西省第十届委员会第一次全体会议选举产生)

副书记

　　贾治邦　袁纯清　董　雷　张保庆　栗战书

　　（2002 年 5 月中共陕西省第十届委员会第一次全体会议选举产生）

第十一届省委

（2007 年 5 月—　　）

书　记

　　赵乐际（2007 年 5 月中共陕西省第十一届委员会第一次全体会议选举产生）

副书记

　　袁纯清　王　侠（女）

　　（2007 年 5 月中共陕西省第十一届委员会第一次全体会议选举产生）

陕西省人民代表大会常务委员会

第十届人民代表大会常务委员会

（2003 年 1 月—2008 年 1 月）

主　任

　　崔林涛（代理,2007 年 7 月—2008 年 1 月 26 日）

　　李建国（2003 年 1 月陕西省人大十届一次会议选举产生）

副主任

　　崔林涛　白云腾　桂中岳　高宜新　王发荣　邓　理　刘遵义　陈再生

　　（2003 年 1 月陕西省人大十届一次会议选举产生）

副主任

　　巩德顺（2005 年 2 月陕西省人大十届三次会议选举产生）

第十一届人民代表大会常务委员会

（2008 年 1 月—　　）

主　任

　　赵乐际（2008 年 1 月陕西省人大十一届一次

会议举行第四次全体大会选举产生）

副主任

　　杨永茂　赵德全　罗振江　李晓东　刘维隆　黄　玮　张道宏

　　（2008 年 1 月陕西省人大十一届一次会议举行第四次全体大会选举产生）

陕西省人民政府

2003 年 1 月—2008 年 1 月

（陕西省十届人大期间）

省　长

　　袁纯清（2006 年 6 月陕西省人大十届常委会第二十五次会议任命为代省长）

　　陈德铭（2005 年 2 月陕西省人大十届三次会议选举产生）

　　贾治邦（2003 年 1 月陕西省人大十届一次会议选举产生）

副省长

　　陈德铭　巩德顺　潘连生　王　寿　赵德全　张　伟　洪　峰　朱静芝（女）

　　（2003 年 1 月陕西省人大十届一次会议选举产生）

2008 年 1 月—

（陕西省十一届人大期间）

省　长

　　袁纯清（2008 年 1 月陕西省人大十一届一次会议选举产生）

副省长

　　赵正永　洪　峰　朱静芝　吴登昌　李堂堂　姚引良　景俊海

　　（2008 年 1 月陕西省人大十一届一次会议选举产生）

中国人民政治协商会议陕西省委员会

第九届委员会

（2003 年 1 月—2008 年 1 月）

主　席

艾丕善（2003 年 1 月陕西省政协九届一次会议选举产生）

副主席

朱振义　田　源　陈宗兴　李雅芳　刘锦才
石学友　庞家钰（2007 年违纪撤职）
胡　悦　陆　栋　刘石民　张生朝

（2003 年 1 月陕西省政协九届一次会议选举产生）

第十届委员会

（2008 年 1 月—　　）

主　席

马中平（2008 年 1 月陕西省政协第十届委员会第一次会议选举产生）

副主席

张　伟　张生朝　周一波　刘新文　王晓安
李晓东　李冬玉（女）　李进权　周卫健（女）

（2008 年 1 月陕西省政协第十届委员会第一次会议选举产生）

陕西省军区

司令员

马殿奎
陈时宝（2002 年 10 月—2008 年 1 月）
程　兵（2008 年 1 月—　　）

政治委员

雷星平　夏龙祥（2006 年 7 月—　　）

甘肃省

中国共产党甘肃省委员会

第十届省委

（2002 年 4 月—2007 年 4 月）

书　记

陆　浩（2006 年 7 月中共中央任命）
苏　荣（2003 年 8 月中共中央任命）
宋照肃（2002 年 4 月中共甘肃省第十次代表大会选举产生）

副书记

陆　浩　仲兆隆　韩忠信　马西林　陈学亨

（2002 年 4 月中共甘肃省第十次代表大会选举产生）

第十一届省委

（2007 年 4 月—　　）

书　记

陆　浩（2007 年 4 月中共甘肃省委十一届一次全委会选举产生）

副书记

徐守盛　刘伟平

（2007 年 4 月中共甘肃省委十一届一次全委会选举产生）

甘肃省人民代表大会常务委员会

第十届人民代表大会常务委员会

（2003 年 1 月—2008 年 1 月）

主　任

陆　浩（2007 年 1 月甘肃省人大十届五次会议选举产生）
苏　荣（2004 年 1 月—2007 年 1 月）
宋照肃（2003 年 1 月甘肃省人大十届一次会议选举产生）

副主任

柯茂盛（2006 年 1 月辞职）

第十一届人民代表大会常务委员会
（2008 年 1 月— ）

主 席

陆 浩（2008 年 1 月甘肃省人大十一届一次会议选举产生）

副主席

洛桑灵智多杰（藏族）

嘉木样·洛桑久美·图丹却吉尼玛（藏族）

朱志良 马尚英（东乡族） 孙效东

崔玉琴（女）

（2008 年 1 月甘肃省人大十一届一次会议选举产生）

甘肃省人民政府

2003 年 1 月—2008 年 1 月
（甘肃省十届人大期间）

省 长

徐守盛（2007 年 1 月甘肃省人大十届五次会议选举产生）

陆 浩（2003 年 1 月甘肃省人大十届一次会议选举产生）

副省长

徐守盛 貟小苏 吴碧莲（女） 杨志明

孙小系 罗笑虎 李 膺（回族）

（2003 年 1 月甘肃省人大十届一次会议选举产生）

2008 年 1 月—
（甘肃省十一届人大期间）

省 长

徐守盛（2008 年 1 月甘肃省人大十一届一次会议选举产生）

副省长

冯健身 刘永富 陆武成 石 军

泽巴足（藏族） 咸 辉（女,回族） 郝 远

（2008 年 1 月甘肃省人大十一届一次会议选举产生）

中国人民政治协商会议甘肃省委员会

第九届委员会
（2003 年 1 月—2008 年 1 月）

主 席

仲兆隆（2003 年 1 月甘肃省政协九届一次会议选举产生）

副主席

陈剑虹 拜玉凤（女,回族） 崔正华

朱作勇 喇敏智（回族） 杨镇刚（藏族）

周宜兴 李宇鸿 德哇仓（藏族） 俞 正

蔚振忠

（2003 年 1 月甘肃省政协九届一次会议选举产生）

第十届委员会
（2008 年 1 月— ）

主 席

陈学亨（2008 年 1 月在甘肃省政协第十届一次会议上当选）

副主席

邵克文 德哇仓 张津梁 李永军 侯生华

黄选平 栗震亚 张世珍 马国瑜

（2008 年 1 月在甘肃省政协第十届一次会议上当选）

甘肃省军区

司令员

孙翠屏（1990 年 6 月— ） 梁培祯 赵拴龙

赵建中 陈知庶

政治委员

李 忠（1990 年 6 月— ） 李统厚

刘巨魁（2005 年— ）

青海省

中国共产党青海省委员会

第十届省委

（2002 年 5 月—2007 年 5 月）

书　记

强　卫（2007 年 3 月中共中央任命）

赵乐际（2003 年 8 月中共中央任命）

苏　荣（2002 年 5 月中共青海省第十届委员会第一次全体会议选举产生）

副书记

赵乐际　冯敏刚　宋秀岩（女）

白　玛（藏族）

（2002 年 5 月中共青海省第十届委员会第一次全体会议选举产生）

第十一届省委

（2007 年 5 月—　　）

书　记

强　卫（2007 年 5 月中共青海省第十一届委员会第一次全体会议选举产生）

副书记

宋秀岩（女）　骆惠宁

（2007 年 5 月中共青海省第十一届委员会第一次全体会议选举产生）

青海省人民代表大会常务委员会

第十届人民代表大会常务委员会

（2003 年 1 月—2008 年 1 月）

主　任

强　卫（2007 年 6 月—　　）

赵乐际（2004 年 1 月青海省人大十届二次会议选举产生）

苏　荣（2003 年 1 月青海省人大十届一次会议选举产生）

副主任

姚湘成　洛　桑　宋彭生

惠文林（2007 年 2 月辞职）

张玉林　高永红　桑杰　李玉兰　贾国明

（2003 年 1 月青海省人大十届一次会议选举产生）

副主任

赵永忠（2007 年 2 月青海省人大十届五次会议举行第三次会议补选产生）

第十一届人民代表大会常务委员会

（2008 年 1 月—　　）

主　任

强　卫（2008 年 1 月青海省人大十一届一次会议举行第三次大会选举产生）

副主任

马福海（回族）　刘　晓　桑　杰（藏族）

王小青　郭汝琢　刘春耀

昂　毛（女,蒙古族）

（2008 年 1 月青海省人大十一届一次会议举行第三次大会选举产生）

青海省人民政府

2003 年 1 月—2008 年 1 月

（青海省十届人大期间）

省　长

宋秀岩（2004 年 1 月—2005 年 1 月代省长，2005 年 1 月任命为省长）

杨传堂（2004 年 1 月青海省人大十届二次会议选举产生）

赵乐际（2003 年 1 月青海省人大十届一次会议选举产生）

副省长

蒋洁敏　穆东升　苏　森　马培华　刘伟平

邓本太　赵永忠（2007 年 2 月请辞）

（2003 年 1 月青海省人大十届一次会议选举产生）

2008 年 1 月—

（青海省十一届人大期间）

省 长

宋秀岩（2008 年 1 月青海省人大十一届一次会议举行第三次大会选举产生）

副省长

徐福顺　马建堂　邓本太（藏族）　骆玉林

吉狄马加（彝族）　王令浚　高云龙

张光荣　马顺清（回族）

（2008 年 1 月青海省人大十一届一次会议举行第三次大会选举产生）

中国人民政治协商会议青海省委员会

第九届委员会

（2003 年 1 月—2008 年 1 月）

主 席

白　玛（2007 年 2 月青海省政协第九届委员会第五次会议补选产生）

桑结加（2003 年 1 月青海省政协九届一次会议选举产生）

副主席

蔡巨乐　寻兴才　韩生贵　王孝榆

岳世淑（女）　西　纳（藏族）　刘光中

马福海（回族）　鲍义志（土族）　蒲文成

仁青安杰（藏族）

（2003 年 1 月青海省政协九届一次会议选举产生）

副主席

陈瑞珍

（2004 年 1 月青海省政协第九届委员会第二次会议选举产生）

第十届委员会

（2008 年 1 月—　　）

主 席

白　玛（2008 年 1 月青海省政协第十届委员

会第一次会议选举产生）

副主席

赵启中　陈资全　西　纳（藏族）

鲍义志（土家族）　仁青安杰（藏族）　李忠保

罗朝阳　韩玉贵（女，撒拉族）

马志伟（满族）　马长庆（东乡族）

（2008 年 1 月青海省政协第十届委员会第一次会议选举产生）

青海省军区

司令员

张岳永　张志强（2006—2008 年）

张书领（2008 年—　　）

政治委员

李天荣　刘喜廷

李炳仁（2005 年 5 月—2008 年）

林淼鑫（2008 年 1 月—2008 年 9 月）

段进虎（2008 年 9 月—　　）

宁夏回族自治区

中国共产党宁夏回族自治区委员会

第九届区委

（2002 年 6 月—2007 年 6 月）

书 记

陈建国（2002 年 6 月中共宁夏回族自治区第九届委员会第一次全体会议选举产生）

副书记

马启智（回族）　韩茂华　刘丰富

陈希明（女）　马文学（回族）

（2002 年 6 月中共宁夏回族自治区第九届委员会第一次全体会议选举产生）

第十届区委

（2007 年 6 月—　　）

书　记

陈建国(2007 年 6 月中国共产党宁夏回族自治区第十届委员会第一次全体会议选举产生)

副书记

王正伟　于革胜

(2007 年 6 月中国共产党宁夏回族自治区第十届委员会第一次全体会议选举产生)

宁夏回族自治区人民代表大会常务委员会

第九届人民代表大会常务委员会

(2003 年 1 月—2008 年 1 月)

主　任

陈建国(2003 年 1 月宁夏回族自治区人大九届一次会议选举产生)

副主任

马昌裔(回族)　韩有为(回族)

刘兴中(回族)　马骏廷(回族)

李国芳　余今晓　张小素(女)　陈守信

(2003 年 1 月宁夏回族自治区人大九届一次会议选举产生)

第十届人民代表大会常务委员会

(2008 年 1 月—　　)

主　任

毛如柏(2008 年 1 月宁夏回族自治区第十届人民代表大会第三次全体会议选举产生)

副主任

马瑞文(回族)　冯炯华　张小素(女)

马秀芬(女,回族)　何学清　刘天贵

(2008 年 1 月宁夏回族自治区第十届人民代表大会第三次全体会议选举产生)

宁夏回族自治区人民政府

2003 年 1 月—2008 年 1 月

(宁夏回族自治区九届人大期间)

主　席

王正伟(回族,代理)(2007 年 5 月宁夏回族自治区人大九届常务委员会第二十八次会议决定)

马启智(回族)(2003 年 1 月宁夏回族自治区人大九届一次会议选举产生)

副主席

陈进玉　刘　仲(回族)　冯炯华　赵廷杰

项宗西　郑小明　张来武　刘　慧(女,回族)

(2003 年 1 月宁夏回族自治区人大九届一次会议选举产生)

2008 年 1 月—

(宁夏回族自治区十届人大期间)

主　席

王正伟(回族)(2008 年 1 月宁夏回族自治区人大十届三次全体会议选举产生)

副主席

齐同生　刘　慧(女,回族)　郑小明

张来武　郝林海　李　锐(回族)　姚爱兴

(2008 年 1 月宁夏回族自治区人大十届三次全体会议选举产生)

副主席

李堂堂(2008 年 6 月宁夏回族自治区人大十届常委会第三次会议任命)

副主席

赵小平(2009 年 2 月宁夏回族自治区十届人大常委会第八次会议任命)

中国人民政治协商会议 宁夏回族自治区委员会

第八届委员会

（2003 年 1 月—2008 年 1 月）

主 席

任启兴（2003 年 1 月宁夏回族自治区政协八届一次会议选举产生）

副主席

任怀祥 金晓昀 周振中 梁 俭 马国权 李增林 陈育宁 马占山 马瑞文 曹维新（2003 年 1 月宁夏回族自治区政协八届一次会议选举产生）

副主席

马文学（2007 年 2 月宁夏政协八届五次会议第三次全体会议选举产生）

副主席

朱佩玲（2005 年 1 月宁夏政协第八届三次会议第四次全体会议选举产生）

第九届委员会

（2008 年 1 月— ）

主 席

项宗西（2008 年 1 月宁夏回族自治区政协第九届委员会第一次全体会议选举产生）

副主席

李淑芬（女） 马国权（回族） 陈守信 袁汉民 陶 源 解孟林 张乐琴（女，回族） 安纯人（2008 年 1 月宁夏回族自治区政协第九届委员会第一次全体会议选举产生）

宁夏军区

司令员

李良辉（1993 年 7 月— ） 卢谱阳 常贵祥 陈二曦（2005 年— ）

政治委员

董道圣（1990 年 6 月—1993 年 6 月）
王永正（1994 年 6 月— ） 刘国祥

新疆维吾尔自治区

中国共产党新疆维吾尔自治区委员会

第六届区委

（2001 年 10 月—2006 年 10 月）

书 记

王乐泉（2001 年 10 月中国共产党新疆维吾尔自治区第六届委员会第一次全体会议选举产生）

副书记

阿不来提·阿不都热西提（维吾尔族）
周声涛 艾斯海提·克里木拜（哈萨克族）
司马义·铁力瓦尔地（维吾尔族）
胡家燕（女） 王金祥（2001 年 10 月中国共产党新疆维吾尔自治区第六届委员会第一次全体会议选举产生）

第七届区委

（2006 年 10 月— ）

书 记

王乐泉（2006 年 10 月中国共产党新疆维吾尔自治区第七届委员会第一次全体会议选举产生）

副书记

司马义·铁力瓦尔地（维吾尔族）
聂卫国 努尔·白克力（维吾尔族） 杨 刚（2006 年 10 月中国共产党新疆维吾尔自治区第七届委员会第一次全体会议选举产生）

新疆维吾尔自治区人民代表大会常务委员会

第十届人民代表大会常务委员会

（2003 年 1 月—2008 年 1 月）

主　任

阿不都热依木·阿米提（维吾尔族）

（2003 年 6 月代理，2004 年 1 月—2008 年 1

月 22 日）

阿不来提·阿不都热西提（2003 年 1 月新疆

维吾尔自治区人大十届一次会议选举产生）

副主任

阿不都热依木·阿米提（维吾尔族）　王怀玉

海里且姆·斯拉木（女，维吾尔族）

达列力汗·马米汗（哈萨克族）

买买提明·扎克尔（维吾尔族）

胡吉汉·哈克莫夫（维吾尔族）

马建国（回族）　宋汝鹄

阿山拜克·吐尔地（柯尔克孜族）

杜秦瑞（女）

（2003 年 1 月新疆维吾尔自治区人大十届一

次会议选举产生）

第十一届人民代表大会常务委员会

（2008 年 1 月—　　）

主　任

艾力更·依明巴海（维吾尔族）（2008 年 1 月

新疆维吾尔自治区人大十一届一次会议选

举产生）

副主任

张国梁　阿勒布斯拜·拉合木（哈萨克族）

杜秦瑞（女）　栗智乃依木·亚森（维吾尔族）

买买提明·牙生（维吾尔族）

乔吉甫（蒙古族）　马明成（回族）

（2008 年 1 月新疆维吾尔自治区人大十一届

一次会议选举产生）

新疆维吾尔自治区人民政府

2003 年 1 月—2008 年 1 月

（新疆维吾尔自治区十届人大期间）

主　席

努尔·白克力（维吾尔族）（2007 年 12 月新

疆维吾尔自治区人大常委会通过）

司马义·铁力瓦尔地（维吾尔族）（2003 年 1

月新疆维吾尔自治区人大十届一次会议选

举产生）

副主席

王金祥　艾力更·依明巴海（维吾尔族）

熊辉银　张　舟　刘　怡

努尔兰·阿不都满金（哈萨克族）

阿曼·哈吉（维吾尔族）

库热西·买合苏提（维吾尔族）

（2003 年 1 月新疆维吾尔自治区人大十届一

次会议选举产生）

2008 年 1 月—

（新疆维吾尔自治区十一届人大期间）

主　席

努尔·白克力（维吾尔族）（2008 年 1 月新疆

维 吾 尔 自 治 区 人 大 十 一 届 一 次 会 议 选

举产生）

副主席

杨　刚　钱　智　宋爱荣

贾帕尔·阿比布拉（维吾尔族）　胡　伟

戴公兴　库热西·买合苏提（维吾尔族）

努尔兰·阿不都满金（哈萨克族）

（2008 年 1 月新疆维吾尔自治区人大十一届

一次会议选举产生）

中国人民政治协商会议
新疆维吾尔自治区委员会

第九届委员会

（2003 年 1 月—2008 年 1 月）

主　席

艾斯海提·克里木拜（哈萨克族）（2003 年 1

月新疆维吾尔自治区政协第九届委员会第

一次会议选举产生）

副主席

李东辉　吾甫尔·阿不都拉（维吾尔族）

阿不都卡德尔·乃斯尔丁（维吾尔族）

张贵亭　姚永锋　蒋珊（女）

阿荣汗·阿吉(维吾尔族)

阿不都热依木·阿吉伊明(维吾尔族)

赛尔杰(蒙古族)　朱振中　张玉忠　黄昌元

夏力甫汉(哈萨克族)

(2003年1月新疆维吾尔自治区政协第九届委员会第一次会议选举产生)

第十届委员会

（2008年1月—　　）

主　席

艾斯海提·克里木拜(哈萨克族)(2008年1月新疆维吾尔自治区政协第十届委员会第一次会议选举产生)

副主席

黄昌元　王　伟

买买提江·艾买提(维吾尔族)　柳耀华

王永明　柯赛江·赛力禾加(哈萨克族)

柯　丽(女,回族)　刘晏良

热孜万·艾拜(女,维吾尔族)

买买提艾山·托乎达力(柯尔克孜族)

阿尤甫·铁衣甫(维吾尔族)

阿不都力提甫·阿不都热依木(维吾尔族)

(2008年1月新疆维吾尔自治区政协第十届委员会第一次会议选举产生)

新疆军区

司令员

邱衍汉(2000—2008年)

朱锦林(2008年1月—　　)

政治委员　喻林祥　田修思(2004年—　　)

中华人民共和国香港特别行政区

香港特别行政区第三届政府

(2007年6月23日中央人民政府根据行政长官曾荫权的提名,任命香港特别行政区第三届政府主要官员)

行政长官　曾荫权

政务司司长　唐英年

财政司司长　曾俊华

律政司司长　黄仁龙

教育局局长　孙明扬

商务及经济发展局局长　马时亨

政制及内地事务局局长　林瑞麟

保安局局长　李少光

食物及卫生局局长　周一岳

公务员事务局局长　俞宗怡

民政事务局局长　曾德成

劳工及福利局局长　张建宗

财经事务及库务局局长　陈家强

发展局局长　林郑月娥(女)

环境局局长　邱腾华

运输及房屋局局长　郑汝桦

警务处处长　邓竟成

廉政专员　汤显明

审计署署长　邓国斌

入境事务处处长黎栋国及海关关长　袁铭辉

行政长官办公室主任　陈德霖

中央政策组首席顾问　刘兆佳

香港特别行政区立法会

第三届

（2004年9月12日）

主　席　范徐丽泰

议　员（共60人）

新界西

陈伟业　李永达　何俊仁　梁耀忠　谭耀宗

张学明　周梁淑怡　李卓人

新界东

梁国雄(长毛)　郑家富　刘慧卿　汤家骅

田北俊　刘江华　李国英

九龙东

李华明　陈鉴林　郑经翰(大班)　梁家杰

陈婉娴

九龙西

冯检基　刘千石　曾钰成　涂谨申
香港岛
马　力　蔡素玉　徐丽泰(范徐丽泰)
杨　森　李柱铭　余若薇
功能界别(30 人)
教育界　张文光
法律界　吴霭仪
会计界　谭香文
医学界　郭家麒
卫生服务界　李国麟
工程界　何钟泰
建筑　测量及都市规划界　刘秀成
劳工界　邝志坚
劳工界　李凤英
劳工界　王国兴
社会福利界　张超雄
旅游界　杨孝华
金融服务界　詹培忠
体育　演艺　文化及出版界　霍震霆
纺织及制衣界　刘柔芬
批发及零售界　方　刚
资讯科技界　单仲偕
饮食界　张宇人
区议会　刘皇发
(下列 11 位功能界别的候选人在无竞争对手下自
动当选为立法会议员)
功能界别议员
乡议局　林伟强
渔农界　黄容根
保险界　陈智思
航运交通界　刘健仪
地产及建造界　石礼谦
商界(第一)　林健锋
商界(第二)　黄宜弘
工业界(第一)　梁君彦
工业界(第二)　吕明华
金融界　李国宝
进出口界　黄定光

第四届
(2008 年 9 月 7 日)

主　席　曾钰成
议　员(共 60 人)
香港岛
何秀兰　甘乃威　曾钰成　陈淑庄　余若薇
叶刘淑仪
九龙西
李慧琼　涂谨申　梁美芬　黄毓民　冯检基
九龙东
陈鉴林　梁家杰　李华明　黄国健
新界西
李卓人　谭耀宗　张学明　何俊仁　陈伟业
王国兴　梁耀忠　李永达
新界东
刘慧卿　黄成智　梁国雄　郑家富　汤家骅
刘江华　陈克勤
航运交通界　刘健仪
教育界　张文光
法律界　吴霭仪
会计界　陈茂波
医学界　梁家骝
卫生服务界　李国麟
工程界　何钟泰
建筑　测量及都市规划界　刘秀成
社会福利界　张国柱
旅游界　谢伟俊
商界(第一)　林健锋
纺织及制衣界　梁刘柔芬
批发及零售界　方　刚
信息科技界　谭伟豪
区议会　叶国谦
(下列 12 个功能界别的 14 名立法会议员在没有
竞争对手下自动当选)
乡议局　刘皇发
渔农界　黄容根
劳工界　潘佩璆　叶伟明　李凤英
地产及建造界　石礼谦
商界(第二)　黄宜弘
工业界(第一)　梁君彦
工业界(第二)　林大辉
金融界　李国宝
金融服务界　詹培忠
体育　演艺　文化及出版界　霍震霆

进出口界 黄定光

饮食界 张宇人

香港特别行政区终审法院

首席法官 李国能(1997年5月任)

常设法官 列显伦 沈澄 包致金

> (1997年6月14日香港特别行政区临时立法会议通过委任)

非常设本地法官(共13人)

> 罗弼时 赫健士 麦慕年 康士 邵祺
> 傅雅德 郭乐富 麦德高 黎守律 马天敏
> (1997年7月23日香港特别行政区临立会会议同意委任)
> 李启新 贺辅明
> (1998年7月23日香港特别行政区临立会会议同意委任)

非常设其他普通法适用地区法官(共4人)

> 梅师贤 顾安国 沈穆善 杜伟舜
> (1991年7月23日香港特别行政区临立会会议同意委任)
> (1997年7月28日起正式开庭审理案件)

香港特别行政区第一届行政会议

第二届

(2002—2007年)

主 席 董建华(行政长官)

官守成员

> **政务司司长** 曾荫权
> **财政司司长** 梁锦松
> **律政司司长** 梁爱诗(女)
> **工商及科技局局长** 唐英年
> **房屋及规划地政局局长** 孙明扬
> **教育统筹局局长** 李国章
> **卫生福利及食物局局长** 杨永强
> **公务员事务局局长** 王永平
> **民政事务局局长** 何志平
> **保安局局长** 叶刘淑仪(女)
> **经济发展及劳工局局长** 叶澍堃

> **环境运输及工务局局长** 廖秀冬
> **财政事务及库务局局长** 马时亨
> **政制事务局局长** 林瑞麟

非官守成员

> 梁振英 田北俊 曾钰成 郑耀棠 廖长城
> (行政长官董建华2002年6月24日公布)

第三届

(2007年—)

主 席 曾荫权(行政长官)

官守成员

> **政务司司长** 唐英年
> **财政司司长** 曾俊华
> **律政司司长** 黄仁龙
> **教育局局长** 孙明扬
> **商务及经济发展局局长** 马时亨(2008年7月辞职,同月12日中央人民政府根据行政长官曾荫权的提名和建议,任命刘吴惠兰为商务及经济发展局局长)
> **政制及内地事务局局长** 林瑞麟
> **保安局局长** 李少光
> **食物及卫生局局长** 周一岳
> **公务员事务局局长** 俞宗怡
> **民政事务局局长** 曾德成
> **劳工及福利局局长** 张建宗
> **财经事务及库务局局长** 陈家强
> **发展局局长** 林郑月娥
> **环境局局长** 邱腾华
> **运输及房屋局局长** 郑汝桦

非官守成员

> 梁振英 行政会议非官守成员召集人中国人民政治协商会议全国委员会常务委员会委员
> 许仕仁 前政务司司长(2009年1月离任)
> 曾钰成 民主建港协进联盟会务顾问,前主席 立法会议员
> 郑耀棠 香港工会联合会会长 全国人民代表大会代表
> 周梁淑怡 自由党副主席 立法会议员
> 廖长城 资深大律师(2009年1月离任)
> 史美伦 香港科技大学校董

陈智思　泛联盟成员　立法会议员(2009年1月离任)

夏佳理　香港交易所主席,香港赛马会前主席　立法会前议员

李国宝　东亚银行主席　立法会议员

李业广　香港交易所前主席

张建东　香港交易所董事

范鸿龄　中信泰富董事总经理(2009年1月离任)

罗仲荣　香港科技园前主席(2009年1月离任)

梁智鸿　安老事务委员会主席,医院管理局前主席、立法会前议员(医学界)

张炳良　香港城市大学教授、前民主派政党汇点主席、民主党前副主席

刘皇发　现任新界乡议局主席、香港立法会议员、屯门区议会主席、前自由党成员

刘遵义　现任香港中文大学校长、中国人民政治协商会议第十一届全国委员会委员。中国国家统计局国际顾问、香港特别行政区政府行政会议非官守议员、经济机遇委员会委员、策略发展委员会委员

胡红玉　强制性公积金计划管理局主席,香港法律改革委员会成员、调解工作小组成员

杨敏德　现任香港溢达集团董事长、香港各界妇女联合协进会名誉会长、青年总裁协会中国分会主席和哈佛大学商学院校董

叶维义　证监会收购及合并委员会、收购上诉委员会委员、积金局强制性公积金计划咨询委员会委员、大学教育资助委员会投资策略委员会会员

行政长官曾荫权2007年6月25日公布,现时共有32位成员,包括行政长官(主席) 15位现职问责官员(官守成员)及16位非官方人士(非官守成员)。2009年1月有5位离任,同时行政长官曾荫权任命5位新成员。

中央人民政府驻香港特别
行政区联络办公室

主　任

姜恩柱(1999年12月—2002年9月)

高祀仁(2002年9月—2009年5月)

彭清华(2009年5月—　)

副主任

郑国雄(1999年12月—2001年1月)

高祀仁　王凤超　刘山在(2003年免)

邹哲开　陈凤英(女,2003年免)

郑坤生(2008年10月离任)

(1999年12月中央人民政府任命)

李　刚　郭　莉(女)　周俊明

(2003年9月中央人民政府任命)

彭清华(2004年1月中央人民政府任命)

黎桂康(2004年1月中央人民政府任命)

黄兰发(2008年10月中央人民政府任命)

王志民(2008年10月中央人民政府任命)

主任助理　王如登

中华人民共和国外交部驻香港
特别行政区特派员公署

(1999年12月—　)

特派员

马毓真(1997年7月—2001年3月)

吉佩定(2001年3月—2003年7月)

杨文昌(2003年7月—2006年2月)

吕新华(2006年2月—　)

副特派员

赵稷华　刘鸿晓

宋马锁(2006年7月离任)

明俊富(2006年8月到任)

杨子刚(2007年—　)

吴海龙(2002年5月—2005年2月)

解晓岩(2005年2月—2007年9月)

詹永新(2007年9月—　)

唐国强(2002年5月离任)

高玉琛(2009年—　)

中国人民解放军驻香港
特别行政区部队

司令员

　　熊自仁(1999 年—2003 年)

　　王继堂(2003 年—2008 年)

　　张仕波(2008—　　)

政治委员

　　王玉发(1999 年—　　)

　　刘良凯(2004 年—2005 年)

　　张汝城(2005 年—2007 年)

　　刘良凯(2007 年—　　)

中华人民共和国澳门特别行政区

澳门特别行政区第二届政府

(2004 年 12 月—2009 年)

主要官员和检察长名单

　　行政长官　何厚铧

　　行政法务司司长　陈丽敏

　　经济财政司司长　谭伯源

　　保安司司长　张国华

　　社会文化司司长　崔世安

　　运输工务司司长　欧文龙

　　廉政公署廉政专员　张　裕

　　审计署审计长　蔡美莉

　　检察院检察长　何超明

　　海关关长　徐礼恒

　　警察总局局长　白英伟

澳门特别行政区立法会

第三届

(2005 年 10 月)

主　席　曹其真

副主席　刘焯华

议员

直接选举

　　吴国昌　区锦新　梁庆庭　容永恩　冯志强

　　梁安琪　周锦辉　关翠杏　梁玉华　高天赐

　　陈明金　吴在权

　　(2005 年 9 月 26 日选举产生)

间接选举

代表雇主利益组别

　　曹其真　高开贤　郑志强　贺定一

代表劳工利益组别　刘焯华　李从正

代表专业利益组别　崔世昌　欧安利

代表慈善　文化　教育及体育利益组别

　　张立群　陈泽武

　　(2005 年 9 月 26 日选举产生)

行政长官委任

　　李沛霖　沈振耀　徐伟坤　崔世平　许辉年

　　杨道匡　刘本立

　　(2005 年 10 月 10 日何厚铧颁布行政命令委任)

澳门特区行政会议行政会

　　陈丽敏　唐志坚　梁庆庭　廖泽云　马有礼

　　贺一诚　欧安利　郑志强　林香生　梁维特

　　(2004 年 12 月澳门特区行政长官何厚铧根据澳门特别行政区基本法第五十条的有关规定任命)

澳门特别行政区法院

终审法院

　　岑浩辉(院长)　朱　健　利　马

中级法院

　　赖健雄(院长)　司徒民正　蔡武彬　陈广胜

　　白富华

初级法院

　　谭晓华(院长)　查　赟　高丽斯　赵约翰

　　梁祝丽　何伟宁　唐晓峰　周艳平　萧伟志

　　林炳辉　张婉媚　叶迅生　岑劲丹

行政法院　李年龙　冯文庄

　　(1999 年 10 月澳门特别行政区行政长官何厚铧决定)

澳门特别行政区检察院

检察长　何超明

助理检察长　宋敏莉

Augusto Serafim B. V. Vasconceios
（译名：韦高度）

马　翊　黄少泽　陈子劲　王伟华

检察官

Vitir Manuel Canralho Coelho（译名：高伟文）

Manuel de Amorim Corga（译名：高文礼）

江　志　米万英　陈达夫　郭少萍　郭婉雯
徐京辉　程立福　陈美芬　黎裕豪　梁文英
陈　豪　杜慧芳　刘因之　胡　晓

中央人民政府驻澳门特别
行政区联络办公室

主　任

王启人（1999 年 12 月—2001 年 10 月）

白志健（2001 年 1 月—　　）

副主任

李水林（1999 年 12 月—2001 年 8 月）

宗光耀（1999 年 12 月—2001 年 6 月）

柯小刚（1999 年 12 月—2002 年 12 月）

刘名启（2001 年 4 月—2002 年 10 月）

王今翔（1999 年 12 月—　　）

李勇武（2001 年 4 月—　　）

何晓卫（2002 年 12 月—2006 年 9 月）

高　燕（女）（2006 年 9 月—　　）

陈启明（2006 年 9 月—　　）

李本钧（2008 年 4 月—　　）

徐　泽（2004 年 7 月—　　）

张晓明（2004 年 7 月—　　）

中华人民共和国外交部驻
澳门特别行政区特派员公署

特派员

原　焘（1999 年 12 月—2002 年 7 月）

万永祥（2002 年 7 月—2008 年 5 月）

卢树民（2008 年 6 月—　　）

副特派员

韩肇康（1999 年 12 月—2002 年 4 月）

吴红波（2002—2004 年）

黄松甫（2004 年 4 月—2008 年 6 月）

宋彦斌（2008 年 6 月—　　）

（根据《中华人民共和国澳门特别行政区基本法》规定，中央人民政府决定于 1999 年 12 月 20 日在澳门设立"中华人民共和国外交部驻澳门特别行政区特派员公署"。）

中国人民解放军
驻澳门部队

司令员

刘粤军（1999 年 4 月—2002 年 2 月）

刘联华（2002 年 2 月—2008 年 2 月）

王玉仁（2008 年 2 月—　　）

政治委员

刘良凯（2001 年 1 月—2004 年 1 月）

杨忠民（2004 年 1 月—2006 年 9 月）

李文潮（2006 年 9 月—2007 年 9 月）

赵存生（2007 年 9 月—2008 年 9 月

许进林（2008 年 9 月—　　）

国史研究论著索引*

一

论　文

“2005 年度中共党史、当代中国史研究的回顾与前瞻”高级学术座谈会综述/耿化敏、苏海舟/中国人民大学学报/2006.2

“一国两制”的成功实践——写在香港回归十周年之际/李罗力/开放导报/2007.3

“三农”问题：一个有鲜明中国特色的课题/刘孚威/红旗文稿/2004.5

“乡政村治”：一项关于农村治理结构与乡镇政府职能转变的个案研究/崔永军/社会科学战线/2006.4

“中国：全球化与反全球化”会议综述/李存娜/世界经济与政治/2003.2

“中国历史上的环境与社会”国际学术讨论会综述/王利华/历史学/2006.4

“中国绿卡”的变迁/徐利/侨园/2007.1

“无毒中国”缘何不再？——对中国共产党领导下的新中国禁毒运动辉煌历史的反思/胡金野/甘肃社会科学/2005.6

“只有改革开放，才能发展中国”科学论断的演化及其意义/毛玉美/内蒙古师范大学学报（哲社版）/2008.3

“当代国际关系理论与中国外交”学术研讨会综述/赵银亮/世界经济与政治/2004.3

“自然延伸”还是“中间线”原则——国际法框架下透视中日东海大陆架划界争端/朱凤岚/国际问题研究/2006.5

“两弹一星”含义的历史变化/袁辉/历史学习/2008.1

“告别冷战”：中国实现中苏关系正常化的历史意义/牛军/历史研究/2008.1

“和谐世界”：中国国际战略的新发展/李景治/科学社会主义/2006.5

“和谐世界”历年研究：回顾与前瞻/方伯华、任晶晶/中共中央党校学报/2008.4

“和谐世界与中国对外战略”学术研讨会综述/吕晓莉/世界经济与政治/2006.7

“国际关系理论与中国：比较与借鉴”研讨会综述/王军/世界经济与政治/2003.3

“现代性反思”与改革开放 30 年文艺史观的嬗变/张兴成/西南大学学报（社会科学版）/2008.5

“党的执政能力与政治文明建设”理论研讨会综述/胡承槐/红旗文稿/2005.3

1949—2006 年城乡关系演变的历史分析/武力/中国经济史研究/2007.1

1949—2007 年中国财政监督变迁/刘晓凤/地方财政研究/2008.6

＊　按文章或论著标题笔画为序

1949 年以来中国大陆的纠纷解决机制/王亚明/阿坝师范高等专科学校学报/2008.4

1978—2003:中国留学教育的回顾与思考/陈昌贵、粟莉/中山大学学报(社科版)/2004.5

1978—2003 年我国农业科技投入和粮食产量关系的计量分析/杨剑波/科技管理研究/2007.5

1978 年以来中共对台文化交流政策的探析/张亚/阜阳师范学院学报(社会科学版)/2006.5

1978 年以来的农村金融体制改革:政策演变与路径分析/匡家在/中国经济史研究/2007.1

1980 年代以来中国共产党政权选举史研究述评/李瑗、吴继平/党史研究与教学/2006.3

1982 年以来中国省级区域城市化水平趋势/沈建法/地理学报/2005.4

1982—2003 年中国的 5 次政府机构改革/理论参考/2008.5

1983—2005 年中国农村劳动力情况世界农业/2007.6

1983—2005 年中国农村经济在国民经济中的地位世界农业/2007.6

1984 年以来中国宏观调控中的货币政策演变/吴超林/当代中国史研究/2004.3

1989—2003 年我国信息教育领域论文文献计量分析/姜春林、王续琨/情报科学/2005.9

1990 年代以来中国县级人大候选人产生的多样化模式/杨龙芳/经济社会体制比较/2005.2

1990 年代以来农业合作化运动研究若干问题综述/孙功/兰州学刊/2006.11

1990 年以来我国城镇真实失业率有多高?/丁仁船、王大犇/市场与人口分析/2007.6

1992 年以来三次宏观调控的多维比较研究/顾海兵等/学术界/2006.2

1994—2004 年中国老年人主要生活来源的变化/杜鹏、武超/人口研究/2006.2

1994—2007 年中国志愿服务的文献研究/吴江/中国青年研究/2008.1

1994 年以来我国城乡居民消费水平差异分析/石尊龙/价值工程/2009.1

1996—2005 年中国都市报十年研究实证分析/陈强/乌鲁木齐职业大学学报(人社版)/2007.1

1996—2005 年海峡两岸关系总评/朱卫东/台湾研究/2006.4

1997 年以来我国农村劳动力流动趋势分析/刘文/南开学报(哲社版)/2004.3

2000 年以来台湾经济与两岸经济合作回顾与展望/曹小衡/台湾研究/2006.4

2000 年以来村民自治研究的新进展/孙琼欢/浙江师范大学学报(社科版)/2007.1

2000 年以来的两岸经贸交流/谢静、李松林/新视野/2007.5

2001—2005 年我国社会保障事业发展状况实证分析/洪震等/华东经济管理/2007.1

2002 年:中国经济凸显稳步上升的一年/汪海波/中国社科院研究生院学报/2004.1

2003 年工业经济发展分析/张卫华、周学文/中国经贸导刊/2004.6

2003 年中国人权事业的进展/国务院新闻办公室/人权/2004.3

2003 年中国经济:高投入带来高增长/彭志龙/经济理论与经济管理/2004.5

2003 年农村全面小康进程监测结果/鲜祖德等/中国国情国力/2004.11

2003 年我国对外开放主要进展及特点/李占五/中国经贸导刊/2004.6

2004 年两岸关系回顾/张勇/半月谈/2004.22

2004 年国内农村教育研究综述/杨辉/宁波大学学报(教育科学版)/2005.3

2005—2007 年中华人民共和国史研究述评/吴敏先/当代中国史研究/2008.6

2005 年中国现代经济史研究述评/之恺/中国经济史研究/2006.2

2005 年台湾对外关系述评/修春萍、刘佳雁/台湾研究/2006.1

2005 年台湾经济回顾与展望/朱磊/台湾研究/2006.1

2005 年两岸关系发展特点综述/杨立宪/台湾研究/2006.1

20 世纪 80 年代以来的历史认识主体研究/徐国利、路则权/史学月刊/2008.8

20 世纪 90 年代以来中国近代社会史研究述评/闵杰/教学与研究/2006.3

20 世纪 90 年代以来国内南海问题研究综述/刘中民、滕桂青/中国外交/2006.9

20 世纪 90 年后期以来城市基层自治制度的变革与反思/胡位钧/武汉大学学报(哲学社会科学版)/2005.3

20 世纪以来土地利用研究综述/谭少华、倪绍祥/地域研究与开发/2006.5

20 世纪以来中国重大思想理论成果的继承与发展/杨静/历史教学(高校版)/2007.6

20 世纪末与 21 世纪初图书馆事业的发展特点及其主要标志/原宏盛/图书馆论坛/2005.8

21 世纪中国改革开放的重大进展与重要原则/赵宏/科学社会主义/2005.6

21 世纪中国新闻史研究扫描/刘焕宇/牡丹江师范学院学报(哲社版)/2007.2

21 世纪以来我国高职教育考试改革综述/陈英南/职教论坛/2005.29

30 年中国社会结构变革的独特路径/李路路/人民论坛/2009.5

30 年军队法制建设新成就/冯静、成盛昌/决策与信息/2008.7

30 年来中国阶层结构变迁中的社会稳定问题研究/张素云、李晓燕/中国特色社会主义研究/2009.1

30 年来的中国人权理论研究与创新/谷春德/高校理论战线/2009.2

30 年来的新闻与政治/梁衡/山西大学学报(哲学社会科学版)/2009.1

30 年来意识形态研究的三大转向/姜迎春/福建论坛(人社版)/2008.10

30 年经济转型:发展中国特色社会主义——纪念改革开放 30 年/洪银兴/南京大学学报(哲人社版)/2008.3

50 年来中国村治模式研究/关翠霞/石家庄师范专科学校学报/2004.4

90 年代"人文精神"大讨论之反思/杨蓉蓉/兰州学刊/2005.5

90 年代以来国际格局变化与中国外交战略/刘艳红/中国民营科技与经济/2008.7

一个关于地方保护主义问题的综述/王敬云/社会主义经济理论与实践/2006.1

二元结构与经济发展——对中国农业经济发展要素的解析/陈先勇/武汉大学学报/2007.1

人民币汇率制度历史回顾/杨帆/中国经济史研究/2005.4

人民币汇率波动的贸易效应——基于 1980—2005 年的实证研究/张进铭、周才云/理论探索/2007.6

人民币实际汇率变动对我国进出口贸易的影响:1997—2006/徐明东/财经科学/2007.5

人民代表大会制度在宪政建设中的现状与对策研究/陈肖沫/社会科学研究/2005.3

人民军队"五化"征程/陈辉/瞭望/2007.25

人民政协理论与实践的几个问题/郑万通/中国政协/2004.9

人民解放军的预备役军衔制度/刘岩/军事史林/2004.4

人民解放军最高统帅部——中央军委的沿袭变革/于杰/军事史林/2004.5

入世五年中国与欧盟双边贸易的回顾与展望/王维/学海/2007.6

入世五年来外资银行与中资银行的发展/杨利红、穆皓/经济导刊/2007.1

十一届三中全会以来党对中国特色社会主义道路的探索/谢春涛/中共石家庄市委党校学报/2007.7

十七届三中全会召开——改革开放 30 年后,我国进入了一个新的发展阶段/中国大学生就业/2008.23

十六大以来我国生态文明建设的理论与实践/高红杰/科技信息/科学教研/2008.1

十六大以来党的建设的重大进展/虞云耀/今日浙江/2007.14

十年来中国私营企业主研究述评/曹培强、于文善/科学社会主义/2005.5

十年来两岸经贸关系发展评估/王建民/台湾研究/2006.4

十年来我国数字图书馆研究统计分析/赵秀君/图书情报工作/2005.8

不同的土地占有制对三农现代化进程产生的不同影响——中国和印度的比较/张新华/历史教学（高校版）/2007.3

中日关系的 10 年回顾与反思/高科/现代日本经济/2005.10

中日关系的历史经纬和发展前景/陈都明/当代世界/2005.8

中日关系的历程及反思/李怀东/科教文汇/2008.1

中日两国对外直接投资比较研究/张宗斌、于洪波/中国社会科学文摘/2006.3

中共十三届四中全会以来军队和国防建设发展历程及经验/萧裕声/当代中国史研究/2003.4

中共在实现革命向建设转变过程中的探索/艾丹/北京党史/2007.1

中共执政 55 年:非凡的历史巨变/赵忠范/世纪桥/2004.6

中共遏制既得利益集团的历史考察及其启示/刘彦昌/许昌学院学报/2005.6

中华人民共和国史研究的发端/顾为铭/当代中国史研究/2004.4

中华人民共和国史研究的回顾和前瞻/程中原/当代中国史研究/2004.5

中华人民共和国史研究的现状/张星星/当代中国史研究/2008.2

中华人民共和国史研究若干前沿问题/李文/中国社会科学院院报/2008.3.25

中华人民共和国史研究新进展(2002—2004 年)/吴敏先/当代中国史研究/2006.6

中华人民共和国民族互动过程述论/徐杰舜/广西民族研究/2005.4

中华文明复兴与和平发展道路/火正德/国际问题研究/2006.4

中华民族复兴的国际认同问题——对中国改革开放 30 年外交的回顾与思考/徐坚/国际问题研究/2008.6

中印关系研究 50 年:多元化的议程和不对称的支点/隋新民/国际论坛/2005.6

中印关系——新型的大国关系/赵伯乐/当代亚太/2005.8

中印利用外资的比较研究/方慧、邱立成/国际问题研究/2006.3

中印俄"战略三角":设想与现实/左风荣/理论视野/2004.6

中西部农村地区人口计划生育调查之分析/李建新/人口学刊/2006.5

中国"三农"问题的由来和发展/陆学艺/当代中国史研究/2004.3

中国 50 年宪政建设的困顿与前景/谢维雁/社会科学战线/2005.1

中国 MPA 教育回顾与展望/郭晓来、袁金辉/国家行政学院学报/2007.3

中国人口文化素质的空间格局及其演变/秦贤宏等/中国科学院研究生院学报/2008.4

中国人口性别结构的区域差异及演变动态分析/张海峰、白永平/西北人口/2008.6

中国人口变化对居民消费的影响/李文星/中国人口科学/2008.3

中国人民解放军建设历史上跨越式发展两例/薛奇/军事历史/2004.3

中国人民解放军总装备部的发展历史/于杰/军事史林/2005.8

中国三十年对外开放实践的特点及战略选择/杨志平/现代商业/2008.35

中国义务教育政策历史变迁及功能分析/冉敏/社科纵横/2007.12

中国乡镇问题研究综述与思考/陈华栋、顾建光/求索/2006.3

中国乡镇改革的历史阶段划分与现实问题研究/张新光/黄山学院学报/2006.1

中国女性期刊的发展脉络剖析/吴敏鹃/社会科学战线/2005.5

中国小城镇的曲折发展及其原因/邹远修/山东师范大学学报(人文社会科学版)/2003.3

中国工人阶级发展历史及特点/黄旭东/云南师范大学学报(哲社版)/2008.6

中国工业化进程中的停滞趋势和组织转型/周耀东、余晖/南京大学学报(哲学人文科学社会科学版)/2006.1

中国工业化进程中就业的产业结构变动/孙蚌珠/北京师范大学学报(社科版)/2005.5

中国工业化路径转换的历史分析/武力/中国经济史研究/2005.4

中国飞航导弹事业的艰辛历程/黄瑞松/现代军事/2006.10

中国马克思主义以人为本价值观的崛起——兼论中国共产党价值观的三次转换/福建师范大学学报/2005.3

中国马克思主义史学发展道路的思考/陈其泰/当代中国史研究/2004.2

中国马克思主义史学理论发展脉络述评/张越/江西社会科学/2005.1

中国马克思主义史家论文史关系/徐国利、陈永霞/史学理论研究/2008.4

中国与 IRRI:合作的历史及取得的成就和影响世界农业/2008.1

中国与东盟关系:睦邻外交的范例/李庆日/国际论坛/2004.2

中国与周边国家关系的历史演变:模式与过程/张小明/国际政治研究/2006.1

中国与南非建交纪实/钱其琛/统一论坛/2004.2

中国与突尼斯建交的前前后后/谢定邦/百年潮/2006.11

中国六次行使大国否决权始末/庚莉萍/世纪风采/2007.9

中国历史学如何回应时代思潮(1978—2008)/杨念群/天津社会科学/2009.1

中国天主教爱国会 50 年的成就与经验/刘柏年/中国宗教/2007.8

中国少数民族女子高等教育历史发展探析/龙江英/贵州民族研究/2007.6

中国少数民族服饰研究发展的历程及几点思考/冯敏/贵州民族研究/2006.2

中国文化现代转型的历史进程/胡忠明/中共中央党校学报/2006.1

中国文学史研究之演进历程论略/刘涛/太原师范学院学报(社科版)/2007.2

中国—东亚关系中的历史理解问题/时殷弘/当代亚太/2009.1

中国东部地区三大都市圈人口迁移与经济增长极化研究/王桂新、毛新雅、张伊娜/华东师范大学学报(哲社版)/2006.5

中国—东盟关系四十年发展的历程及其启示:共同利益的视角/徐善宝/东南亚研究/2007.3

中国史学走向世界的一次深刻反思——"走向世界的中国史学"国际学术研讨会述评/钟新/历史学/2006.9

中国史学的现代使命/赵毅、常金仓/西南师范大学学报(人文社科版)/2006.6

中国外交三十年:对进步与不足的思考/王逸舟/外交评论/2007.5

中国外交和国际战略中的"共同发展"思想/张吉明/国际问题研究/2004.6

中国外交战略与和平发展/裴远颖/国际论坛/2006.2

中国外交政策的演变/张正宝/消费导刊/2008.20

中国外交理念的传承与发展/俞邃/当代世界/2008.3

中国对外开放进程的演化/赵兰英/生产力研究/2007.9

中国对外开放的决策过程/萧冬连/中共党史研究/2007.1

中国对外经济政策 50 年/郝雨凡/外交评论/2007.5

中国市民社会的文化建构:从身份走向契约/伍俊斌/学术界/2006.2

中国市场化进程中的结构性失业困境与对策分析/贾利军/工业技术经济/2007.6

中国民兵发展史/邹陆军/兵器知识/2008.4

中国民族关系思想史研究范围和方法的探讨/崔明德/民族研究/2006.2

中国电力管理体制——分分合合 50 年/朱成章/中国改革/2004.4

中国电影伦理叙事的历史变迁/张振华、孙玲/厦门大学学报(哲社版)/2006.2

中国艾滋病立法的成效、问题及对策/姜爱林/中州学刊/2005.2

中国产权市场的回顾与思考/邓志雄/产权导刊/2007.7

中国传统军事文化转型的几点思考/马军伟、秦国涛/西南交通大学学报/(社科版)/2008.5

中国全面小康社会建设中的少数民族人口流迁及应对原则/王希恩/民族研究/2005.3

中国共产党与 20 世纪三次农民浪潮/武力/中国现代史/2006.1

中国共产党与当代农民土地情感迁变——以湖南省溆浦县桐木垱村农民为例/米华/北京行政学院学报/2007.2

中国共产党与新中国侨务事业/刘华/中共中央党校学报/2005.1

中国共产党对台方针的历史特点/冯晓艳/鸡西大学学报/2008.3

中国共产党对台政策演变论析/孙代尧/中共党史研究/2006.6

中国共产党对农民问题的认识演进及其启示/许文兴、刘唐宇/东南学术/2008.4

中国共产党对社会主义认识的三次深化与升华/聂运麟、吴海晶/马克思主义研究/2006.2

中国共产党对社会主义本质论的实践探索与理论创新/孔祥云/清华大学学报(哲社版)/2008.S1

中国共产党对宗教立法的探索历程/桑杰/中国宗教/2006.5

中国共产党关于"两制关系"曲折认识的历程/小沫等/理论前沿/2005.18

中国共产党关于中国现代化事业重大政治抉择的历史回顾/何多奇/西南大学学报(社科版)/2008.5

中国共产党执政方式的历史考察与思考/吴家庆、彭正德/当代世界与社会主义/2004.2

中国共产党社会建设理论是国史研究的重要内容/柳建辉/当代中国史研究/2007.3

中国共产党现代化理论形成之历史考察/李安增/当代中国史研究/2004.5

中国共产党的屯垦戍边政策与新疆兵团/王小平/兵团党校学报/2008.2

中国共产党第三代领导集体依法治国思想的理论渊源/江俊伟/党史研究与教学/2008.1

中国共产党媒介关系 80 年/贾奎林/新闻爱好者/2007.3

中国军队在社会主义生态文明建设中的重要作用/邓莉/科技信息·学术研究/2008.20

中国军队武器装备实现四次跨越/魏岳江/海事大观/2007.2

中国军队撤出商海始末/张震/中国作家/2006.19

中国军事外交的发展与战略选择/汪红伟/理论导报/2009.2

中国军事高等工程教育的历史、现状与未来/陈勇/军事历史/2008.5

中国军品外贸的历史演进及其启示/李湘黔/军事历史/2004.2

中国农业新政策变化的政策效应——来自 2003—2006 年田野调查与跟踪调查的农户数据/史清华等/中国人口科学/2007.6

中国农地市场发育与农地产权制度演进的研究/李占通、郝寿义/天津社会科学/2006.5

中国农村 30 年开发式扶贫:政策实践与理论反思/王朝明/贵州财经学院学报/2008.6

中国农村公共卫生:问题、出路与政府责任/王俊华/江苏社会科学/2003.4

中国农村社会保障制度的历史变迁/杨秀丽、索志林/经济研究导刊/2006.2

中国农村治理的历史与现状(续)——以定县、邹平和江宁为例的比较分析/俞可平、徐秀丽/经济社会体制比较/2004.3

中国农村治理的历史与现状——以定县、邹平和江宁为例的比较分析/俞可平、徐秀丽/经济社会体制比较/2004.2

中国农村金融发展对城乡收入差距的影响——基于 1978—2004 年数据的检验/张立军、湛泳/中央财经大学学报/2006.5

中国农村教育的发展路向/钱志亮、石中英/中国教育学刊/2005.1

中国在国际气候变化谈判中的立场:连续性与变化及其原因探析/张海滨/中国外交/2007.2

中国在非洲的文化传播和国家形象塑造/倪建平/对外传播/2008.1

中国在推进联合国改革中的作用/朱虹/理论前沿/2006.20

中国地区间收入差距问题的模型分析/张跃、王天龙/北京师范大学学报(社科版)/2005.5

中国地方财政改革30年:进程·经验·建议/经济研究参考/2009.3

中国地方政府与乡镇企业关系变化研究——以山东省文登地区为研究中心/李周炯/国家行政学院学报/2005.6

中国妇女史研究中的医疗照顾问题/李贞德/四川大学学报/2005.1

中国妇女民间外交工作面临的机遇、挑战及发展前景/赵少华/理论前沿/2006.6

中国安全发展历史回顾(一)/周超/劳动保护/2008.1

中国导弹武器的发展之路/刘登锐/现代军事/2006.10

中国当代史研究的几个问题/李良玉/江苏大学学报(社会科学版)/2007.2

中国当代农民负担问题研究(1949—2006)/赵云旗/中国经济史研究/2007.3

中国当代私营经济发展六十年/武力/河北学刊/2009.1

中国成功解决民族问题的道路/黄铸/中央社会主义学院学报/2007.4

中国自主创新能力影响因素的实证分析:1990—2004/黎峰/世界经济与政治论坛/2006.5

中国行政体制纵向权力结构调整30年——经验、教训与趋势/杜治洲/学术界/2008.5

中国西北地缘战略的发展演变/徐亚清、秦伟江/西北师范大学学报(社科版)/2006.6

中国防空导弹的跨越式发展/钟山/现代军事/2006.10

中国阶层分化中的社会公正性研究/高红、朴贞子/理论探讨/2006.3

中国吸引外商直接投资产业政策研究:1978—2004/殷华方/产业经济研究/2006.6

中国改革开放30年:回顾与展望/高尚全/经济研究参考/2009.5

中国改革开放30年评价路径辨析/吕炜/财经问题研究/2008.6

中国改革开放30年最具影响力的30件大事/兵团建设/2008.12

中国改革开放三十年在文化上的转型/秦维宪/天府新论/2008.6

中国改革开放与马克思唯物史观的新发展/曾祥耿、刘卓红/中国特色社会主义研究/2009.1

中国改革开放的历史取向——中国特色社会主义/石文文/理论观察/2008.4

中国改革开放战略的政治动因及意义分析/张玉芳/成都大学学报(社科版)/2008.4

中国改革的历史回顾与理性反思/韩月香/廊坊师范学院学报/2006.1

中国社会学和人类学的百年发展与互动/朱冬亮/厦门大学学报(哲社版)/2006.4

中国社会建设的历史经验/陈天林/科学社会主义/2006.5

中国社会保障三十年的回顾与展望/郑功成/群言/2009.1

中国社会保障制度改革:回顾和思考/高书生/经济学动态/2005.2

中国社会科学类社团发展历史探析/徐建源/党史纵横/2008.1

中国财政体制(1949—2004)变迁的实证研究——基于财政压力与竞争的视角/张恒龙/经济体制改革/2007.4

中国近现代史教学与大学生可持续发展意识的培育/杨军/黑龙江史志/2008.2

中国近现代各党派工运思想研究综述/高爱娣/中国劳动关系学院学报/2005.1

中国近期粮食生产与耕地资源变化的相关分析/周小萍等/北京师范大学学报(社科版)/2005.5

中国周边关系中的非政府因素与中国学者研究方法的转变/查道炯/当代亚太/2009.1

中国和平发展进程中的中俄日关系/李勇慧/俄罗斯中亚东欧研究/2007.4

中国和平外交战略视野中的对外援助/张效民/国际论坛/2008.3

中国和平崛起与两岸统一/郑建邦/统一论坛/2004.5

中国和前苏联当代新闻改革的比较/张瑞栋/考试周刊/2007.13

中国国有资产监管的实践进程 1979—2003/汪海波/中国经济史研究/2004.4

中国国防力量的综合评价/[韩]黄载皓/国际问题研究/2006.5

中国图书馆的历史变迁/赵玉光/兰台世界/2007.4

中国学术史研究的主要体式与成果/梅新林、俞樟华/浙江师范大学学报(社科版)/2009.1

中国学术期刊的发展现状与需要解决的问题/张耀铭/清华大学学报(哲社版)/2006.2

中国建国以来最大的减税行动/魏雅华/税收征纳/2008.12

中国林业制度的演进/张文龙、刘东/中国经济史研究/2006.1

中国沿海地区工业化与城市化发展偏差分析/邓仕仑、方和荣/东南学术/2006.4

中国法律文化现代化的历史与现状分析/朱蕾/湖北经济学院学报(人社版)/2008.1

中国现代化进程中的两大难题:城乡差距和地区差距/王梦奎/农业经济问题/2004.5

中国现代化进程的艰难跋涉(上)/汪敬虞/中国经济史研究/2007.1

中国的大国和平战略/王帆/当代世界/2007.11

中国的户籍制度与代际职业流动/吴晓刚/社会学研究/2007.6

中国的民间外交:历史反思与学术规范/刘建平/国际观察/2008.5

中国的地区和城乡经济发展差异——从交通基础设施建设的角度来看/张芬/武汉大学学报/2007.1

中国的和平崛起与对外移民/邱立本/华人华侨历史研究/2008.2

中国经济发展方式转变中工业化道路的转型/姚聪莉/福建论坛/2007.12

中国经济体制改革回顾与前瞻/魏礼群/国家行政学院学报/2008.5

中国经济体制改革的历史经验和基本方向/范恒山/理论前沿/2006.14

中国经济体制改革的历程/杨圣明/百年潮/2004.3

中国经济改革三十年/张维迎/全国商情/经济理论研究/2009.2

中国经济改革的回顾与展望/厉无畏/团结/2008.5

中国经济周期性波动微观基础的转变/睢国余、蓝一/中国社会科学/2005.1

中国经济的动态效率:1992—2003/项本武/数量经济技术经济研究/2008.3

中国经济的非国有化进程/王志勇/北方经济/2007.2

中国经济转型与发展的政治经济学分析——基于中俄经济转型比较/李湛/经济问题/2007.6

中国经济增长与环境污染关系的实证分析——来自 1990—2005 年省级面板数据/许士春/经济体制改革/2007.4

中国经济增长与减少贫困(1978—2004 年)/胡鞍钢/当代中国史研究/2007.1

中国股份制改革三十年回眸/黄泽华/中国报道/2008.7

中国贫困问题的历史分析与三十年反贫困的社会巨变效应/王大超、马园园/理论探讨/2008.5

中国贫富差距问题研究综述/王铁锋/中共云南省委党校学报/2004.6

中国金融发展与企业改革(上下)/范德胜、高艳/中国国情国力/2004.3—4

中国金融改革的过去与未来/[澳]詹姆斯·劳伦斯逊等、周艳辉摘译/国外理论动态/2004.11

中国保护近现代文物理论与实践/李晓东/中国文物科学研究/2008.3

中国城乡义务教育差距的政策审视/鲍传友/北京师范大学学报/2005.3

中国城乡居民收入差距不断扩大的原因及其解决方案/王海涛/东北大学学报(社科版)/2007.4

中国城市史研究综述 1986—2006/熊月之/史林/2008.1

中国城市收入分配中的集团因素:1986—1995/王天夫、王丰/社会学研究/2005.3

中国城镇医疗体制改革前后的医疗融资比较/王诺/中国卫生经济/2009.1

中国思想史研究的学科定位/张荣明/南开学报(哲学社会科学版)/2006.5

中国政府在保护海外公民安全方面的制度化变革及原因初探/夏莉萍/国际论坛/2009.1

中国政府间关系的现状、趋势和调整的路径选择/林雄弟/蚌埠党校学报/2007.2

中国政府预算制度的演进:1949—2006年/彭健/中国经济史研究/2008.3

中国政治学研究的前沿问题综述/王蔚/湖湘论坛/2006.3

中国省际R&D强度差异的决定与比较——基于1998—2004年的实证分析/江静/南京大学学报(哲社版)/2006.3

中国省际人口迁移对区域经济发展作用关系之研究/王桂新等/复旦学报(社会科学版)/2005.3

中国科技期刊改革开放30年/杜大力/编辑学报/2009.1

中国科普研究历史回顾/李大光/科普研究/2008.4

中国重返联合国的风风雨雨/魏敬民/党史天地/2004.5

中国哲学社会科学学术期刊学科结构分析/叶继元/清华大学学报(哲学社会科学版)/2008.4

中国哲学研究三十年回顾1978—2007/陈来/天津社会科学/2008.1

中国海防史研究述评/高新生/军事历史研究/2005.4

中国特色民族定义的历史演化/黄仲盈/广西民族研究/2006.4

中国特色社会主义:跨越"卡夫丁峡谷"的历史通途/王海英/科学社会主义/2008.6

中国特色社会主义发展观的历史变迁/潘利红、周新华/马克思主义与现实/2007.6

中国特色社会主义民族理论问题的发展历程/贺萍/实事求是/2008.1

中国特色社会主义宗教理论的几个基本问题/蒲长春/科学社会主义/2008.3

中国特色社会主义宗教理论的新发展/杨曾文/中国宗教/2008.1

中国特色社会主义法治的本质和特征/陶德麟/高校理论战线/2007.1

中国特色社会主义是几代中国共产党人在毛泽东思想的根基上精心培育的智慧结晶/李捷/中华魂/2008.10

中国特色社会主义是对苏联体制模式的超越/马龙闪/探索与争鸣/2009.2

中国特色社会主义理论体系的形成及其意义/陈学璞/桂海论丛/2008.1

中国特色社会主义理论的创立与发展/欧黎明、于建荣/中国特色社会主义研究/2004.2

中国特色社会主义理论指导下的高等教育改革与发展30年/张德祥/中国高教研究/2008.11

中国特色社会主义道路的30年探索:1978—2008/陈雪薇/中共中央党校学报/2008.3

中国特色社会主义道路的历史选择与启示/顾彤春/理论学习/2008.12

中国特色社会主义道路的立体比较分析/杨承训/红旗文稿/2004.19

中国特色国民经济动员理论的形成和发展/焦智立、麻光武/军事历史/2008.5

中国特色国防研究30年·国防法制篇/王伟/军事历史研究/2008.3

中国特色国防研究30年·国防经济篇/朱乐/军事历史研究/2008.3

中国特色国防研究30年·国防科技工业篇/梁海冰/军事历史研究/2008.3

中国特色国防研究30年·国防教育篇/张自勉/军事历史研究/2008.3

中国特殊教育演进历程及其启示/牟映雪/中国特殊教育/2006.5

中国能源安全与政策选择/张文木/世界经济与政治/2003.5

中国高、低龄老人日常生活自理能力个体影响因素的比较研究/伊德挺/北京行政学院学报/2007.1

中国高科技空军的崛起:印度军方学者看解放军空中力量现代化/编辑部/国际展望/2007.12

中国高等教育管理体制改革分析/胡建华/南京师大学报/2005.4

中国崛起过程中的中日关系与中美关系/巴瑞·布赞/世界经济与政治/2006.7

中国接受救灾外援历程/田书和/文史月刊/2008.8

中国教育技术学科:进展、问题和前景/孔令军、杜轶龙/陕西广播电视大学学报(综合版)/2007.1

中国维护世界和平与地区安全的历史作用/肖裕生/军事历史/2008.1

中国综合国力全面飞跃递升的制度枢纽——社会主义基本制度在中国全面确立的历史功绩概论之三/高宝柱/党史文汇/2006.9

中国职业体育制度改革研究/陈小林/福建体育科技/2008.5

中国银行业的改革与国有企业的改组/[美]唐纳德·D.汤、周守吾摘译/国外理论动态/2004.11

中国援外医疗队的历史、规模及其影响/李安山/外交评论·外交学院学报/2009.1

中国朝核政策中的美国因素/夏路/社会主义研究/2006.1

中国期货市场的发展历程与背景分析/常远/中国经济史研究/2007.4

中国新时期劳动力供求形势分析/李文/中国经济时报/2006.6.23

中国福利制度反思/刘彦/政府法制/2007.5

中国粮食安全研究述评/吴志华、胡学君/江海学刊/2003.3

中国粮食国际贸易和性质的历史分析/瞿商/中国经济史研究/2006.3

中国融入国际人权两公约的进程与美国的对华政策/焦世新/复旦学报(社科版)/2007.4

中国融入国际体系的进程及特点分析/王俊生、文雅/南京师大学报(社科版)/2008.3

中拉关系的发展对中美关系的影响——从美国政策的角度分析/魏红霞、杨志敏/拉丁美洲研究/2007.6

中非关系与欧非关系比较/舒运国/西亚非洲/2008.9

中非关系发展辨析/潘华琼/西亚非洲/2008.7

中俄印三边合作与中国的选择/余华川/国际论坛/2004.2

中俄两国转型时期贫富分化问题比较研究——兼论中国渐进体制转型模式的合理性/关海庭/当代中国史研究/2003.6

中俄腐败比较研究/戴龙斌/当代世界与社会主义/2007.1

中美东南亚政策比较研究/马嬡/国际问题研究/2006.3

中美关系30年:特点与趋势/李海东/当代世界/2009.1

中美关系中的不信任问题分析及对策研究/毛艳/西南大学学报(社科版)/2007.5

中美关系中的台湾问题:变化与影响/郭振远/国际问题研究/2007.2

中美关系中的防扩散与反扩散因素/滕建群/国际问题研究/2006.4

中美关系曲折发展原因初探/丁孝文/国际问题研究/2004.3

中美关系的发展与两岸关系/宫力/两岸关系/2005.10

中美印三边关系——形成中的动态平衡体系/慕永鹏/国际问题研究/2006.5

中美在朝核问题上的合作与分歧/孙茹/现代国际关系/2007.10

中美安全合作浅析/曹筱阳/当代亚太/2007.7

中美经济摩擦的焦点和主要问题/赵瑾/世界经济/2004.3

中美经贸关系在摩擦中迅速前进/周世俭、王丽军/国际问题研究/2006.1

中越边境问题研究述略/李桂华、齐鹏飞/南洋问题研究/2008.4

中韩文化交流的现状及问题/朴光海/当代亚太/2007.7

为人民服务的新中国外交——纪念中华人民共和国成立55周年/李肇星/求是/2004.19

为争取早日实现工业化而奋斗的55年/朱佳木/前线/2004.10

云南三线建设调整改造的历史研究/晃丽华/红河学院学报/2007.4

从"义乌模式"看中国改革开放/陆立军/中共中央党校学报/2008.3

从"工业化"到"富强民主文明和谐"的现代化——对建国后中共现代化发展战略目标演变的考析/莫志斌/广西社会科学/2007.4

从"门户开放"到中国加入WTO/乔兆红/北京行政学院学报/2006.5

从"允许一部分人先富起来"到"以人为本"理念的形成/许蓉生/毛泽东思想研究/2006.2

从"双百"方针到和谐文化——论中国共产党对主流文化的构建/秦晔/山西高等学校社会科学学报/2008.7

从"双百"方针到建设和谐文化:毛泽东文艺思想体系的丰富和发展/马驰/黑龙江省会科学/2008.1

从"以制度为本"到"以人为本"——中国特色社会主义对苏联斯大林模式的实质性突破/左凤荣/探索与争鸣/2009.2

从"民工潮"到"民工荒":沉重的历史进步/王洪春/社会科学战线/2005.2

从"农村包围城市"到"城市带动乡村"——以新城市建设引领新农村建设/徐勇/东南学术/2007.2

从"社会和谐"问题到"和谐社会"理论——略论党关于构建社会主义和谐社会思想的创立过程/毛惠彬、孟杰/毛泽东思想研究/2006.3

从"和平共处"到"和谐世界"——当代中国外交理念的演进/王红续/中国井冈山干部学院学报/2008.1

从"实事求是"到唯物史观——中国史学理论的发展演变及其评价/罗炳良/高校理论战线/2006.6

从"非均衡"到协调发展——改革开放以来我国区域政策的变迁/徐铁/宏观经济管理/2008.11

从"战略竞争者"到"利益相关者":美国对华定位转变与台湾问题——一种建构主义的分析视角/李鹏/台湾研究集刊/2006.1

从"整体性社会聚合体"到"碎片化"的利益群体——改革开放30年与我国社会群体特征的变化/李强/新视野/2008.5

从《中国季刊》看西方学者对中华人民共和国史的研究/巫云仙/中共党史研究/2008.1

从60年历史看农村土地产权制度改革的目标/文宗瑜/中国投资/2008.9

从人民的生活变化看中国共产党执政的历史经验/张太原/理论前沿/2006.20

从十二大到十七大改革开放以来党的全国代表大会高度重视人大制度建设/陈洪波/人大研究/2008.7

从工业化到全方位现代化:对中国现代化目标发展变化的历史考察/夏新萍/宁夏党校学报/2005.5

从中苏同盟到中俄战略伙伴关系/周慧杰/当代世界与社会主义/2005.3

从中国油画农民形象的变迁轨迹看中国社会人文精神的演进历程/莫鸣/美术之友/2008.6

从公共卫生到大众健康:中国公共卫生政策的范式转变与政策挑战/刘继同/湖南社会科学/2007.2

从内生型城市化到建构型城市化——我国城乡一体化中的"晋江模式"/贺东航/东南学术/2007.2

从区域的观点看中国与马来西亚政治经济关系的变化/顾长永/南洋问题研究/2006.2

从历史的可持续性观点客观评价我国计划经济/杨帆/探索/2007.12

从历史的角度看中国成人教育发展的阶段和特点/刘传进/继续教育研究/2008.6

从历史的角度看台湾地区金融机构法律职能的变迁/柴荣/近代史研究/2005.5

从历次制宪与修宪看中国社会保障的发展/崔凤、孙启泮/哈尔滨工业大学学报(社科版)/2005.4

从引文分析看大陆华侨华人研究——基于CSSCI(1998—2005)的研究/徐云/华侨华人历史研究/2007.1

从引进消化走向自主集成创新——武钢投产五十年的回顾/张寿荣/中国科学·E辑:技术科学/2008.9

从毛泽东思想到科学发展观——毛泽东思想与中国特色社会主义理论体系关系探源/李捷/教学与研究/2008.6

从计划到规划:30年来国家计划管理的理论与实践互动/刘瑞/北京行政学院学报/2008.4

从发展外资经济看完善我国基本经济制度/廖建成/理论前沿/2004.23

历史比较初论:比较研究的一般逻辑/刘家和、陈新/北京师范大学学报(社科版)/2005.5

历史比较研究方法浅析/东静蕾/辽宁行政学院学报/2008.6

历史主义方法及其对社会历史的解读/万斌、王学川/天津社会科学/2008.4

历史岂容虚无——评史学研究中的若干历史虚无主义言论/田居俭/高校理论战线/2005.6

历史事件与历史性事件/雷戈/重庆社会科学/2007.11

历史事实和客观规律/俞吾金/历史研究/2008.1

历史学与环境问题研究/梅雪芹/北京师范大学学报(社科版)/2008.3

历史学的学术理念/李勇/史学月刊/2006.10

历史学者在解决中日历史问题中的作用/步平/南京大学学报/2005.4

历史变迁大潮中的当代中国——第一届国际研究生"当代中国"研讨会会议综述/崔子修、金焕玲/重庆工学院学报/2005.9

历史叙事中的"真实"与"虚构"问题/赵志义/青海师范大学学报(哲社版)/2007.6

历史是不能虚无的——读《警惕历史虚无主义思潮》/曹守亮/高校理论战线/2007.4

历史研究中的价值中立问题/周一平/河北学刊/2007.5

历史研究中的材料与问题笔谈/邓小南、吴宗国、李裕民、张邦炜、龚延明/史学月刊/2009.1

历史研究方法论二题/方志远/江西社会科学/2007.6

历史唯物论与中国思想史研究/张岂之/历史研究/2007.1

历史虚无主义二题/龚书铎/高校理论战线/2005.5

历史解释建构中的理解问题/李剑鸣/史学集刊/2005.3

反应与调整:1996年台海危机与美国对台政策/吴心伯/复旦学报(社科版)/2004.2

开放性与主体性:考察中国社会学发展历程的一种角度/李迎生/人文杂志/2006.1

开辟中国与中东国家关系新天地的三十年/安维华/西亚非洲/2008.11

文化发展观的历史演变及其方法论辨析/魏海香/长白学刊/2007.6

文化史研究中的大、小传统关系论/张荣华/复旦学报(社科版)/2007.1

文化史研究的边界亟待拓展/汪涌豪/文学遗产/2008.1

方兴未艾的中国口述历史研究/左玉河/中国图书评论/2006.5

比较:三部中华人民共和国史/陈辽/南京理工大学学报(社会科学版)/2005.4

比较视角下中国合作主义的发展:以经济社团为例/马秋莎/清华大学学报/2007.2

毛泽东邓小平江泽民胡锦涛人才思想述要/潘晔/邓小平理论、"三个代表"重要思想/2007.2

王一程研究员谈当代中国政治体制的鲜明特色和发展演变/当代中国史研究/2006.1

艺术还俗——90年代"先锋"创作观念的嬗变/陈尚荣/学术界/2005.5

见证中国汽车工业50年/陈祖涛、欧阳敏/人物/2004.9

认识论、史学功能与本土经验——关于历史学方法论的几个问题/包伟民/浙江社会科学/2007.2

认真总结改革开放三十年的中国史学/陈祖武/高校理论战线/2008.10

世界的中国:21世纪初的中国外交研究/牛军/国际政治研究/2006.1

世界经济新格局与中国的发展——陶大镛教授访谈/本刊记者/国外理论动态/2004.4

世界眼光与中国特色/瞿林东/江海学刊/2007.1

东北老工业基地对新中国的历史贡献/杨文利/经济研究参考/2005.91

东亚结构变迁与中日关系:权力转移理论视角/吴澄秋/当代亚太/2009.1

东南亚地区安全与中美关系/张贵洪、唐杰/国际论坛/2004.6

主权原则与中国在联合国维和议案中的投票行为1994—2004/毛瑞鹏/世界经济与政治/2006.4

当代中国工人阶级先进性研究综述/梁波/科学社会主义/2003.4

以十七大精神引领当代文化史研究/刘国新/中国社会科学院院报/2008.3.25

以十七大精神指导边防建设的几个问题/刘晓琨/国防/2008.7

以学人身份看改革开放30年/成思危/学习月刊/2008.5

以科学的历史观指导历史评价——兼评历史虚无主义思潮/黄凯峰/毛泽东邓小平理论研究/2006.2

以党的十六大精神统领国史研究/刘国新/当代中国史研究/2003.1

加入WTO前我国工业发展战略的演变/郭克莎/当代中国史研究/2004.3

加入世贸组织三年中国传媒格局的嬗变与前瞻/童兵/复旦学报/2005.1

北京文化经济的融合与兴起——基于文化经济规划文本视角的历史考察/孔建华/新视野/2008.1

北京市应急管理体系的建立/郑珺/北京党史/2008.3

北京城乡社会家庭婚姻制度的变迁/唐灿/北京行政学院学报/2005.5

半个世纪中国城乡差距的历史考察/赵红军/中国经济问题/2005.2

另一角度考察的思考——西方研究当代中国史的一些问题/金春明/当代中国史研究/2004.6

台商投资大陆状况调查/方晓/台声/2004.5

台湾——大陆人口老龄化比较研究/刘琳/南方人口/2006.4

台湾公共行政研究状况综述/詹中原/中国行政管理/2005.6—7

台湾史专家谈台湾史研究/呆文川/学术界/2005.5

台湾农业税制演变及对大陆的启示/樊丽明/财贸经济/2005.9

台湾问题：中美互动的新态势/吴心伯/国际问题研究/2006.5

台湾经济转型与两岸经贸关系/张冠华/台声/2004.9

台湾教师教育政策演进及现状分析/肖远军/黑龙江高教研究/2007.5

史识：中国现代文学史研究的灵魂/刘中树/文学评论/2006.2

史学理论与史学实践相结合/何兆武/史学理论研究/2007.1

史学理论在史学研究中的地位和作用浅析/安涛/太原师范学院学报(社科版)/2007.4

史实真相是如何被掩盖的——兼论历史人物的评价问题/张耕华/探索与争鸣/2005.7

四次投资过热的经验和教训/国家统计局课题组/中国国情国力/2005.4

处于转型期的日本与中国对日政策/李薇/当代亚太/2009.1

外交的前瞻性：被动与主动的分水岭——从中美两国外交发展历程的比较谈起/张煜/江苏社会科学/2007.12

宁夏产业结构及其区位优势变化(1978—2003)/李辉/西北民族研究/2006.4

对1997—2005年化解中国"三农"问题的思考/梁荣/探索/2006.4

对2004年我国经济运行特征的分析/汪海波/中国经贸导刊/2004.23

对中国社会制度由新民主主义向社会主义转变的再思考/王韶兴、陈海燕/中国社会科学文摘/2006.5

对中国现代化曲折历程的反思/刘玲/宿州学院学报/2005.5

对历史需要有解密的勇气/杨耕身/领导文萃/2006.2

对台湾学界评祖国大陆的台湾文学研究之述评/张羽/厦门大学学报/2006.1

对外开放是怎样搞起来的——为纪念改革开放三十周年而作/田纪云/炎黄春秋/2008.2

对立统一规律与构建和谐社会/李捷/当代中国史研究/2007.3

对当前历史观念的两个问题的分析/李杰/历史研究/2008.1

对当前我国社会主要矛盾的新认识/张纪、来丽梅/理论探讨/2004.6

对近三十年来中国社会文化变迁若干问题的思考/林怡、庄金宝/东南学术/2006.4

对国史中的问题要全面客观地加以分析/张全景/当代中国史研究/2007.6

对国史研究中几个问题的探讨/王德新/石油大学学报(社会科学版)/2005.4

对转型时期几个口号的理论反思/魏宏/国家行政学院学报/2007.2

对美国总统和国会在对华政策上的互动关系的考察:以克林顿时期为例/刘文祥/河南社会科学/2005.5

对唯物史观几个基本概念的再认识/吴英/史学理论研究/2007.12

巨大的贡献 辉煌的成就——人民解放军进军新疆58年历史回顾/新疆军区/军事历史/2007.5

市民社会与中国社会福利体制的构建/韩克庆/天津社会科学/2008.1

市民社会理论的变迁/袁勇、王庆延/海南大学学报/2005.5

市场经济条件下社会公平问题研究述要/白暴力、梁泳梅、李宁/高校理论战线/2005.9

市场转型与下岗工人/谢桂华/社会学研究/2006.1

布朗族女性婚恋方式的变迁及其影响/张晓琼/民族研究/2006.1

弘扬长征精神 深化国史研究/李正华/中华魂/2006.11

正确认识和处置史料的五种方法/瞿林东/河北学刊/2007.2

正确把握和谐文化建设的社会主义方向/张星星/当代中国史研究/2007.2

民政三十年:开拓的足迹/本刊编辑部、朱勇等/中国民政/2008.7

民革十年来参政议政实绩及其启示/民革中央调研部/团结/2007.1

民族地区民营经济发展问题初探/喻国华/民族问题研究/2007.1

民族地区自然生态利益探析/雷振扬/民族研究/2004.3

民营企业发展及其社会责任演进/张道航/国家行政学院学报/2008.4

民营经济发展和民营企业成长研究/课题组/经济研究参考/2004.22

生活质量研究近三十年回顾及相关问题探讨/风笑天/社会科学研究/2007.6

用国史研究为构建社会主义和谐社会服务——"构建社会主义和谐社会与国史研究"专题研讨会综述/曹光章/当代中国史研究/2007.2

用科学发展观反思历史发展,指导历史研究/翁有利/吉林大学学报/2008.5

用科学发展观研究国史的几个问题/李强/马克思主义研究/2006.6

立法视角下的西藏人权保障历程/韩小兵、喜饶尼玛/中国藏学/2007.4

记忆的岁月在歌声中永恒——新中国歌曲创作历程回望/晨风/歌曲/2006.1

记取历史经验,坚持稳步前进/房维中/当代中国史研究/2006.5

产权制度改革与混合经济体制的形成——纪念改革开放30周年/魏杰/西北大学学报(哲社版)/2008.3

企业国有资产法:十五年历程尘埃落定/彭东昱/中国人大/2008.23

传承创新/继往开来——"改革开放新时期史学理论及史学史研究成就与学科建设"座谈会综述/白雪松、范国强/史学史研究/2009.1

全面把握邓小平的政治体制改革思想/季正矩/理论探讨/2004.6

全面建设小康社会与发展农村社会保障的关系研究/郭殿生/当代经济研究/2003.5

全面繁荣农村经济是解决"三农"问题的重要条件/许勇军/当代经济研究/2003.7

全球化:当代中国对外发展方略的基本视角/杨鲁慧/世界经济与政治/2003.5

全球化时代中共对西半球国家之经济外交/邓中坚/现代国际关系/2005.10

全球化进程与中国"和平崛起"的历史方位/王永贵/理论探讨/2004.6

关于"三农"问题/王云坤/理论前沿/2004.23

关于"中华人民共和国史"教材建设若干问题的再认识/张海星/北京党史/2008.5

关于"国史"研究和"国史"学科建设若干问题的再认识/齐鹏飞/中共党史研究/2008.3

关于"党史"与"国史"关系的再认识/齐鹏飞/历史教学(高校版)/2008.10

关于口头文化遗产抢救工作重要性的认识/李萍/北京文博/2006.1

关于口述史的思考/梁景和/首都师范大学学报(社科版)/2007.5

关于大学史研究的基本构想/张斌贤/北京大学教育评论/2005.3

关于马克思主义史学遗产传承中的几个问题/张广智/复旦学报(社科版)/2005.4

关于中日钓鱼岛争端的几点认识/张景全/东北亚论坛/2005.2

关于中国当代文学史研究的思考/董健等/天津社会科学/2006.1

关于中国当代史学科建设中的几个问题/朱佳木/当代中国史研究/2003.6

关于中德关系中西藏问题的探究/欧阳潇潇/湖北省社会主义学院学报/2009.1

关于历史认识的价值判断/于沛/历史研究/2008.1

关于史学研究和海外中国学研究的若干问题/朱正惠/探索与争鸣/2007.1

关于农村税费改革的回顾与思考/车俊/经济社会体制比较/2003.2

关于在国史研究中如何正确评价计划经济的几点思考/朱佳木/理论前沿/2006.21

关于当代中国史研究中的几个问题——"当代中国社会发展"国际学术研讨会综述/杨凤城、吴志军/当代中国史研究/2004.6

关于改革开放史研究的若干思考/章百家/北京党史/2008.6

关于国史学理论的若干思考/张世飞/求索/2007.5

关于国有资产管理问题的研究综述/王守法/经济学动态/2005.11

关于竞争与效率问题的若干误区探讨/李保明/当代经济研究/2003.6

关于新一轮农村信用社体制改革的文献综述/阮红新/武汉金融/2006.8

关于新中国经济增长与发展阶段(1949—2004)的探索/董志凯/中国经济史研究/2004.4

关于新民主主义社会与社会主义初级阶段的差异/罗平汉/当代中国史研究/2007.5

再论历史规律——兼谈唯物史观的发展问题/王和/清华大学学报(哲社版)/2008.1

军民融合 寓军于民——新时期军民关系的新发展/廖莉娟、余莉/决策与信息/2008.7

军事体育的历史演变及发展趋势/陈晓鹏等/军事体育进修学院学报/2006.4

军事资料编纂工作的历史回顾与思考/李平、李明计/军事历史/2008.5

军费开支对外债影响问题实证研究(中国 1985—2006)/苑小丰/全国商情(经济理论研究)/2009.4

军需勤务学科建设 30 年回眸/谢守和/军事经济学院学报/2008.4

农业改革的两个飞跃与新集体经济——兼与晓亮研究员商榷/孙咏梅等/理论前沿/2006.22

农民工的阶级属性及其向工人阶级的转化/李明等/科学社会主义/2006.1

农民需要怎样的"集体主义"——民间组织资源与现代国家整合/秦晖/东南学术/2007.1

农地产权制度效率:历史分析与启示/张光宏/农业经济问题/2005.6

农村土地市场化改革与社会主义新农村建设/陈耀/中国国土资源经济/2006.10

农村公共医疗卫生体系建设的积极探索——农村公共医疗卫生体系建设研讨会综述/刘凤彦、李玉勤/农业经济问题/2004.5

农村汉族和少数民族劳动力转移的比较/丁赛/民族研究/2006.5

农村传统文化对农民体育发展的影响/杨小明/山东体育学院学报/2007.3

农村合作医疗制度差异性研究/吴新慧等/理论前沿/2004.5

农村医疗保障财政制度责任的制度变迁/李莉/软科学/2007.1

农村社会保障体系建设的目标、思路及制度/华迎放/经济要参/2005.56

农村宗族问题研究综述/陈德顺/云南民族大学学报(哲学社会科学版)/2005.4

当代中国政府管制研究述评——背景、表现和问题/刘广登/江苏社会科学/2003.3

当代中国政治文化的分化与整合/唐云/文史博览(理论)/2007.10

当代中国研究:历史、现状与发展/李宝梁/江西社会科学/2006.1

当代中国家庭结构变动分析/王跃生/中国社会科学/2006.1

当代中国海峡两岸政治关系的历史透视——政治领袖心态的案例分析/梁柱/湖南科技大学学报(社科版)/2005.2

当代中国盐业产销的变迁/董志凯/中国经济史研究/2006.3

当代中国婚姻文化嬗变之探析/吴宗友/安徽大学学报(哲社版)/2008.3

当代中国渐进性政治改革的价值及定位/王庆五/江海学刊/2007.4

当代中国精神文化建设发展述论/曾丽雅/求实/2006.7

当代中非关系发展阶段划分之我见/张永蓬/西亚非洲/2007.1

当代少数民族文学批评:反思与重建/刘大先/文艺理论研究/2005.2

当代文学史写作的治史理念与价值立场/古大勇/中山大学学报论丛/2007.2

当代社会史是国史研究亟待拓展的领域/田居俭/中国社会科学院院报/2008.3.25

当代散文思潮的发展演变/陈剑晖/广东社会科学/2005.1

当前中国农民政治参与研究综述/王志强/中国农村观察/2004.4

当前县乡村体制存在的主要问题/贺雪峰/经济社会体制比较/2003.6

当前我国社会保障问题研究综述/秦雷/探索/2005.2

执政时期的党内民主公开问题论纲——基于党的全国代表大会的历史分析/李洪河、王晶/东北师大学报(哲社版)/2006.5

扬弃斯大林模式坚持走中国特色社会主义光明大道/陆南泉/探索与争鸣/2009.2

有关"软权力"与"负责任大国"的若干问题——以中国参与联合国维持和平行动为分析视角/赵磊、陈庆鸿/中国党政干部论坛/2009.3

百年来中国大学的三次转型发展的历史回顾/孟中媛/黑龙江高教研究/2008.5

行政管理体制改革思路综述/苏保忠/中国行政管理/2006.4

西方的当代中国研究/腓特烈·泰伟斯/当代中国史研究/2004.6

西方新社会运动与中国:历史、反思与现实/周穗明/当代世界社会主义问题/2008.4

西北大城市少数民族流动人口若干特点论析——以甘肃省兰州市为例/汤夺先/民族研究/2006.1

西南少数民族婚姻迁移问题研究/杨筠/新疆农垦经济/2008.2

西部大开发中民族利益关系协调机制的建设/王文长/民族研究/2004.3

西部大开发五年得失/王健君/瞭望/2004.46

西藏人口结构现状的描述性研究/方晓玲/西藏研究/2006.1

西藏民族干部队伍建设40年/张祖文/中国藏学/2005.3

西藏民族区域自治背景下的藏汉双语新闻传播/周德仓/西藏民族学院学报(哲社版)/2006.4

西藏民族手工业发展模式初探/贡秋扎西/中国藏学/2006.4

西藏地方与尼泊尔贸易试述/董莉英/中国藏学/2008.1

西藏宗教50年/刘洪记/中国藏学/2009.1

西藏经济增长方式初探/贡秋扎西、杨斌/西藏研究/2006.1

论二十世纪晚期台湾公营企业民营化/杨志军/湖南商学院学报/2005.4

论中印战略合作伙伴关系/欧斌等/东岳论丛/2006.2

论中国30年市场化改革的基本经验/王明友、王天一/北京工业大学学报(社科版)/2008.6

论中国民族事务行政管理机制的发展和创新/周竞红/民族研究/2004.3

2006.8

　　论新中国剧社的管理智慧/李江/戏剧·中央戏剧学院学报/2008.4

　　论新中国探索民营经济问题的历史经验/黄淑婷/商场现代化/2008.25

　　论新时期中国主流经济理论的发展/王毅武/贵州财经学院学报/2009.1

　　论新时期中国行政价值体系重构的观念转型/张继、徐凌/社会科学研究/2006.2

　　论新时期我军军事斗争准备基点的三次转变/赵耀辉/南京政治学院学报/2006.4

　　论新时期国史的分期/胡安全/当代中国史研究/2004.2

　　论新时期的图书馆管理/陈燕群/浙江工商职业技术学院学报/2005.3

　　论新时期档案工作改革/常凤霞/大庆社会科学/2007.6

　　论新时期高等教育管理体制改革的时代背景/徐光寿/高校教育管理/2009.2

　　阶层化:居住空间、生活方式、社会交往与阶层认同——我国城镇社会阶层化问题的实证研究/刘精明、李路路/社会学研究/2005.3

　　阶层结构变化对区域政治体制改革的影响/尹德慈/经济社会体制比较/2005.4

　　两岸关系新思维/石齐平/台声/2004.5

　　体制性约束、经济失衡与财政政策——解析1998年以来的中国转轨经济/吕炜/中国社会科学/2004.2

　　体制变革的中国模式/王建芹/理论月刊/2009.2

　　作为一种新史学的环境史/王利华/清华大学学报(哲社版)/2008.1

　　克林顿总统时期美国对华政策形成的特点——以总统、国会在对华贸易最惠国待遇问题上的争论为例/孙君健/史学月刊/2005.6

　　冷战后中印关系的特点与态势/陈宗海/华中师范大学学报/2007.2

　　冷战后中国在东南亚地区实力运用:中国与东盟外交关系/徐敬毅/中共石家庄市委党校学报/2007.4

　　冷战后中国参与多边外交的特点分析/张清敏/国际论坛/2006.2

　　冷战后中美关系简析/谢芝芹/和田师范专科学校学报/2007.5

　　冷战后日本的"价值观外交"与中国/黄大慧/现代国际关系/2007.5

　　冷战后的美国对华军事出口管制评析/王涛/世界经济与政治论坛/2007.2

　　冷战后美国强化对华人权外交及其原因/张郁慧/当代世界/2005.8

　　利益关系问题是社会和谐的本质问题/马晓强/高校理论战线/2007.2

　　劳动力转移:社会变迁与家庭关系——以保安族为例/马艳/青海民族研究/2007.12

　　劳动力流动与工资差异/钟笑寒/中国社会科学/2006.1

　　吴敬琏、厉以宁解读改革开放30年得失/吴敬琏、厉以宁/今日中国论坛/2008.Z1

　　坚定不移地加快推进改革——2006年中国宏观经济与改革走势座谈会综述/胡玉平/中国改革/2006.5

　　坚定走军民结合、寓军于民之路——国防科技工业体制改革的历史回顾/袁和平/国防科技工业/2008.10

　　坚持和发展唯物史观与构建社会主义和谐社会/朱佳木/历史研究/2007.1

　　忧患意识与史学思想/吴怀祺/天津社会科学/2008.2

　　我们需要什么样的历史观/李捷/高校理论战线/2008.10

　　我任外长所经历的最艰难时期/钱其琛/湖南文史/2004.5

　　我军培养军人道德人格的主要历史经验/徐星/军事历史研究/2006.2

　　我国人口重心、就业重心与经济重心空间演变轨迹分析/康晓梅/人口学刊/2007.3

我国人文社会科学研究的转型、专制、转轨/顾海兵/学术界/2005.3

我国人民代表大会制度的形成与发展/万其刚/当代中国史研究/2005.1

我国个体和私营经济法律地位的历史演变/冯辉/当代中国史研究/2004.1

我国乡镇行政区划的演变特点及其改革路径/柳成焱/天津社会科学/2006.4

我国大学制度的变迁与发展/江涌/学术交流/2007.12

我国工业化、城镇化进程中的土地问题/韩长赋/求是/2004.22

我国五次宏观调控比较分析/刘树成/经济学动态/2004.9

我国区域发展差距的实证分析/国家统计局课题组/中国国情国力/2004.3

我国区域经济协调发展的历史考察及其启示/周耀、张国铺/西南农业大学学报(社科版)/2007.5

我国反补贴法律制度的回顾与展望/李英/国际关系学院学报/2006.6

我国引智机构的历史沿革和变化特点/张建国/国际人才交流/2008.9

我国文化体制改革的时代意义/王立/甘肃理论学刊/2008.3

我国东西部区域经济合作的发展阶段及其特征/李娅等/经济问题探索/2005.6

我国失地农民问题研究综述/杨涛、施国庆/求实/2006.9

我国民主法制建设的历史进程及主要经验/王鑫/毛泽东邓小平理论研究/2004.5

我国民间慈善事业的历史、现状及其发展对策/谢维营/山西师范大学学报(社科版)/2007.6

我国民政福利事业的历史演变及其构建/苏振芳/福建论坛(人社版)/2007.4

我国民族自治地方"自治"与"发展"问题思考/杨淑萍/民族问题研究/2007.1

我国民营科技企业的发展及其特点/张鹏等/科技管理研究/2005.2

我国农业合作化与农村发展问题研究探析/王桂强、杨丽娟/党史研究与教学/2005.6

我国农业保险发展的历程、问题及对策/司春玲/高校社科动态/2008.1

我国农村义务教育二十年研究状况之研究/王贤/北京教育学院学报/2009.1

我国农村义务教育实现免费的路径回探——改革开放以来我国农村义务教育财政政策的演变/赵慧君、杨清溪/教育科学研究/2009.2

我国农村公共品供给制度历史考察/李燕凌/农业经济问题/2008.8

我国农村合作经济组织研究评述/万江红、徐小霞/农村经济/2006.4

我国农村基础设施投资的变迁(1950—2006年)/董志凯/当代中国史研究/2008.6

我国农村剩余劳动力转移与城市化进程正相关性研究/武国定/科学社会主义/2005.6

我国农村剩余劳动力跨地区转移的历史阶段和制约因素分析/赵涤非/农业经济/2005.6

我国农村集体经济发展的历程回顾与展望/董亚珍/经济纵横/2008.8

我国农垦体制改革回顾与辨析/以黑龙江、海南两省为例/郑有贵/中国经济史研究/2004.4

我国成人高等教育发展的历史偏差与改革途径/吴洪富/成人教育/2007.6

我国西部地区发展少数民族传统体育与提高体育人口促进经济可持续发展关系的研究/房嘉怡/商场现代化/2006.11

我国住房保障制度的演变/李鹏、武振霞/中国住宅设施/2009.2

我国体育体制改革历程与展望/刘振东/现代农业/2009.2

我国医疗卫生体制改革历程及动力机制/董虹/商业时代/2007.9

我国宏观调控的演变/刘国光/经济研究参考/2004.95

我国抗灾减灾工作的经济效益/常建勇、郑珺/经济研究参考/2007.23

我国改革开放以来基督教发展的原因探析/姚力/当代中国史研究/2004.3

我国社会转型起始点论析/夏东民/南京林业大学学报(人文社会科学版)/2006.3

我国财政政策的路径演化与效率检验——基于改革开放30年来微观经济数据和经验/杜云/财经

研究/2009.1

　　我国周边安全环境的发展态势及对外关系分析/谢守明/内蒙古电大学刊/2006.10

　　我国国防科技工业参与国际合作的发展历程及规律性认识/周敏/军事经济研究/2006.12

　　我国居民消费方式的演变分析/庄庄/辽宁行政学院学报/2008.1

　　我国所有制变革的理论与实践/陈文通/科学社会主义/2008.4

　　我国牧区畜牧业经营形式的历史沿革、分析及改革思路/任治/中国畜牧/2006.10

　　我国物资管理体制的建立与发展/袁宝华/中共党史资料/2005.3

　　我国金融业改革成效、问题和前瞻/李德/经济要参/2005.54

　　我国城乡二元结构演变的制度分析/蓝海涛/宏观经济管理/2005.3

　　我国城乡居民消费差距实证分析(1985—2005)/张启春/学术界/2007.4

　　我国城市化进程中的新文化生态建设问题/陈宇飞/科学社会主义/2006.5

　　我国城镇化发展的特征及发展方向/邹德慈/城乡建设/2008.9

　　我国城镇化过程中农民工子女失学根源初探/叶晨/厦门教育学院学报/2009.1

　　我国政府职能转变的成效、特点和方向/唐铁汉/国家行政学院学报/2007.2

　　我国政治体制改革的历史回顾及辩证思考/张兰芳、周晓阳/南华大学学报(社科版)/2008.6

　　我国政策性金融研究综述/王学人/求索/2006.7

　　我国科技体制改革的回顾及展望/方新、柳卸林/求是/2004.5

　　我国科技投入体制改革的主要成就和经验/张缨/中国科技投资/2008.7

　　我国科技投入的现状、成效、问题与任务/专题组/经济研究参考/2004.90

　　我国海外华人双重国籍的理性思考/闵剑/信阳师范学院学报(哲社版)/2008.1

　　我国海洋经济的发展周期划分/殷克东、孟彦辉/统计与决策/2006.20

　　我国竞技体育可持续发展的历史思考/赵婷、杨学达/科技创新导报/2008.27

　　我国基础教育十五年:基于统计公报的分析/张天雪/教育科学/2007.3

　　我国情报学的历史回顾Ⅰ/马费成、宋恩梅/情报学报/2005.4

　　我国第三社会部门的发展与政府治理模式的变革/朱虹/重庆科技学院学报(社科版)/2008.1

　　我国森林公安的历史发展/胡建刚/黑龙江史志/2008.8

　　我国税种的历史沿革与收入不对称关系的演变/朱小琼/学术论坛/2006.10

　　我国集体经济发展的轨迹与理论思考/孙志明、徐颖、张春凤/社会科学战线/2006.4

　　我国新民主主义社会提前结束的几个主要原因/李永丰、冯冰莹/北京党史/2008.1

　　我国新闻改革进程中传媒业和传媒机构的社会定位/张咏华/新闻爱好者(理论版)/2008.12

　　我国粮食政策的重大转变/许经勇、黄爱东/当代经济研究/2003.3

　　我亲历的上海经济体制改革/徐匡迪/党建/2009.1

　　我党统一战线名称演变考略/胡炳成/重庆社会主义学院学报/2006.1

　　批判封建主义:改革开放以来中国社会主义文化建设的基本路向/叶剑锋/当代世界与社会主义/
2004.6

　　把当代社会史提上研究日程/田居俭/当代中国史研究/2007.3

　　改革开放 30 年人民军队正规化建设述评/朱之江/军事历史/2009.1

　　改革开放 30 年与多党合作的发展/周铁农/团结/2008.5

　　改革开放 30 年与青年生育观的变迁/罗天莹/中国青年研究/2008.1

　　改革开放 30 年中国女性科技队伍建设探索/乌尼日、黄玉珍/梧州学院学报/2008.5

　　改革开放 30 年中国妇女民间外交回顾/张迪/当代世界/2009.2

　　改革开放 30 年中国劳动合同制的演变/吕楠/北京社会科学/2008.5

改革开放 30 年中国社会的转型及思想文化的变迁/杨师帆/探求/2008.6

改革开放 30 年中国国防经济理论研究回顾与展望/朱庆林/军事经济学院学报/2008.4

改革开放 30 年中国科技创新的演变与启示/李云鹤/中国科技论坛/2009.1

改革开放 30 年中国消费模式的改善与反思/左柏云/消费经济/2009.1

改革开放 30 年少数民族生计模式变迁——来自广西壮族自治区隆安县那门壮族村的田野报告/秦红增/思想战线/2009.1

改革开放 30 年文化产业发展与意识形态变迁的相关研究/彭继红/湖南师范大学社会科学学报/2009.1

改革开放 30 年我国农村报刊发展的回顾与反思/王晓东/今传媒/2009.2

改革开放 30 年我国科技进步对经济增长的贡献/周海春/中国科技投资/2008.7

改革开放 30 年来马克思主义中国化的理论成果、创新逻辑与基本经验/谢征/广西社会科学/2009.2

改革开放 30 年来中非关系发展的特点与成果/张永莲/亚非纵横/2008.6

改革开放 30 年来我国港口建设发展回顾/徐萍/综合运输/2008.5

改革开放 30 年来我党对历史经验的总结与运用/李抒望/宁夏党校学报/2008.5

改革开放 30 年来党的军事指导思想和实践的创新发展/季明/军队政工理论研究/2008.6

改革开放 30 年国防经济学研究回顾与思考/苏鹏、许晓冬/军事经济研究/2008.11

改革开放 30 年的中国外交和理论创新/杨洁勉/国际问题研究/2008.6

改革开放 30 周年中国体育发展的回顾与展望/舒能贵/武汉体育学院学报/2009.2

改革开放三十年与中国主流电影建构/饶曙光/文艺研究/2009.1

改革开放三十年中国民族关系观察/周竞红/北方民族大学学报(哲社版)/2009.1

改革开放三十年来中国地区间教育发展的收敛性检验/孙百才/清华大学教育研究/2008.6

改革开放三十年思想政治教育话语理论发展探微/邱仁富/求是/2008.11

改革开放三十年高等教育管理关系大调整/程斯辉、王娟娟/清华大学教育研究/2008.6

改革开放与马克思主义中国化的历史进程/冷溶/科学社会主义/2009.1

改革开放与中国对发展中国家关系的调整/赵干城/国际问题研究/2008.6

改革开放与中国国际主义战略的转型/张殿军/中共天津市委党校学报/2009.1

改革开放与中国特色社会主义民族理论体系的形成/蒋连华/中央社会主义学院学报/2008.6

改革开放与我国国防建设/姜汉斌/科学社会主义/2009.1

改革开放中的社会流动与社会发展/杨兴林/青海社会科学/2005.5

改革开放历史进程的回顾与启示/陆水明/南京政治学院学报/2008.2

改革开放以来"三农"政策的创新与发展/中国经济史研究/2005.2

改革开放以来小康社会理论的形成与发展/何爱国/安徽史学/2008.5

改革开放以来马克思主义中国化的三次理论飞跃/徐晓宗/四川文理学院学报/2008.6

改革开放以来中国共产党治军理念的三次转变/卓爱平/世纪桥/2008.16

改革开放以来中国共产党的农村政策取向演变的历史考察/王盛开、方彬/求实/2006.12

改革开放以来中国农村社区的精神文化变迁/陈宇海/云南社会科学/2007.1

改革开放以来中国城镇居民消费结构变动及区域差异/蒋云飞/经济地理/2008.3

改革开放以来中国商业信用制度的诱致性变迁/赵学军/中国经济史研究/2005.2

改革开放以来毛泽东史学理论的发展/许殿才/河北学刊/2007.1

改革开放以来邓小平对和谐社会的探索与启示/叶春涛/西安外事学院学报/2007.2

改革开放以来民族地区村落家族的复兴及原因/必跃光/贵州民族研究/2006.6

改革开放以来收入分配对资本积累及投资结构的影响/汪同三、蔡跃洲/中国社会科学/2006.1

改革开放以来我国收入分配制度改革的路径与成效——以公平与效率的双重标准为视角/刘承礼/北京行政学院学报/2009.1

改革开放以来我国宏观调控的历程/魏加宁/百年潮/2008.5.6

改革开放以来我国投资与经济波动的实证研究/杨召文、刘志杰/湖南商学院学报/2005.4

改革开放以来我国社会阶层结构变迁的若干特征/游龙波、徐彬/东南学术/2007.6

改革开放以来我国国有经济总量和结构的演变/戚聿东/当代财经/2009.2

改革开放以来我国国有资产管理体制的演变——兼论其对国有资产购并重组的影响/钟瑛/当代中国史研究/2003.5

改革开放以来我国所有制改革中的三次重大突破/萧贵毓/科学社会主义/2005.6

改革开放以来我国科技战略的发展——兼论现代化建设与科技发展的互动/卢彪/毛泽东邓小平理论研究/2008.4

改革开放以来我国道德建设的基本经验/张运霞/社会主义研究/2007.3

改革开放以来国史研究的理论发展及其趋势/曹守亮/高校理论战线/2008.7

改革开放以来欧盟国家中的中国大陆新移民/傅义强/世界民族/2009.1

改革开放以来的中国外交/杨洁篪/求是/2008.18

改革开放以来的中国农村社会劳动力转移/徐平华/中共中央党校学报/2008.5

改革开放以来的历史认识论研究/李振宏/史学月刊/2008.7

改革开放以来党关于屯垦戍边理论的创新及特点/王小平/石河子大学学报(哲社版)/2008.6

改革开放以来党的领导集体关于武警部队建设的指导理论与实践/张维业/军事历史/2008.6

改革开放以来海外华商在中国大陆的投资及其作用/薛承/党史研究与教学/2006.6

改革开放以来意识形态创新的历史考察/萧功秦/天津社会科学/2006.4

改革开放以前新中国经济增长存在的问题及原因分析/郭根山/河南师范大学学报(哲社版)/2007.4

改革开放后中国对外贸易与外来直接投资发展的同步性/曲韵/中国经济史研究/2006.4

改革开放后中国煤矿体制变迁/李纬娜/财经/2004.25

改革开放后我国利益格局变迁的轨迹和特点/谢海军/科学社会主义/2008.5

改革开放后我国经济增长与发展理论的演进轨迹/罗润东/南开学报/2004.2

改革开放和社会主义建设事业进入新阶段的1992年/范希春/当代中国史研究/2004.4

改革开放沿着正确方向进行的根本前提——社会主义基本制度在中国全面确立的历史意义概论之一/高宝柱/党史文汇/2006.10

改革开放沿着正确方向进行的根本前提——社会主义基本制度在中国全面确立的历史意义概论之二/高宝柱/党史文汇/2006.11

改革开放沿着正确方向进行的根本前提——社会主义基本制度在中国全面确立的历史意义概论之三/高宝柱/党史文汇/2006.12

改革开放的伟大成就和面临的新形势/杜鹰/中国科技投资/2008.7

改革开放战略的成功实践——天津经济技术开发区20年发展历程的调查/本刊政治编辑部调研组/求是/2004.22

改革开放是决定中国命运的关键抉择/高尚全/学术研究/2008.1

改革开放新时期与马克思主义中国化新飞跃——兼论中国特色社会主义理论体系的历史地位、科学内涵和本质特征/包心鉴/中共石家庄市委党校学报/2009.1

改革以来中国乡村和农民问题研究的回顾/周作翰/当代世界与社会主义/2007.3

改革期间东北地区与东部地区经济增长比较分析/宋冬林、赵震宇/社会科学战线/2007.1

改善民生:改革开放 30 年的科学抉择/祝福恩/中共中央党校学报/2008.5

时代主题的转换与中国特色社会主义发展战略的形成和发展/肖枫/当代世界与社会主义/2007.6

时过境未迁——关于中国当代史研究的几个问题/王海光/党史研究与教学/2004.5

更加注重社会公平/积极促进社会和谐——党的十六大以来处理收入分配问题政策取向的几点思考/高祖林/毛泽东邓小平理论研究/2006.6

村落公共空间演变及其对村庄秩序重构的意义——简论社会变迁中村庄秩序的生成逻辑/曹海林/天津社会科学/2005.6

牢记历史使命 锐意改革创新——中国科学院实施知识创新工程十周年/路甬祥/中国科学院院刊/2008.4

社会、市场、价值观:整体变迁的征兆——从职业评价与择业趋向看中国社会结构变迁研究/许欣欣/社会学研究/2005.4

社会公正研究的现状及趋向——近年来国内学术界社会公正研究述评/吴忠民/学术界/2007.2

社会公正研究综述/徐琛/学术论坛/2005.7

社会分层、住房产权与居住质量分析——对中国"五普"数据分析/边燕杰、刘勇利/社会学研究/2005.3

社会主义和谐社会与历史学研究——以编纂大众历史读物的指导思想为例/张海鹏/当代中国史研究/2007.2

社会主义建设前期失误的认识论根源/李曙新/西北师大学报(社会科学版)/2007.6

社会主义基本经济制度的创新与完善/刁永祚/马克思主义研究/2004.6

社会组织与当代中国社会组织法制建设/杨素云/江苏社会科学/2003.5

社会转型期中国农村人际关系的变迁/闫丽娟、胡兆义/长白学刊/2007.6

社会科学三十年:地位与作用——以中国社会科学院为例/王延中/学术界/2008.3

社会流动模式改变对大跃进时期教育的影响/李若建/中山大学学报(社科版)/2004.2

社会资源何以成为社会资本——以朝鲜族经济生活变迁为例/何杨、杨林/大庆师范学院学报/2006.4

社会救济与西藏社会保障制度变迁/旦增遵珠、李文武/西藏研究/2004.4

苏联与俄罗斯学者关于中华人民共和国史的研究/符·尼·乌索夫/当代中国史研究/2004.5

财政、货币政策作用空间的历史变迁及其启示——基于中国财政、货币政策实践/崔建军/经济学家/2008.3

走向史学的"常规状态"——改革开放以来的史学规范研究/周祥森/史学月刊/2008.8

走向科学发展:中国发展观的演进与建构/孙国梁/北京行政学院学报/2008.4

走向破裂的结盟:中苏同盟研究的新进展/徐思彦/清华大学学报(哲社版)/2008.5

走向繁荣:唯物史观视野中国发展奇迹之深层探究/张早林/兰州学刊/2008.10

近 10 年北京经济职能的发展变化/梁进社等/地理学报/2005.4

近 20 年来我国农村土地制度模式研究综述/黄荣华等/中国经济史研究/2004.2

近 30 年中华人民共和国史教材编写若干问题的探讨/齐鹏飞/当代中国史研究/2008.5

近 50 年历史人物评价标准问题述评/高希中/山东社会科学/2007.5

近 50 年新疆水土开发及引发的生态环境问题/钱亦兵/生态环境与保护/2006.8

近二十年来新中国国防建设史研究述评/张广宇/当代中国史研究/2007.4

近二十年新中国历次五年计划研究综述/李彩华/中共党史研究/2006.1

近几年学术界关于中国共产党的领导方式和执政方式研究综述/耿春亮/安徽职业技术学院学报/

2006.2

近十五年来中国与东盟经贸合作评析/许宁宁/外交评论/2006.6

近十年关于日军侵华罪行和遗留问题研究综述/郭德宏等/中国现代史/2006.7

近十年来中国民族主义研究述评/崔明德、曹鲁超/民族问题研究/2006.4

近十年来关于中国海权问题研究述评/史春林/现代国际关系/2008.4

近十年哈尼族研究综述/解鲁云/民族问题研究/2007.2

近年来中国农民组织建设问题研究述评/王习明/中国政治/2006.2

近年来中国特色社会主义理论若干问题研究综述/朱启友/社会主义论丛/2006.8

近年来先进文化问题研究综述/赵存生、宇文利、王永浩/高校理论战线/2006.2

近年来共和国史研究视点回顾/吴敏先/东北师大学报(哲学社会科学版)/2004.4

近年来我国地方保护主义研究综述/李世源、叶育新/中国政治/2006.6

近年来剥削问题研究综述/何俊生、谢秦/社会主义论丛/2006.3

进一步加强史学理论学科的建设/徐浩/史学理论研究/2008.4

进一步加强国史学历史理论的研究/张世飞/甘肃社会科学/2007.3

阿拉伯国家的变革与中阿关系的发展/姚匡乙/国际问题研究/2005.3

制度变迁与我国城市的发展及空间结构的历史演变/胡军、孙莉/人文地理/2005.1

和平发展视野下的中国周边安全/高子川/国际问题研究/2006.2

和平共处·和平发展·和谐世界——解读党的十二大至十七大报告中的外交方针和政策/刘淑梅/内蒙古师范大学学报(哲社版)/2008.5

和平统一离不开改革开放——改革开放三十年来的对台政策回顾与总结/章念驰/上海社会主义学院学报/2008.5

和谐世界理念与外交大局中的文化交流——近年来我国对外文化工作的回顾和思考/孟晓驷/求是/2006.20

和谐社会理念对唯物史观的应用和发展/董德刚/理论前沿/2006.5

和谐视阈下的国史研究/王续添/当代中国史研究/2007.3

固定资产投资与产业结构调整——基于我国1978—2006年情况的分析/汪青/中共浙江省委党校学报/2008.3

国内行政道德研究综述/朱岚/行政与法/2006.5

国内学者关于当代民族主义研究综述/花永兰/理论前沿/2004.8

国史研究中的党性和立场问题/张启华/党史文汇/2008.5

国史研究视野中的和谐社会构建/梁柱/当代中国史研究/2007.3

国史研究要以科学、敬谨的态度对待/陈奎元/当代中国史研究/2007.6

国外当代中国史研究的概况与评析/张注洪/当代中国史研究/2007.1

国企改革理论的重大进展——关于"使股份制成为公有制主要实现形式"的讨论综述/郭克莎/新视野/2004.3

国有企业改革30年回顾——制度完善/章迪诚/中国监察/2008.20

国有商业银行股份制改革的回顾与思考/赵鹏/学术界/2008.1

国际关系的演化变迁与中印"兄弟"情意的大起大落/尚劝余/史学集刊/2007.4

国际体系和中国国际定位的历史性变化/陈启懋/国际问题研究/2006.6

国际资本流动与我国经济增长:1984—2005/宋勃/湖南科技大学学报(社科版)/2007.2

国家干部援藏政策初探及实施若干问题研究/张涛/西藏发展论坛/2007.3

国家灾害救助标准的历史沿革/来红州/中国减灾/2007.11

济研究/2007.5

　　法国学术界对当代中国政治研究综述/齐建华/中国政治/2006.7

　　浅析中国不同历史时期消费结构的形成/黄莹/哈尔滨商业大学学报(社科版)/2008.1

　　浅析中国竞技体育的发展史及发展方向/杨钊/科技创新导报/2008.22

　　浅析我国经济转型期的收入分配特征/刘富华/商业时代/2006.11

　　浅析新中国成立后政府改革的制度变迁/王民祥/今日南国(理论版)/2008.10

　　浅析新时期以来农民流动的成因/赵南南、李全喜/安徽农业科学/2009.4

　　浅谈中国改革开放30年法制的发展变化及其原因/魏成/商业文化(学术版)/2008.12

　　浅谈中国现代高等教育发展模式转换及教育理念发展/郭蕾/黑龙江科技信息/2008.19

　　浅谈历史学的人类学转向:历史人类学/刘瑞/重庆科技学院学报(社科版)/2008.9

　　浅谈我国从体育大国到体育强国的嬗变/陈细中/湖北广播电视大学学报/2009.3

　　浅释中国地区收入差距:1952—2002/董先安/经济研究/2004.9

　　环境史与历史新思维/袁立峰/首都师范大学学报(社科版)/2007.5

　　现代口述史的兴起与研究述要/李宝梁/社科纵横/2007.7

　　现代大学制度发展的若干特点分析/胡钦晓/现代大学教育/2005.3

　　现代化背景下的民族认同与民族关系——以海南三亚凤凰镇回族为例/孙九霞/民族研究/2004.3

　　知青上山下乡与民工潮之比较研究/宋燕华/法制与社会/2009.4

　　经济全球化与中国国防经济安全/王贵明/军事经济研究/2008.6

　　经济改革是怎样搞起来的——为纪念改革开放三十周年而作/田纪云/炎黄春秋/2008.1

　　经贸与移民互动:东南亚与中国关系的新发展——兼论近20年中国人移民东南亚的原因/庄国土/
当代亚太/2008.2

　　试从体育邮票的发行看新中国五十七年来的体育热/张萍等/福建体育科技/2008.5

　　试论"学术自由"在我国的发展历程/刘英/山西煤炭管理干部学院学报/2008.3

　　试论口述史研究的分类/陈旭清/晋阳学刊/2008.2

　　试论小泉政府对华政策给中日关系造成的影响/张历历/国际论坛/2006.1

　　试论中国外交中的负责任行为/储新宇/理论前沿/2006.23

　　试论中国共产党的发展价值观/李斌雄、李平贵/武汉大学学报/2007.1

　　试论中国当代社会史的研究对象和研究内容/张世飞/贵州社会科学/2008.5

　　试论中国国际战略理念的转型/汤光鸿/世界经济与政治/2003.1

　　试论全方位发展的中国与中亚国家关系/石泽/国际论坛/2006.2

　　试论当代中国婚姻家庭伦理关系的新变化/周立梅/青海师范大学学报(哲社版)/2006.5

　　试论我国区域经济的协调发展/王园林/现代经济/2005.3

　　试论我国实施五年计划的历史经验/武力/中共党史研究/2006.6

　　试论我国城镇居民体育生活及其方式/李仕丰/福州大学学报/2008.2

　　试析"以问题为中心"的国史分期理论/张世飞/当代中国史研究/2008.3

　　试析中央财政与地方财政关系的发展与演进/关晓丽、孙德超/天津社会科学/2008.3

　　试析中共历届领导人对台政策的基本思路/谢雪屏/湖北省社会主义学院学报/2008.4

　　试析中国政治体制改革的任务、经验及目标模式/吕嘉、刘永海/北京行政学院学报/2005.3

　　试析改革开放对中国体育事业的影响/罗美娟、张俊忠/黑龙江科技信息/2008.19

　　试析近年来中国领事保护机制的新发展/夏莉萍/国际论坛/2005.3

　　转轨过程中的最终费用结算与绩效评价/吕炜/中国社会科学/2005.1

　　转型中的中国社会救助制度之发展/王思斌/文史哲/2007.1

美国国会涉华联线体制分析——以西藏问题为中心/张植荣/美国研究/2007.2

美国国防转型对中国安全环境的影响/周建明/复旦学报(社会科学版)/2005.3

美国学者的中国妇女史研究——美国加州大学圣克鲁分校历史学教授贺萧访谈录/曹晋等/中国现代史/2006.6

重大公共事件中社会保障的和谐稳定作用:以"非典"事件中社会保障的支持作用为实例/周慧文/生产力研究/2005.7

重温汪辜会谈/金绮寅/黄埔/2007.4

重新审视"史料"的定义问题/张连生/河北学刊/2007.2

首脑外交视角下的中美关系——基于冷战后中美元首间外交的实证研究/张磊/国际观察/2007.1

香港回归十年来中国内地关于香港问题的研究述略/王燕/兰州学刊/2007.7

香港回归十年政治发展述论/齐鹏飞/教学与研究/2007.6

党的十六大以来宏观调控的经验和启示/陈东琪、宋立/宏观经济管理/2007.11

党的十六大精神对国史研究具有重要指导意义/萧裕声/当代中国史研究/2003.1

党的代表大会常任制的发展脉络及其启示/颜杰峰/江淮论坛/2006.4

党的先进性建设和多党合作制度的巩固和发展/李燕奇/北京行政学院学报/2007.1

恩格斯的历史认识论——兼论唯物史观是世界观、认识论、方法论、知识论的统一/李杰/史学理论研究/2007.12

校史编研:当代史研究的一个新领域/王杰/当代中国史研究/2004.4

浙江农村工业化的发展与启示/黄祖辉、朱允卫/中国经济史研究/2006.2

浙江城市化研究的回顾与展望/钱陈、史晋川/浙江社会科学/2006.5

海外中国公民安全状况分析/夏丽萍/国际论坛/2006.1

海外华商投资中国大陆:阶段性特征与发展趋势/龙登高、赵亮、丁骞/华人华侨历史研究/2008.2

海军后勤改革30年基本经验及思考/寇进忠、白文杰/军事经济研究/2008.12

海峡两岸经贸关系发展与台湾经济结构调整/陈其林、韩晓婷/厦门大学学报(哲社版)/2004.3

海峡两岸政策演变的历史考察/王争印/山西青年管理干部学院学报/2005.2

海峡两岸影视互动30年/刘翠霞/两岸关系/2009.2

海洋思维下的中国与亚洲关系/庞中英/世界知识/2004.20

真理、规律与历史研究——兼论历史是科学还是艺术之争/庞卓恒/江海学刊/2008.2

素质教育的历史脉络与未来取向——兼理新中国教育目的之演进/程天君/教育理论与实践/2007.21

谈谈国史研究中的党性和立场问题/张启华/当代中国史研究/2007.6

谈谈经济史研究方法问题/吴承明/中国经济史研究/2005.1

资本市场化与经济发展——中国改革的经验(1980—2003)/王汝芳、王健/中国流通经济/2008.7

透析中国国防费国防经济研究/卫和/人民日报/2009.3.7

透视历史与现实:台湾问题与中美俄三边关系/王新/史林/2006.3

高扬唯物史观理论旗帜的20年/于沛/史学理论研究/2007.1

高投资、宏观成本与经济增长的持续性/课题组/中国社会科学文摘/2006.1

高校中国当代史教学散论/王玉贵/历史教学问题/2007.5

高等教育公平的历史轨迹——云南大学近五十年不同社会阶层子女接受高等教育机会探析/张建新/清华大学教育研究/2008.6

唯物史观及其创新的"中国经验"/张曙光/哲学研究/2008.9

唯物史观及其指引的历史学的科学品格/庞卓恒等/历史研究/2008.1

唯物史观史学方法论的中国化问题/李杰/史学理论研究/2006.3

唯物史观的历史规律学说再思考/侯树栋/社会科学/2005.9

唯物史观指导下的多样性和个性化——30 年史学理论研究的基本思路/张晓校/史学理论研究/2008.4

唯物史观是发展的理论/王和/史学集刊/2006.1

唯物史观派史学的学术重塑/王学典/历史研究/2007.1

基于“中国近现代史纲要”课程改革的思考/韩晓华/浙江工业大学学报(社会科学版)/2008.4

基于性别平等的少数民族农村留守妇女教育救助 ——以广西上林县农村留守妇女教育救助调查为例/黄约/浙江学刊/2009.1

基本建成中国特色市场经济体制——中国经济体制改革三十年回顾与展望/陈宗胜、高连水、周云波/天津社会科学/2009.2

婚检制度改革的背景、缺陷及完善/王怀章、朱晓燕/云南大学学报(法学版)/2005.2

探索社会主义市场经济规律的两个基本理论问题——纪念我国经济体制改革 30 周年的思考/侯廷智/西南大学学报(社科版)/2008.5

探索和开创富国与强军统一之路/张星星/中国社会科学院院报/2008.3.25

探索国史编撰体例上迈出的可喜一步/杨文利/博览群书/2008.6

深入研究和把握改革的历史经验与历史启示录/赵凌云/教学与研究/2006.7

深化区域史研究的一点思考/李文海/安徽大学学报(哲社版)/2007.3

深化新中国历史研究/陈述/理论视野/2009.2

略论中国现代文学史分期诸问题/冯济平/东南学术/2007.1

略论历史研究与现实问题的关系/肖庆华/兵团党校学报/2008.3

略论我国农村土地制度变革的进程/王妮利/学术界/2007.6

略论国家商业银行信用政策的演变/赵学军、吴俊丽/中国经济史研究/2006.4

第三次台海危机:台湾的“军事反攻”与美国政府的政策/余子道/军事历史研究/2006.1

维护世界和平、促进共同发展/邓小平外交思想的形成及其丰富内涵/阮宗泽/国际问题研究/2004.6

银行破产法理论诞生的背景考察/吴敏/学术界/2006.2

博鳌亚洲论坛的成立与四次大会/陈锦华/中共党史资料/2005.2

尊重自然 改善生态 发展经济——我国防沙治沙综述/刘毅/生态环境与保护/2006.9

朝鲜族农村文化建设的特殊性/朴今海/民族问题研究/2007.2

森林卫士——武警森林部队的战斗历程和发展沿革/孙辉、王进举/军事历史/2006.8

港台关系:十年回顾与未来展望/邢魁山/黄埔/2007.4

港台学者对中国大陆经济改革若干重大问题研究述略/周云/当代中国史研究/2007.3

税费改革对国家与农民关系之影响/周飞舟/社会/2006.3

粤港澳经济区的几个理论问题/施汉荣/广东社会科学/2004.6

落实马克思主义的指导,为建设社会主义核心价值体系服务/朱佳木/当代中国史研究/2007.2

超时加班与就业困难——1991—2005 年中国经济就业弹性下降分析/程连升/中国经济史研究/2006.4

超越决定论:改革开放以来马克思主义历史观的重大变革/陈峰/东岳论丛/2009.1

越南—中国关系正常化 15 年来的回顾与展望/杜进森/东南亚纵横/2007.2

黑龙江贫困地区农民科技文化素质状况的调查研究/李志/理论探讨/2006.1

新乡村建设思想史脉络浅议/王景新/广西民族大学学报(哲社版)/2007.2

新中国"两弹一星"的研制及其对国防科技发展的启示/肖学祥、张伟/国防科技/2006.10

新中国50多年来宅基地立法的历史沿革/姜爱林、陈海秋/理论学刊/2007.12

新中国人口政策的形成/汤兆云/钟山风雨/2009.1

新中国人口统计走过55年/冯乃林/数据/2008.9

新中国人权立法的回顾与前瞻/王广辉/郑州大学学报(哲社版)/2007.6

新中国三代基础教育课程改革的教学观审视/孙艳/内蒙古师范大学学报(教科版)/2008.12

新中国三代领导核心的国防科技思想探析/段进东/毛泽东邓小平理论研究/2004.9

新中国中小学教师职后教育内容的历史嬗变/董江华、阎青/兵团教育学院学报/2008.3

新中国区域协调发展管理体制变迁/袁朱/宏观经济管理/2009.1

新中国历次教育方针变革及评论/蒋华/四川师范大学学报(社科版)/2007.3

新中国外债研究的几个问题/金普森/浙江大学学报(人文社科版)/2005.5

新中国农业保险的历史演变/罗艳/北京党史/2008.4

新中国农地政策的历史嬗变及逻辑启示/李岳云/南京农业大学学报(社会科学版)/2004.1

新中国农村体育发展历程/夏成前、田雨普/体育科学/2007.10

新中国成人教育公平问题的历史发展/晋银峰/成人教育/2007.10

新中国成立以来中国共产党城乡政策的历史演变/张新华/历史教学问题/2007.3

新中国成立以来发展观与发展模式的历史互动/赵凌云、张连辉/当代中国史研究/2005.1

新中国成立以来江浙两省行政区划沿革/郑定铨/经济研究参考/2007.51

新中国成立以来党政关系的历史演变及启示/刘琳/马克思主义研究/2005.3

新中国成立以来焦作地区水利建设的成败得失/田清春/焦作师范高等专科学校学报/2008.2

新中国成立后历史考证学的新境界/陈其泰/当代中国史研究/2003.5

新中国行业体育协会的历史变迁/曹继红、孟亚南/体育学刊/2008.5

新中国社会主义卫生事业和防疫体系的创立与发展/胡克夫/当代中国史研究/2003.5

新中国社会阶层分析/刘晓林/观察与思考/2004.18

新中国国防现代化与经济现代化互动论析/张广宇、韩文琦/军事历史研究/2008.3

新中国建立以来民族关系历史记忆建构的反思/陈玉屏/西南民族大学学报(人社版)/2007.6

新中国的农业合作化与农村工业化/王玉玲/当代中国史研究/2007.2

新中国经济建设历程的回顾与联想/陈东林/当代中国史研究/2009.1

新中国宪法50年/肖蔚云/求是/2004.18

新中国面对国际救援46年/王硕、张旭/廉政瞭望/2008.6

新中国党的经济理论和思想发展的回顾与评析/卫兴华/当代中国史研究/2003.1

新中国海洋防卫思想史话之积极的近海防御——第二代海洋防卫思想/刘忠民、桑红/海洋世界/2007.2

新中国监察制度的演变与特色/单民、薛伟宏/法学杂志/2008.1

新历史使命呼唤历史学科大发展/张宏毅/史学理论研究/2008.1

新方法、新领域、新手段——近30年来的中国历史学/郝春文/首都师范大学学报(社科版)/2009.1

新世纪以来中国村民自治发展的走向/徐勇/学习与探索/2005.4

新世纪以来的中古关系/毛相麟、刘维广/当代世界/2009.1

新世纪凉山州彝族贫困地区扶贫问题研究——以喜德县为例/王卓/社会科学研究/2006.2

新农村建设、城镇化进程与流动人口问题——我国"三农"问题的双重视野、双向效应和双轨路径/潘捷军/浙江师范大学学报(社科版)/2007.1

新机制·新希望·新问题——农村义务教育财政政策回顾与展望/袁桂林/人民教育/2006.10

新时期人口政策思考/蒋正华/中国人口科学/2006.6

新时期乡土文学叙事:从个体历史到家族史/皇甫风平/武汉科技大学学报(社科版)/2008.5

新时期乡镇政权体制改革问题探析/王宏波/生产力研究/2007.9

新时期大学组织特性研究/谷建春/学术界/2008.3

新时期工人阶级构成变化与利益关系调整/孙居涛、田杨群/社会主义研究/2004.2

新时期马克思主义中国化的世界历史眼光/余源培、沈玉梅/毛泽东邓小平理论研究/2008.12

新时期中国乡村基层建制的变化及其特点/李正华/天津行政学院学报/2006.4

新时期中国共产党发展理念的飞跃/吴佩芬/广西社会科学/2007.8

新时期中国制度创新的思考/周清/沈阳干部学刊/2005.5

新时期中国的外交思想和外交政策/朱达成/当代世界/2008.1

新时期中国的睦邻外交政策/刘清才/国际观察/2005.5

新时期历史认识论和方法论研究的成就/张剑平/河北学刊/2007.1

新时期少数民族地区政治文化建设/谭卫国/湖北师范学院学报(哲社版)/2009.1

新时期文学生成的时代文化语境/房福贤/山东师范大学学报(人文社科版)/2006.5

新时期东南亚华人工作研究/廖小健/广州社会主义学院学报/2008.1

新时期以来中国马克思主义史学的新发展/张越/天津社会科学/2007.4

新时期以来国内"改革和完善党的领导体制"研究综述/杨德山/教学与研究/2006.7

新时期史学主体性问题研究的理论缘起/朱玉票/巢湖学院学报/2007.5

新时期民族文化工作的几个问题/丹珠昂奔/西南民族大学学报(人社版)/2008.1

新时期边疆城镇体系构建和口岸小城镇发展/杜宏茹等/人文地理/2005.3

新时期军事战略理论创新与发展的几点思考/曹若天/国防科技/2007.6

新时期农村民间组织生长机制研究——基于张高村民间组织建设实验观察/楚成亚、陈恒彬/东南学术/2007.1

新时期农村社区体育发展模式的研究/但艳芳/体育世界(学术版)/2008.4

新时期农村爱国卫生运动可持续发展策略的思考/史明丽/中国初级卫生保健/2007.3

新时期我国与大国的经济关系/赵晋平/对外贸易实务/2008.2

新时期我国史学理论研究的嬗变/张耕华/探索与争鸣/2008.10

新时期我国农村建设的基本经验回顾/张富良/中国特色社会主义研究/2006.3

新时期我国高增长行业的产业政策分析/周叔莲/中国工业经济/2008.9

新时期国防科技工业的改革与发展/张庆伟/求是/2008.3

新时期建立农田水利建设新机制的探讨/赵军、张乃军/中国农村水利水电/2007.1

新时期环境文学解读/张卓/社会科学战线/2006.1

新时期的中日关系:从思考走向构建/崔立如等/现代国际关系/2007.10

新时期青海蒙古族传统与政治价值观的调查与分析/韩官却加/青海民族研究/2006.3

新时期城市农民工体育发展的若干模式探讨/潘政彬/体育科技文献通报/2009.2

新时期统一战线民族制度的结构分析/王良云/毛泽东思想研究/2008.4

新时期党的教育方针发展变化述评/王先俊/中共党史研究/2003.5

新时期留守子女的教育与管理/陈斌/江西教育/2009.Z1

新时期维护国家安全与国际和平的重要理论/刘国新/北京党史/2006.6

新时期最鲜明的特点是改革开放——唯物史观视野的认知和展望/余源培/探索与争鸣/2008.4

新的情绪、新的空间与新的道路——改革开放三十年的四川诗歌/李怡、王学东/当代文坛/2008.5

新疆民族发展报告:2000—2005年/李建生/新疆师范大学学报(哲社版)/2006.3

新疆生产建设兵团和新疆军区隶属关系考/岳廷俊/石河子大学学报(哲学社会科学版)/2007.2

新疆哈萨克族人物质生活及民俗文化变迁的探讨——以伊犁霍城县萨尔布拉克乡的调查为例/冯瑞、艾买提/西北民族大学学报(哲社版)/2008.3

新疆霍尔果斯口岸贸易史研究(1983—2000)/任冰心/新疆大学学报(哲社版)/2007.3

简论我国农村义务教育公共财政制度的建立和完善/陶红/中共中央党校学报/2006.2

粮食供求波动的轨迹、走势及其平抑措施/肖国安、王文涛/湖南科技大学学报/(社会科学版)/2005.3

解放军步兵的四大跨越/牛俊峰/环球军事/2008.5

解放思想 解放和发展科技生产力——"科学的春天"30年的回顾与思考/罗伟/中国科学院院刊/2008.3

解析中国和平发展的环境与资源问题/杨朝飞/中共中央党校学报/2005.1

解析中美贸易摩擦的特有性/王亚非/当代世界/2008.1

解析当代中国军人退役安置制度面临的矛盾/罗平飞/理论前沿/2005.24

解析社区服务发展不平衡的一个理论分析框架/孙双琴/北京行政学院学报/2007.1

解读中国奇迹——改革三十年回顾(上)/改革共识是怎样形成的/秦晖/时代教育(先锋国家历史)/2008.8

解读中国奇迹——改革三十年回顾(下)/中国为何选择这条路/秦晖/时代教育(先锋国家历史)/2008.9

跨出国门——中国开放留学三十年/李柯勇/文史博览/2008.12

暧昧时代的历史镜像——对90年代以来大众历史文化现象的考察/姚爱斌/粤海风/2005.6

精英高等教育与大众高等教育:两个体系的解读/邹晓平/高等教育研究/2005.7

缩小差距——中国教育政策的重大命题/课题组/北京师范大学学报/2005.3

增进睦邻友好扩大互利合作——纪念中俄建交55周年/李辉/求是/2004.20

墨西哥的中国问题研究述评/王爱云、谢文泽/中国现代史/2006.5

影响中日关系发展的深层原因解析/黄大慧/日本学论坛/2005.4

影响中罗关系曲折发展的若干因素/刘勇/当代中国史研究/2003.4

德国的中国"文化大革命"研究/李长山/当代中国史研究/2007.4

霍尔果斯口岸对外贸易发展演变及前景展望/竹效民/中共乌鲁木齐市委党校学报/2008.2

藏传佛教与社会主义社会相适应的历史考察/沈桂萍/中央社会主义学院学报/2008.6

警惕"加快城市化进程"的负面效应/王毓敏/经济师/2005.6

警惕在中国近现代史断限问题上的"理论陷阱"/朱佳木/高校理论战线/2008.10

著　作

"一国两制"与台湾/中华全国台湾同胞联谊会编/九州出版社,2005.3

1979—2006中国金融大变革/李利明、曾人雄著/上海人民出版社,2007.9

2003中国发展报告/中华人民共和国国家统计局编/中国统计出版社,2003

2003中国教育新闻大事记/中华人民共和国教育部新闻办公室编/中国人民大学出版社,2004.6

2004中国发展报告/中华人民共和国国家统计局编/中国统计出版社,2004

2004 中国教育新闻大事记/中华人民共和国教育部新闻办公室编/中国人民大学出版社,2005.8

2005 中国农业发展报告/中华人民共和国农业部编/中国农业出版社,2005

2005 中国教育新闻大事记/中华人民共和国教育部新闻办公室编/中国人民大学出版社,2006.12

2006—2008 年台海局势研究报告/宁骚主编/九州出版社,2006.9

2006 中国发展报告/中华人民共和国国家统计局编/中国统计出版社,2006

2007 中国发展报告/中华人民共和国国家统计局编/中国统计出版社,2007

2007 中国农业发展报告/中华人民共和国农业部编/中国农业出版社,2006

2007 中国国际地位报告/张幼文、黄仁伟等著/人民出版社,2007.7

2008 中国农业发展报告/中华人民共和国农业部编/中国农业出版社,2008

20 世纪中国文艺思想史论:历史·思潮/葛红兵主编/上海大学出版社,2006.7

20 世纪中国文艺思想史论:论争·文类/葛红兵主编/上海大学出版社,2006.7

20 世纪中国艺术史(上下册)/吕澎/北京大学出版社,2007.2

20 世纪的中国高等教育/龚海泉等主编/高等教育出版社,2003

25 年:1978—2002 年中国大陆四分之一世纪巨变的民间观察/王安著/世界知识出版社,2003.9

二十一世纪的中国军事/苗晓平等编著;军事科学院战略部四室编著/党建读物出版社,2002.6

人民军队法制建设八十年/丛文胜主编/军事科学出版社,2007.7

人民政协视察工作五十年/全国政协联络局编/中国文史出版社,2007.1

八十年代文化意识/甘阳主编/上海人民出版社,2006.7

十六大与未来中国/李树直、郭滨著/中国社会科学出版社,2003

十年观察:激荡中的台湾问题/许世铨著/九州出版社,2007.5

三农问题与世纪反思/温铁军著/三联书店,2005.7

三农问题研究/许毅编著/经济科学出版社,2004.3

卫海强军:新军事革命与中国海军/曲令泉、郭放著/海潮出版社,2004.1

工业发展报告.2002—2003:通过创新和学习参与竞争/联合国工业发展组织编、国务院发展研究中心发展战略和区域经济研究部译/中国财政经济出版社,2003

马克思主义中国化与全面建设小康社会/中国社会科学院邓小平理论和"三个代表"重要思想研究中心编;陈奎元等著/社会科学文献出版社,2005.2

马克思列宁主义毛泽东思想邓小平理论和"三个代表"重要思想基本原理教程/郑昌华主编/湖南教育出版社,2003

与时俱进的中国——从南方谈话到中共十六大/庞松、孙学敏著/中共党史出版社,2003

中日友好交流 30 年(1978—2008)(共三卷)/王新生等主编/社会科学文献出版社,2008.11

中央电视台的第一与变迁:1958—2003/唐世鼎主编/东方出版社,2003.8

中华人民共和国 55 年要览:1949—2004/杨元华等主编/福建人民出版社,2006.1

中华人民共和国大事记(1949—2004)(上、下)/新华月报社编/人民出版社,2004.8

中华人民共和国历史知识问答/陈述主编/中共中央党校出版社,2004.10

中华人民共和国历史简编/陈述著/中共中央党校出版社,2004.10

中华人民共和国史简明教材/高平平主编/同济大学出版社,2005.9

中华人民共和国军事院校教育发展史·武警卷/张广平主编/军事科学出版社,2005.8

中华人民共和国国史全鉴(1—15 卷)/刘海藩主编、中共中央党校理论研究室编/中央文献出版社,2004.12

中华人民共和国国史纪事/国际文化交流音像出版社,2004.1

中华人民共和国经济发展全史(1—12 卷)/王博主编/中国经济文献出版社,2006.10

中华人民共和国政治制度/浦兴祖主编/上海人民出版社,2005.2

中华人民共和国科技传播史/司有和主编/重庆出版社,2005.11

中华人民共和国简史(1949—2004)/金春明著/中共党史出版社,2004.10

中华人民共和国简史(1949—2007)/金春明著/中共党史出版社,2009.2

中国"走出去"战略研究报告/肖勤福主编/中共中央党校出版社,2004.10

中国人民大学中国社会发展研究报告/郑杭生主编/中国人民大学出版社,2003

中国人民解放军军事文化遗产/张云、张广宇、韩洪泉编著/上海大学出版社,2007.6

中国三农问题:历史·现状·未来/荣兆梓、吴春梅主编/社会科学文献出版社,2005.10

中国乡村研究.第三辑/黄宗智主编/社会科学文献出版社,2005.6

中国土地管理研究(上下卷)/黄小虎主编/当代中国出版社,2006.11

中国大变化:1990—2003(1—4)/康健、晓韦、何建明主编/河南人民出版社,2003.8

中国小额信贷十年/杜晓山等主编/社会科学文献出版社,2005.5

中国山情/姚昌恬主编/开明出版社,2003.1

中国工业化与"三农"问题研究/张彩丽著/人民出版社,2005.5

中国工业化进程报告:1995—2005年中国省域工业化水平评价与研究/陈佳贵等著/社会科学文献
出版社,2007.7

中国工业发展报告.2003:世界分工体系中的中国制造业/吕政主编;中国社会科学院工业经济研究
所编/经济管理出版社,2003

中国工业发展报告.2004,中国工业技术创新/吕政主编;中国社会科学院工业经济研究所编/经济
管理出版社,2004

中国工业发展报告.2005,资源与环境约束下的中国工业发展专著/中国社会科学院工业经济研究
所编/经济管理出版社,2005

中国工业发展报告.2006,科学发展观与经济增长方式转变/吕政主编;中国社会科学院工业经济研
究所编/经济管理出版社,2006

中国工业发展报告.2007,工业发展效益现状与分析/吕政主编;中国社会科学院工业经济研究所
编/经济管理出版社,2007

中国工业改革开放30年/吕政主编;中国社会科学院工业经济研究所编/经济管理出版社,2008

中国工业现代化问题研究/陈佳贵等著/中国社会科学出版社,2004.9

中国与世界:和平发展的理论和实践/梁守德、李义虎主编/世界知识出版社,2008.5

中国与朝鲜半岛关系史论/杨军、王秋彬著/社会科学文献出版社,2006.8

中国互联网发展报告.2002/中国互联网协会、中国互联网络信息中心/人民邮电出版社,2003

中国互联网发展报告.2003—2004/中国互联网协会、中国互联网络信息中心编/人民邮电出版
社,2004

中国互联网发展报告.2005/黄澄清总编辑;中国互联网协会、中国互联网络信息中心编/人民邮电
出版社,2005

中国互联网发展报告.2006/黄澄清总编辑;中国互联网协会、中国互联网络信息中心编/人民邮电
出版社,2006

中国互联网发展报告.2007/黄澄清总编辑;中国互联网协会、中国互联网络信息中心编/人民邮电
出版社,2007

中国互联网发展报告.2008/中国互联网协会、中国互联网络信息中心编/电子工业出版社,2008

中国少数民族新闻传播史/白润生主编/民族出版社,2008.4

中国文化研究二十年/邵汉明主编/人民出版社,2006.1

中国文学发展史/刘大杰著/百花文艺出版社,2007.8

中国文学史/张明非主编/广西师范大学出版社,2004.6

中国北方经济史:以经济重心的转移为主线/程民生著/人民出版社,2004.12

中国发展报告.2008/李晓超总编辑;中华人民共和国国家统计局编/中国统计出版社,2008

中国发展报告.2008—2009:构建全民共享的发展型社会福利体系/中国发展研究基金会组织编写/中国发展出版社,2009

中国外交官在联合国/李同成主编/山西人民出版社,2003.1

中国外交官亲历重大历史事件/李同成主编/山西人民出版社,2003.1

中国失地农民研究/廖小军著/社会科学文献出版社,2005.11

中国对外关系转型30年/王逸舟主编/社会科学文献出版社,2008.12

中国民办教育生存报告/张立勤著/中国社会科学出版社,2004.4

中国民间组织30年——走向公民社会/王名主编/社会科学文献出版社,2008.12

中国民族发展报告:2001—2006/赫时远、王希恩著/社会科学文献出版社,2006.5

中国民族团结考察报告/徐杰舜主编/民族出版社,2004.3

中国民族自治地方发展评估报告/国家民委民族问题研究中心/民族出版社,2006.12

中国民族自治地方政府发展论纲/方盛举著/人民出版社,2007.1

中国民族自治州的民族关系/金炳镐主编/中央民族大学出版社,2006.5

中国边疆与民族问题:当代中国的挑战及其历史由来/张植荣著/北京大学出版社,2005.4

中国产业集群发展报告:2007—2008/刘世锦主编/中国发展出版社,2008

中国共产党与中国农业发展道路/周志强著/中共党史出版社,2003.5

中国共产党与中国的宗教问题:关于党的宗教政策的历史考察/陈金龙著/广东人民出版社,2006.8

中国共产党与社会主义和谐社会建设/辛逸、黄延敏著/中共党史出版社,2008.5

中国共产党历次全国代表大会:从一大到十七大/陈峰、高敏编著/中共党史出版社,2008.1

中国共产党军事史论/肖裕声/中央文献出版社,2007.7

中国共产党农民社会主义教育50年/王艳成、龚志宏著/河南大学出版社,2003

中国共产党的宗教政策/任杰著/人民出版社,2007.3

中国共产党重要会议纪事:1921—2006(增订本)/姜华宣等主编/中央文献出版社,2006.6

中国共产党新时期历史大事记/中共中央党史研究室/中共党史出版社,2009.1

中国共产党新时期简史/中共中央党史研究室著/中共党史出版社,2009.1

中国军队第三次现代化论纲/王文荣主编/解放军出版社,2005.2

中国军转民实录/怀国模主编/国防工业出版社,2006.6

中国农业、农村与农民/王振中主编/社会科学文献出版社,2006.6

中国农业发展报告.2003/中华人民共和国农业部编/中国农业出版社,2003

中国农业发展报告.2004/中华人民共和国农业部编/中国农业出版社,2004

中国农业发展报告.2006/中华人民共和国农业部编/中国农业出版社,2006

中国农业现代化道路的探索/陆世宏著/人民出版社,2006.10

中国农业家庭经营制度:理论检视与创新设计/阮文彪著/中国经济出版社,2005.12

中国农民工考察/余红、丁骋骋著/昆仑出版社,2004.5

中国农民工问题/刘怀廉著/人民出版社,2005.3

中国农民调查/陈桂棣、春桃著/人民文学出版社,2004.1

中国农村反贫困与政府干预/刘冬梅著/中国财政经济出版社,2003.7

中国农村合作经济:组织形式与制度变迁/傅晨著/中国经济出版社,2006

中国农村劳动力的转移与就业/陈晓华、张红宇主编/中国农业出版社,2005.12

中国农村现代化道路与规律:张郭研究/冯治著/人民出版社,2004.4

中国农村经济分析和对策研究:2001—2003/宋洪远、赵长保等著/中国农业出版社,2003.9

中国农村金融市场研究/刘民权主编/中国人民大学出版社,2006.8

中国年鉴史料/李维民主编/北京志鉴研究院,2003.10

中国当代文艺思潮/陆贵山主编/中国人民大学出版社,2002.6

中国纪事/许知远/海南出版社,2008.1

中国西部减贫与可持续发展/郑易生主编/社会科学文献出版社,2008.12

中国体育通史.第七卷(1993—2005 年)/崔乐泉总主编;曹守和卷主编/人民体育出版社,2008

中国报刊图史/李焱胜著/湖北人民出版社,2005.4

中国社会主义新农村建设研究/瞿振元、李小云、王秀清主编/社会科学文献出版社,2006.3

中国社会变迁 30 年/李强主编/社会科学文献出版社,2008.11

中国走向法治 30 年/蔡定剑、王晨光主编/社会科学文献出版社,2008.12

中国近代开发西部的思想与政策研究:1840—1949/程霖、王昉、张薇著/上海人民出版社,2007.6

中国近现代外交史/熊志勇、苏浩著/世界知识出版社,2005.11

中国近现代财政简史/曲绍宏、白丽健编著/南开大学出版社,2006.8

中国和平发展中的民族宗教问题/恭学增、胡岩编著/中共中央党校出版社,2006.12

中国和平发展中的国防和军队建设/总参课题组/中共中央党校出版社,2006.12

中国和平发展道路之历史比较/徐伟新、陈锋、何忠国著/中共中央党校出版社,2007.8

中国和平崛起/夏立平、江西元著/中国社会科学出版社,2004.9

中国国际战略评论:2008/王缉思主编/世界知识出版社,2008.5

中国国策报告.2003:观察"两会"政治中国新生态/连玉明主编;北京国际城市发展研究院编著/中国时代经济出版社,2003.6

中国国策报告.2005:从"十一五"核心问题看中国未来走向/连玉明、武建忠主编/中国时代经济出版社,2005.1

中国国策报告.新境界:从"发展是硬道理"到"科学发展观"/连玉明、武建忠主编/中国时代经济出版社,2006.1

中国所有制改革 30 年(1978—2008)/邹东涛、欧阳日辉著/社会科学文献出版社,2008.12

中国治理变迁 30 年/俞可平主编/社会科学文献出版社,2008.12

中国沿海城市的对外开放/中共中央党史研究室第三研究部编/中共党史出版社,2007.1

中国法制史/王立民主编/上海人民出版社,2007.6

中国法治 30 年/中国社会科学院法学所编/社会科学文献出版社,2008.12

中国现代文学史/郑万鹏著/华夏出版社,2007.1

中国现代政治制度史/张皓著/北京师范大学出版社,2004.5

中国现代唯物史观史/吕希晨、何敬文主编/天津人民出版社,2003

中国的自我探索:2002 年秋—2007 年秋/章敬平著/浙江人民出版社,2008.2

中国直升机五十年/熊宪利主编;《中国直升机五十年》编委会编/航空工业出版社,2006.10

中国知青史——大潮/刘晓萌著/当代中国出版社,2009.1

中国空军百年史/华强、奚纪荣、孟庆龙著/上海人民出版社,2006.1

中国经济发展与外商直接投资问题研究/康君、赵喜仓编著/中国统计出版社,2005.10

中国经济发展和体制改革报告.No.1:中国改革开放 30 年(1978—2008)/邹东涛主编/社会科学文献出版社,2008.6

中国经济史/侯家驹著/新星出版社,2008.1

中国经济转型 30 年/蔡昉主编/社会科学文献出版社,2008.12

中国经济基础与上层建筑变革关系研究/陈荣荣、刘英骥主编/经济管理出版社,2004.3

中国转型时期的金融发展与收入分配/郑长德著/中国财政经济出版社,2007.1

中国金融改革 30 年/李扬著/社会科学文献出版社,2008.12

中国保险业改革与发展前沿问题/江生忠等著/机械工业出版社,2005.9

中国城市化问题研究/汪冬梅著/中国经济出版社,2005.11

中国城市发展 30 年/牛凤瑞等主编/社会科学文献出版社,2009.1

中国政府体系与政治:概念、总结与探索/陈红太著/河南人民出版社,2005.12

中国政府层级与区划改革强县扩权与省直管县的突破(上下册)/中国管理科学研究院北京国发研联经济中心课题组/北京,2006.1

中国政府制度/李寿初著/中共中央党校出版社,2005.6

中国政治体制改革研究/何增科等著/中央编译出版社,2008.4

中国科技发展研究报告.2003·全面建设小康社会的科技发展战略问题研究/方新等著;中国科技发展战略研究小组编/经济管理出版社,2004

中国科技发展研究报告.2004—2005·军民融合与国家创新体系建设专著/中国科技发展战略研究小组著/知识产权出版社,2005

中国科技发展研究报告.2005—2006/中国科技发展战略研究小组编/科学出版社,2006

中国科技发展研究报告.2006—2007·实施知识产权战略提高自主创新能力/中国科技发展战略研究小组编/知识产权出版社,2008

中国结:两岸关系重大事件内幕/王永钦主编/新华出版社,2003.5

中国革命和改革开放的历程:1840—2006/李俊/中共中央党校出版社,2007.3

中国特色社会主义理论体系形成与发展大事记(1978—2008 年)/中共中央文献研究室编/中央文献出版社,2009.1

中国特色社会主义理论新进展:科学发展与社会和谐研究/赵存生著/上海人民出版社,2007.12

中国特色城市发展理论与实践/傅崇兰、周明俊主编/中国社会科学出版社,2003.4

中国特色城镇化道路/王梦奎、冯并、谢伏瞻主编/中国发展出版社,2004.3

中国商业通史.第一卷/吴慧主编/中国财政经济出版社,2004

中国商业通史.第二卷/吴慧主编/中国财政经济出版社,2004

中国商业通史.第三卷/吴慧主编/中国财政经济出版社,2005

中国教育发展与政策 30 年/张秀兰主编/社会科学文献出版社,2008.12

中国奥林匹克运动通史专著/崔乐泉著/青岛出版社,2008

中国媒体概览上下卷/新闻出版总署信息中心编/新华出版社,2004.1

中国新闻通史/刘家林著/武汉大学出版社,2005.7

中国粮食安全研究/肖国安著/中国经济出版社,2005.8

中国粮食批发市场发展研究报告/国家粮食局课题组著/经济管理出版社,2004.1

中拉建交纪实/黄志良著/上海辞书出版社,2007.8

中法关系史/杨元华著/上海人民出版社,2006.1

中俄关系的历史与现实/栾景河主编/河南大学出版社,2004.9

中南海大事:建国以来重大政治事件全记录(上下)/李健编著/中共党史出版社,2006.6

中美关系/马耀邦著/当代中国出版社,2008.10

中美关系风云录/周溢潢著/山西人民出版社,2003.1

中美关系史(上中下卷)/陶文钊著/上海人民出版社,2004.7

为全面建设小康社会、开创中国特色社会主义事业新局面而奋斗:党的十六大以来大事记/中共中央文献研究室编/中央文献出版社,2007.10

五十年来/袁木、季龙、马蓥伯、刘日新著/中央文献出版社,2006.1

从"东亚病夫"到体育强国/高翠编著/四川人民出版社,2003.9

从"童怀周"到审江青/汪文风/当代中国出版社,2004.1

从一大到十六大(上下)/李颖编/中央文献出版社,2003.1

从历史走向未来:中国与发展中国家关系析论/郭新宁、徐弃郁著/时事出版社,2007.4

从边缘到中心:当代中国政治体系构建之路/唐亚林著/华东理工大学出版社,2006.5

从共同共有到按份共有的变革/黄中廷、陈涛主编/中国农业出版社,2004.3

从保税区到自由贸易区:中国保税区的改革与发展/成思危主编/经济科学出版社,2003.10

六十年来中国与日本(第1—8卷)/王芸生编著/生活·读书·新知三联书店,2005.7

历史的跨越:中华人民共和国国民经济和社会发展"一五"至"十一五"规划要览·1953—2010/郭德宏主编/中共党史出版社,2006.3

开放条件下的中国农业发展/郭剑雄著/中国社会科学出版社,2004.10

文化记忆:1978—2008/尚伟/中央文献出版社,2008.12

风云际会联合国/万经章、张兵主编/新华出版社,2008.1

世界新军事变革中的中国国防和军队建设/黄宏、洪保秀著/人民出版社,2004.6

东北老工业基地振兴与区域经济创新/崔万田等著/经济管理出版社,2008.4

丝路新韵:新中国和阿拉伯国家50年外交历程/安惠侯、黄舍骄、陈大维、杨健主编/世界知识出版社,2006.9

发展与代价:中国少数民族发展问题研究/罗康隆、黄贻修著/民族出版社,2006.6

台海安全考察/李鹏著/九州出版社,2005.7

台湾问题与中日关系论集:郑海麟/海峡学术出版社,2005.1

台湾局势与两岸关系观察/穆怀阁著/九州出版社,2006.4

台湾经济发展史/陈正茂编著/新文京开发出版股份有限公司,2003.4

台湾研究25年精粹.历史篇/李祖基主编/九州出版社,2005.6

台湾研究25年精粹.文学篇/徐学主编/九州出版社,2005.6

台湾研究25年精粹.两岸篇/李非主编/九州出版社,2005.6

台湾研究25年精粹.经济篇/邓利娟主编/九州出版社,2005.6

台湾研究25年精粹.政治篇/孙云主编/九州出版社,2005.6

台湾研究年度报告/许世铨等编/九州出版社,2003

台湾秘密档案解密/高群服/台海出版社,2008.1

外交十记/钱其琛著/世界知识出版社,2003.10

外援在中国/周弘、张浚、张敏著/社会科学文献出版社,2007.2

市场经济与人权:社会主义市场经济条件下的人权问题/王建均著/社会科学文献出版社,2006.12

民族地区农村社会保障研究/唐新民著/人民出版社,2008.1

立法与监督:李鹏人大日记/李鹏著/新华出版社,2006

亚太地区与中日关系/蔡建国主编/上海社会科学院出版社,2002

传承与超越:当代民族艺术之路/宋生贵著/人民出版社,2007.8

全球化与中国"三农"/中国21世纪议程管理中心可持续发展战略研究组著/社会科学文献出版社,2005.9

全球视野中的中国国家安全战略·上卷/张文木著/山东人民出版社,2008.2

军旗:中国人民解放军的"第一"记录/尚伟、徐军主编/中央文献出版社,2007

农民工:中国进城农民工的经济社会分析/李培林主编/社会科学文献出版社,2003.4

农村义务教育:税费改革下的政策执行/张强等著/中国社会科学出版社,2004.10

农转工:失地农民的劳动与生活/张汝立著/社会科学文献出版社,2006.1

农垦改革发展足迹/王永树著/中国环境科学出版社,2006.10

华侨华人概述/卢海云、王垠主编;国务院侨办侨务干部学校编著/九州出版社,2005.10

回眸中美关系演变的关键时刻/王立著/世界知识出版社,2008.4

在发展中消除贫困专著/中国发展研究基金会编写/中国发展出版社,2007

当代中国公民有序政治参与研究/魏星河等著/人民出版社,2007.9

当代中国石油工业(上、下)/本书编委会/当代中国出版社,2009.1

当代中国农村公共政策研究/刘伯龙、竺乾威、程惕洁等著/复旦大学出版社,2005.12

当代中国地方政府/周平主编/人民出版社,2007.1

当代中国地方政府间竞争/刘亚平著/社会科学文献出版社,2007.3

当代中国县政改革研究/暴景升著/天津人民出版社,2007.1

当代中国改革和发展之省思/徐其清著/安徽人民出版社,2006.7

当代中国社会制度的变迁/何玉长著/河北大学出版社,2004.1

当代中国的文化发展/许明等著/中国大百科全书出版社,2008

当代中国的科技文化变革/段治文著/浙江大学出版社,2006.9

当代中国政治研究报告.III/黄卫平、汪永成主编;深圳大学当代中国政治研究所编/社会科学文献出版社,2004.9

当代中国政治研究报告.IV/黄卫平、汪永成主编;深圳大学当代中国政治研究所编/社会科学文献出版社,2005.11

当代中国海洋石油工业/本书编委会/当代中国出版社,2009.1

当代对外传播/郭可著/复旦大学出版社,2004.8

当代新疆简史/党育林、张玉玺主编/当代中国出版社,2003.7

执政为民执政兴国(1949—2004)/中共中央党史研究室第二研究部编著/中共党史出版社,2004.12

收入分配与我国养老保险制度改革/刘俊霞著/中国财政经济出版社,2004.8

红色决策:中国共产党重大会议实录(上下卷)/张树军、齐生主编/湖南出版社,2006.5

西部大开发与民族问题/杨发仁主编/人民出版社,2005.3

论"一国两制"下中央和香港特区的关系/宋小庄著/中国人民大学出版社,2003

两岸关系纵横论/胡公展著/学林出版社,2006.12

两岸谈判研究/黄嘉树、刘杰著/九州出版社,2003.10

体坛杂话五十年/郝克强著/人民体育出版社,2003

冷战后中印外交关系研究(1991—2007)/陈宗海著/世界知识出版社,2008

冷战后的中日安全关系/[德]杜浩(R.F.Drife)著;陈来胜译/世界知识出版社,2004.3

别样风雨:新中国外交亲历/张兵主编/新华出版社,2007.1

我国政府投资治理制度改革研究/丁茂战主编/中国经济出版社,2006.12

改革开放以来党的农村经济政策发展研究/胡映兰著/中央文献出版社,2005.10

改革开放探索(上下册)/李铁映著/中国人民大学出版社,2008.4

李岚清教育访谈录/李岚清著/人民教育出版社,2003.11

杜润生自述:中国农村体制变革重大决策纪实/杜润生著/人民出版社,2005.8

私营企业主的政治参与/王晓燕著/社会科学文献出版社,2007.3

谷牧回忆录/谷牧著/中央文献出版社,2009.1

走向现代化的人民军队/黄宏、程卫华主编/人民出版社,2007.7

走向政治文明的民主:民主发展与政治文明/刘俊杰著/江西高校出版社,2006.3

制度创新与国家成长:中国的探索/林尚立等著/天津人民出版社,2005.10

制度变迁与农业私营企业成长/成新华著/社会科学文献出版社,2006.2

和谐社会散议/邓伟志著/上海人民出版社,2007.8

国土整治与土地资源可持续利用/高向军、罗明主编/中国大地出版社,2005.9

国务院研究室优秀研究成果选/魏礼群主编/国务院研究室编/中国言实出版社,2006.9

国史纪事本末/魏宏运主编/辽宁人民出版社,2003

国防信息化建设的基础工程:834工程/国防信息技术研究会编/国防工业出版社,2006.1

国际环境与中国的战略机遇期/徐坚主编/人民出版社,2004

国家利益高于一切:新疆稳定问题的观察与思考/马大正著/新疆人民出版社,2003.4

建立和完善农村社会保障制度/孙文基著/社会科学文献出版社,2006.7

建设节约型社会/王梦奎、马凯主编/人民出版社,2005.12

建设社会主义新农村若干问题研究/农业部课题组编/中国农业出版社,2005.11

建国以来党政干部违法违纪大案要案索引/《建国以来党政干部违法违纪大案要案索引》编写组编/法律出版社,2004.2

构建社会主义和谐社会的理论与实践/王伟光著/中共中央党校出版社,2006.1

经济脉动/陈国栋、罗彤华主编/中国大百科全书出版社,2005.4

转型中国的治理与发展/张昕著/中国人民大学出版社,2007.3

转型期农村经济制度的演化与创新:以沿海省份为例的研究/金祥荣、柯荣住等著/浙江大学出版社,2005.8

变革二十年:交通银行与中国银行业嬗变/吴雨珊、王海明著/中国金融出版社,2007.7

战后日本舆论、学界与中国/诸葛蔚东著/中国社会科学出版社,2003.4

政治体制改革与法制建设/吴大英、刘瀚主编/社会科学文献出版社,2007.4

科学发展观:加强国防和军队建设的重要指导方针/章传家主编/人民出版社,2007.7

科学发展观与中国特色社会主义/中国社会科学院邓小平理论和"三个代表"重要思想研究中心编/社会科学文献出版社,2006.2

科学发展观思想体系研究/周卫东著/人民出版社,2006.3

突围——国门初开的岁月/李岚清著/中央文献出版社,2008.11

给共和国领导人作翻译/蒋本良著/上海辞书出版社,2007.8

美国与中日关系的演变/廉德瑰著/世界知识出版社,2006.1

美国与近现代中国/陶文钊、梁碧莹主编/中国社会科学出版社,1996.12

香港驻军十年/苏玉光、节延华、陈道阔著/解放军出版社,2007.6

香港政治发展:1980—2004 周平著/中国社会科学出版社,2006.3

党史札记末编/龚育之/中共党史出版社,2008.1

党的创新理论:十六大以来党中央提出的一系列重大战略思想和理论观点(上下)/红旗出版社编辑部编/红旗出版社,2007.5

海外华人华侨与中国改革开放/任贵祥主编/中共党史出版社,2009.2

海峡两岸关系史·第一卷,开发·融合/张春英主编/福建人民出版社,2004.12

海峡两岸关系史·第二卷,变乱·回归/张春英主编/福建人民出版社,2004.12

海峡两岸关系史·第三卷,内争·对峙/张春英主编/福建人民出版社,2004.12

海峡两岸关系史·第四卷,缓和·统一/张春英主编/福建人民出版社,2004.12

旌勇里国史讲座(第二辑)/刘国新主编/当代中国出版社,2009.1

检察制度史纲要/刘方著/法律出版社,2007

渐进式的超越:中俄两国转型模式的调整与深化/关海庭、吴群芳主编/北京大学出版社,2006.6

渐进改革与金融转轨/张兴胜著/中国金融出版社,2007.6

税费改革背景下的乡镇体制研究/李昌平、董磊明主编/湖北人民出版社,2004.9

超越国境的历史认识:来自日本学者及海外中国学者的视角/刘杰、三谷博、杨大庆等著/社会科学文献出版社,2006.5

数读中国30年/中国产业地图编委会/社会科学文献出版社,2008.11

新中国人口五十年/路遇主编/中国人口出版社,2004.8

新中国马克思主义哲学50年/任俊明主编/人民出版社,2006.5

新中国—东盟关系论/曹云华、唐翀著/世界知识出版社,2005.4

新中国对外汉语教学发展史/程裕祯主编/北京大学出版社,2005.3

新中国民族工作十讲/国家民族事务委员会研究室编/民族出版社,2006.4

新中国成人高等教育发展研究/何红玲著/中国社会科学出版社,2004.5

新中国劳动保障史话:1949—2003/刘贯学著/中国劳动社会保障出版社,2004.11

新中国国防科技体系的形成与发展研究/吴远平、赵新力、赵俊杰著/国防工业出版社,2006.1

新中国往事/邓力群主编/中央文献出版社,2006.1

新中国法制建设的回顾与反思/李龙主编/中国社会科学出版社,2004.4

新中国法制研究史料通鉴·第一卷·军管法制篇/张培田主编/中国政法大学出版社,2003.9

新中国法制研究史料通鉴·第二卷·镇反肃反法制篇/张培田主编/中国政法大学出版社,2003.9

新中国法制研究史料通鉴·第三卷·民主建设法制篇/张培田主编/中国政法大学出版社,2003.9

新中国法制研究史料通鉴·第四卷·经济法制篇/张培田主编/中国政法大学出版社,2003.9

新中国法制研究史料通鉴·第五卷·农业法制篇/张培田主编/中国政法大学出版社,2003.9

新中国法制研究史料通鉴·第六卷·工业法制篇/张培田主编/中国政法大学出版社,2003.9

新中国法制研究史料通鉴·第七卷·民政法制篇/张培田主编/中国政法大学出版社,2003.9

新中国法制研究史料通鉴·第八卷·商业法制篇/张培田主编/中国政法大学出版社,2003.9

新中国法制研究史料通鉴·第九卷·文化教育法制篇/张培田主编/中国政法大学出版社,2003.9

新中国法制研究史料通鉴·第十卷·外交法制篇/张培田主编/中国政法大学出版社,2003.9

新中国法制研究史料通鉴·第十一卷·综合篇/张培田主编/中国政法大学出版社,2003.9

新中国思想理论教育史/张雷声、郑吉伟、李玉峰编著/高等教育出版社,2005.4

新中国哲学研究50年:中国社会科学院哲学研究所50周年学术文集(上、中、下)/李景源主编/人民出版社,2005.9

新中国海战档案/崔京生著/中国青年出版社,2007.7

新中国探索"三农"问题的历史经验/张新华主编/中共党史出版社,2007.6

新世纪中国人权/中国人权研究会编/团结出版社,2005.10

新世纪新阶段中国国防和军队建设/徐明善、方永刚主编/人民出版社,2007.8

新农村建设战略研究/农业部课题组编/中国农业出版社,2006

新时期人口问题探索/张枫主编/中国人口出版社,2003

新时期乡镇计划生育工作探讨/李传旭著/中国人口出版社,2003

新时期工业发展战略与政策/郭克莎等著/人民出版社,2004.7

新时期中国土地管理研究(上、下)/黄小虎主编/当代中国出版社,2006.5

新时期中国共产党的建设简史/中共中央党史研究室著/中共党史出版社,2009.1

新时期民族宗教工作的实践与思考/朱晓明著/华文出版社,2003.9

新时期农村发展战略研究/农业部课题组编/中国农业出版社,2005.11

新时期统战民族宗教问题论文集/黄铸著/华文出版社,2003

新时期部队思想政治建设纵横谈/王峰著/解放军出版社,2003

新型农民专业合作经济组织发展研究/孙亚范著/社会科学文献出版社,2006.3

新编中国法制史/杨一凡主编/社会科学文献出版社,2005.10

简明中国文学史/骆玉明著/复旦大学出版社,2004.11

粮食安全:市场化进程中主销区粮食问题研究/闻海燕著/社会科学文献出版社,2006.3

解决"三农"问题之路:中国共产党"三农"思想政策史/武力、郑有贵主编/中国经济出版社,2004.1

解析台湾的大陆政策/杨丹伟著/群言出版社,2007.1

激荡三十年:中国企业 1978—2008.上/吴晓波著/中信出版社,2007.1

激荡三十年:中国企业 1978—2008.下/吴晓波著/中信出版社,2008.1

繁荣与代价——对改革开放 30 年中国发展的解读/中国 21 世纪可持续发展战略研究组编写社会科学文献出版社,2008.12

工具书

十六大以来重要文献选编(上)/中共中央文献研究室编/中央文献出版社,2005.2

十六大以来重要文献选编(下)/中共中央文献研究室编/中央文献出版社,2008.4

十六大以来重要文献选编(中)/中共中央文献研究室编/中央文献出版社,2006.4

中华人民共和国民事诉讼法/国务院法制办公室编/中国法制出版社,2006.7

中华人民共和国边界事务条约集·中印、中不卷/中华人民共和国外交部条约法律司编/世界知识出版社,2004.11

中华人民共和国边界事务条约集·中吉卷/中华人民共和国外交部条约法律司编/世界知识出版社,2005.5

中华人民共和国边界事务条约集·中老卷/中华人民共和国外交部条约法律司编/世界知识出版社,2004.7

中华人民共和国边界事务条约集·中阿、中巴卷/中华人民共和国外交部条约法律司编/世界知识出版社,2004.11

中华人民共和国边界事务条约集·中俄卷/中华人民共和国外交部条约法律司编/世界知识出版社,2005.7

中华人民共和国边界事务条约集·中哈卷/中华人民共和国外交部条约法律司编/世界知识出版社,2005.5

中华人民共和国边界事务条约集·中塔卷/中华人民共和国外交部条约法律司编/世界知识出版社,2005.5

中华人民共和国边界事务条约集·中朝卷/中华人民共和国外交部条约法律司编/世界知识出版社,2004.11

中华人民共和国边界事务条约集·中缅卷/中华人民共和国外交部条约法律司编/世界知识出版社,2004.7

中华人民共和国边界事务条约集·中越卷/中华人民共和国外交部条约法律司编/世界知识出版社,2004.7

中华人民共和国边界事务条约集·中蒙卷/中华人民共和国外交部条约法律司编/世界知识出版社,2004.11

中华人民共和国全国分县市人口统计资料:2003年/中华人民共和国公安部编/群众出版社,2004.6

中华人民共和国全国分县市人口统计资料:2004年/中华人民共和国公安部编/群众出版社,2005.9

中华人民共和国年鉴·2003/中华人民共和国年鉴编辑部编辑/中华人民共和国年鉴社,2003

中华人民共和国年鉴·2004/中华人民共和国年鉴编辑部编辑/中华人民共和国年鉴社,2004

中华人民共和国年鉴·2005/中华人民共和国年鉴编辑部编辑/中华人民共和国年鉴社,2005

中华人民共和国年鉴·2006/中华人民共和国年鉴编辑部编辑/中华人民共和国年鉴社,2006

中华人民共和国年鉴·2007/中华人民共和国年鉴编辑部编辑/中华人民共和国年鉴社,2007

中华人民共和国年鉴·2008/中华人民共和国年鉴编辑部编辑/中华人民共和国年鉴社,2008

中华人民共和国行政区划沿革地图集/陈潮主编/中国地图出版社,2003.10

中华人民共和国法律汇编·2005/全国人民代表大会常务委员会法制工作委员会编/人民出版社,2006.2

中华人民共和国法律汇编·2006/全国人民代表大会常务委员会法制工作委员会编/人民出版社,2007.2

中华人民共和国第十届全国人民代表大会第一次会议文件汇编/全国人大常委会办公厅秘书局编/中国民主法制出版社,2003

中华人民共和国第十届全国人民代表大会第二次会议文件汇编/全国人民代表大会常务委员会办公厅编/人民出版社,2004

中华人民共和国第十届全国人民代表大会第三次会议文件汇编/全国人大常委会办公厅秘书局编/中国民主法制出版社,2005

中华人民共和国第十届全国人民代表大会第五次会议文件汇编/全国人大常委会办公厅秘书局编/中国民主法制出版社,2007

中华人民共和国第十届全国人民代表大会第四次会议文件汇编/全国人民代表大会常务委员会办公厅编/人民出版社,2006

中国人口和就业统计年鉴.2007/国家统计局人口和就业统计司编/中国统计出版社,2007.10

中国人民代表大会年鉴.2003/阚珂主编;《中国人民代表大会年鉴》编委会编/中国民主法制出版社,2003

中国人民代表大会年鉴.2004/阚珂主编;《中国人民代表大会年鉴》编委会编/中国民主法制出版社,2004

中国人民政治协商会议年鉴.2003/郑万通主编/人民出版社,2004

中国人民政治协商会议年鉴.2004/郑万通主编/人民出版社,2005

中国人民政治协商会议年鉴.2005/郑万通主编/中国文史出版社,2007

中国人民政治协商会议年鉴.2006/郑万通主编/中国文史出版社,2008

中国人民政治协商会议年鉴.2007/钱运录主编/中国文史出版社,2009

中国人民政治协商会议第十届全国委员会第一次会议文件汇编/全国人民代表大会常务委员会办

公厅编/人民出版社,2003.4

中国卫生年鉴.2003/刘新明、刘益清主编;《中国卫生年鉴》编辑委员会编/人民卫生出版社,2003

中国卫生年鉴.2004/刘新明、刘益清主编;《中国卫生年鉴》编辑委员会编/人民卫生出版社,2004

中国卫生年鉴.2005/姚晓曦、胡国臣主编;《中国卫生年鉴》编辑委员会编/人民卫生出版社,2005

中国卫生年鉴.2006/姚晓曦、胡国臣主编;《中国卫生年鉴》编辑委员会编/人民卫生出版社,2006

中国卫生年鉴.2007/尹力、胡国臣主编;《中国卫生年鉴》编辑委员会编/人民卫生出版社,2008

中国卫生年鉴.2008/尹力、胡国臣主编;《中国卫生年鉴》编辑委员会编/人民卫生出版社,2008

中国工业年鉴.2003/中国工业年鉴社编辑/中国工业年鉴社,2003

中国工业年鉴.2004/谢又乔主编/中国工业年鉴社,2004

中国工业年鉴.2005/谢又乔主编/中国工业年鉴社,2005

中国工业年鉴.2006/谢又乔主编;中国工业年鉴社编/中国工业年鉴社,2006

中国工业经济统计年鉴.2003/任才方主编;国家统计局工业交通统计司编/中国统计出版社, 2003.11

中国工业经济统计年鉴.2004/任才方主编;国家统计局工业交通统计司编/中国统计出版社, 2004.10

中国工业经济统计年鉴.2006/任才方主编;国家统计局工业交通统计司编/中国统计出版社, 2006.12

中国工业经济统计年鉴.2007/任才方主编;国家统计局工业交通统计司编/中国统计出版社, 2007.12

中国广播电视年鉴.2003/赵玉明主编;国家广播电影电视总局,《中国广播电视年鉴》编辑委员会编纂/中国广播电视年鉴社,2003

中国广播电视年鉴.2004/赵玉明主编;国家广播电影电视总局,《中国广播电视年鉴》编辑委员会编纂/中国广播电视年鉴社,2004

中国广播电视年鉴.2005/赵玉明主编;国家广播电影电视总局,《中国广播电视年鉴》编辑委员会编纂/中国广播电视年鉴社,2005

中国广播电视年鉴.2006/国家广播电影电视总局,《中国广播电视年鉴》编辑委员会编纂/中国广播电视年鉴社,2006

中国广播电视年鉴.2007/赵玉明主编;国家广播电影电视总局,《中国广播电视年鉴》编辑委员会编纂/中国广播电视年鉴社,2007

中国广播电视年鉴.2008/赵玉明主编;国家广播电影电视总局,《中国广播电视年鉴》编辑委员会编纂/中国广播电视年鉴社,2008

中国文化年鉴.2002—2003/孙家正主编/新华出版社,2004

中国文化年鉴.2004/孙家正主编/新华出版社,2005

中国文化年鉴.2005/《中国文化年鉴》编辑委员会编/新华出版社,2006

中国文化年鉴.2006/孙家正主编/新华出版社,2007

中国文化年鉴.2007/孙家正主编/新华出版社,2008

中国气象年鉴.2003/毛耀顺主编;中国气象年鉴编辑部编辑/气象出版社,2003

中国气象年鉴.2004/毛耀顺主编;中国气象年鉴编辑部编辑/气象出版社,2004

中国气象年鉴.2005/刘燕辉主编;中国气象年鉴编辑部编辑/中国气象出版社,2005

中国气象年鉴.2006/刘燕辉主编;中国气象年鉴编辑部编辑/中国气象年鉴编辑部,2006

中国气象年鉴.2007/刘燕辉主编;中国气象年鉴编辑部编辑/气象出版社,2007

中国水利年鉴.2003/《中国水利年鉴》编纂委员会编/中国水利水电出版社,2003

中国水利年鉴.2004/《中国水利年鉴》编纂委员会编/中国水利水电出版社,2004

中国水利年鉴.2005/《中国水利年鉴》编辑委员会编/中国水利水电出版社,2005

中国水利年鉴.2006/《中国水利年鉴》编纂委员会编/中国水利水电出版社,2006

中国水利年鉴.2007/《中国水利年鉴》编辑委员会编/中国水利水电出版社,2007

中国水利年鉴.2008/《中国水利年鉴》编辑委员会编/中国水利水电出版社,2008

中国出版年鉴.2003/潘国彦主编/中国出版年鉴社,2003

中国出版年鉴.2004/潘国彦主编/中国出版年鉴社,2004

中国出版年鉴.2005/潘国彦主编;中国出版年鉴社编辑/中国出版年鉴社,2005

中国出版年鉴.2006/中国出版年鉴社编辑/中国出版年鉴社,2006

中国出版年鉴.2007/柳斌杰、于友先、邬书林主编;中国出版年鉴社编辑/中国出版年鉴社,2007

中国民族年鉴.2003/齐宝和主编/《中国民族年鉴》编辑部,2003

中国民族年鉴.2004/齐宝和主编;中国民族年鉴社编辑/中国民族年鉴社,2004

中国民族年鉴.2005/齐宝和主编;中国民族年鉴社编辑/中国民族年鉴社,2005

中国民族年鉴.2006/齐宝和、董文良主编;中国民族年鉴社编辑/中国民族年鉴社,2006

中国民族年鉴.2007/齐宝和、董文良主编;中国民族年鉴社编辑/中国民族年鉴社,2007

中国民族年鉴.2008/董文良主编/中国民族年鉴社,2008

中国电影年鉴.2003/俞小一主编/中国电影年鉴社,2004

中国电影年鉴.2004/俞小一主编/中国电影年鉴社,2004

中国电影年鉴.2005/中国电影百年特刊/俞小一主编/中国电影年鉴社,2005

中国电影年鉴.2005/俞小一主编/中国电影年鉴社,2005

中国电影年鉴.2006/俞小一主编/中国电影年鉴社,2006

中国电影年鉴.2007/俞小一主编/中国电影年鉴社,2007

中国电影年鉴.2008/俞小一主编;中国电影年鉴编/中国电影年鉴社,2008

中国会计年鉴.2003/郭代模总编辑/中国财政杂志社,2003

中国会计年鉴.2004/郭代模总编辑/中国财政杂志社,2004

中国会计年鉴.2005/宋爱武总编辑/中国财政杂志社,2005

中国会计年鉴.2006/宋爱武总编辑/中国财政杂志社,2006

中国会计年鉴.2007/宋爱武总编辑/中国财政杂志社,2007

中国共产党历届中央委员会大辞典:1921—2003/中共中央组织部,中共中央党史研究室编/中共党史出版社,2004.11

中国共产党第十七次全国代表大会文件汇编/人民出版社,2007.10

中国共产党第十六次全国代表大会文件汇编/人民出版社,2002.10

中国农业年鉴.2003/《中国农业年鉴》编辑委员会编/中国农业出版社,2003

中国农业年鉴.2004/《中国农业年鉴》编辑委员会编/中国农业出版社,2004

中国农业年鉴.2005/《中国农业年鉴》编辑委员会编/中国农业出版社,2005

中国农业年鉴.2006/傅玉祥、梁书升主编;《中国农业年鉴》编辑委员会编/中国农业出版社,2006

中国农业年鉴.2007/王辅捷、刘增胜主编;《中国农业年鉴》编辑委员会编/中国农业出版社,2007

中国农业年鉴.2008/张合成、刘增胜主编;《中国农业年鉴》编辑委员会编/中国农业出版社,2008

中国体育年鉴.2003/袁伟民主编;国家体育总局编/中国体育年鉴社,2003

中国体育年鉴.2004/袁伟民主编;国家体育总局编/中国体育年鉴社,2004

中国体育年鉴.2005/袁伟民主编/中国体育年鉴社,2006

中国体育年鉴.2006/袁伟民主编/中国体育年鉴社,2007

中国体育年鉴.2007/袁伟民主编/中国体育年鉴社,2008

中国证券业年鉴.2003/宁晨新等主编;《中国证券业年鉴》编辑委员会编/新华出版社,2004

中国证券业年鉴.2004/宁晨新、徐明、周健男主编;《中国证券业年鉴》编辑委员会编/新华出版社,2005

中国证券业年鉴.2005/宁晨新、徐明、周健男主编;《中国证券业年鉴》编辑委员会编/新华出版社,2006

中国证券业年鉴.2006/宁晨新、徐明、周健男主编;《中国证券业年鉴》编辑委员会编/上海社会科学院出版社,2007

中国证券业年鉴.2007/徐明、金立扬、门耀超主编;《中国证券业年鉴》编辑委员会编/上海社会科学院出版社,2008

中国证券业年鉴.2008/徐明、金立扬、门耀超主编;《中国证券业年鉴》编辑委员会编/上海社会科学院出版社,2009

中国财政年鉴.2003/中国财政杂志社编辑/中国财政杂志社,2003

中国财政年鉴.2004/中国财政杂志社编辑/中国财政杂志社,2004

中国财政年鉴.2005/中国财政杂志社编辑/中国财政杂志社,2005

中国财政年鉴.2006/中国财政杂志社编辑/中国财政杂志社,2006

中国财政年鉴.2007/中国财政杂志社编辑/中国财政杂志社,2007

中国审计年鉴.2003/《中国审计年鉴》编委会编辑/中国时代经济出版社,2003

中国审计年鉴.2004/《中国审计年鉴》编委会编辑/中国时代经济出版社,2004

中国审计年鉴.2005/《中国审计年鉴》编委会编辑/中国时代经济出版社,2005

中国审计年鉴.2006/《中国审计年鉴》编委会编辑/中国时代经济出版社,2007

中国审计年鉴.2007/《中国审计年鉴》编委会编辑/中国时代经济出版社,2008

中国审计年鉴.2008/《中国审计年鉴》编委会编辑/中国时代经济出版社,2009

中国建筑业年鉴.2003—2004/徐义屏主编;《中国建筑业年鉴》编委会编辑/中国建筑业年鉴社,2005

中国建筑业年鉴.2005/徐义屏主编;《中国建筑业年鉴》编委会编辑/中国建筑业年鉴社,2006

中国建筑业年鉴.2006/张鲁风主编;《中国建筑业年鉴》编委会编辑/中国建筑业年鉴社,2007

中国建筑业年鉴.2007/张鲁风主编;《中国建筑业年鉴》编委会编辑/中国建筑业年鉴社,2007

中国建筑业年鉴.2008/吴涛主编;《中国建筑业年鉴》编委会编辑/中国建筑业年鉴社,2009

中国法律年鉴.2003/孙琬锺主编;中国法律年鉴编辑部编辑/中国法律年鉴社,2003

中国法律年鉴.2004/刘法合主编;中国法律年鉴编辑部编辑/中国法律年鉴社,2004

中国法律年鉴.2005/刘法合主编;中国法律年鉴编辑部编辑/中国法律年鉴社,2005

中国法律年鉴.2006/罗锋主编;中国法律年鉴编辑部编辑/中国法律年鉴社,2006

中国法律年鉴.2007/罗锋主编;中国法律年鉴编辑部编辑/中国法律年鉴社,2007

中国法律年鉴.2008/周成奎主编;中国法律年鉴编辑部编辑/中国法律年鉴社,2008

中国物价年鉴.2003/《中国物价年鉴》编辑部编辑/中国物价年鉴编辑部,2003

中国物价年鉴.2004/《中国物价年鉴》编辑部编辑/中国物价年鉴编辑部,2004

中国物价年鉴.2005/《中国物价年鉴》编辑部编辑/《中国物价年鉴》编辑部,2005

中国物价年鉴.2006/《中国物价年鉴》编辑部编辑/《中国物价年鉴》编辑部,2006

中国物价年鉴.2007/《中国物价年鉴》编辑部编辑/《中国物价年鉴》编辑部,2007

中国环境年鉴.2003/于越峰主编;《中国环境年鉴》编辑委员会编/中国环境年鉴社,2003

中国环境年鉴.2004/于越峰主编;《中国环境年鉴》编辑委员会编/中国环境年鉴社,2004

中国环境年鉴.2005/于越峰主编;《中国环境年鉴》编辑委员会编/中国环境年鉴社,2005

中国环境年鉴.2006/杨明森主编;《中国环境年鉴》编辑委员会编/中国环境年鉴社,2006

中国环境年鉴.2007/杨明森主编;《中国环境年鉴》编辑委员会编/中国环境年鉴社,2007

中国环境年鉴.2008/杨明森主编;《中国环境年鉴》编辑委员会编/中国环境年鉴社,2008

中国知识产权年鉴.2003/田力普主编/知识产权出版社,2003

中国知识产权年鉴.2004/田力普主编/知识产权出版社,2004

中国知识产权年鉴.2005/田力普主编/知识产权出版社,2005

中国知识产权年鉴.2006/贺化主编/知识产权出版社,2006

中国知识产权年鉴.2007/贺化主编/知识产权出版社,2007

中国知识产权年鉴.2008/贺化主编/知识产权出版社,2008

中国经济年鉴.2003/薛暮桥等主编;《中国经济年鉴》编辑委员会编辑/中国经济年鉴社,2003

中国经济年鉴.2004/薛暮桥、马洪、王梦奎主编;《中国经济年鉴》编辑委员会编辑/中国经济年鉴社,2004

中国经济年鉴.2005/马洪、王梦奎主编;《中国经济年鉴》编辑委员会编辑/中国经济年鉴社,2005

中国经济年鉴.2006/马洪、王梦奎主编;《中国经济年鉴》编辑委员会编辑/中国经济年鉴社,2006

中国经济年鉴.2007/张玉台主编;《中国经济年鉴》编辑委员会编辑/中国经济年鉴社,2007

中国经济年鉴.2008/张玉台主编;《中国经济年鉴》编辑委员会编辑/中国经济年鉴社,2008

中国经济贸易年鉴.2003/李荣融主编;《中国经济贸易年鉴》编委会编辑/中国经济贸易年鉴社,2003

中国经济贸易年鉴.2004/李荣融主编;《中国经济贸易年鉴》编委会编辑/中国经济贸易年鉴社,2004

中国经济贸易年鉴.2005/李荣融主编/中国经济贸易年鉴社,2005

中国经济贸易年鉴.2006/李荣融主编;《中国经济贸易年鉴》编委会编辑/中国经济贸易年鉴社,2006

中国经济贸易年鉴.2007/《中国经济贸易年鉴》编委会编辑/中国经济贸易年鉴社,2007

中国保险年鉴.2003/李克穆主编;《中国保险年鉴》编委会编/中国保险年鉴编辑部,2003

中国保险年鉴.2004/李克穆主编;《中国保险年鉴》编委会编/中国保险年鉴编辑部,2004

中国保险年鉴.2005/李克穆主编;《中国保险年鉴》编委会编/中国保险年鉴编辑部,2005

中国保险年鉴.2006/袁力主编;《中国保险年鉴》编委会编/中国保险年鉴编辑部,2006

中国保险年鉴.2007/李克穆主编/《中国保险年鉴》编辑部,2007

中国保险年鉴.2008/李克穆主编/《中国保险年鉴》编辑部,2008

中国信息产业年鉴.2003—2004/柳纯录主编/中国城市出版社,2004

中国信息产业年鉴.2005/《中国信息产业年鉴》编委会编/电子工业出版社,2005

中国信息产业年鉴.2006·电子卷/石怀成主编;《中国信息产业年鉴》电子卷编辑委员会编/《中国信息产业年鉴》电子卷编辑委员会,2006

中国信息产业年鉴.2006·通信卷/《中国信息产业年鉴》通信卷编委会编/《中国信息产业年鉴(通信卷)》编辑部,2006

中国信息产业年鉴.2007·电子卷/石怀成主编;《中国信息产业年鉴》电子卷编辑委员会编/《中国信息产业年鉴》电子卷编辑委员会,2006

中国信息产业年鉴.2007·通信卷/刘彩总编辑;《中国信息产业年鉴(通信卷)》编辑部编辑/《中国信息产业年鉴(通信卷)》编辑部,2007

中国信息产业年鉴.2008·电子卷/石怀成主编;《中国信息产业年鉴》电子卷编委会编/《中国信息

产业年鉴(电子卷)》编辑部,2008

　　中国信息产业年鉴.2008·通信卷/刘彩总编辑;《中国信息产业年鉴》通信卷编委会编/《中国信息产业年鉴(通信卷)》编辑部,2008

　　中国城市年鉴.2003/厉有为主编/中国城市年鉴社,2003

　　中国城市年鉴.2004/厉有为主编/中国城市年鉴社,2004

　　中国城市年鉴.2005/程安东主编/中国城市年鉴社,2005

　　中国城市年鉴.2006/程安东主编/中国城市年鉴社,2006

　　中国城市年鉴.2007/程安东主编/中国城市年鉴社,2007

　　中国城市年鉴.2008/程安东主编/中国城市年鉴社,2008

　　中国科技统计年鉴.2003/国家统计局、科学技术部编/中国统计出版社,2003

　　中国科技统计年鉴.2004/国家统计局、科学技术部编/中国统计出版社,2004

　　中国科技统计年鉴.2005/国家统计局、科学技术部编/中国统计出版社,2005

　　中国科技统计年鉴.2006/国家统计局、科学技术部编/中国统计出版社,2006

　　中国科技统计年鉴.2007/国家统计局、科学技术部编/中国统计出版社,2007

　　中国科技统计年鉴.2008/国家统计局、科学技术部编/中国统计出版社,2008

　　中国统计年鉴.2003/国家统计局编/中国统计出版社,2003.9

　　中国统计年鉴.2004/国家统计局编/中国统计出版社,2004.9

　　中国统计年鉴.2005/国家统计局编/中国统计出版社,2005.9

　　中国统计年鉴.2006/国家统计局编/中国统计出版社,2006.9

　　中国统计年鉴.2007/国家统计局编/中国统计出版社,2007.9

　　中国统计年鉴.2008/李晓超总编辑;中华人民共和国国家统计局编/中国统计出版社,2008

　　中国轻工业年鉴.2003/杨自鹏主编/中国轻工业年鉴社,2003

　　中国轻工业年鉴.2004/杨自鹏主编/中国轻工业年鉴社,2004

　　中国轻工业年鉴.2005/杨自鹏主编/中国轻工业年鉴社,2005

　　中国轻工业年鉴.2006/杨自鹏主编/中国轻工业年鉴社,2006

　　中国轻工业年鉴.2007/杨自鹏主编/中国轻工业年鉴社,2007

　　中国轻工业年鉴.2008/杨自鹏主编/中国轻工业年鉴社,2008

　　中国海洋年鉴.2003/孙志辉主编;《中国海洋年鉴》编纂委员会编/海洋出版社,2004

　　中国海洋年鉴.2004/孙志辉主编;《中国海洋年鉴》编纂委员会编/海洋出版社,2005

　　中国海洋年鉴.2005/孙志辉主编;《中国海洋年鉴》编纂委员会编/海洋出版社,2006

　　中国海洋年鉴.2006/王宏主编;《中国海洋年鉴》编纂委员会编/海洋出版社,2006

　　中国海洋年鉴.2007/王宏主编;《中国海洋年鉴》编纂委员会编/海洋出版社,2007

　　中国海洋年鉴.2008/王宏主编;《中国海洋年鉴》编纂委员会编/海洋出版社,2008

　　中国畜牧业年鉴.2003/傅玉祥等主编;《中国畜牧业年鉴》编辑委员会编/中国农业出版社,2003

　　中国畜牧业年鉴.2004/傅玉祥、张仲秋、于康震主编;《中国畜牧业年鉴》编辑委员会编/中国农业出版社,2004

　　中国畜牧业年鉴.2005/傅玉祥、张仲秋、于康震主编;《中国畜牧业年鉴》编辑委员会编/中国农业出版社,2005

　　中国畜牧业年鉴.2006/《中国畜牧业年鉴》编辑委员会编/中国农业出版社,2006

　　中国畜牧业年鉴.2007/刘增胜、谷继承、陈伟生主编;《中国畜牧业年鉴》编辑委员会编/中国农业出版社,2007

　　中国畜牧业年鉴.2008/刘增胜、谷继承、陈伟生主编;《中国畜牧业年鉴》编辑委员会编/中国农业出

版社,2008

中国铁道年鉴.2003/解高潮主编;《中国铁道年鉴》编辑部编辑/铁道部档案史志中心,2003

中国铁道年鉴.2004/王志国主编;《中国铁道年鉴》编辑部编辑/中国铁道年鉴编辑部,2004

中国铁道年鉴.2005/王志国主编/《中国铁道年鉴》编辑部,2005

中国铁道年鉴.2006/吴利民主编/《中国铁道年鉴》编辑部,2006

中国铁道年鉴.2007/韩江平主编/中国铁道出版社,2007

中国高技术产业发展年鉴.2003/国家发展和改革委员会高技术产业司,国家发展和改革委员会宏观经济研究院编/北京理工大学出版社,2003

中国高技术产业发展年鉴.2004/张晓强主编/北京理工大学出版社,2004

中国高技术产业发展年鉴.2005/张晓强主编/北京理工大学出版社,2005

中国高技术产业发展年鉴.2006/张晓强主编/北京理工大学出版社,2006

中国高技术产业发展年鉴.2007/张晓强主编/北京理工大学出版社,2007

中国高技术产业发展年鉴.2008/张晓强主编/北京理工大学出版社,2008

中国商务年鉴.2004/《中国商务年鉴》编辑委员会编纂/中国商务出版社,2004

中国商务年鉴.2005/《中国商务年鉴》编辑委员会编纂/中国商务出版社,2005

中国商务年鉴.2006/《中国商务年鉴》编辑委员会编纂/中国商务出版社,2006

中国商务年鉴.2007/《中国商务年鉴》编辑委员会编纂/中国商务出版社,2007

中国商务年鉴.2008/《中国商务年鉴》编辑委员会编纂/中国商务出版社,2008

中国教育年鉴.2003/郑树山主编;《中国教育年鉴》编辑部编/人民教育出版社,2003

中国教育年鉴.2004/郑树山主编;《中国教育年鉴》编辑部编/人民教育出版社,2004

中国教育年鉴.2005/牟阳春主编;《中国教育年鉴》编辑部编/人民教育出版社,2005

中国教育年鉴.2006/牟阳春主编;《中国教育年鉴》编辑部编/人民教育出版社,2006

中国教育年鉴.2007/牟阳春主编;《中国教育年鉴》编辑部编/人民教育出版社,2007

中国教育年鉴.2008/牟阳春主编;《中国教育年鉴》编辑部编/人民教育出版社,2008

中国教育年鉴.2005/《中国教育年鉴》编辑部编/人民教育出版社,2005.12

中国教育年鉴.2006/《中国教育年鉴》编辑部编/人民教育出版社,2006.12

中国渔业年鉴.2003/沈镇昭等主编;农业部渔业局主编/中国农业出版社,2003

中国渔业年鉴.2004/傅玉祥、柳正主编;农业部渔业局主编/中国农业出版社,2004

中国渔业年鉴.2005/傅玉祥、柳正主编;农业部渔业局主编/中国农业出版社,2005

中国渔业年鉴.2006/傅玉祥、柳正主编;农业部渔业局主编/中国农业出版社,2006

中国渔业年鉴.2007/刘增胜、柳正主编;农业部渔业局主编/中国农业出版社,2007

中国渔业年鉴.2008/刘增胜、柳正主编;农业部渔业局主编/中国农业出版社,2008

中国期刊年鉴.2002—2003/张伯海、田胜立主编/《中国期刊年鉴》编辑部,2003

中国期刊年鉴.2002年卷·创刊号/张伯海、田胜立主编/《中国期刊年鉴》编辑部,2002

中国期刊年鉴.2003—2004/张伯海、田胜立主编/《中国期刊年鉴》编辑部,2004

中国期刊年鉴.2005—2006/张伯海、田胜立主编/《中国期刊年鉴》编辑部,2006

中国期刊年鉴.2006—2007/张伯海、田胜立主编/《中国期刊年鉴》编辑部,2007

中国新闻年鉴.2003/阎焕书主编;中国新闻年鉴社编辑/中国新闻年鉴社,2003

中国新闻年鉴.2004/阎焕书主编;中国新闻年鉴社编辑/中国新闻年鉴社,2004

中国新闻年鉴.2005/阎焕书主编/中国新闻年鉴社,2005

中国新闻年鉴.2006/阎焕书主编/中国新闻年鉴社,2006

中国新闻年鉴.2007/钱莲生主编/中国新闻年鉴社,2007

中国新闻年鉴.2008/钱莲生主编/中国新闻年鉴社,2008

中国精神文明建设年鉴.2003/胡振民、翟卫华主编;《中国精神文明建设年鉴》编辑委员会编/学习出版社,2004

中国精神文明建设年鉴.2004/翟卫华主编;《中国精神文明建设年鉴》编辑委员会编/学习出版社,2006

中国精神文明建设年鉴.2005/翟卫华主编;《中国精神文明建设年鉴》编辑委员会编/学习出版社,2007

中国精神文明建设年鉴.2006/《中国精神文明建设年鉴》编辑委员会编/学习出版社,2007

中国精神文明建设年鉴.2007/《中国精神文明建设年鉴》编辑委员会编/学习出版社,2008

中俄元首联合声明和宣言汇编/欧祎编/世界知识出版社,2003

历届全国人大、全国政协重要文献资料汇编/人民日报社新闻信息中心制,2004.1

毛泽东邓小平江泽民论科学发展/中共中央文献研究室编/中央文献出版社,2008.9

邓小平论行政管理体制和机构改革/中央机构编制委员会办公室编/中央文献出版社,1996.12

全国人民代表大会年鉴.2004年卷:内部工作版/尹中卿主编/中国民主法制出版社,2005

全国人民代表大会年鉴.2005年卷:内部工作版/尹中卿主编/中国民主法制出版社,2006

全国人民代表大会年鉴.2006年卷:内部工作版/尹中卿主编/中国民主法制出版社,2007

西藏工作西藏工作文献选编(1949—2005)/中共中央文献研究室、西藏自治区委员会编/中央文献出版社,2005.9

西藏社会经济统计年鉴.1991/西藏自治区统计局编/中国统计出版社,1990.10

两岸对话与谈判重要文献选编/海峡两岸关系协会编/九州出版社,2004.7

两岸关系与和平统一:2005年重要谈话和文章选编/国务院台湾事务办公室新闻局编/九州出版社,2006.4

改革开放三十年重要文献选编/中共中央文献研究室编/中央文献出版社,2008.1

时政文献辑览:2004.3—2006.3.(上下)/《新华月报》编/人民出版社,2006.10

国家"十一五"时期文化发展规划纲要/中国方正出版社,2006.9

政府工作报告全编.2004年/国务院研究室编/中国言实出版社,2004.4

政府工作报告全编.2005年/魏礼群主编;国务院研究室编/中国言实出版社,2005.7

政府工作报告全编.2006年/魏礼群主编;国务院研究室编/中国言实出版社,2006.5

科学发展观重要论述摘编/中共中央文献研究室编/中央文献出版社,2008.9

推进社会主义新农村建设文件汇编/中国法制出版社,2006.2